W9-ATB-359

ARTHUR RIMBAUD

CLASSIQUES MODERNES

ARTHUR

RIMBAUD

ŒUVRES COMPLÈTES
Poésie, prose et correspondance

Introduction, chronologie, édition, notes, notices et bibliographie par Pierre Brunel, professeur à l'Université de Paris-Sorbonne, membre de l'Institut universitaire de France

La Pochothèque
LE LIVRE DE POCHE

A Frédéric Mancier, qui connaît les joies mais aussi les risques de l'écriture, pour son aide et son soutien amical dans « l'étude au bruit de l'œuvre dévorante qui se rassemble et remonte dans les masses » (*Illuminations,* « Jeunesse » I).

Pierre Brunel, professeur à la Sorbonne et membre de l'Institut Universitaire de France, est l'auteur de plusieurs livres sur Rimbaud, dont *Arthur Rimbaud ou l'éclatant désastre* (1983), *Rimbaud. — Projets et réalisations* (1983), *Ce « sans-cœur » de Rimbaud* (1999). Il n'a cessé d'éprouver pour ce poète une admiration passionnée.

© Librairie Générale Française 1999 pour la présente édition.

Ce volume contient :

Les poésies,
les lettres de la vie littéraire,
les premières proses,
Une saison en enfer et ses avant-textes,
Illuminations,
la Correspondance et des textes des dernières années.

Fêtes de la lecture

Arthur Rimbaud séduit, et pourtant il fait peur. Sa mère avait dépassé le seuil de l'inquiétude quand, adolescent fugueur, il partit pour Paris le 29 août 1870. Trois ans plus tard, elle a deviné ce qu'il en était de sa relation avec Verlaine. « J'ai toujours compris que le dénouement de votre liaison ne devait pas être heureux », écrit-elle à ce compagnon calamiteux de son second fils, le 6 juillet 1873. Elle ne croyait pas si bien dire : le 10 juillet, Verlaine tirait deux coups de revolver sur Rimbaud et le blessait au poignet gauche. *De Profundis* : avant de servir de titre à Oscar Wilde bouleversé par le passage dans sa vie d'Alfred Douglas, le début du psaume pénitentiel surgit dans *Une saison en enfer*, quand Rimbaud fait lui-même le bilan négatif de son aventure avec Verlaine :

« *De Profundis Domine*, suis-je bête ! »

Toujours prêt à marcher, à bondir, Rimbaud est tout autant l'homme du retournement. Après l'incident de Bruxelles, il a passé l'été 1873 dans la ferme familiale de Roche, près de sa ville natale de Charleville, dans les Ardennes. Il y a fait une cure de solitude. Il ne se sent pas prêt à vivre parmi les paysans ou dans le culte des ancêtres. Il n'a pas envie de faire de vieux os auprès des siens. Il part, et pour de longues années. Il revient de plus en plus rarement. Et pourtant, du fin fond de l'Abyssinie, dans le Harar, il pense à se marier, à avoir un fils. Il n'est pas seulement prêt à se ranger. Il est rangé déjà. Au loin, il est devenu un travailleur. Il gagne de l'argent. Il fait des économies. Il les confie à sa mère.

Mme Rimbaud a changé d'avis au sujet de son fils. Elle s'inquièterait plutôt de voir qu'il en fait trop. « Il te faut surtout du repos », lui écrit-elle le 27 mars 1891, quand elle apprend par une lettre qu'il souffre de la jambe. Elle reste silencieuse après son amputation en juillet, après sa mort en novembre. Mais dix ans plus tard, quand elle fait exhumer ses restes et remet en ordre le caveau familial, dans le cimetière de Charleville, elle écrit à sa dernière fille, Isabelle :

« J'ai fait mon devoir. Mon pauvre Arthur qui ne m'a jamais rien demandé, et qui par son travail, son intelligence, sa bonne conduite avait amassé une fortune, et amassé très honnêtement, il n'a jamais trompé personne [...] [1]. »

Pour un peu, Arthur Rimbaud entrerait dans le martyrologe du travail, lui qui avait écrit, au creux d'*Une saison en enfer*, « feignons, fainéantons » (« L'Éclair »). Sa vie, considérée en son entier, proposerait un « Rimbaud des familles », comme sa fin à l'hôpital de Marseille, présentée comme édifiante par sa sœur Isabelle, devenue garde-malade, donnerait l'exemple, sinon d'une conversion, du moins d'un retour à la religion de l'enfance. Mais outre que le témoignage d'Isabelle est plus que douteux, peut-on annuler pour autant la dénonciation du Tartufe, en 1870, le climat malsain des « Premières Communions », en 1871, le rejet du baptême et de la « sale éducation d'enfance », en 1873 ? « Je sens le roussi, c'est certain », reconnaît le damné sur terre (« Nuit de l'enfer »). Le lecteur aussi, quand il respire trop longuement les vapeurs méphitiques qui s'exhalent de ses « hideux feuillets ».

Les œuvres de Rimbaud figurent aujourd'hui dans les bibliothèques familiales. Sous forme d'élégantes plaquettes, ou de volumes plus épais, elles peuvent être offertes en cadeau. Mais l'arbre de Noël, la fête d'anniversaire ou le repas de mariage n'appellent guère, même longtemps après, la présence de celui qui fut si irréductible entre sa seizième et sa vingtième année, et si insaisissable jusqu'à sa maladie et à sa mort. En 1872, il dépeuplait d'anges les sapinaies pour y faire affluer les corbeaux. En 1873, il refusait de se laisser « embarqu[er] pour une noce avec Jésus-Christ pour beau-père ». Et aller sur ses vingt ans, en 1874, il ne le concevait qu'avec résignation. « Aller mes vingt ans, si les autres vont vingt ans... », soupire-t-il à l'avance, dans *Une saison en enfer*. Dans les *Illuminations*, il imagine pour ses « vingt ans » (« Jeunesse » III) un mouvement lent de marche funèbre (« Adagio »). Le poème en prose exprime la mélancolie amère de l'adieu plus que le climat de la fête :

1. Lettre du 1er juin 1900, dans l'édition Antoine Adam des *Œuvres complètes* de Rimbaud, Gallimard, Bibliothèque de la Pléiade, 1972, p. 800.

« Un chœur, pour calmer l'impuissance et l'absence ! Un chœur de verres, de mélodies nocturnes... En effet les nerfs vont vite chasser. »

C'est pour conjurer une dépression annoncée qu'il convoque les verres qui se choquent, les chants bachiques, le climat de la cave d'Auerbach dans le premier *Faust* de Goethe, un texte qu'il a demandé à son compère Ernest Delahaye et qu'il a lu. Des « noces » de ce genre, il prétend en avoir connu : « quelques noces », dit-il dans une autre des *Illuminations*, « où ma forte tête m'empêcha de monter au diapason des camarades ».

Des nuances, des réserves même apparaissent déjà. Ces fêtes entre camarades étaient peut-être trop banales pour qu'il pût s'y plaire. Sa « forte tête », dont le « grand caractère » de Bottom offre une autre représentation, exprime l'orgueil d'un être singulier, qui se sait et se veut tel. Ce n'est pas par impuissance, mais par mépris, par volonté de distance, qu'il ne peut se mêler à la franche lippée, à la vulgaire beuverie. Il y a en lui quelque chose qui résiste à cela, ce qu'il appelle dans un poème de juin 1872, « Âge d'or », sa « nature princière ».

L'écolier rêvait d'être rentier. Le collégien rédigeait, en classe de rhétorique, une lettre de Charles d'Orléans au roi Louis XI, toute pleine de ce qu'aimait François Villon, les « tavernes flamboyantes, pleines du cri des buveurs heurtant les pots d'étain ». Mais après l'interruption prématurée de ses études, après la guerre, que lui restait-il ? Les troquets de Charleville, où il se faisait payer des bocks par « d'anciens imbéciles du collège », le café de l'Univers, place de la Gare, près du kiosque à musique, d'où l'on a une vue plutôt réduite, celle du dérisoire « cosmorama Arduan ».

À Paris, l'académie d'Absinthe, ou d'Absomphe, qu'il fréquentait avec ou sans Verlaine, à Londres, les pubs où il s'enivrait, lui offraient-ils le secours de paradis artificiels ? La lettre à Delahaye de juin (jumphe) 1872 en dit long sur ces moments d'ivresse après lesquels il ne reste plus qu'à « se coucher dans la merde ». « Comédie de la Soif », un poème en cinq sections, en cinq actes, élaboré au même moment, éloigne la vision du Bitter ou de l'Absinthe, ainsi que tous les paysages de l'ivresse, pour une tout autre image, qui aurait sa préférence : celle de son cadavre pourrissant sous l'affreuse crème de l'étang. Voilà bien l'un de ces moments où les nerfs ont l'air de chasser, — nous dirions vulgairement aujourd'hui : de lâcher. Alors il se tourne vers l'eau, vers la pureté, vers la transparence de l'eau, celle qu'il boit parfois toute la nuit (lettre à Delahaye de juin 1872), l'eau de source qu'il appelle comme par antiphrase « vin des cavernes » dans « Vagabonds », celle des illuminations qui exprime le mieux sa hâte d'aller à l'essentiel, de « trouver le lieu et la formule ».

Deux pôles d'attraction se dessinent, mais très vite ils perdent leur éclat : la fête des buveurs, des noceurs ; la fête infernale.

La première est évoquée dans les *Illuminations* pour une de ces « Vies » imaginaires qui appellerait un Breughel d'Enfer ou de Velours. « À quelque fête de nuit dans une cité du Nord, j'ai rencontré toutes les femmes des anciens peintres. » La beuverie serait sans doute complétée par une manière d'orgie, réduite au rassasiement des sens. Mais comme dans presque tous ces poèmes en prose, la chute est décevante, humiliante ou mortifère. L'excès conduit aussi aux déserts de l'amour, et nul ne s'y est senti plus isolé que Rimbaud.

C'est Verlaine qui évoquera la fête infernale, autour d'un Satan adolescent, dans « *Crimen amoris* ». Ce magnifique poème, écrit dans la prison de Bruxelles au cours de l'été 1873, est une réplique involontaire à *Une saison en enfer*. Car le « plus beau d'entre tous [l]es mauvais anges », qui a « seize ans sous sa couronne de fleurs », ne peut être que Rimbaud. N'a-t-il pas le visage d'un ange sur le tableau peint et exposé en 1872 par Henri Fantin-Latour, *Coin de table* : « un tout jeune homme », écrivait Banville dans son compte rendu du Salon, « un enfant de l'âge de Chérubin, dont la jolie tête s'étonne sous une farouche broussaille inextricable de cheveux[1] ». Mais il participe à « la fête aux Sept Péchés » et, dans le poème de Verlaine, plus la fête autour de lui se fait folle, plus il s'écarte des autres Satans, plus il s'isole dans son désir de créer Dieu jusqu'au moment où, laissant tomber sa torche, nouvel Érostrate, il incendie le palais, anéantissant les fêtards et se condamnant lui-même à la disparition :

> « Il dit tout bas une espèce de prière,
> Qui va mourir dans l'allégresse du chant. »

Verlaine a attiré notre attention sur les « prières » de Rimbaud. Dans la troisième lettre qu'il lui adressait en avril 1872, il lui demandait de lui envoyer ses « vers anciens » et ses « prières nouvelles ». Que faut-il entendre par là ? Il ne s'agit plus de ces appels à la pitié, de ces lettres de « geinte », « martyriques », où les gémissements bien souvent se confondaient avec des demandes d'argent. Quand la prière ne se retourne pas,

1. *Le National*, 16 mai 1872. Cité par André Guyaux dans le Cahier de l'Herne Arthur Rimbaud, 1993, p. 405.

comme ce sera le cas dans *Une saison en enfer*, elle prend chez Rimbaud des formes extrêmes : l'appel lancé du fond du dénuement physique et moral, dans « Honte », un poème qu'on peut dater de 1872 ; la prolifération, dans cette illumination intitulée « Dévotion », dont Yves Bonnefoy donnera une autre version infiniment plus apaisée. « Honte » est une nouvelle manière de présenter une « *Pietà* », en convoquant l'horreur, sans Madone et sans Christ. « Dévotion » entraîne dans le vertige des appels multipliés, et aussi dans un paysage polaire qui ouvre sur l'Hadès, comme l'antique pays des Cimmériens, là où Ulysse se rendit pour évoquer les morts. Il n'y manque même pas une Circé masculinisée en Circeto.

Rimbaud, bien formé à la technique du pastiche par son dernier professeur de lettres, Georges Izambard, a très souvent joué à ce jeu, en en variant et en en multipliant les possibilités. L'un des plaisirs que nous prenons à la lecture de ses œuvres vient de là. Il faut dépasser des exercices qui restent encore scolaires, comme « Bal des pendus » — autre retour à François Villon —, pour savourer ce talent hors pair de pasticheur. Sous la forme la plus basse, cette veine nous vaut les poèmes qu'il donna à l'*Album zutique* et tous ces faux « coppées » dont le dernier en date est le dizain sur le prince impérial inscrit en septembre 1872, à Londres, sur l'album du dessinateur Félix Régamey. Sous la forme la plus haute, on assiste à une tentative insistante, patiente, pour réécrire l'évangile, en particulier à partir de l'Évangile selon saint Jean. Un tel projet apparaît à l'état pur dans les trois proses, dites « évangéliques », et plutôt contre-évangéliques, qui figurent au verso des brouillons d'*Une saison en enfer*. Il se continue dans ce livre, le seul que Rimbaud ait vraiment achevé. Il en reste des traces dans les *Illuminations*, au terme probable d'un itinéraire poétique exceptionnellement bref.

Il était inévitable qu'une telle fête du pastiche coïncidât, à de certains moments, avec l'évocation même de la fête ou avec une nouvelle forme de fête. Rimbaud n'a pas cherché à reprendre « La fête chez Thérèse » de Victor Hugo, baignée par le « clair de lune bleu » dans *Les Contemplations*, mais il a, au moins à deux reprises, pastiché ou — plus malignement — parodié les *Fêtes galantes*, ce recueil par lequel, dès 1870, un Verlaine inconnu retenait son attention[1]. En 1871, c'est sans doute pour Verlaine et pour s'introduire auprès de lui qu'il écrivait « Tête de Faune » : la fête galante, sans nul souci de Bergame ou de Watteau, est une fête du rire, d'un rire solitaire mais communicatif dont tremble chaque feuille

1. Voir la lettre à Georges Izambard du 25 août 1870.

après le passage du faune. L'*Album zutique* fait place à une petite « Fête galante » signée Paul Verlaine, mais contresignée A.R., un « verlaine » où le couple Scapin/Colombina, repris de la comédie de Molière et de la *commedia dell'arte*, est prétexte à des sous-entendus ou des entendus grivois. La « ribote » n'est pas seulement la fête du lapin tapin, mais des rimes, des mètres et des mots.

L'hôtel des Étrangers, siège du Cercle zutique, au Quartier latin, fut pour Verlaine et Rimbaud, à un autre titre que l'académie d'Absinthe voisine, le lieu d'une fête permanente, ou du moins d'une joyeuse complicité. Ils collaborent à un pastiche du Parnassien Mérat, ce « Sonnet du Trou du Cul » qu'ils croient bon d'ajouter à son recueil de blasons du corps féminin, *L'Idole*. Parfois ils s'imitent l'un l'autre. Mieux, ils sont saisis d'une même émulation poétique, qui peut faire penser à un chant amébée d'un nouveau genre. Comme les bergers de Théocrite ou de Virgile, ils se répondent par des poèmes. C'est ce qui fait tout le prix de leur premier séjour commun à Bruxelles, en juillet et en août 1872, au début de ce que Verlaine a appelé « le vertigineux voillage ». Il est clair, par exemple, que les « espèces de romances » de Rimbaud, même si elles devaient porter le titre d'*Études néantes*, répondent aux *Romances sans paroles* que prépare Verlaine parallèlement. L'Idylle qui les réunit, celle à laquelle met fin brutalement le poème intitulé « Michel et Christine », celle qu'anéantit la sombre journée du 10 juillet 1873, fut aussi cela.

Rimbaud n'a pas écrit d'*Idylles* ni de *Bucoliques*, mais il a laissé des *Fêtes*. Deux séries de poèmes portent ce titre, et elles datent du temps de la plus grande complicité avec Verlaine, en 1872. « Fêtes de la faim » apparaît d'abord, il est vrai, comme un poème isolé, daté d'août 1872 ; mais Rimbaud lui ajoutera un second poème sans titre, « *Le loup criait sous les feuilles* », quand il le reprendra en l'allégeant dans *Une saison en enfer*. Le titre même sera abrégé en « Faim », comme si le jeune écrivain, désormais séparé de Verlaine, avait mis fin à la fête (pardon pour le jeu de mots, comme il le demandait lui-même à Izambard dans sa lettre du 13 mai 1871). Dans ces vers, Rimbaud imite et reprend le tour des « Chevaux de bois » verlainiens, évocation du champ de foire de Saint-Gilles, à Bruxelles, au cours de ce même été :

> « Tournez, tournez, bons chevaux de bois,
> Tournez cent tours, tournez mille tours » (Verlaine).

« Tournez, les faims ! paissez, faims,
Le pré des sons ! » (Rimbaud).

Il entraîne alors dans son manège poétique la femme de Barbe-Bleue et sa sœur Anne, les cailloux et les pains semés par le Petit Poucet. Les fêtes de la faim sont aussi fêtes des sons, fêtes des mots, quand la cloche sonne « Dinn [dîne] ! dinn ! dinn ! dinn ! ». C'est le glas du ventre creux, mais le monosyllabe obstiné tinte joyeusement, comme si le dénuement était la condition d'une fraîcheur poétique nouvelle, du vert paradis des jeux du langage. La doucette et la violette y auront leur place comme les comptines d'enfants.

Un peu antérieures aux « Fêtes de la faim », les « Fêtes de la patience » constituent la série la plus complète et la plus représentative. Sans doute après coup, mais très vite, Rimbaud a regroupé sous ce titre quatre de ses poèmes du printemps 1872. Il a retenu chaque fois la version la plus aboutie : 1. « Bannières de mai » ; 2. « Chanson de la plus haute Tour » ; 3. « L'Éternité » ; 4. « Âge d'or ». Le dernier de ces poèmes entraîne dans une ronde, à laquelle préparaient l'usage du refrain ou le retour de la strophe dans les deux précédents. Et cette ronde pourrait ne jamais finir, *indesinenter* — « sans jamais s'achever » —, comme on lit sur l'un des manuscrits.

« La patience n'est pas qu'endurance forcée : elle a aussi ses "fêtes" », écrit Roger Munier. Le critique, doublé d'un écrivain, a réuni sous le titre de « Fêtes de la patience » non seulement les quatre poèmes de la série, mais tous les poèmes du printemps et de l'été 1872. Plusieurs ont été mêlés aux poèmes en prose lors de la première et de la seconde édition des *Illuminations*, en 1886, quand Rimbaud, au loin, avait comme perdu le souci et le souvenir de son œuvre. « Bannières de mai », dans la continuité des traditionnelles fêtes de mai, voudrait célébrer, sinon une adhésion, du moins une « reddition heureuse[1] » à la nature. Le poème reste pourtant plein d'ambiguïtés : la célébration de la vie ne parvient pas à dissiper les ombres de la mort ; l'imagerie angélique, presque sulpicienne, n'est sollicitée que pour être traitée avec ironie. Le chariot comique de Thespis, les Bergers de l'Idylle sont entraînés dans un vertige de destruction. Le rire lui-même est rejeté. On ne rit plus aux parents, comme l'enfant nouveau-né à la fin de la *Quatrième Églogue* de Virgile. On ne rit pas davantage au Soleil, dont les

---

1. Roger Munier, *L'Ardente Patience d'Arthur Rimbaud*, José Corti, 1993, p. 88. Sur « patience » et « impatience », voir « L'interruption », par Alain Badiou, dans *Le Millénaire Rimbaud*, volume collectif, Belin, L'extrême contemporain, 1993, en particulier p. 149 : « l'interruption traverse le mot *patience* jusque dans le poème de sa fête ».

deux vagabonds, ceux aussi des *Illuminations*, ont voulu être les fils. Demeurent seuls, inquiétants plus que rassurants, les liens élémentaires et les appétits réduits à des nécessités vitales : et c'est déjà la faim des « Fêtes de la faim », la soif de « Comédie de la Soif ».

La fête de la patience va ici de pair avec une poétique de la patience. Rimbaud, d'abord formé à la technique de Hugo et des Parnassiens, renonce à la rime. Il recherche des assonances plus rares et plus subtiles. Lui qui avait parlé à Banville de supprimer l'alexandrin [1], il passe de l'octosyllabe au vers de cinq syllabes dans « Chanson de la plus haute Tour », « L'Éternité » et « Âge d'or ». La rhétorique du discours versifié avait été fortement sollicitée dans certains longs poèmes de 1870 (« Le Forgeron », « Soleil et chair »). En 1871, l'alexandrin communique encore son mouvement puissant au « Bateau ivre », jusqu'au moment où il s'échoue, comme lassé de ses dérives. Le vers long cède la place à des tours volontairement plus « gais », plus « faciles », — à des traits plus pénétrants aussi. Plus bref, le vers revient avec une inlassable patience pour tenter de faire passer du souvenir nostalgique à l'oubli, de la possession par la foule au dégagement, du questionnement inquiet à la transparence et à la ferveur premières. La fête peut bien être dès lors une fête nuptiale, mais ce sont les noces de la mer et du soleil, célébrées sous le signe de l'Éternité. Elle invite à un retour à l'Âge d'or, comme l'idylle dans la *Quatrième Églogue*, un texte que Rimbaud, excellent latiniste, connaît bien et dont il reste pénétré.

Jamais, sans doute, il n'a autant multiplié les fêtes que dans ses poésies du printemps et de l'été 1872. Aux « Fêtes de la faim », aux « Fêtes de la patience », il faut ajouter les « fêtes de nuit », dans un bref poème sans titre écrit à Bruxelles en juillet 1872, « *Est-elle almée ?...* ». Dans un autre poème de Bruxelles, « *Plates-bandes d'amarantes...* », il se donne à lui-même la fête des images visuelles ou sonores, poétiques toujours, que suscite en lui la contemplation du boulevard du Régent, l'artère la plus aristocratique de la capitale belge.

Ainsi s'explique le goût très vif qu'il eut pour l'art de la variation. Jamais il ne l'a associé, comme Théophile Gautier, aux nombreuses broderies de Paganini sur « Le Carnaval de Venise ». Il attend autre chose d'un violon ou d'un poème que ces acrobaties de virtuose : il sonde le bois précieux, il est à l'écoute de la surprise que lui réserve le langage. Avant même les mots, il interroge les lettres, et d'abord les voyelles, pour voir naître sous sa plume des kyrielles d'images. Ce qu'il appelle modestement « études », c'est cela : la fête intérieure qu'il se donne en écrivant. Au moment même

---

1. Banville le rapporte dans le même compte rendu du *National*, le 16 mai 1872.

de la Commune de Paris, il refait à sa manière les « Études de mains » de Gautier, quand il évoque dans une série de variations « Les Mains de Jeanne-Marie » la révoltée, la pétroleuse, mais pour dire la grâce de ces « mains fortes », l'innocence de ces mains tachées de sang.

Au simple plaisir d'imiter, puis de pasticher, de parodier, à l'ardeur de progresser, Rimbaud a compris qu'il devait substituer la découverte en lui de l'*autre*, l'attention à des voix non seulement « intérieures », à la manière d'Olympio, mais étranges, « égarée[s] au possible ». Les affirmations parfois abruptes du « Voyant », en mai 1871, sont dépassées par le spectacle prodigieusement multiplié d'un « opéra fabuleux ». La fête n'est plus sur la place publique, ou dans la salle, mais sur une scène qui, jusque dans les *Illuminations*, se prolonge à l'infini et se charge d'êtres imprévus.

De ces fêtes Rimbaud pourtant connaît la fragilité. Telle est la limite et de l'« hallucination simple » et de l'« hallucination des mots », deux étapes de l'« histoire d'une de [s]es folies ». Il les présente tour à tour, et liées, dans « Alchimie du verbe », à un moment de doute, de rejet même, malgré l'apparente complaisance dans le retour sur le passé. Sans doute le dérèglement volontaire de tous les sens, prôné dans la longue lettre-programme du Voyant, le 15 mai 1871, donnait-il au poète nouveau l'accès à des plaisirs inconnus, sans doute était-ce une autre manière d'aller au spectacle que de s'en donner à soi-même, en les tirant de soi, en « voy[ant] très-franchement une mosquée à la place d'une usine, une école de tambours faite par des anges, des calèches sur les routes du ciel, un salon au fond d'un lac ». Mais les souffrances aussi sont énormes, et au point de départ de l'expérience déjà il en avait conscience.

Après la grande fête de l'imagination, la retombée est plus douloureuse que jamais, — comme au matin d'une longue nuit d'ivresse. Rimbaud, qui croyait être parvenu à « fixer des vertiges », ne parvient pas à fixer le vertige de l'échec dans *Une saison en enfer*. Désinvoltes ou dramatiques, parodiques ou non, toujours tendus, les « Délires » constituent, dans le livre de 1873, une nouvelle série, mais pour dire cette fois la crise, la « déchirante infortune ». Dans l'« Adieu », celui qui craint de ne plus savoir parler parle encore, il s'obstine à *voir*, et à contempler une grande fête nautique au ciel, dominée par un grand vaisseau d'or. Mais la nef emporte la fête, et elle le nargue en le laissant au bord. L'aveu prend des allures de désaveu, la confession tourne à la confusion :

> « J'ai créé toutes les fêtes, tous les triomphes, tous les drames. J'ai essayé d'inventer de nouvelles fleurs, de nouveaux astres, de nouvelles

chairs, de nouvelles langues. J'ai cru acquérir des pouvoirs surnaturels. Eh bien ! je dois enterrer mon imagination et mes souvenirs ! Une belle gloire d'artiste et de conteur emportée ! »

Dans ces phrases l'ambition s'exprime entièrement, mais au passé, quand tout semble aboli — temporairement. Rimbaud a voulu créer *toutes* les fêtes. Il faut surtout entendre par là que le pouvoir du poète, de l'alchimiste du verbe qu'il a cru pouvoir être pendant quelque temps, est de tout transformer en fête et d'organiser en permanence la fête des mots. L'« Adieu » d'*Une saison en enfer* rappelle la difficulté chronologique que rencontre tout lecteur de Rimbaud. Car si les fêtes précédemment évoquées sont antérieures à l'été douloureux de 1873, la tentative pour « inventer de nouvelles fleurs, de nouveaux astres, de nouvelles chairs, de nouvelles langues » correspond bien davantage au projet qui a présidé aux *Illuminations*. La prodigieuse éclosion des « Fleurs », par exemple, la création d'un corps nouveau, mieux qu'une femme artificielle, dans « *Being Beauteous* », l'illustrent de manière exemplaire. Mais une telle tentative a-t-elle eu lieu avant la rupture avec Verlaine ?

Maints éléments seront proposés dans ce volume pour résoudre ce qu'on appelle, depuis les travaux de Henry de Bouillane de Lacoste, « le problème des *Illuminations* ». Le travail, toujours inabouti, de mise au net et de mise en ordre du recueil, en 1874, n'excluait nullement un travail antérieur de création, sans doute poursuivi à Londres cette année-là. Il le rend au contraire plus vraisemblable encore. La fête peut se faire bruyante, grinçante même, dans « Parade » ; elle fait place au contraire à l'attente d'un « nouvel amour », d'une « nouvelle harmonie » (« À une Raison »). Aux banales « fêtes de fraternité » sera toujours préféré le tintement muet d'une « cloche de feu rose dans les nuages ». Le plaisir suprême sera celui que se donne à lui-même le funambule de l'espace :

« J'ai tendu des cordes de clocher à clocher ; des guirlandes de fenêtre à fenêtre ; des chaînes d'or d'étoile à étoile, et je danse. »

Est-ce une manière de fête que de refaire le monde avec des mots ? N'est-ce au contraire que l'illusion d'un nouveau saint Antoine, victime de ses visions ? Rimbaud a fait place à bien des formes de spectacle dans les *Illuminations* : à la « *Fairy* » d'Hélène, à des « Scènes » où semblent se superposer tous les théâtres connus, aux métamorphoses de Bottom, le clown shakespearien, comme lors des fêtes pour l'hyménée du duc Thésée et de la reine des Amazones Hippolyta dans *Le Songe d'une nuit d'été*. La comédie, en 1600, évoquait les rites de mai. Rimbaud, dans les *Illuminations*, passe des fêtes d'été aux fêtes d'hiver.

Le court poème en prose qui précisément s'intitule « Fête d'hiver » ne doit rien aux plaisirs offerts aux promeneurs ou aux patineurs du Bois de Boulogne. Il rassemble, dans une forme étonnamment concise, des données antérieures, images antiques recréées par des modernes, images exotiques fixées par des peintres occidentaux, décors d'opéra-comique et girandoles. La forme brève permet paradoxalement de suggérer le multiple, le foisonnant, le méandreux, le vertigineux même, jusque dans ces « Rondes Sibériennes » qui, comme les refrains d'« Âge d'or », pourraient ne jamais finir. Le titre, comme le texte, laisse pourtant sur l'impression de quelque chose de glacé, comme si l'emportaient les « influences froides » dont il est question dans « *Fairy* ».

C'est une autre des limites de la fête de la création, de la re-création, dans les *Illuminations*. Ainsi se prépare peut-être le silence de Rimbaud, cette mort qui a précédé de plus de quinze ans sa vraie mort. Les nouvelles fêtes de la faim dans la chambrée des conscrits (« Rêve »), le dernier tour de « Valse » avec Lefèbvre, le fils du propriétaire introduit parmi les pioupious, ne feront que précipiter ce processus désastreux.

Au-delà de la lettre adressée à Ernest Delahaye le 14 octobre 1875, plaisamment caractérisée par Steve Murphy comme correspondant à « la faim des haricots » (toujours le même jeu de mots !), Rimbaud nous offre-t-il d'autres fêtes ? On peut en douter. La correspondance des quinze dernières années ne laisse pratiquement aucune place au rire ou même au sourire. Il n'est point de fête du café à Aden, point de fête de l'ivoire au Harar. On y entend hurler les hyènes. On y empoisonne les chiens. Dans les lettres, les jeux de langage ne sont que très rarement sollicités. Parfois même le poète si prodigieusement doué perd son français. En 1891, à l'hôpital de Marseille, plus que jamais, la vie apparaît au malade comme « une misère, une misère sans fin ! ». L'*indesinenter* n'est plus celui de la ronde d'« Âge d'or », mais une litanie du deuil que porte déjà le vivant.

Pour nous faire oublier cette misère de l'homme, ou pour nous dégager à notre tour de cette condition tragique, Rimbaud nous a permis de croire à la « fécondité de l'esprit », au pouvoir magique du « Génie », et même à ce sentiment de l'inépuisable que laisse le solde de ses entreprises. Verlaine repenti peut bien célébrer, dans *Sagesse*, « la fête du blé », « la fête du pain ». Rimbaud, lui, nous offrait des fêtes de mots dont il était le seul inventeur et dont il avait seul la clef. Ce sont pour nous, et pour longtemps, des fêtes de la lecture.

P. B.

INTRODUCTION
AUX *ŒUVRES COMPLÈTES*

Situation de Rimbaud

Ce n'est pas seulement parce qu'il est l'auteur des *Illuminations*. Arthur Rimbaud nous laisse l'image d'un génie fulgurant qui hante notre imagination. Un mythe s'est constitué autour de lui. Nul n'y échappe quand il se penche sur son œuvre. Même ses détracteurs — il en existe encore — ne peuvent résister à une fascination exercée par « la grâce croisée de violence nouvelle ».

Rimbaud s'est plu à se peindre en Génie oriental, à la manière des *Mille et Une Nuits*. En juin 1871, il ne retenait cette image que pour représenter le contemplateur d'un jeune homme comme lui, d'un « beau corps de vingt ans qui devrait aller nu », — il en avait seize. Il écrivait alors « Les sœurs de charité ». Trois ans plus tard, il se dédouble, dans « Conte ». Il ne se contente pas de dire : « Je est un autre. » Il imagine cet autre, sous les traits d'un Génie qui apparaît à un Prince. Il est « d'une beauté ineffable, inavouable même ». Il promet un amour « multiple et complexe » qui doit consoler des « vieilles amours mensongères », des « couples menteurs », dénoncés dans *Une saison en enfer*, après la rupture avec Verlaine, en juillet-août 1873. « Génie », au terme des *Illuminations* et de l'œuvre de Rimbaud, se confond avec le nouvel amour qui devait être la chance du véritable bonheur. À la rencontre mortelle du Prince et du Génie, à leur anéantissement conjoint succède une apparition tantôt proche et tantôt lointaine. On le voit et il disparaît. Il passe. Il nous laisse son pas.

Tout Rimbaud est là, dans cette présence et dans cette absence, dans cette proximité et dans cette distance. Nous comprenons ce qu'il rejette, souvent avec violence : les contraintes du milieu familial, l'espace étroit d'une ville médiocrement bourgeoise, Charleville, dans les Ardennes, la

France du Second Empire, la religion catholique, la dévotion bigote dans laquelle sa mère l'a élevé, — mais tout aussi bien, quand il en a fait le tour, les cercles de poètes et d'esthètes parisiens, et le couple absurde qu'il a formé avec Verlaine, vu désormais comme « un compagnon d'enfer ». Le lecteur, même s'il n'est qu'un de ces « assis » que Rimbaud a méchamment caricaturés, le suit dans sa révolte, qu'il s'arrête en chemin ou qu'il aille jusqu'au bout. Mais il partage aussi ses intenses moments de ferveur : sa complicité avec la nature, son écoute du chant des étoiles, dès les poésies de 1870 ; son étreinte avec l'aube d'été, le surgissement d'êtres parfaits et imprévus dans les *Illuminations*.

Le collégien de Charleville est né à la poésie par cette ferveur-là. Elle ne se confond pas avec la sensiblerie des « Étrennes des orphelins », son premier poème publié le 2 janvier 1870, où l'on reconnaît à la fois l'inspiration sociale de Victor Hugo et la manière intimiste de François Coppée. Elle prend la forme encore scolaire d'un hymne à Vénus, dans « Soleil et chair », qui passe visiblement par le modèle de Lucrèce. Mais surtout le poète de quinze ou de seize ans sait trouver la note juste — on serait tenté de dire, en se souvenant de Frédéric Chopin, la note bleue : les « beaux soirs d'été », devenant les « soirs bleus d'été », dans « Sensation », donnent une première et juste idée de cette conquête, qui est déjà le fruit d'un travail. *Travail*, Rimbaud n'aime pas ce mot. « L'Éclair » l'atteste, dans *Une saison en enfer*. Si illumination il y a ici, elle est dans le faux éclat du « travail humain », dans son « explosion ». Lui qui n'aime ni la « main à charrue » ni la « main à plume », il voudrait exister en s'amusant, en prenant ses distances avec les apparences du monde, en jouant tous les rôles sans assumer aucune fonction.

Pourtant ce jeune poète riche de dons travaille. Bon élève, il secoue moins la tutelle de l'école qu'il ne la fuit quand, après une interruption due à la guerre, il se sent devenu autre, et incapable de rejoindre les « imbéciles de collège » sinon pour se moquer d'eux et les exploiter. En poésie aussi, il est un bon élève. Ses premiers vers français sont écrits dans la marge de ses exercices de vers latins (« Ophélie », « Soleil et chair ») ou des narrations scolaires (« Bal des pendus »). Il a la chance, il est vrai, de bénéficier, à partir de janvier 1870, de l'enseignement d'un jeune professeur qui aime la poésie contemporaine et qui écrit des vers. On ne peut attendre pourtant de Georges Izambard ni qu'il propose au meilleur de ses élèves un paysage poétique bouleversé ni qu'il l'oblige à mettre cent fois sur le métier ses premiers essais poétiques. Au printemps de 1870, Rimbaud rêve de Parnasse — mais du *Parnasse contemporain*. Théodore de Banville, après avoir publié, puis réuni une première série de 1866, s'apprête à en offrir une seconde. Elle devait paraître en 1869 ; elle sera retardée à cause de la guerre franco-prussienne et ne sera disponible qu'en 1871. « Je serai Parnassien », proclame fièrement le collégien de Charleville quand il a le toupet d'adresser à Banville, le 24 mai 1870, trois poèmes accompagnant un billet où il demande au maître du *Parnasse contemporain* de lui accorder une place dans la dernière série de la publication — la troisième.

On a parfois reproché à Rimbaud de n'être qu'un Parnassien dans ses premiers essais de 1870. Il le serait encore en 1871 dans « Le Bateau ivre », ce poème avec lequel il a prévu de faire la conquête des milieux littéraires parisiens. Il use lui-même d'une telle appellation, mais elle n'est pas aussi simple qu'on le croit. S'il s'agit d'être publié dans *Le Parnasse contemporain*, Verlaine l'est, et Mallarmé aussi et pourtant, même à la date de 1866, on ne saurait les réduire à une semblable étiquette. Si être Parnassien est se mettre à l'école de Leconte de Lisle, on fait de l'auteur des *Poèmes antiques* le maître qu'il n'a pas été. Dans une lettre capitale du 15 mai 1871, Rimbaud le classe parmi les « seconds romantiques », en compagnie de Théophile Gautier et Théodore de Banville lui-même. En revanche il fait de Verlaine l'un des deux « voyants » de l'« école parnassienne », avec quelqu'un qu'on n'attend guère à ses côtés, Albert Mérat. On a l'impression que Rimbaud, donnant par lettre un cours d'histoire littéraire, n'est pas plus à l'aise avec les drapeaux d'école que nous ne le sommes, une fois passé le temps de manuels scolaires contraignants et en grande partie obsolètes.

Parnassien, le premier Rimbaud l'est quand il use et abuse de la mythologie, comme dans « *Credo in unam* », devenu « Soleil et chair ». Il l'est tout aussi bien quand il pratique des formes légères, celle de « Première soirée », ou quand il privilégie le sonnet, dans les poèmes du cycle belge, en octobre 1870. Il l'est dans le souci qu'il a de la facture du vers. Mais on sent très tôt en lui le goût de la variété, propice à la liberté. Et cette liberté, cette « liberté libre », il ne la conquiert pas facilement. L'adolescent, qu'on prend deux fois en délit de fugue en 1870, et qui s'échappe encore vers Paris au moins deux fois en 1871, fait aussi des fugues en poésie. Des fugues dans les deux sens du terme : il s'abandonne à la liberté de son imagination dans « Voyelles » ou dans « Le Bateau ivre » ; il s'astreint à reprendre des formes fixes (« Le Cœur supplicié » dans ses trois versions), il s'étonne lui-même de ses rimes, mais pour mieux subvertir tout cela.

Il en résulte pour le lecteur de Rimbaud un plaisir singulier. Il a l'impression d'un jeune virtuose qui dévide magnifiquement ses gammes poétiques, et en même temps il se rend compte que ce Parnassien de stricte obédience prend des libertés grandissantes et tend à briser l'instrument qu'il a en main : dès *Un cœur sous une soutane*, la « bête nouvelle » (c'est-à-dire la nouvelle volontairement bête) de 1870 — une satire de la bêtise surtout —, la lyre, la cithare du jeune séminariste, M. Léonard, n'est qu'un instrument dérisoire auquel Lamartine ne donne même plus de lettres de noblesse romantique. Ses cordes se réduisent aux élastiques de ses souliers blessés, dans la fantaisie « Ma Bohême », à l'automne de 1870. Et l'Orphée baladin en tire pourtant une délicate musique. En 1871, la lyre se désaccorde pour des exercices tendus de parodie et de pastiche. En 1872, elle ne peut plus accompagner que des « espèces de romances ». Puis elle se brise quand le poème en prose tend à se substituer au poème en vers.

Le Rimbaud qui cherchait à constituer un recueil d'*Études néantes*, en 1872, est un inclassable : il laisse loin derrière lui Verlaine. Il flirte avec le néant au lieu d'en faire un absolu, comme Mallarmé : il cherche à dire la nuit, le silence, le vertige, il joue avec l'inexprimable, il fait une expérience des confins du langage. Verlaine a pu l'encourager quand il l'a accueilli à Paris en septembre 1871, il l'a suivi, et pas seulement dans les estaminets de la capitale ou les pubs de Londres mais il reste réservé, lui le pionnier de l'impair, lui le contempteur de la rime — en théorie, non en pratique —, quand il constate les libertés que Rimbaud prend avec la versification dans ses poèmes du printemps et de l'été 1872. Il est frappé par des prodiges de ténuité, mais elle l'inquiète en même temps, comme si elle ouvrait sur de l'impalpable et du vide.

Les anciens manuels ont trop souvent cherché à classer Rimbaud parmi les Symbolistes. Certes, il a voulu « se faire voyant », en mai 1871, mais il n'avait pas la prétention de découvrir les Idées platoniciennes sous les apparences du monde. L'appellation de « symboliste » lui convient encore plus mal qu'à Verlaine. Baudelaire ne peut être ici qu'un précurseur, Mallarmé un cas exceptionnel. Il est vrai que l'année 1886, celle qui permet aux lecteurs de *La Vogue* de découvrir enfin Rimbaud, sans qu'il le sache, est l'année historique du Symbolisme. Mais il s'en est soucié comme d'une guigne, et plus que jamais lorsqu'il s'est retiré volontairement de la littérature pour aller faire du commerce en Arabie ou en Abyssinie. Le 17 juillet 1890, Laurent de Gavoty, rédacteur en chef de *La France moderne*, s'adressait à lui, en lui donnant du « Monsieur et cher Poète », pour le féliciter de ses « beaux vers » — ignorait-il les *Illuminations* ? —, et écrivait qu'il serait « heureux et fier de voir le chef de l'école décadente et symboliste collaborer » à sa revue. Cette lettre paraît dérisoire : passé les premiers essais, Rimbaud n'a plus appartenu à aucune école, et il ne s'est jamais soucié d'être un chef d'école. Il vit dans un autre monde, quand il est devenu le travailleur dont, après sa mort, sa mère parlera avec respect : l'employé des frères Bardey, le chef de leur agence au Harar avant qu'il cherche à y être son propre maître, sans y parvenir jamais. Mais quand il était poète, il vivait aussi dans un autre monde : celui de ses rêveries d'adolescent, de ses voyages imaginaires, celui surtout de la nouvelle Genèse qui correspond aux *Illuminations*, une Genèse qui passe par le verbe du poète comme celle de la Bible passait par le Verbe de Dieu.

Que Rimbaud écrivain ait *travaillé*, nous le savons. Georges Izambard nous l'apprend quand il le montre dans sa maison de Douai, en septembre 1870, acharné à constituer un recueil qui devrait être prêt pour l'imprimerie. Les variantes de ses poèmes le confirment, — et c'est pourquoi nous avons voulu en tenir le plus grand compte dans cette édition. Les brouillons d'*Une saison en enfer*, ou ce qu'il en reste, apportent un témoignage capital, à défaut du manuscrit absent de cette œuvre, la seule à laquelle il ait donné une forme achevée. Rimbaud se lasse vite, il est un perpétuel insatisfait, il porte la marque d'une instabilité qui le conduit de projet en projet, d'écriture en écriture. Il veut « tenir le pas gagné », mais il est toujours d'un pas en avant. D'où cette peine que nous avons parfois à le suivre, et qu'il exprimait très bien lui-même dans « Génie ».

Il sera donc difficile de prendre comme un bloc ces *Œuvres complètes* qui offrent pourtant un « Tout Rimbaud ». Les ruptures y abondent. La plus visible est celle du silence de Rimbaud en littérature, après octobre 1875, et même déjà dans les mois qui ont précédé. Est-il allé si vite qu'il ait tout brûlé de son impatient génie ? S'est-il découragé devant les difficultés de l'édition ? A-t-il été perdu après l'ultime rupture avec Verlaine, à Stuttgart, à la fin de février ou au début du mois de mars 1875 ? A-t-il renoncé à l'écriture au profit d'une aventure qui ne passait pas, ou qui ne passait plus par elle ? Nous en sommes réduits à des hypothèses, et le voile du mystère ne sera jamais levé. Mais il faut surtout comprendre que le Rimbaud des années dites « littéraires » est allé de rupture en rupture, avec les autres comme avec lui-même.

Dans cette parole en archipel, ou parmi ces « péninsules démarrées », la correspondance de Rimbaud constitue un indispensable tissu conjonctif. Elle éclaire les poèmes en vers ou en prose. Parfois elle les devance. Parfois même elle les éclipse. Elle se prolonge, après 1875, dans une masse qui apparaît d'abord comme compacte et indistincte. Ces reliques méritent mieux que le respect. Elles recèlent de petits éclats. Elles offrent un monde qui est lui aussi poétique, mais d'une autre manière — qui peut être la poésie de l'aride. C'est l'autre Rimbaud, et pourtant on constate parfois qu'il est le même : ni châtré, comme il a refusé de l'être, ni intact, comme il l'a affirmé fièrement, mais *complet*, au sens le plus fort du terme.

« Ce passant considérable »

« Ce passant considérable[1] » : le mot de Mallarmé au sujet de Rimbaud mérite de retenir l'attention du lecteur et de le faire réfléchir sur la permanence du transitoire. Il aurait pu être prononcé — le maître des mardis le souligne lui-même — lors d'une de ces conversations rue de Rome où « le nom soudainement d'Arthur Rimbaud se [serait] bercé à la fumée de plusieurs cigarettes ». Il risquait d'être éphémère comme elle, « abol[i] en autres ronds » que les « ronds de fumée[2] » : les caprices de la postérité, qui dans ce cas s'est pourtant montrée étonnamment clairvoyante ; l'indifférence ou le mépris à l'égard de la poésie de tous les ronds-de-cuir, les « assis », les « bureaux » (au sens de bureaucrates) en qui très tôt Rimbaud a reconnu ses ennemis ; mais plus encore qu'en ronds, il se dissipe en bonds d'un être dont la vie et l'œuvre donnent également l'impression d'une extrême instabilité.

Le poème en prose habituellement placé à la fin des *Illuminations*, « Génie », est une manière de fugue de la vie qu'on pourrait opposer à la sinistre « *Todesfuge* » de Paul Celan[3] : « charme des lieux fuyants » en même temps que « délice surhumain des stations », ce Génie qui ressemble autant à Rimbaud qu'au Prince de « Conte » entraîne dans sa mobilité essentielle le temps, les paysages, le ciel, les dévots agenouillés, les émigrants de toute sorte. Celui qui cherchera à faire office de sergent recruteur en Hollande ou en Allemagne, qui formera une caravane pour porter quelques milliers de fusils d'Europe à Ménélik, roi du Choa, procède à une *levée* déjà quand il est poète. C'est la levée des « conscrits du bon

---

1. Stéphane Mallarmé, « Arthur Rimbaud. — Lettres à M. Harrison Rhodes », texte daté d'avril 1896 et d'abord paru dans la revue nord-américaine *The Chap Book*, 15 mai 1896, dont Harrison Rhodes était le directeur. *Œuvres en prose* de Mallarmé, éd. Henri Mondor et Georges Jean-Aubry, Gallimard, Bibliothèque de la Pléiade, 1945, p. 512-519. **2.** Pour reprendre l'évocation et les termes du sonnet de Mallarmé, « *Toute l'âme résumée...* », publié dans *Le Figaro* du 3 août 1895, éd. cit., p. 73. **3.** Paul Celan, *Mohn und Gedächtnis*, Stuttgart, Suhrkamp, 1952. Cette « Fugue de la mort » a été traduite par Valérie Briet dans son édition bilingue du recueil, *Pavot et Mémoire*, Christian Bourgois, 1987, p. 83-89.

vouloir », les colons sanguinaires de « Démocratie », étrangement analogues aux Blancs redoutés par celui qui, dans « Mauvais sang » d'*Une saison en enfer*, « entre au vrai royaume des enfants de Cham », et inquiétante préfiguration, tout aussi bien, de celui qui, à Aden ou au Harar, commandera à des indigènes stupides.

« Et puis, n'est-ce pas misérable, cette existence sans famille, sans occupation intellectuelle, perdue au milieu des nègres », écrit Rimbaud à sa famille le 4 août 1888. Et il ajoute : « on voudrait améliorer [leur] sort » mais, « eux, [ils] cherchent à vous exploiter et vous mettent dans l'impossibilité de liquider des affaires à bref délai ». Tout Rimbaud est dans ces quelques lignes qu'auraient tort de sous-estimer ceux qui négligent sa correspondance finale. Lui qui précise bien, dans une autre lettre aux siens, le 3 décembre 1885, qu'il n'est pas devenu marchand d'esclaves, il sait qu'il n'a cessé d'être pris dans un cercle vicieux qui ne laisse même pas espérer un progrès, comme la dialectique hégélienne du maître et du serviteur : appartenant au « mauvais sang », à la « race inférieure », il a rêvé de force, et pourtant il découvre qu'il n'est qu'« une bête, un nègre », qu'il est la proie de « faux nègres », depuis Napoléon III-Badinguet, l'« empereur, vieille démangeaison », sa cible dans certains poèmes de 1870 (« Rages de Césars », mais sans doute aussi « Le Châtiment de Tartufe ») et tels des poèmes de l'*Album zutique* en 1871-1872 (par exemple le « Fragment d'une épître en vers de Napoléon III »), jusqu'à ses employeurs d'Aden, les frères Bardey, « ces ignobles pignoufs qui prétendaient [l']abrutir à perpétuité » (lettre aux siens, le 22 novembre 1885).

Rimbaud, dont on veut faire le révolté suprême, s'est placé tout au long de sa vie dans des situations de soumission où bientôt il enrage et d'où il cherche à se dégager. Dans « Les Poètes de sept ans », un poème daté du 26 mai 1871 — au temps de la Commune, et même en pleine Semaine sanglante —, il se représente enfant, « su[ant] d'obéissance » devant une mère rigoureuse qui a pourtant, comme lui, « le bleu regard, — qui ment ». C'est en cachette, dans l'ombre des couloirs, qu'il tire la langue, « en passant » — passant hypocrite avant d'être le passant considérable. Quelques semaines plus tard, le 28 août 1871, dans une lettre à Paul Demeny, il se présente comme condamné à un travail forcé par cette mère « aussi inflexible que soixante-treize administrations à casquettes de plomb ». Or lui, explique-t-il, il veut « travailler libre », et à Paris. Il se refuse à tourner ainsi en rond à Charleville, ou à attendre que sa mère veuille bien le gratifier d'un « rond de cuivre » (lettre à Demeny du 10 juin 1871), elle qui ne lui donnerait que « dix centimes tous les dimanches pour payer [s]a chaise à l'église » (fragment reconstitué d'une lettre à Verlaine, septembre 1871).

Et pourtant cette mère terrible, la « mère Rimb. », la « daromphe », la « bouche d'ombre », l'a rendu à jamais esclave de l'argent. À défaut de gagner sa vie en écrivant, ce qu'il a pu espérer entre 1870 et 1874, il s'est fait mercenaire dans l'armée coloniale aux Indes néerlandaises, pour être porté déserteur dès l'arrivée, surveillant d'un chantier de construction à Chypre en 1879, employé de commerce à Aden et au Harar dans les onze dernières années de sa vie. Ce ne sont plus quelques ronds de cuivre, mais « seize mille et quelques cents francs d'or » qu'il porte continuellement dans sa ceinture, quand il est au Caire, en août 1887, après l'échec de la caravane aux fusils : « ça pèse une huitaine de kilos et ça me flanque la dysenterie », écrit-il à sa famille dans l'inquiétante lettre du 23 août 1887 où il s'avoue « excessivement fatigué », tourmenté par des douleurs, dont l'une déjà dans le genou gauche, et où il se représente « les cheveux absolument gris » à trente-trois ans.

Au plus noir d'*Une saison en enfer*, dans « Nuit de l'enfer », il avait écrit, à dix-huit ans : « Je suis esclave de mon baptême. » Mme Rimbaud, responsable du culte de Mammon, le serait aussi de la marque indélébile laissée en lui par le catéchisme et sa « sale éducation d'enfance [1] ». Là encore, lui qui s'entêtait à « adorer la liberté libre » en novembre 1870 [2] et qui l'avait célébrée dans des vers pleins de fraîcheur au printemps de la même année [3], il est pris au piège, et bien plus gravement qu'on ne pourrait le croire. Sans donner des gages à la version de sa fin édifiante que sa dernière sœur, Isabelle, et son futur mari, Pierre Dufour alias Paterne Berrichon, ont cherché à accréditer, on découvre, à lire et à étudier attentivement son œuvre, qu'elle porte la marque profonde de sa formation catholique. Il la rejette, il est vrai, dans « Les Premières Communions » ou dans « L'Homme juste » par exemple, mais il entreprend d'écrire une nouvelle version de l'Évangile selon saint Jean et ce projet, dont nous restent trois fragments (les « Proses » dites « évangéliques »), se prolonge dans *Une saison en enfer*, et en particulier dans « Nuit de l'enfer », quand Jésus apparaît, « march[ant] sur les ronces purpurines, [...] sur les eaux irritées [...] debout, blanc et des tresses brunes, au flanc d'une vague d'émeraude ».

Tout pèse sur Rimbaud : la blessure secrète laissée en lui par la séparation de ses parents (« Mémoire ») ; une solide formation classique, au

---

1. « L'Éclair », dans *Une saison en enfer*. **2.** Lettre à Georges Izambard du 2 novembre 1870. **3.** « *Par les beaux soirs d'été* », qui deviendra « Sensation ».

Collège municipal de Charleville, qui oriente vers le Parnasse le lauréat de vers latins ; la honte d'avoir appartenu au Second Empire finissant ; le « vice » dont il se dit « chargé », dans *Une saison en enfer*, « le vice qui a poussé ses racines de souffrance à [s]on côté, dès l'âge de raison ». L'homosexualité ? peut-être, et on ne peut nier qu'elle ait laissé sa trace dans cette œuvre, depuis la volonté d'encrapulement dans les deux lettres dites « du Voyant », en mai 1871, jusqu'à « H », consonne trop transparente pour être véritablement énigmatique qui sert de titre à l'un des poèmes en prose des *Illuminations*. Plus largement peut-être, ce « vice » est la faiblesse dont se sent coupable celui qui se voudrait fort, la faiblesse que, d'une autre manière, il a vécue et partagée avec Verlaine.

Dans un texte intitulé « Passage de Verlaine », Paul Valéry a évoqué Verlaine, ce « passant » qu'il voyait presque tous les jours quand, venant du Luxembourg, « il gagnait, en gesticulant, quelque gargote du côté de Polytechnique [1] ». Même s'il a été quelque temps son compagnon de vagabondage et d'enfer, Rimbaud n'offre pas le spectacle d'un passant familier. Son vers ne descend pas à la prose, « parfois à la pire des proses », comme le dit Valéry au sujet de Verlaine. Il s'élève au contraire vers une prose d'une qualité rare, celle d'*Une saison en enfer* et des *Illuminations*. Une apparente rupture intervient, il est vrai, quand Rimbaud quitte la littérature, la France, puis « l'Europe aux anciens parapets ». Le passage par le col du Saint-Gothard, évoqué dans cette sorte de lettre inaugurale qu'est la lettre de Gênes du 17 novembre 1878, avant l'embarquement pour Alexandrie, rompt comme définitivement une continuité dont on retrouvera sans doute quelque chose, mais au prix de beaucoup d'efforts et à condition d'une ferveur accrue.

L'œuvre de Rimbaud était-elle alors achevée, ou suspendue, en attente d'autre chose ? Paul Claudel, son admirateur reconnaissant depuis sa découverte des *Illuminations* et d'*Une saison en enfer* dans *La Vogue* en 1886, opte délibérément pour la première hypothèse. « Ce qu'il y a d'étonnant », écrit-il, « quand on lit les *Œuvres complètes* de l'ange de Charleville, c'est de voir le miracle se réaliser sous nos yeux, et d'un milieu d'éructations brutales, de puérilités, d'ébauches informes, de réussites mutilées et vacillantes, se dégager peu à peu, à travers les *Illuminations* encore trébuchantes, à la fin de la *Saison en enfer* le héros définitif

1. *Œuvres* de Paul Valéry, éd. Jean Hytier, tome I, Gallimard, Bibliothèque de la Pléiade, 1962, p. 710-714. Le texte, d'abord intitulé « Autour de Verlaine », parut dans *Le Gaulois* du 27 janvier 1921 avant de constituer une plaquette isolée, sous le titre *Passage de Verlaine*, Bagnères-de-Bigorre, Presses de Maurice Péré, 1925.

et la note pure du grand Alector — désormais prêt à se taire. L'Esprit a passé. L'œuvre est achevée[1]. » Au contraire, Mallarmé a vu en Rimbaud « un enfant trop précocement touché et impétueusement par l'aile littéraire qui, avant le temps presque d'exister, épuisa d'orageuses et magistrales fatalités, sans recours à du futur[2] ». Il a entendu raconter la dernière rencontre de Rimbaud et de Delahaye, en 1879 : le silence au sujet de Verlaine, le dédain désormais de la littérature. Rimbaud a-t-il composé des poèmes « là-bas » : à Chypre, puis à Aden, au Harar ? « On y songe », écrit Mallarmé, « comme à quelque chose qui eût pu être », mais « prolonger l'espoir d'une œuvre de maturité nuit, ici, à l'interprétation exacte d'une aventure unique dans l'histoire de l'art ».

On retombe sur la question initiale : l'espoir d'une œuvre de maturité est-il déçu, ou cette maturité était-elle déjà atteinte dans l'œuvre adolescente ?

Les silences et le silence d'un écrivain

La « carrière poétique » de Rimbaud s'étend sur à peine cinq ans (1870-1874). Elle s'arrête à peu près exactement à la veille de ses vingt ans.

Vingt ans serait ce qui est appelé dans « Conte » « un âge ordinaire » — celui de la mort simultanée du Prince et du Génie, celui de la mort du poète en Rimbaud, celui où, au regard du monde ordinaire, tout devrait rentrer dans l'ordre. Verlaine est en prison depuis le 11 juillet 1873, la ferme de Roche offre le refuge familial et la chance salutaire des travaux des champs. Rimbaud, il est vrai, n'aime guère s'en mêler — sa sœur Vitalie l'avait déjà noté dans son Journal[3]. Il ne le fera qu'occasionnellement lors de certains retours, en 1879 surtout. Sans couper, il rompt. Il ne dit plus « Adieu » à la littérature. Cet adieu est derrière lui. Le souci littéraire est absent du « Rapport sur l'Ogadine » auquel il mit au moins la « main à plume[4] ». Il l'est tout autant des nombreuses lettres qu'il écri-

---

1. « Un dernier salut à Arthur Rimbaud », texte de 1942, préface à l'édition des CI Bibliophiles, repris dans *Œuvres en prose* de Paul Claudel, éd. Jacques Petit et Charles Galpérine, Gallimard, Bibliothèque de la Pléiade, 1965, p. 523-524. Alector : le coq, le « coq gaulois » du poème « *Ô saisons, ô châteaux...* », vers lequel conduit le récit des « Délires II. — Alchimie du verbe », dans *Une saison en enfer*. **2.** « Arthur Rimbaud », *Œuvres complètes*, éd. citée, p. 518. **3.** « Mon frère Arthur ne partageait point nos travaux agricoles ; la plume trouvait auprès de lui une occupation assez sérieuse pour qu'elle ne lui permît pas de se mêler de travaux manuels. » **4.** Sur le problème posé par ce texte, publié parmi les *Comptes rendus des séances de la Société de Géographie* en 1884, voir p. 965.

vit dans ses quinze dernières années. Ces lettres, pour la plupart, ont été adressées aux siens, à ceux qu'il appelle ses « chers amis » : sa mère, qu'il respecte désormais à défaut de l'aimer, sa dernière sœur, Isabelle (l'autre, celle qui portait le prénom de la mère, Vitalie, est morte à dix-sept ans, le 18 décembre 1875). Du père, il n'est jamais question, même quand il disparaît définitivement, le 17 novembre 1878 (Arthur arrive à Gênes, ce jour-là, et il va s'embarquer pour Alexandrie). Le frère aîné, Frédéric, reste extérieur ; Arthur ne le porte pas dans son cœur, ou dans son absence de cœur. Mais il arrive que « l'homme aux semelles de vent » revienne vers les Cuif (la veuve Rimbaud et sa dernière fille qui lui ressemble tant). Il leur écrit d'une façon d'abord très espacée, puis très régulière à partir de son arrivée à Aden-Arabie, en août 1880.

On ne peut donc parler qu'avec précaution de ce qu'on a appelé « le silence de Rimbaud[1] ». Car jamais il n'est plus long bruissement de la langue que dans ces années 1875-1891 ; et pourtant ce sont les années du désert, où la parole poétique a définitivement quitté Rimbaud. Ses lettres, nombreuses, parfois longues, donnent des nouvelles plutôt répétitives, sont encombrées de commandes, de catalogues, de comptes. Tout au plus laissent-elles place, rarement, à l'expression d'un vœu ou d'un regret, d'une confidence, d'un soupir. Quand la souffrance point, elle s'apaise dans une manière de litanie, qui ne se confond pas avec le silence :

« J'espère bien aussi voir arriver mon repos avant ma mort. Mais d'ailleurs, à présent, je suis fort habitué à toute espèce d'ennuis ; et, si je me plains, c'est une espèce de façon de chanter » (lettre aux siens du 10 juillet 1882).

À l'inverse, la production littéraire de Rimbaud a été entrecoupée de silences. D'une manière accidentelle, mais qui tend à devenir générale, l'hiver a pour lui la stérilité que Mallarmé a prêtée à cette saison. Si son tout premier poème, « Les Étrennes des orphelins », a paru le 2 janvier 1870, l'adolescent semble avoir été requis par de tout autres occupations après son retour de Douai, aux alentours du 1er novembre 1870 : alors, comme il l'écrit à Georges Izambard, le 2, il « [s]e décompose dans la platitude, dans la mauvaiseté, dans la grisaille ». S'il a « un tas de choses à dire », il n'écrit pas, semble-t-il, pendant quelques semaines, même pas

1. C'est le titre en particulier d'un essai de Gabriel Bounoure, Le Caire, coll. Le Chemin des sources, 1955, réédité aux éditions Fata Morgana en 1991. L'essentiel de ce livre figure dans le livre majeur de Bounoure, *Marelles sur le parvis*, Plon, 1958.

de lettres avant celle qu'il adresse à Demeny, le 17 avril 1871, au retour d'un séjour à Paris qui lui a permis de se replonger dans la littérature, ou plutôt de découvrir la mauvaise littérature du Siège. Les deux lettres dites « du Voyant » (à Izambard le 13 mai 1871, à Demeny le 15 mai) sont alors des explosions : explosion d'une violence alimentée — sans doute à distance — par le feu de la Commune de Paris, mais aussi irruption de la parole poétique retrouvée. Il en donne, dans ses lettres mêmes, des échantillons qu'une édition scrupuleuse doit y laisser insérés : « Le Cœur supplicié » dans la lettre courte, la première ; « Chant de guerre parisien », « Mes Petites amoureuses », « Accroupissements », dans la lettre longue. Il en va de même dans la lettre à Demeny du 10 juin pour « Les Pauvres à l'église » et « Le Cœur du pitre » (une autre version du « Cœur supplicié »), pour « Ce qu'on dit au poète à propos des fleurs » dans la lettre à Banville du 15 août, et pour tous les poèmes qui furent joints aux premières lettres à Verlaine, jusqu'en septembre, lettres, hélas, perdues, probablement détruites par une épouse courroucée.

En mai 1870, déjà, Rimbaud avait inséré trois poèmes dans sa première lettre à Banville. Il lui apportait ces vers, en même temps que ses « bonnes croyances », ses « espérances », ses « sensations », et il ajoutait : « moi j'appelle cela du printemps ». Mais le printemps de la parole, en 1871, ne ressemble pas à celui de 1870. Ce n'est plus un admirateur des Parnassiens et de Banville qui s'exprime, mais un être en révolte, aux « colères folles » (lettre à Izambard du 13 mai) : elles animent d'une manière singulière « Paris se repeuple », poème daté de ce mai-là, « L'Homme juste » (« Ô Justes, nous chierons dans vos ventres de grès ! »), et « Le Bateau ivre » — non daté, mais connu par la seule copie de Verlaine —, où une volonté effrénée de liberté se met au diapason des « clapotements furieux des marées ». Celui qui signe Alcide Bava/A.R. tant la lettre à Banville le 15 août 1871 que le poème inséré « Ce qu'on dit au poète à propos des fleurs » (daté du 14 juillet) choisit un hétéronyme qui exprime le dégoût, la bave, mais qui constitue un écho dérisoire à Banville, réduit à une manière d'onomatopée. L'Alcide ne sera même pas un hercule de foire : il ne reprendra des formes (par exemple les triolets dans « Le Cœur du pitre ») que pour les vider de leur mince contenu habituel, les parodier ou, mieux, les remplir d'une sève amère, mais nouvelle.

Il est vraisemblable que l'hiver 1871-1872 fut encore un temps de silence. À Paris, où Verlaine l'a introduit dans le milieu des artistes, Vilains Bonshommes et Zutistes, Rimbaud s'amuse tout au plus aux parodies de l'*Album zutique* : les initiales A. R. y suivent alors les noms d'Armand Silvestre ou de Léon Dierx, de Louis Ratisbonne ou de Louis Belmontet, de François Coppée surtout, tête de truc plus que tête de Turc, prétexte à une parodie toujours recommencée qui se prolongera dans un dernier « coppée », le dizain sans titre « *L'enfant qui ramassa des balles* », inscrit sur l'album du peintre Félix Régamey, à Londres, en septembre 1872, avec en tête un dessin croquant la tête du Prince impérial — autre tête de Turc, autre double aux habitudes masturbatoires.

Verlaine aurait pu, aurait dû soutenir l'inspiration du jeune poète venu de Charleville. Mais cet hiver 1871-1872 fut trop occupé par des problèmes matériels de logement, par des soucis conjugaux, par ce qui a succédé à l'innocent « Cabaret-Vert » de Charleroi, l'académie d'« Absomphe ». Ils y boivent longuement la liqueur verte. P. V. et A. R. signent sous le nom d'Albert Mérat, dans l'*Album zutique*, le « Sonnet du Trou du Cul ». Sans doute Verlaine était-il parodié lui aussi pour une « Fête galante » un peu leste. Mais il s'agissait d'un clin d'œil. Rimbaud renvoyait Mérat au Parnasse, et avait compris que Verlaine était avant tout lui-même. Pour ne rien dire de leur relation privée, leur relation poétique est complexe : elle se décline entre sympathie et distance ironique. Le risque, pour le Verlaine de Rimbaud, est de devenir « Vava ». Il fut évité tant qu'exista entre eux une complicité, dont le meilleur domine l'année 1872. Verlaine a placé en tête de la troisième de ses « Ariettes oubliées » l'épigraphe « "Il pleut doucement sur la ville" (Arthur Rimbaud) », qui ne vient d'aucun poème connu : une « phrase » peut-être, dans sa banalité, comme on entend l'écho de la banalité et de la fadeur verlainiennes dans les « Phrases » des *Illuminations*.

Après un hiver plutôt stérile, le printemps de 1872 apparaît comme le troisième printemps poétique de Rimbaud, et quel printemps ! Il convient de renoncer aux appellations antérieures, toutes apocryphes, toutes controuvées, « Vers nouveaux et chansons » ou « Derniers vers », pour appeler « poèmes du printemps 1872 » cette étonnante floraison qui va de « Larme » à « Âge d'or ». Une voix autre s'y fait entendre, qui n'est plus celle de l'*autre* de 1871 (« Je est un autre »). Elle se cherche à travers différentes versions que la présente édition donne intégralement ; elle se trouve, elle se perd peut-être quand Rimbaud retourne son ironie sur lui dans « Alchimie du verbe », en même temps qu'il se dissocie de son ancien compagnon d'enfer.

Il y eut quelques prolongements de cette nouvelle manière poétique durant l'été, quand Verlaine et Rimbaud se trouvèrent à Bruxelles. Ils y ont travaillé à leur œuvre, comme portés par l'émulation. La capitale belge a été surtout un lieu privilégié pour l'écoute du silence. Sur ce point, Rimbaud se montre supérieur à Verlaine, qui ne peut suivre du regard la fuite des collines et des rampes sans entendre encore le chant faible d'un oiseau, et une berceuse dans l'air monotone [1]. Les deux poèmes sans titre de juillet 1872, « *Est-elle almée ?...* », et surtout « *Plates-bandes d'amarantes* », sont d'étonnantes études de silence dans le bruit même, et la poésie, qui parle encore, voudrait se confondre avec l'extase du silence :

« Et puis
C'est trop beau ! trop ! Gardons notre silence.

— Boulevard [2] sans mouvement ni commerce,
Muet, tout drame et toute comédie,
Réunion des scènes infinie,
Je te connais et t'admire en silence. »

De la production de Rimbaud au cours de l'hiver 1873-1874 nous ne savons que peu de chose. La vie avec Verlaine à Londres fut beaucoup moins favorable à l'écriture qu'on ne pourrait le croire. Le séjour de Rimbaud à Charleville, en décembre, ne semble pas avoir été plus favorable. Il faut attendre, encore une fois, le printemps pour que soient annoncés et un nouveau projet et un commencement de réalisation. Mai 1873 : Rimbaud est rentré à Roche, il peste contre ce « triste trou » où l'a mis la *mother*, contre cette « chierie » et la prétendue innocence des paysans. Sa lettre à Delahaye prouve qu'il pense à Verlaine, alors lui aussi dans sa famille, et, sinon à leur collaboration, du moins à leur travail de création parallèle. Y a-t-il déjà quelque chose des *Illuminations* dans ces « quelques fraguemants en prose de moi ou de lui » dont il parle à son correspondant ? Il est difficile de le dire, même s'il a déjà commencé à écrire des poèmes en prose. En revanche, il est hors de doute que le « Livre païen » ou « Livre nègre », auquel il « travaille » alors « assez régulièrement », est, avec les « petites histoires en prose » déjà écrites et la « demi-douzaine d'histoires atroces » qui reste « à inventer », un premier état de ce qui deviendra *Une saison en enfer*. Un dessin de Verlaine prouve que Rimbaud a continué à y travailler après le retour à Londres, le 27 mai.

Il a fallu pourtant la crise de juillet, les deux coups de revolver à Bruxelles, la séparation forcée pour qu'une mutation se produise : dans la touffeur de l'été et dans l'isolement de la ferme de Roche, Rimbaud a substitué à la série d'« histoires atroces » le compte rendu d'une descente

1. « Bruxelles — Simples fresques », dans les *Romances sans paroles*, qui ont paru le 27 mars 1874 alors que Verlaine était en prison à Mons. **2.** Il s'agit du boulevard du Régent, à Bruxelles, ce que précise une indication de lieu qui ne constitue pas un titre.

aux enfers qui se situe étrangement sur terre, d'une damnation paradoxalement temporaire. Il n'a jamais cherché à célébrer les saisons, comme Hölderlin dans les longues années de sa folie. Il y a tout au plus consenti[1], quand il ne les a pas renvoyées[2]. *Une saison en enfer* correspond à l'été de sa souffrance, celui de 1873, à l'élaboration nouvelle du texte qui en porte la marque. Mais la date mentionnée à la fin de la plaquette confiée à l'imprimeur en septembre, « Avril-août 1873 », indique bien qu'il n'en néglige pas le point de départ printanier. Cette « saison » est aussi le temps de sa liaison avec Verlaine, rejeté avec le mépris déclaré pour la « Vierge folle » (« Délires I ») et pour le « porc » qu'il a aimé (« Délires II »). Elle est surtout le temps des illusions auxquelles il veut dire adieu. La « gloire d'artiste » en fait partie. L'« Adieu » sur lequel se termine *Une saison en enfer* ne coïncide pas avec une entrée dans le silence, dont il a pourtant senti la menace (« *Je ne sais plus parler !* », souligné dans « Matin »). Il demeure la conscience de se trouver à une « heure nouvelle », à la veille d'un départ, à l'aurore d'une entrée christique « aux splendides villes ». Réceptif à « tous les influx de vigueur et de tendresse réelle », Rimbaud est prêt à accueillir de nouveau le « Génie » des *Illuminations*, tout en sachant qu'il mourra, ce Génie, à vingt ans.

Il serait absurde de confiner la genèse des *Illuminations* dans le seul printemps de 1874. Rimbaud a certainement commencé à travailler auparavant à ses poèmes en prose, en suivant une évolution qui a été celle de Baudelaire. On ne peut pourtant s'empêcher de noter que c'est en mars 1874 qu'il est reparti pour Londres avec Germain Nouveau. Originaire du Var et son aîné de trois ans, ce poète, qui signait alors « Néouvielle », avait fréquenté les cercles parisiens et collaboré à l'*Album zutique*. Mais il n'avait prêté attention à Rimbaud que tardivement. Il ne sera jamais qu'un simple compagnon occasionnel. À deux reprises la main de Nouveau intervient dans le manuscrit des *Illuminations*[3]. Il est déjà rentré en France, quand Mme Rimbaud et sa fille Vitalie viennent rejoindre Arthur à Londres en juillet. Entre autres occupations, Rimbaud passe des heures à la bibliothèque du British Museum — Vitalie le signale à plusieurs reprises dans son Journal et dans sa lettre à Isabelle du 12 juillet 1874[4]. Il y lit, il apprend des mots anglais. Y écrit-il ? Y met-il au point ces *Illumina-*

---

1. « Je veux bien que les saisons m'usent », dans « Bannières de mai », l'un des poèmes du printemps 1872 qui devait ouvrir les « Fêtes de la patience ». **2.** « Et merde aux saisons », dans la lettre à Delahaye de juin 1872. **3.** Pour « Villes. — *L'acropole officielle...* » et pour « Métropolitain ». **4.** « Il y a [dans le British Museum] une bibliothèque où Arthur allait très souvent, qui renferme plus de trois millions de volumes » (lettre du 12 juillet, publiée dans l'éd. A. Adam, p. 288-292).

tions dont n'a jamais existé, semble-t-il, un manuscrit définitif ? On l'ignore.

On ne sait pratiquement rien, non plus, en ce qui concerne la remise à Verlaine d'une liasse contenant les *Illuminations* au moment où les deux anciens compagnons se retrouvèrent pour deux jours et demi à Stuttgart, en 1875. Verlaine avait été libéré de la prison de Mons le 16 janvier. Rimbaud était venu pour apprendre l'allemand. Ce n'était même pas le printemps, mais les derniers jours de février ou les premiers jours de mars. « Il soleille et gèle, c'est tannant », écrit Rimbaud à Delahaye dans sa lettre du 5 mars, où il lui raconte la visite du dévot, « un chapelet aux pinces », qui a eu vite fait de « ren[ier] son dieu et [de faire] saigner les 98 plaies de N[otre] S[eigneur] ». Foin du Loyola et des « loyolas » qui se sont substitués aux « coppées » dans ses exécrations — les billets et lettres dont il le poursuit[1] !

« Je pars demain pour de grands voyages », écrivait Verlaine à Rimbaud, dans la dernière lettre connue qu'il lui adressa, le 12 décembre 1875. En fait, ce fut Rimbaud qui partit : pour Vienne, à destination de l'Orient, en avril 1876, pour Bruxelles et Rotterdam en mai de la même année, pour l'Allemagne du Nord en mai 1877. Pour un peu, on penserait que le printemps des voyages s'est substitué au printemps des poèmes... Mais le silence s'est installé — on serait tenté de dire : le vrai. L'écrivain s'est tu en Rimbaud, parce qu'il a perdu l'espoir d'être publié, ou parce que l'inspiration l'a quitté. Dès mai 1871, un poème adressé à Paul Demeny, « Mes Petites amoureuses », avait décrit un phénomène analogue, ou une préfiguration de ce processus du tarissement. Si le « blond laideron » l'a sacré poète, au temps de leurs semblants d'amour, le temps de l'indifférence ou de la haine invite à « piétin[er] les vieilles terrines / De sentiment » ou de poésie.

D'un solde l'autre

Quand Rimbaud rompt, avec les autres ou avec lui-même, il liquide, il solde. Le 2 septembre 1881, alors qu'il s'apprête à quitter la firme Mazeran, Viannay et Bardey, à Aden, il demande que la maison mère de Lyon adresse à sa famille le total de ses appointements en espèces, du 1er décembre 1880 au 31 juillet 1881. Après la mort de son associé Labatut et l'échec de la caravane qui devait conduire de vieux fusils européens jusqu'au roi Ménélik du Choa, il rend compte de la liquidation à M. de

1. La lettre de Verlaine à Rimbaud du 12 décembre 1875 en donne une idée. Voir pp. 938-939.

Gaspary, vice-consul de France à Aden, le 30 juillet 1887. On trouve dans le document qu'il remet au même haut fonctionnaire, le 3 novembre 1887, le détail de la liquidation, avec un inventaire. Le 10 janvier 1889, de Harar, il écrit à sa mère et à sa sœur pour leur dire que, si un jour il était sérieusement malade, il liquiderait l'agence qu'il tient sur place, ainsi que ses affaires avec une autre maison d'Aden, celle de César Tian, en confiant son testament au consulat de France. À Armand Savouré, un autre commerçant d'Aden pour qui aussi il a travaillé, il écrit vivement, sans doute en avril 1890, pour lui demander de lui envoyer « un reçu de 8 833 thalaris pour solde de tout compte, — sans plus de plaisanteries ». Car le solde, pour lui, n'est jamais une plaisanterie. Alfred Ilg, l'ingénieur suisse sur qui il comptait pour servir ses intérêts auprès de Ménélik, devait l'aider à tout liquider (lettre du 1er janvier 1891). « Renvoyez-moi le produit du solde total de mes marchandises », lui demande-t-il le 5 février de ce qui devait être sa dernière année. Et il le supplie le 20 février :

« Il faut en finir. Bazardez donc tout ce qui reste, n'allez pas encore me jouer le tour de partir du Choa en laissant ces marchandises invendues ! Ce serait du propre ! »

Avant de mourir, il a parlé à sa sœur Isabelle de son domestique indigène Djâmi, auquel il a prévu de laisser 3 000 francs prélevés sur son compte de liquidation, et des habits. Les habits ! Cela rappelle une sordide histoire de Londres, après le départ de Verlaine, quand Rimbaud, sans un penny, annonce, le 7 juillet 1873, qu'il a vendu toutes les hardes de son compagnon, « sauf un paletot » et ce qu'il a conservé pour lui-même. « Tous les livres et les manuss sont en sûreté. En somme, il n'y a de vendu que tes pantalons, noir et gris, un paletot et un gilet, le sac et la boîte à chapeau », a-t-il le toupet de lui écrire.

Pour les livres et les manuscrits, il aurait eu un respect d'écrivain. Mais le 12 juillet 1871, il n'avait pas éprouvé de scrupule en demandant à Izambard la permission de revendre les livres dont on ne sait trop qui les a prêtés à l'autre, *Les Glaneuses* de Paul Demeny par exemple. Et il commente avec une ironie féroce : « Les collégiens d'Ardennes pourr[aient] débourser [trois francs] pour bricol[er] dans ces azurs-là[1]. »

On pourrait croire cette liquidation facétieuse. Or elle revêt une sorte de gravité. Demeny avait été, à l'automne de 1870, le confident de Rimbaud poète. Il habitait Douai, et Rimbaud avait fait sa connaissance lors

1. Le texte de la lettre a été détérioré par un pot de colle. Les mots entre crochets indiquent la reconstruction.

de son séjour dans cette ville, après sa première fugue, quand il se plaçait sous la protection d'Izambard et de ses « tantes », les sœurs Gindre. C'est à lui qu'il avait voulu remettre le manuscrit de son recueil de poésies. Demeny n'était-il pas publié à Paris, dans cette Librairie Artistique, rue Bonaparte, près de laquelle Rimbaud est venu rôder, entre le 25 février et le 10 mars 1871 ? Or quelques semaines plus tard, Rimbaud lui adressait, le 10 juin, une lettre-solde, pour lui demander de lui envoyer un exemplaire de ces *Glaneuses* qu'il avait voulu revendre et de brûler tous les vers qu'il lui avait confiés à l'automne précédent.

Revendeur de livres à la petite semaine, l'adolescent pauvre est prêt à détruire aussi presque tout ce qu'il a lui-même écrit. Tout converge dès lors pour faire de la lettre à Izambard du 12 juillet 1871 le premier grand solde rimbaldien. Il s'y déclare prêt à liquider sa modeste bibliothèque, les « autres Banville » qu'il a chez lui en particulier. Bien plus, il voudrait liquider, comme si elle était la sienne, la bibliothèque laissée par Izambard dans son logement de Charleville. Liquider Banville, Demeny et tout le reste, c'est faire table rase de ses admirations anciennes, de tout ce qui a pu lui donner, en 1870, le désir d'être poète, et poète parnassien. Vendre *Florise* et *Les Glaneuses*, faire brûler les cahiers de Douai, et bientôt entrer dans le silence tant vis-à-vis de Demeny que d'Izambard, c'est vouloir effacer ce qu'il a été lui-même et ce qu'il a déjà fait. C'est choisir délibérément *l'autre*.

On ne peut comprendre les silences de Rimbaud sans voir qu'ils sont accompagnés de soldes. « Délires II », dans *Une saison en enfer*, raconte « l'histoire » passée « d'une de [s]es folies » : non plus, comme dans « Délires I », celle de sa liaison avec Verlaine, mais celle, parallèle, de son œuvre poétique, de « Voyelles » à « *Ô saisons, ô châteaux !* » — de « l'hallucination simple » (et c'en était une déjà que de voir volontairement une couleur différente pour chacune des voyelles) à « l'hallucination des mots », c'est-à-dire à une manière de faire délirer les mots. Cet épisode de sa vie d'écrivain, Rimbaud le rejette dans le passé tout en en faisant le bilan. Il l'éloigne de lui, il lui dit adieu.

L'« Adieu » d'*Une saison en enfer* est plus troublant à cet égard. Il décrit une entreprise démiurgique qui ressemble beaucoup plus à celle des *Illuminations* qu'aux projets précédents. On trouvera dans les poèmes en prose sinon de nouveaux astres, du moins de nouvelles fleurs (les « fleurs magiques » d'« Enfance », les fleurs précieuses de « Fleurs »), de nouvelles chairs (le « nouveau corps amoureux » qui est créé sur le chantier de « *Being Beauteous* »), de nouvelles langues (le franglais de « Dévotion », avec *spunk*, le franco-allemand d'« Aube », avec *wasserfall*, des néologismes comme « opéradiques » dans « Nocturne vulgaire » ou « ornementales » dans « *Fairy* », le cryptogramme, avec « H »). Ce que l'on a parfois caractérisé comme l'« entreprise harmonique » des *Illuminations* correspond à la volonté d'inaugurer une nouvelle harmonie et de refaire le monde à neuf grâce au langage poétique. Ce fut assurément la plus haute des ambitions de Rimbaud. Elle s'exprime sobrement dans les textes les plus courts, « Départ » ou « À une Raison ». Mais, malgré des moments intenses d'extase lyrique, elle est ruinée de l'intérieur, menacée de chute, et tomberait dans le néant, s'il ne restait ces poèmes eux-mêmes, qui auraient dû être suffisants pour dissiper la crainte, exprimée dans « Angoisse », d'une « inhabileté fatale ».

Le « Solde » des *Illuminations* fait partie du recueil lui-même, ou de ce qui aurait dû être un recueil. Tout est déclaré « à vendre » dans le poème en prose qui précisément porte ce titre : les « voix reconstituées », les « corps sans prix », « les applications de calcul et les sauts d'harmonie inouïs ». Mais, au fur et à mesure que se déroule l'inventaire, les marchandises à vendre surgissent. Le solde n'est peut-être pas tant la vente de l'ancien, que celle du nouveau, du toujours nouveau, de l'impollué, de l'inconnu, et même de l'incréé, de l'ininventé. Le poète ne liquide pas des invendables, comme les casseroles ou le fil rouge confiés à Alfred Ilg : c'est de l'« unique », du « sans prix ». Ou alors, si c'est de l'invendable, c'est à cause de cela même : il s'agit de vendre de l'inestimable, « ce qu'on ne vendra jamais ».

« Solde » a souvent été interprété comme un bilan, et donc un épilogue des *Illuminations*, — quand ce n'est pas le terme de l'œuvre tout entière d'un poète désormais condamné au silence. Mais l'ambition de totalité qui s'y exprime (« l'éveil fraternel de toutes les énergies chorales et orchestrales ») n'est pas propre à ce poème en prose. Il est surtout remarquable que ces énergies soient saisies au moment de leur éveil, dans la fraîcheur d'un commencement. Ce sera une nouvelle naissance, une libération anarchique, une autre mort des amants, aussi, même si contrairement à celle des *Fleurs du mal*, elle est « atroce ». Malgré le mouvement de la liquidation, la parole poétique maintient le pouvoir d'émerveillement de ces voix et de ces corps, de ces « applications de calcul » et « sauts d'harmonie inouïs », de ces « trouvailles et termes non soupçonnés ».

Rimbaud vend ce qui naît à l'instant même, comme la parole, de l'à-venir, de l'inépuisable : « Les vendeurs ne sont pas à bout de solde ! Les voyageurs n'ont pas à rendre leur commission de si tôt ! » La *commission* du revendeur n'est pas niée ou refusée, comme à la fin de « Vies » III, dans le même recueil. Elle est repoussée à l'horizon de l'espace, au plus lointain du temps. Il n'est donc pas étonnant que ces vendeurs soient des voyageurs, et pas seulement des voyageurs de commerce. Ils ont besoin du monde et du futur pour lancer leurs offres. « Solde » n'est pas une fin, mais une absence de fin.

On comprend mieux dès lors que le poète de « Solde » soit devenu celui que Delahaye appelait « le voyageur toqué ». La lettre que Rimbaud adressa le 10 octobre 1875 à son vieux camarade, à celui qui avait parfois servi d'intermédiaire entre Verlaine et lui, les propos qu'il tint devant lui à Roche en 1879 pour dire son oubli ou son rejet de la littérature creusent l'abîme du silence. Mais une destinée se profile, qui aurait dû offrir l'exemple de la poésie d'une autre, d'une nouvelle manière d'être au monde.

Comme il est difficile de parler de l'échec d'une œuvre quand elle s'interrompt sur un sommet, il est injuste de parler de l'échec d'une vie quand on la laisse sur la plus douloureuse des morts. Le cancéreux qui agonise sur un lit d'hôpital à Marseille dicte à sa sœur Isabelle, le 9 octobre 1891, une dernière lettre inachevée qui commence par un solde avant d'envisager un nouveau départ. Elle est destinée au directeur des Messageries maritimes, des liaisons maritimes avec l'Orient. Tout commence avec cinq lots de dents d'ivoire — la plus précieuse des marchandises dont Rimbaud a rêvé de faire le trafic entre le Harar et Aden. Puis s'exprime le désir de « changer de ce service-ci », de monter à bord, de faire voile vers Suez...

Arthur Rimbaud devait mourir le lendemain même, et son nom allait se trouver inscrit sur la pierre d'une tombe banale, d'une tombe bourgeoise au cimetière de Charleville. Son ultime lettre-solde, au terme de tant d'autres lots, exprimait l'« élan insensé » d'un « cul-de-jatte », d'un « impotent », d'un « malheureux », « complètement paralysé », comme son œuvre avait obéi aux mille et un départs de celui qui, ainsi qu'il est dit dans *Une saison en enfer*, « ne part pas ». Le dernier solde de Rimbaud n'est ni un petit ni un grand Testament, mais la mise à nu d'une contradiction, mortelle pour l'homme, essentielle pour l'œuvre. Cette œuvre, qui a été toute mobilité dans les années de production littéraire, et même dans la vie sédentaire à Charleville ou à Roche, se continue dans une Correspondance qui paraît monotone et interminable, celle pourtant d'un errant. Peut-être devait-il en être ainsi pour que, dans le cas de Rimbaud, elle fût *complète*.

P. B.

CHRONOLOGIE

1854 *20 octobre* : naissance, à Charleville, de Jean-Nicolas, Arthur Rimbaud, fils du capitaine Frédéric Rimbaud, né en 1814, et de son épouse Marie-Catherine-Vitalie Cuif, née en 1825. Le couple a déjà un enfant, Frédéric, né le 2 novembre 1853.

1858 *15 mai* : naissance de Vitalie Rimbaud.

1860 *1er juin* : naissance d'Isabelle Rimbaud.

Septembre : séparation définitive des époux Rimbaud.

1861 *Octobre* : Arthur entre à la pension Rossat.

1864 Il est admis au Collège municipal de Charleville, où il va terminer sa classe de sixième.

1869 *15 janvier* : Arthur Rimbaud, aussi bon élève que son frère Frédéric est cancre, est en classe de seconde. Il est remarqué par ses dons. Dans *Le Moniteur de l'Enseignement secondaire, spécial et classique, Bulletin officiel de l'Académie de Douai*, n° 2, est publiée sa composition latine « *Ver erat* », datée du 6 novembre 1868. C'est le premier de ses travaux scolaires à être remarqué et publié.

1870 *2 janvier* : son premier poème en vers français, « Les Étrennes des orphelins », est publié dans *La Revue pour tous*. Au même moment, Georges Izambard devient son professeur de lettres, en classe de rhétorique.

24 mai : Rimbaud adresse trois poèmes à Théodore de Banville, en espérant qu'il les publiera dans la troisième série du *Parnasse contemporain*. Cet espoir sera déçu.

19 juillet : la France déclare la guerre à la Prusse.

24 juillet : Izambard quitte Charleville pour Douai, où habite ce qui lui tient lieu de famille, les sœurs Gindre.

13 août : la revue satirique *La Charge* publie un poème de Rimbaud, « Trois baisers ».

29 août : première fugue de l'adolescent vers Paris. *31 août* : il est

arrêté à la gare du Nord parce qu'il a un titre de transport insuffisant ; il est conduit au dépôt, puis à la maison cellulaire de Mazas.
4 septembre : chute du Second Empire.
5 septembre : il écrit à Izambard pour qu'il l'aide à sortir de prison. Izambard fait le nécessaire et l'accueille même à Douai, dans la maison des sœurs Gindre. Rimbaud fait la connaissance du poète Paul Demeny, qui habite Douai. Il met au net la plupart des poèmes qu'il a écrits jusqu'ici.
Octobre : deuxième fugue vers Douai, en traversant la Belgique. Il écrit une série nouvelle de poèmes, qui viennent s'ajouter aux précédents pour la constitution d'un recueil qui restera sans titre. Il le laisse au domicile de Demeny avant d'être obligé de quitter Douai (c'est ce qu'il est convenu d'appeler le « Recueil Demeny »).
Début novembre : Rimbaud est revenu au domicile familial. Il est impatient dans Charleville-Mézières occupé par les Prussiens. L'école n'a pas repris. Il n'y reviendra d'ailleurs jamais.

1871 *25 février-début mars* : troisième fugue, à Paris de nouveau. Rimbaud s'intéresse à la littérature du Siège, dans la capitale elle aussi occupée.
18 mars : début de la Commune de Paris. Rimbaud est alors rentré à Charleville.
Avril : il a un emploi modeste et très temporaire au *Progrès des Ardennes*, un journal de Charleville.
13 et 15 mai : lettres à Izambard et à Demeny connues sous le titre de « Lettres du Voyant ».
Septembre : Paul Verlaine accueille Rimbaud à Paris, après avoir reçu de lui des lettres contenant des poèmes (voir le « Dossier Verlaine »).
Octobre : Charles Cros fonde le « Cercle zutique ». Rimbaud collaborera, ainsi que Verlaine, à l'*Album zutique*, non destiné à la publication.

1872 *Février* : Rimbaud regagne Charleville.
Mai : il est de retour à Paris, il y occupe divers domiciles et compose de nouveaux poèmes (c'est la série des poèmes du printemps et de l'été 1872).
7 juillet : Verlaine et Rimbaud quittent Paris pour la Belgique. C'est le début de ce que Verlaine a appelé « le vertigineux voillage ».
4 septembre : ils s'embarquent pour l'Angleterre, où ils s'installeront à Londres.
14 septembre : publication d'un poème, « Les Corbeaux », dans *La Renaissance littéraire et artistique*.

Novembre : sans doute parce que sa mère s'inquiète, Rimbaud rentre pour quelque temps à Charleville.

1873 *Janvier* : il rejoint à Londres Verlaine qui, malade, a lancé un appel vers lui.

25 mars : il prend une carte de lecteur à la Bibliothèque du British Museum.

Avril : Verlaine et Rimbaud reviennent pour quelque temps en France.

Mai : séjournant dans la ferme familiale de Roche, Rimbaud commence un « Livre païen » ou « Livre nègre ».

27 mai : retour à Londres des deux compagnons qui sont aussi deux amants.

3 juillet : à la suite d'une nouvelle querelle avec Rimbaud, Verlaine s'embarque seul pour la Belgique.

10 juillet : à Bruxelles, Verlaine tire deux coups de revolver sur Rimbaud, qui l'a rejoint. Il le blesse au poignet. Rimbaud donne l'alarme à un policier, ce qui entraîne l'arrestation de Verlaine.

Août : à Roche, plein de ressentiment et de fureur, Rimbaud achève le livre projeté, qui est devenu *Une saison en enfer*. Cette plaquette de 53 pages sera imprimée à Bruxelles et sortira des presses en octobre. Rimbaud ne prend que quelques exemplaires. Il en fait adresser un à Verlaine, alors incarcéré à la prison des Petits-Carmes, à Bruxelles, avant d'aller à la prison de Mons.

1874 *Mars* : à Paris, Rimbaud fait la connaissance du poète Germain Nouveau ou renoue avec lui. Ils décident de partir ensemble pour Londres. Rimbaud fréquente de nouveau la British Library.

6 juillet : arrivée à Londres de Mme Rimbaud et de sa fille Vitalie. Elles restent un mois en compagnie d'Arthur (voir le Journal de Vitalie). Il passe des annonces pour trouver un emploi mais, n'aboutissant à rien, il quitte à la fin juillet la capitale britannique, tout en restant, semble-t-il, en Angleterre. Il fait encore passer une demande d'emploi dans le *Times* les 7 et 9 novembre.

29 décembre : retour précipité à Charleville à la suite d'une convocation émanant des autorités militaires. Sur le tableau de recensement de la classe 1874 il est indiqué : « RIMBAUD, Jean-Nicolas-Arthur, taille : 1,68 m, professeur de langue française en Angleterre. Dispensé sur réclamation. Sait lire et compter. Numéro du tirage au sort : 24 — M. le Maire a tiré pour lui. » Il semble qu'il ait été dégagé des obligations militaires grâce à l'engagement de cinq ans de son frère Frédéric. Mais sa situation restera toujours incertaine et préoccupante pour lui.

1875 *Février* : Rimbaud est à Stuttgart, où il séjourne pour apprendre l'allemand. Verlaine libéré de prison l'y rejoint pour une dernière et brève entrevue, probablement orageuse. Peut-être Rimbaud lui a-t-il remis le manuscrit de ce qui deviendra les *Illuminations*.

Avril-mai : il quitte Stuttgart, traverse la Suisse, atteint Milan. Il a sans doute le projet de gagner l'Espagne. Frappé d'une insolation sur la route de Sienne, il est hospitalisé à Livourne, puis rapatrié par les soins du consulat.

Juillet : il est à Paris, où sa sœur Vitalie est soignée pour une inflammation du genou.

Octobre : de retour à Charleville, il réclame un piano à sa mère et il veut prendre des leçons pour apprendre à jouer de cet instrument.

14 octobre : il écrit une lettre à son camarade Delahaye, avec le double souci de passer le baccalauréat ès sciences et d'être en règle avec l'armée. Le poème contenu dans cette lettre, « Rêve » (c'est-à-dire rêve de chambrée), suivi de « Valse », passe pour son dernier poème connu : c'est plutôt une dérision de la poésie, le pied de nez qu'il fait à cette vocation première. À partir de cette date, en tout cas, Rimbaud ne sacrifiera plus jamais à la littérature.

18 décembre : mort de sa sœur Vitalie.

1876 *Avril* : premier voyage vers l'Orient, interrompu à Vienne (Autriche). C'est le début des aventures de celui que Verlaine appellera « l'homme aux semelles de vent ».

Mai : à Rotterdam, il s'engage dans l'armée coloniale hollandaise. Départ pour Batavia le 10 juin.

Août : à Java, il déserte. Il rentre en Europe par Le Cap.

1877 *Mai* : il est à Brême et veut s'enrôler dans la marine américaine.

Juin : il est, semble-t-il, à Stockholm où il travaille dans l'administration du cirque Loisset.

1878 *19 novembre* : il s'embarque à Gênes à destination d'Alexandrie. Son père est mort le 17.

Décembre : il est chef de chantier dans une carrière à Chypre.

1879 *Février* : début des Lettres de Chypre.

Mai : atteint par la fièvre typhoïde, il rentre en France.

1880 *Mars* : il regagne Chypre, où il va cette fois surveiller les ouvriers d'un chantier de construction, là où doit être édifié le palais du nouveau gouverneur anglais.

Juillet : il cherche du travail dans les ports de la mer Rouge.

Août : à Aden, il est engagé dans la compagnie Mazeran, Viannay, Bardey, pour surveiller le triage et l'emballage du café. Début des Lettres d'Aden (première série).

Décembre : il est affecté à l'agence que la firme vient de fonder à Harar, en Abyssinie. Début des Lettres de Harar (première série).

1881 *Décembre* : Rimbaud quitte Harar et rentre à Aden.

1882 *Janvier* : début de la seconde série des Lettres d'Aden.

1883 *Mars* : il regagne Harar.

Mai : début de la seconde série des Lettres de Harar.

5 octobre-10 novembre : Verlaine révèle au public plusieurs poèmes de Rimbaud dans la revue *Lutèce*. Il le présente comme l'un des « poètes maudits ».

1884 *1er février* : la Société de Géographie, à Paris, prend connaissance de son « Rapport sur l'Ogadine », transmis par son patron Alfred Bardey, qui était féru d'exploration. Ce rapport sera publié dans les comptes rendus des séances de ladite Société.

Mars : à la suite de la faillite de la compagnie Mazeran, Rimbaud quitte Harar et regagne Aden.

Avril : début de la troisième série des Lettres d'Aden.

19 juin : il est réengagé par la nouvelle société, qui a pris le nom des seuls frères Bardey.

1885 *Janvier* : nouveau contrat avec les Bardey.

Octobre : il rompt avec ces « pignoufs » et il signe un contrat avec Pierre Labatut : il devra conduire, pour le compte de celui-ci et de ceux qui ont mis de l'argent dans l'entreprise, une caravane porteuse de vieux fusils européens qu'il faudra essayer de vendre à Ménélik II, le roi du Choa.

Décembre : Rimbaud a gagné le port de Tadjourah, où il doit constituer la caravane Labatut. C'est le début d'une très longue attente, et il se trouve aux prises avec des difficultés de tous ordres. On en saisit le reflet dans la série des Lettres de Tadjourah.

1886 *Avril* : la revue parisienne *La Vogue* publie un poème de Rimbaud, « Les Premières Communions », sans qu'il en soit averti. Au même moment, il attend toujours à Tadjourah. Labatut est atteint du cancer. Rimbaud essaie d'associer la caravane Labatut à celle que forme Paul Soleillet.

Mai-juin : publication des *Illuminations* dans *La Vogue*, toujours à son insu. Aux poèmes en prose se trouvent mêlés des poèmes en vers, où l'on reconnaît des poèmes du printemps et de l'été 1872. Ces textes suscitent l'admiration, en particulier celle du jeune Paul Claudel. Mais on murmure que Rimbaud est mort, et Verlaine lui-même semble le croire. Les *Illuminations* seront, cette même année, publiées dans une plaquette aux éditions de La Vogue.

Septembre : nouvelle publication d'*Une saison en enfer* dans *La Vogue*, toujours sans que Rimbaud soit averti. Sa renommée d'écrivain grandit à Paris.

Octobre : la caravane quitte Tadjourah, mais Rimbaud apprend la mort de Labatut. Soleillet lui-même est mort à Aden en septembre, et ses fusils resteront longtemps enterrés à Tadjourah.

1887 *Février-mai* : arrivée au Choa et premières difficultés suscitées par la succession Labatut. Rimbaud cède son matériel à Ménélik dans des conditions désastreuses.

Fin juillet : Rimbaud se trouve à Aden, entre le Choa et le Harar d'où il vient et Le Caire où il va.

25-27 août : publication d'une lettre adressée par Rimbaud au directeur du *Bosphore égyptien* dans ce journal du Caire.

1888 *Mai* : Rimbaud renonce apparemment au trafic d'armes et fonde à Harar une agence commerciale. Il travaillera en partie pour le compte de César Tian, négociant à Aden. Début de la troisième série des Lettres de Harar.

Décembre : long séjour à Harar d'Alfred Ilg, un ingénieur suisse qui est aussi conseiller de Ménélik. Rimbaud essaie d'organiser une association avec lui pour l'écoulement des marchandises.

1889 À la suite d'un conflit entre Ménélik et son suzerain, l'empereur Jean (Johannès) du Tigré, une situation politique nouvelle s'établit : Johannès est tué par des fanatiques ; Ménélik devient empereur. Son pouvoir se fait de plus en plus tyrannique : à Harar même, Rimbaud aura à se plaindre des taxes douanières exorbitantes, des impôts écrasants, des emprunts forcés et d'autres exactions. Sa sympathie première pour le gouverneur, le ras Makonnen, se mue en mépris et en haine.

1890 Rimbaud se montre de plus en plus pressé de tout liquider et avec Ilg et avec Tian.

1891 *Janvier* : Rimbaud est toujours poursuivi par les suites de l'affaire Labatut, avec laquelle il a hâte aussi d'en finir.

Avril : souffrant d'une violente douleur au genou droit, il est transporté en civière à Aden. Il tient le carnet de ce chemin de torture entre Harar et Warambot, près de Tadjourah, où il embarque.

9 mai : après avoir été hospitalisé, Rimbaud est placé sur *L'Amazone* à destination de Marseille.

20 mai : arrivée à Marseille.

21 mai : Rimbaud est admis à l'hôpital de la Conception. Début des Lettres de Marseille.

22 mai : il télégraphie à sa mère de venir le rejoindre.
27 mai : il est amputé de la jambe droite, pour éviter l'extension du cancer des os.
23 juillet : il quitte l'hôpital et se rend par le train dans les Ardennes. Il va séjourner à Roche jusqu'au 23 août. Il y retrouve sa sœur Isabelle, qui va être désormais la compagne de ses souffrances.
23 août : le mal empirant, il regagne Marseille, accompagné par Isabelle. Elle va veiller sur lui à l'hôpital, et tenir sa mère au courant de l'évolution de la maladie.
9 novembre : dernière lettre, adressée au directeur des Messageries maritimes. Rimbaud envisage de repartir et rêve de l'ivoire.
10 novembre : Arthur Rimbaud meurt à 10 heures du matin.
14 novembre : son corps est enterré à Charleville.
Novembre : *Reliquaire*, c'est-à-dire les Poésies d'Arthur Rimbaud, est publié à Paris, avec une préface de Rodolphe Darzens, chez l'éditeur Genonceaux. C'est le début d'une polémique avec la famille.

DU TEMPS QU'IL ÉTAIT ÉCOLIER

On juge souvent aride la correspondance d'Afrique. Les premiers textes de Rimbaud le sont aussi parfois. Cela tient à des raisons différentes.

Le premier document conservé, ce qu'il reste d'un cahier d'écolier, se présente comme un fatras, où il est difficile de démêler ce qui est brouillon d'exercice scolaire et premier essai d'écriture personnelle, — disons plus modestement, pour rester dans le vocabulaire du collège : une rédaction. Il nous a pourtant semblé nécessaire de transcrire ces huit feuillets et de reproduire les dessins. Ce cahier nous fournit de précieux renseignements sur les débuts de la culture antique d'Arthur : le latin domine, mais le grec est présent (Hérodote, Ésope), même s'il n'utilise pas les caractères de l'alphabet comme il lui arrivera de le faire plus tard ; et ce latin n'est pas seulement celui de Cicéron, mais celui de saint Jérôme, celui par lequel la Vulgate nous a transmis le récit de la Genèse. On trouve aussi ce qu'on pourrait appeler des « poussées d'écriture » : la description des mouches, dont le prétexte pourrait être la fable « La mouche et la fourmi », celle des fleurs, à peine ébauchée, celle de la création du monde. Sans exagérer la portée de ces notations, on peut y voir une préparation très lointaine pour l'évocation de la « félicité des bêtes » et du « moucheron enivré à la pissotière de l'auberge », dans Une saison en enfer, *des « Fleurs » et de la nouvelle Genèse dans les* Illuminations. *Le « Prologue » qui occupe les feuillets 10 et 11, extrait depuis longtemps par Paterne Berrichon et les éditeurs successifs, n'est pas un devoir de narration. Un brouillon ? Ce n'est même pas sûr. Arthur se laisse aller, semble-t-il, au plaisir d'écrire. Il se met en scène, directement ou à la faveur de transpositions, il confie son souhait de devenir un jour rentier, il signe : « Arth... ». Car il est là, tout au long de ces feuillets. Il les ponctue de son prénom, il impose son identité « Rimbaud a[r]thur de Charleville ». Et la répétition, qui est à l'origine de ce que Suzanne Briet a appelé les « faux pensums », est d'abord répétition et déclinaison de ce nom et de ce prénom. Cet Arthur*

Rimbaud bien présent serait déjà un être en fuite, si on en juge par le dessin « Navigation ». Mais le cri « au secours » est celui d'un naufragé qui se sent peut-être incertain dans ce monde auquel l'école et l'éducation sous toutes ses formes essaient de l'apprivoiser.

Le deuxième des fils Rimbaud a pourtant l'allure d'un enfant sage sur sa photo de premier communiant. Il est, au collège, le protégé du principal, M. Desdouets. Son intelligence, ses dons, sont appréciés de ses professeurs, et surtout des professeurs de lettres. Il ne manque pas d'ambition : en mai 1868, alors qu'il est élève de la classe de troisième, il envoie soixante hexamètres latins à Louis, le Prince impérial[1]*. Excellent en latin, il est le lauréat, non pas du Concours général, mais du concours régional de l'Académie de Douai. Ses meilleures réussites scolaires sont à plusieurs reprises jugées dignes du* Moniteur de l'Enseignement secondaire, *le bulletin officiel de cette Académie. Le résultat est à la fois brillant et navrant. Une telle distinction est supérieure à toutes les récompenses qu'apporte la traditionnelle distribution des prix. Mais on est obligé de constater que la première publication de ce poète de génie est un devoir de vers latins imités d'Horace, et que le nombre total de ses textes d'école imprimés est supérieur, et de beaucoup, à celui des textes de création personnelle qu'il lui sera donné de faire publier.*

C'est pourtant sans doute par un mouvement d'imitation, et fort de ses succès académiques, que l'élève Rimbaud a adressé à la fin de 1869 un long poème en alexandrins, « Les Étrennes des orphelins », à la Revue pour tous. *S'agissait-il d'un exercice, de vers français cette fois, contrôlé par le professeur de lettres, M. Feuillâtre, ou d'une création libre et spontanée ? Le poème sent encore l'école, il rappelle la manière de Marceline Desbordes-Valmore et de François Coppée, du Victor Hugo des « Pauvres Gens » surtout. La facture en est satisfaisante, après des coupures et la correction d'un vers faux demandées par la revue, et l'émotion n'en est pas absente. Mais sans doute n'est-ce que la* mimêsis *d'une émotion.*

---

1. Le 26 mai 1868, l'élève Jolly écrivait à son frère : « Tu connais sans doute les Rimbault [*sic*] ; l'un d'eux (celui qui est maintenant en 3ème) vient d'envoyer une lettre en 60 vers latins au petit prince Impérial à propos de sa première communion. Il avait tenu cela dans le plus grand secret et n'avait pas même montré ses vers au professeur : aussi fit-il quelques barbarismes assaisonnés de quelques vers faux. Le précepteur du Prince vient de lui répondre en lui disant que Sa Majesté avait été touché de cette lettre, que comme lui il était élève et lui pardonnait de bon cœur ses vers faux. / C'était là une petite leçon pour notre Rimbault qui avait voulu faire un coup de tête en montrant son savoir-faire. Le principal ne lui a pas fait de compliments. »

Le nouveau professeur qui succède à M. Feuillâtre dans la classe de rhétorique (notre actuelle première) à la rentrée de janvier, Georges Izambard, dut être mis au courant de cette publication, le 2 janvier 1870. Il ne devait pas tarder en tout cas à découvrir en Arthur Rimbaud un élève exceptionnellement doué. Il était très jeune, poète lui-même, enthousiaste. Il sut le former et l'encourager comme nul autre.

Il n'est peut-être pas d'exercice qui permette mieux à un professeur de reconnaître un élève doué en français que le pastiche. Izambard pour ses débuts ne s'y est pas trompé. Arthur Rimbaud lui remit une « Lettre de Charles d'Orléans à Louis XI pour solliciter la grâce de François Villon, menacé de la potence » qui dépasse le traditionnel devoir de « discours français ». Il avait été préparé par des lectures recommandées, le Gringoire *de Banville,* Notre-Dame de Paris *de ce Victor Hugo, que Mme Rimbaud mère honnissait. On sent dans ces pages la sympathie du collégien pour l'« escollier fol, si bien riant, si bien chantant ».*

Escollier fol, à cette date, il ne l'est pas pourtant. Ou bien sa folie est l'ambition littéraire qui le pousse cette fois à adresser à Théodore de Banville une lettre contenant trois poèmes pour Le Parnasse contemporain. *« Je viendrais à la dernière série du* Parnasse *», écrit-il : « cela ferait le Credo des poètes !... Ambition ! ô Folle ! ». Pour lui, il n'est alors de poète que parnassien. Il ne recule pas devant le conformisme le plus pur : l'image préraphaélite plus que shakespearienne d'Ophélie ; la mythologie débridée de* « Credo in unam », *credo, celui-ci, en une seule déesse, Aphrodite-Vénus.*

Pourtant la carapace n'est point si rigide. L'enfant sage est aussi l'enfant boudeur qu'on voit sur une photographie de groupe représentant les élèves de l'Institution Rossat[1]*. Le pastiche de Coppée se fait grinçant dans les derniers vers des « Étrennes des orphelins ». Et ce qu'il y a de meilleur dans les poèmes adressés à Banville se situe au-delà du conformisme parnassien : le premier, sans titre,* « Par les beaux soirs d'été... », *est déjà l'une de ces « bohémienneries » dont il aura le secret. « Ophélie » fait place aux « grandes visions » — qui ne sont pas encore celles du voyant, mais y préludent ;* « Credo in unam » *éclate en un somptueux hymne païen à la Nature et à l'Amour, où l'évocation de la terre nubile brise les cadres étroits de la poésie d'école. Rimbaud a été préparé par le collège, par la traduction du début du* De natura rerum *de Lucrèce,*

---

1. *Album Rimbaud*, Gallimard, Bibliothèque de la Pléiade, 1967, pp. 12-13. Claude Jeancolas, *Passion Rimbaud*, Textuel, 1998, pp. 22-23.

par la lecture de Hugo. Mais le morceau ruisselle d'une poésie dont il est le maître.

Nul assurément n'a mieux compris Rimbaud dans ces premiers mois de 1870 que Georges Izambard. Il était seulement de six ans l'aîné de son élève, et il a su, tout en gardant la distance convenable, et tout en se méfiant poliment de Mme Rimbaud, rassasier cet esprit avide de lectures, discuter avec lui en de longues conversations « qui ne roulaient guère que sur les poètes ou sur la poésie, lui [Arthur] ne s'intéressant qu'à cela[1] *». Il a écouté avec attention et sympathie ses premiers vers, ceux qui lui étaient remis en même temps que les devoirs et quelquefois en contrepoint de ceux-ci (c'est le cas d'« Ophélie », qui avait été proposé comme sujet de vers latins). Il a parfois manifesté quelque surprise devant « une outrance de casse-cœur fanfaron et bête » qui « jurait avec son air modeste d'écolier timide ». Le récit satirique que l'élève chargé de prix composait sans doute à la fin de l'année scolaire, cette « bête nouvelle »,* Un cœur sous une soutane, *est révélateur et de cette contradiction et de cette ambiguïté.*

Le 6 août 1870, le jour où le Collège municipal de Charleville fermait ses portes, la moisson de textes était déjà abondante. On en jugera par cet ensemble, et en particulier par le « Dossier Izambard », réunissant ce que Rimbaud avait remis à son professeur et qui a pu être conservé.

P. B.

1. *Rimbaud tel que je l'ai connu*, rééd. Mercure de France, 1963, p. 43.

CHRONOLOGIE

1861 *octobre*. Frédéric et Arthur Rimbaud entrent à l'Institution Rossat, 11, rue de l'Arquebuse, à Charleville. Arthur est en 9e.

1862 *octobre*. Arthur entre en 8e.

1863 *octobre*. Il entre en 7e.

1864 *11 août*. Le capitaine Rimbaud est admis à faire valoir ses droits à la retraite ; il va s'installer à Dijon.
octobre. Arthur entre en 6e.

1865 *rentrée de Pâques*. Arthur fait son troisième trimestre de 6e au collège municipal de Charleville.
octobre. Il entre en 5e. Il ne sautera jamais de classe, contrairement à ce qu'on a parfois prétendu.

1866 Première communion d'Arthur et de Frédéric ; Mme Rimbaud et ses enfants s'installent au 20 de la rue Forest.
octobre. Arthur entre en 4e, tandis que Frédéric redouble sa 5e, où il a pour condisciple Ernest Delahaye. Celui-ci deviendra le meilleur camarade d'Arthur.

1867 *octobre*. Arthur entre en 3e. Mme Rimbaud lui fait donner des leçons particulières de versification latine.

1868 *8 mai*. Arthur adresse en secret une lettre en vers latins (60 hexamètres) au Prince impérial, Louis, à l'occasion de sa première communion. Auguste Filon, précepteur du Prince, lui répond en son nom.
octobre. Arthur entre en seconde ; il a pour professeur de lettres M. Duprez.
6 novembre. « *Ver erat* », composition en vers latins.

1869 *15 janvier*. Publication de « *Ver erat* » dans le *Bulletin officiel de l'Académie de Douai*.
mai. Version latine : « Invocation à Vénus », d'après Lucrèce.
1er juin. Publication dans le même *Bulletin* de « *Jamque novus* »,

vers latins composés par Arthur Rimbaud d'après un poème de Jean Reboul, « L'Ange et l'enfant ».

Mme Rimbaud emménage 5 bis, quai de la Madeleine.

2 juillet. « Jugurtha », composition en vers latins, qui vaut à Arthur le premier prix au Concours académique, classe de seconde.

octobre. Arthur entre en classe de rhétorique ; il a pour professeur de lettres M. Feuillâtre.

15 novembre. Publication de « Jugurtha » dans le *Bulletin officiel de l'Académie de Douai*.

1870 *2 janvier*. La *Revue pour tous* publie « Les Étrennes des orphelins ».

M. Feuillâtre ayant obtenu son changement, il est remplacé par un professeur âgé de 21 ans, Georges Izambard. « Je n'eus pas de peine », dira-t-il, « à constater que ce fort-en-thème [A.R.] possédait en outre un organisme cérébral de premier ordre ».

mars. M. Desdouets, principal du Collège, accorde à Arthur Rimbaud un « avant-prix » (*Les Caractères* de La Bruyère) « en témoignage de satisfaction pour ses notes en classe ».

15 avril. Publication dans le *Bulletin officiel de l'Académie de Douai* d'« Invocation à Vénus » (version latine d'après Lucrèce), d'« *Olim inflatus aquis* » (vers latins d'après Delille, « Combat d'Hercule et du fleuve Acheloüs), de « *Tempus erat* » (traduction en vers latins de vers français « Jésus à Nazareth »), et d'un discours latin (« Paroles d'Apollonius sur Marcus Cicéron »).

mai. Rimbaud prépare une composition française « Lettre de Charles d'Orléans à Louis XI pour solliciter la grâce de François Villon, menacé de la potence ». Pour cela, il emprunte des livres à Izambard. Mme Rimbaud écrit une lettre de protestation à ce professeur qui fait lire V. Hugot *[sic]* à son fils.

24 mai. Arthur écrit à Théodore de Banville, rédacteur en chef du *Parnasse contemporain*, et lui adresse trois poèmes : « Par les beaux soirs d'été », « Ophélie », « *Credo in unam* ».

fin juin. Arthur écrit une composition en vers latins sur la matière suivante : « Sancho Pança gratifie son âne mort de ses pleurs et de ses louanges reconnaissantes » (texte perdu).

6 juillet. Émile Ollivier, président du Conseil, prononce devant la Chambre ces paroles : « Le gouvernement n'a aucune espèce d'inquiétude, à aucune époque le maintien de la paix en Europe n'a été plus assuré. De quelque côté qu'on regarde, on ne voit aucune question irritante engagée. »

15 juillet. Au cours d'une séance houleuse, la Chambre vote les crédits de guerre et la mobilisation immédiate de la garde mobile.
16 juillet. Proclamation du journaliste Paul de Cassagnac, partisan du gouvernement impérial, dans *Le Pays.* Cet article tentait de justifier les hostilités au nom de la tradition révolutionnaire. Rimbaud, indigné, flétrira Paul de Cassagnac (1843-1904) et son père Adolphe (1806-1880), autre défenseur de l'absolutisme, dans son poème « *Morts de Quatre-vingt-douze...* »
19 juillet. La France notifie à la Prusse sa déclaration de guerre. L'Empereur fait une proclamation.
2 août. « Victoire » de Sarrebrück. Le Prince impérial y a fait l'épreuve du feu.
4 août. Défaite de Wissembourg.
6 août. Double défaite, à Wœrth-Reichshoffen et à Forbach. C'est le jour de la distribution des prix au Collège de Charleville. Arthur Rimbaud obtient le prix d'excellence, le premier prix de discours latin, le premier prix de discours français, le premier prix de vers latins, le premier prix de version latine, le premier prix de version grecque.

[D'UN CAHIER D'ÉCOLIER]

[Page 1, 1re colonne]

conspecto[1], *Tunc legatus sic*
allocatus est vela corpus imquit, ut
proferam tibi mandate senatus
populique romani,
Aristomene[2] se souleve, etend
sa main et rencontre la peau
velue d'unanimal de grande
taille. c'était un renard que l'odeur
des cadavres attirait et qui faisait
sa pature habituelle des malheureux
précipités dans le gouffre. alors une
lieur d'espoir, quelque legere que'lle
fut, brilla pour aristome il jugea
que cet animal devait connaitre
une issue et qu'il pourrait se tirer
ainsi de ce lieu d'horreur. il saisit aussitot
la queue du renard qui se retoura pour

1. *Conspecto* : « je regarde, j'aperçois ». On peut difficilement donner ce titre à l'ensemble du cahier d'écolier, comme le fait Alain Borer dans *Œuvre-vie*, p. 981. Sans doute ce verbe se rencontre-t-il chez Fulgentius et chez Tertullien. Mais il n'est pas nécessaire d'imaginer Rimbaud aux prises avec le latin tardif. Le verbe termine un segment de phrase. **2.** Aristomène est un héros messénien légendaire, auquel Pline a fait allusion. Il souleva ses concitoyens contre Sparte vers 683 av. J.-C. Il vainquit les Lacédémoniens et les humilia en les obligeant à demander un général aux Athéniens : ce fut Tyrtée, qui entraînait les troupes au son de poèmes mis en musique. Trahi par le roi des Arcadiens dont il avait cru faire son allié, Aristomène fut défait à son tour, se réfugia sur le mont Ira et y prolongea la résistance pendant onze ans. L'histoire d'Aristomène et du renard était sans doute contenue dans un texte de version latine qui n'était pas nécessairement un texte d'auteur.

le mordre mais aristomene lui presenta
la partie anterieure de son bras gauche
recouverte d'un lambeau d'etoffe qu'il
avait ● ramassé pour se couvrir la
nuit. le renard, desesperant de
vaincre son ennemi, que ne pouvai.... ●
arrenter ni les contusions camsées
par les anfractuosités des rochers, ni
les affreuses dechirures que lui faisai......
les ronces et les epines, il finit par apercevoir
un orifice aveuglé par ou passait la
lumiere et par où penetra... sans doute
le renards : alors aristomene le lâcha et

cherchait a fuir mais en meme temps
il entraînait presque alors aisto

pavenu a cette ouverture, il l'agrandit
avec toute la fougue possible. Pour
l'espoir de la vie et l'amour de la
liberté, il alla aussitôt rejoindre
(les) Lacedonom, se mit de nouvea.....

[page 1, 2e colonne]

a leur tête, et apparut aux Lacédémoniens comme
une vision vengeresse, sortie pour les punir
de leur odieuse lacheté

Creseus [1]

1. Fausse graphie grecque pour Crésus, le dernier roi de Lydie, qui exerça le pouvoir de 563 à 548 av. J.-C. Il fut d'abord heureux dans ses entreprises. Ses conquêtes et ses richesses, vite devenues fabuleuses, le rendirent célèbre dans tout le monde hellénique. Mais il fut vaincu par le roi des Perses, Cyrus, qui envahit la Lydie en plein hiver et prit d'assaut la ville de Sardes. Hérodote a recueilli l'anecdote concernant les rapports de Crésus avec les oracles, et spécialement avec l'oracle de Delphes, dans le Livre I de ses *Histoires*, « Clio », 46 *sqq*. Le roi de Lydie avait décidé de mettre à l'épreuve tous les oracles connus. Le texte de Rimbaud renvoie à deux épisodes : a) Crésus consulte les oracles, en particulier celui d'Ammon en Libye et celui d'Apollon à Delphes, pour savoir s'il doit engager la guerre contre les Perses ; b) l'oracle de Delphes incite Crésus à devenir l'ami des Grecs, et en priorité des Lacédémoniens. Voir Hérodote, I, 69 : Crésus « envoya à Sparte des députés porteurs de présents pour demander l'alliance ; il leur avait prescrit ce qu'ils avaient à dire ; arrivés à Sparte, ils tinrent ce langage : "Celui qui nous a

Creseus va n'oser se conformer aux recommandations
de l'oracle, quoiqu'il eut pleine confiance
qu'avec ses seules forces il serait en
etat de vaincre Cyrus, eut soin d'envoyer
des ambassadeurs a Sparte, pour engager
les lacedemoniens a faire alliance avec eux
ils parlerent aimsi : « Creseus, roi des lydiens,
vous dit par notre bouche : ô Lacedemoniens,
Le dieu de Delphes m'a ordonné de contracter
amitié avec les Grecs, et je m'adresse a vous
parce que j'apprends que vous êtes le 1°
peuple de la Grece. je desire que nous fassions
alliance sans fraude ni tromperie : rien
ne s'opposera a ce que les lacedemoniens, avides
de gloire acceptassent les proposition du
roi des lydiens ; d'ailleus ils avaient entendu
la reponse de l'oracle, et ils furent bien
flattés de ce que les lydiens étaient venu
chez eux aussi ne fait-il pas difficile de
les persuader d'entrer dans l'amitié
de Creseus, et ils promiren..... de lui
envoyer d'abord des deputés, et bientôt
après un corps d'arme.....
Creseus
de revenir a sardes de venir en
toure...... Laceda...... pendant que
roi de Babiylone, n'ouv.....
Mais Cyrus n'attendit pas quils eussent
recu tous ces renforts,

---

envoyés est Crésus, roi des Lydiens et autres peuples. Voici ce qu'il nous dit : *Lacédémoniens, le dieu m'a ordonné par un oracle de prendre le Grec pour ami ; j'apprends que c'est vous qui êtes à la tête de la Grèce ; c'est donc vous que je sollicite, conformément à l'ordre reçu ; mon désir est d'être votre ami, votre allié, sans dol ni tromperie*" » (trad. Ph.E. Legrand, Les Belles-Lettres, Collection des Universités de France, Hérodote, tome I, 1964, p. 78). Le texte ne correspond donc nullement aux quatre premières lignes en latin. Rimbaud semble suivre d'abord assez précisément le texte d'Hérodote et le traduire, depuis Ὦ Λακεδαιμόνιοι, χρήσαντος τοῦ θεοῦ τὸν Ἕλληνα φίλον προσθέσθαι. Mais la fin s'effiloche. S'il s'agit, comme c'est probable, d'un exercice de version grecque, il faut dater le cahier de 1866 (la classe de quatrième, où l'on commençait le grec) plutôt que de 1864.

[page 2, 1re colonne]

de petites mouches[1] si Jolies que l'envie
me prit de les decrire. le lendemain
j'en vis d'une autre sorte que je decriv
j'en observai ainsi pendant trois sema
trente sept espèces toutes extrême
ment différente mais il en
vint a la fin un si grand
nombre et d'aussi grande variété,
que je laissai là cette études
quoique très amusante, parceque
je manquais de loisir, ou, pour
dire la verité, d'expressions. les
mouches que j'avais obsevees
etaient toutes distingues l'une
de l'autre par leur couleurs,
leurs formes et leurs allur......
il y en avait de dorees,
dargentées, ou bronzées,
de tigrées, de rayées
de bleu, de verte de
rembrunies de chatoyantes
les unes avaient le tete
arrondie comme un turban
les autres alongées en pointes
chez quelques unes elles parais
saient obscures comme

---

1. Rimbaud a l'air de s'abandonner au pur plaisir de la description, avec un goût du minuscule, de l'infiniment petit qu'on retrouve dans la suite du cahier (le ciron) et de son œuvre (le moucheron). En réalité, comme l'a montré Suzanne Briet (*Rimbaud notre prochain*, p. 47), il recopie très approximativement, avec beaucoup d'omissions, une page de Bernardin de Saint-Pierre, dans les *Études de la nature* : « ... j'aperçus sur un fraisier, qui était venu par hasard sur ma fenêtre, de petites mouches si jolies... j'en observai ainsi pendant trois semaines... toutes différentes... d'une si grande variété... et, pour dire la vérité... Les mouches que... les unes des autres par leurs couleurs, leurs formes et leurs allures... de rayées, de bleues, de vertes... d'autres allongées en pointes de clou. À quelques unes elle paraissait obscure comme un point de velours noir ; elle étincelait à d'autres comme un rubis. Il n'y avait pas moins de variété dans leurs ailes : quelques-unes... Chacune avait sa manière de les porter et de s'en servir. Les unes les portaient perpendiculairement, et semblaient prendre plaisir à les étendre... celles-ci volaient en tourbillonnant à la manière des papillons, celles-là s'élevaient en l'air en se dirigeant... »

un coin de velour noir
et elle étincelait ●
d'autres comme ●
rubis il n'y avait pas moi......
de variétes dans leur aile' ;
Quelques unes en avaient
de longues et de brillantes
comme des lames de nacre
d'autre, de courtes et de larges
qui ressemblaient a des
réseaux de la plus
fine gaze celles ci

[page 2, 2e colonne]

planaient tourbillonnant
celles là s'élevaient en
se dirigent contre le vent,
par un mecanisme a peu
près semblable a celui des
cerfs volants de papier
qui s'elevent, en faisant
avec l'axe du vent
un angle, je crois, de
degrés et demi

[page 4, 1re colonne]

nullius il n'est aucun animal excepté l'hom● qui ait quelque
est notion de dieu[1] mais parmi les homm il n'est aucune
nation si sauvage que celle qui ne sent que il existe un
Dieu mais parceque dans toutes chose ●e consentement des
nations on doit avouer que quelque puissance divine existe
L'habitude de disputer contre les dieux est mauvaise

1. On aurait tort de voir ici la naissance d'une réflexion personnelle. Il s'agit visiblement soit d'un exercice de traduction du latin (*nullius*, d'aucun [animal], en serait le dernier mot, celui en tout cas auquel Rimbaud s'accroche), soit de la paraphrase d'un texte philosophique latin.

et inique soit que cela soit fait sérieusement soit en
plaisantan c'est pourquoi protagoras le plus grand sophiste
de son temps nia au commencement q d'un livre que les dieux
existaient, et fut chassé de la ville sur l'ordre des Atheniens
et ses livres furent brules sur les places publiques. On
raconte meme qu'on avait promis un talent d'argent a celui
qui le tuerait ainsi nenne le doute de l'existence des dieux ne
put eviter son chatiment qui est si intense que celui qui,
lorsqu'il ara vu le ciel ne sente pas que il est un dieu.
la beauté du monde l'ordre des choses et les revolutions du
soleil de la lune et de tous les astres indiqu...... assez par leur
aspect q. ne sont pas l'effet du hasard et nous prouve avec quel
que quelque nature superieure et eternelle existe
qui doit étre ●admirer par le genre humain
rimbaud arthur *deinde pendata gens indica nonne petebent* A
rimbaud arthur *deinde pendata gens indica nonne petebent* A
deinde
deinde Secur quod est preciperam
Secur quod est preciperam
Secur quod est preciperam
Secur quod est preciperam
Secur quod est preciperam
Secur quod est preciperam
Secur quod est preciperam
Secur quod est preciperam
Secur quod est preciperam
Secur quod est preciperam [1]

[page 5, 1re colonne]

Lousque la replubblique romaine fut administrée
par ceux auxquels elle s'était confiée, Ciceron lui
portait toute ses pensées et ses soins et il
mettait plus de soin a agir qu'a ecrire
Lorsque le pouvoir tomba aux mains

1. Reprise caractéristique de ce que Suzanne Briet appelle les « faux pensums » — Rimbaud s'impose à lui-même de recopier plusieurs fois une expression qui, dans cette graphie, est d'ailleurs incomplète, incorrecte et donc incompréhensible.

de Jules Cesars il ne s'abandonna pas
aux chagrins par lesquels il était accablé,
ni auxplaisirs d'un homme indigne

Arthur
Les infiniments petis

Quelques petits que fussent ces insectes, ils
etaient dignes de mon attention, puisque ils
avaient herité celle du createur. je continuai
donc mes observations, toutes inexactes qu'elles
devaient ètre ; car je devais toujours ignorer
quels etaient les insectes qui frequentaient
mon fraisier pendant la nuit, attirés peut-etre
par des lumieres phosphoriques qui nous echap-
pent. en examinant de plus pres les feuilles de
●on vegetal au moyen d'un micros
copie, je les trouvai diviséees en compartiments
herissés de poil et separés par des canaux......
ces compartiments m'ont paru semblables
a de grands tapis de verdure et leurs poiles a
des végétaux, parmi lesquels il y en avait de droits
d'enfilés de fourchus Or, la nature n'a rien fait
en vain. quand elle dispose des lieux propres
a ètre habités, elle y met des animaux.
ce n'est jamais elle qu'on verra borner par
un espace resserré ; on peut donc croire, sans
f●d'hypothèse que il y a des animaux

[page 5, 2e colonne]

qui pessent sur les feuilles de Art
plantes comme les bestiaux
dans nos prairies ; qui se
couchent à l'ombre de leurs
arbr. inperceptibles et qui
trouvent dans des plaines
de quelques millimètres
des spectacles dont nous n'avo......
pas l'idée les antères jaunes

des fleurs, suspendue..... sur
des filets blancs, leur présentent
des doubles solives d'or en
equilibre sur des colonnes
plus belles que l'ivoire poli ;
les corolles des voutes de rubis et
de topazie d'une grandeur
incommensurable ; les nectars
des fleuves de sucre ; les autres parties
de la floraison des coupes, des
urnes, des pavillons, des domes
que l'architecture ni l'orfevreri......
des hommes n'ont point encore
imités.
on trouve dans les discours
invenitur in virtutes
de Caton toutes les qualités
Catoni omes qualitates[1]
de l'orateur. on dit que les abeilles
auctoris
ont un roi. Quand on sert les lois
on sert Dieu, on rapporte
que le lion s'epouvante
au chant du coq. quand
on aime les autes on a suf
fisamant de vertus.
Quand on donne au pauvre,
on donne a Dieu de meme

---

1. *Catoni[s] om[n]es qualitates* : toutes les qualités de Caton, venant s'ajouter à ses vertus morales (*virtutes*). Il s'agit de Caton l'Ancien (Marcus Porcius Cato), né à Tusculum en 234 av. J.-C., mort en 149. Élu censeur, il lutta contre le luxe et la dépravation des mœurs — d'où son surnom de Caton le Censeur. Modèle de rigueur et d'austérité morale, il était d'une éloquence simple et énergique, que Cicéron recommandait comme modèle. Cicéron lui a d'ailleurs consacré un dialogue en 44 av. J.-C., le *De Senectute* (De la vieillesse), qui s'achève sur un magnifique morceau consacré à l'immortalité de l'âme.

[page 6, 1re colonne]

On vend sa liberté quand on
accepte un bienfait[1]. quand
on interroge avec fourberie,
on ne merite pas d'entendre
la vérité. on peut à peine
changer l'opinion du vul
gaire quand on desire la paix,
on prepare la guerre on ne s'est
jamais repenti d'avoir gardé
le silence. dans les choses grandes
et dignes de memoire, on exami
ne d'abord les projets, ensuite les
succès

Arthur

[page 7, 1re colonne]

Quand Esope etait l'esclave d'un tiran,
il lui fut ordonné de preparer le diner.
Cherchant donc du feu, il alla de maison......
en maisons. enfin il trouva où
poser sa lanterne[2]

1. Ce passage fait peut-être allusion au traité de Sénèque le philosophe sur les Bienfaits *(De beneficiis).* **2.** Cette anecdote n'est pas consignée dans « La Vie d'Ésope le Phrygien » que La Fontaine a placée avant ses *Fables*. Elle vient d'une fable latine de Phèdre, « *Aesopus ad garrulum* », Ésope à un bavard, dont nous donnons le texte et la traduction d'après une édition du XIXe siècle, *Fables de Phèdre* traduites en français par M.E. Panckoucke, nouvelle édition revue par E. Pessonneaux, Garnier, s.d., pp. 60-61 :

Aesopus domino solus quum esset familia,
Parare coenam jussus est maturius.
Ignem ergo quaerens, aliquot lustravit domos ;
Tandemque invenit, ubi lucernam accenderet.
Tum circumeunti fuerat quod iter longius,
Effecit brevius ; namque recta per forum
Coepit redire. Et quidam e turba Garrulus :
Aesope, medio sole, quid cum lumine ?
Hominem, inquit, quaere ; et abiit festinans domum.

peut tu te croire egale a moi toi et moi
●n'avons certes pas obtenu la meme
Destinée, moi je passe ma
vie dans les temples dans les palais
des rois, où il me plait. je me fais — 14
rien, et je jouis des meilleures choses — 13
toi aucontraire tu travailles sans — 2
relache et tu mene une existence — 2
fort dure ». La fourmi repondit : « tu — 3
ne fais rien, il est vrai et tu jouis mainte — —
nant de beaucoup d'avantages ; mais — 34
quand la saison rigoureuse sera venue,
ton sort sera bien changé alors le froid
et la faim t'auront bientôt emporté
moi, aucontraire, je trouverai une maison
bien pourvue et je passerai l'hiver
en securité. il est glorieux, dis tu, de
vivre parmi les rois et les dieux ; il est plus
utile et plus sur de travailler. »[1]

Hoc si molestus ille ad animum retulit,
Sensit profecto, se hominem non visum seni,
Intempestive qui occupato alluserit.

« Ésope était à lui seul toute la maison de son maître. Un jour il eut l'ordre de préparer le dîner plus tôt que de coutume. Il cherche partout du feu, court de maison en maison, en trouve enfin et allume sa lampe. Comme il avait par des détours allongé son chemin, pour abréger son retour il traversa le marché. Un bavard lui cria de la foule : “Ésope, que fais-tu donc de ta lampe en plein midi ? — Je cherche un homme”, lui répondit-il, et il regagna promptement son logis. Si cet importun réfléchit sur cette réponse, il dut voir que le vieil Ésope n'avait pas pris pour un homme le plaisant qui raillait un homme affairé. »

1. Phèdre a consacré aussi une fable à « La Fourmi et la Mouche » (« *Formica et musca* », fable XXII du Livre IV). En voici la traduction, empruntée à la même édition, pp. 85-86 : « La Fourmi et la Mouche contestaient assez vivement de leur prix. La Mouche commença ainsi : “Peux-tu bien comparer ta position à la mienne ? Dans les sacrifices, je goûte la première les entrailles des victimes ; je m'arrête sur les autels, et je parcours tous les temples. Je me pose sur le front des rois, et, quand il me plaît, je cueille un baiser sur la bouche la plus chaste : je ne fais rien et je jouis de tout. Est-il dans ton existence quelque chose à comparer, campagnarde ? — Sans doute, dit la Fourmi, il est glorieux de siéger au banquet des dieux, mais comme convive, et non comme parasite. Tu habites les autels ; mais, dès que l'on t'y aperçoit, on te chasse. Tu parles de rois, de baisers surpris aux dames : folle ! tu te vantes de ce que, par pudeur, tu devrais cacher. Tu ne fais rien ; aussi, venu le besoin, tu n'as rien. Tandis que j'amasse avec ardeur du grain pour mon hiver ; je te vois, le long des murs, te nourrir de viles ordures. L'été, tu m'étourdis ; pourquoi te tais-tu donc l'hiver ? Lorsque le froid te saisit et te tue, je

[page 7, 2e colonne]

quelle est la contenance d'une piece de terre de la longueur
de 252 m 80 et de la largeur de 78 m 600 au bout et 84 m 20 à l'ai

si on a payé 20 litres 3250 dites quel est le prix de 7 deci

Si on a payé 2 steres de bois

La foumi et

formica et musca [1]

formica et musca vexabuntur : musca
dicebat : nonne potes credere te mei
simulem esse ego et tu non habemu......
eundem fatum ego consumo vitam
in domu..... regum ubi placet mihi
nil facio et fruor melioris rebus.
tu autem laboras continuô. et ducis vitam
durissimam formica respondit (nil facio, inquis,
verum est, et frueris nunc multis beneficiis
sed quum venerit ætas frigida, sors tua
mutabitur. tunc frigus et famis te brevi
rapierint. ego autem, inveniam domus
munitissimam et hiemem comsu
mam tuto. gloriosum eset, inquis,
vivere inter reges et deos utilius est
et sutior Laborare — Rimbaud art......

---

rentre saine et sauve dans ma demeure, où est l'abondance. En voilà assez, je crois, pour rabattre ton orgueil."

Cette fable nous apprend à connaître deux caractères différents : l'homme qui fait parade de faux avantages, et celui dont la vertu brille d'un solide éclat. »

Rimbaud donne l'impression de paraphraser plus que de traduire cette fable, qui ici est assurément sa référence. Il faudra attendre Aden, le Harar, Le Caire pour trouver un Rimbaud-fourmi. La « Chanson de la plus haute tour » traitera péjorativement le « bourdon farouche / Des sales mouches » (version contenue dans « Alchimie du verbe », *Une saison en enfer*).

1. Il ne s'agit pas de « La Cigale et la Fourmi », comme l'écrit trop vite Suzanne Briet, *op. cit.*, p. 44, mais de « La Fourmi et la Mouche » (voir note précédente). Curieusement, le texte latin donné ici n'est pas celui de Phèdre. On aurait presque l'impression que Rimbaud retraduit en latin une version française de la fable.

Esope (suiite
alors, parce qu'il avait été tres longtemps
a continuer son chemin, il se hata
de revenir par la place alors un bavard

de la foule lui dit : Esope, que fais tu en plein midi avec une lanterne
je cherche un homme, dit il et il se hata de s'en aller a la maison

[page 8, 1re colonne]

Si on a payé deux steres de bois 32 f
combien couteront 7 decisteres

32	2		1 f 60 ●
12	16	10	7
00	60	1 f 60	11,20
000			

àmesure que l'homme approche
des elements de la matiere, les principes
de sa science s'evanouissent et
quand il cherche a avancer dans
l'espace de l'infini, son intelli
gence confondue se perd a la vue
de tant de merveilles d'un ordre
different. en effet, prenez une loupe,
et voyez la matiere redoubler, pour
ainsidire, de soins a mesure que
ses œuvres diminuent de volume
voyez l'or, la pourpre, l'azur, la nacre
et tous les emaux, dont elle embellit
quelquefois la cuirasse du plus vil
insecte. voyez le reseau chatoyant
dont elle tapisse l'aile du Ciron
voyez cette multitude d'yeux, ces

diademes clairvoyants dont elle
s'est plu a ceindre la tete de la
mouche il semble a qui......
contemple la creation, qui avec
delicatesse essaye partout de
l'emporter sur la magnifi
cence. l'œil de la baleine ou
de l'elephant presente a l'exam

[page 8, 2e colonne]

des details que leur petitesse
derobent a nos regards ; et ces
details ne sont pas, a beaucoup près,
les derniers où le travail sarrete
art

Dans la genese, les commence
ments du monde ont été ainsi
racontés par moise. la lumiere,
dit-il virgule, le firmament
la terre les plantes, le soleil,
les poissons, les oiseaux et
tous les animaux furent suc
cessivement crées par Dieu
puis l'homme fut fait.
Adam, ce premier homme,
et eve, la premiere fenne,
furent placées dans un jardin
délicieux, là ils étaient libre......
et heureux. mais ce bonheur
ne fut pas de longue durée.
Eve fut séduite par le serpent,
adam fut entrainé par Eve dans
le mal ; l'epoux et l'epouse
coupables furent chassés
du paradis par le seigneur......
irrité et dès lors le travail......

la douleur, les maladies, les mau......
et toutes les miseres furent
attachés a eux.

Le prejugé

les athemiens etaient reunis dans
un theatre, appelés a juger un
celebre histrion qui s'etait
dejà fait une grande reno......
mée dans les differentes villes
de la grèce, par l'adresse qu'il
deployait a imiter le cri

[page 9, 1re colonne]

des animaux, j'essayerais en vain de vous
depeindre l'enthousiasme avec lequel
on accueillait on accueillait sa présence
c'etait des applaudissements, des arth
trepignemants des rires entrainants
auxquels tout le monde aurait cédé :
l'homme morose que rien ne recreerait
aurait été forcé de rire et d'applaudir
comme les autres. cependant, au milieu
de la satisfaction et de la joie gene
rale, un paysan trouva a redire, et se
plaignit d'une admiration qu'il re
gardait comme peu méritée je projette,
dit-il, de vous prouver que cet homme
ne merite pas que vous le louiez, ni
que vous le choyiez tant.

Les maximes

fili mi ne judicas homines
quun vides illorum conspectun
nam saepe, si divites sunt, mali
sunt [1]. Rimbaud athur de Charleville

1. « Mon fils, ne juge pas les hommes que tu vois d'après leur apparence, car souvent, s'ils sont riches, ils sont mauvais. »

nº loqueris hominis impis nam
mox illi similis eris
volo tibi fabulam narrare
ut conservas præceptum
discipulus posuerat malum ma
lam in mensà et circum mi
serat aliorum malorum
bonarum mox illæ malæ
fient. est sic hominis
frequentas impias[1]. arthur......

[page 9, 2e colonne]

tractus fuit

initium mundi[2]
in Genesi initia mundi narrata sunt
sic a mose. lumen, inquit,
firmamentum, terra, flores,
sol, pisces et aves et omnia
animalia creati fuerunt a Deo
deinde homo factus est adanus
hic primus homo et Eva
prima mulier positi fuerunt
in horto amænissimo ubi
erant libres et beati. sed
nonfelicitas fuit longua
Eva decepta fuit a callidissimo
serpenti adamus deceptus
eva in malum conjux ab
conjuxque culpabiles, ejecti
sunt e paradiso a domino irato.

---

1. « Ne parle pas à un homme impie, car bientôt tu seras semblable à lui. Je veux te raconter une fable pour que tu conserves [ce] précepte. Un élève avait posé une mauvaise pomme sur la table avec à côté de mauvaises pommes, et bientôt ces bonnes pommes deviendront mauvaises. Il en sera ainsi si tu fréquentes des hommes impies » (cette traduction est nécessairement approximative, tant le texte est lui-même mal fixé, donnant l'impression d'un latin dont Rimbaud n'est pas encore maître). **2.** Il ne s'agit pas davantage ici d'une longue citation du texte de la Genèse dans la Vulgate, mais d'une sorte de paraphrase maladroite et incorrecte.

Semul ac labor, dolor, morbi
mors et omnes dolores cum
illes ligati fuerunt, arthir

Le cerf et les bœu......
un cerf chassé des forets
qui lui servaient de retraite gagna
avec une crainte aveugle la
ferme voisine afin d'eviter la
mort imminente dont le mena
caient les chasseurs et se cacha
dans un etable a bœufs qui s'offrit
a lui fort a propos[1]. Rimbaud arthur
charleville *illusar ipse ab illud isp......*
iniqui serius aut ocius dant pœmas
malifici[2]

1. Référence à une autre fable de Phèdre, Livre II, fable VIII, « *Cervus et boves* ». Elle est ainsi traduite dans l'édition citée : « Forcé dans les retraites profondes de la forêt, et aveuglé par la crainte, un Cerf, pour fuir la mort qui le menaçait, gagna une ferme voisine, et se cacha dans une étable qui s'offrit à lui. Un Bœuf le vit et lui dit : "Malheureux ! tu cours à ta perte, en cherchant un refuge sous le toit des hommes. — Ayez pitié de moi, répondit le Cerf suppliant ; à la première occasion, je reprendrai ma course."

La nuit vient et succède au jour ; le bouvier apporte le feuillage, mais sans voir le Cerf. Les paysans vont et viennent, et nul ne l'aperçoit. Le fermier lui-même passe, et ne se doute de rien. Le Cerf alors, plein de joie, remercie déjà les Bœufs de leur discrétion et de l'hospitalité qu'ils lui ont donnée si à propos. "Nous désirons que tu te sauves, lui dit l'un d'eux ; mais si l'homme aux cent yeux arrive, ta vie court un grand danger." Comme il parlait encore, le maître lui-même sort de souper. Il avait récemment trouvé ses Bœufs en mauvais état, et dit en visitant les râteliers : "Pourquoi si peu de feuillage ? La litière n'est point faite ? Ôter ces toiles d'araignée, est-ce un si grand travail ?" En faisant sa revue, il aperçoit la haute ramure du Cerf. Il appelle aussitôt ses valets, et fait tuer et emporter l'animal. »

Rimbaud nous offre ici le début d'une traduction pour

« Cervus, nemorosis excitatus latibulis,
Ut venatorum fugeret instantem necem,
Caeco timore proximam villam petit,
Et opportuno se bubli condidit. »

2. Texte approximatif, qu'on peut rendre tout aussi approximativement par : « Les méfaits injustes donnent des châtiments (*poenas*, plutôt que *poemas*, qui serait un barbarisme) plus tôt ou plus tard. »

[page 10, 1re colonne]

I

prologue[1]

Le soleil était encore chaud ;
cependant il n'eclairait pres
queplus la teirre ; comme
un flambeau placé devant
les voutes gigantesque ne les
eclaire plus que par une
faible lueur ainsi le so
leil flambeau terrestre
s'eteignait en laissant echap
per de son corps de feu une
dernière et faible lueur
laissant encore cependant
voir les feuilles vertes des ar
bres les petites fleurs qui se
fletrissaient et le somnet
gigantesque des pins, des
peupliers et des chenes séculai
res. le vent rafraichissant, c'est
a dire une brise fraiche agitait
les feuilles des arbres avec un bruis
sement apeuprès semblable
a celui que faisait le bruit des
eaux argentées du ruisseau qui
coulait a mes pieds. les fougeres
courbaient leur front vert devan......
le vent, je m'endormis non
sans métre abreuvé de l'eau
du ruisseau. II
je rêvai que ....

1. Voici donc la version authentique de ce texte qu'on a eu tort de considérer comme un devoir scolaire. Nous en donnons toutefois plus loin une présentation normalisée conforme à la tradition éditoriale pour mieux saisir à sa naissance le Rimbaud prosateur.

....
...j'etais né a Reims l'an 1503
Reims etait alors une petite ville
où pour mieux dire un bourg
cependant renommé a cause de
sa belle cathedrale, temoin
du sacre du roi Clovis.

[page 10, 2e colonne]

Mes parents etaient peu riches
mais très honnetes ; il n'avaient
pour tout bien qu'une petite
maison qui leur avait tou
jours appartenu et qui etait
en leur possession vingt
ans avant que je ne fus encore
né en plus quelques mille francs
et il faut encore y ajouter les
petites louis provenant des eco
nomies de ma mere......
mon père etait officier[1] dans
les armées du roi, c'était un
homme grand, maigre,
chevelure noire, barbe, yeux, peau
de mem couleur..... quoi qu'il
n'eût guère quand je suis né
que 48 ou cinquante ans on
lui en aurait certainement......
bien donné 60 ou...... 58 il etait
d'un caractère vif, bouillant,
souvent en colère et ne voulant
rien souffrir qui lui deplut
ma mere etait bien diffe
rente femme douce, calme,
s'effrayant de peu de chose, et
cependant tenant la maison dans

---

1. Colonel des cent-gardes. [Note de Rimbaud]

un ordre parfait.. elle etait
si calme, que mon père l'a
musait comme une jeune
demoiselle. j'etais le plus
aimé mes frères etaient moins
vaillants que moi et cepen
dant plus grands : j'aimais peu
l'etude c'est a dire d'apprendre
a lire, écrire et compter......

[page 11, 1re colonne]

mais si c'etait pour arranger une mai
son, cultiver un jardin, faire des
commissions, a la bonne heure, je
me plaisais a cela.
je me rappelle encore qu'un jour
monpère m'avait promis vingt
sous si je lui faisais bien une
division ; je commençai ; mais je
ne pus finir. ah ! combien de fois
ne m'a-t-il pas promis de...... sous
des jouets des friandises meme
un fois cinq francs si je pouvais
lui..... lire quelque chose...... mal
gré cela mon père me nit en
classe des que j'eus 10 ans.
pourquoi, me disais-je, apprendre du
grec du latin ? je ne le sais. enfin
on n'a pas besoin de cela que m'in
porte a moi, que je sois reçu...... a quoi
cela sert-il d'être recu a rien n'estce
pas ? si pourtant on dit qu'on n'a
une place que lorsqu'on est reçu moi
je ne veux pas de place je serai rentier
quand menne on en voudrait une
pourquoi apprendre le latin ; person
nene parle cette langue quelquefois
j'en vois sur les journaux mais

Dieu merci je ne serai pas journaliste
pourquoi apprendre et de l'histoire
et de la geographie ? on a il est vrai
besoin de savoir que paris est en france
mais on ne demande pas a quel
degré de latitude del'histoire
apprendre la vie de Chinaldon
de nabopolassar de Darius de
Cyrus et d'alexandre

[page 11, 2e colonne]

et de leurs autres comperes remarquables
par leurs noms diabolique, est un sup
plice ? ——————————
Que m'inporte moiqu'alexandre
ait été célebre ? que m'inporte... 2
que sait-on si les latins ont existé ?
c'est peut-etre quel que langue forgée
et quand meme ils auraient existé
qu'ils me laissent rentier et conservent
leur langue pour eux. quel mal leur
— ai-je fait pour qu'ils me flanquent
au supplice. passonsau grec.... cette
sale langue n'est parlée par personne
personne au monde !......
ah saperlipotte de saperlopopette ●
sapristi moi je serai rentier il ne fait
pas si bon de s'user les culottes sur les bancs......
saperlipopettouille !
pour etre decrotteur gagner la place de
decrotteuril faut passer un exanen
car les places qui vous sont accordées sont
d'être ou décrotteur ou porcher ou bouvier
dieu merci je n'en veux pas moi
saperlipouille !
avec ça des soufflets vous sont acco
dés pour recompense on vous appelle
animal ce qui n'est pas vrai

bout d'homme etc

La suite prochainement

ah saperpouillotte ! »

Arth......

adamus et eva[1] *habuerunt*
duos filios, cainum et abelen......
abel fuit veré justus, a perentibus
amatus modo optimi liberi,
conspicius causa pietatis erga deum
cui offerebat pulcherrimos inter
oves etiam dona videventur agreabelli......

[page 12, 1re colonne]

Domino. Cainus factus est noctius
et invidus et fratrem suum occidit
tamen deus adamo levavit
dolorem dedens illi tertium fi
lium nomine Seth
modo abelis et in omnibus re
bus illi similis. posteri Seth
fuerunt longé qui et amati a Deo.

Les maximes (voir page 2

II

ne frequentas Amicitia
malorum est mala ; et
saepe ii qui cumm iis ligant
amicitiam in otis eorum
cadent volo tibi fabulam
narrare ut conservas praecep
tum nemum. canis fidelis
forte ligaverat amicitiam......
cum aquila superbo sed
olim aquila canem rapit
et devorat illum

1. Suite de la paraphrase de la Genèse.

III

is qui malum facit aliens
hominibus semper dat
poenas malifici. rana [1]
sta● loquerat avi
parvo de habitaculis in
aquis ut ille voluit videre
rempublicam ranarum.
rana quum duceret illun
in gente, demisit avem in
aquam et voluit illum
necare deinde et in
rivo vivi ut illum noctuum
comederet sed subito venit
accipiter ; ille rapit ranam
quaerenten et letho dedit

[page 12, 2e colonne]

III

post vivenda res, expectas finem.
Le pacte
il me reste encore des choses a
ecrire mais je m'en abstiens
sciemment 1° de peur que je ne
te paraisse importun qui' occupe
la grande varieté de tes affair
ensuite, si quelque'un veut essayer
par hasard la meme chose,
il trouve des exemples dans le
teste de l'ouvrage car la natiere
abonde tellement que c'est
plutôt le'artisan qui manque au
travail que le travail à l'artisan
Scripsit Cato fortissimos viros
et milites strenuissimos e agricoles

---

1. À l'intérieur de la maxime prend place une nouvelle fable, celle de l'oiseau et de la grenouille.

gigni ; ii sunt qui qminimé
mali cogitant idem quædam
de agricultura praecepta tradit
negat precipitanter emendum esse
prædium opera..... parcendun in re
rustica prævertet in agro emendo
si quis agrum emere vouerit
ante omnia illum oportet scruta
aquam, viam, vicinos.
Caton [1] ecrit que les hommes les plus coura
geux et les soldats les plus braves
sont faits pour les travaux rustiques
et ceux la ne sont pas ceux qui pensent
le plus mal. le meme Caton don......
encore plusieurs observations sur
l'agriculture...... il nie qu'il faut acheter
trop precipitamment in champ
et un pense que'il doit etre epongé.
si quelqu'un veut acheter un champ

[page 13, 1re colonne]

il faut tout dabord arroser la terre
en entier s.
Les maximes. (Voir.)
impius serius occius dat pœnas male
fici. cicada dicebat commodasse formica......
unum granum id verum non esset sed
musca, citata testis, rem affirmavit et for
mica reddidit granum. postridie, quærens
......cam, vidit in terrâ jacentem cicadam [2].
Les maximes
une pluie d'une violence inouie
tomba pendant 40 jours et 40
nuits, et les fleuves du tigre et

1. Retour à la sagesse de Caton l'Ancien ; voir plus haut note 1, p. 64. **2.** Commentaire moralisant de la fable de la Cigale et de la Fourmi, cette fois, ce qui confirme que Rimbaud ne passe pas directement par Phèdre.

de l'euphate se rependirent
dans toute la plaine habi
tée par les premiers hommes.
tout fut englouti par les eaux
Dieu avait trouvé un seul
homme pur, noé qui etait en
flamme du desir de prati
quer la justice. il lui
avait laissé le temps de cons
truire un vaisseau. Noé y
......esta sain et sauf, pendant que
......out le reste perissait. Lorsque le
huitième mois fut arrivé
l'arche s'arreta sur l'Ar●rat
Mont d'arménie.
pluvia vi inaudita cadit per
quadra ginta dies quadragintaque
noctes et fluvii Tigridis et euphatos
inundaverunt terram universam q cujus hominesera......
incolae primi. Omnia tracta sunt ab aquis deus invenerat solum homi
nem purum, noerum, quem erat accensus cupiditate Justitiae...... colen
dae illi dederat tempus ædificandi vanem. Nomus fuit incolum......
tunc omnes alii homines peribant quum octavius mensis advenit, nav......
stetit in motem araraten

[page 13, 2e colonne]

Le prejugé
L'Histrion [1] commença le spectacle, cette fois
et imita mieux que jamais le grognement......
d'un jeune porc on applaudit. notre pay
san parut a son tour, et, la main sous son
manteau, il tira l'oreille a un petit porc,
qu'il y avait caché avant d'entrer sur la
scene. mais quel ne fut pas son étonnement ;
au lieu d'applaudissements auxquels ils

1. Encore un apologue, qu'on pourrait intituler « L'histrion et le paysan imitant le porc ».

s'attendait, les sifflets de tout l'auditoire
couvriren sa voix et l'on fut unanime
pour reconnaître qu'il n'y avait point
de comparaison a établir entre l'artiste
qui savait si bien imité la nature et
le mal appris de paysan, qui ferait
bien mieux de retourner a sa charrue
et de ne plus se meler d'une imitation
qui n'etait point agréee du public,tant
elle etait eloignée de la verité. notre
homme alors ne se deconcerta pas il ouvre
tranquillement son manteau et fait voir
l'animal, qui grogne de plus belle
puis, s'avancant vers les spectateurs : « il
faut bien, leur dit-il, que, bon gré, nal
gré, vous sacrifiez votre jugement a la
verité ».

[page 14, 1re colonne]

Le pacte
Je pense qu'il est sot de te rappeler mes
prières lorsque tu est si près de m'ac
corder ton indulgence. l'acusé qui
avoue, obtient souvent son pardom
qui a-t-il de plus juste donc a donner
a un innocent c'est maintenant
a toi avaitoi c'etait le rôles d'autres.
ensuite viendront, dans une semblable
manière, les secours des suivants
donne moit ce que te permet la cons
cience, ta religion. et que ton
jugement me felicite ! (Phedre [1])

L'etude
si quelque'un en use ainsi de l'etude
de la science, il s'eloignera de la

1. L'inscription de ce nom confirme, s'il en est besoin, la place qu'occupe le fabuliste latin dans ce cahier d'écolier.

justice et du devoir. s'ils abandonnen
ceux quils pretegent car la justice
est la chose que'on doit voir
le plus souvent dans les choses protégées par
le hommes et elle est encore placée
avant la contemplation, l'appreciation
des choses ce qui l'homme sur quoi
applique son idée, la chose le nontre
elle meme. qui est plus desireux d'ap
prendre les differentes choses de la nature
ou de lapprecier a fond que celui qui,
quelque peril qu'il arive a sa patrie,
a ses proches, ses amis, meme s son
interêt propre, ene s'eloigne pas des
choses dignes d'être pensées. (Ciceron)

Le nil[1] (arthir

Le nil est, par ses inondations, lebien
faiteur de l'Égypte.

[page 14, 2e colonne]

Sans lui, ce terrain avare ne
rendrait rien aux mains laborieu
qui le cultivent, tous les ans
sans exception et meme apo
que fixe il franchit les limites
que Dieu...... lui a imposées pour
se rependre dans les countrées
qui l'environnentet les imbiber
d'une quantité d'eau, qui, jointe
aux rosées nocturnes, suffisent,
depousant sur la terre un limon
gras suffisent dis-je a l'arr●

1. Hérodote traite longuement du Nil dans le Livre II de ses *Histoires*, « Euterpe », qui est entièrement consacré à l'Égypte. L'Égypte y est définie par l'oracle d'Ammon comme « le pays que le Nil arrose en le recouvrant ». Or, ajoute-t-il, « le Nil, au moment des crues, recouvre non seulement le Delta, mais aussi des parties du territoire qu'on dit être libyque et de celui qu'on dit être arabique, jusqu'à une distance de deux journées de marche de chaque côté, tantôt plus encore, tantôt moins » (II, 18).

ser. Ce limon, quii l'engraisse
en meme temps qu'elle l'arrose
lui sert de fumier. son debordement
est a sa plus grande hauteur
pendant cent jour ensuite
il commence a baisser. cepen
dant, il ne faut pas que cette
crue s'eleve trop audessus de huit
metres elle est nuisible.passé
huit metres et demi, la famine
est certaine attendu que la terre
devenue marecageuse laisserait
perir les graines qu'elle renfer
me etqu'ensuite tout le terrein
pourrait produire unne peste
ainsi le nil sert aux terres qu'il
arrose a la fois d'arrosoir ensuite
Les e Égyptiens prenaient l'ibis [1]
comme l'augure leur annonçant
le debordement car cet oiseau●
qui etait migrateur, ne reven●
en egypte quavant que le nil
deborde ; il etait comme le......

1. Sur l'ibis, voir Hérodote, II, 76, qui parle d'un autre service rendu par cet oiseau aux Égyptiens : les ibis ne laissent pas entrer les serpents dans le pays, mais ils les tuent.

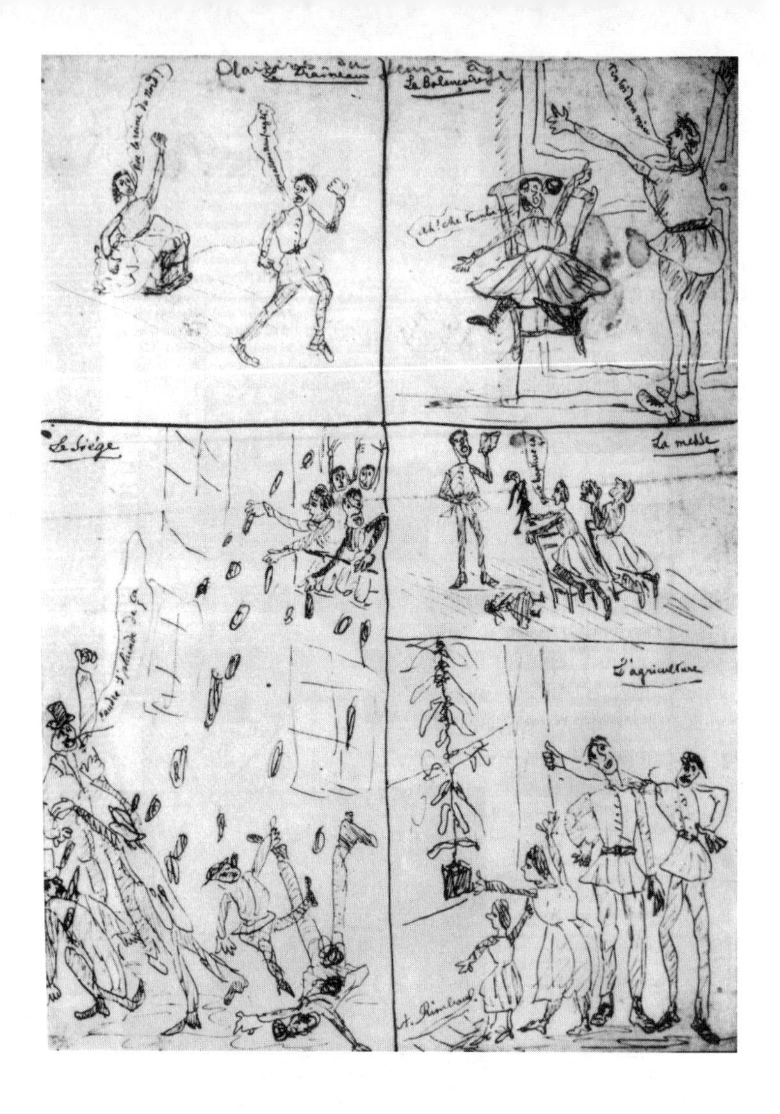

Suzanne Briet a fourni des dessins figurant sur les deux dernières pages une description détaillée dans *Rimbaud notre prochain*, pp. 42-43. Les cinq premiers *(ci-dessus)*, sur l'avant-dernière page, illustrent les « Plaisirs du jeune âge » (titre surchargé au crayon), chacun étant affecté d'un titre particulier : 1. Le traîneau ; 2. « La balançoire » ; 3. « Le siège » ; 4. « La messe » ; 5. « L'agriculture » : on y reconnaît les quatre enfants Rimbaud. Les deux derniers *(ci-contre)*, sur l'ultime feuillet, sont « Navigation » et un dessin sans titre : « il montre une femme assise à l'entrée d'un bosquet, se cachant le visage avec le bras gauche, tandis que son bras droit bat l'air. Un homme s'éloigne d'elle à grandes enjambées, avec l'air d'avoir fait un mauvais coup » (S. Briet).

navigation
au secours

I

Prologue

Le soleil était encore chaud ; cependant il n'éclairait presque plus la terre ; comme un flambeau placé devant les voûtes gigantesques ne les éclaire plus que par une faible lueur, ainsi le soleil, flambeau terrestre, s'éteignait en laissant échapper de son corps de feu une dernière et faible lueur, laissant encore cependant voir les feuilles vertes des arbres, les petites fleurs qui se flétrissaient, et le sommet gigantesque des pins, des peupliers et des chênes séculaires. Le vent rafraîchissant, c'est-à-dire une brise fraîche, agitait les feuilles des arbres avec un bruissement à peu près semblable à celui que faisait le bruit des eaux argentées du ruisseau qui coulait à mes pieds. Les fougères courbaient leur front vert devant le vent. Je m'endormis, non sans m'être abreuvé de l'eau du ruisseau.

II

Je rêvai que...
....
.... j'étais né à Reims, l'an 1503.

Reims était alors une petite ville ou, pour mieux dire, un bourg cependant renommé à cause de sa belle cathédrale, témoin du sacre du roi Clovis.

Mes parents étaient peu riches, mais très honnêtes : ils n'avaient pour tout bien qu'une petite maison qui leur avait toujours appartenu et qui était en leur possession vingt ans avant que je ne fus encore né en plus quelques mille francs auxquels il faut encore ajouter les petits louis provenant des économies de ma mère.

Mon père était officier[1], dans les armées du roi. C'était un homme grand, maigre, chevelure noire, barbe, yeux, peau de même couleur. Quoiqu'il n'eût guère, quand j'étais né, que 48 ou 50 ans, on lui en aurait certainement bien donné 60 ou 58. Il était d'un caractère vif, bouillant, souvent en colère, et ne voulant rien souffrir qui lui déplût.

Ma mère était bien différente : femme douce, calme, s'effrayant de peu de chose, et cependant tenant la maison dans un ordre parfait. Elle était si calme que mon père l'amusait comme une jeune demoiselle. J'étais le plus aimé. Mes frères étaient moins vaillants que moi et cependant plus grands. J'aimais peu l'étude, c'est-à-dire d'apprendre à lire, écrire et compter. Mais si c'était pour arranger une maison, cultiver un jardin, faire des commissions, à la bonne heure, je me plaisais à cela.

Je me rappelle qu'un jour mon père m'avait promis vingt sous, si je lui faisais bien une division ; je commençai ; mais je ne pus finir. Ah ! combien de fois ne m'a-t-il pas promis des sous, des jouets, des friandises, même une fois cinq francs, si je pouvais lui lire quelque chose. Malgré cela, mon père me mit en classe dès que j'eus dix ans. Pourquoi — me disais-je — apprendre du grec, du latin[2] ? Je ne le sais. Enfin, on n'a pas besoin de cela. Que m'importe à moi que je sois reçu, à quoi cela sert-il d'être reçu, à rien, n'est-ce pas ? Si, pourtant ; on dit qu'on n'a une place que lorsqu'on est reçu. Moi, je ne veux pas de place ; je serai rentier. Quand même on en voudrait une, pourquoi apprendre le latin ? Personne ne parle cette langue. Quelquefois j'en vois sur les journaux ; mais, dieu merci, je ne serai pas journaliste. Pourquoi apprendre et de l'histoire et de la géographie ? On a, il est vrai, besoin de savoir que Paris est en France, mais on ne demande pas à quel degré de latitude. De l'histoire, apprendre la vie de Chinaldon, de Nabopolassar[3], de Darius, de Cyrus, et d'Alexandre, et de leurs autres compères remarquables par leurs noms diaboliques, est un supplice ?

Que m'importe à moi qu'Alexandre ait été célèbre ! Que m'importe... Que sait-on si les Latins ont existé[4] ? C'est peut-être quelque langue forgée ; et quand même ils auraient existé, qu'ils me laissent rentier, et con-

---

1. Colonel des cent-gardes. [Note de Rimbaud] Corps de cent hommes, constituant la troupe de la maison du Roi, telle que l'avait réorganisée Charles VIII. **2.** Rimbaud se souvient peut-être des discussions qui entourent l'éducation du petit marquis de la Jeannotière dans le conte de Voltaire *Jeannot et Colin*. **3.** Roi de Babylone en 625 av. J.-C., père et prédécesseur de Nabuchodonosor. **4.** Louis Forestier (coll. « Bouquins », p. 430) suggère le rapprochement avec la Préface d'*Eugénie* de Beaumarchais : « Que me font à moi, sujet paisible d'un État monarchique du dix-huitième siècle, les révolutions d'Athènes et de Rome ? » Mais Rimbaud n'est pas obligé d'avoir lu Beaumarchais pour se poser une question de ce genre.

servent leur langue pour eux. Quel mal leur ai-je fait pour qu'ils me flanquent au supplice ? Passons au grec. Cette sale langue[1] n'est parlée par personne, personne au monde !...

Ah ! saperlipotte de saperlipopette ! sapristi ! moi je serai rentier ; il ne fait pas si bon de s'user les culottes sur les bancs, saperlipopettouille !

Pour être décrotteur, gagner la place de décrotteur, il faut passer un examen ; car les places qui vous sont accordées sont d'être ou décrotteur, ou porcher, ou bouvier. Dieu merci, je n'en veux pas, moi, saperlipouille ! Avec ça des soufflets vous sont accordés pour récompense[2] ; on vous appelle animal, ce qui n'est pas vrai, bout d'homme, etc...

Ah ! saperpouillotte !

La suite prochainement.
Arthur

---

1. Ce qui confirme que Rimbaud commence l'apprentissage du grec, en quatrième, et non sans réticence — alors qu'il a éprouvé le plus vif intérêt pour le latin. **2.** Rancune visible déjà à l'égard de la mère sévère.

[COMPOSITIONS LATINES]

[« *VER ERAT* »]

Ver erat, et morbo Romœ languebat inerti
Orbilius[1] *: diri tacuerunt tela magistri*
Plagarumque sonus non jam veniebat ad aures,
Nec ferula assiduo cruciabat membra dolore.
Arripui tempus : ridentia rura petivi
Immemor ; a studio moti curisque soluti[2]
Blanda fatigatam recrearunt gaudia mentem.
Nescio qua lœta captum dulcedine pectus
Tœdia jam ludi, jam tristia verba magistri
Oblitum, campos late spectare juvabat
Lœtaque vernantis miracula cernere terrœ.
Nec ruris tantum puer otia vana petebam :
Majores parvo capiebam pectore sensus :
Nescio lymphatis quœ mens divinior alas
Sensibus addebat : tacito spectacula visu
Attonitus contemplabar : pectusque calentis[3]
Insinuabat amor ruris : ceu ferreus olim
Annulus, arcana quem vi Magnesia cautes[4]
Attrahit, et cœcis tacitum sibi colligat hamis.

---

1. Orbilius était le maître d'Horace qui le qualifie de « *plagosus* » (grand donneur de coups) dans ses *Épîtres* (II, I, v. 71). **2.** Construction lâche : accord par le sens d'un neutre pluriel et d'un masculin pluriel. **3.** *Calentis* : il faut comprendre « en chaleur » comme une bête (à rapprocher de la description de la nature dans « *Credo in unam* »). **4.** La pierre de Magnésie, c'est-à-dire l'aimant.

Interea longis fessos erroribus artus
Deponens, jacui viridanti in fluminis ora
Murmure languidulo sopitus, et otia duxi,
Permulsus volucrum concentu aurâque Favoni.
Ecce per æthebream[1] *vallem incessere columbæ*[2],

Alba manus, rostro florentia serta gerentes
Quæ Venus in Cypriis[3] *redolentia carpserat hortis.*
Gramen, ubi fusus recreabar turba petivit
Molli remigio : circum plaudentibus alis
Inde meum cinxere caput, vincloque virenti
Devinxere manus, et olenti tempora myrto
Nostra coronantes, pondus per inane tenellum
Erexere... Cohors per nubila celsa vehebat
Languidulum[4] *roseâ sub fronde : cubilia*[5] *ventus*
Ore remulcebat molli nutantia motu.
Ut patrias tetigere domos, rapidoque volatu
Monte sub ærio pendentia tecta columbæ
Intravere, breve positum vigilemque relinquunt.
O dulcem volucrum nidum !... Lux candida puris
Circumfusa humeros radiis mea corpora[6] *vestit :*
Nec vero obscuræ lux illa simillima luci,
Quæ nostros[7] *hebetat mixta caligine visus :*
Terrenæ nil lucis habet cælestis origo !
Nescio quid cæleste mihi per pectora semper
Insinuat, pleno currens ceu flumine, numen.

Interea redeunt volucres, rostroque corona
Laurea serta gerunt, quali redimitus Apollo
Argutas gaudet compellere pollice chordas.
Ast ubi lauriferâ frontem cinxere corona,
Ecce mihi patuit cælum, visuque repente
Attonito, volitans super aurea nubila, Phœbus

---

1. Normalement : *aetheriam*. **2.** Oiseaux du cortège de Vénus, cf. Swinburne, « *Sapphics* », dans la première série des *Poems and Ballads* (1866). **3.** Chypre est l'une des îles de Vénus, encore appelée « Cypris » (voir « *Credo in unam* »). **4.** Le mot désigne normalement une fleur à demi fanée. **5.** Pluriel poétique. **6.** *Id.* **7.** Pluriel de majesté, sans doute pour les besoins de la versification.

Divina vocale manu prætendere plectrum.
Tum capiti inscripsit cælesti hæc nomina flamma :
TU VATES ERIS... *In nostros se subjicit artus*
Tum calor insolitus, ceu, puro splendida vitro,
Solis inardescit radiis vis limpida fontis.
Tunc etiam priscam speciem liquere columbæ :
Musarum chorus apparet, modulamina dulci
Ore sonans, blandisque exceptum sustulit ulnis,
Omina ter fundens ter lauro tempora cingens.

C'était le printemps, et une maladie retenait Orbilius immobile à Rome. Les traits de mon barbare maître se perdirent dans le silence. Le bruit des coups n'atteignait plus mes oreilles et mes membres avaient cessé de subir la torture de la férule, d'ordinaire sans répit.

Je saisis l'occasion. Je gagnai les campagnes riantes, abandonnant derrière moi tout souvenir. Eloigné de l'étude et délivré de tout souci, je sentis de douces joies ranimer mon esprit épuisé. Un je ne sais quel charme tenait mon cœur ravi et, sans songer désormais ni à l'école rebutante ni au noir ennui que distillaient les leçons de mon maître, je me délectais à contempler la vaste plaine et à ne rien perdre des heureux miracles de la terre en son printemps. Mon cœur d'enfant ne recherchait pas seulement les vaines flâneries de la campagne ; il contenait de plus hautes aspirations ! Je ne sais quelle inspiration divine donnait des ailes à mes sens exaltés. Comme frappé de stupeur, je restais silencieux, les yeux perdus dans cette contemplation. Je sentais monter en moi un véritable amour pour la nature en feu : tel jadis l'anneau de fer attiré par la force secrète de la pierre de Magnésie et venant sans bruit s'attacher par d'invisibles crochets.

Cependant, reposant mes membres fatigués par de longues errances, je m'étendis sur la rive verdoyante d'un fleuve. Le discret murmure des eaux m'assoupit, et je prolongeai le plus possible cet instant de repos, charmé par le concert des oiseaux et le souffle du zéphyr. Et voici que par la vallée aérienne s'avancèrent des colombes, blanche troupe, portant dans leur bec des guirlandes de fleurs que Vénus avait cueillies, toutes parfumées, en ses jardins de Chypre. Leur essaim vint doucement se poser sur le gazon où j'étais étendu. Lors, battant des ailes autour de moi, elles me ceignirent la tête, me lièrent les mains d'une chaîne de verdure et, couronnant mes tempes de myrte odorant, elles m'élevèrent, bien léger fardeau, dans l'abîme... Leur troupe m'emportait par les nues élevées, à demi assoupi sous la frondaison des roses. Le vent caressait de son souffle ma couche mollement balancée. Quand elles eurent atteint leurs demeures natales et que d'un vol rapide elles eurent gagné leurs asiles suspendus, au pied d'une montagne dont le sommet se perdait dans les airs, elles me déposent rapidement et me laissent éveillé. Ô le doux nid d'oiseaux !... Une lumière d'une blancheur éclatante se répand sur mes épaules et vêt mon corps de ses purs rayons. En vérité, cette lumière-là ne ressemble en rien à la lumière obscure qui, mélangée d'ombre, émousse nos regards. Une lumière étrangère à la terre, une lumière d'origine céleste ! Et c'est bien une onde céleste qui ne cesse de s'infiltrer en moi et coule comme à plein flot, — une onde divine...

Cependant les oiseaux reviennent, et dans leur bec ils portent une couronne de laurier tressé semblable à celle dont est ceint Apollon quand il s'éjouit à faire vibrer, du pouce, les cordes harmonieuses. Mais quand je fus couronné de laurier, voici que le ciel s'ouvrit devant moi et que, soudain frappé de stupeur, je vis Phébus lui-même qui, volant sur une nuée d'or, me tendait de sa main divine le plectre sonore.

Alors il écrivit sur ma tête ces mots en lettres de feu : « TU SERAS POÈTE »... Dans mes membres se glisse une chaleur extraordinaire. Telle, nappe brillante de pur cristal, la fontaine limpide s'enflamme aux rayons du soleil. Les colombes abandonnèrent aussi leur première forme : le chœur des Muses apparaît chantant d'une voix douce des hymnes mélodieux. Je me sens enlevé, porté par leurs tendres bras, pendant qu'elles profèrent trois fois le présage et me couronnent trois fois de laurier.

(Traduction de Pierre Brunel)

L'ANGE ET L'ENFANT

Un ange au radieux visage,
Penché sur le bord d'un berceau,
Semblait contempler son image
Comme dans l'onde d'un ruisseau.

Charmant enfant qui me ressemble,
Disait-il, oh ! viens avec moi :
Viens, nous serons heureux ensemble
La terre est indigne de toi.

Là, jamais entière allégresse :
L'âme y souffre de ses plaisirs,
Les cris de joie ont leur tristesse
Et les voluptés leurs soupirs.

La crainte est de toutes les fêtes ;
Jamais un jour calme et serein
Du choc ténébreux des tempêtes
N'a garanti le lendemain.

Eh quoi ! Les chagrins, les alarmes
Viendraient troubler ce front si pur,
Et par l'amertume des larmes
Se terniraient ces yeux d'azur ?

Non, non : dans les champs de l'espace
Avec moi tu vas t'envoler ;
La Providence te fait grâce
Des jours que tu devais couler.

Que personne dans ta demeure
N'obscurcisse ses vêtements ;
Qu'on accueille ta dernière heure
Ainsi que tes premiers moments !

Que les fronts y soient sans nuage,
Que rien n'y révèle un tombeau :
Quand on est pur comme à ton âge
Le dernier jour est le plus beau.

Et secouant ses blanches ailes,
L'ange à ces mots a pris l'essor
Vers les demeures éternelles...
Pauvre mère, ton fils est mort !

J. Reboul, de Nîmes.

« JAMQUE NOVUS »

Jamque[1] *novus primam lucem consumpserat annus,*
Jucundam pueris lucem, longumque petitam,
Oblitamque brevi : risu somnoque sepultus,
Languidulus tacuit puer ; illum lectulus ambit
Plumeus, et circa crepitacula garrula terra,
Illorumque memor, felicia somnia carpit,
Donaque cælicolum, matris post dona, receptat.
Os hiat arridens, et semadaperta videntur
Labra vocare Deum : juxta caput angelus adstat
Pronus, et innocui languentia murmura cordis
Captat, et ipse suâ pendens ab imagine, vultus
Aethereos contemplatur ; frontisque serenæ
Gaudia miratus, miratus gaudia mentis,
Intactumque Notis florem :
« Puer æmule nobis,
I, mecum conscende polos, cælestia regna
Ingredere ; in somnis conspecta palatia dignus
Incole ; cælestem tellus ne claudat alumnum !
Nulli tuta fides : numquam sincera remulcent
Gaudia mortales ; ex ipso floris odore
Surgit amari aliquid, commotaque corda juvantur
Tristi lætitia ; numquam sine nube voluptas
Gaudet et in dubio sublucet lacryma risu.
Quid ? Frons pura tibi vita marceret amara,
Curaque cæruleos lacrymis turbaret ocellos,
Atque rosas vultus depelleret umbra cupressi ?
Non ita : Divinas mecum penetrabis in oras,
Cælicolumque tuam vocem concentibus addes,
Subjectosque homines, hominumque tuebere fluctus.
I : tibi perrumpit vitalia vincula Numen.
At non lugubri veletur tegmine mater :
Haud alio visu feretrum ac cunabula cernat ;

1. Jules Mouquet faisait observer cette continuité (*-que = et*), ou plutôt, par rapport au précédent poème latin, cette « continuation d'une rêverie, à demi consciente, dans laquelle Rimbaud se complaisait ». Alain Borer note que « Les Poètes de sept ans » commencera aussi sur un « Et ».

« ET DÉJÀ LA NOUVELLE ANNÉE... »

Et déjà la nouvelle année avait accompli son premier jour,
jour bien agréable pour les enfants, si longtemps attendu
et si vite oublié ! Enseveli dans un sommeil souriant,
l'enfant assoupi se tut... Il est couché dans son berceau
de plumes ; son hochet sonore gît à terre près de lui,
il se le rappelle, et goûte un sommeil heureux,
et, après les cadeaux de sa mère, il reçoit ceux des habitants du Ciel.
Sa bouche souriante s'entrouvre ; ses lèvres à demi ouvertes
paraissent appeler Dieu. Près de sa tête un Ange se tient
incliné vers lui, il épie les faibles murmures d'un cœur
innocent et, suspendu lui-même à son image,
contemple ce visage céleste ; il admire les joies
de ce front serein, il admire les joies de son âme,
et cette fleur que n'a point touchée le vent du sud :
« Enfant qui me ressemble,
Viens, monte au ciel avec moi ! Entre dans le royaume
céleste ; habite le palais que tu as vu dans ton sommeil,
tu en es digne ! Que la terre ne retienne pas un enfant du ciel !
Là, on ne peut vraiment se fier à personne ; les mortels ne caressent
jamais de bonheur sincère ; de l'odeur même de la fleur
surgit quelque chose d'amer, et les cœurs agités ne connaissent
que des joies tristes ; jamais le plaisir n'y réjouit
sans nuages, et une larme luit dans le rire ambigu.
Eh quoi ? ton front pur serait flétri par la vie amère,
et les soucis troubleraient de larmes tes yeux d'azur ?
et l'ombre des cyprès chasserait les roses de ton visage ?
Non, non ! tu entreras avec moi dans les régions divines,
et tu joindras ta voix au concert des habitants du Ciel.
Tu veilleras sur les hommes restés ici-bas, et sur leurs agitations.
Viens ! une Divinité rompt les liens qui t'attachent à la vie.
Que ta mère ne se couvre pas de voiles de deuil !
Qu'elle ne voie pas ta bière d'un autre œil que ton berceau !

Triste supercilium pellat, nec funera vultum
Constristent : manibus potius det lilia plenis :
Ultima namque dies puro pulcherrima mansit. »

Vix ea : purpureo pennam levis admovet ori,
Demetit ignarum, demessique excipit alis
Cæruleis animam, superis et sedibus infert
Molli remigio : nunc tantum lectulus artus
Servat pallidulos, quibus haud sua gratia cessit,
Sed non almus alit flatus, vitamque ministrat ;
Interiit... Sed adhuc redolentibus oscula labris
Exspirant risus, et matris nomen oberrat,
Donaque nascentis moriens reminiscitur anni.
Clausa putes placido languentia lumina somno ;
Sed sopor ille, novo plus quam mortalis honore,
Nescio quo cingit cælesti lumine frontem,
Nec terræ sobolem at cæli testatur alumnum.

Oh ! quanto genitrix luctu deplanxit ademptum,
Et carum inspersit, fletu manante, sepulcrum !
At quoties dulci declinat lumina somno[1],
Parvulus affulget, roseo de limine cæli,
Angelus, et dulcem gaudet vocitare parentem.
Subridet subridenti : mox, aere lapsus,
Attonitam niveis matrem circumvolat alis,
Illaque divinis connectit labra labellis.

RIMBAUD ARTHUR.
Né le 20 octobre 1854 à Charleville.

1. Souvenir de Virgile, *Énéide*, IV, v. 185.

Qu'elle bannisse le sourcil triste, et que tes funérailles n'assombrissent pas
son visage, mais qu'elle leur donne plutôt des lys à pleines mains :
car pour un être pur son dernier jour reste le plus beau ! »

Aussitôt il approche son aile délicatement de sa bouche rosée,
le moissonne, sans qu'il s'en doute, et reçoit sur ses ailes d'azur
l'âme de l'enfant moissonné, et l'emporte aux régions supérieures
en battant doucement des ailes... Maintenant le berceau ne garde plus
que des membres pâlis, qui ont encore leur beauté,
mais le souffle vivifiant ne les nourrit plus et ne leur donne plus la vie.
Il est mort !... Mais sur ses lèvres que parfument encore les baisers
le rire expire et le nom de sa mère rôde,
et en mourant il se rappelle les cadeaux de ce premier jour de l'an.
On croirait ses yeux appesantis clos par un sommeil tranquille.
Mais ce sommeil, plus que d'un nouvel honneur mortel,
je ne sais de quelle céleste lumière il ceint son front ;
il atteste que ce n'est plus un enfant de la terre, mais un fils du ciel.

Oh ! de quelles larmes sa mère pleure son enfant enlevé !
et comme elle baigne de pleurs ruisselants sa tombe chère !
Mais chaque fois qu'elle ferme les yeux pour goûter le doux sommeil,
un petit Ange lui apparaît, du seuil rose
du ciel, et se plaît à l'appeler doucement : Maman !...
Elle sourit à son sourire... Bientôt, glissant dans l'air,
il vole, avec ses ailes de neige, autour de la mère émerveillée
et joint aux lèvres maternelles ses lèvres divines...

(Traduction de Jules Mouquet)

« NASCITUR ARABIIS »

> La Providence fait quelquefois reparaître le même homme à travers plusieurs siècles.
>
> BALZAC, *Lettres*[1].

I

Nascitur Arabiis ingens in collibus infans
Et dixit levis aura : « Nepos est ille Jugurthæ... »

Fugit pauca dies ex quo surrexit in auras
Qui mox Arabiæ genti patriæque Jugurtha
Ipse futurus erat, quum visa parentibus umbra
Attonitis, puerum super, ipsius umbra Jugurthæ,
Et vitam narrare suam, fatumque referre :
« O patria ! ô nostro tellus defensa labore ! »
Et paulum zephyro vox interrupta silebat.
« Roma, prius multi sedes impura latronis,
Ruperat angustos muros, effusaque circum
Vicinas scelerata sibi constrinxerat oras :
Fortibus hinc orbem fuerat complexa lacertis
Reddideratque suum ! Multæ depellere gentes
Nolebant fatale jugum : quæque arma parassent
Nequidquam patriâ pro libertate cruorem
Fundere certabant ; ingentior objice Roma
Frangebat populos, quum non acceperat urbes !... »

Nascitur Arabiis ingens in collibus infans
Et dixit levis aura : « Nepos est ille Jugurthæ... »

« Ipse diu hanc plebem generosa, volvere mentes
Credideram ; sed quum propius discernere gentem
Jam juveni licuit, magnum sub pectore vulnus
Ingenti patuit !... — Dirum per membra venenum,
Auri sacra fames, influxerat... omnis in armis
Visa erat... — Urbs meretrix toto regnabat in orbe !

1. Il s'agit de Guez de Balzac, l'épistolier du XVIIe siècle.

« IL NAÎT DANS LES MONTAGNES... »

I

Il naît dans les montagnes de l'Arabie un enfant, qui est grand ;
et la brise légère a dit : « Celui-là est le petit-fils de Jugurtha !... »

Il y avait peu de temps que s'était élevé dans les airs
celui qui bientôt pour la nation et la patrie arabe devait être
le grand Jugurtha, quand son ombre apparut à ses parents
émerveillés, au-dessus d'un enfant, — l'ombre du grand Jugurtha ! —
et raconta sa vie et proféra cet oracle :
« Ô ma patrie ! ô ma terre défendue par mes peines !... »
Et sa voix, interrompue par le zéphyr, se tut un moment...
« Rome, auparavant impure tanière de nombreux bandits,
avait rompu ses murs étroits, et, répandue tout à l'entour,
s'était annexé, la scélérate ! les contrées voisines.
Puis elle avait embrassé dans ses bras robustes l'univers,
et l'avait fait sien. Beaucoup de nations refusèrent
de briser le joug fatal : celles qui prirent les armes
répandaient leur sang à l'envi, sans succès,
pour la liberté de la patrie : Rome, plus grande que l'obstacle,
brisait les peuples, quand elle ne faisait pas alliance avec les cités. »

Il naît dans les montagnes de l'Arabie un enfant, qui est grand ;
et la brise légère a dit : « Celui-là est le petit-fils de Jugurtha !... »

« Moi-même, longtemps, j'avais cru que ce peuple possédait une âme
noble ; mais quand, devenu homme, il me fut permis
de voir cette nation de plus près, une large blessure se révéla
à sa vaste poitrine !... — Un poison funeste s'était insinué
dans ses membres : la fatale soif de l'or !... Tout entière sous les armes,
en apparence !... — Cette ville prostituée régnait sur toute la terre :

Ille ego reginæ statui contendere Romæ ;
Despexi populum, totus cui paruit orbis !... »

Nascitur Arabiis ingens in collibus infans
Et dixit levis aura : « Nepos est ille Jugurthæ... »

« Nam quum consiliis sese immiscere Jugurthæ
Roma aggressa fuit, sensim sensimque latente
Captatura dolo patriam, impendentia vincla
Conscius adspexi, statuique resistere Romæ,
Ima laborantis cognoscens vulnera cordis !
O vulgus sublime ! viri ! plebecula sancta !
Illa, ferox mundi late regina decusque,
Illa meis jacuit, jacuit terra ebria donis !
O quantum Numidæ Romanam risimus urbem !
— Ille ferus cuncto volitabat in ore Jugurtha :
Nullus erat Numidas qui contra surgere posset ! »

Nascitur Arabiis ingens in collibus infans
Et dixit levis aura : « Nepos est ille Jugurthæ... »

« Ille ego Romanos aditus Urbemque vocatus
Sustinui penetrare, Nomas ! — frontique superbæ
Injeci colaphum, venaliaque agmina tempsi !...
— Oblita hic tandem populus surrexit ad arma :
Haud ego projeci gladios : mihi nulla triumphi
Spes erat : At saltem potui contendere Romæ !
Objeci fluvios, objeci saxa catervis
Romulidum ; Lybicis nunc colluctantur arenis,
Nunc posita expugnant sublimi in culmine castra :
Sæpe meos fuso tinxerunt sanguine campos...
— Atque hostem insueti tandem stupuere tenacem ! »

Nascitur Arabiis ingens in collibus infans
Et dixit levis aura : « Nepos est ille Jugurthæ... »

« Forsan et hostiles vicissem denique turmas...
Perfidia at Bocchi... — Quid vera plura revolvam ?
Contentus patriam et regni fastigia liqui,
Contentus colapho Romam signasse rebelli !

c'est moi qui ai décidé de me mesurer avec cette reine, Rome !
J'ai regardé avec mépris le peuple à qui obéit l'univers !... »

Il naît dans les montagnes de l'Arabie un enfant, qui est grand ;
et la brise légère a dit : « Celui-là est le petit-fils de Jugurtha !... »

« Car lorsque Rome eut entrepris de s'immiscer
dans les conseils de Jugurtha pour tenter de s'emparer peu à peu par ruse
de ma patrie, conscient, j'aperçus
les chaînes menaçantes, et je résolus de résister à Rome :
je connus les profondes douleurs d'un cœur angoissé !
Ô peuple sublime ! mes guerriers ! ma sainte populace !
Cette terre, la reine superbe et l'honneur de l'univers,
cette terre s'effondra, — s'effondra, soûlée par mes présents.
Oh ! comme nous avons ri, nous, Numides, de cette ville de Rome !
Ce barbare de Jugurtha volait dans toutes les bouches :
Il n'y avait personne qui pût s'opposer aux Numides !... »

Il naît dans les montagnes de l'Arabie un enfant, qui est grand ;
et la brise légère a dit : « Celui-là est le petit-fils de Jugurtha !... »

« C'est moi qui, convoqué, ai eu la hardiesse de pénétrer en territoire
romain et jusque dans leur ville, Numides ! À son front superbe
j'ai appliqué un soufflet, j'ai méprisé ses troupes mercenaires.
— Ce peuple enfin s'est levé pour prendre ses armes, longtemps en oubli.
Je n'ai pas déposé le glaive. Je n'avais nul espoir
de triompher ; mais du moins j'ai pu rivaliser avec Rome !
J'ai opposé des rivières, j'ai opposé des rochers aux bataillons
romains : tantôt ils luttent dans les sables de Libye,
tantôt ils emportent des redoutes perchées au sommet d'une colline.
Souvent ils teignirent de leur sang versé les campagnes de mon pays ;
et ils restent confondus devant la ténacité inaccoutumée de cet ennemi... »

Il naît dans les montagnes de l'Arabie un enfant, qui est grand ;
et la brise légère a dit : « Celui-ci est le petit-fils de Jugurtha !... »

« Peut-être aurais-je fini par vaincre les cohortes ennemies...
Mais la perfidie de Bocchus... À quoi bon en rappeler davantage ?
Content, j'ai quitté ma patrie et les honneurs royaux,
content d'avoir appliqué à Rome le soufflet du rebelle.

— At novus Arabii victor nunc imperatoris,
Gallia !... Tu, fili, si quâ fata aspera rumpas,
Ultor eris patriæ... Gentes, capite arma, subactæ !...
Prisca reviviscat domito sub pectore virtus !...
O gladios torquete iterum, memoresque Jugurthæ
Pellite victores, patria libate cruorem !...
O utinam Arabii surgant in bella leones,
Hostiles lacerent ultrici dente catervas !
— Et tu ! cresce, puer ! faveat fortuna labori.
Nec dein Arabiis insultet Gallicus oris !... »

— Atque puer ridens gladio ludebat adunco !...

II

Napoleo[1] *! proh Napoleo ! novus ille Jugurtha*
Vincitur : indigno devinctus carcere languet...
Ecce Jugurtha viro rursus consurgit in umbris
Et tales placido demurmurat ore loquelas :
« Cede novo, tu, nate, Deo ! Jam linque querelas.
Nunc ætas melior surgit !... — Tua vincula solvet
Gallia, et Arabiam, Gallo dominante, videbis
Lætitiam : accipies generosæ fœdera gentis...
— His et immensa magnus tellure, sacerdos[2]
Justitiæ fideique !... — Patrem tu corde Jugurtham
Dilige, et illius semper reminiscere sortem :

III

Ille tibi Arabii genius nam littoris extat !... »

RIMBAUD JEAN-NICOLAS-ARTHUR.
Externe au collège de Charleville.

1. Cette deuxième partie doit être située après la libération d'Abd el-Kader par Louis-Napoléon Bonaparte en 1852, quelques semaines avant la proclamation de l'Empire. **2.** Allusion à l'activité religieuse d'Abd el-Kader, à l'égard de laquelle Rimbaud se montre réservé.

— Mais voici un nouveau vainqueur du chef des Arabes,
la France !... Toi, mon fils, si tu fléchis les destins rigoureux,
tu seras le vengeur de la Patrie ! Peuplades soumises, aux armes !
Qu'en vos cœurs domptés revive l'antique courage !
Brandissez de nouveau vos épées ! Et, vous souvenant de Jugurtha,
repoussez les vainqueurs ! versez votre sang pour la patrie !
Oh ! que les lions arabes se lèvent pour la guerre,
et déchirent de leurs dents vengeresses les bataillons ennemis !
Et toi, grandis, enfant ! Que la Fortune favorise tes efforts !
Et que le Français ne déshonore plus les rivages arabes !... »

Et l'enfant en riant jouait avec son épée recourbée...

II

Napoléon !... Oh ! Napoléon !... Ce nouveau Jugurtha
Est vaincu !... Il croupit, enchaîné, dans une indigne prison !
Voici que Jugurtha se dresse à nouveau dans l'ombre devant le guerrier
et d'une bouche apaisée lui murmure ces mots :
« Rends-toi, mon fils, au Dieu nouveau ! Abandonne tes griefs !
Voici surgir un meilleur âge... La France va briser
tes chaînes... Et tu verras l'Algérie, sous la domination française,
prospère !... Tu accepteras le traité d'une nation généreuse,
grand aussitôt par un vaste pays, prêtre
de la Justice et de la Foi jurée... Aime ton aïeul Jugurtha
de tout ton cœur... Et souviens-toi toujours de son sort !

III

Car c'est le Génie des rivages arabes qui t'apparaît ! »

(Traduction de Jules Mouquet)

Le fleuve Acheloüs, échappé de son lit,
Entraînait les troupeaux dans ses eaux orageuses,
Roulait l'or des moissons dans ses vagues fangeuses,
Emportait les hameaux, dépeuplait les cités
Et changeait en désert les champs épouvantés.
Soudain Hercule arrive et veut dompter sa rage :
Dans les flots écumants il se jette à la nage,
Les fend d'un bras nerveux, apaise leurs bouillons,
Et ramène en leur lit leurs fougueux tourbillons.
Du fleuve subjugué l'onde en courroux murmure.
D'un serpent aussitôt il revêt la figure ;
Il siffle, il s'enfle, il roule, il déroule ses nœuds
Et de ses vastes plis bat ses bords sablonneux.
À peine il l'aperçoit, le vaillant fils d'Alcmène
De ses bras vigoureux le saisit et l'entraîne.
Il le presse, il l'étouffe, et de son corps mourant
Laisse le dernier pli sur l'arène expirant,
Se relève en fureur et lui dit : « Téméraire,
Oses-tu bien d'Hercule affronter la colère ?
Et ne savais-tu pas qu'en son berceau fameux
Des serpents étouffés furent ses premiers jeux ? »
Étonné, furieux de sa double victoire,
Le fleuve de ses flots prétend venger la gloire ;
Il fond sur son vainqueur : ce n'est plus un serpent,
En replis onduleux sur le sable rampant ;
C'est un taureau superbe, au front large et sauvage :
Ses bonds impétueux déchirent le rivage ;
Sa tête bat les vents, le feu sort de ses yeux ;
Il mugit et sa voix a fait trembler les cieux.
Hercule sans effroi voit renaître la guerre,
Part, vole, le saisit, le combat et l'atterre,
L'accable de son poids, presse de son genou
Sa gorge haletante et son robuste cou ;

Puis, fier et triomphant de sa rage étouffée,
Arrache un de ses dards et s'en fait un trophée.
Aussitôt les Sylvains, les Nymphes de ces bords,
Dont il vengea l'empire et sauva les trésors,
Au vainqueur qui repose apportent leurs offrandes,
L'entourent de festons, le parent de guirlandes.

DELILLE.

« OLIM INFLATUS »

Olim inflatus aquis, ingenti Acheloüs ab alveo
Turbidus in pronas valles erupit, et undis
Involvit pecudes et flavæ messis honorem.
Humanæ periere domus, desertaque late
Arva extenduntur : vallem sua nympha reliquit,
Faunorumque cessere chori, cunctique furentem
Amnem adspectabant ; miseratâ mente querelas
Audiit Alcides : fluvii frenare furores
Tentat et in tumidos immania corpora fluctus
Projicit, et validis spumantes dejicit ulnis,
Et debellatos proprium deflectit in alveum.
Indignata fremit devicti fluminis unda :
Protinus anguinos fluvii deus induit artus,
Sibilat et stridens liventia terga retorquet
Et tremebunda quatit turgenti littora caudâ.
Irruit Alcides, robustaque bracchia collo
Circumdat stringens, obluctantemque lacertis
Frangit, et enecto torquentem tergore truncum
Projicit, et nigra moribundum extendit arena,
Erigiturque ferox : « Audes tentare lacertos
Herculeos, fremit, imprudens ? Hos dextera ludos
(Tunc ego parvus adhuc cunabula prima tenebam)
Extulit : hanc geminos nescis vicisse dracones ? »

At pudor instimulat numen fluviale, decusque
Nominis eversi, presso sub corde dolore,
Restitit : ardenti fulgent fera lumina luce :
Frons exsurgit atrox ventosque armata lacessit ;
Mugit, et horrendis mugitibus adfremit æther.
At satus Alcmena furialia prælia ridet,
Advolat, arreptumque quatit, tremebundaque membra
Sternit humi, pressatque genu crepitantia colla
Atque lacertoso complexus guttura nexu
Frangit anhelantis, singultantemque premit vi.
Tum monstro expirante ferox insigne tropæi
Sanguinea Alcides cornu de fronte revellit.

« JADIS L'ACHELOÜS... »

Jadis l'Acheloüs aux eaux gonflées sortit de son vaste lit,
tumultueux, et fit irruption dans les vallées en pente, roulant
dans ses ondes les troupeaux et l'honneur d'une moisson jaunissante.
Les maisons des hommes ont péri, les champs s'étendent
au loin déserts. La Nymphe a quitté sa vallée,
les chœurs des Faunes se sont arrêtés : tous contemplaient
le fleuve en furie. Hercule, entendant leurs plaintes,
fut pris de compassion : il tente de maîtriser la fureur
du fleuve, jette dans les flots grossis son corps
gigantesque, chasse de ses bras vigoureux les eaux qui écument
et les fait rentrer, domptées, dans leur lit.
Du fleuve subjugué l'onde en courroux murmure.
Aussitôt le dieu du fleuve revêt la forme d'un serpent :
il siffle, grince et replie son dos bleuâtre,
et bat les rives tremblantes de sa queue furieuse.
Hercule se jette alors sur lui ; de ses bras robustes
il lui entoure le cou, en le serrant ; et, malgré sa résistance,
il le brise ; puis sur son dos épuisé faisant tournoyer un tronc d'arbre,
il l'en frappe, et l'étend moribond sur le sable noir.
Et il se dresse, farouche : « Tu oses défier les bras
d'Hercule, imprudent ! frémit-il. Mes bras se sont faits à ces jeux,
alors qu'enfant encore j'occupais mon premier berceau ;
ils ont vaincu, ne le sais-tu pas ? les deux dragons !... »

La honte stimule le dieu du fleuve, et l'honneur
de son nom renversé, en son cœur opprimé par la douleur,
regimbe ; ses yeux farouches brûlent d'un feu ardent.
Son front armé de cornes se dresse terrible et frappe les vents.
Il mugit, et l'air frémit de ses affreux mugissements.
Mais le fils d'Alcmène se rit de ce combat furieux...
Il vole, le saisit et l'ébranle, et renverse à terre
son corps convulsé : il presse du genou son cou qui craque ;
et, serrant d'une étreinte vigoureuse sa gorge haletante,
il la brise et la comprime de toutes ses forces, jusqu'à ce qu'il râle.
Alors sur le monstre expiré Hercule, superbe,
arrache de son front sanglant une corne, insigne de sa victoire.

Tum Fauni, Dryadumque chori, Nymphæque sorores
Quorum divitias victor patriosque recessus
Ultus erat, molles recubantem ad roboris umbras,
Et priscos lætâ revocantem mente triumphos
Agmine circumeunt alacri, frontemque coronâ
Florigera variant, sertisque virentibus ornant.
Tum cornu, quod forte solo propiore jacebat
Communi cepere manu, spoliumque cruentum
Uberibus pomis et odoris floribus implent.

RIMBAUD.
Externe au collège de Charleville.

Alors les Faunes et les chœurs de Dryades et les Nymphes sœurs,
dont le vainqueur avait vengé les richesses et les retraites
paternelles, s'approchent du héros couché à l'ombre d'un chêne
et repassant dans son esprit joyeux ses anciens triomphes.
Leur troupe allègre l'entoure : ils coiffent son front
d'une couronne de fleurs et l'ornent de guirlandes de verdure.
Tous alors saisissent d'une seule main la corne
qui gisait à terre près de lui, et remplissent ce trophée
sanglant de fruits plantureux et de fleurs odorantes.

(Traduction de Jules Mouquet)

« TEMPUS ERAT »

Tempus erat quo Nazareth habitabat Iesus :
Crescebat virtute puer, crescebat et annis.
Mane novo quondam, vici quum tecta ruberent
Exiit a lecto per cuncta oppressa sopore,
Munus ut exactum surgens reperieret Ioseph.
In cœptum jam pronus opus, vultuque sereno
Ingentem impellens serram, serramque retractans,
Plurima cædebat puerili ligna lacerto.
Late apparebat nitidus sol montibus altis,
Intrabatque humiles argentea flamma fenestras.
Jam vero ad pastum cogunt armenta bubulci,
Et tenerum artificem matutinique laboris
Murmura certanti studio mirantur euntes.
« Quis puer ille ? ferunt ; olli nempe eminet ore
Mixta venustate gravitas ; vigor emicat armis.
Parvulus ille opifex cedrum, ut vetus, arte laborat
Nec magis Hirami fuerit labor improbus olim,
Quum validis prudens, Salomone adstante, lacertis
Ingentes cedros et templi ligna secaret.
Attamen hinc gracili curvatur arundine corpus
Lentius, æquaretque humeros arrecta securis. »

At genitrix, serræ stridentia lamina captans,
Exierat lecto, sensimque ingressa silensque,
Multa laborantem et versantem ingentia ligna
Conspexit puerum pendens... ; pressisque labellis
Spectabat, natumque suum complexa sereno
Intuitu, tremulis errabant murmura labris ;
Lucebant risus lacrymis... At serra repente
Frangitur, et digitos incauti vulnere fœdat :
Candida purpureo maculatum sanguine vestis...
Exsilit ore levis gemitus ; matremque repente
Respiciens, digitos condit sub veste rubentes
Atque arridenti similis, matrem ore salutat.

....

« EN CE TEMPS-LÀ... »

En ce temps-là, Jésus habitait Nazareth.
L'enfant croissait en vertu, comme il croissait en âge.
Un matin, quand les toits du village se mirent à rosir,
il sortit de son lit, alors que tout était en proie au sommeil,
pour que Joseph à son réveil trouvât le travail terminé.
Déjà, penché sur l'ouvrage commencé, et le visage serein,
poussant et retirant une grande scie,
il avait coupé plusieurs planches de son bras enfantin.
Au loin apparaissait le soleil brillant, sur les hautes montagnes,
et son rayon d'argent entrait par les humbles fenêtres...
Voici que les bouviers mènent aux pâturages leurs troupeaux,
ils admirent à l'envi, en passant, le jeune ouvrier
et les bruits du travail matinal.
« Qui est cet enfant, disent-ils ! Son visage montre
une gravité mêlée de beauté ; la force jaillit de son bras.
Ce jeune ouvrier travaille le cèdre avec art, comme un ouvrier consommé ;
et jadis Hiram ne travaillait pas avec plus d'ardeur
quand, en présence de Salomon, il coupait de ses mains habiles et robustes
les grands cèdres et les poutres du temple.
Pourtant le corps de cet enfant se courbe plus souple
qu'un frêle roseau ; et sa hache, droite, atteindrait son épaule. »

Or, sa mère, entendant grincer la lame de la scie,
avait quitté son lit, et entrant doucement, en silence,
elle aperçoit, inquiète, l'enfant peinant dur
et manœuvrant de grandes planches... Les lèvres serrées,
elle regardait, et tandis qu'elle l'embrasse d'un regard
serein, des paroles inarticulées tremblaient sur ses lèvres.
Le rire brillait dans ses larmes... Mais tout à coup la scie
se brise et blesse les doigts de l'enfant qui ne s'y attendait pas.
Sa robe blanche est tachée d'un sang pourpre,
un léger cri sort de sa bouche... Apercevant soudain
sa mère, il cache ses doigts rougis sous son vêtement ;
et, faisant semblant de sourire, il salue sa mère d'une parole.

....

At genibus nati Genitrix allapsa fovebat
Heu ! digitos digitis, teneris dabat oscula palmis,
Multa gemens, guttisque humectans grandibus ora.
At puer immotus : « Quid ploras, nescia mater ?
Quod tetigit digitos acies extrema securis ?...
Non jam tempus adest quo te plorare decebit ! »
Tum cœptum repetivit opus, materque silescens
Candentes ad humum demisit pallida vultus,
Multa putans, rursusque in natum tristia tollens
Lumina : « Summe Deus, fiat tua sancta voluntas ! »

A. RIMBAUD.

Mais celle-ci, se jetant aux genoux de son fils, caressait,
hélas ! ses doigts dans ses doigts et baisait ses tendres mains
en gémissant fort et en mouillant son visage de grosses larmes.
Mais l'enfant, sans s'émouvoir : « Pourquoi pleures-tu, mère ignorante !
Parce que le bout de la scie tranchante a effleuré mon doigt !
Le temps n'est pas encore venu où il te convienne de pleurer ! »
Il reprit alors son ouvrage commencé ; et sa mère en silence
et toute pâle, tourne son blanc visage à terre,
réfléchissant beaucoup, et de nouveau portant sur son fils
ses yeux tristes : « Grand Dieu, que ta sainte volonté soit faite ! »

(Traduction de Jules Mouquet)

VERBA APOLLONII DE MARCO CICERONE

Audistis hanc, discipuli, Ciceronis orationem, in qua fecit, ut omnino grœcus in graeca oratione, ut in vana re verus, ut in schola minime scholasticus videretur : Quanta jam in argumento prudentia, quantum in narratione acumen et judicium, quam vivida, quam παθητιχῆ *peroratio ! At quanta praesertim in dicendo concinnitas et abundantia ; quantus verborum numerus ! Quanta magnificentia sententiae devolvuntur non Ciceronem omnibus suis natura donis nequidquam ornatum voluit : poscit illum Roma, qui Gracchorum, qui Bruti eloquentiam revocet : poscunt verœ ad tribunal causae, quibus nunc praedatores arguat, nunc innocentiae, forsan et litterarum causam resuscitet. Macte igitur, adolescens : qui nunc vocem intra scholam hanc emittis, modo in foro concionari poteris, et persuasum habeo, te non majores a plebe, quam nunc a me, plausus percepturum. Me nempe gloriari licet, quod talis orator e schola mea evadat ; hoc maximum mihi decus erit, te optimarum artium disciplina et studio formavisse, vel ipsius ingenii adolescentiam observavisse : quod majus dulcius ve mihi pretium esse potest, quam quod Ciceronis magister fuisse dicar ? haec forsan mihi et apud posteros laus supererit. Vos autem, discipuli, satis justos esse reor, qui Ciceronis praestantiam egregiasque virtutes agnoscatis. Illum igitur eisdem, quibus ego, laudibus ornate, praesertimque imitemini : nempe vobis olim cum Cicerone studuisse gloriosum erit.*

Sed in tanta laetitia nescio quis maeror subit et desiderium ; nec, etsi ingenium eloquentiamque maximis laudibus ea tollere non dubito, Marcum Tullium Romanum esse possum oblivisci. Romanus es, qui ceteris istis praestat discipulis ! Romanum ego informavi et exercui ! Graecia Romanorum armis jam tota victa est ; quœ libertatis jacturam studio solari poterat, et se terrarum orbi si non armis, ingenio saltem dominari rebatur ; ultimo illi solatio, illi dominationi, Romani, invidetis ; et nos a litterarum fastigio deturbare, et quod unum vobis hactenus alienum erat, vestrum facere vultis ! Romani quondam opes, Corintho

PAROLES DU GREC APOLLONIUS SUR MARCUS CICÉRON

Vous avez entendu, mes disciples, le discours de Cicéron dans lequel il a su se faire tout à fait grec dans un discours grec, vrai en une matière fictive, à peine scolaire dans un exercice d'école. Et quelle pénétration dans l'argumentation, quelle acuité et quel discernement dans la relation des faits, quelle entraînante, quelle *pathétique* péroraison ! Et surtout quelle élégance et quelle abondance dans l'expression ; quel nombre dans les mots ! Avec quelle magnificence les périodes se déroulent ! Ce n'est pas en vain que la nature a voulu orner Cicéron de tous les dons : Rome le réclame pour qu'il y rappelle l'éloquence des Gracques, l'éloquence de Brutus ; de vraies causes le réclament au tribunal pour confondre les voleurs, pour défendre la cause de l'innocence et peut-être celle des lettres. Courage donc, jeune homme : toi qui aujourd'hui fais entendre ta voix dans cette enceinte scolaire, c'est bientôt sur le forum que tu pourras prononcer des harangues et je suis persuadé que tu ne recevras pas de plus grands applaudissements du peuple que de moi aujourd'hui. N'ai-je pas le droit d'être fier qu'un tel orateur sorte de mon école ? Ce sera mon plus beau titre de gloire de t'avoir formé dans la discipline et l'étude des belles-lettres, ou plutôt d'avoir veillé sur l'épanouissement naturel de tes qualités : quelle plus grande ou plus douce récompense pour moi que d'être appelé l'ancien maître de Cicéron ? La gloire qui m'en échoit peut même passer à la postérité. Quant à vous, mes élèves, je vous crois assez justes pour reconnaître la supériorité de Cicéron et ses dons éminents. Décernez-lui donc les mêmes éloges que moi, et surtout imitez-le : ne sera-t-il pas un jour glorieux pour vous d'avoir étudié avec Cicéron ?

Mais dans une joie si grande se glissent je ne sais quelle tristesse et quel regret ; et si je n'hésite pas à porter aux nues son génie et son éloquence, je ne puis oublier que Marcus Tullius est romain. Tu es romain, toi qui l'emportes sur tous ces élèves ! C'est un Romain que j'ai formé et instruit ! La Grèce a déjà été vaincue tout entière par les armes des Romains ; mais elle pouvait se consoler de la perte de sa liberté par l'étude et pensait qu'elle dominait le monde sinon par les armes du moins par son génie. Vous nous enviez, Romains, sur cette ultime consolation, cette domination ; vous voulez nous détrôner de la maîtrise des Lettres et vous approprier la seule chose qui jusqu'ici n'était pas à vous ! Après avoir pris Corinthe et les autres villes de la Grèce, les Romains s'emparèrent de nos richesses, transportèrent à Rome les tableaux, l'or

ceterisque Graeciae urbibus expugnatis, eripuere, tabulas, aurum atque argentum Romae transtulere, quibus nunc templa nunc publicae aedes exornantur : mox et gloriam eripient, quae urbium expugnationi supererat, inter patriae ruinam integra ! dum scriptores nostros vel non imitandos remur, dum Periclis aetatem unicam fore persuasum habemus, en altera aetas Romae incipit aemulari, quae vates, quamvis Sophoclem Euripidemque Periclis una aetas tulerit, quae oratores, quamvis illa Lysiam et Isocratem, quae philosophos, quamvis Platonem et Xenophonta, majores pariat et doctrina magis imbutos pariat ! Nec dubium est, quin de graecis litteris jam Roma triumphet : jampridem nobis aemulatur, quippe quae Plautium Rudium Aristophani illi nostro, Terentiumque suum Menandro illi composuerit : nempe Terentius ille, quem apud nos jam celeberrimum video, quum dimidiatus Menander vocetur, in summis poneretur, Graecisque forsan non impar esset, si tam concinni quam puro sermoni vim comicam adjecisset : Quin etiam nova genera instituunt ; satyram totam suam esse contendunt : primus nempe Lucilius mores hoc modo castigare docuit, nec dubium est, quin alii vates illud genus mox retractent illustrentque. Quod vero de oratoribus loquar ? Nonne jam Gracchorum ingenium et eloquentiam, nonne Bruti illius oratoris facundiam audivistis ? nonne tu quoque, Marce Tulli oratoribus nostris aemularis ? Hoc est igitur, quod nos quidem Romanos adolescentes e Roma in nostram hanc Graeciam transmigrantes intra scholas gymnasiaque accipimus, et optimarum artium studiis ac disciplina formamus, et praeclarorum oratorum exemplo erudimus ? Nempe, si dii ita jusserunt, ut nobis ipsi victores instituamus, jam de Graecis litteris actum erit : Romanis enim ad pugnam nova omnia ; nos autem degeneres ac scholastici sumus ; quid aliud quam veteres laudamus miramurque ? Nulli jam in Graecia futuri sunt oratores, nulli vates futuri sunt ; Roma autem novis nunc et egregiis scriptoribus gravis : ita ut omnino jam extinctum Graecum ingenium esse videatur. Quomodo enim aliter accedere potuisset ? Quid ego nunc queror, quod vos victores fore praevideo, ac non eloquentiam cum libertate nostra simul amissam potius fateor : floruit vere eloquentia, quum liberi rem nostram gerebamus ; nunc, contrita et pedibus calcata libertate, impositi proconsulis vectigales sumus : Scilicet Pericles ille noster cœsos pro patria cives laudabat : nos pro Romano imperio abductos et

et l'argent qui ornent à présent leurs temples ou leurs édifices publics : bientôt ils nous arracheront aussi la gloire qui survivait à la prise de nos villes, intacte dans notre patrie en ruine ! Nous nous imaginons que nos écrivains ne doivent pas même être imités, nous avons la conviction que l'âge de Périclès sera unique, et voici qu'un autre âge, à Rome, commence à s'y mesurer, capable d'enfanter des poètes après Sophocle et Euripide, que seul le siècle de Périclès avait portés, des orateurs après Lysias et Isocrate, des philosophes après Platon et Xénophon, et de plus grands, de plus pénétrés de sagesse. Il n'est pas douteux que Rome triomphe désormais des lettres grecques : déjà elle rivalise avec nous, elle qui peut opposer Plautius Rudius à notre Aristophane et son Térence à notre Ménandre : ce Térence que je vois déjà fort célèbre chez nous, cependant qu'on l'appelle un demi-Ménandre, ne serait-il pas placé au plus haut et peut-être pas tenu pour inférieur aux Grecs s'il avait joint la force comique à un style aussi élégant que pur ? Bien mieux, ils créent de nouveaux genres : ils prétendent que la satire est tout entière à eux ; et c'est bien Lucilius qui le premier a appris à châtier les mœurs de cette façon, et il n'est pas douteux que d'autres poètes reprennent bientôt ce genre et l'illustrent. Que dirai-je au vrai des orateurs ? N'avez-vous pas déjà entendu parler du génie et de l'éloquence des Gracques, de la faconde de Brutus, le fameux orateur ? Et toi aussi, Marcus Tullius, ne rivalises-tu pas avec nos orateurs ? Est-ce donc pour cela que nous allons jusqu'à recevoir dans nos propres écoles et nos gymnases les jeunes Romains venant vers notre Grèce, que nous les formons à l'étude et à la discipline des belles-lettres et que nous les façonnons par l'exemple des orateurs les plus illustres ? Sans doute que si les dieux ont décidé que nous formions nous-mêmes nos vainqueurs, c'en est fait de la littérature grecque : les Romains, en effet, vont à cette lutte avec des énergies toutes nouvelles ; nous au contraire sommes décadents et gens d'école ; que louons-nous et admirons-nous d'autre que les Anciens ? Il n'y a plus en Grèce d'orateurs à venir, plus de poètes ; Rome au contraire regorge à présent d'écrivains nouveaux et éminents : au point que le génie grec semble déjà tout à fait éteint. Comment, en effet, aurait-il pu en aller autrement ? Pourquoi me plaindre aujourd'hui de pressentir votre victoire et ne pas avouer plutôt que nous avons perdu l'éloquence en même temps que la liberté ? L'éloquence a fleuri à vrai dire quand nous dirigions nous-mêmes librement notre État ; maintenant que notre liberté a été écrasée et foulée aux pieds, nous ne sommes plus que le domaine d'un proconsul imposé : on le sait, notre illustre Périclès louait les citoyens tombés pour la patrie : mais nous, louerions-nous ces citoyens qui ont été emmenés et qui sont

caesos in extremis terrarum orbis partibus cives laudaremus ? Scilicet Demosthenes Philippum vehementissimis impugnabat sermonibus, urbisque proditores infames faciebat ; nos hostem nunc impugnaremus, qui patriam hosti tradidimus ? Floruit eloquentia, quum leges in foro promulgarentur quum singuli oratores concionabundi, Deos patrios, plebem virorum simulacra alloquerentur : nunc leges nobis a Romano proconsule imponuntur, nec est, quod obsistamus ! perit inter lictorum virgas, ut libertas, eloquentia : nîl jam nisi veterum scripta versare, et quœ in foro declamabantur, legere possumus : non jam de rebus nostris disserimus ; at nescio quœ vana et arcessita tractamus, quae victoribus nostris haud nefas videantur ! Olim Romae quoque Tullii desiderium erit, quum, a tyrannis e foro in scholam expelletur eloquentia : libertatis enim eloquentia vox est ; quomodo igitur eloquentia tyrannorum jugum importunum pati posset ?

Hoc ne vos tamen a studiis deterreat, discipuli, et quos semper studiosos compertus sum, eosdem semper comperiar ; nobis quidem nullum amissae gloriae solatium est, quippe qui virorum nostrorum simulacra etiam amiserimus ; nonne, si memoriam revocaremus illorum temporum, quibus omni rerum copia florebamus, quam velut ex uberrimis fontibus in universum etiam orbem profundebant tot illœ civitates et coloniae nostrae ; quibus totam Asiam, imo fere totam Italiam subegimus, quid aliud quam desiderium subiret, quum gloriae et prosperitatis memores essemus, quam ira et dolor, quum prœsentem servitutem res quam luctus maerorque, quum quae fata Galliam nostram maneant, conspiceremus. Gloriam itaque, quando ab ineluctabili superorum lege ita decretum est, ut Graecia illa virorum parens et nutrix, nunc domita et despecta jaceat, gloriam a memoria omnino abjiciamus ! Supererit litterarum nobis solatium doctrinaeque, studium, quod vel in dolore laetitia, vel in servitute nescio quœ libertatis umbra redditur ; oculos ab hac nostra humilitate in illam veterum scriptorum dignitatem deferemus : et inter illorum libros semoti, nunc Homeri, nunc Platonis, non jam de rebus publicis, quod ad alios nunc pertinet, at de carmine, de diis immortalibus, de omnibus scilicet, quibus illi mire disseruere, dulci

tombés aux confins de la terre pour le service de l'empire romain ? Démosthène, on le sait, attaquait Philippe en des discours véhéments et frappait de honte les traîtres à la cité. Mais attaquerions-nous aujourd'hui l'ennemi, quand nous lui avons livré la patrie ? L'éloquence a fleuri lors que les lois étaient promulguées sur la place publique, quand nos orateurs, dans leurs harangues, s'adressaient aux dieux de la patrie, au peuple, aux statues des grands hommes. Maintenant les lois nous sont imposées par le proconsul romain et nous n'avons pas de quoi nous y opposer ! Comme la liberté, l'éloquence a péri sous les verges des licteurs : tout ce que nous pouvons faire désormais, c'est de feuilleter les écrits des Anciens et de lire les discours qu'ils déclamaient sur la place publique. Ce n'est plus de nos affaires que nous débattons ; nous dissertons de je ne sais quelles questions assez vaines et abstraites pour ne pas sembler criminelles à nos vainqueurs. Un jour à Rome aussi on regrettera Tullius, lorsque par les tyrans l'éloquence aura été refoulée du forum vers les écoles : car l'éloquence est la voix de la liberté ; comment pourrait-elle donc souffrir le joug inopportun des tyrans ?

Que cela cependant ne vous détourne pas des études, mes élèves, et que ceux que j'ai toujours connus studieux, je puisse toujours les retrouver fidèles à eux-mêmes ; certes il n'est pas pour nous de consolation pour la perte de notre gloire, nous qui avons perdu jusqu'aux images de nos héros ; si nous rappelions le souvenir de ces temps où nous florissions dans une profusion de tous les biens que faisaient couler sur le monde entier, comme de fontaines abondantes, tant de cités, tant de nos colonies ; où nous avions soumis toute l'Asie et presque toute l'Italie, qu'éprouverions-nous d'autre que du regret en nous souvenant de notre gloire et de notre prospérité, que de la colère et de la douleur en considérant notre servitude actuelle, que de l'affliction et de la tristesse à l'idée du sort qui attend notre Gaule. Aussi la gloire, quand, par la loi inéluctable des dieux, il a été décrété que notre Grèce, mère nourricière des héros, gise maintenant soumise et humiliée, la gloire, dis-je, nous devons en abandonner tout à fait le souvenir. Il nous restera la consolation des Lettres et l'étude de la sagesse : c'est une joie qui reste dans la douleur et je ne sais quelle ombre de liberté dans la servitude ; nous détournerons les yeux de notre humiliation présente pour les porter sur la dignité de nos écrivains anciens, et, retirés parmi leurs livres, nous jouirons de la douce conversation d'Homère et de Platon, non plus sur les affaires publiques dont maintenant d'autres se chargent à notre place, mais sur la poésie, les dieux immortels et tous les sujets dont ces grands hommes ont admirablement parlé ! Et toi aussi, Tullius, que j'ai trouvé doué d'un

colloquio fruemur ! Tu quoque, Tulli, quem tam egregio ingenio praeditum compertus sum, meam hanc tui exspectationem, si diis libet, quum in patriam redux forum experiere, non falles ; at inter populares plausus, noli hujus Apollonii Graeci, qui te optimarum artium studio disciplinaque formavit, memoriam abjicere, et hoc semper persuasum habeto, nanquam te majorem quam ego, ex illis plausibus lœtitiam superbiamque percepturum !

RIMBAUD.

esprit si brillant, tu ne trahiras pas, si les dieux le permettent, mon espoir lorsque tu rentreras dans ton pays ; et au milieu des applaudissements du peuple, n'oublie pas ce Grec Apollonius qui t'a formé dans l'étude et la discipline des belles-lettres et sois toujours persuadé que tu ne tireras jamais plus de joie et de fierté de ces applaudissements que je n'en tirerai moi-même.

(Traduction de Marc Ascione)

Aeneadum genetrix, hominum divumque voluptas,
alma Venus, caeli subter labentia signa
quae mare navigerum, quae terras frugiferentis
concelebras (per te quoniam genus omne animantum
concipitur, visitque exortum lumina solis),
te, dea, te fugiunt venti, te nubila caeli
adventumque tuum, tibi suavis daedala tellus
summittit flores, tibi rident aequora ponti,
placatumque nitet diffuso lumine caelum.
Nam simul ac species patefactast verna diei,
et, reserata, viget genitabilis aura favoni,
aeriae primum volucres te, diva, tuumque
significant initum, perculsae corda tua vi.
Inde ferae, pecudes persultant pabula laeta,
et rapidos tranant amnis : ita capta lepore
te sequitur cupide quo quamque inducere pergis.
Denique per maria ac montis fluviosque rapacis,
frondiferasque domos avium camposque virentis,
omnibus incutiens blandum per pectora amorem,
efficis ut cupide generatim saecla propagent.
Quae quoniam rerum naturam sola gubernas,
nec sine te quicquam dias in luminis oras
exoritur, neque fit laetum neque amabile quicquam,
te sociam studeo scribendis versibus esse
quos ego de rerum natura pangere conor
Memmiadae nostro, quem tu, dea, tempore in omni
omnibus ornatum voluisti excellere rebus.

LUCRÈCE, *De Natura rerum*,
I, vv. 1-27.

INVOCATION À VÉNUS

Mère des fils d'Énée, ô délices des Dieux,
Délices des mortels, sous les astres des cieux,
Vénus, tu peuples tout : l'onde où court le navire,
Le sol fécond : par toi, tout être qui respire
Germe, se dresse et voit le soleil lumineux !
Tu parais... À l'aspect de ton front radieux
Disparaissent les vents et les sombres nuages.
L'Océan te sourit ; fertile en beaux ouvrages,
La Terre étend les fleurs suaves sous tes pieds ;
Le jour brille plus pur sous les cieux azurés !
Dès qu'Avril reparaît et qu'enflé de jeunesse,
Prêt à porter à tous une douce tendresse,
Le souffle du zéphyr a forcé sa prison,
Le peuple aérien annonce ta saison ;
L'oiseau charmé subit ton pouvoir, ô Déesse ;
Le sauvage troupeau bondit dans l'herbe épaisse
Et fend l'onde à la nage, et tout être vivant,
À ta grâce enchaîné, brûle en te poursuivant !
C'est toi qui par les mers, les torrents, les montagnes,
Les bois peuplés de nids et les vertes campagnes,
Versant au cœur de tous l'amour cher et puissant,
Les portes d'âge en âge à propager leur sang !
Le monde ne connaît, Vénus, que ton empire !
Rien ne pourrait sans toi se lever vers le jour ;
Nul n'inspire sans toi, ni ne ressent d'amour :
À ton divin concours dans mon œuvre j'aspire !...

A. Rimbaud
Externe au collège de Charleville

Les Étrennes des orphelins

I

La chambre est pleine d'ombre[1] ; on entend vaguement
De deux enfants le triste et doux chuchotement.
Leur front se penche, encor, alourdi par le rêve,
Sous le long rideau blanc qui tremble et se soulève...
— Au dehors les oiseaux se rapprochent frileux ;
Leur aile s'engourdit sous le ton gris des cieux ;
Et la nouvelle Année, à la suite brumeuse,
Laissant traîner les plis de sa robe neigeuse[2],
Sourit avec des pleurs, et chante en grelottant[3]...

II

Or les petits enfants, sous le rideau flottant,
Parlent bas comme on fait dans une nuit obscure.
Ils écoutent, pensifs, comme un lointain murmure...
Ils tressaillent souvent à la claire voix d'or
Du timbre matinal, qui frappe et frappe encor
Son refrain métallique en son globe de verre...
— Puis, la chambre est glacée... on voit traîner à terre,
Épars autour des lits, des vêtements de deuil :
L'âpre bise d'hiver qui se lamente au seuil
Souffle dans le logis son haleine morose !
On sent, dans tout cela, qu'il manque quelque chose...

---

1. *Cf.* Victor Hugo, « Les Pauvres Gens » (dans *La Légende des siècles*) : « Le logis est bien sombre [...] » **2.** *Cf.* Baudelaire, « Recueillement » : « Vois se pencher les défuntes Années, / Sur les balcons du ciel, en robes surannées. » **3.** *Cf.* Baudelaire, « Le Crépuscule du matin » : « L'Aurore grelottante en robe rose et verte ».

— Il n'est donc point de mère à ces petits enfants,
De mère au frais sourire, aux regards triomphants ?
Elle a donc oublié, le soir, seule et penchée,
D'exciter une flamme à la cendre arrachée,
D'amonceler sur eux la laine et l'édredon
Avant de les quitter en leur criant : pardon.
Elle n'a point prévu la froideur matinale,
Ni bien fermé le seuil à la bise hivernale ?...
— Le rêve maternel, c'est le tiède tapis,
C'est le nid[1] cotonneux où les enfants tapis,
Comme de beaux oiseaux que balancent les branches,
Dorment leur doux sommeil plein de visions blanches !...
— Et là, — c'est comme un nid sans plumes, sans chaleur,
Où les petits ont froid, ne dorment pas, ont peur ;
Un nid que doit avoir glacé la bise amère...

III

Votre cœur l'a compris : — ces enfants sont sans mère[2].
Plus de mère au logis ! — et le père est bien loin !...
— Une vieille servante, alors, en a pris soin.
Les petits sont tout seuls en la maison glacée ;
Orphelins de quatre ans, voilà qu'en leur pensée
S'éveille, par degrés, un souvenir riant...
C'est comme un chapelet qu'on égrène en priant :
— Ah ! quel beau matin, que ce matin des étrennes !
Chacun, pendant la nuit, avait rêvé des siennes
Dans quelque songe étrange où l'on voyait joujoux,
Bonbons habillés d'or, étincelants bijoux,
Tourbillonner, danser une danse sonore,
Puis fuir sous les rideaux, puis reparaître encore !
On s'éveillait matin, on se levait joyeux,
La lèvre affriandée[3], en se frottant les yeux...
On allait, les cheveux emmêlés sur la tête,
Les yeux tout rayonnants, comme aux grands jours de fête,

---

1. *Cf.* V. Hugo, « Les Pauvres Gens » (« nid d'âmes ») et, dans *Les Contemplations*, « Chose vue un jour de printemps ». **2.** *Cf.* dans ce dernier poème : « Les quatre enfants pleuraient et la mère était morte ». **3.** Rendue gourmande.

Et les petits pieds nus effleurant le plancher,
Aux portes des parents tout doucement toucher...
On entrait !... Puis alors les souhaits... en chemise,
Les baisers répétés, et la gaîté permise[1] !

IV

Ah ! c'était si charmant, ces mots dits tant de fois !
— Mais comme il est changé, le logis d'autrefois :
Un grand feu pétillait, clair, dans la cheminée,
Toute la vieille chambre était illuminée[2] ;
Et les reflets vermeils, sortis du grand foyer,
Sur les meubles vernis aimaient à tournoyer...
— L'armoire était sans clefs !... sans clefs, la grande armoire[3] !
On regardait souvent sa porte brune et noire...
Sans clefs !... c'était étrange !... on rêvait bien des fois
Aux mystères dormant entre ses flancs de bois,
Et l'on croyait ouïr, au fond de la serrure
Béante, un bruit lointain, vague et joyeux murmure...
— La chambre des parents est bien vide, aujourd'hui :
Aucun reflet vermeil sous la porte n'a lui ;
Il n'est point de parents, de foyer, de clefs prises :
Partant, point de baisers, point de douces surprises !
Oh ! que le jour de l'an sera triste pour eux !
— Et, tout pensifs, tandis que de leurs grands yeux bleus
Silencieusement tombe une larme amère,
Ils murmurent : « Quand donc reviendra notre mère ? »
....

1. *Cf.* François Coppée, « Enfants trouvées », dans *Poèmes modernes* (1867-1869) : « Sur le tapis devant le feu / La gaîté bruyante et permise ». 2. Coppée, « Angélus » : « Le colza sec brûlait, clair, dans la cheminée / Toute la vieille chambre était illuminée ». 3. Certains commentateurs ont été tentés de donner de cette étrange armoire fermée à clé une interprétation psychanalytique, « le souvenir-écran, laissant entrevoir une scène primitive » (voir en particulier Michel Collot, « Quelques versions de la scène primitive », dans *Circeto*, n° 2, 1984, pp. 17-18).

V

Maintenant, les petits sommeillent tristement :
Vous diriez, à les voir, qu'ils pleurent en dormant,
Tant leurs yeux sont gonflés et leur souffle pénible !
Les tout petits enfants ont le cœur si sensible !
— Mais l'ange des berceaux[1] vient essuyer leurs yeux,
Et dans ce lourd sommeil met un rêve joyeux,
Un rêve si joyeux, que leur lèvre mi-close,
Souriante, semblait murmurer quelque chose...
— Ils rêvent que, penchés sur leur petit bras rond,
Doux geste du réveil, ils avancent le front,
Et leur vague regard tout autour d'eux se pose...
Ils se croient endormis dans un paradis rose...
Au foyer plein d'éclairs chante gaîment le feu...
Par la fenêtre on voit là-bas un beau ciel bleu ;
La nature s'éveille et de rayons s'enivre...
La terre, demi-nue, heureuse de revivre,
A des frissons de joie aux baisers du soleil[2]...
Et dans le vieux logis tout est tiède et vermeil[3] :
Les sombres vêtements ne jonchent plus la terre,
La bise sous le seuil a fini par se taire...
On dirait qu'une fée a passé dans cela !...
— Les enfants, tout joyeux, ont jeté deux cris... Là,
Près du lit maternel, sous un beau rayon rose,
Là, sur le grand tapis, resplendit quelque chose...
Ce sont des médaillons argentés, noirs et blancs,
De la nacre et du jais aux reflets scintillants ;
Des petits cadres noirs, des couronnes de verre,
Ayant trois mots gravés en or : « À NOTRE MÈRE ! »
....

1. Il vient de « L'Ange et l'enfant », poème de Jean Reboul, et matière d'un poème en vers latins écrit par Rimbaud en classe de seconde et publié dans *Le Moniteur de l'Enseignement secondaire, spécial et classique, Bulletin officiel de l'Académie de Douai*, numéro du 1er juin 1869. Voir plus haut, pp. 94-95. **2.** Souvenir du fragment de Lucrèce traduit par Rimbaud (voir plus haut, pp. 124-125). L'image sera développée dans « *Credo in unam* » et « Soleil et Chair ». **3.** L'épithète a ici un sens vague, comme chez Hugo.

[Lettre à Georges Izambard (sans date)]

Si vous avez, et si vous pouvez me prêter :

(ceci surtout) 1 °Curiosités historiques[1], 1 vol. de Ludovic Lalanne, je crois.

2 °Curiosités Bibliographiques[2], 1 vol. du même ;

3 °Curiosités de l'histoire de France[3], par P. Jacob, première série, contenant la Fête des fous, Le Roi des Ribauds, les Francs-Taupins, Les fous des rois de France,

(et ceci surtout)... et la deuxième série du même ouvrage,

Je viendrai chercher cela demain, vers 10 heures ou 10 heures un quart. — Je vous serai très obligé. — Cela me serait fort utile.

Arthur Rimbaud

« Sire, le temps a laissé... »

Sire, le temps a laissé son manteau de pluie ; les fouriers d'été sont venus : donnons l'huys au visage à Mérencolie ! Vivent les lays et ballades ! moralités et joyeulsetés ! Que les clercs de la Basoche nous montent les folles soties : allons ouyr la moralité du Bien-Advisé et Mal-Advisé, et la conversion du clerc Théophilus, et come alèrent à Rome Saint Pière et Saint Pol et comment furent martirez ! Vivent les dames à rebrassés collets, portant atours et broderyes ! N'est-ce pas, Sire, qu'il fait bon dire sous les arbres, quand les cieux sont vêtus de bleu, quand le soleil cler luit, les doux rondeaux, les ballades haut et cler chantées ? *J'ai ung arbre de la plante d'amours*, ou *Une fois me dites ouy, ma dame*, ou *Riche amoureux a toujours l'advantage*... Mais me voilà bien esbaudi, Sire, et vous allez l'être comme moi : Maistre François Villon, le bon folastre, le gentil raillart qui rima tout cela, engrillonné, nourri d'une miche et d'eau, pleure et se lamente maintenant au fond du Châtelet ! Pendu serez ! lui a-t-on dit devant notaire : et le pauvre folet tout transi a fait son épitaphe pour lui et ses compagnons : et les gratieux gallans dont vous aimez tant les rimes, s'attendent danser à Montfaulcon, plus becquetés d'oiseaux que dés à coudre, dans la bruine et le soleil !

---

1. En réalité les *Curiosités littéraires* (1845). **2.** 1846. **3.** Deux volumes publiés en 1858 sous ce titre par Paul Lacroix, qui signait : le Bibliophile Jacob.

Oh ! Sire, ce n'est pas pour folle plaisance qu'est là Villon ! Pauvres housseurs ont assez de peine ! Clergeons attendant leur nomination de l'Université, musards, montreurs de synges, joueurs de rebec qui payent leur escot en chansons, chevaucheurs d'escuryes, sires de deux écus, reîtres cachant leur nez en pots d'étain mieux qu'en casques de guerre [1] ; tous ces pauvres enfants secs et noirs comme escouvillons, qui ne voient de pain qu'aux fenêtres, que l'hiver emmitoufle d'onglée, ont choisi maistre François pour mère nourricière ! Or nécessité fait gens méprendre, et faim saillir le loup du bois : peut-être l'Escollier, ung jour de famine, a-t-il pris des tripes au baquet des bouchers, pour les fricasser à l'Abreuvoir Popin ou à la taverne du Pestel ? Peut-être a-t-il pipé une douzaine de pains au boulanger, ou changé à la Pomme du Pin un broc d'eau claire pour un broc de vin de Baigneux ? Peut-être, un soir de grande galle au Plat-d'Étain, a-t-il rossé le guet à son arrivée ; ou les a-t-on surpris, autour de Montfaulcon, dans un souper conquis par noise, avec une dixaine de ribaudes ? Ce sont les méfaits de maistre François ! Parce qu'il nous montre ung gras chanoine mignonnant avec sa dame en chambre bien nattée, parce qu'il dit que le chappelain n'a cure de confesser, sinon chambrières et dames, et qu'il conseille aux dévotes, par bonne mocque, parler contemplation sous les courtines, l'escollier fol, si bien riant, si bien chantant, gent comme esmerillon, tremble sous les griffes des grands juges, ces terribles oiseaux noirs que suivent corbeaux et pies ! Lui et ses compagnons, pauvres piteux ! accrocheront un nouveau chapelet de pendus aux bras de la forêt : le vent leur fera chandeaux dans le doux feuillage sonore ; et vous, Sire, et tous ceux qui aiment le poète, ne pourront rire qu'en pleurs en lisant ses joyeuses ballades : ils songeront qu'ils ont laissé mourir le gentil clerc qui chantait si follement, et ne pourront chasser Mérencolie !

Pipeur, larron, maistre François est pourtant le meilleur fils du monde : il rit des grasses souppes jacobines : mais il honore ce qu'a honoré l'église de Dieu, et madame la vierge et la très sainte trinité ! Il honore la Cour de Parlement, mère des bons, et sœur des benoitz anges ; aux médisants du royaume de France, il veut presque autant de mal qu'aux taverniers qui brouillent le vin. Et dea ! Il sait bien qu'il a trop gallé au temps de sa jeunesse folle ! L'hiver, les soirs de famine, auprès de la fontaine Maubuay ou dans quelque piscine ruinée, assis à croppetons devant petit feu de chenevottes, qui flambe par instants pour rougir sa face maigre, il songe qu'il aurait maison et couche molle, s'il eût estudié !... Souvent, noir et

---

1. Olivier Basselin, *Vaux-de-Vire*. [Note de Rimbaud.]

flou comme chevaucheur d'escovettes, il regarde dans les logis par des mortaises : « — Ô ces morceaulx savoureux et frians ! ces tartes, ces flans, ces grasses gelines dorées ! — Je suis plus affamé que Tantalus ! — Du rost ! du rost ! — Oh ! cela sent plus doux qu'ambre et civettes ! — Du vin de Beaulne dans de grandes aiguières d'argent ! — Haro, la gorge m'ard !... Ô, si j'eusse estudié !... — Et mes chausses qui tirent la langue, et ma hucque qui ouvre toutes ses fenêtres, et mon feautre en dents de scie ! — Si je recontrais un piteux Alexander pour que je puisse, bien recueilli, bien débouté, chanter à mon aise comme Orpheus, le doux ménétrier ! Si je pouvais vivre en honneur une fois avant que de mourir !... » Mais, voilà : souper de rondeaux, d'effets de lune sur les vieux toits, d'effets de lanternes sur le sol, c'est très maigre, très maigre ; puis passent, en justes cottes, les mignottes villotières qui font chosettes mignardes pour attirer les passants ; puis le regret des tavernes flamboyantes, pleines du cri des buveurs heurtant les pots d'étain et souvent les flamberges, du ricanement des ribaudes, et du chant aspre des rebecs mendiants ; le regret des vieilles ruelles noires où saillent follement, pour s'embrasser, des étages de maisons et des poutres énormes ; où, dans la nuit épaisse, passent, avec des sons de rapières traînées, des rires et des braieries abominables... Et l'oiseau rentre au vieux nid : tout aux tavernes et aux filles !...

Oh ! Sire, ne pouvoir mettre plumail au vent par ce temps de joie ! La corde est bien triste en mai, quand tout chante, quand tout rit, quand le soleil rayonne sur les murs les plus lépreux ! Pendus seront, pour une franche repeue ! Villon est aux mains de la Cour de Parlement : le corbel n'écoutera pas le petit oiseau ! Sire, ce serait vraiment méfait de pendre ces gentils clercs : ces poètes-là, voyez-vous, ne sont pas d'ici-bas : laissez-les vivre leur vie étrange, laissez-les avoir froid et faim, laissez-les courir, aimer et chanter : ils sont aussi riches que Jacques Cœur, tous ces fols enfants, car ils ont des rimes plein l'âme, des rimes qui rient et qui pleurent, qui nous font rire ou pleurer : laissez-les vivre : Dieu bénit tous les miséricords, et le monde bénit les poètes.

[Lettre à Théodore de Banville du 24 mai 1870]

Charleville, (Ardennes), le 24 mai 1870.

À Monsieur Théodore de Banville.

Cher Maître,

Nous sommes aux mois d'amour ; j'ai dix-sept ans [1], l'âge des espérances et des chimères, comme on dit — et voici que je me suis mis, enfant touché par le doigt de la Muse, — pardon si c'est banal, — à dire mes bonnes croyances, mes espérances, mes sensations, toutes ces choses des poètes, — moi j'appelle cela du printemps.

Que si je vous envoie quelques-uns de ces vers, — et cela en passant par Alph. Lemerre, le bon éditeur [2], — c'est que j'aime tous les poètes, tous les bons Parnassiens, — puisque le poète est un Parnassien, — épris de la beauté idéale ; c'est que j'aime en vous, bien naïvement, un descendant de Ronsard, un frère de nos maîtres de 1830, un vrai romantique, un vrai poète. Voilà pourquoi. — c'est bête, n'est-ce pas, mais enfin ?...

Dans deux ans, dans un an peut-être, je serai à Paris. — Anch'io [3], messieurs du journal, je serai Parnassien ! — Je ne sais ce que j'ai là... qui veut monter... — Je jure, cher maître, d'adorer toujours les deux déesses, Muse et Liberté.

Ne faites pas trop la moue en lisant ces vers :

.... Vous me rendriez fou de joie et d'espérance, si vous vouliez, cher Maître, *faire faire* à la pièce Credo in unam une petite place entre les Parnassiens,

.... Je viendrais à la dernière série [4] du Parnasse : cela ferait le Credo des poètes [5] !... — Ambition ! ô Folle !

Arthur Rimbaud

---

1. Rimbaud avait d'abord écrit « presque dix-sept ans ». Il a en réalité quinze ans et sept mois. Il se donnera encore cet âge quand il écrira « Roman », quelques mois plus tard. **2.** La lettre était adressée « chez Monsieur Alphonse Lemerre, éditeur, passage Choiseul, Paris ». Lemerre était l'éditeur du *Parnasse* et des Parnassiens. **3.** Reprise de l'exclamation du Corrège devant la *Sainte Cécile* de Raphaël : « *Anch'io son pittore* » (Moi aussi, je serai peintre). **4.** La *Bibliographie de la France* avait annoncé dix fascicules. Il y en aura douze. Six avaient paru au moment où Rimbaud écrivit cette lettre. **5.** Le *credo* des Parnassiens serait donc un *credo* païen, comme le *credo in unam* [*deam*], c'est-à-dire « je crois en Vénus ».

——— XXX ———

Par les beaux soirs d'été, j'irai dans les sentiers,
Picoté par les blés, fouler l'herbe menue :
Rêveur, j'en sentirai la fraîcheur à mes pieds :
Je laisserai le vent baigner ma tête nue....

Je ne parlerai pas, je ne penserai rien....
Mais un amour immense entrera dans mon âme :
Et j'irai loin, bien loin, comme un bohémien,
Par la Nature, — heureux comme avec une femme[1] !

20 avril 1870
A.R.

Ophélie[2]

I

Sur l'onde calme et noire où dorment les étoiles
La blanche Ophélia flotte comme un grand lys,
Flotte très lentement, couchée en ses longs voiles...
— On entend dans les bois de lointains hallalis...

Voici plus de mille ans que la triste Ophélie
Passe, fantôme blanc sur le long fleuve noir :
Voici plus de mille ans que sa douce folie
Murmure sa romance à la brise du soir...

Le vent baise ses seins et déploie en corolle
Ses longs voiles bercés mollement par les eaux :
Les saules frissonnants pleurent sur son épaule,
Sur son grand front rêveur s'inclinent les roseaux[.]

---

1. Autre version, sans titre, et avec quelques variantes, de « Sensation », qui fera partie du premier cahier du recueil Demeny, où elle est datée de mars 1870. Sur le progrès accompli d'une version à l'autre, voir P. Brunel, *Arthur Rimbaud ou l'éclatant désastre,* Champ Vallon, 1983. **2.** Autre version d'un poème de ce même cahier. On relève quelques variantes, et la date est plus précise.

Les nénuphars froissés soupirent autour d'elle :
Elle éveille parfois, dans un aune qui dort,
Quelque nid d'où s'échappe un léger frisson d'aile
— Un chant mystérieux tombe des astres d'or...

II

Ô pâle Ophélia ! belle comme la neige !
Oui tu mourus, enfant, par un fleuve emporté !
— C'est que les vents tombant des grands monts de Norwège
T'avaient parlé tout bas de l'âpre liberté ;

C'est qu'un souffle du ciel, tordant ta chevelure,
À ton esprit rêveur portait d'étranges bruits :
Que ton cœur entendait le cœur de la Nature
Dans les plaintes de l'arbre et les soupirs des nuits ;

C'est que la voix des mers, comme un immense râle,
Brisait ton sein d'enfant trop humain et trop doux ;
— C'est qu'un matin d'avril, un beau cavalier pâle,
Un pauvre fou s'assit, muet, à tes genoux !

Ciel ! Amour ! Liberté ! quel rêve, ô pauvre folle !
Tu te fondais à lui comme une neige au feu :
Tes grandes visions étranglaient ta parole
— Un infini terrible égara ton œil bleu !...
....

III

— Et le Poète dit qu'aux rayons des étoiles
Tu viens chercher la nuit les fleurs que tu cueillis,
Et qu'il a vu sur l'eau, couchée en ses longs voiles,
La blanche Ophélia flotter comme un grand lys.

15 mai 1870
Arthur Rimbaud

Credo in unam[1]...

....

Le soleil, le foyer de tendresse et de vie
Verse l'amour brûlant à la terre ravie ;
Et quand on est couché sur la vallée, on sent
Que la terre est nubile et déborde de sang ;
Que son immense sein, soulevé par une âme,
Est d'amour comme Dieu, de chair comme la Femme,
Et qu'il renferme, gros de sève et de rayons,
Le grand fourmillement de tous les embryons !

Et tout vit, et tout monte !... — Ô Vénus, ô Déesse !
Je regrette les temps de l'antique jeunesse,
Des Satyres lascifs, des faunes animaux,
Dieux qui mordaient d'amour l'écorce des rameaux,
Et dans les nénuphars baisaient la Nymphe blonde !
Je regrette les temps où la sève du monde,
L'eau du fleuve jaseur, le sang des arbres verts,
Dans les veines de Pan mettaient un univers !
Où tout naissait, vivait, sous ses longs pieds de chèvre ;
Où, baisant mollement le vert syrinx, sa lèvre
Murmurait sous le ciel le grand hymne d'amour ;
Où, debout sur la plaine, il entendait autour
Répondre à son appel la Nature vivante ;
Où les arbres muets berçant l'oiseau qui chante,
La Terre berçant l'Homme, et le long fleuve bleu,
Et tous les Animaux aimaient aux pieds d'un Dieu !

Je regrette les temps de la grande Cybèle
Qu'on disait parcourir, gigantesquement belle,
Sur un grand char d'airain les splendides cités !...
Son double sein versait dans les immensités

---

1. Première version de « Soleil et Chair », dans ce même cahier. La date portée dans le recueil Demeny (mai 1870) le confirme. Cette première version est plus longue et les variantes sont nombreuses et importantes. Jean-Pierre Giusto, sensible au voisinage du premier et du troisième poème dans cette lettre, retrouve le groupe « Femme-Nature / Bohémien » dans le groupe « Femme courtisane / Homme rabougri en quête de Lumière » (*Rimbaud créateur*, P.U.F., 1980, p. 22).

Le pur ruissellement de la vie infinie
L'Homme suçait, heureux, sa Mamelle bénie,
Comme un petit enfant, jouant sur ses genoux !

Parce qu'il était fort, l'Homme était chaste et doux !
....
Misère ! maintenant il dit : Je sais les choses,
Et va les yeux fermés et les oreilles closes !
S'il accepte des dieux, il est au moins un Roi !
C'est qu'il n'a plus l'Amour, s'il a perdu la Foi !
— Oh ! s'il savait encor puiser à ta mamelle,
Grande Mère des Dieux et des Hommes, Cybèle !
S'il n'avait pas laissé l'immortelle Astarté
Qui jadis, émergeant dans l'immense clarté
Des flots bleus, fleur de chair que la vague parfume,
Montra son nombril rose où vint neiger l'écume,
Et fit chanter partout, Déesse aux yeux vainqueurs,
Le Rossignol aux bois et l'amour dans les cœurs !
....
Je crois en Toi ! je crois en Toi ! Divine Mère !
Aphroditè marine ! — Oh ! la vie est amère,
Depuis qu'un autre dieu nous attelle à sa croix !
Mais c'est toi la Vénus ! c'est en toi que je crois !
— Oui, l'homme est faible et laid, le doute le dévaste,
Il a des vêtements, parce qu'il n'est plus chaste,
Parce qu'il a sali son fier buste de Dieu,
Et qu'il a rabougri, comme une idole au feu,
Son corps Olympien aux servitudes sales !
Oui, même après la mort, dans les squelettes pâles
Il veut vivre, insultant la première Beauté !
Et l'Idole où tu mis tant de virginité,
Où tu divinisas notre argile, la Femme,
Afin que l'Homme pût éclairer sa pauvre âme
Et monter lentement dans un immense amour
De la prison terrestre à la beauté du jour ;
— La Femme ne sait plus faire la courtisane !...
— C'est une bonne farce, et le monde ricane
Au nom doux et sacré de la grande Vénus !

....

Oh ! les temps reviendront ! les temps sont bien venus !
Et l'homme n'est pas fait pour jouer tous ces rôles !
Au grand jour, fatigué de briser les idoles,
Il ressuscitera, libre de tous ses Dieux,
Et comme il est du ciel, il scrutera les cieux !...
Tout ce qu'il a de Dieu sous l'argile charnelle,
L'idéal, la pensée invincible, éternelle,
Montera, montera, brûlera sous son front !
Et quand tu le verras sonder tout l'horizon,
Contempteur du vieux joug, libre de toute crainte,
Tu viendras lui donner la Rédemption sainte !...
Splendide, radieuse, au sein des grandes mers,
Tu surgiras, jetant sur le vaste Univers
L'Amour infini dans un infini Sourire !
Le monde vibrera comme une immense lyre
Dans le frémissement d'un immense baiser !
— Le monde a soif d'amour : tu viendras l'apaiser !...

....

Ô ! L'Homme[1] a relevé sa tête libre et fière !
Et le rayon soudain de la beauté première
Fait palpiter le dieu dans l'autel de la chair !
Heureux du bien présent, pâle du mal souffert,
L'Homme veut tout sonder, — et savoir ! La Pensée,
La cavale longtemps, si longtemps oppressée
S'élance de son front ! Elle saura Pourquoi... !
Qu'elle bondisse libre, et l'Homme aura la Foi !
— Pourquoi l'azur muet et l'espace insondable ?
Pourquoi les astres d'or fourmillant comme un sable ?
Si l'on montait toujours, que verrait-on là-haut ?
Un Pasteur mène-t-il cet immense troupeau
De mondes cheminant dans l'horreur de l'espace ?
Et tous ces mondes-là, que l'éther vaste embrasse,
Vibrent-ils aux accents d'une éternelle voix ?
— Et l'Homme, peut-il voir ? peut-il dire : Je crois ?

---

1. Ici commence le passage supprimé dans « Soleil et Chair ». Il s'achève à « c'est l'amour ! c'est l'amour !... ». Rimbaud l'a peut-être jugé trop hugolien. Jean-François Laurent considère que la disparition des vers 81-116 « a pour effet capital de réduire les considérations d'ordre philosophique » (*Œuvre-vie*, éd. cit., p. 1010).

La voix de la pensée est-elle plus qu'un rêve ?
Si l'homme naît si tôt, si la vie est si brève,
D'où vient-il ? Sombre-t-il dans l'Océan profond
Des Germes, des Fœtus, des Embryons, au fond
De l'immense Creuset d'où la Mère-Nature
Le ressuscitera, vivante créature,
Pour aimer dans la rose, et croître dans les blés ?...

Nous ne pouvons savoir ! — Nous sommes accablés
D'un manteau d'ignorance et d'étroites chimères !
Singes d'hommes tombés de la vulve des mères,
Notre pâle raison nous cache l'infini !
Nous voulons regarder : — le Doute nous punit !
Le doute, morne oiseau, nous frappe de son aile...
— Et l'horizon s'enfuit d'une fuite éternelle !...
....
Le grand ciel est ouvert ! les mystères sont morts
Devant l'Homme, debout, qui croise ses bras forts
Dans l'immense splendeur de la riche nature !
Il chante... et le bois chante, et le fleuve murmure
Un chant plein de bonheur qui monte vers le jour !...
— C'est la Rédemption ! c'est l'amour ! c'est l'amour !...
....
Ô splendeur de la chair ! ô splendeur idéale !
Ô renouveau sublime, aurore triomphale,
Où, courbant à leurs pieds les Dieux et les Héros,
La blanche Kallipyge et le petit Éros
Effleureront, couverts de la neige des roses,
Les femmes et les fleurs sous leurs beaux pieds écloses !
— Ô grande Ariadnè, qui jettes tes sanglots
Sur la rive, en voyant fuir là-bas sur les flots,
Blanche sous le soleil, la voile de Thésée,
Ô douce vierge enfant qu'une nuit a brisée,
Tais-toi : sur son char d'or brodé de noirs raisins,
Lysios, promené dans les champs Phrygiens
Par les tigres lascifs et les panthères rousses,
Le long des fleuves bleus rougit les sombres mousses.
— Zeus, Taureau, sur son cou berce comme un enfant
Le corps nu d'Europè, qui jette son bras blanc
Au cou nerveux du dieu frissonnant dans la vague...

Il tourne longuement vers elle son œil vague...
Elle laisse traîner sa pâle joue en fleur
Au front du dieu ; ses yeux sont fermés ; elle meurt
Dans un divin baiser, et le flot qui murmure
De son écume d'or fleurit sa chevelure...
— Entre le laurier-rose et le lotus jaseur[1]
Glisse amoureusement le grand cygne rêveur
Embrassant la Léda des blancheurs de son aile...
— Et tandis que Cypris passe, étrangement belle,
Et, cambrant les rondeurs splendides de ses reins,
Étale fièrement l'or de ses larges seins,
Et son ventre neigeux brodé de mousse noire ;
Héraclès, le Dompteur, et, comme d'une gloire
Couvrant son vaste corps de la peau du lion,
S'avance, front terrible et doux, à l'horizon !

Par la lune d'été vaguement éclairée,
Debout, nue, et rêvant dans sa pâleur dorée
Que tache le flot lourd de ses longs cheveux bleus,
Dans la clairière sombre où la mousse s'étoile,
La Dryade regarde au ciel mystérieux...
— La blanche Séléné laisse flotter son voile,
Craintive, sur les pieds du bel Endymion,
Et lui jette un baiser dans un pâle rayon...
— La source pleure au loin dans une longue extase :
C'est la Nymphe qui rêve, un coude sur son vase
Au beau jeune homme fort que son onde a pressé...
— Une brise d'amour dans la nuit a passé...
Et dans les bois sacrés, sous l'horreur des grands arbres,
Majestueusement debout, les sombres marbres,
Les Dieux au front desquels le bouvreuil fait son nid,
— Les Dieux écoutent l'Homme et le monde infini !...
....

29 avril 1870
Arthur Rimbaud

Si ces vers trouvaient place au Parnasse contemporain ?
— ne sont-ils pas la foi des poètes ?

---

1. Variante du manuscrit : « en fleur ».

— je ne suis pas connu ; qu'importe ? les poètes sont frères. Ces vers croient ; ils aiment ; ils espèrent : c'est tout.
— Cher maître, à moi [1] : Levez-moi un peu : je suis jeune : tendez-moi la main...

1. Ces mots lanceront « Alchimie du verbe ». Mais ici Rimbaud appelle au secours l'autre, Banville. Dans *Une saison en enfer* il se repliera sur lui-même pour se reconquérir après la débilitante aventure avec Verlaine.

[LE DOSSIER IZAMBARD]

[LA « BÊTE NOUVELLE »]

UN CŒUR SOUS UNE SOUTANE
Nouvelle [1]

Un cœur sous une soutane
— Intimités d'un Séminariste. —

...... Ô Thimothina Labinette ! Aujourd'hui que j'ai revêtu la robe sacrée, je puis rappeler la passion, maintenant refroidie et dormant sous la soutane, qui, l'an passé, fit battre mon cœur de jeune homme sous ma capote de séminariste !......

... Ier mai 18... ....

... Voici le printemps. Le plant de vigne de l'abbé*** bourgeonne dans son pot de terre : l'arbre de la cour a de petites pousses tendres comme des gouttes vertes sur ses branches ; l'autre jour, en sortant de l'étude, j'ai vu à la fenêtre du second quelque chose comme le champignon nasal du Sup***. Les Souliers de J*** sentent un peu ; et j'ai remarqué que les élèves sortent fort souvent pour... dans la cour ; eux qui vivaient à l'étude comme des taupes, rentassés, enfoncés dans leur ventre, tendant leur face rouge vers le poêle, avec une haleine épaisse et chaude comme celle des vaches ! Ils restent fort longtemps à l'air, maintenant, et, quand ils reviennent, ricanent, et referment l'isthme de leur pantalon fort minutieu-

---

1. « Nouvelle » remplace « Roman », barré sur la page de garde, qui contient le premier titre. Le second titre avec sous-titre figure en haut de la page 1 du manuscrit.

sement, — non, je me trompe, fort lentement, — avec des manières, en semblant se complaire, machinalement, à cette opération qui n'a rien en soi que de très futile....

2 mai. Le Sup*** est descendu hier de sa chambre, et, en fermant les yeux, les mains cachées, craintif et frileux, il a traîné à quatre pas dans la cour ses pantoufles de chanoine[1] !...

Voici mon cœur qui bat la mesure dans ma poitrine, et ma poitrine qui bat contre mon pupitre crasseux ! Oh ! je déteste maintenant le temps où les élèves étaient comme de grosses brebis suant dans leurs habits sales, et dormaient dans l'atmosphère empuanti[e] de l'étude, sous la lumière du gaz, dans la chaleur fade du poêle !... J'étends mes bras ! je soupire, j'étends mes jambes... Je sens des choses dans ma tête, oh ! des choses !...

... 4 mai...

... Tenez, hier, je n'y tenais plus : j'ai étendu, comme l'ange Gabriel, les ailes de mon cœur. Le souffle de l'esprit sacré a parcouru mon être ! J'ai pris ma lyre, et j'ai chanté :

Approchez-vous,
Grande Marie !
Mère chérie !
Du doux Jhésus !
Sanctus Christus !
Ô Vierge enceinte,
Ô mère sainte,
Exaucez-nous !

Ô ! si vous saviez les effluves mystérieuses[2] qui secouaient mon âme pendant que j'effeuillais cette rose poétique ! Je pris ma cithare, et, comme le Psalmiste, j'élevai ma voix innocente et pure dans les célestes altitudes ! ! ! O altitudo altitudinum !...

....

1. Première rédaction : « ses pantoufles frileuses de chanoine ». **2.** Le mot est normalement masculin.

... 7 mai.... Hélas ! ma poésie a replié ses ailes[1], mais, comme Galilée, je dirai, accablé par l'outrage et le supplice : Et pourtant elle se meut[2] ! — lisez : elles se meuvent ! — J'avais commis l'imprudence de laisser tomber la précédente confidence... J*** l'a ramassée, J***, le plus féroce des jansénistes, le plus rigoureux des séides du sup***, et l'a portée à son maître, en secret ; mais le monstre, pour me faire sombrer sous l'insulte universelle, avait fait passer ma poésie dans les mains de tous ses amis !

Hier, le sup*** me mande ; j'entre dans son appartement, je suis debout devant lui, fort de mon intérieur. Sur son front chauve frissonnait comme un éclair furtif son dernier cheveu roux ; ses yeux émergeaient de sa graisse, mais calmes, paisibles ; son nez, semblable à une batte, était mû par son branle habituel ; il chuchotait un oremus ; il mouilla l'extrémité de son pouce, tourna quelques feuilles de livre, et sortit un petit papier crasseux, plié...

Granananande Maarieie !...
Mèèèree Chééérieie !

Il ravalait ma poésie ! il crachait sur ma rose ! il faisait le Brid'oison, le Joseph, le bêtiot, pour salir, pour souiller ce chant virginal ! Il bégayait et prolongeait chaque syllabe avec un ricanement de haine concentré et quand il fut arrivé au cinquième vers, ...*Vierge enceinte !* il s'arrêta, contourna sa nasale, et ! il — ! ! éclata : ...Vierge enceinte ! Vierge enceinte ! il disait cela avec un ton, en fronçant avec un frisson son abdomen proéminent, avec un ton si affreux, qu'une pudique rougeur couvrit mon front. Je tombai à genoux, les bras vers le plafond, et je m'écriai : Ô mon père !...

....

— Votre lyyyre ! votre cithâre ! jeune homme ! votre cithâre ! des effluves mystérieuses ! qui vous secouaient l'âme ! J'aurais voulu voir ! Jeune âme, je remarque là dedans, dans cette confession impie, quelque chose de mondain, un abandon dangereux, de l'entraînement, enfin ! —

Il se tut, fit frissonner de haut en bas son abdomen : puis, solennel :

— Jeune homme, avez-vous la foi ?...

— Mon père, pourquoi cette parole ? Vos lèvres plaisantent-elles ?... Oui, je crois à tout ce que dit ma mère... la Sainte Église !

---

1. Première rédaction : « ma première aile » ; puis « ma première poésie a pu palpiter ».
2. C'est-à-dire : la Terre se meut. Galilée fut condamné par le Saint-Office, en 1633, pour avoir pris parti en faveur de la réalité du mouvement de la Terre.

— Mais... Vierge enceinte !... C'est la conception, ça, jeune homme ; c'est la conception !...

— Mon père ! je crois à la conception...

— Vous avez raison ! jeune homme ! C'est une chose...

... Il se tut... — Puis : Le jeune J*** m'a fait un rapport où il constate chez vous un écartement des jambes, de jour en jour plus notoire, dans votre tenue à l'étude ; il affirme vous avoir vu vous étendre de tout votre long sous la table, à la façon d'un jeune homme... dégingandé. Ce sont des faits auxquels vous n'avez rien à répondre... Approchez-vous, à genoux, tout près de moi ; je veux vous interroger avec douceur ; répondez : vous écartez beaucoup vos jambes, à l'étude ?

Puis il me mettait la main sur l'épaule, autour du cou, et ses yeux devenaient clairs, et il me faisait dire des choses sur cet écartement des jambes...... Tenez, j'aime mieux vous dire que ce fut dégoûtant, moi qui sais ce que cela veut dire, ces scènes-là !...

Ainsi, on m'avait mouchardé, on avait calomnié mon cœur et ma pudeur, — et je ne pouvais rien dire à cela, les rapports, les lettres anonymes des élèves les uns contre les autres, au Sup***, étant autorisées et commandées —, et je venais dans cette chambre, me f... sous la main de ce gros !... Oh ! le séminaire !...

....

10 mai. — Oh ! mes condisciples sont effroyablement méchants et effroyablement lascifs. À l'étude, ils savent tous, ces profanes, l'histoire de mes vers et, aussitôt que je tourne la tête, je rencontre la face du poussif D***, qui me chuchote : Et ta cithare ? et ta cithare ? et ton journal ? Puis, l'idiot L*** reprend : Et ta lyre ? et ta cithare ? Puis trois ou quatre chuchotent en chœur : Grande Marie... Grande Marie... Mère chérie !

Moi, je suis un grand benêt : — Jésus, je ne me donne pas de coups de pied ! — Mais enfin, je ne moucharde pas, je n'écris pas d'ânonymes, et j'ai pour moi ma sainte poésie et ma pudeur !......

12 mai...

Ne devinez-vous pas pourquoi je meurs d'amour ?
La fleur me dit : salut ; l'oiseau me dit bonjour.
Salut : c'est le printemps ! c'est l'ange de tendresse !
Ne devinez-vous pas pourquoi je bous d'ivresse !
Ange de ma grand'mère, ange de mon berceau,

Ne devinez-vous pas que je deviens oiseau,
Que ma lyre frissonne et que je bats de l'aile
Comme hirondelle ?......

J'ai fait ces vers-là hier, pendant la récréation ; je suis entré dans la chapelle, je me suis enfermé dans un confessionnal, et là, ma jeune poésie a pu palpiter et s'envoler, dans le rêve et le silence, vers les sphères de l'amour. Puis, comme on vient m'enlever mes moindres papiers dans mes poches, la nuit et le jour, j'ai cousu ces vers en bas de mon dernier vêtement, celui qui touche immédiatement à ma peau, et, pendant l'étude, je tire, sous mes habits, ma poésie sur mon cœur, et je la presse longuement en rêvant.........

15 mai. — Les événements se sont bien pressés, depuis ma dernière confidence, et des événements bien solennels, des événements qui doivent influer sur ma vie future et intérieure d'une façon sans doute bien terrible !

Thimothina Labinette, je t'adore !

Thimothina Labinette, je t'adore ! je t'adore ! laisse-moi chanter sur mon luth, comme le divin Psalmiste sur son Psaltérion, comment je t'ai vue, et comment mon cœur a sauté sur le tien pour un éternel amour !

Jeudi, c'était jour de sortie : nous, nous sortons deux heures[1] ; je suis sorti : ma mère, dans sa dernière lettre, m'avait dit : « ... tu iras, mon fils, occuper superficiellement ta sortie chez monsieur Césarin Labinette, un habitué à ton feu père, auquel il faut que tu sois présenté un jour ou l'autre avant ton ordination... »

... Je me présentai à monsieur Labinette, qui m'obligea beaucoup en me reléguant, sans mot dire, dans sa cuisine ; sa fille, Thimothine, resta seule avec moi, saisit un linge, essuya un gros bol ventru en l'appuyant contre son cœur, et me dit tout à coup, après un long silence : Eh bien, Monsieur Léonard ?...

Jusque-là, confondu de me voir avec cette jeune créature dans la solitude de cette cuisine, j'avais baissé les yeux et invoqué dans mon cœur le nom sacré de Marie : je relevai le front en rougissant, et, devant la beauté[2] de mon interlocutrice, je ne pus que balbutier un faible : Mademoiselle ?...

Thimothine ! tu étais belle ! Si j'étais peintre, je reproduirais sur la toile

---

1. Première rédaction : « nous sortons deux heures cet après-midi-là ». **2.** Première rédaction : « la splendeur ».

tes traits sacrés sous ce titre : La Vierge au bol ! Mais je ne suis que poète, et ma langue ne peut te célébrer qu'incomplètement...

La cuisinière noire, avec ses trous où flamboyaient les braises comme des yeux rouges, laissait échapper, de ses casseroles à minces filets de fumée, une odeur céleste de soupe aux choux et de haricots ; et devant elle, aspirant avec ton doux nez l'odeur de ces légumes, regardant ton gros chat avec tes beaux yeux gris, ô Vierge au bol, tu essuyais ton vase ! Les bandeaux plats et clairs de tes cheveux se collaient pudiquement sur ton front jaune comme le soleil ; de tes yeux courait un sillon bleuâtre jusqu'au milieu de ta joue, comme à Santa Teresa ! ton nez, plein de l'odeur des haricots, soulevait ses narines délicates ; un duvet léger, serpentant sur tes lèvres, ne contribuait pas peu à donner une belle énergie à ton visage ; et, à ton menton, brillait un beau signe brun où frissonnaient de beaux poils follets : tes cheveux étaient sagement retenus à ton occiput par des épingles ; mais une courte mèche s'en échappait... Je cherchai vainement tes seins ; tu n'en as pas : tu dédaignes ces ornements mondains : ton cœur est tes seins [1] !... quand tu te retournas pour frapper de ton pied large ton chat doré, je vis tes omoplates saillant et soulevant ta robe, et je fus percé d'amour, devant le tortillement gracieux des deux arcs prononcés de tes reins !...

Dès ce moment, je t'adorai : j'adorais, non pas tes cheveux, non pas tes omoplates, non pas ton tortillement inférieurement postérieur : ce que j'aime en une femme, en une vierge, c'est la modestie sainte ; ce qui me fait bondir d'amour, c'est la pudeur et la piété ; c'est ce que j'adorai en toi, jeune bergère !...

Je tâchais de lui faire voir ma passion, et, du reste, mon cœur, mon cœur me trahissait ! Je ne répondais que par des paroles entrecoupées à ses interrogations ; plusieurs fois, je lui dis Madame, au lieu de Mademoiselle, dans mon trouble ! Peu à peu, aux accents magiques de sa voix, je me sentais succomber ; enfin je résolus de m'abandonner, de lâcher tout : et, à je ne sais plus quelle question qu'elle m'adressa, je me renversai en arrière sur ma chaise, je mis une main sur mon cœur, de l'autre je saisis dans ma poche un chapelet dont je laissai passer la croix blanche, et, un œil vers Thimothine, l'autre au ciel, je répondis douloureusement et tendrement, comme un cerf à une biche :

— Oh ! oui ! Mademoiselle... Thimothina ! ! !

Miserere ! miserere ! — Dans mon œil ouvert délicieusement vers le

1. Jules Mouquet corrigeait « est » en « et ». Steve Murphy respecte le texte du manuscrit. Nous le suivons ici.

plafond tombe tout à coup une goutte de saumure, dégouttant d'un jambon planant au-dessus de moi, et, lorsque, tout rouge de honte, réveillé dans ma passion, je baissais mon front, je m'aperçus que je n'avais dans ma main gauche, au lieu d'un chapelet, qu'un biberon brun ; — ma mère me l'avait confié l'an passé pour le donner au petit de la mère chose ! — De l'œil que je tendais au plafond découla la saumure amère : — mais, de l'œil qui te regardait, ô Thimothina, une larme coula, larme d'amour, et larme de douleur !...

....

Quelque temps, une heure après, quand Thimothina m'annonça une collation composée de haricots et d'une omelette au lard, tout ému de ses charmes, je répondis à mi-voix :

— J'ai le cœur si plein, voyez-vous, que cela me ruine l'estomac ! — Et je me mis à table ; oh ! je le sens encore, son cœur avait répondu au mien dans son appel : pendant la courte collation, elle ne mangea pas :

— Ne trouves-tu pas qu'on sent un goût ? répétait-elle ; son père ne comprenait pas ; mais mon cœur le comprit : c'était la Rose de David, la Rose de Jessé, la Rose mystique de l'écriture [1] ; c'était l'Amour !

Elle se leva brusquement, alla dans un coin de la cuisine et, me montrant la double fleur de ses reins, elle plongea son bras dans un tas informe de bottes, de chaussures diverses, d'où s'élança son gros chat ; et jeta tout cela dans un vieux placard vide ; puis elle retourna à sa place, et interrogea l'atmosphère d'une façon inquiète ; tout à coup, elle fronça le front et s'écria :

— Cela sent encore !...

— Oui, cela sent, répondit son père assez bêtement : (il ne pouvait comprendre, lui, le profane !)

Je m'aperçus bien que tout cela n'était dans ma chair vierge que les mouvements intérieurs de sa passion ! Je l'adorais et je savourais avec amour l'omelette dorée, et mes mains battaient la mesure avec la fourchette, et, sous la table, mes pieds frissonnaient d'aise [2] dans mes chaussures !...

Mais, ce qui me fut un trait de lumière, ce qui me fut comme un gage d'amour éternel, comme un diamant de tendresse de la part de Thimothina, ce fut l'adorable obligeance qu'elle eut, à mon départ, de m'offrir une paire de chaussettes blanches, avec un sourire et ces paroles :

---

1. *Sic* sur le manuscrit ; on peut rétablir la majuscule, conforme au sens, comme le faisait J. Mouquet. Mais la minuscule peut être conforme à une intention de dérision de la part de Rimbaud. **2.** Apparition d'un mot, « aise », qui sera essentiel dans le second cahier de Douai.

— Voulez-vous cela pour vos pieds, Monsieur Léonard ?

....

16 mai — Thimothina ! Je t'adore, toi et ton père, toi et ton chat...

Vas devotionis,
Rosa mystica,
Thimothina, Turris davidica, Ora pro nobis !
Cœli porta,
Stella maris [1],

17 mai — Que m'importent à présent les bruits du monde et les bruits de l'étude ? Que m'importent ceux que la paresse et la langueur courbent à mes côtés ? Ce matin, tous les fronts, appesantis par le sommeil, étaient collés aux tables ; un ronflement, pareil au cri du clairon du jugement dernier, un ronflement sourd et lent s'élevait de ce vaste Gethsémani [2]. Moi, stoïque, serein, droit et m'élevant au-dessus de tous ces morts comme un palmier au-dessus des ruines, méprisant les odeurs et les bruits incongrus, je portais ma tête dans ma main, j'écoutais battre mon cœur plein de Thimothina, et mes yeux se plongeaient dans l'azur du ciel, entrevu par la vitre supérieure de la fenêtre !...

— 18 mai : Merci à l'Esprit Saint qui m'a inspiré ces vers charmants : ces vers, je vais les enchâsser dans mon cœur : et, quand le ciel me donnera de revoir Thimothina, je les lui donnerai, en échange de ses chaussettes !...

Je l'ai intitulée La Brise :

Dans sa retraite de coton
Dort le zéphyr à douce haleine :
Dans son nid de soie et de laine
Dort le zéphyr au gai menton !

---

1. « Vase de dévotion, Rose mystique, Tour de David, prie pour nous ! Porte du Ciel, Étoile de la mer ». Thimothina est invoquée comme la Vierge Marie dans la liturgie. **2.** À Gethsémani, Jésus trouve ses disciples endormis et dit à Pierre : « Ainsi, vous n'avez pas eu la force de veiller une heure avec moi » (Matthieu, XXVI, 40).

Quand le zéphyr lève son aile
Dans sa retraite de coton,
Quand il court où la fleur l'appelle,
Sa douce haleine sent bien bon !

Ô brise quintessenciée !
Ô quintessence de l'amour !
Quand la rosée est essuyée,
Comme ça sent bon dans le jour !

Jésus ! Joseph ! Jésus ! Marie !
C'est comme une aile de condor
Assoupissant celui qui prie !
Ça nous pénètre et nous endort !

....

La fin est trop intérieure et trop suave : je la conserve dans le tabernacle de mon âme. À la prochaine sortie, je lirai cela à ma divine et odorante Thimothina.

Attendons dans le calme et le recueillement.

....

Date incertaine. Attendons !...

16 juin ! — Seigneur, que votre volonté se fasse : je n'y mettrai aucun obstacle ! Si vous voulez détourner de votre serviteur l'amour de Thimothina, libre à vous, sans doute : mais, Seigneur Jésus, n'avez-vous pas aimé vous-même, et la lance de l'amour ne vous a-t-elle pas appris à condescendre aux souffrances des malheureux ! Priez pour moi !

Oh ! j'attendais depuis longtemps cette sortie de deux heures du 15 juin : j'avais contraint mon âme, en lui disant : Tu seras libre ce jour-là : le 15 juin, je m'étais peigné mes quelques cheveux modestes, et, usant d'une odorante pommade rose, je les avais collés sur mon front, comme les bandeaux de Thimothina ; je m'étais pommadé les sourcils ; j'avais minutieusement brossé mes habits noirs, comblé adroitement certains déficits [1] fâcheux dans ma toilette, et je me présentai à la sonnette espérée de M. Césarin Labinette. Il arriva, après un assez long temps, la calotte un peu crânement sur l'oreille, une mèche de cheveux raide et fort pommadée lui cinglant la face comme une balafre, une main dans la poche de

1. *Cf.* « Vénus anadyomène », v. 4 : « Montrant des déficits assez mal ravaudés ».

sa robe de chambre à fleurs jaunes, l'autre sur le loquet... Il me jeta un bonjour sec, fronça le nez en jetant un coup d'œil sur mes souliers à cordons noirs, et s'en alla devant moi, les mains dans ses deux poches, ramenant en devant sa robe de chambre, comme fait l'abbé*** avec sa soutane, et modelant ainsi à mes regards sa partie inférieure.

Je le suivis.

Il traversa la cuisine, et j'entrai après lui dans son salon. Oh ! ce salon ! je l'ai fixé dans ma mémoire avec les épingles du souvenir ! La tapisserie était à fleurs brunes ; sur la cheminée, une énorme pendule en bois noir, à colonnes ; deux vases bleus avec des roses ; sur les murs, une peinture de la bataille d'Inkermann[1] ; et un dessin au crayon, d'un ami de Césarin, représentant un moulin avec sa meule souffletant un petit ruisseau semblable à un crachat, dessin que charbonnent tous ceux qui commencent à dessiner. La poésie est bien préférable !...

Au milieu du salon, une table à tapis vert, autour de laquelle mon cœur ne vit que Thimothina, quoiqu'il s'y trouvât un ami de monsieur Césarin, ancien exécuteur des œuvres sacristaines dans la paroisse de ***, et son épouse, madame de Riflandouille, et que monsieur Césarin lui-même vînt s'y accouder de nouveau, aussitôt mon entrée.

Je pris une chaise rembourrée, songeant qu'une partie de moi-même allait s'appuyer sur une tapisserie faite sans doute par Thimothina, je saluai tout le monde, et, mon chapeau noir posé sur la table, devant moi, comme un rempart, j'écoutai...

Je ne parlais pas, mais mon cœur parlait ! Les messieurs continuèrent la partie[2] de cartes commencée : je remarquai qu'ils trichaient à qui mieux mieux, et cela me causa une surprise assez douloureuse. La partie terminée, ces personnes s'assirent en cercle autour de la cheminée vide ; j'étais à un des coins, presque caché par l'énorme ami de Césarin, dont la chaise seule me séparait de Thimothina : je fus content en moi-même du peu d'attention que l'on faisait à ma personne ; relégué derrière la chaise du sacristain honoraire, je pouvais laisser voir sur mon visage les mouvements de mon cœur sans être remarqué de personne ; je me livrai donc à un doux abandon ; et je laissai la conversation s'échauffer et s'engager entre ces trois personnes ; car Thimothina ne parlait que rarement ; elle jetait sur son séminariste des regards d'amour, et, n'osant le regarder

1. En Crimée ; les Anglais, attaqués et surpris, furent sauvés par l'arrivée spontanée et l'énergie de la division française Bosquet. Cette victoire sanglante, remportée le 5 novembre 1854, est un des épisodes marquants du siège de Sébastopol. **2.** Première rédaction : « continuèrent le jeu ».

en face, elle dirigeait ses yeux clairs vers mes souliers bien cirés !... Moi, derrière le gros sacristain, je me livrais à mon cœur.

Je commençai par me pencher du côté de Thimothina, en levant les yeux au ciel. Elle était retournée. Je me relevai, et, la tête baissée vers ma poitrine, je poussai un soupir ; elle ne bougea pas. Je remis mes boutons, je fis aller mes lèvres, je fis un léger signe de croix ; elle ne vit rien. Alors, transporté, furieux d'amour, je me baissai très fort vers elle, en tenant mes mains comme à la communion, et en poussant un ah !... prolongé et douloureux ; Miserere ! tandis que je gesticulais, que je priais, je tombai de ma chaise avec un bruit sourd, et le gros sacristain se retourna en ricanant, et Thimothina dit à son père :

— Tiens, M. Léonard qui coule par terre !

Son père ricana ! Miserere !

Le sacristain me repiqua, rouge de honte et faible d'amour, sur ma chaise rembourrée, et me fit une place. Mais je baissai les yeux, je voulus dormir ! Cette société m'était importune, elle ne devinait pas l'amour qui souffrait là dans l'ombre : je voulus dormir ! mais j'entendis la conversation se tourner sur moi !...

Je rouvris faiblement les yeux...

Césarin et le sacristain fumaient chacun un cigare maigre, avec toutes les mignardises possibles, ce qui rendait leurs personnes effroyablement ridicules : madame la sacristaine, sur le bord de sa chaise, sa poitrine cave penchée en avant, ayant derrière elle tous les flots de sa robe jaune qui lui bouffaient jusqu'au cou, et épanouissant autour d'elle son unique volant, effeuillait délicieusement une rose : un sourire affreux entr'ouvrait ses lèvres [1], et montrait à ses gencives maigres deux dents noires, jaunes, comme la faïence d'un vieux poêle. — Toi, Thimothina, tu étais belle, avec ta collerette blanche, tes yeux baissés, et tes bandeaux plats.

— C'est un jeune homme d'avenir ; son présent inaugure son futur, disait en laissant aller un flot de fumée grise le sacristain...

— Oh ! monsieur Léonard illustrera la robe, nasilla [2] la sacristaine : les deux dents parurent !...

Moi, je rougissais à la façon d'un garçon de bien ; je vis que les chaises s'éloignaient de moi, et qu'on chuchotait sur mon compte...

Thimothina regardait toujours mes souliers ; les deux sales dents me menaçaient... le sacristain riait ironiquement : j'avais toujours la tête baissée !...

1. Première rédaction : « un sourire atroce sortait de ses lèvres ». **2.** Première rédaction : « dit la sacristaine ».

— Lamartine est mort[1]... dit tout à coup Thimothina.

Chère Thimothina ! C'était pour ton adorateur, pour ton pauvre poète Léonard, que tu jetais dans la conversation ce nom de Lamartine ; alors je relevai le front, je sentis que la pensée seule de la poésie allait refaire une virginité à tous ces profanes, je sentais mes ailes palpiter, et je dis, rayonnant, l'œil sur Thimothina :

— Il avait de beaux fleurons à sa couronne, l'auteur des *Méditations poétiques !*

— Le cygne des vers est défunt ! dit la sacristaine.

— Oui, mais il a chanté son chant funèbre, repris-je, enthousiasmé.

— Mais, s'écria la sacristaine, monsieur Léonard est poète aussi ! Sa mère m'a montré l'an passé des essais de sa muse...

Je jouai d'audace :

— Oh ! Madame je n'ai apporté ni ma lyre ni ma cithare ; mais...

— Oh ! votre cithare ! vous l'apporterez un autre jour...

— Mais, ce néanmoins, si cela ne déplaît pas à l'honorable — et je tirais un morceau de papier de ma poche, — je vais vous lire quelques vers... Je les dédie à mademoiselle Thimothina.

— Oui ! oui ! jeune homme ! très bien ! Récitez, récitez, mettez-vous au bout de la salle...

Je me reculai... Thimothina regardait mes souliers... La sacristaine faisait la Madone ; les deux messieurs se penchaient l'un vers l'autre... Je rougis, je toussai, et je dis en chantant tendrement :

Dans sa retraite de coton
Dort le zéphyr à douce haleine...
Dans son nid de soie et de laine
Dort le zéphyr au gai menton.

Toute l'assistance pouffa de rire : les messieurs se penchaient l'un vers l'autre en faisant de grossiers calembours[2] ; mais ce qui était surtout effroyable, c'était l'air de la sacristaine, qui, l'œil au ciel, faisait la mystique, et souriait avec ses dents affreuses ! Thimothina, Thimothina crevait de rire ! Cela me perça d'une atteinte mortelle, Thimothina se tenait les côtes !... — Un doux zéphyr dans du coton, c'est suave, c'est suave !... faisait en reniflant le père Césarin... Je crus m'apercevoir de quelque

1. Lamartine était mort le 28 février 1869. **2.** Rimbaud écrit « calembourgs », avec une possible intention de jeu de mots.

chose... Mais cet éclat de rire ne dura qu'une seconde : tous essayèrent de reprendre leur sérieux, qui pétait encore de temps en temps...

— Continuez, jeune homme, c'est bien, c'est bien !

> Quand le zéphyr lève son aile
> Dans sa retraite de coton,...
> Quand il court où la fleur l'appelle,
> Sa douce haleine sent bien bon...

Cette fois, un gros rire secoua mon auditoire ; Thimothina regarda mes souliers : j'avais chaud, mes pieds brûlaient sous son regard, et nageaient dans la sueur ; car je disais : ces chaussettes que je porte depuis un mois, c'est un don de son amour, ces regards qu'elle jette sur mes pieds, c'est un témoignage de son amour : elle m'adore !

Et voici que je ne sais quel petit goût me parut sortir de mes souliers : oh ! je compris les rires horribles de l'assemblée ! Je compris qu'égarée dans cette société méchante, Thimothina Labinette, Thimothina ne pourrait jamais donner un libre cours à sa passion ! Je compris qu'il me fallait dévorer, à moi aussi, cet amour douloureux éclos dans mon cœur une après-midi de mai, dans une cuisine des Labinette, devant le tortillement postérieur de la Vierge au bol !

Quatre heures, l'heure de la rentrée, sonnaient à la pendule du salon ; éperdu, brûlant d'amour et fou de douleur, je saisis mon chapeau, je m'enfuis en renversant une chaise, je traversai le corridor en murmurant : J'adore Thimothina, et je m'enfuis au séminaire sans m'arrêter...

Les basques de mon habit noir volaient derrière moi, dans le vent, comme des oiseaux sinistres !...

....

....

30 juin. Désormais, je laisse à la muse divine le soin de bercer ma douleur ; martyr d'amour à dix-huit ans, et, dans mon affliction, pensant à un autre martyr du sexe qui fait nos joies et nos bonheurs, n'ayant plus celle que j'aime, je vais aimer la foi ! Que le Christ, que Marie me prennent sur leur sein : je les suis ; je ne suis pas digne de dénouer les cordons des souliers de Jésus ; mais ma douleur ! mais mon supplice ! Moi aussi, à dix-huit ans et sept mois, je porte une croix, une couronne d'épines ! mais, dans la main, au lieu d'un roseau, j'ai une cithare ! Là sera le dictame [1] à ma plaie !

---

1. Le baume.

....

— Un an après, 1er août. — Aujourd'hui, on m'a revêtu de la robe sacrée ; je vais servir Dieu ; j'aurai une cure et une modeste servante dans un riche village. J'ai la foi ; je ferai mon salut, et sans être dispendieux, je vivrai comme un bon serviteur de Dieu avec sa servante. Ma Mère la sainte Église me réchauffera dans son sein : qu'elle soit bénie ! que Dieu soit béni !

... Quant à cette passion cruellement chérie que je renferme au fond de mon cœur, je saurai la supporter avec constance : sans la raviver précisément, je pourrai m'en rappeler quelquefois le souvenir ; ces choses-là sont bien douces ! — Moi, du reste, j'étais né pour l'amour et pour la foi ! — Peut-être un jour, revenu dans cette ville, aurai-je le bonheur de confesser ma chère Thimothina ? Puis, je conserve d'elle un doux souvenir : depuis un an, je n'ai pas défait les chaussettes qu'elle m'a données...

Ces chaussettes-là, mon Dieu ! je les garderai à mes pieds jusque dans votre saint Paradis !...

[POÈMES CONFIÉS À IZAMBARD]

Ophélie

I

Sur l'onde calme et noire où dorment les étoiles,
La blanche Ophélia flotte comme un grand lys
Flotte très lentement, couchée en ses longs voiles...
— On entend dans les bois de lointains hallalis...

Voici plus de mille ans que la triste Ophélie
Passe, fantôme blanc sur le long fleuve noir ;
Voici plus de mille ans que sa douce folie
Murmure sa romance à la brise du soir...

Le vent baise ses seins et déploie en corolle
Ses longs voiles bercés mollement par les eaux ;
Les saules frissonnants pleurent sur son épaule,
Sur son grand front rêveur s'inclinent les roseaux.

Les nénuphars froissés soupirent autour d'elle ;
Elle éveille parfois, dans un aune qui dort
Quelque nid d'où s'échappe un léger frisson d'aile...
— Un chant mystérieux tombe des astres d'or...
....

II

Ô pâle Ophélia ! belle comme la neige !
Oui tu mourus, enfant, par un fleuve emporté[1] !
— C'est que les vents tombant des grands monts de Norwège
T'avaient parlé tout haut de l'âpre liberté !

C'est qu'un souffle inconnu, fouettant ta chevelure
À ton esprit rêveur portait d'étranges bruits :
Que ton cœur entendait la voix de la Nature
Dans les plaintes de l'arbre et les soupirs des nuits !

C'est que la voix des mers, comme un immense râle
Brisait ton sein d'enfant trop humain et trop doux !
— C'est qu'un matin d'avril un beau cavalier pâle
Un pauvre fou s'assit, muet, à tes genoux !

Ciel ! amour ! liberté ! quel rêve, ô pauvre folle !
Tu te fondais à lui comme une neige au feu.
Tes grandes visions étranglaient ta parole :
— Un infini terrible égara ton œil bleu !
....

III

Et le Poète dit qu'aux rayons des étoiles,
Tu viens chercher la nuit les fleurs que tu cueillis
Et qu'il a vu sur l'eau, couchée en ses longs voiles,
La blanche Ophélia flotter comme un grand lys.

---

1. On attendrait plutôt « emportée ». Mais l'expression est plus originale, l'inversion paraîtrait empruntée, et il y a la nécessité de la rime.

Le Forgeron

Tuileries, vers le 20 juin 1792[1].

Les bras sur un marteau gigantesque, effrayant
D'ivresse[2] et de grandeur, le front large, riant
Comme un clairon d'airain[3] avec toute sa bouche,
Et prenant ce gros-là dans son regard farouche,
Le forgeron parlait à Louis Seize, un jour
Que le peuple était là, se tordant tout autour,
Et sur les lambris d'or traînait sa veste sale.
Or le bon Roi, debout sur son ventre, était pâle,
Pâle comme un vaincu qu'on prend pour le gibet,
Et, soumis comme un chien, jamais ne regimbait,
Car ce maraud de forge aux énormes épaules
Lui disait de vieux mots et des choses si drôles,
Que cela l'empoignait au front, comme cela !

« Donc, Sire, tu sais bien[4], nous chantions tra la la
Et nous piquions les bœufs vers les sillons des autres :
Le chanoine au soleil disait ses patenôtres
Sur des chapelets clairs grenés de pièces d'or[5].
Le seigneur à cheval passait, sonnant du cor,
Et, l'un avec la hart[6], l'autre avec la cravache,
Nous fouaillaient ; hébétés comme des yeux de vache,
Nos yeux ne pleuraient pas : nous allions ! nous allions !
Et quand nous avions mis le pays en sillons,
Quand nous avions laissé dans cette terre noire

---

1. La date est bien choisie. Le 20 juin 1792, la foule affamée envahit les Tuileries. Rimbaud avait pu lire le récit de cette journée dans l'*Histoire de la Révolution française* de Mignet : « En sortant de l'Assemblée, la foule se dirigea vers le château, [...] la multitude se précipita à l'intérieur [...]. On fit prudemment placer Louis XVI dans l'embrasure d'une fenêtre [...]. Ayant eu le courage de refuser ce qui était l'objet essentiel de ce mouvement, il ne crut pas devoir repousser un signe vain pour lui et qui aux yeux de la multitude était celui de la liberté : il mit sur sa tête un bonnet rouge qui lui fut présenté au bout d'une pique. La multitude fut très satisfaite de cette condescendance. » Le chef des manifestants était le boucher Legendre, que Rimbaud a remplacé ici par le Forgeron. **2.** Ivre d'espoir ; *cf.* plus bas « nous étions soûls de terribles espoirs ». **3.** Symbole hugolien. **4.** Legendre n'avait pas tutoyé Louis XVI. Le tutoiement en revanche est bien dans la manière de Hugo (*cf.* « Les Quatre Jours d'Elciis » dans *La Légende des siècles*). **5.** Dont les grains étaient constitués par des pièces d'or. **6.** Archaïsme : la corde.

Un peu de notre chair, nous avions un pourboire :
— Nous venions voir flamber nos taudis dans la nuit ;
Nos enfants y faisaient un gâteau fort bien cuit !...

« Oh ! je ne me plains pas ! je te dis mes bêtises :
— C'est entre nous ; j'admets que tu me contredises...
Or, n'est-ce pas joyeux de voir, au mois de juin
Dans les granges entrer des voitures de foin
Énormes ? De sentir l'odeur de ce qui pousse,
Des vergers quand il pleut un peu, de l'herbe rousse ?
De voir les champs de blés, les épis pleins de grain,
De penser que cela prépare bien du pain ?...
— Oui, l'on pourrait, plus fort, au fourneau qui s'allume,
Chanter joyeusement en martelant l'enclume,
Si l'on était certain qu'on pourrait prendre un peu,
Étant homme, à la fin, de ce que donne Dieu !...
— Mais voilà, c'est toujours la même vieille histoire !

« ... Oh ! je sais maintenant ! Moi, je ne peux plus croire,
Quand j'ai deux bonnes mains, mon front et mon marteau,
Qu'un homme vienne là, dague sous le manteau
Et me dise : Maraud, ensemence ma terre ;
Que l'on arrive encor, quand ce serait la guerre,
Me prendre mon garçon comme cela chez moi !...
— Moi je serais un homme, et toi tu serais roi,
Tu me dirais : Je veux ! — Tu vois bien, c'est stupide !...
Tu crois que j'aime à voir ta baraque splendide,
Tes officiers dorés, tes mille chenapans,
Tes palsembleu bâtards tournant comme des paons ?
Ils ont rempli ton nid de l'odeur de nos filles,
Et de petits billets pour nous mettre aux Bastilles,
Et nous dirions : C'est bien : les pauvres à genoux !...
Nous dorerions ton Louvre en donnant nos gros sous,
Et tu te soûlerais, tu ferais belle fête,
Et tes Messieurs riraient, les reins sur notre tête !...

« Non ! ces saletés-là datent de nos papas !
Oh ! le peuple n'est plus une putain ! Trois pas,
Et, tous, nous avons mis ta Bastille en poussière !
Cette bête suait du sang à chaque pierre...

Et c'était dégoûtant, la Bastille debout
Avec ses murs lépreux qui nous rappelaient tout
Et, toujours, nous tenaient enfermés dans leur ombre !
— Citoyen ! citoyen ! c'était le passé sombre
Qui croulait, qui râlait, quand nous prîmes la tour !
Nous avions quelque chose au cœur comme l'amour :
Nous avions embrassé nos fils sur nos poitrines,
Et, comme des chevaux, en soufflant des narines,
Nous marchions, nous chantions, et ça nous battait là,
Nous allions au soleil, front haut, comme cela,
Dans Paris accourant devant nos vestes sales !...
Enfin ! Nous nous sentions hommes ! nous étions pâles,
Sire ; nous étions soûls de terribles espoirs,
Et quand nous fûmes là, devant les donjons noirs,
Agitant nos clairons et nos feuilles de chêne [1],
Les piques à la main, nous n'eûmes pas de haine :
— Nous nous sentions si forts ! nous voulions être doux [2] !...
....

« Et depuis ce jour-là nous sommes comme fous...
Le flot des ouvriers a monté dans la rue
Et ces maudits s'en vont, foule toujours accrue,
Comme des revenants, aux portes des richards !...
Moi, je cours avec eux assommer les mouchards,
Et je vais dans Paris, le marteau sur l'épaule,
Farouche, à chaque coin balayant quelque drôle,
Et si tu me riais au nez, je te tuerais !...
— Puis, tu dois y compter, tu te feras des frais
Avec tes avocats qui prennent nos requêtes
Pour se les renvoyer comme sur des raquettes,
Et, tout bas, les malins ! nous traitent de gros sots !
Pour mitonner des lois, ranger de petits pots
Pleins de menus décrets, de méchantes droguailles [3],
S'amuser à couper proprement quelques tailles [4],
Puis se boucher le nez quand nous passons près d'eux,

---

1. Le chêne symbolise la force du peuple. Le 11 juillet 1789, Camille Desmoulins avait invité le peuple à prendre les couleurs de l'espérance. Ceux qui n'avaient pas de cocarde mirent des feuilles à leur chapeau. **2.** L'image du peuple assoiffé de justice, mais refusant la vengeance, rappelle Michelet. **3.** Mot péjoratif formé sur « drogue », qui l'est déjà. **4.** Les impôts ; « couper quelques tailles », ce n'est point en supprimer, mais en inventer de nouvelles.

— Ces chers avocassiers qui nous trouvent crasseux ! —
Pour débiter là-bas des milliers de sornettes
Et ne rien redouter sinon les baïonnettes,
Nous en avons assez, de tous ces cerveaux plats !
Ils embêtent le Peuple !... Ah ! ce sont là les plats
Que tu nous sers, bourgeois, quand nous sommes féroces,
Quand nous cassons déjà les sceptres et les crosses !... »

Puis il le prend au bras, arrache le velours
Des rideaux, et lui montre, en bas, les larges cours
Où fourmille, où fourmille, où se lève la foule,
La foule épouvantable avec des bruits de houle,
Hurlant comme une chienne, hurlant comme une mer,
Avec ses bâtons forts et ses piques de fer,
Ses clameurs, ses grands cris de halles et de bouges,
Tas sombre de haillons taché de bonnets rouges !
L'Homme, par la fenêtre ouverte, montre tout
Au Roi pâle, suant, qui chancelle debout,
Malade à regarder cela !...
« C'est la Crapule[1],
Sire ! ça bave aux murs, ça roule, ça pullule...
— Puisqu'ils ne mangent pas, Sire, ce sont les gueux !
— Je suis un forgeron : ma femme est avec eux :
Folle ! elle vient chercher du pain aux Tuileries :
On ne veut pas de nous dans les boulangeries !...
J'ai trois petits ; — Je suis crapule ! — Je connais
Des vieilles qui s'en vont pleurant sous leurs bonnets,
Parce qu'on leur a pris leur garçon ou leur fille :
— C'est la crapule. — Un homme était à la Bastille,

---

1. Le colonel Godchot, dans *Rimbaud ne varietur*, Nice, 2 vol., 1936-1937, tome II, a rappelé qu'une chanson de Suzanne Lagier, écrite à la suite de l'assassinat de Victor Noir par le Prince impérial Pierre Bonaparte, le 10 janvier 1870, disait : « C'est la crapule ». Delahaye, de son côté, raconte dans ses *Souvenirs familiers* : « Labarrière devait être avec moi le jour où j'assistai, sur la place Ducale [de Charleville] à une scène non seulement comique, mais encore lamentable : des gamins pleins de joie, des femmes ardemment curieuses, qui se poussaient, pour voir, avec des mines dégoûtées, entouraient un pauvre diable d'ouvrier tellement ivre qu'il ne pouvait faire trois pas et pleurait à chaudes larmes, en gémissant : "Crapule... je suis crapule !..." et s'administrant pour en témoigner, de grands coups de poing dans l'estomac. Je contai la chose à Rimbaud, croyant le faire rire. Il fronça le sourcil, devint très rouge et ne dit rien. Mais il s'en souvenait quand il écrivit *Le Forgeron*, ce beau poème de colère et de pitié. »

D'autres étaient forçats ; c'étaient des citoyens
Honnêtes ; libérés, ils sont comme des chiens ;
On les insulte ! alors ils ont là quelque chose
Qui leur fait mal, allez ! c'est terrible, et c'est cause
Que, se sentant brisés, que, se sentant damnés [1],
Ils viennent maintenant hurler sous votre nez !...
— Crapules : — Là-dedans sont des filles, infâmes
Parce que —, sachant bien que c'est faible, les femmes,
Messeigneurs de la cour, que ça veut toujours bien, —
Vous leur avez sali leur âme comme rien !
Vos belles, aujourd'hui, sont là : — C'est la Crapule...
....
« Oh ! tous les malheureux, tou[s] [2] ceux dont le dos brûle
Sous le soleil féroce, et qui vont, et qui vont,
Et dans ce travail-là sentent crever leur front,
Chapeau bas, mes bourgeois ! Oh ! ceux-là sont les hommes !
— Nous sommes Ouvriers ! Sire, Ouvriers ! — nous sommes
Pour les grands temps nouveaux où l'on voudra savoir,
Où l'homme forgera du matin jusqu'au soir [3],
Où, lentement vainqueur, il soumettra les choses,
Poursuivant les grands buts, cherchant les grandes causes,
Et montera sur Tout comme sur un cheval !
Oh ! nous sommes contents, nous aurons bien du mal !
— Tout ce qu'on ne sait pas, c'est peut-être terrible.
Nous prendrons nos marteaux, nous passerons au crible
Tout ce que nous savons, puis, Frères, en avant [4] !...
— Nous faisons quelquefois ce grand rêve émouvant
De vivre simplement, ardemment, sans rien dire
De mauvais, travaillant sous l'auguste sourire
D'une femme qu'on aime avec un noble amour !
Et l'on travaillerait fièrement tout le jour,
Écoutant le devoir comme un clairon qui sonne :
Et l'on se trouverait fort heureux, et personne,
Oh ! personne ! surtout, ne vous ferait plier !...

---

1. *Cf.* « Mauvais sang », dans *Une saison en enfer*. **2.** Orthographe du manuscrit : *tout*. **3.** Le symbole du forgeron trouve ici son épanouissement. On songe à la troisième partie de « *Credo in unam* », mais aussi déjà à « Mauvais sang » et à l'évocation ambiguë du progrès que contient cette section d'*Une saison en enfer*. **4.** Formule rimbaldienne essentielle qu'on retrouvera dans le poème en prose des *Illuminations* intitulé « Démocratie ».

On aurait un fusil au-dessus du foyer...

....

....

« Oh ! mais ! l'air est tout plein d'une odeur de bataille !
Que te disais-je donc ? Je suis de la canaille !

Vénus anadyomène

Comme d'un cercueil vert en fer blanc, une tête
De femme à cheveux bruns fortement pommadés
D'une vieille baignoire émerge, lente et bête,
Montrant des déficits assez mal ravaudés ;

Puis le col gras et gris, les larges omoplates
Qui saillent, le dos court qui rentre et qui ressort.
— La graisse sous la peau paraît en feuilles plates ;
Et les rondeurs des reins semblent prendre l'essor...

L'échine est un peu rouge, et le tout sent un goût
Horrible étrangement. — On remarque surtout
Des singularités qu'il faut voir à la loupe...

Les reins portent deux mots gravés : Clara Venus ;
— Et tout ce corps remue et tend sa large croupe
Belle hideusement d'un ulcère à l'anus.

27 juillet 1870

À la Musique

Place de la Gare, tous les jeudis soirs, à Charleville.

Sur la place taillée en mesquines pelouses,
Square où tout est correct, les arbres et les fleurs,
Tous les bourgeois poussifs qu'étranglent les chaleurs
Portent, les jeudis soirs, leurs bêtises jalouses.

— Un orchestre guerrier[1], au milieu du jardin,
Balance ses schakos dans la Valse des fifres :
On voit aux premiers rangs parader le gandin,
Les notaires montrer leurs breloques à chiffres ;

Les rentiers à lorgnons soulignent tous les couacs :
Les gros bureaux[2] bouffis traînant leurs grosses dames,
Auprès desquelles vont, officieux cornacs,
Celles dont les volants ont des airs de réclames ;

Sur les bancs verts, des clubs d'épiciers retraités,
Chacun rayant le sable avec sa canne à pomme,
Fort sérieusement discutent des traités,
Et prisent en argent, mieux que monsieur Prudhomme[3].

Étalant sur un banc les rondeurs de ses reins
Un bourgeois bienheureux, à bedaine flamande,
Savoure, s'abîmant en des rêves divins,
La musique française et la pipe allemande[4] !

Au bord des gazons verts ricanent des voyous ;
Et, rendus amoureux par le chant des trombones,
Très naïfs, et fumant des roses, les pioupious
Caressent les bébés pour enjôler les bonnes...

— Moi, je suis, débraillé comme un étudiant,
Sous les verts marronniers les alertes fillettes ;
Elles le savent bien, et tournent en riant,
Vers moi, leurs grands yeux pleins de choses indiscrètes ;

Je ne dis pas un mot : je regarde toujours
La chair de leurs cous blancs brodés de mèches folles :
Je suis, sous le corsage et les frêles atours,
Le dos divin après les rondeurs des épaules...

---

1. Cette rédaction est encore très proche du poème de Glatigny « Promenades d'hiver ». **2.** Au sens de « bureaucrates ». **3.** J. Gengoux retrouve cette rime « canne à pomme / Prudhomme » dans un autre poème de Glatigny, « À Ronsard ». Sur Monsieur Prudhomme, voir « Roman », p. 198. **4.** Antithèse encore discrète qui laisse supposer à J. Gengoux que la guerre n'était pas encore déclarée au moment où Rimbaud a écrit ces vers. Mais on peut soutenir également le contraire.

Je cherche la bottine... et je vais jusqu'au bas ;
— Je reconstruis les corps, brûlé de belles fièvres ;
— Elles me trouvent drôle et se parlent tout bas :
— Et je sens les baisers qui me viennent aux lèvres [1]...

Ce qui retient Nina

....

Lui. — Ta poitrine sur ma poitrine,
Hein ? nous irions,
Ayant de l'air plein la narine,
Aux frais rayons

Du bon matin bleu qui vous baigne
Du vin du jour ?
Quand tout le bois frissonnant saigne
Muet d'amour,

De chaque branche, gouttes vertes,
Des bourgeons clairs,
On sent dans les choses ouvertes
Frémir des chairs ;

Tu plongerais dans la luzerne
Ton long peignoir,
Divine avec ce bleu qui cerne
Ton grand œil noir,

Amoureuse de la campagne,
Semant partout,
Comme une mousse de champagne,
Ton rire fou !

---

1. Si l'on en croit Izambard, Rimbaud avait d'abord écrit : « Et mes désirs brutaux s'accrochent à leurs lèvres ». Puis il substitua ce vers qui lui aurait été dicté par son professeur (voir l'article d'Izambard « Arthur Rimbaud rhétoricien » dans le *Mercure de France* du 16 décembre 1910).

Riant à moi, brutal d'ivresse,
Qui te prendrais
Comme cela, — la belle tresse,
Oh !, — qui boirais

Ton goût de framboise et de fraise
Ô chair de fleur !
Riant au vent vif qui te baise
Comme un voleur,

Au rose églantier qui t'embête
Aimablement...
Comme moi ? petite tête [1],
C'est bien méchant !

Dix-sept ans ! Tu seras heureuse !
Oh [2] ! les grands prés,
La grande campagne amoureuse !
— Dis, viens plus près [3] !...

— Ta poitrine sur ma poitrine,
Mêlant nos voix,
Lents, nous gagnerions la ravine,
Puis les grands bois !

Puis, comme une petite morte,
Le cœur pâmé,
Tu me dirais que je te porte [4],
L'œil mi-fermé...

Je te porterais palpitante
Dans le sentier...
L'oiseau filerait son andante,
Joli portier...

---

1. Vers de sept syllabes, que Rimbaud devra corriger. **2.** En surcharge sur « dans ». **3.** Cette strophe sera supprimée dans « Les reparties de Nina ». **4.** C'est-à-dire : Tu me demanderais de te porter.

Je te parlerais dans ta bouche :
J'irais, pressant
Ton corps, comme une enfant qu'on couche,
Ivre du sang

Qui coule bleu sous ta peau blanche
Aux tons rosés :
Te parlant bas la langue franche...
Tiens !... — que tu sais...

Nos grands bois sentiraient la sève
Et le soleil
Sablerait d'or fin leur grand rêve
Sombre et vermeil !

Le soir ?... Nous reprendrons la route
Blanche qui court,
Flânant, comme un troupeau qui broute,
Tout à l'entour...

Nous regagnerions le village
Au demi-noir[1],
Et ça sentirait le laitage
Dans l'air du soir,

Ça sentirait l'étable, pleine
De fumiers chauds,
Pleine d'un rhythme lent d'haleine,
Et de grands dos

Blanchissant sous quelque lumière ;
Et, tout là-bas,
Une vache fienterait, fière,
À chaque pas !...

Les lunettes de la grand'mère
Et son nez long

1. Entre chien et loup.

Dans son missel ; le pot de bière
Cerclé de plomb

Moussant entre trois larges pipes
Qui crânement
Fument ; dix, quinze immenses lippes
Qui, tout fumant,

Happent le jambon aux fourchettes
Tant, tant et plus ;
Le feu qui claire[1] les couchettes
Et les bahuts ;

Les fesses luisantes et grasses
D'un gros enfant
Qui fourre, à genoux, dans des tasses
Son museau blanc

Frôlé par un mufle qui gronde
D'un ton gentil
Et pourlèche la face ronde
Du fort petit ;

Noire, rogue, au bord de sa chaise,
Affreux profil,
Une vieille devant la braise
Qui fait du fil[2] ;

Que de choses nous verrions, chère,
Dans ces taudis,
Quand la flamme illumine, claire
Les carreaux gris !...

— Et puis, fraîche et toute nichée
Dans les lilas,
La maison, la vitre cachée
Qui rit là-bas...

1. Éclaire. **2.** Strophe supprimée dans « Les reparties de Nina ».

Tu viendras, tu viendras, je t'aime,
Ce sera beau !...
Tu viendras, n'est-ce pas ? et même...

ELLE. — *Mais le bureau*[1] ?

15 août 1870

Comédie en trois baisers

Elle était fort déshabillée,
— Et de grands arbres indiscrets
Aux vitres penchaient leur feuillée
Malinement[2], tout près, tout près.

Assise sur ma grande chaise,
Mi-nue, elle joignait les mains :
Sur le plancher frissonnaient d'aise
Ses petits pieds si fins, si fins...

— Je regardai, couleur de cire
Un petit rayon buissonnier
Papillonner, comme un sourire
Sur son beau sein, — mouche au rosier...

— Je baisai ses fines chevilles...
— Elle eut un long rire très mal
Qui s'égrenait en claires trilles,
— Une risure[3] de cristal...

Les petits pieds sous la chemise
Se sauvèrent... « Veux-tu finir ! »
— La première audace permise,
Le rire feignait de punir !...

---

1. Ces trois mots ne sont pas soulignés sur le manuscrit. Ils sont écrits en lettres plus grosses. **2.** Orthographe provinciale pour « malignement » ; *cf.* pp. 218-219 « La Maline ». **3.** Le mot, équivalent de rire, ne figure pas au Littré.

— Pauvrets palpitants sous ma lèvre,
Je baisai doucement ses yeux :
— Elle jeta sa tête mièvre
En arrière... « Ô !... c'est encor mieux !... »

« Monsieur, ... j'ai deux mots à te dire... »
— Je lui jetai le reste au sein
Dans un baiser, — qui la fit rire
D'un bon rire qui voulait bien...

— Elle était fort déshabillée
Ce soir... — les arbres indiscrets
Aux vitres penchaient leur feuillée
Malinement, tout près, tout près.

[VERSION PUBLIÉE]

Trois baisers

Elle était fort déshabillée
Et de grands arbres indiscrets
Aux vitres penchaient leur feuillée
Malignement, tout près, tout près.

Assise sur ma grande chaise,
Mi-nue, elle joignait les mains.
Sur le plancher frissonnaient d'aise
Ses petits pieds si fins, si fins.

— Je regardai, couleur de cire,
Un petit rayon buissonnier [1]
Papillonner [2] comme un sourire
À son sein blanc, — mouche au rosier !

---

1. Flâneur. **2.** Voleter.

— Je baisai ses fines chevilles.
Elle eut un doux rire brutal
Qui s'égrenait en claires trilles[1],
Un joli rire de cristal.

Les petits pieds sous la chemise
Se sauvèrent : « Veux-tu finir ! »
— La première audace permise,
Elle feignait de me punir !

— Pauvrets palpitants sous ma lèvre,
Je baisai doucement ses yeux :
— Elle jeta sa tête mièvre
En arrière : « Ah ! c'est encor mieux !

Monsieur, j'ai deux mots à te dire... »
— Je lui jetai le reste au sein
Dans un baiser. — Elle eut un rire,
Un bon rire qui voulait bien...

Elle était fort déshabillée
Et de grands arbres indiscrets
Aux vitres penchaient leur feuillée
Malignement, tout près, tout près.

---

1. Le mot, normalement, est masculin.

LES GRANDES VACANCES

Le jour de la distribution des prix au Collège de Charleville, le 6 août, coïncide avec celui des défaites de Reichshoffen et de Forbach, la fin de l'année scolaire avec le début de l'Année terrible. Metz et Strasbourg sont investis, Charleville et Mézières sont menacés. « Sur les murs s'affichaient nos désastres », écrit Izambard (qui pourtant ne se trouvait plus dans la ville à ce moment-là) : « alors, dans le tohu-bohu de la ville frontière menacée et frémissante [...] nous avions tous, même cet enfant né gouailleur, tous nous avions le cœur trop serré pour parler d'autre chose[1]*. »*

Arthur a récolté ses derniers lauriers poétiques et académiques. Il voit maintenant, et il vit peut-être plus qu'il ne le dit, le « patrouillotisme » de ses concitoyens. On sent dans la lettre qu'il adresse à Izambard le 25 août de l'irritation sans doute, mais aussi de l'émotion. Il n'a point changé de place, et pourtant il se dit « dépaysé » : il a perdu ces « beaux soirs d'été » dont, au printemps, il rêvait, il a perdu le chemin des « bohémienneries », le climat naturel de la poésie. Les vers qu'il envoie à Izambard, il les a faits « un matin, au soleil » : c'est dire qu'ils appartiennent déjà à un passé révolu.

Il est difficile de préciser quels sont les vers qui étaient joints à cette lettre du 25 août : on pense immédiatement aux textes les plus proches dans le temps et les plus voisins de la description donnée dans la lettre, « Comédie en trois baisers », « Ce qui retient Nina », et la première version de « Vénus anadyomène » (datée du 27 juillet[2]*). « À la Musique », un poème tout plein du « patrouillotisme » et de l'idiotie des habitants de Charleville, a fort bien pu être envoyé à cette date. Le professeur de Rimbaud a peut-être eu et connu alors d'autres textes (en particulier* « Morts de Quatre-vingt-douze... », *ou plutôt le sonnet « Aux morts de Valmy », que son élève lui aurait remis le 18 juillet) : mais Vanier, édi-*

1. *Rimbaud tel que je l'ai connu*, p. 44. 2. Bouillane de Lacoste tient « pour à peu près certain que la missive du 25 août s'accompagnait [de ces] trois pièces ».

teur peu délicat, était passé par là, les manuscrits n'ont pas été retrouvés — et la mémoire d'Izambard n'est pas toujours fidèle...

À considérer le cours de ces « grandes vacances » prolongées, on est frappé par les rencontres, et parfois les chocs de Rimbaud avec l'événement. Quand il décide, le 29 août, de fuir Charleville pour retrouver à Paris le pays de poésie, il se heurte aux mouvements de troupes vers Metz, et doit prendre un détour qui le conduit... en prison. Il est enfermé à la maison d'arrêt de Mazas au moment de la capitulation et de la déchéance de Napoléon III : la France se libère alors qu'il perd (provisoirement) la liberté (voir sa lettre à Izambard du 5 septembre, où il semble tout ignorer). Simple coïncidence : le 4, au cours d'une séance particulièrement houleuse au Corps Législatif, Thiers, président de l'Assemblée, prêche la modération et, rappelant ses propres épreuves, répète « J'ai été à Mazas[1] *».*

La liberté d'Arthur, elle, est encore menacée, et plus gravement, par sa mère — « Madame Pernelle », comme le dit plaisamment Izambard : c'est elle qui, à deux reprises, le contraint à quitter Douai et le calme logis des demoiselles Gindre, les (fausses) tantes d'Izambard. Cela s'est passé à la fin de septembre, à la fin d'octobre, dans des circonstances que le professeur, quelque peu embarrassé, a racontées plus tard[2]*. Même si Rimbaud a suivi Izambard quand il s'est enrôlé dans la garde nationale, le 10 septembre, même s'il a désiré lui-même se faire immatriculer, même si, à défaut de fusil, il a tenu la plume pour défendre les défenseurs — ses amis les gardes nationaux*[3] *—, Douai apparaît dans sa vie mouvementée comme un havre de paix. Il y retrouve son maître et ami, avec qui il peut reprendre le fil interrompu des conversations de naguère ; il y fait la connaissance d'un jeune poète, dont il n'avait guère apprécié jusqu'ici les œuvres, Paul Demeny. Demeny lui promet de l'aider, et c'est pour lui, plus que pour Izambard, finalement décevant, qu'il recopie, complète et met en ordre ce qui devrait être son premier recueil de poèmes.*

Izambard nous a laissé un tableau représentant le poète au travail : « il ne se fait pas de bile, il est au chaud, il recopie des vers, qui ont le toupet d'être charmants [...]. À la moindre rature, il recommence, et il exige *de larges feuilles de papier écolier. Quand une main est noircie, il vient dire : "Je n'ai plus de papier", et cela, plusieurs fois par jour.*

---

1. Comte de Lagueronnière et comte de Nogent, *Histoire de la guerre de 1870-1871,* Charleville, Colle-Louis, 1871, p. 179. **2.** *Rimbaud tel que je l'ai connu*, pp. 74-76. **3.** Voir *ibid.*, « Rimbaud garde national » et « Rimbaud journaliste », pp. 115-128.

On lui remet les quelques sous nécessaires pour qu'il aille en acheter d'autres. "Écrivez au dos", lui suggère une des tantes ; mais lui, d'un air scandalisé : "Pour l'imprimerie, on n'écrit jamais au dos." Vous voyez bien qu'il songe à se faire imprimer[1] ». *Bouillane de Lacoste, reprenant la formule, affirme à son tour :* « *C'est bien à l'imprimeur que Rimbaud voulait remettre son manuscrit. Cependant, pour des raisons inconnues, peut-être faute de temps, il ne donna pas suite à ce projet. Il se contenta de confier ses poèmes à Paul Demeny, sans doute avec la mission expresse de trouver un éditeur pour ses vers à lui, comme Demeny en avait trouvé un pour les siens*[2]. »

Plus tard, Rimbaud devait écrire à Demeny pour qu'il détruise ce recueil (voir la lettre du 10 juin 1871). Heureusement, l'auteur des Glaneuses *n'en a rien fait. Il n'a pas fait davantage pour qu'il soit publié.*

Le « *recueil Demeny* » *est à mettre au nombre de ce que Milan Kundera a appelé* Les Testaments trahis, *ce beau livre de 1993 où Kafka figure en bonne place. Dès 1891, avec Rodolphe Darzens, à qui Demeny céda le manuscrit, le temps des conservateurs est venu, qui s'efforcent encore aujourd'hui d'éditer correctement et de classer ces reliques. On voit clairement que l'ensemble, en ses deux parties bien distinctes, constitue une œuvre à proprement parler. Et pourtant elle conserve, en raison de son absence de titre, en raison de sa transmission presque miraculeuse, en raison de ses incertitudes et de l'exigence non respectée de l'auteur, quelque chose de fragile qui la rend émouvante.*

Il s'ouvre et il se clôt, ce recueil, sur la malignité de la femme, et sur le choix, bien plus satisfaisant, de soi. Aux rêveries d'un promeneur solitaire tendent à se substituer des rêves d'amours splendides, et la meilleure des compagnes reste sans doute la Nature de « *Sensation* », *la meilleure des compagnies celle du ciel étoilé (*« *Ma Bohême* »*). Car ni le* « *nous irions* » *des* « *Reparties de Nina* », *dans le premier cahier, ni même le* « *nous irons* » *de* « *Rêvé Pour l'hiver* », *dans le second, ne remettent sérieusement en question le* « *j'irai* » *de* « *Sensation* » *ou le* « *je m'en allais* » *de* « *Ma Bohême* ». *Nina détruit, avec une question sotte d'employée de bureau, témoignant d'un seul souci d'*« *assise* », *l'enthousiasme sans doute trop volontaire d'un projet de promenade*

1. *Rimbaud tel que je l'ai connu*, p. 74. **2.** *Poésies,* édition critique, introduction et notes par H. de Bouillane de Lacoste, Mercure de France, 1940, p. 15. Henry de Bouillane de Lacoste a étudié la graphie de Rimbaud dans le recueil Demeny (voir *Rimbaud et le problème des* « *Illuminations* », Mercure de France, 1949, chapitre I).

sentimentale. L'approche des « derniers dons[1] *», excitante sans doute, ne va pas jusqu'aux transports de l'esprit et des sens recherchés par Baudelaire. Le rire moqueur de la « demoiselle aux petits airs charmants », dans « Roman » — même s'il est corrigé par une lettre tardive —, celui des « alertes fillettes », dans « À la Musique », qui trouvent « drôle » celui qui les désire, « et se parlent tout bas », constituent le décor sonore de ce qui n'est même pas une Comédie de l'amour. Et, si l'on passe au registre mythologique, la Vénus de Lucrèce, la Vénus anadyomène de Botticelli, celle qui est encore magnifiée dans « Soleil et chair », se transforme en une hideuse prostituée.*

« Le Monde a soif d'amour » : mais l'amour de toutes celles qui suivent « Clara Venus » *ne parviendra pas à combler cette soif-là. L'Histoire et la Société n'y parviennent pas davantage. Prêt à admettre « Le Châtiment de Tartufe », surtout si, comme l'a suggéré Steve Murphy, Tartufe est Napoléon III, multipliant lui-même les nouveaux châtiments à l'adresse de l'Empereur détesté, responsable de la guerre franco-prussienne et déchu à la suite de la défaite de Sedan, le 2 septembre 1870, Rimbaud redoute pourtant que l'humanité, donc lui-même, fassent davantage encore les frais de tous ces Châtiments qui ravagent le monde. Au « gibet noir » du « Bal des pendus », le poète craint de danser lui-même, comme Villon dans sa « Ballade des pendus » ou comme Baudelaire dans « Un voyage à Cythère ». « Le Mal » ravage les « bataillons en masse » sur les champs de bataille, pendant que le Roi raille (c'est-à-dire toujours l'Empereur) et que Dieu rit. Le jeune mort qui a « deux trous rouges au côté droit », « Le Dormeur du Val », met une tache dans cette Nature que le promeneur de « Sensation » considérait comme heureuse. La Révolution de 1789, avec tous les espoirs qu'elle a soulevés, se révèle finalement inutile : ni la prise de parole du Forgeron, aux Tuileries, « vers le 10 août 1792 », ni son geste de jeter son bonnet rouge au front du roi, ni le sacrifice des* « Morts de Quatre-vingt-douze et de Quatre-vingt-treize... », *abusivement utilisé par les « Messieurs de Cassagnac », dans la presse bonapartiste, pour justifier la nouvelle guerre, n'ont servi à quoi que ce soit. Maniant l'indignation quand il le faut, dans le premier Cahier, épinglant l'homme pâle, l'Empereur à l'œil mort et son « Compère en lunettes », Émile Ollivier, qui prit l'initiative de la déclaration de guerre le 19 juillet 1870, Rimbaud passe de la satire à l'émotion dans le second Cahier (« Le Dormeur du Val »), ou*

1. L'expression n'est pas de Rimbaud mais de Valéry dans « Le Cimetière marin » (« Les derniers dons, les doigts qui les défendent »).

s'amuse d'une gravure belge brillamment coloriée, qu'il a vue au passage à Charleroi, et qui permet de tourner à la caricature la représentation trop triomphale de la médiocre victoire de Sarrebrück où le Prince impérial fit ses premières armes.

On peut être plus sensible, en lisant le « recueil Demeny », à ce que Steve Murphy a appelé « l'apprentissage de la subversion », à la mise en place de la « ménagerie impériale », ou, comme Yves Bonnefoy, à la pureté des poèmes du cycle belge. On y trouve de tout, des poèmes de printemps et d'été, de longues tirades, des croquis humoristiques et parfois vengeurs, plus rarement attendris, des poèmes politiques pleins de rancœur et de rancune, l'évocation du désir adolescent, les délices de l'évasion. Mais cette variété ne va pas sans l'assurance singulière d'un ton poétique qui ne se laisse confondre avec nul autre, d'un lyrisme blessé sans doute, mais aussi de l'appel à une fantaisie compensatoire. Hugo s'est vanté d'utiliser toute la lyre. D'autres, comme Lamartine, ont voulu y ajouter des cordes. Rimbaud suggère bien qu'il a cherché plutôt à les tirer, à les étirer, pour faire entendre des sons nouveaux sans sacrifier les exigences du « cœur ».

C'est une fin, presque un glas, que la signature « Ce sans-cœur *de Rimbaud » au bas de la lettre adressée à Izambard après le retour à Charleville, le 2 novembre. Les « grandes vacances » vont se prolonger, indûment, mais sans cette liberté, sans cette griserie qui avait été source de poésie.*

P. B.

CHRONOLOGIE

1870 *7 août*. De Metz, l'Empereur fait la proclamation suivante : « L'épreuve qui nous est imposée est dure, mais elle n'est pas au-dessus du patriotisme de la nation. »

9 août. Démission d'Émile Ollivier. Le comte de Palikao (général Cousin-Montauban) est chargé de former un ministère.

13 août. *La Charge*, journal satirique, publie « Trois baisers », d'Arthur Rimbaud.

18 août. Bataille de Saint-Privat ; le maréchal Bazaine est refoulé sous Metz.

23 août. Mac-Mahon annonce à l'armée sous Reims qu'elle doit porter secours à Bazaine.

25 août. Lettre de Rimbaud à Izambard sur le « patrouillotisme » de ses concitoyens.

29 août. Rimbaud, après avoir vendu ses livres de prix pour pouvoir se payer le voyage, prend le train pour Paris. La ligne directe étant coupée, il doit prendre la voie du Nord ; mais il n'a d'argent que pour aller jusqu'à Saint-Quentin.

31 août. Arrivé à Paris, Rimbaud est arrêté à la sortie des voyageurs, conduit de la gare du Nord au Dépôt de la Préfecture, et de là à la prison de Mazas, boulevard Diderot.

Début de la bataille de Sedan.

2 septembre. Capitulation.

4 septembre. La déchéance de l'Empereur est prononcée au Corps législatif ; la République est proclamée à l'Hôtel de Ville. Constitution d'un gouvernement de Défense nationale, présidé par le général Trochu.

5 septembre. De Mazas, Rimbaud adresse une lettre à Izambard, qui se trouvait alors à Douai. Il appelle au secours.

6 septembre. Izambard reçoit la lettre de Rimbaud et une lettre

du directeur de Mazas ; il envoie de l'argent, pour permettre à son élève de venir à Douai.
21 septembre. Rimbaud, qui loge chez les trois « tantes » d'Izambard, les demoiselles Gindre, rue de l'Abbaye-des-Prés, à Douai, reçoit une lettre de sa mère lui ordonnant de rentrer à Charleville.
23 septembre. Garde national « volontaire » (il n'a pas atteint l'âge de la conscription), Rimbaud, après avoir rédigé une lettre de protestation contre le maire (le 20 septembre), assiste à une réunion publique rue d'Esquerchin, dont il rédige le compte rendu pour *Le Libéral du Nord*.
24 septembre. Nouvelle lettre de Mme Rimbaud à Izambard : « Chassez-le, qu'il revienne vite. »
26 septembre. Rimbaud quitte Douai, en compagnie d'Izambard et d'un de ses collègues de Charleville, Deverrière, qu'il avait invité à Douai. Ils passent par la Belgique.
8 octobre. Rentrant à Charleville après être allé visiter les champs de bataille, Izambard apprend que Rimbaud a fait une nouvelle fugue, la veille, ou l'avant-veille, ou peut-être plus tôt.
mi-octobre. Izambard a la surprise, à son retour à Douai, de retrouver Rimbaud chez ses tantes. Arthur a, comme lui, traversé la Belgique, passant par Fumay (où il a vu son camarade de classe Léon Billuart), par Vireux (où il a rendu visite à un autre condisciple, Arthur Binard), par Charleroi (où il a tenté de se faire engager comme rédacteur au journal de M. Des Essarts), par Bruxelles (où il a demandé de l'argent à un ami dont Izambard lui avait parlé, Paul Durand).
2 novembre. Rimbaud est à Charleville, d'où il écrit à Izambard qui, à la demande de sa mère, l'a fait rapatrier par la police.

[LETTRES À IZAMBARD : AVANT DOUAI]

[Lettre à Georges Izambard du 25 août 1870]

Charleville, 25 août 70.

Monsieur,

Vous êtes heureux, vous, de ne plus habiter Charleville ! — Ma ville natale est supérieurement idiote entre les petites villes de province. Sur cela, voyez-vous, je n'ai plus d'illusions. Parce qu'elle est à côté de Mézières, — une ville qu'on ne trouve pas, — parce qu'elle voit pérégriner dans ses rues deux ou trois cents de pioupious, cette benoîte population gesticule, prud-hommesquement spadassine, bien autrement que les assiégés de Metz et de Strasbourg[1] ! C'est effrayant, les épiciers retraités qui revêtent l'uniforme ! C'est épatant comme ça a du chien, les notaires, les vitriers, les percepteurs, les menuisiers, et tous les ventres, qui, chassepot au cœur, font du patrouillotisme aux portes de Mézières ; ma patrie se lève !... moi, j'aime mieux la voir assise ; ne remuez pas les bottes ! c'est mon principe.

Je suis dépaysé, malade, furieux, bête, renversé ; j'espérais des bains de soleil, des promenades infinies, du repos, des voyages, des aventures, des bohémienneries, enfin ; j'espérais surtout des journaux, des livres... — Rien ! Rien ! Le courrier n'envoie plus rien aux libraires ; Paris se moque de nous joliment : pas un seul livre nouveau ! c'est la mort ! Me voilà réduit, en fait de journaux, à l'honorable *Courrier des Ardennes*, propriétaire, gérant, directeur, rédacteur en chef et rédacteur unique, A. Pouillard ! Ce journal résume les aspirations, les vœux et les opinions de la population, ainsi, jugez ! c'est du propre !... — On est exilé dans sa patrie ! ! ! !

---

1. Bazaine est enfermé dans Metz depuis le 18 août. L'armée du Prince royal de Prusse menace Strasbourg.

Heureusement, j'ai votre chambre : — Vous vous rappelez la permission que vous m'avez donnée. — J'ai emporté la moitié de vos livres ! J'ai pris *Le Diable à Paris* [1]. Dites-moi un peu s'il y a jamais eu quelque chose de plus idiot que les dessins de Grandville [2] ? — J'ai *Costal l'Indien* [3], j'ai *La Robe de Nessus* [4], deux romans intéressants. Puis, que vous dire ?... J'ai lu tous vos livres, tous ; il y a trois jours, je suis descendu aux *Épreuves* [5], puis aux *Glaneuses* [6], — oui ! j'ai relu ce volume ! — puis ce fut tout !... Plus rien ; votre bibliothèque, ma dernière planche de salut, était épuisée !... Le *Don Quichotte* m'apparut ; hier, j'ai passé, deux heures durant, la revue des bois de Doré [7] : maintenant, je n'ai plus rien ! — Je vous envoie des vers [8] ; lisez cela un matin, au soleil, comme je les ai faits : vous n'êtes plus professeur, maintenant, j'espère !... —

— Vous aviez l'air de vouloir connaître Louisa Siefert [9], quand je vous ai prêté ses derniers vers ; je viens de me procurer des parties de son premier volume de poésies, les *Rayons perdus*, 4e édition, j'ai là une pièce très émue et fort belle, *Marguerite*

....

« Moi, j'étais à l'écart, tenant sur mes genoux
Ma petite cousine aux grands yeux bleus si doux :
C'est une ravissante enfant que Marguerite
Avec ses cheveux blonds, sa bouche si petite
Et son teint transparent...

....

Marguerite est trop jeune. Oh ! si c'était ma fille,
Si j'avais une enfant, tête blonde et gentille,
Fragile créature en qui je revivrais,

---

1. *Le Diable à Paris, ou Paris et les Parisiens, mœurs et coutumes, caractères et portraits des habitants de Paris*, par George Sand, P.-J. Stahl, Léon Gozlan, Charles Nodier, etc., paru chez Hetzel, 1845. **2.** Le dessinateur (1803-1847), célèbre pour ses caricatures dans le *Magasin pittoresque* et ses illustrations des *Fables* de La Fontaine. **3.** Gabriel Ferry, *Le Dragon de la Reine, ou Costal l'Indien*, L. de Potter, 1855, 4 volumes ; réédité en un volume par Hachette, 1862. **4.** Amédée Achard, *La Robe de Nessus* (1855), rééd. Michel Lévy, 1868. **5.** Sully Prudhomme, *Les Épreuves*, Lemerre, 1866. **6.** Paul Demeny, *Les Glaneuses*, Librairie Artistique, 1870. **7.** Le célèbre roman de Cervantès, dans la traduction de Louis Viardot, avec des dessins de Gustave Doré gravés par H. Pisan, Hachette, 1863, 3 volumes. **8.** Ici se trouve posée la question du « dossier Izambard », que nous évoquons plus haut. Parmi ces vers peuvent figurer « Trois baisers », récemment publié, ou la version que possédait Izambard de ce poème, « Comédie en trois baisers », ou encore « À la Musique », « Ce qui retient Nina », « Vénus anadyomène ». **9.** Jeune poétesse lyonnaise, née en 1845, qui devait mourir de tuberculose en 1877, à l'âge de trente-deux ans. Elle venait de publier *L'Année républicaine* (1869) et *Les Stoïques* (1870). Son recueil ancien, *Rayons perdus*, date de 1868.

Rose et candide avec de grands yeux indiscrets !
Des larmes sourdent presque au bord de ma paupière
Quand je pense à l'enfant qui me rendrait si fière,
Et que je n'aurai pas, que je n'aurai jamais ;
Car l'avenir, cruel en celui que j'aimais,
De cette enfant aussi veut que je désespère...

....

Jamais on ne dira de moi : c'est une mère !
Et jamais un enfant ne me dira : maman !
C'en est fini pour moi du céleste roman
Que toute jeune fille à mon âge imagine...

....

Ma vie à dix-huit ans compte tout un passé. »

— C'est aussi beau que les plaintes d'Antigone ἀνύμφη[1] dans Sophocle. — J'ai les *Fêtes Galantes*[2] de Paul Verlaine, un joli in-12 écu. C'est fort bizarre, très drôle ; mais vraiment, c'est adorable. Parfois de fortes licences : ainsi,

« Et la tigresse épou-vantable d'Hyrcanie »

est un vers de ce volume[3]. — Achetez, je vous le conseille, *La Bonne Chanson*[4], un petit volume de vers du même poète : ça vient de paraître chez Lemerre ; je ne l'ai pas lu ; rien n'arrive ici ; mais plusieurs journaux en disent beaucoup de bien. — Au revoir, envoyez-moi une lettre de 25 pages, — poste restante, — et bien vite !

A. Rimbaud.

P.S. — À bientôt, des révélations sur la vie que je vais mener après... les vacances...

---

1. Lamentations d'Antigone qui meurt non mariée (ἀνύμφη) dans la tragédie de Sophocle ; le rapprochement était fait dans l'avertissement de *Rayons perdus*. **2.** Recueil publié en 1869 chez Lemerre ; il avait été tiré à 360 exemplaires. **3.** Vers 3 de « Dans la grotte », sixième pièce du recueil ; le jeu des accents fait en réalité apparaître ce vers comme un simple trimètre, moins audacieux que Rimbaud ne le dit. **4.** Annoncée dans *La Charge* le 30 juillet 1870 et déjà imprimée (l'achevé d'imprimer est du 12 juin 1870), la plaquette ne fut mise en vente par Lemerre qu'en 1872, après la guerre.

[Lettre à Georges Izambard du 5 septembre 1870]

Paris, 5 septembre 1870.

Cher Monsieur,

Ce que vous me conseilliez de ne pas faire, je l'ai fait : je suis allé à Paris, quittant la maison maternelle ! J'ai fait ce tour le 29 août[1]. Arrêté en descendant de wagon pour n'avoir pas un sou et devoir treize francs de chemin de fer, je fus conduit à la préfecture et, aujourd'hui, j'attends mon jugement à Mazas[2] ! Oh ! — *J'espère en vous* comme en ma mère ; vous m'avez toujours été comme un frère : je vous demande instamment cette aide que vous m'offrîtes. J'ai écrit à ma mère, au procureur impérial[3], au commissaire de police de Charleville ; si vous ne recevez de moi aucune nouvelle mercredi, avant le train qui conduit de Douai à Paris, *prenez ce train, venez ici me réclamer par lettre, ou en vous présentant au procureur*, en priant, en *répondant de moi*, en *payant ma dette ! faites tout ce que vous pourrez*, et, quand vous recevrez cette lettre, écrivez, vous aussi, *je vous l'ordonne*, oui, *écrivez à ma pauvre mère*, (quai de la Madeleine, 5, Charlev.) *pour la consoler. Écrivez-moi* aussi ; faites tout ! Je vous aime comme un frère, je vous aimerai comme un père.

Je vous serre la main ; votre pauvre

Arthur Rimbaud
à Mazas.

Et si vous parvenez à me libérer, vous m'emmènerez à Douai avec [vous[4]].

---

1. Cette phrase est un ajout dans la marge. **2.** Prison située boulevard Diderot. **3.** Le 5 septembre, le mot « impérial » paraît anachronique. Mais, dans sa prison, Rimbaud n'avait peut-être pas appris la proclamation de la République, le 4. **4.** Une déchirure dans le papier oblige à restituer le mot entre crochets.

[LE « RECUEIL DEMENY »]

[PREMIER CAHIER]

Les reparties de Nina

....

Lui. — Ta poitrine sur ma poitrine,
  Hein ? nous irions,
Ayant de l'air plein la narine,
  Aux frais rayons

Du bon matin bleu, qui vous baigne
  Du vin de jour ?...
Quand tout le bois frissonnant saigne
  Muet d'amour

De chaque branche, gouttes vertes,
  Des bourgeons clairs,
On sent dans les choses ouvertes
  Frémir des chairs :

Tu plongerais dans la luzerne
  Ton blanc peignoir,
Rosant[1] à l'air ce bleu qui cerne
  Ton grand œil noir,

Amoureuse de la campagne,
  Semant partout,

1. Changeant en rose.

Comme une mousse de champagne,
  Ton rire fou :

Riant à moi, brutal d'ivresse,
  Qui te prendrais
Comme cela, — la belle tresse,
  Oh ! — qui boirais

Ton goût de framboise et de fraise,
  Ô chair de fleur [1] !
Riant au vent vif qui te baise
  Comme un voleur,

Au rose églantier qui t'embête
  Aimablement :
Riant surtout, ô folle tête,
  À ton amant !...

....

— Ta poitrine sur ma poitrine
  Mêlant nos voix
Lents, nous gagnerions la ravine,
  Puis les grands bois !...

Puis, comme une petite morte,
  Le cœur pâmé,
Tu me dirais que je te porte,
  L'œil mi-fermé...

Je te porterais, palpitante,
  Dans le sentier :
L'oiseau filerait son andante :
  Au Noisetier [2]...

Je te parlerais dans ta bouche ;
  J'irais, pressant
Ton corps, comme une enfant qu'on couche,
  Ivre du sang

---

1. Pour Jean-Pierre Giusto (*Rimbaud créateur*, p. 55), cette Nina à la « chair de fleur » est une autre image de la Vénus de « *Credo in unam*... » (« Soleil et chair »), « fleur de chair » elle-même. **2.** Ce serait, selon Bouillane de Lacoste, le titre de cet *andante*.

Qui coule, bleu, sous ta peau blanche
  Aux tons rosés :
Et te parlant la langue franche...
  Tiens !... — que tu sais...

Nos grands bois sentiraient la sève
  Et le soleil
Sablerait d'or fin leur grand rêve
  Vert et vermeil.

....

Le soir[1] ?... Nous reprendrons la route
  Blanche qui court
Flânant, comme un troupeau qui broute,
  Tout à l'entour

Les bons vergers à l'herbe bleue
  Aux pommiers tors[2] !
Comme on les sent toute une lieue
  Leurs parfums forts[3] !

Nous regagnerons le village
  Au ciel mi-noir ;
Et ça sentira le laitage
  Dans l'air du soir ;

Ça sentira l'étable, pleine
  De fumiers chauds,
Pleine d'un lent rhythme d'haleine,
  Et de grands dos

Blanchissant sous quelque lumière :
  Et, tout là-bas,
Une vache fientera, fière,
  À chaque pas...

---

1. « Cette interrogation », note Jean-François Laurent (*Parade sauvage*, n° 3, 1986, p. 29), « présente dans les deux versions, a maintenant, compte tenu de la ligne de pointillés, toute l'apparence de reprendre une question posée à ce sujet par Nina. » **2.** Tordus. **3.** Strophe ajoutée.

— Les lunettes de la grand'mère
Et son nez long
Dans son missel ; le pot de bière
Cerclé de plomb,

Moussant entre les larges pipes
Qui, crânement,
Fument : les effroyables lippes
Qui, tout fumant,

Happent le jambon aux fourchettes
Tant, tant et plus :
Le feu qui claire les couchettes
Et les bahuts.

Les fesses luisantes et grasses
D'un gros enfant
Qui fourre, à genoux, dans les tasses,
Son museau blanc

Frôlé par un mufle qui gronde
D'un ton gentil,
Et pourlèche la face ronde
Du cher petit...

....

Que de choses verrons-nous, chère,
Dans ces taudis,
Quand la flamme illumine, claire [1]
Les carreaux gris !...

— Puis, petite et toute nichée
Dans les lilas
Noirs et frais : la vitre cachée,
Qui rit là-bas...

---

1. Il s'agit sans doute de nouveau, comme trois strophes plus haut, du verbe clairer (= éclairer), puisque, contrairement à la première version, « claire » n'est pas suivi ici d'une virgule.

Tu viendras, tu viendras, je t'aime !
Ce sera beau.
Tu viendras, n'est-ce pas, et même...

Elle — Et mon bureau[1] ?

Arthur Rimbaud

Vénus anadyomène.

Comme d'un cercueil vert en fer blanc[2], une tête
De femme à cheveux bruns fortement pommadés[3]
D'une vieille baignoire émerge, lente et bête,
Avec des déficits[4] assez mal ravaudés ;

Puis le col[5] gras et gris, les larges omoplates
Qui saillent ; le dos court qui rentre et qui ressort ;
Puis les rondeurs des reins semblent prendre l'essor ;
La graisse sous la peau paraît en feuilles plates[6] ;

L'échine est un peu rouge, et le tout sent un goût
Horrible étrangement ; on remarque surtout
Des singularités qu'il faut voir à la loupe[7].

Les reins portent deux mots gravés : Clara Venus[8] ;
— Et tout ce corps remue et tend sa large croupe
Belle hideusement[9] d'un ulcère à l'anus.

A. Rimbaud

1. La version précédente, « *Mais le bureau* », renvoyait assurément au lieu. La version nouvelle peut en laisser deviner l'occupant, le patron (*bureau* = *bureaucrate*, l'un de ces « Assis » contre lesquels se déchaînera Rimbaud). Cette interprétation, qui est par exemple celle de Louis Forestier (Robert Laffont, « Bouquins », pp. 444-445), n'est pas absolument nécessaire, et le poème peut ne pas passer par le trio traditionnel. **2.** Souvenir du cercueil-baignoire d'Agamemnon auquel faisait allusion le dizain de Coppée, comme l'a suggéré Antoine Adam (éd. de la Pléiade, p. 692) ? L'hypothèse nous semble inutile. En revanche il nous semble opportun de rappeler que les baignoires à bon marché étaient en zinc et peintes en vert, à l'époque de Rimbaud. **3.** *Cf.* « Mauvais Sang » : « Mais je ne beurre pas ma chevelure. » **4.** Les blessures du temps. **5.** Le cou. **6.** L'ordre de ces deux vers est inverse sur le manuscrit Izambard, p. 164. **7.** « À la loupe », tel est le mot d'ordre qu'a donné Steve Murphy aux nouveaux chercheurs rimbaldiens (*Rimbaud « à la loupe », Parade sauvage,* colloque n° 2, 1987-1990). **8.** Illustre Vénus. **9.** L'alliance de mots fait, selon Suzanne Bernard, apparaître une esthétique « réaliste », quasi baudelairienne, de la laideur. Mais l'expression peut exprimer tout aussi bien la pure dérision.

« *Morts de Quatre-vingt-douze...* »

« ... Français de soixante-dix, bonapartistes, républicains, souvenez-vous de vos pères en 92, etc.

....

Paul de Cassagnac.
— *Le Pays* —

Morts de Quatre-vingt-douze et de Quatre-vingt-treize [1],
Qui, pâles du baiser fort de la liberté,
Calmes, sous vos sabots, brisiez le joug qui pèse
Sur l'âme et sur le front de toute humanité ;

Hommes extasiés et grands dans la tourmente,
Vous dont les cœurs sautaient d'amour sous les haillons,
Ô Soldats que la Mort a semés, noble Amante,
Pour les régénérer, dans tous les vieux sillons [2] ;

Vous dont le sang lavait toute grandeur salie [3]
Morts de Valmy [4], Morts de Fleurus [5], Morts d'Italie [6]
Ô million de Christs aux yeux sombres et doux [7] ;

---

1. J. Gengoux a cherché la source de cette invocation dans un poème d'Émile Verodach, « Les Volontaires », publié le 4 septembre 1870 dans *La Revue pour tous* et où l'on peut lire : « Si les plus glorieux sont de Quatre-vingt-douze / Quatre-vingt-treize a les plus beaux ». Outre les difficultés suscitées par la date tardive de parution de ces vers, il faut avouer que cette source est inutile. Il suffisait à Rimbaud de songer à tel poème de Hugo (« Ô soldats de l'an Deux » ou « Nox ») pour évoquer les armées républicaines. **2.** Souvenir de *La Marseillaise*, selon Suzanne Bernard et Benoît de Cornelier ; souvenir possible aussi du mythe de Cadmos, le fondateur de la ville de Thèbes, et des guerriers nés des dents du dragon qu'il avait semées. **3.** « Le Forgeron » attribue cette fonction régénératrice au sang du peuple. **4.** À Valmy, le 20 septembre 1792, les va-nu-pieds commandés par Dumouriez battaient les Prussiens commandés par le duc de Brunswick (voir Michelet, *Histoire de la Révolution*, VII, 8). **5.** Victoire du général Jourdan en 1794, le 26 juin. **6.** La campagne d'Italie, où s'illustra Bonaparte en 1796. **7.** Les soldats de la République sont des sauveurs qui se sont sacrifiés comme le Christ. Les épithètes « sombre » et « doux » sont présentes dans « Les Mages » de Victor Hugo.

Nous vous laissions dormir avec la République,
Nous, courbés sous les rois[1] comme sous une trique.
— Messieurs de Cassagnac nous reparlent de vous[2] !

Arthur Rimbaud

fait à Mazas[3], 3 septembre 1870

Première soirée

« — Elle était fort déshabillée
Et de grands arbres indiscrets
Aux vitres jetaient leur feuillée
Malinement, tout près, tout près.

Assise sur ma grande chaise,
Mi-nue, elle joignait les mains.
Sur le plancher frissonnaient d'aise
Ses petits pieds si fins, si fins.

— Je regardai, couleur de cire
Un petit rayon buissonnier
Papillonner dans son sourire
Et sur son sein, mouche au rosier.

— Je baisai ses fines chevilles.
Elle eut un doux rire brutal
Qui s'égrenait en claires trilles,
Un joli rire de cristal [.]

Les petits pieds sous la chemise
Se sauvèrent : « Veux-tu finir ! »
— La première audace permise,
Le rire feignait de punir !

---

1. Dont l'empereur Napoléon III. **2.** Ironique : et ce sont des bonapartistes, les Cassagnac, directeurs du journal *Le Pays*, qui, pour faire durer le régime impérial, invoquent votre exemple ! **3.** « Plus on est à Mazas, plus on est dans la République », avait dit Victor Hugo (cité par Steve Murphy, *Rimbaud et la ménagerie impériale,* p. 55).

— Pauvrets palpitants sous ma lèvre,
Je baisai doucement ses yeux :
— Elle jeta sa tête mièvre
En arrière : « Oh ! c'est encore mieux !...

« Monsieur, j'ai deux mots à te dire... »

— Je lui jetai le reste au sein
Dans un baiser, qui la fit rire
D'un bon rire qui voulait bien...

— Elle était fort déshabillée
Et de grands arbres indiscrets
Aux vitres jetaient leur feuillée
Malinement, tout près, tout près.

Arthur Rimbaud

Sensation

Par les soirs bleus[1] d'été, j'irai dans les sentiers,
Picoté par les blés, fouler l'herbe menue :
Rêveur, j'en sentirai la fraîcheur à mes pieds.
Je laisserai le vent baigner ma tête nue.

Je ne parlerai pas, je ne penserai rien[2] :
Mais l'amour infini me montera dans l'âme,
Et j'irai loin, bien loin, comme un bohémien[3],
Par[4] la Nature, — heureux comme avec une femme[5].

Arthur Rimbaud
Mars 1870

1. Réminiscence possible d'un vers des *Chimères* d'Albert Mérat : « Par un soir bleu d'avril elle s'en revenait ». **2.** Différence essentielle avec le Hugo de « *Demain dès l'aube* ». **3.** *Cf.* « Ma Bohême », Baudelaire avait déjà évoqué, d'après Jacques Callot, les « Bohémiens en voyage ». **4.** « Par » au sens du *per* latin : « à travers ». **5.** Le maintien de la comparaison reste prudent, mais il y a bien déjà, comme l'a noté Marc Eigeldinger, « fusion avec le corps féminin de la Nature » (*Berenice,* mars 1981, p. 55).

Bal des pendus

Au gibet noir, manchot aimable,
Dansent, dansent les paladins
Les maigres paladins du diable
Les squelettes de Saladins[1].

Messire Belzébuth tire par la cravate
Ses petits pantins noirs grimaçant sur le ciel,
Et, leur claquant au front un revers de savate,
Les fait danser, danser aux sons d'un vieux Noël !

Et les pantins choqués enlacent leurs bras grêles :
Comme des orgues noirs, les poitrines à jour
Que serraient autrefois les gentes damoiselles,
Se heurtent longuement dans un hideux amour.

Hurrah ! Les gais danseurs, qui n'avez plus de panse !
On peut cabrioler, les tréteaux sont si longs !
Hop ! qu'on ne sache plus si c'est bataille ou danse !
Belzébuth enragé racle ses violons !

Ô durs talons, jamais on n'use sa sandale !
Presque tous ont quitté la chemise de peau[2] :
Le reste est peu gênant et se voit sans scandale.
Sur les crânes, la neige applique un blanc chapeau :

Le corbeau fait panache à ces têtes fêlées,
Un morceau de chair tremble à leur maigre menton :
On dirait, tournoyant dans les sombres mêlées,
Des preux, raides, heurtant armures de carton [.]

Hurrah ! La bise siffle au grand bal des squelettes !
Le gibet noir mugit comme un orgue de fer !
Les loups vont répondant des forêts violettes :
À l'horizon, le ciel est d'un rouge d'enfer...

---

1. Saladin (1138-1193) fut le sultan adversaire de Frédéric Barberousse, de Richard Cœur de Lion et de Philippe Auguste. Le mot vient pour la couleur historique et... pour la rime. **2.** *Cf.* Gautier, « Bûchers et Tombeaux » : « Pas de cadavre sous la tombe, / Spectre hideux de l'être cher, / Comme d'un vêtement qui tombe / Se déshabillant de sa chair ».

Holà, secouez-moi ces capitans[1] funèbres
Qui défilent, sournois[2], de leurs gros doigts cassés
Un chapelet d'amour sur leurs pâles vertèbres[3] :
Ce n'est pas un moustier[4] ici, les trépassés !

Oh ! voilà qu'au milieu de la danse macabre
Bondit dans le ciel rouge un grand squelette fou
Emporté par l'élan, comme un cheval se cabre :
Et, se sentant encor la corde raide au cou,

Crispe ses petits doigts sur son fémur qui craque
Avec des cris pareils à des ricanements,
Et, comme un baladin rentre dans la baraque,
Rebondit dans le bal au chant des ossements.

Au gibet noir, manchot aimable,
Dansent dansent les paladins
Les maigres paladins du diable,
Les squelettes de Saladins.

Arthur Rimbaud

— Les Effarés —

Noirs dans la neige et dans la brume,
Au grand soupirail qui s'allume[5],
Leurs culs en rond,

À genoux, cinq petits[6] — misère ! —
Regardent le boulanger faire
Le lourd pain blond...

---

1. Personnage fanfaron dans la comédie italienne. **2.** Ils essaient d'échapper au diable par une prière sournoise. **3.** *Cf.* Gautier, poème cité : le blanc squelette « Pend son chapelet de vertèbres. / Dans les charniers, le long des murs ». **4.** Monastère. **5.** Dès ces deux premiers vers les couleurs (noir, blanc, rouge) sont évoquées dans l'ordre que leur conférera le sonnet des voyelles. Il en va de même pour les mots qui les énoncent : « noirs » (v. 1), « blanc » (v. 7), « rouge » (v. 14). **6.** Le texte donné par Verlaine, dans *Les Poètes maudits* — « *les* petits » —, semble fautif. Rimbaud s'est peut-être souvenu ici — comme dans « Les Étrennes des orphelins » — des « Pauvres Gens » de Victor Hugo où sommeillent « cinq petits enfants ». Il est inutile de rappeler, comme le fait Hackett (*op. cit.*, p. 77, n. 2), que les enfants Rimbaud (morts et vivants) étaient cinq.

Ils voient le fort bras blanc qui tourne
La pâte grise, et qui l'enfourne
Dans un trou clair.

Ils écoutent le bon pain cuire.
Le boulanger au gras sourire
Chante un vieil air.

Ils sont blottis, pas un ne bouge,
Au souffle du soupirail rouge,
Chaud comme un sein[1].

Et quand pendant que minuit sonne,
Façonné, pétillant et jaune,
On sort le pain ;

Quand sous les poutres enfumées,
Chantent les croûtes parfumées,
Et les grillons[2] ;

Quand ce trou chaud souffle la vie ;
Ils ont leur âme si ravie[3]
Sous leurs haillons,

Ils se ressentent si bien vivre,
Les pauvres petits pleins de givre, !
— Qu'ils sont là, tous,

Collant leurs petits museaux roses
Au grillage, chantant des choses,
Entre les trous,

Mais bien bas, — comme une prière...
Repliés vers cette lumière
Du ciel rouvert[4],

---

1. Le sein maternel dont ils sont privés. **2.** Suzanne Bernard invite à un rapprochement avec le conte de Dickens *Le Grillon du foyer*. **3.** Au sens fort (fascinée). **4.** Ce qui laisse supposer que le ciel des chrétiens est fermé ; S. Bernard souligne justement l'ironie apitoyée du mot.

— Si fort, qu'ils crèvent leur culotte,
— Et que leur lange blanc tremblotte [1]
Au vent d'hiver...

Arthur Rimbaud

20 sept. 70

Roman

I

On n'est pas sérieux, quand on a dix-sept ans [2].
— Un beau soir, foin des bocks et de la limonade,
Des cafés tapageurs aux lustres éclatants !
— On va sous les tilleuls verts de la promenade [.]

Les tilleuls sentent bon dans les bons soirs de juin !
L'air est parfois si doux, qu'on ferme la paupière ;
Le vent chargé de bruits, — la ville n'est pas loin, —
A des parfums de vigne et des parfums de bière...

II

— Voilà qu'on aperçoit un tout petit chiffon
D'azur sombre, encadré d'une petite branche,
Piqué d'une mauvaise étoile [3], qui se fond
Avec de doux frissons, petite et toute blanche...

Nuit de juin ! Dix-sept ans ! — On se laisse griser.
La sève est du champagne et vous monte à la tête...
On divague ; on se sent aux lèvres un baiser [4]
Qui palpite là, comme une petite bête...

---

1. Orthographe du manuscrit. **2.** Seize, en réalité, mais Arthur aime à se vieillir et à se donner cet âge (voir la première lettre à Banville, 24 mai 1870 ; « Ce qui retient Nina », p. 167). **3.** La strophe ne va pas sans quelque obscurité. Mais c'est la compliquer à plaisir que de voir dans cette « mauvaise étoile » l'étoile occultiste. **4.** *Cf.* le vers donné par Izambard à Rimbaud pour « À la Musique » : « Et je sens des baisers qui me viennent aux lèvres ».

III

Le cœur fou Robinsonne[1] à travers les romans,
— Lorsque, dans la clarté d'un pâle réverbère,
Passe une demoiselle aux petits airs charmants,
Sous l'ombre du faux-col[2] effrayant de son père...

Et, comme elle vous trouve immensément naïf,
Tout en faisant trotter ses petites bottines,
Elle se tourne, alerte et d'un mouvement vif...
— Sur vos lèvres alors meurent les cavatines[3]...

IV

Vous êtes amoureux. Loué jusqu'au mois d'août.
Vous êtes amoureux — Vos sonnets La[4] font rire.
Tous vos amis s'en vont, vous êtes mauvais goût.
— Puis l'adorée, un soir, a daigné vous écrire... !

— Ce soir-là,... — vous rentrez aux cafés éclatants,
Vous demandez des bocks ou de la limonade...
— On n'est pas sérieux, quand on a dix-sept ans
Et qu'on a des tilleuls verts sur la promenade.

Arthur Rimbaud

29 sept. 70

1. Ce verbe est une création de Rimbaud, qui garde même la majuscule de Robinson. **2.** Réminiscence probable de « Monsieur Prudhomme » dans les *Poèmes saturniens* (un recueil que Rimbaud connaissait bien à cette date, si l'on en croit Delahaye) : Monsieur Prudhomme, dont le « faux col engloutit [l']oreille », songe à « marier sa fille » avec « un jeune homme cossu » ; mais il méprise les « faiseurs de vers, ces vauriens, ces maroufles / Ces fainéants barbus, mal peignés [...] ». **3.** Romance à la française dont Baudelaire déjà soulignait l'importune mièvrerie. Dans l'opéra italien, la cavatine exprime l'émotion intime avant le déploiement virtuose de la cabalette. **4.** C'est toujours « Elle » des « Reparties de Nina ».

Rages de Césars

L'Homme pâle[1], le long des pelouses fleuries[2],
Chemine, en habit noir[3], et le cigare aux dents :
L'Homme pâle repense aux fleurs des Tuileries
— Et parfois son œil terne[4] a des regards ardents...

Car l'Empereur est soûl de ses vingt ans d'orgie !
Il s'était dit : « Je vais souffler la Liberté
Bien délicatement, ainsi qu'une bougie ! »
La Liberté revit ! Il se sent éreinté[5] !

Il est pris. — Oh ! quel nom sur ses lèvres muettes
Tressaille ? Quel regret implacable le mord ?
On ne le saura pas. L'Empereur a l'œil mort.

Il repense peut-être au Compère en lunettes[6]...
— Et regarde filer de son cigare en feu,
Comme aux soirs de Saint-Cloud[7], un fin nuage bleu.

Arthur Rimbaud

Le Mal

Tandis que les crachats rouges de la mitraille
Sifflent tout le jour par l'infini du ciel bleu ;
Qu'écarlates ou verts[8], près du Roi[9] qui les raille,
Croulent les bataillons en masse dans le feu ;

---

1. Napoléon III, affaibli par la maladie, par la défaite et par la captivité. **2.** Celles du château de Wilhelmshöhe, en Prusse, où l'Empereur a été interné. **3.** *Cf.* le portrait de l'Empereur par Cabanel (1865). Après Sedan, Napoléon III a repris ses vêtements civils. **4.** *Cf.* ce témoignage du vicomte de Beaumont-Vassy : « [les yeux] perdus dans le vague et n'indiquant la pensée intime que par quelques lueurs passagères [...] me parurent tout d'abord devoir être en politique une force immense ». **5.** Les reins brisés. **6.** Émile Ollivier (1825-1913), chef du gouvernement depuis le 2 janvier 1870 ; il avait déclaré le 15 juillet qu'il acceptait « d'un cœur léger » les lourdes responsabilités de la guerre. **7.** L'une des résidences de l'Empereur. **8.** Aussi bien les soldats français (en uniforme garance) que les soldats prussiens (en uniforme vert). **9.** Rimbaud avait d'abord écrit « chef » (biffé sur le manuscrit). Il s'agit aussi bien de Napoléon III que du roi Guillaume.

Tandis qu'une folie épouvantable, broie
Et fait de cent milliers d'hommes un tas fumant ;
— Pauvres morts ! dans l'été, dans l'herbe[1], dans ta joie,
Nature ! ô toi qui fis ces hommes saintement[2] !...

— Il est un Dieu, qui rit aux nappes damassées
Des autels, à l'encens, aux grands calices d'or ;
Qui dans le bercement des hosannah s'endort,

Et se réveille, quand des mères, ramassées
Dans l'angoisse, et pleurant sous leur vieux bonnet noir,
Lui donnent un gros sou lié[3] dans leur mouchoir !

Arthur Rimbaud

Ophélie

I

Sur l'onde calme et noire où dorment les étoiles
La blanche Ophélia[4] flotte comme un grand lys[5],
Flotte très lentement, couchée en ses longs voiles[6]...
— On entend dans les bois lointains des hallalis.

Voici plus de mille ans que la triste Ophélie
Passe, fantôme blanc, sur le long fleuve noir

---

1. *Cf.* « Le Dormeur du Val ». **2.** « C'est une insertion "personnelle", affective, axiologique et exclamative » (Albert Henry, *Contribution à la lecture de Rimbaud,* 1998, p. 296). **3.** Jacques Gengoux découvre ici un jeu de mots sou lié / soulier : les mères réveillent Dieu « pour le *faire marcher* dans leur intérêt à elles, pour la défense de leurs superstitions et de leur mode de vie "français". De là, l'offrande du soulier qui doit lui permettre de marcher » (*La Pensée poétique de Rimbaud*, Nizet, 1950, pp. 156-157). L'exégèse est sans doute excessive. **4.** *Ophélia* : Rimbaud reprend le nom anglais de l'héroïne de Shakespeare, ce qui semble indiquer qu'il connaissait le texte original. **5.** Dans *Hamlet*, Ophélie était comparée par son frère Laërtes à une « rose de mai » (*a rose of May*, IV, 5, v. 156). Millais l'avait peinte comme un grand nénuphar. **6.** *Cf. Hamlet*, IV, 7 : « Ses voiles d'abord s'étalèrent et la soutinrent quelques instants ; on aurait dit une sirène ».

Voici plus de mille ans que sa douce folie
Murmure sa romance[1] à la brise du soir.

Le vent baise ses seins et déploie en corolle
Ses grands voiles bercés mollement par les eaux ;
Les saules[2] frissonnants pleurent sur son épaule,
Sur son grand front rêveur s'inclinent les roseaux.

Les nénuphars froissés soupirent autour d'elle ;
Elle éveille parfois, dans un aune qui dort, —
Quelque nid, d'où s'échappe un petit frisson d'aile ;
— Un chant mystérieux tombe des astres d'or.

II

Ô pâle Ophélia ! belle comme la neige !
Oui tu mourus, enfant, par un fleuve emporté !
— C'est que les vents tombant des grands monts de
T'avaient parlé tout bas de l'âpre liberté ; [Norwège[3]

C'est qu'un souffle, tordant ta grande chevelure,
À ton esprit rêveur portait d'étranges bruits ;
Que ton cœur écoutait le chant de la Nature
Dans les plaintes de l'arbre et les soupirs des nuits ;

C'est que la voix des mers folles, immense râle,
Brisait ton sein d'enfant, trop humain et trop doux ;
C'est qu'un matin d'avril, un beau cavalier pâle,
Un pauvre fou[4], s'assit muet à tes genoux !

Ciel ! Amour ! Liberté ! Quel rêve, ô pauvre Folle !
Tu te fondais à lui comme une neige au feu :

---

1. *Cf.* les romances que chante Ophélie au cours de la scène de la folie (IV, 5) et qui ne sont pas sans analogie avec ces « refrains niais, rythmes naïfs » chers à Rimbaud (voir « Alchimie du verbe », dans *Une saison en enfer*). **2.** C'est en cherchant à accrocher des guirlandes de fleurs à un saule qu'Ophélie est tombée dans l'eau. **3.** En réalité l'action de *Hamlet* se passe au Danemark. **4.** Hamlet, qui simule la folie.

Tes grandes visions étranglaient ta parole
— Et l'Infini terrible effara[1] ton œil bleu !

III

— Et le Poète dit qu'aux rayons des étoiles
Tu viens chercher, la nuit, les fleurs que tu cueillis[2] ;
Et qu'il a vu sur l'eau, couchée en ses longs voiles,
La blanche Ophélia flotter, comme un grand lys.

Arthur Rimbaud

Le Châtiment de Tartufe

Tisonnant, tisonnant son cœur amoureux sous
Sa chaste robe noire, heureux, la main gantée,
Un jour qu'il s'en allait, effroyablement doux,
Jaune, bavant la foi de sa bouche édentée,

Un jour qu'il s'en allait, « Oremus[3] », — un Méchant[4]
Le prit rudement par son oreille benoîte
Et lui jeta des mots affreux, en arrachant
Sa chaste robe noire autour de sa peau moite !

Châtiment !... Ses habits étaient déboutonnés,
Et le long chapelet des péchés pardonnés
S'égrenant dans son cœur, Saint Tartufe était pâle !...

---

1. Rimbaud a remplacé l'« égara » initial (dont il reprend puis raye les deux premières lettres) par un terme du vocabulaire hugolien (*cf.* « Les Effarés »). **2.** Celles qu'énumère Ophélie dans la scène de la folie : « Pour vous, du fenouil, et des colombines ; pour vous, du souci. Et en voici pour moi, que nous appellerons l'herbe des beaux dimanches. Oh ! votre souci, portez-le mieux que je ne fais ! Ceci, c'est une marguerite. J'aurais voulu vous apporter des violettes mais elles se sont toutes fanées lorsque mon père est mort » (trad. A. Gide). **3.** « Prions » : l'une de ces invitations à la prière dont Tartuffe est prodigue. Et *cf.* « le Sup*** » dans *Un cœur sous une soutane* qui « chuchotait un oremus ». **4.** Le novice, dans la nouvelle, trouvait « effroyablement méchants » ses condisciples.

Donc, il se confessait, priait, avec un râle !
L'homme se contenta d'emporter ses rabats...
— Peuh ! Tartufe était nu du haut jusques en bas[1] !

Arthur Rimbaud

À la Musique.

Place de la gare, à Charleville.

Sur la place taillée en mesquines pelouses,
Square où tout est correct, les arbres et les fleurs,
Tous les bourgeois poussifs qu'étranglent les chaleurs
Portent, les jeudis soirs, leurs bêtises jalouses

— L'orchestre militaire, au milieu du jardin,
Balance ses schakos dans la Valse des fifres :
— Autour, aux premiers rangs, parade le gandin ;
Le notaire pend à ses breloques[2] à chiffres

Des rentiers à lorgnons soulignent tous les couacs :
Les gros bureaux bouffis traînent leurs grosses dames
Auprès desquelles vont, officieux cornacs,
Celles dont les volants ont des airs de réclames ;

Sur les bancs verts, des clubs d'épiciers retraités
Qui tisonnent le sable avec leur canne à pomme,
Fort sérieusement discutent les traités,
Puis prisent en argent[3], et reprennent : « En somme !... »

Épatant sur son banc les rondeurs de ses reins,
Un bourgeois à boutons clairs, bedaine flamande,

---

1. Reprise des paroles de Dorine à Tartuffe, dans la comédie de Molière (acte III, scène 2, v. 867-868) : « Et je vous verrais nu du haut jusques en bas / Que toute votre peau ne me tenterait pas ». **2.** *Breloques* : menus objets d'or ou d'argent où était gravé le chiffre (les initiales) du possesseur. **3.** Prisent dans des tabatières d'argent.

Savoure son onnaing[1] d'où le tabac par brins
Déborde — vous savez, c'est de la contrebande ; —

Le long des gazons verts ricanent les voyous ;
Et, rendus amoureux par le chant des trombones,
Très naïfs, et fumant des roses, les pioupious[2]
Caressent les bébés pour enjôler les bonnes...

— Moi, je suis, débraillé comme un étudiant
Sous les marronniers verts les alertes fillettes :
Elles le savent bien ; et tournent en riant,
Vers moi, leurs yeux tout pleins de choses indiscrètes

Je ne dis pas un mot : je regarde toujours
La chair de leurs cous blancs brodés de mèches folles :
Je suis, sous le corsage et les frêles atours,
Le dos divin après la courbe des épaules

J'ai bientôt déniché la bottine, le bas...
— Je reconstruis les corps, brûlé de belles fièvres.
Elles me trouvent drôle et se parlent tout bas...
— Et je sens les baisers qui me viennent aux lèvres...

Arthur Rimbaud

Le Forgeron

Palais des Tuileries, vers le 10 août 92[3].

Le bras sur un marteau gigantesque, effrayant
D'ivresse et de grandeur, le front vaste, riant

---

1. Onnaing est une localité proche de Valenciennes, où l'on fabriquait des pipes en terre réfractaire, très prisées, réservées aux riches, contrairement à la « gambier ». **2.** Les soldats d'infanterie. **3.** Cette date ne constitue pas une erreur. À l'insurrection massive du 20 juin, date choisie pour la première version du poème, a succédé l'insurrection définitive du 10 août : prise des Tuileries, emprisonnement du roi, chute de la royauté. Par cette substitution, Rimbaud veut souligner la victoire de la « Crapule ».

Comme un clairon d'airain, avec toute sa bouche,
Et prenant ce gros-là dans son regard farouche,
Le Forgeron parlait à Louis Seize, un jour
Que le Peuple était là, se tordant tout autour,
Et sur les lambris d'or traînant sa veste sale.
Or le bon roi, debout sur son ventre, était pâle,
Pâle comme un vaincu qu'on prend pour le gibet,
Et, soumis comme un chien, jamais ne regimbait
Car ce maraud de forge aux énormes épaules
Lui disait de vieux mots et des choses si drôles,
Que cela l'empoignait au front, comme cela !

« Or, tu sais bien, Monsieur[1], nous chantions tra la la
Et nous piquions les bœufs vers les sillons des autres :
Le Chanoine au soleil filait des patenôtres
Sur des chapelets clairs grenés de pièces d'or.
Le Seigneur, à cheval, passait, sonnant du cor
Et l'un avec la hart, l'autre avec la cravache
Nous fouaillaient — Hébétés comme des yeux de vache,
Nos yeux ne pleuraient plus ; nous allions, nous allions,
Et quand nous avions mis le pays en sillons,
Quand nous avions laissé dans cette terre noire
Un peu de notre chair... nous avions un pourboire :
On nous faisait flamber nos taudis dans la nuit ;
Nos petits y faisaient un gâteau fort bien cuit.

... « Oh ! je ne me plains pas. Je te dis mes bêtises,
C'est entre nous. J'admets que tu me contredises.
Or, n'est-ce pas joyeux de voir, au mois de juin
Dans les granges entrer des voitures de foin
Énormes ? De sentir l'odeur de ce qui pousse,
Des vergers quand il pleut un peu, de l'herbe rousse ?
De voir des blés, des blés, des épis pleins de grain,
De penser que cela prépare bien du pain ?...

---

1. *Cf.* la harangue du boucher Legendre à Louis XVI : « *Monsieur*, vous êtes un perfide, vous nous avez toujours trompés, vous nous trompez encore. Mais prenez garde, la mesure est comble. »

Oh[1] ! plus fort, on irait, au fourneau qui s'allume,
Chanter joyeusement en martelant l'enclume,
Si l'on était certain de pouvoir prendre un peu,
Étant homme, à la fin ! de ce que donne Dieu !
— Mais voilà, c'est toujours la même vieille histoire !

« Mais je sais, maintenant ! Moi, je ne peux plus croire,
Quand j'ai deux bonnes mains, mon front[2], et mon marteau,
Qu'un homme vienne là, dague sur le manteau,
Et me dise : Mon gars, ensemence ma terre ;
Que l'on arrive encor, quand ce serait la guerre,
Me prendre mon garçon comme cela, chez moi !
— Moi, je serais un homme, et toi, tu serais roi,
Tu me dirais : Je veux !... — Tu vois bien, c'est stupide.
Tu crois que j'aime voir ta baraque splendide,
Tes officiers dorés, tes mille chenapans,
Tes palsembleu[3] bâtards tournant comme des paons :
Ils ont rempli ton nid de l'odeur de nos filles
Et de petits billets pour nous mettre aux Bastilles,
Et nous dirons : C'est bien : les pauvres à genoux !
Nous dorerons ton Louvre en donnant nos gros sous !
Et tu te soûleras, tu feras belle fête...
— Et ces Messieurs riront, les reins sur notre tête !

« Non. Ces saletés-là datent de nos papas !
Oh ! Le Peuple n'est plus une putain. Trois pas[4]
Et tous, nous avons mis ta Bastille en poussière
Cette bête suait du sang à chaque pierre
Et c'était dégoûtant, la Bastille debout
Avec ses murs lépreux qui nous racontaient tout
Et, toujours, nous tenaient enfermés dans leur ombre !
— Citoyen ! citoyen ! c'était le passé sombre
Qui croulait, qui râlait, quand nous prîmes la tour !
Nous avions quelque chose au cœur comme l'amour.
Nous avions embrassé nos fils sur nos poitrines.

---

1. En surcharge sur « Oui » dans le manuscrit. **2.** Ma pensée. **3.** L'orthographe est normalement *palsambleu* (= « par le sang de Dieu ») ; c'était un juron. Par retour au sens étymologique, l'expression pourrait signifier : tes bâtards qui se croient (par toi) d'origine divine. **4.** Il a suffi de trois pas...

Et, comme des chevaux, en soufflant des narines
Nous allions, fiers et forts, et ça nous battait là...
Nous marchions au soleil, front haut, — comme cela —
Dans Paris ! On venait devant nos vestes sales.
Enfin ! Nous nous sentions Hommes ! Nous étions pâles,
Sire, nous étions soûls de terribles espoirs :
Et quand nous fûmes là, devant les donjons noirs,
Agitant nos clairons et nos feuilles de chêne,
Les piques à la main ; nous n'eûmes pas de haine,
— Nous nous sentions si forts, nous voulions être doux !
....
....
« Et depuis ce jour-là, nous sommes comme fous !
Le tas des ouvriers a monté dans la rue,
Et ces maudits s'en vont, foule toujours accrue
De sombres revenants, aux portes des richards.
Moi, je cours avec eux assommer les mouchards :
Et je vais dans Paris, noir, marteau sur l'épaule,
Farouche, à chaque coin balayant quelque drôle,
Et, si tu me riais au nez, je te tuerais !
— Puis, tu peux y compter, tu te feras des frais
Avec tes hommes noirs, qui prennent nos requêtes
Pour se les renvoyer comme sur des raquettes
Et, tout bas, les malins ! se disent : « Qu'ils sont sots ! »
Pour mitonner des lois, coller de petits pots
Pleins de jolis décrets roses et de droguailles,
S'amuser à couper proprement quelques tailles,
Puis se boucher le nez quand nous marchons près d'eux,
— Nos doux représentants qui nous trouvent crasseux ! —
Pour ne rien redouter, rien, que les baïonnettes...,
C'est très bien. Foin de leur tabatière à sornettes !
Nous en avons assez, là, de ces cerveaux plats
Et de ces ventres-dieux[1]. Ah ! ce sont là les plats
Que tu nous sers, bourgeois, quand nous sommes féroces,
Quand nous brisons déjà les sceptres et les crosses !... »
....
Il le prend par le bras, arrache le velours
Des rideaux, et lui montre en bas les larges cours

1. Juron ; on employait plutôt la forme atténuée « ventrebleu ».

Où fourmille, où fourmille, où se lève la foule,
La foule épouvantable avec des bruits de houle,
Hurlant comme une chienne, hurlant comme une mer,
Avec ses bâtons forts et ses piques de fer,
Ses tambours, ses grands cris de halles et de bouges,
Tas sombre de haillons saignant de bonnets rouges :
L'Homme, par la fenêtre ouverte, montre tout
Au roi pâle et suant qui chancelle debout,
Malade à regarder cela !

« C'est la Crapule,

Sire. Ça bave aux murs, ça monte, ça pullule :
— Puisqu'ils ne mangent pas, Sire, ce sont des gueux !
Je suis un forgeron : ma femme est avec eux ;
Folle ! Elle croit trouver du pain aux Tuileries !
— On ne veut pas de nous dans les boulangeries.
J'ai trois petits. Je suis crapule. — Je connais
Des vieilles qui s'en vont pleurant sous leurs bonnets
Parce qu'on leur a pris leur garçon ou leur fille :
C'est la crapule. — Un homme était à la bastille,
Un autre était forçat : et tous deux, citoyens
Honnêtes. Libérés, ils sont comme des chiens :
On les insulte ! Alors, ils ont là quelque chose
Qui leur fait mal, allez ! C'est terrible, et c'est cause
Que se sentant brisés, que, se sentant damnés,
Ils sont là, maintenant, hurlant sous votre nez !
Crapule. — Là-dedans sont des filles, infâmes
Parce que, — vous saviez que c'est faible, les femmes —,
Messeigneurs de la cour, — que ça veut toujours bien —.
Vous avez craché sur l'âme, comme rien [1] !
Vos belles, aujourd'hui, sont là. C'est la crapule.

....

« Oh ! tous les Malheureux, tous ceux dont le dos brûle
Sous le soleil féroce, et qui vont, et qui vont,
Qui dans ce travail-là sentent crever leur front
Chapeau bas, mes bourgeois ! Oh ! ceux-là, sont les Hommes.
Nous sommes Ouvriers, Sire ! Ouvriers ! Nous sommes
Pour les grands temps nouveaux où l'on voudra savoir,
Où l'Homme forgera du matin jusqu'au soir,

---

1. Il faut faire la diérèse ri-en, ou restituer « Vous [leur] avez craché sur l'âme ».

Chasseur des grands effets, chasseur des grandes causes,
Où, lentement vainqueur, il domptera les choses
Et montera sur Tout, comme sur un cheval !
Oh ! splendides lueurs des forges ! Plus de mal,
Plus ! — Ce qu'on ne sait pas, c'est peut-être terrible :
Nous saurons ! — Nos marteaux en main, passons au crible
Tout ce que nous savons : puis, Frères, en avant !
Nous faisons quelquefois ce grand rêve émouvant
De vivre simplement, ardemment, sans rien dire
De mauvais, travaillant sous l'auguste sourire
D'une femme qu'on aime avec un noble amour :
Et l'on travaillerait fièrement tout le jour,
Écoutant le devoir comme un clairon qui sonne !
Et l'on se sentirait très heureux ; et personne
Oh ! personne, surtout, ne vous ferait ployer !
On aurait un fusil au-dessus du foyer...

....

« Oh ! mais l'air est tout plein d'une odeur de bataille
Que te disais-je donc ? Je suis de la canaille !
Il reste des mouchards et des accapareurs[1].
Nous sommes libres, nous ! nous avons des terreurs
Où nous nous sentons grands, oh ! si grands ! Tout à l'heure
Je parlais de devoir calme, d'une demeure...
Regarde donc le ciel ! — C'est trop petit pour nous,
Nous crèverions de chaud, nous serions à genoux !
Regarde donc le ciel ! — Je rentre dans la foule,
Dans la grande canaille effroyable, qui roule,
Sire, tes vieux canons sur les sales pavés :
— Oh ! quand nous serons morts, nous les[2] aurons lavés
— Et si, devant nos cris, devant notre vengeance,
Les pattes des vieux rois mordorés[3], sur la France
Poussent leurs régiments en habits de gala,
Eh bien, n'est-ce pas, Vous tous ? — Merde à ces chiens-là ! »

....

— Il reprit son marteau sur l'épaule.

La foule

---

1. Les accapareurs de subsistances. **2.** C'est-à-dire les pavés du palais royal ; sur les vertus purificatrices du sang du peuple, voir « *Morts de Quatre-vingt-douze...* », p. 192. **3.** Les rois de Prusse et d'Autriche, que le peuple allait bientôt écraser à Valmy.

Près de cet homme-là se sentait l'âme soûle,
Et, dans la grande cour, dans les appartements,
Où Paris haletait avec des hurlements,
Un frisson secoua l'immense populace.
Alors, de sa main large et superbe de crasse
Bien que le roi ventru suât, le Forgeron,
Terrible, lui jeta le bonnet rouge au front !

Arthur Rimbaud

Soleil et Chair

Le Soleil, le foyer de tendresse et de vie,
Verse l'amour brûlant à la terre ravie,
Et, quand on est couché sur la vallée, on sent
Que la terre est nubile[1] et déborde de sang[2] ;
Que son immense sein, soulevé par une âme[3],
Est d'amour comme dieu, de chair comme la femme,
Et qu'il renferme, gros de sève et de rayons,
Le grand fourmillement de tous les embryons !

Et tout croît, et tout monte !
— Ô Vénus, ô Déesse !
Je regrette les temps de l'antique jeunesse,
Des satyres lascifs, des faunes animaux,
Dieux qui mordaient d'amour l'écorce des rameaux
Et dans les nénufars baisaient la Nymphe blonde !
Je regrette les temps où la sève du monde,
L'eau du fleuve, le sang rose des arbres verts
Dans les veines de Pan[4] mettaient un univers !
Où le sol palpitait, vert, sous ses pieds de chèvre ;

---

1. On retrouve cet hémistiche dans l'*Hermès* de Chénier. **2.** De sang (menstruel). **3.** *Anima* = le souffle, la respiration. **4.** Le dieu des bergers et des troupeaux a subi ici la métamorphose du Satyre de Victor Hugo (*La Légende des siècles*) : « Place à Tout ! Je suis Pan ; Jupiter ! à genoux ! » L'adjectif *pan*, en grec, signifie en effet « tout ».

Où, baisant mollement le clair syrinx[1], sa lèvre
Modulait sous le ciel le grand hymne d'amour ;
Où, debout sur la plaine, il entendait autour
Répondre à son appel la Nature vivante ;
Où les arbres muets, berçant l'oiseau qui chante,
La terre berçant l'homme, et tout l'Océan bleu
Et tous les animaux aimaient, aimaient en Dieu !

Je regrette les temps de la grande Cybèle[2]
Qu'on disait parcourir, gigantesquement belle,
Sur un grand char d'airain, les splendides cités ;
Son double sein versait dans les immensités
Le pur ruissellement de la vie infinie
L'Homme suçait, heureux, sa mamelle bénie,
Comme un petit enfant, jouant sur ses genoux.
— Parce qu'il était fort, l'Homme était chaste et doux.

Misère ! Maintenant il dit : Je sais les choses,
Et va, les yeux fermés et les oreilles closes :
— Et pourtant, plus de dieux ! plus de dieux ! l'Homme est Roi,
L'Homme est Dieu ! Mais l'Amour, voilà la grande Foi !
Oh ! si l'homme puisait encore à ta mamelle[3],
Grande mère des dieux et des hommes, Cybèle ;
S'il n'avait pas laissé l'immortelle Astarté[4]
Qui jadis, émergeant dans l'immense clarté
Des flots bleus, fleur de chair que la vague parfume,
Montra son nombril rose où vint neiger l'écume[5],
Et fit chanter, Déesse aux grands yeux noirs vainqueurs,
Le rossignol aux bois et l'amour dans les cœurs !

---

1. C'est la flûte de Pan ; « syrinx » est normalement au féminin. **2.** Déesse de Phrygie identifiée par les Grecs avec la mère des dieux. Elle personnifiait les forces de la nature. Rimbaud l'évoque ici d'après Lucrèce (*De natura rerum*, II, 624), Virgile (*Énéide*, VI, 785), mais peut-être aussi en pensant à la Bérécynthienne de Joachim du Bellay dans les *Antiquités de Rome* et à la « Cybèle » de Leconte de Lisle dans les *Poèmes antiques*. **3.** Le lait de Cybèle = la vie. *Cf.* Leconte de Lisle : « Le monde est suspendu, Déesse, à tes mamelles ». **4.** Déesse phénicienne qui fut confondue avec Vénus. **5.** Évocation de Vénus née de l'écume, Vénus anadyomène ; voir p. 191.

II

Je crois en toi ! je crois en toi ! Divine mère,
Aphrodité[1] marine ! — Oh ! la route est amère
Depuis que l'autre Dieu[2] nous attelle à sa croix ;
Chair, Marbre, Fleur, Vénus, c'est en toi que je crois[3] !
— Oui, l'Homme est triste et laid, triste sous le ciel vaste.
Il a des vêtements, parce qu'il n'est plus chaste,
Parce qu'il a sali son fier buste de dieu,
Et qu'il a rabougri, comme une idole au feu,
Son corps Olympien aux servitudes sales[4] !
Oui, même après la mort, dans les squelettes pâles
Il veut vivre, insultant la première beauté !
— Et l'Idole où tu mis tant de virginité,
Où tu divinisas notre argile, la Femme,
Afin que l'Homme pût éclairer sa pauvre âme
Et monter lentement, dans un immense amour,
De la prison terrestre à la beauté du jour,
La Femme ne sait plus même être Courtisane[5] !
— C'est une bonne farce ! et le monde ricane
Au nom doux et sacré de la grande Vénus !

III

Si les temps revenaient, les temps qui sont venus[6] !
— Car l'Homme a fini ! l'Homme a joué tous les rôles !

---

1. Ce calque du grec est bien dans la manière de Leconte de Lisle. Aphrodite est le nom grec de Vénus. **2.** Le Christ. Cette attaque n'a rien d'exceptionnel à l'époque : on en trouverait de semblables chez Leconte de Lisle (voir « Hypatie et Cyrille » dans les *Poèmes antiques*) ou chez Swinburne. **3.** D'où le premier titre du poème, « *Credo in unam* ». On rapprochera ce « credo » de celui de Séverin dans *La Vénus à la fourrure* (*Venus im Pelz*), le célèbre roman de Sacher-Masoch, qui date lui aussi de 1870 : « je me faufilais en secret, comme s'il s'agissait d'un plaisir défendu, dans la petite bibliothèque de mon père pour y contempler une Vénus de plâtre ; je m'agenouillais devant elle et prononçais les prières qu'on m'avait apprises, le "Notre Père", le "Je vous salue Marie", et le "Credo" ». **4.** Thème d'un poème des *Fleurs du Mal*, « J'aime le souvenir de ces époques nues » (pièce V dans les trois éditions). **5.** Conformément à l'idéal de la Grecque, « l'hétaïre ou l'Aphrodite », tel qu'on le trouve représenté par exemple dans l'œuvre de Sacher-Masoch (voir Gilles Deleuze, *Présentation de Sacher-Masoch*, éd. de Minuit, 1967). **6.** Le vers a peut-être le même sens que celui de « *Credo in unam* » qu'il remplace. Mais on est en droit d'y voir une conception cyclique des âges analogue à celle qui s'exprime dans la quatrième *Bucolique* de Virgile.

Au grand jour, fatigué de briser des idoles,
Il ressuscitera, libre de tous ses Dieux,
Et, comme il est du ciel, il scrutera les cieux !
L'Idéal, la pensée invincible, éternelle,
Tout le dieu qui vit, sous son[1] argile charnelle,
Montera, montera, brûlera sous son front !
Et quand tu le verras sonder tout l'horizon,
Contempteur des vieux jougs, libre de toute crainte,
Tu viendras lui donner la Rédemption sainte !
— Splendide, radieuse, au sein des grandes mers
Tu surgiras, jetant sur le vaste Univers
L'Amour infini dans un infini sourire !
Le Monde vibrera comme une immense lyre
Dans le frémissement d'un immense baiser

— Le Monde a soif d'amour : tu viendras l'apaiser.

....

IV

Ô splendeur de la chair ! ô splendeur idéale !
Ô renouveau d'amour, aurore triomphale
Où, courbant à leurs pieds les Dieux et les Héros,
Kallipige[2] la blanche et le petit Éros
Effleureront, couverts de la neige des roses[3],
Les femmes et les fleurs sous leurs beaux pieds écloses !
Ô grande Ariadné[4] qui jettes tes sanglots
Sur la rive, en voyant fuir là-bas sur les flots,
Blanche sous le soleil, la voile de Thésée,
Ô douce vierge enfant qu'une nuit a brisée,
Tais-toi ! Sur son char d'or brodé de noirs raisins,
Lysios[5], promené dans les champs Phrygiens[6]
Par les tigres lascifs et les panthères rousses,

---

1. En surcharge sur « notre ». **2.** « Aux belles fesses », épithète traditionnelle d'Aphrodite. L'orthographe conforme à l'étymologie serait Kallipyge. **3.** Les roses qu'on jette sur eux à leur passage. Ces fleurs sont aussi des attributs de Vénus. **4.** Calque grec du nom d'Ariane, la fille du roi de Crète, Minos, que Thésée abandonna sur le rivage de l'île de Naxos ou de Dia. **5.** Lysios = Dionysos, qui va rencontrer Ariane abandonnée. Rimbaud se souvient probablement ici du poème de Banville « Le Triomphe de Bacchos », dans *Les Stalactites*. **6.** En Asie Mineure.

Le long des fleuves bleus rougit les sombres mousses.
— Zeus, Taureau, sur son cou berce comme une enfant
Le corps nu d'Europé[1], qui jette son bras blanc
Au cou nerveux du Dieu frissonnant dans la vague
Il tourne lentement vers elle son œil vague ;
Elle, laisse traîner sa pâle joue en fleur
Au front de Zeus ; ses yeux sont fermés ; elle meurt
Dans un divin baiser, et le flot qui murmure
De son écume d'or fleurit sa chevelure.
— Entre le laurier rose et le lotus jaseur
Glisse amoureusement le grand Cygne rêveur
Embrassant la Léda des blancheurs de son aile[2] ;
— Et tandis que Cypris[3] passe, étrangement belle,
Et, cambrant les rondeurs splendides de ses reins,
Étale fièrement l'or de ses larges seins
Et son ventre neigeux brodé de mousse noire,
— Héraclès, le Dompteur, qui, comme d'une gloire[4]
Fort, ceint son vaste corps de la peau du lion[5],
S'avance, front terrible et doux[6], à l'horizon !

Par la lune d'été vaguement éclairée
Debout, nue, et rêvant dans sa pâleur dorée
Que tache le flot lourd de ses longs cheveux bleus,
Dans la clairière sombre où la mousse s'étoile,
La Dryade[7] regarde au ciel silencieux....
— La blanche Séléné[8] laisse flotter son voile,
Craintive, sur les pieds du bel Endymion[9],
Et lui jette un baiser dans un pâle rayon...
— La Source[10] pleure au loin dans une longue extase...
C'est la Nymphe qui rêve, un coude sur son vase,

---

1. En Asie Zeus, s'étant épris d'Europe, une jeune fille d'Asie Mineure, lui apparut sous la forme d'un taureau blanc. Elle grimpa sur ses épaules et il l'enleva, regagnant la Crète à la nage. Hugo avait évoqué Europe dans « Le Rouet d'Omphale » (*Les Contemplations*, III, 3). **2.** Zeus s'était changé en cygne pour séduire Léda, la reine de Sparte. **3.** Surnom d'Aphrodite, honorée à Chypre. **4.** « Gloire » : cercle de lumière autour de la tête des saints. **5.** Le lion de Némée. **6.** Le dompteur est dompté par l'amour (allusion possible à Omphale). **7.** Nymphe des bois. **8.** La lune (Diane). **9.** Éprise du jeune chasseur Endymion, Diane vint le contempler endormi. **10.** Nymphe des eaux (naïade). Les Anciens représentaient les sources comme des jeunes filles appuyées sur une urne penchante (voir le tableau d'Ingres, *La Source*, 1856).

Au beau jeune homme blanc[1] que son onde a pressé.
— Une brise d'amour dans la nuit a passé,
Et, dans les bois sacrés, dans l'horreur des grands arbres,
Majestueusement debout, les sombres Marbres,
Les Dieux, au front desquels le Bouvreuil fait son nid,
— Les Dieux écoutent l'Homme et le Monde infini !

Arthur Rimbaud

mai 70

---

1. Allusion probable à Hylas, compagnon d'Héraclès, que les nymphes éprises entraînèrent dans l'eau de la source où il puisait pour qu'il pût les rejoindre.

[SECOND CAHIER]

Le Dormeur du Val

C'est un trou de verdure où chante une rivière
Accrochant follement aux herbes des haillons
D'argent ; où le soleil, de la montagne fière,
Luit : c'est un petit val qui mousse de rayons.

Un soldat jeune, bouche[1] ouverte, tête nue,
Et la nuque baignant dans le frais cresson bleu,
Dort ; il est étendu dans l'herbe, sous la nue,
Pâle dans son lit vert où la lumière pleut.

Les pieds dans les glaïeuls[2], il dort. Souriant comme
Sourirait un enfant malade, il fait un somme :
Nature, berce-le chaudement : il a froid.

Les parfums ne font pas frissonner sa narine ;
Il dort dans le soleil, la main sur sa poitrine
Tranquille[3]. Il a deux trous[4] rouges au côté droit.

Arthur Rimbaud

Octobre 1870

---

1. Rimbaud avait d'abord écrit « lèvre ». **2.** Les glaïeuls d'eau. **3.** Sa poitrine où le cœur ne bat plus. **4.** Comme l'a justement fait observer Louis Forestier, on part du « trou de verdure » pour aboutir à ces « deux trous rouges au côté droit ».

Au Cabaret-Vert, cinq heures du soir

Depuis huit jours, j'avais déchiré mes bottines
Aux cailloux des chemins. J'entrais à Charleroi.
— Au Cabaret-Vert : je demandai des tartines
De beurre et du jambon qui fût à moitié froid.

Bienheureux, j'allongeai les jambes sous la table
Verte : je contemplai les sujets très naïfs
De la tapisserie. — Et ce fut adorable,
Quand la fille aux tétons énormes, aux yeux vifs,

— Celle-là, ce n'est pas un baiser qui l'épeure [1] ! —
Rieuse, m'apporta des tartines de beurre,
Du jambon tiède, dans un plat colorié,

Du jambon rose et blanc parfumé d'une gousse
D'ail, — et m'emplit la chope immense, avec sa mousse
Que dorait un rayon de soleil arriéré [2].

Arthur Rimbaud

octobre 70

La Maline

Dans la salle à manger brune, que parfumait
Une odeur de vernis et de fruits, à mon aise
Je ramassais un plat [3] de je ne sais quel met [4]
Belge, et je m'épatais [5] dans mon immense chaise.

---

1. Provincialisme, verlainisme aussi, pour « qui l'apeure ». **2.** Attardé. **3.** Sur cette expression, voir Albert Henry, *Contribution à la lecture de Rimbaud,* 1998, pp. 280-281 ; ce serait un régionalisme signifiant « Je nettoyais un plat », « J'en mangeais soigneusement tout le contenu ». **4.** Sans *s*, pour la rime. **5.** Même attitude que le bourgeois dans « À la Musique ».

En mangeant, j'écoutais l'horloge, — heureux et coi.
La cuisine s'ouvrit avec une bouffée [1]
— Et la servante vint, je ne sais pas pourquoi,
Fichu moitié défait, malinement [2] coiffée

Et [3], tout en promenant son petit doigt tremblant
Sur sa joue, un velours de pêche rose et blanc,
En faisant, de sa lèvre enfantine, une moue,

Elle arrangeait les plats, près de moi, pour m'aiser [4] ;
— Puis, comme ça, — bien sûr, pour avoir un baiser, —
Tout bas : « Sens donc : j'ai pris une froid [5] sur la joue... »

Charleroi, octobre 70

L'éclatante victoire de Sarrebrück, — remportée aux cris de vive l'Empereur !

(Gravure belge brillamment coloriée,
se vend à Charleroi, 35 centimes).

Au milieu, l'Empereur, dans une apothéose
Bleue et jaune, s'en va, raide, sur son dada
Flamboyant ; très heureux, — car il voit tout en rose,
Féroce comme Zeus et doux comme un papa [6] ;

En bas, les bons Pioupious qui faisaient la sieste
Près des tambours dorés et des rouges canons,
Se lèvent gentiment. Pitou [7] remet sa veste,
Et, tourné vers le Chef, s'étourdit de grands noms !

---

1. Rimbaud avait d'abord écrit « avec une bouffée / Chaude ». Puis il a rayé ce dernier mot sur son manuscrit. **2.** Malignement. **3.** Rayé : Puis. **4.** Pour que je sois à l'aise (*cf.* vers 2) ; Rimbaud a peut-être emprunté ce mot à la ballade *Les contrediz de Franc Gontier*, de François Villon. **5.** Tour belge. Rimbaud cherche moins à l'épingler qu'à jouer subtilement du masculin et du féminin. **6.** Parce qu'il suit les prétendus exploits de son fils, le Prince impérial qui reçoit le baptême du feu. **7.** L'adorateur des rois, comme le chansonnier Ange Pitou ?

À droite, Dumanet[1], appuyé sur la crosse
De son chassepot[2], sent frémir sa nuque en brosse,
Et : « Vive l'Empereur ! ! » — Son voisin reste coi...

Un schako[3] surgit, comme un soleil noir[4]... Au centre,
Boquillon[5] rouge et bleu, très naïf, sur son ventre[6]
Se dresse, et, — présentant ses derrières[7] — : « De quoi[8] ?... »

Arthur Rimbaud

octobre 70

À xxx Elle[9].

Rêvé Pour l'hiver.

L'hiver, nous irons dans un petit wagon rose
Avec des coussins bleus.
Nous serons bien. Un nid de baisers fous repose
Dans chaque coin moelleux.

---

1. « Type du troupier ridicule popularisé par les caricatures [...]. C'est un bleu à qui l'on fait croire les bourdes les plus invraisemblables » (*Dictionnaire du XIXe siècle*). **2.** Fusil en service dans l'armée française de 1866 à 1874. **3.** La coiffure militaire. **4.** Expression devenue cliché et que Rimbaud reprend par dérision. **5.** Selon Delahaye, Rimbaud avait une prédilection pour « les extravagants bonshommes dont Albert Humbert illustrait sa *Lanterne de Boquillon* », un journal satirique. Dans le numéro du 24 août 1868 on voyait Boquillon promettre aux habitants de Purgerot, dont il voulait devenir le représentant, de « tirer leur portrait en couleur » : « vu que j'ai du rouge et du bleu dans mon sac » (voir J. Gengoux, *op. cit.*, p. 61 et l'article de François Caradec, « Rimbaud lecteur de *Boquillon* », dans *Parade sauvage*, nº 1, 1984). Ici le rouge et le bleu sont les couleurs de l'uniforme. **6.** Il est ventru comme Louis XVI « debout sur son ventre » (« Le Forgeron », v. 8). **7.** Pluriel épique ! **8.** « De quoi ? » Pour railler l'attitude offensive de Boquillon, Rimbaud termine sur cette expression populaire, légèrement argotique, placée dans la bouche d'un esprit qui se croit fort, qui veut montrer qu'on ne peut lui en conter ou qu'il ne se laissera pas faire. Mais à la date d'octobre 1870, au moment où l'Empereur est déchu, on peut aussi rétablir la séquence « Vive l'Empereur... de quoi ? » **9.** Ni pour cette dédicace, ni pour ce titre, il n'est nécessaire de supposer la surimpression que suggère A. Adam (éd. de la Pléiade, p. 868). La majuscule pour la préposition est conforme à la graphie du manuscrit.

Tu fermeras l'œil, pour ne point voir, par la glace,
Grimacer les ombres des soirs,
Ces monstruosités hargneuses, populace
De démons noirs et de loups noirs.

Puis tu te sentiras la joue égratignée...
Un petit baiser, comme une folle araignée,
Te courra par le cou...

Et tu me diras : « Cherche ! », en inclinant la tête,
— Et nous prendrons du temps, à trouver cette bête
— Qui voyage beaucoup...

Arthur Rimbaud

En wagon, le 7 octobre 70

Le buffet.

C'est un large buffet sculpté ; le chêne sombre,
Très vieux, a pris cet air si bon des vieilles gens ;
Le buffet est ouvert, et verse dans son ombre
Comme un flot de vin vieux, des parfums engageants ;

Tout plein[1], c'est un fouillis de vieilles vieilleries,
De linges odorants et jaunes, de chiffons
De femmes ou d'enfants, de dentelles flétries,
De fichus de grand'mère où sont peints des griffons ;

— C'est là qu'on trouverait les médaillons, les mèches
De cheveux blancs ou blonds, les portraits, les fleurs sèches
Dont le parfum se mêle à des parfums de fruits.

---

1. « Cette phrase elliptique sonne comme une exclamation d'enfant étonné », note avec bonheur Bouillane de Lacoste.

— Ô buffet du vieux temps, tu sais bien des histoires,
Et tu voudrais conter tes contes, et tu bruis
Quand s'ouvrent lentement tes grandes portes noires.

Arthur Rimbaud

octobre 70

Ma Bohême. (Fantaisie)

Je m'en allais, les poings dans mes poches crevées[1] ;
Mon paletot aussi devenait idéal[2] ;
J'allais sous le ciel, Muse ! et j'étais ton féal[3] ;
Oh ! là là ! que d'amours splendides j'ai rêvées !

Mon unique culotte avait un large trou[4].
— Petit-Poucet rêveur, j'égrenais dans ma course
Des rimes. Mon auberge était à la Grande-Ourse[5].
— Mes étoiles au ciel avaient un doux frou-frou

Et je les écoutais, assis au bord des routes,
Ces bons soirs de septembre où je sentais des gouttes
De rosée à mon front, comme un vin de vigueur[6] ;

Où, rimant au milieu des ombres fantastiques,
Comme des lyres, je tirais les élastiques
De mes souliers blessés, un pied près de mon cœur[7] !

Arthur Rimbaud

---

1. *Cf.* la lettre à Izambard du 2 novembre 1870 : « je voudrais repartir encore bien des fois. — Allons, chapeau, capote, les deux poings dans les poches, et sortons ! ». Un dessin de Verlaine a croqué cette attitude de Rimbaud. **2.** Tellement il était élimé ; mais aussi parce que tout devient plus beau grâce au charme de l'errance. **3.** Ton fidèle serviteur. Cette invocation à la Muse — à une muse qui n'est ni malade ni vénale — est peut-être une manière de se distinguer de Baudelaire. **4.** *Cf.* « Les Effarés ». **5.** Autre façon de dire : « à la belle étoile ». **6.** Un vin qui rend vigoureux. Rimbaud invoquera, dans « Le Bateau ivre », la « future Vigueur ». **7.** Première rédaction, corrigée sur le manuscrit : « Un pied tout près du cœur ».

[Instruction laissée à Paul Demeny]

Je viens pour vous dire adieu, je ne vous trouve pas chez vous.

Je ne sais si je pourrai revenir ; je pars demain, dès le matin, pour Charleville, — j'ai un sauf-conduit. — Je regrette infiniment de ne pas pouvoir vous dire adieu, à vous.

Je vous serre la main le plus violemment qu'il m'est possible. — Bonne espérance.

Je vous écrirai. Vous m'écrirez ? Pas ?

[Lettre à Georges Izambard du 2 novembre 1870]

Charleville, le 2 novembre 1870.

Monsieur,

— À vous seul ceci. —

Je suis rentré à Charleville un jour après vous avoir quitté. Ma mère m'a reçu, et je suis là... tout à fait oisif. Ma mère ne me mettrait en pension qu'en janvier 71.

Eh bien ! j'ai tenu ma promesse.

Je meurs, je me décompose dans la platitude, dans la mauvaiseté, dans la grisaille. Que voulez-vous, je m'entête affreusement à adorer la liberté libre, et... un tas de choses que « *ça fait pitié* [1] », n'est-ce pas ? — Je devais repartir aujourd'hui même ; je le pouvais : j'étais vêtu de neuf, j'aurais vendu ma montre, et vive la liberté ! — Donc je suis resté ! je suis resté ! — et je voudrai repartir encore bien des fois. — Allons, chapeau, capote, les deux poings dans les poches [2], et sortons ! — Mais je resterai, je resterai. Je n'ai pas promis cela. Mais je le ferai pour mériter votre affection : vous me l'avez dit. Je la mériterai.

La reconnaissance que je vous ai, je ne saurais pas vous l'exprimer aujourd'hui plus que l'autre jour. Je vous la prouverai. Il s'agirait de faire quelque chose pour vous, que je mourrais pour le faire, — je vous en donne ma parole. — J'ai encore un tas de choses à dire...

Ce « sans-cœur » de

A. Rimbaud.

---

1. Expression que Mme Rimbaud, sans doute, avait coutume d'employer. **2.** *Cf.* « Ma Bohême », v. 1.

Guerre : — pas de siège de Mézières. Pour quand ? On n'en parle pas. — J'ai fait votre commission à M. Deverrière[1], et, s'il faut faire plus, je ferai.

— Par ci, par là, des francs-tirades[2]. — Abominable prurigo d'idiotisme, tel est l'esprit de la population. On en entend de belles, allez. C'est dissolvant.

---

1. Léon Deverrière était professeur de philosophie à l'Institution Rossat de Charleville, et tout jeune, comme Izambard. C'était, selon le témoignage de ce dernier, « un érudit et un homme de cœur ». La commission concerne les caisses de livres d'Izambard, qui étaient restées emballées à Charleville et qu'il fallait réexpédier. **2.** Les corps des francs-tireurs avaient été créés en 1868, lors de la réforme qui créa la garde nationale mobile. Par « francs-tirades » Rimbaud désigne sans doute des coups de feu tirés, sur leur seule initiative, par tel ou tel citoyen, par patriotisme ou... patrouillotisme.

L'ANNÉE DE LA COMMUNE

Cinq mois et demi s'écoulent entre la lettre à Izambard écrite au retour à Charleville et la première des lettres écrites au printemps 1871. Dans l'intervalle, il est vrai, le temps semble être allé plus vite sous la bousculade des événements (le bombardement et la capitulation de Mézières, le siège de Paris, l'armistice, les élections à l'Assemblée Nationale, la constitution du Gouvernement provisoire, la signature des préliminaires de paix, le défilé des Allemands sur les Champs-Élysées, l'insurrection de la Commune, les premiers bombardements des Versaillais sur la banlieue ouest de Paris). Rimbaud a été, plus encore qu'au cours de l'été 1870, requis par ces événements : attiré par le journalisme, il est le collaborateur (très modeste et occasionnel) d'un journal fondé en novembre 1870, Le Progrès des Ardennes *; surtout, il est allé voir sur place ce qui se passait à Paris « du 25 février au 10 mars ».*

Il ne rompt ce si long silence que pour renouer des liens avec ses amis de Douai. Ses correspondants, en effet, sont encore Paul Demeny et Georges Izambard. Banville, à qui il écrit le 15 août, n'est pas exclu de la chaîne des fidélités. Est-ce à dire que Rimbaud reste fidèle au Parnasse, aux Glaneuses *et aux* Cariatides *? En février-mars il s'est encore intéressé aux « nouveautés » de chez Lemerre (lettre du 17 avril). Mais les lettres du 13 et du 15 mai, les fameuses « lettres du Voyant », prennent des allures de déclaration de guerre à la « poésie subjective [...] horriblement fadasse » et n'épargnent pas ceux qui ne font « autre chose que reprendre l'esprit des choses mortes » (Théophile Gautier, Leconte de Lisle, Théodore de Banville). Dès lors, le retour aux relations de l'année précédente prend une signification nouvelle. Fidélité, non point ; mais bien plutôt rupture : à Izambard, cet « Enseignant », Rimbaud fait la leçon ; à Demeny, il donne « une heure » (un cours) « de littérature nouvelle » ; quant à l'honorable Banville, il feint de le respecter, mais le poème qu'il lui envoie, « Ce qu'on dit au poète à propos de fleurs », est impertinent à son égard et semble le narguer.*

Cette rupture avec les autres est aussi une rupture avec soi-même.

Rimbaud juge « imbécile » celui qui osa envoyer à Banville un an plus tôt « cent ou cent cinquante hexamètres mythologiques intitulés Credo in unam *» (lettre du 15 août) et, comme il solde ses livres ou ceux d'Izambard — dont* Les Glaneuses *de Demeny — (lettre du 12 juillet), il demande à Demeny de brûler le manuscrit qu'il lui a laissé à Douai (lettre du 10 juin). À la littérature ancienne il va substituer une littérature nouvelle ; à* sa *poésie ancienne,* sa *poésie nouvelle dont il distribue les premiers échantillons (« Le cœur supplicié » et ses variantes, « Chant de guerre Parisien », « Mes Petites amoureuses », « Accroupissements », « Les Poètes de sept ans », « Les Pauvres à l'église », « Ce qu'on dit au poète à propos de fleurs »). On sent — et pas seulement dans la dernière de ces pièces — le désir de se moquer des clichés, des joliesses de la poésie décorative, et un goût de la parodie qui n'est pas un simple divertissement, mais une reprise destructrice. En même temps, son agressivité se déchaîne contre les tenants de l'ordre et de l'immobilisme : cette agressivité est révolutionnaire et on peut bien la dire « communarde » puisque la poésie nouvelle doit être une poésie « d'actualité », une poésie « objective », inspirée par « la bataille de Paris » vers lequel « les colères folles » poussent Rimbaud.*

C'est dire clairement — le 13 mai — qu'il n'y est point retourné depuis l'ère nouvelle inaugurée le 18 mars. Le témoignage de Delahaye est suspect sur ce point : si Rimbaud lui a raconté sa folle équipée, ce pouvait être une galéjade (comme l'a suggéré Izambard), et il n'était pas là pour contrôler ses dires (il reconnaît lui-même avoir été absent de Charleville du début avril à la fin mai). Rimbaud a-t-il rejoint la Commune après le 15 mai, assistant même aux événements de la Semaine sanglante ? C'est encore douteux, et ce serait moins intéressant. L'important, c'est qu'entre la lettre du 17 avril et le grand emportement des deux « lettres du Voyant » il ait été bouleversé par l'événement, et qu'il se soit senti de cœur et d'esprit avec les Communards[1].

« Le cœur supplicié », que le colonel Godchot expliquait par les cruelles épreuves infligées au jeune adolescent par la soldatesque de la caserne de Babylone, et Paterne Berrichon par une participation à la Semaine sanglante, dit bien plutôt le mépris dont se sent couvert celui qui reste « à la poupe » — à l'arrière-garde (et la pièce, citée dès le

---

1. Nous ne pouvons ici qu'évoquer très rapidement cette difficile question. Voir Michel Décaudin, « Rimbaud et la Commune — Essai de mise au point » dans *Travaux de linguistique et de littérature*, IX, 2, Strasbourg, 1971, pp. 135-138, et une importante note de Frédéric Eigeldinger et André Gendre dans *Delahaye témoin de Rimbaud*, pp. 304-322.

13 mai, est nécessairement antérieure à la Semaine sanglante). Pour être à côté des « travailleurs [qui] meurent », Rimbaud n'a que ce qu'il appellera sa « main à plume » : le plan d'action poétique qu'il établit dans les lettres du Voyant, les « souffrances [...] énormes » qu'il s'impose en pratiquant « le raisonné dérèglement *de* tous les sens », *le don de soi, ou plutôt la « crev[aison] » qu'il accepte pour prix de son entreprise, folle mais raisonnée, tout cela correspond à sa manière à lui d'entrer dans l'active, d'être un « travailleur » dans le corps des poètes.*

Ce travail horrible porte aussi sur le langage. Tous les commentateurs ont été sensibles au ton nouveau de Rimbaud en 1871, à la violence qu'il fait au vocabulaire, à la syntaxe et au mètre. Avec des accès de « colères folles », et des apaisements : d'où des inégalités qui demeurent. La pièce intitulée « Les Poètes de sept ans », datée du 26 mai, peut paraître moins révolutionnaire que les poésies insérées une dizaine de jours plus tôt dans les « lettres du Voyant ». C'est dire qu'il ne saurait être question de classer les poèmes de l'année 1871 d'après leur apparent degré d'audace.

Y a-t-il une chute ? On en vient à le penser quand on lit la dernière lettre de la série, celle que Rimbaud a adressée à Demeny le 28 août. C'est une lettre d'enfant grondé, chassé, contraint cette fois à la fugue, et qui voudrait être à Paris pour « travailler libre ». Ou plus précisément encore, il accepterait de perdre un peu de temps à de petits travaux (alimentaires) pour consacrer le reste à « la pensée », à son grand travail dont il veut encore offrir quelques échantillons. Le poète de Douai se dérobe. C'est d'un autre poète, de Paris celui-là, que va venir la solution.

Les circonstances de la rencontre de Verlaine et de Rimbaud sont bien connues. Si, en 1871, Rimbaud n'assiste plus aux cours du Collège municipal de Charleville, il fréquente des collègues et connaissances d'Izambard, qui a obtenu sa mutation pour Cherbourg. Il retrouve habituellement, autour d'un bock ou d'une fillette de vin au café de l'Univers, Lenel, Deverrière (à l'adresse de qui Izambard lui écrit) et Paul-Auguste, dit Charles Bretagne (1837-1881), qui accueille quelquefois le petit cercle chez lui. Certains d'entre eux, considérés comme des dupes, sont peut-être au nombre des « imbéciles de collège » dont parle la lettre du 13 mai. Bretagne était contrôleur des contributions indirectes, violoniste, caricaturiste et chansonnier à ses heures perdues. Il avait connu Verlaine à Fampoux, dans le Pas-de-Calais, où il avait auparavant exercé sa profession. Il conseilla à Rimbaud de lui écrire, sans lui donner sans doute l'adresse de sa tante en province. Il avait en effet de la sympathie pour l'adolescent et à la fin des réunions chez lui, raconte Delahaye, qui y participait aussi, « on lisait les vers ou quelques-uns des premiers poèmes en prose » *qu'il avait remis, quand il ne pouvait venir lui-même.*

Un premier envoi, sans doute chez Lemerre, resta sans réponse. C'était, paraît-il, une longue lettre serrée, avec des poèmes recopiés par Delahaye et quelques lignes de Bretagne pour recommander son protégé. Nouvelle lettre, nouvel envoi, Rimbaud insistant sur le projet qu'il a de faire un grand poème, projet qui ne peut aboutir à Charleville. Verlaine ne réagissait pas, car il était alors dans le Nord. Rentré à Paris à la fin du mois d'août, il découvre les lettres du jeune homme de Charleville, et bientôt il lui lance à son tour : « Venez, chère grande âme, on vous appelle, on vous attend. » Il l'invite chez ses beaux-parents, M. et Mme Mauté de Fleurville, dans leur hôtel particulier de la rue Nicolet, à Montmartre et, en compagnie de Charles Cros, il va l'attendre à la gare de Strasbourg, notre actuelle gare de l'Est. Ils le manquent, mais le retrouvent déjà installé chez les Mauté.

Ce n'est pas le lieu d'entrer ici dans le détail de la vie de Rimbaud et de Verlaine à Paris au cours des derniers mois de l'année 1871, du trouble que l'intrus apporta dans la maison des Mauté, dans la vie conjugale de Mathilde, dans l'entourage de Verlaine. Il importe davantage de noter que très peu de temps après son arrivée, le 30 septembre, Rimbaud fait son entrée chez les Vilains Bonshommes, des poètes et artistes bohèmes, au sens parisien du terme, qui se réunissaient pour un dîner mensuel dès 1869 et avaient repris la tradition après la fin de la guerre. Blémont et les rédacteurs de La Renaissance littéraire et artistique, *le photographe Carjat, le peintre Forain, entre autres, en faisaient partie. Mais on y vit Coppée (c'est pour avoir pris son parti qu'ils avaient reçu le nom de Vilains Bonshommes), Banville et Mallarmé lui-même qui a laissé un précieux témoignage. De ce groupement sortira* Un coin de table *peint par Fantin-Latour et achevé en mars 1872.*

Rimbaud, à Charleville, avait rêvé d'entrer dans un pareil cercle, et on peut penser qu'il avait insisté auprès de Verlaine pour que très vite il l'y introduisît. Selon le témoignage de Delahaye, il avait composé un grand poème en vue de le « présenter aux gens de Paris », et c'était « Le Bateau ivre ». Et on veut bien croire qu'il impressionna les Vilains Bonshommes quand il le lut devant eux. Ce n'est pas pour rien non plus que Verlaine s'est donné la peine de le recopier.

À deux reprises, Rimbaud, retour de Douai, était rentré au bercail à l'automne de 1870. Pour le Bateau ivre encore, en 1871, il n'y a qu'un havre, celui-là même qu'il refusait.

Verlaine introduisit parallèlement Rimbaud dans le cercle des « Zutistes », fondé par Charles Cros en novembre 1871. On y trouvait les deux frères du poète inventeur du phonographe, Antoine le médecin et Henri le sculpteur, on y rencontrait Ernest Cabaner, « l'apocalyptique musicien », le peintre et caricaturiste André Gill, le poète Léon Valade, qui faisait aussi partie des Vilains Bonshommes et figure sur le Coin de table *de Fantin-Latour. Le siège est un local dans l'hôtel des Étrangers, au Quartier latin, à l'angle de la rue Racine et de la rue de l'École-de-Médecine. Rimbaud y fut hébergé quelque temps, et Delahaye se rappelait l'y avoir retrouvé.*

*Il reste apparemment peu de chose de ce qu'il écrivit ou projeta d'écrire dans ces premiers mois à Paris. « Voyelles » doit peut-être à l'audition colorée de Cabaner. Mais surtout l'*Album zutique, *création collective du Cercle, atteste la présence de Rimbaud dès le premier sonnet, « Propos du cercle », où lui revient le « Merde » final. Sa contribution personnelle à cet album lui permet de mettre à profit son goût du pastiche et de la parodie : il fait des « coppées », bien sûr, des dizains surtout auxquels il faut ajouter le meilleur d'entre eux, celui qu'il écrivit dans un autre album, pour le dessinateur Félix Regamey, en septembre 1872 ; il compose aussi de faux Armand Silvestre, Léon Dierx, Louis-Xavier de Ricard, Louis Ratisbonne, Belmontet, et même un faux Verlaine, une parodie licencieuse cette fois des* Fêtes galantes.

Mais le plus remarquable est que cet Album zutique *donne à Verlaine et à Rimbaud l'occasion d'une collaboration poétique : ils s'associent pour ajouter au recueil d'Albert Mérat,* L'Idole, *publié par ce familier des Vilains Bonshommes chez Lemerre en 1869, un blason du corps plus qu'osé, le « sonnet du Trou du Cul ». Cette création à quatre mains prouve qu'en 1871, malgré la gravité des événements, on savait s'amuser. L'année de la Commune était aussi pour Rimbaud l'année Verlaine. Un imposant « Dossier Verlaine » s'est constitué comme s'était constitué en 1870 un « Dossier Izambard ».*

P. B.

CHRONOLOGIE

1870 *Novembre*. À son retour à Charleville, Rimbaud fréquente son ancien camarade de collège Ernest Delahaye, dont la mère tient un bazar dans la Grande Rue de Mézières.

30 décembre. Bombardement de Mézières.

31 décembre. Capitulation de Mézières.

1871 *5 janvier*. Début du bombardement de Paris.

18 janvier. Proclamation de l'Empire allemand à Versailles.

28 janvier. Proclamation de l'armistice.

8 février. Élections pour l'Assemblée Nationale.

15 février. On envisage la réouverture du Collège de Charleville. Les cours auraient lieu au Théâtre Municipal. Rimbaud refuse de s'y rendre...

17 février. Constitution du gouvernement provisoire.

19 février. Adolphe Thiers, chef du gouvernement provisoire, appelle Picard à son cabinet.

25 février. Rimbaud part pour Paris, après avoir vendu sa montre.

26 février. Signature des préliminaires de la paix.

1er mars. Les troupes allemandes défilent sur les Champs-Élysées.

10 mars. Rimbaud revient de Paris à Charleville, à pied, semble-t-il.

18 mars. Début de l'insurrection.

28 mars. Installation de la Commune de Paris à l'Hôtel de Ville.

7 avril. Les Versaillais bombardent Neuilly.

12 avril. Rimbaud dépouille la correspondance pour un journal de Charleville, *Le Progrès des Ardennes*.

14 avril. *Le Cri du peuple* publie un article sur les bombardements.

17 avril. Lettre de Rimbaud à Paul Demeny. *Le Progrès des Ardennes* est suspendu.

18 avril. Prise d'Asnières par les Versaillais.
26 avril. Le Collège municipal de Charleville rouvre ses portes. Rimbaud s'obstine dans son refus.
13 mai. Lettre à Georges Izambard (première lettre du Voyant).
15 mai. Lettre à Paul Demeny (deuxième lettre du Voyant).
21-28 mai. La Semaine sanglante.
10 juin. Lettre à Demeny, où Rimbaud lui ordonne de brûler les poèmes qu'il lui a remis à Douai l'année précédente.
12 août. Dans une lettre à Blémont, Verlaine annonce la résurrection du Cercle des Vilains Bonshommes.
15 août. Lettre à Banville contenant « Ce qu'on dit au poète à propos de fleurs » (poème lui-même daté du 14 juillet).
Septembre. Rimbaud, qui a envoyé plusieurs lettres à Verlaine et a enfin été entendu de lui, part pour Paris. Il est accueilli chez les beaux-parents de Verlaine, les Mauté, à Montmartre.
Fin septembre. Il occupe différents logements (chez Cros, chez Cabaner, chez Forain).
30 octobre. Naissance de Georges, le fils de Verlaine.
Début novembre. Ouverture du Cercle zutique à l'hôtel des Étrangers. Il semble que Rimbaud y ait logé quelque temps. Il va collaborer, avec Verlaine ou seul, à l'*Album zutique*.
16 novembre. Entrefilet perfide d'Edmond Lepelletier signalant la présence de Verlaine et de Mlle Rimbaud à une représentation donnée au Théâtre de l'Odéon.
Deuxième quinzaine de novembre. Rimbaud est hébergé par Banville, puis par Charles Cros.
Décembre. Il partage un logement avec le dessinateur et peintre Jean-Louis Forain, rue Campagne-Première. Cette location durera en principe jusqu'au 8 avril 1872.

1872 *Janvier*. Mathilde Verlaine quitte Paris.
Février-mars. Henri Fantin-Latour peint *Un coin de table*, où Rimbaud est représenté à côté de Verlaine.

[LETTRES ET POÈMES INCLUS]

[Lettre à Paul Demeny du 17 avril 1871]

Charleville, 17 avril 1871.

Votre lettre est arrivée hier 16. Je vous remercie.

— Quant à ce que je vous demandais, étais-je sot ! Ne sachant rien de ce qu'il faut savoir, résolu à ne faire rien de ce qu'il faut faire, je suis condamné, dès toujours, pour jamais. Vive aujourd'hui, vive demain !

Depuis le 12, je dépouille la correspondance au *Progrès des Ardennes*[1] : aujourd'hui, il est vrai, le journal est suspendu. Mais j'ai apaisé la bouche d'ombre[2] pour un temps.

Oui, vous êtes heureux, vous. Je vous dis cela. — et qu'il est des misérables qui, femme ou idée, ne trouveront pas la Sœur de charité[3].

Pour le reste, pour aujourd'hui, je vous conseillerais bien de vous pénétrer de ces versets d'Ecclésiaste, cap. 11-12[4], aussi sapients que romantiques : « Celui-là aurait sept replis de folie en l'âme, qui, ayant pendu ses habits au soleil, geindrait à l'heure de la pluie » ; mais foin de la sapience et de 1830[5] : causons Paris.

J'ai vu quelques nouveautés chez Lemerre : deux poèmes de Leconte de Lisle, *Le Sacre de Paris, Le Soir d'une bataille*. — De F. Coppée : *Lettre d'un Mobile breton*. — Mendès : *Colère d'un franc-tireur*. — A. Theuriet : *L'Invasion*.

---

1. Journal républicain. Il avait été fondé par Jacoby, un photographe de Mézières, en novembre 1870. Par un curieux concours de circonstances, il est suspendu, ce même 17 avril 1871, par l'occupant qui le juge subversif. **2.** L'expression, empruntée au célèbre poème de Victor Hugo, « Ce que dit la bouche d'ombre », dans *Les Contemplations*, désigne Mme Rimbaud. **3.** Voir pp. 282-284, « Les Sœurs de charité », poème qui semble pourtant postérieur à cette lettre. Rimbaud fait ici allusion au mariage de Demeny, qui avait eu lieu à Douai le 23 mars précédent. **4.** Où on les chercherait en vain... **5.** L'année romantique par excellence.

A. Lacaussade : *Vae victoribus*. — Des poèmes de Félix Franck, d'Émile Bergerat. — Un *Siège de Paris*[1], fort volume, de Claretie.

J'ai lu là-bas *Le Fer rouge, Nouveaux châtiments*, de Glatigny, dédié à Vacquerie ; — en vente chez Lacroix, Paris et Bruxelles, probablement.

À la Librairie Artistique[2], — je cherchais l'adresse de Vermersch[3] — on m'a demandé de vos nouvelles. Je vous savais alors à Abbeville.

Que chaque libraire ait son *Siège*, son *Journal de Siège*, — Le *Siège* de Sarcey[4] en est à sa quatorzième édition ; — que j'aie vu des ruissellements fastidieux de photographies et de dessins relatifs au Siège, — vous ne douterez jamais. On s'arrêtait aux gravures de A. Marie, *les Vengeurs, les Faucheurs de la Mort* ; surtout aux dessins comiques de Draner et de Faustin. — Pour les théâtres, abomination de la désolation. — Les choses du jour étaient *le Mot d'ordre*[5] et les fantaisies, admirables, de Vallès et de Vermersch au *Cri du Peuple*.

Telle était la littérature — du 25 Février au 10 Mars. — Du reste, je ne vous apprends peut-être rien de nouveau.

En ce cas, tendons le front aux lances des averses[6], l'âme à la sapience antique.

Et que la littérature belge nous emporte sous son aisselle.

Au revoir,

A. Rimbaud.

[Lettre à Georges Izambard du 13 mai 1871]

Charleville, mai 1871.

Cher Monsieur !

Vous revoilà professeur. On se doit à la Société, m'avez-vous dit ; vous faites partie des corps enseignants : vous roulez dans la bonne ornière. — Moi aussi, je suis le principe : je me fais cyniquement *entretenir* ; je

1. En réalité, *Paris assiégé*, 1870-1871, éd. Goupil, Paris. **2.** Rue Bonaparte ; cette librairie avait publié *Les Glaneuses*, de Demeny. **3.** Eugène Vermersch, journaliste républicain. **4.** Francisque Sarcey, *Siège de Paris, impressions et souvenirs*, Paris, E. Lachaud, 1871. **5.** Le journal de Rochefort, qui avait commencé à paraître le 1er février. **6.** Allusion à un vers de Verlaine (« Effet de nuit », dans les *Poèmes saturniens*) : « Luisant à contresens des lances des averses ».

déterre d'anciens imbéciles de collège[1] : tout ce que je puis inventer de bête, de sale, de mauvais, en action et en parole, je le leur livre : on me paie en bocks et en filles[2]. — Stat mater dolorosa, dum pendet filius[3]. — Je me dois à la Société, c'est juste, — et j'ai raison. — Vous aussi, vous avez raison, pour aujourd'hui[4]. Au fond, vous ne voyez en votre principe que poésie subjective[5] : votre obstination à regagner le ratelier universitaire[6], — pardon ! — le prouve ! Mais vous finirez toujours comme un satisfait qui n'a rien fait, n'ayant rien voulu faire. Sans compter que votre poésie subjective sera toujours horriblement fadasse. Un jour, j'espère, — bien d'autres espèrent la même chose, — je verrai dans votre principe la poésie objective[7], je la verrai plus sincèrement que vous ne le feriez ! — Je serai un travailleur[8] : c'est l'idée qui me retient, quand les colères folles me poussent vers la bataille de Paris — où tant de travailleurs meurent pourtant encore tandis que je vous écris ! Travailler maintenant, jamais, jamais ; je suis en grève.

Maintenant je m'encrapule[9] le plus possible. Pourquoi ? je veux être poète, et je travaille à me rendre *voyant* : vous ne comprendrez pas du tout, et je ne saurais presque vous expliquer. Il s'agit d'arriver à l'inconnu par le dérèglement de *tous les sens*. Les souffrances sont énormes, mais il faut être fort, être né poète, et je me suis reconnu poète. Ce n'est pas du tout ma faute. C'est faux de dire : Je pense : on devrait dire : On me pense. — Pardon du jeu de mots. —

Je est un autre. Tant pis pour le bois qui se trouve violon, et Nargue[10] aux inconscients, qui ergotent sur ce qu'ils ignorent tout à fait !

Vous n'êtes pas Enseignant pour moi. Je vous donne ceci : est-ce de la satire, comme vous diriez ? Est-ce de la poésie ? C'est de la fantaisie, tou-

---

1. Probablement d'anciens camarades de collège, peut-être aussi des professeurs. **2.** Une explication a longtemps eu cours : filles (ou fillettes) désigne en patois (pas seulement ardennais) des chopines de vin ; mais Gérald Schaeffer n'a pas tort de rappeler la réplique de Béranger, citée par Littré : « Taisez-vous. Vous sentez le vin et la fille » (*Lettres du Voyant*, éd. critique et commentée, Droz, 1973, p. 122). **3.** Liturgie du 15 septembre, d'après Jean, XIX, 25 : « *Stabat mater dolorosa, / Juxta crucem lacrimosa / Dum pendebat Filius.* » Cette utilisation sarcastique du texte liturgique vise Mme Rimbaud, la mère douloureuse qui souffre de voir son fils engagé dans la mauvaise ornière. **4.** C'est-à-dire pour le moment où vous jouissez égoïstement de l'utilisation que vous faites du principe. **5.** Qui flatte le moi. **6.** Izambard venait d'accepter un nouveau poste à Cherbourg. **7.** Véritablement tournée vers l'objet, vers l'autre. **8.** Le mot se trouvera défini dans la lettre suivante : il implique une sorte de dévouement prométhéen à l'humanité. Mais Rimbaud joue dans ce passage sur le double sens du terme : le travail selon Izambard, et le travail tel qu'il l'entend lui-même. **9.** Néologisme formé, comme le note G. Schaeffer, par contamination de « crapuler » (« vivre dans la crapule ») et « s'encanailler ». C'est la forme rimbaldienne du travail nouveau. **10.** Substantif.

jours. — Mais, je vous en supplie, ne soulignez ni du crayon ni — trop — de la pensée :

Le cœur supplicié[1].

Mon triste cœur bave à la poupe[2]...
Mon cœur est plein de caporal[3] !
Ils y lancent des jets de soupe,
Mon triste cœur bave à la poupe...
Sous les quolibets de la troupe
Qui lance un rire général,
Mon triste cœur bave à la poupe,
Mon cœur est plein de caporal !

Ithyphalliques[4] et pioupiesques
Leurs insultes l'ont dépravé ;
À la vesprée, ils font des fresques
Ithyphalliques et pioupiesques ;
Ô flots abracadabrantesques[5],
Prenez mon cœur, qu'il soit sauvé !
Ithyphalliques et pioupiesques
Leurs insultes l'ont dépravé !

Quand ils auront tari leurs chiques,
Comment agir, ô cœur volé ?
Ce seront des refrains bachiques
Quand ils auront tari leurs chiques !
J'aurai des sursauts stomachiques

---

1. Première version d'un texte qui en connut au moins trois (« Le Cœur du pitre », dans la lettre à Demeny du 10 juin 1871 ; « Le Cœur volé » dans une copie de Verlaine ; voir pp. 255-256 et 274-275). **2.** Ce mot a fait écrire à Izambard qu'il s'agissait ici d'un pré-« Bateau ivre », et que l'expérience est celle d'un mousse sur un bateau beaucoup plus que celle d'un soldat dans une caserne. Il faut surtout insister, à notre avis, sur le fait que Rimbaud se situe à l'arrière, c'est-à-dire probablement : loin du combat. Le second sens suggéré par Jacques Bienvenu, « mamelle, sein de femme », oriente le poème dans un sens qui n'est pas nécessaire (*Parade sauvage*, n° 14, mai 1997, p. 51). **3.** De tabac, « de caporal chiqué et craché » (A. Adam). **4.** Ithyphalle : phallus en érection. **5.** Comme le rappelle Suzanne Briet, Rimbaud enfant avait écrit sur un triangle magique ABRACADABRA en ajoutant « pour préserver de la fièvre ».

Si mon cœur triste est ravalé[1] !
Quand ils auront tari leurs chiques
Comment agir, ô cœur volé ?

Ça ne veut pas rien dire[2]. — RÉPONDEZ-MOI : chez Mr Deverrière, pour A.R.

Bonjour de cœur,

Art. Rimbaud

[Lettre à Paul Demeny du 15 mai 1871]

Charleville, 15 mai 1871

J'ai résolu de vous donner une heure de littérature nouvelle ;
Je commence de suite par un psaume d'actualité[3] :

Chant de guerre Parisien[4]

Le Printemps est évident, car
Du cœur des Propriétés vertes[5],
Le vol de Thiers[6] et de Picard[7]
Tient ses splendeurs grandes ouvertes !

Ô Mai ! quels délirants cul-nus[8] !
Sèvres, Meudon, Bagneux, Asnières,
Écoutez donc les bienvenus
Semer les choses printanières[9] !

---

1. Avili, mais aussi ré-avalé (d'où le sursaut stomachique). **2.** Cette phrase a souvent été glosée. Il n'est pas nécessaire pour autant de prêter au poème un sens cryptique. Le thème (le dégoût), la forme (les triolets) en disent assez. **3.** C'est bien de cela qu'il s'agit : d'un psaume d'espérance en l'action des Communards ; d'un poème d'actualité qui évoque les événements récents : l'armée régulière a, sur l'ordre de Thiers, mis le siège devant Paris, pénétrant par la porte de Saint-Cloud. **4.** Le titre indique que le poème doit être une reprise parodique du « Chant de guerre circassien » de François Coppée (voir J. Gengoux, *op. cit.*, p. 273). **5.** Les propriétés vertes de Passy, peut-être le parc de Versailles. **6.** Nommé chef du pouvoir exécutif le 17 février. Double sens de *vol*. **7.** Ernest Picard (1821-1877) avait été choisi par Thiers comme ministre de l'Intérieur. **8.** Orthographe du manuscrit. **9.** Les obus.

Ils ont schako, sabre et tam-tam [1]
Non la vieille boîte à bougies [2]
Et des yoles qui n'ont jam, jam [3]...
Fendent le lac [4] aux eaux rougies !

Plus que jamais nous bambochons
Quand arrivent sur nos tanières [5]
Crouler les jaunes cabochons [6]
Dans des aubes particulières !

Thiers et Picard sont des Éros [7],
Des enleveurs d'héliotropes [8],
Au pétrole ils font des Corots [9] :
Voici hannetonner leurs tropes [10]...

Ils sont familiers du Grand Truc [11] !...
Et couché dans les glaïeuls, Favre [12]
Fait son cillement aqueduc [13],
Et ses reniflements à poivre [14] !

La Grand ville a le pavé chaud,
Malgré vos douches de pétrole [15],
Et décidément, il nous faut
Vous secouer dans votre rôle...

---

1. Une armée de sauvages donc, de nègres blancs. **2.** Désigne, selon J. Mouquet, le « trombone à pistons ». **3.** D'après la chanson « Il était un petit navire ». **4.** Le lac du Bois de Boulogne. **5.** Variante dans la marge : « Quand viennent sur nos fourmilières ». **6.** Pierres précieuses taillées ; il s'agit toujours des obus. **7.** Jeu de mots : Éros/ héros/ zéros. **8.** Éros avait enlevé Psyché ; Thiers et Picard se contentent d'enlever des fleurs, qu'ils rasent à coups d'obus. **9.** Avec les bombes au pétrole, ils confèrent au paysage les rougeurs d'un tableau de Corot. **10.** Jeu de mots : tropes (figures de rhétorique) / troupes (*tropes* dans l'ancienne langue, par exemple chez Du Bellay). Thiers et Picard n'attaqueraient-ils qu'avec des mots ? Sur le sens de « hannetonner », voir l'article d'Enid Rhodes Peschel, dans *Studi francesi*, janvier-avril 1976, pp. 87-88. Le mot ne veut pas dire « s'avancer comme des hannetons », mais « chasser les hannetons pour les tuer ». **11.** Il était question de Turcs dans le « Chant de guerre circassien » de Coppée. Pour A. Adam, le « Grand Truc » c'est Dieu. Explication ingénieuse de Louis Forestier : « Les trois hommes politiques (Thiers, Picard, Favre) ne seraient pas "trois Grâces", mais trois putains familières du grand bordel politique, du Grand Truc (analogique du Grand Seize, le plus grand des salons du Café Anglais, qui voyait passer nombre de soupeuses vénales). » **12.** Jules Favre, ministre des Affaires étrangères, qui a négocié la capitulation (traité de Francfort, 10 mai) avec des pleurs hypocrites qui avaient fait l'objet de maintes caricatures. **13.** Qui amène l'eau (des larmes). **14.** Il s'est mis du poivre dans les narines pour pleurer. **15.** Les bombes.

Et les Ruraux[1] qui se prélassent
Dans de longs accroupissements,
Entendront des rameaux qui cassent
Parmi les rouges froissements[2] !

A. Rimbaud

— Voici de la prose sur l'avenir de la poésie —

Toute poésie antique aboutit à la poésie grecque ; Vie harmonieuse[3], — De la Grèce au mouvement romantique, — moyen-âge[4] —, il y a des lettres, des versificateurs. D'Ennius[5] à Théroldus[6], de Théroldus à Casimir Delavigne[7], tout est prose rimée, un jeu, avachissement et gloire d'innombrables générations idiotes : Racine est le pur, le fort, le grand[8]. — On eût soufflé sur ses rimes, brouillé ses hémistiches, que le Divin Sot serait aujourd'hui aussi ignoré que le premier venu auteur d'Origines[9]. — Après Racine, le jeu moisit. Il a duré deux mille ans.

Ni plaisanterie, ni paradoxe. La raison[10] m'inspire plus de certitudes sur le sujet que n'aurait jamais eu de colères un jeune-France[11]. Du reste, libre aux *nouveaux* ! d'exécrer les ancêtres : on est chez soi et l'on a le temps[12].

On n'a jamais bien jugé le romantisme ; qui l'aurait jugé ? Les criti-

1. Parti des gros propriétaires terriens à l'Assemblée nationale, adversaires des Communards (voir dans *Le Cri du peuple* du 27 mars l'article de J.-B. Clément intitulé « Les Ruraux »). Rimbaud les menace comme le Forgeron menaçait Louis XVI. **2.** Dans la marge Rimbaud a écrit en face des strophes 3 à 6 : « Quelles rimes ! ô ! quelles rimes ! » **3.** Pour le rapport poésie/vie voir la précédente lettre à Izambard, où les deux termes étaient presque équivalents. Par « poésie grecque » Rimbaud entend sans doute celle du Vᵉ siècle. **4.** Qui se trouve ainsi démesurément étendu. **5.** Le premier poète latin qui ait utilisé l'hexamètre dans ses *Annales*, poème épique en dix-huit livres, dont il ne reste plus que des bribes. **6.** Graphie courante au XIXᵉ siècle pour Turoldus (c'est celle qu'adoptait Verlaine dans le « Prologue » des *Poèmes saturniens*). Le nom apparaît à la fin de la *Chanson de Roland* comme s'il était celui de l'auteur du poème. **7.** Casimir Delavigne (1793-1843) est très vite devenu le représentant de l'art académique avec ses tragédies et ses poèmes patriotiques, *Les Messéniennes*. **8.** Tel est le lieu commun que Rimbaud dénonce. **9.** Titre banal par excellence au XIXᵉ siècle ; mais Rimbaud songe sans doute surtout aux premiers versificateurs grecs ou latins, dont la tâche première était de dire les origines du monde ou les origines de l'*Urbs* et qui ont sombré dans l'oubli. **10.** Le mot est important : il ne s'agit pas d'un « délire », pas même d'un mouvement d'humeur, d'un emportement romantique. **11.** Les « Jeune-France » avaient été les soutiens du romantisme, et Théophile Gautier leur avait consacré un livre en 1833. **12.** Installation du vivant, du *nouveau*, dans l'espace et dans le temps dont il dispose, contrairement aux *ancêtres*, aux défunts. Cette liberté procède d'un droit tout à fait empirique et ne va pas sans quelque cynisme.

ques ! ! Les romantiques, qui prouvent si bien que la chanson est si peu souvent l'œuvre, c'est à dire la pensée chantée *et comprise*[1] du chanteur ?

Car Je est un autre[2]. Si le cuivre s'éveille clairon, il n'y a rien de sa faute. Cela m'est évident : j'assiste à l'éclosion de ma pensée : je la regarde, je l'écoute : je lance un coup d'archet : la symphonie fait son remuement dans les profondeurs, ou vient d'un bond sur la scène.

Si les vieux imbéciles n'avaient pas trouvé du Moi que la signification fausse[3], nous n'aurions pas à balayer ces millions de squelettes qui, depuis un temps infini, ont accumulé les produits de leur intelligence borgnesse, en s'en clamant les auteurs !

En Grèce, ai-je-dit, vers et lyres *rhythment l'Action*[4]. Après, musique et rimes sont jeux, délassements. L'étude de ce passé charme les curieux : plusieurs s'éjouissent à renouveler ces antiquités : — c'est pour eux. L'intelligence universelle a toujours jeté ses idées, naturellement ; les hommes ramassaient une partie de ces fruits du cerveau : on agissait par, on en écrivait des livres : telle allait la marche, l'homme ne se travaillant pas, n'étant pas encore éveillé, ou pas encore dans la plénitude du grand songe. Des fonctionnaires, des écrivains : auteur, créateur, poète, cet homme n'a jamais existé[5] !

La première étude de l'homme qui veut être poète est sa propre connaissance, entière ; il cherche son âme, il l'inspecte, il la tente, l'apprend. Dès qu'il la sait, il doit la cultiver ; Cela semble simple : en tout cerveau s'accomplit un développement naturel ; tant *d'égoïstes* se proclament auteurs ; il en est bien d'autres qui s'attribuent leur progrès intellectuel ! — Mais il s'agit de faire l'âme monstrueuse : à l'instar des comprachicos[6],

---

1. Baudelaire voulait que le poète se doublât d'un critique. Selon Rimbaud, cette conscience critique a manqué aux romantiques. **2.** La formule a souvent été commentée ; on la retrouve dans la lettre précédente. Elle implique, nous semble-t-il, un double dédoublement : celui de l'inspiré (comme l'écrivait Jacques Rivière, « il est impossible à Rimbaud de préparer pour nous ce qu'il va dire parce qu'il ne le tient pas à l'avance, parce qu'il ne l'apprend qu'au moment où il le profère... il assiste à ce qu'il exprime »), celui du critique. Gérald Schaeffer l'a bien vu, qui écrit : « Rimbaud propose [...] une étrange théorie, selon laquelle le langage poétique véritable est comme dicté à l'auteur qui ne fera une *œuvre* que si, conscient d'être le réceptacle de voix venues d'*ailleurs*, il s'attache à la fois à mettre en forme et à pénétrer le discours qu'il perçoit en lui » (éd. cit., p. 158). **3.** Celle qui repose sur le principe d'identité. **4.** C'est ce qu'entendait Rimbaud quand il parlait plus haut de « Vie harmonieuse ». **5.** Dans ce paragraphe, d'une écriture parfois rugueuse, Rimbaud renvoie dos à dos ceux à qui manque l'inspiration (les Parnassiens en particulier) et ceux à qui manque la conscience critique. Le poète nouveau unira ces deux données. **6.** Le mot est emprunté à *L'Homme qui rit* (1869) de Victor Hugo : « Les *comprachicos* faisaient le commerce des enfants. Ils en achetaient et ils en vendaient. Ils n'en dérobaient point. Le vol des enfants est une autre industrie. Et que faisaient-ils de ces enfants ? Des monstres. Pourquoi des monstres ? Pour rire. »

quoi ! Imaginez un homme s'implantant et se cultivant des verrues sur le visage.

Je dis qu'il faut être *voyant*[1], se faire *voyant*.

Le Poète se fait *voyant* par un long, immense et raisonné *dérèglement* de *tous les sens*. Toutes les formes d'amour, de souffrance, de folie ; il cherche lui-même, il épuise en lui tous les poisons, pour n'en garder que les quintessences. Ineffable torture où il a besoin de toute la foi, de toute la force surhumaine, où il devient entre tous le grand malade, le grand criminel, le grand maudit[2], — et le suprême Savant ! — Car il arrive à l'*inconnu* ! Puisqu'il a cultivé son âme, déjà riche, plus qu'aucun ! Il arrive à l'inconnu, et quand, affolé, il finirait par perdre l'intelligence de ses visions, il les a vues ! Qu'il crève dans son bondissement par les choses inouïes et innommables : viendront d'autres horribles travailleurs[3] ; ils commenceront par les horizons où l'autre s'est affaissé !

— la suite à six minutes —

Ici j'intercale un second psaume, *hors du texte* : veuillez tendre une oreille complaisante, — et tout le monde sera charmé. — J'ai l'archet en main, je commence :

---

1. Rimbaud n'est pas le premier à employer le mot ; on serait même tenté de dire qu'il est banal à l'époque (*cf.* « Le vrai poète est un voyant », article d'Henri du Cleuziou paru dans *Le Mouvement* le 1er janvier 1862). Bonne définition de G. Schaeffer, éd. cit., p. 164 : « emprunté au vocabulaire biblique, le terme *voyant* désigne clairement celui qui, après avoir exploré son âme jusque dans les recoins les plus mystérieux et lui avoir fait subir toutes les expériences possibles, parvient à voir les secrets cachés à l'homme ou à l'artiste paresseux, et, poète, revient de l'inconnu pour décrire, pour témoigner ». **2.** L'entreprise des *comprachicos*, telle que la décrivait Hugo, apparaissait bien comme maudite : « Dégrader l'homme mène à le réformer. On complétait la suppression d'état par la défiguration. Certains vivisecteurs de ces temps-là réussissaient très bien à effacer de la face humaine l'effigie divine. » **3.** Au sens nouveau où l'entend Rimbaud ; *cf.* la lettre précédente.

Mes Petites amoureuses [1]

Un hydrolat [2] lacrymal lave
Les cieux vert-chou :
Sous l'arbre tendronnier [3] qui bave [4],
Vos caoutchoucs [5]

Blancs de lunes particulières
Aux pialats [6] ronds,
Entrechoquez vos genouillères
Mes laiderons !

Nous nous aimions à cette époque,
Bleu laideron !
On mangeait des œufs à la coque
Et du mouron [7] !

Un soir, tu me sacras poète
Blond laideron :
Descends ici, que je te fouette
En mon giron ;

J'ai dégueulé ta bandoline [8],
Noir laideron ;
Tu couperais ma mandoline
Au fil du front [9].

---

1. On a tenté d'expliquer la violence de ce poème par une déception sentimentale que, selon Léon Pierquin, Rimbaud aurait éprouvée en mai 1871. C'est sûrement un « roman ». Les mots qui, dans la lettre, introduisent la pièce constituent un commentaire suffisant : sans guère se soucier du sens, Rimbaud fait vibrer dans le premier vers la corde de *la* (« Un hydro*lat la*crymal *la*ve ») pour donner le branle à une danse macabre où, ménétrier sarcastique, il entraîne ses petites amoureuses réelles ou rêvées. J. Gengoux a bien vu qu'il s'agissait encore ici d'une parodie, parodie cette fois d'un poème de Glatigny, « Les Petites Amoureuses », dans *Les Flèches d'or*. **2.** Eau distillée sur des fleurs ou des plantes aromatiques ; on le trouvait en pharmacie. Ici = la pluie. **3.** Jeu sur les deux sens du mot « tendron » : bourgeon/jeune fille. **4.** La pluie qui dégouline ; inutile de supposer ici un sens érotique. **5.** Imperméables. Syntaxe : « Vos caoutchoucs [étant] blancs... » **6.** Aucune explication satisfaisante pour ce mot, où l'on retrouve le *la* du ménétrier. **7.** Le *mouron* des oiseaux, qui sert à la nourriture des oiseaux de volière. **8.** Sorte de brillantine. **9.** Tant il est anguleux ; expression formée d'après « fil de l'épée ».

Pouah ! mes salives desséchées,
Roux laideron
Infectent encor les tranchées
De ton sein rond !

Ô mes petites amoureuses,
Que je vous hais !
Plaquez de fouffes[1] douloureuses
Vos tétons laids !

Piétinez mes vieilles terrines
De sentiment ;
— Hop donc ! Soyez-moi ballerines
Pour un moment !..

Vos omoplates se déboîtent,
Ô mes amours !
Une étoile à vos reins qui boitent,
Tournez vos tours !

Et c'est pourtant pour ces éclanches[2]
Que j'ai rimé !
Je voudrais vous casser les hanches
D'avoir aimé !

Fade amas d'étoiles[3] ratées,
Comblez les coins !
— Vous crèverez en Dieu, bâtées
D'ignobles soins !

Sous les lunes particulières
Aux pialats ronds,

---

1. Deux explications proposées pour ce mot : gifles ; chiffons. J.-L. Steinmetz (*Poésies*, éd. G.F., 1989, p. 251 n.) préfère cette deuxième solution. Jean-Pierre Bobillot en a proposé une troisième (*Parade sauvage*, n° 13, 1996, pp. 2-4). **2.** Épaules de mouton (terme de boucherie). Sur ces « éclanches », voir l'article de Maria Luisa Premuda Perosa dans *Parade sauvage*, Colloque n° 3, 1991, qui, à la lumière des textes de l'époque, propose le sens de « mains grasses et disgracieuses ». **3.** Et même de danseuses étoiles...

Entrechoquez vos genouillères,
Mes laiderons[1] !

A. R.

Voilà. Et remarquez bien que, si je ne craignais de vous faire débourser plus de 60c de port, — moi pauvre effaré qui, depuis sept mois, n'ai pas tenu un seul rond de bronze ! — je vous livrerais encore mes Amants de Paris, cent hexamètres, Monsieur, et ma Mort de Paris, deux cents hexamètres[2] ! — Je reprends :

Donc le poète est vraiment voleur de feu[3]. Il est chargé de l'humanité, des *animaux* même ; il devra faire sentir, palper, écouter ses inventions ; si ce qu'il rapporte *de là-bas* a forme, il donne forme : si c'est informe, il donne de l'informe. Trouver une langue ;

— Du reste, toute parole étant idée, le temps d'un langage universel viendra ! Il faut être académicien, — plus mort qu'un fossile, — pour parfaire un dictionnaire, de quelque langue que ce soit. Des faibles se mettraient *à penser* sur la première lettre de l'alphabet, qui pourraient vite ruer dans la folie ! —

Cette langue sera de l'âme pour l'âme, résumant tout, parfums, sons, couleurs[4], de la pensée accrochant la pensée et tirant. Le poète définirait la quantité d'inconnu s'éveillant[5] en son temps dans l'âme universelle : il donnerait plus — que la formule de sa pensée, que la notation *de sa marche au* Progrès ! Énormité devenant norme, absorbée par tous, il serait vraiment *un multiplicateur de progrès* !

Cet avenir sera matérialiste[6], vous le voyez ; — Toujours pleins du *Nombre* et de l'*Harmonie* ces poèmes seront faits pour rester. — Au fond, ce serait encore un peu la Poésie grecque. L'art éternel aurait ses fonctions ; comme les poètes sont citoyens. La Poésie ne rythmera plus l'action ; elle *sera en avant*.

Ces poètes seront ! Quand sera brisé l'infini servage de la femme[7], quand elle vivra pour elle et par elle, l'homme, — jusqu'ici abominable, — lui ayant donné son renvoi, elle sera poète, elle aussi ! La femme trou-

---

1. Dans la marge de gauche, en face des strophes 2 à 4 ! : « Quelles rimes ! ô ! quelles rimes ! » **2.** Ces poèmes n'ont peut-être jamais existé ; leurs titres, leur longueur, leur forme vieillie, tout indique la dérision. **3.** Comme Prométhée. **4.** Suppression de la dualité intellect/sensible (G. Schaeffer). **5.** Rayé : « dormant ». **6.** Dans la mesure où il y aura fusion de la pensée et de la matière, de la pensée et du langage. **7.** La libération de la femme était d'actualité au moment de la Commune ; mais elle était annoncée depuis longtemps par la littérature illuministe. Rimbaud, nouveau prophète, en fait naturellement l'un de ses thèmes.

vera de l'inconnu[1] ! Ses mondes d'idées différeront-ils des nôtres ? — Elle trouvera des choses étranges, insondables, repoussantes, délicieuses ; nous les prendrons, nous les comprendrons.

En attendant, demandons aux *poètes* du *nouveau*, — idées et formes. Tous les habiles croiraient bientôt avoir satisfait à cette demande. — Ce n'est pas cela !

Les premiers romantiques ont été *voyants* sans trop bien s'en rendre compte : la culture de leurs âmes s'est commencée aux accidents : locomotives abandonnées, mais brûlantes, que prennent quelque temps les rails[2]. — Lamartine est quelquefois voyant, mais étranglé par la forme vieille. — Hugo, *trop cabochard*, a bien du *vu* dans les derniers volumes : les Misérables sont un vrai *poème*. J'ai les Châtiments sous main ; *Stella*[3] donne à peu près la mesure de la *vue* de Hugo. Trop de Belmontet[4] et de Lamennais, de Jéhovahs et de colonnes, vieilles énormités crevées.

Musset est quatorze fois exécrable pour nous, générations douloureuses et prises de visions, — que sa paresse d'ange a insultées ! Ô ! les contes et les proverbes fadasses ! Ô les nuits ! Ô Rolla, ô Namouna, ô la Coupe[5] ! Tout est français, c'est-à-dire haïssable au suprême degré ; français, pas parisien ! Encore une œuvre de cet odieux génie qui a inspiré Rabelais, Voltaire, Jean lafontaine, ! commenté par M. Taine ! Printanier, l'esprit de Musset ! Charmant, son amour ! En voilà, de la peinture à l'émail, de la poésie solide ! On savourera longtemps la poésie *française*, mais en France. Tout garçon épicier est en mesure de débobiner une apostrophe Rollaque[6], tout séminariste en porte les cinq cent rimes dans le secret d'un carnet. À quinze ans, ces élans de passion mettent les jeunes en rut ; à seize ans, ils se contentent déjà de les réciter avec *cœur* ; à dix-huit ans, à dix-sept même, tout collégien qui a le moyen, fait le Rolla, écrit un Rolla ! Quelques-uns en meurent peut-être encore. Musset n'a rien su faire : il y avait des visions derrière la gaze des rideaux : il a fermé les yeux. Français, panadif[7], traîné de l'estaminet au pupitre de

---

1. *Cf.* ce que Michelet écrivait dans *La Sorcière* : « La femme s'ingénie, imagine : elle enfante des songes et des dieux. Elle est *voyante* à certains jours ; elle a l'aide infinie du désir et du rêve » (cité par G. Schaeffer, p. 180). **2.** Les rails (du progrès). Contrairement à G. Schaeffer nous pensons que l'expression est ici métaphorique. **3.** Dans le Livre VI des *Châtiments*. **4.** Louis Belmontet (1799-1879) collabora d'abord avec les frères Hugo à *La Muse française*, en 1824, avant de revenir à un néo-classicisme plus académique. Voir l'*Album zutique*, p. 312. **5.** *La Coupe et les lèvres*. **6.** À la manière de *Rolla*. **7.** Mot forgé par Rimbaud d'après *panade* qui, selon Littré, a pour sens figuré « qui est sans énergie, sans consistance ». Autre explication : qui se pavane comme un paon.

collège, le beau mort est mort, et, désormais, ne nous donnons même plus la peine de le réveiller par nos abominations !

Les seconds romantiques [1] sont très *voyants* ; Th. Gautier, Lec. de Lisle, Th. de Banville. Mais inspecter l'invisible et entendre l'inouï étant autre chose que reprendre l'esprit des choses mortes, Baudelaire est le premier voyant, roi des poètes, *un vrai Dieu*. Encore a-t-il vécu dans un milieu trop artiste ; et la forme si vantée en lui est mesquine : les inventions d'inconnu réclament des formes nouvelles.

Rompue aux formes vieilles, parmi les innocents, A. Renaud [2], — a fait son rolla, — L. Grandet [3], — a fait son Rolla ; — les gaulois et les Musset, G. Lafenestre [4], Coran [5], Cl. Popelin [6], Soulary [7], L. Salles [8] ; Les écoliers, Marc [9], Aicard [10], Theuriet [11] ; les morts et les imbéciles, Autran [12], Barbier [13], L. Pichat [14], Lemoyne [15], les Deschamps [16], les Desessarts [17] ; Les journalistes, L. Cladel [18], Robert Luzarches [19], X. de Ricard [20] ; les fantaisistes, C. Mendes [21] ; les bohêmes ; les femmes ; les talents, Leon Dierx, Sully Prudhomme, Coppée, — la nouvelle école, dite parnassienne, a deux voyants, Albert Mérat [22] et Paul Verlaine, un vrai poète. — Voilà. — Ainsi je travaille à me rendre *voyant*. — Et finissons par un chant pieux.

---

1. Après les premiers romantiques (les « Jeune-France »), voici les seconds romantiques (mouvement de l'Art pour l'Art, Parnasse), ceux qu'en 1884 Catulle Mendès appellera les « néo-romantiques ». **2.** Armand Renaud (1836-1895) venait de faire paraître *Les Nuits persanes*. **3.** Léon Barracand (1844-1919) avait déjà publié, sous le pseudonyme de Léon Grandet, *Donaniel* (1866) et *Yolande* (1867). **4.** Georges Lafenestre (1837-1919). **5.** Charles Coran (1814-1901). **6.** Claudius Popelin (1825-1892). **7.** Joséphin Soulary (1815-1891), auteur de *Sonnets humoristiques*. **8.** Louis Salles, *Les Amours de Pierre et de Léa*, Lemerre, 1869. **9.** Gabriel Marc, auteur de *Soleils d'octobre*, Lemerre, 1869. **10.** Jean Aicard (1848-1921). **11.** André Theuriet (1833-1907). **12.** Joseph Autran (1813-1877). **13.** Jules Barbier (1825-1907). **14.** Léon Laurent-Pichat (1823-1886), *Avant le jour*, Lemerre, 1868. **15.** Camille-André Lemoyne (1822-1907). **16.** Émile (1791-1871) et Antony (1800-1869) Deschamps. **17.** Alfred Des Essarts (1813-1893) et son fils Emmanuel (1839-1909). **18.** Léon Cladel (1835-1892). **19.** Robert Luzarches, auteur des *Excommuniés* (Lemerre, 1862) et du *Nouveau spectre rouge* (Le Chevalier, 1870). **20.** Xavier de Ricard (1843-1911). **21.** Catulle Mendès dirigeait depuis 1861 *La Revue fantaisiste*. **22.** Albert Mérat (1840-1909), aujourd'hui bien oublié, avait collaboré au *Parnasse contemporain* et publié *Les Chimères, L'Idole, Les Villes de marbre*.

Accroupissements [1]

Bien tard, quand il se sent l'estomac écœuré,
Le frère Milotus [2], un œil à la lucarne
D'où le soleil, clair comme un chaudron récuré,
Lui darde une migraine et fait son regard darne [3],
Déplace dans les draps son ventre de curé.

Il se démène sous sa couverture grise
Et descend, ses genoux à son ventre tremblant,
Effaré comme un vieux qui mangerait sa prise [4],
Car il lui faut, le poing à l'anse d'un pot blanc,
À ses reins largement retrousser sa chemise !

Or, il s'est accroupi, frileux, les doigts de pied
Repliés, grelottant au clair soleil qui plaque
Des jaunes de brioche aux vitres de papier [5] ;
Et le nez du bonhomme où s'allume la laque [6]
Renifle aux rayons, tel qu'un charnel polypier [7].

....

Le bonhomme mijote au feu, bras tordus, lippe
Au ventre : il sent glisser ses cuisses dans le feu,
Et ses chausses roussir, et s'éteindre sa pipe ;
Quelque chose comme un oiseau remue un peu
À son ventre serein comme un monceau de tripe !

---

1. Le premier « psaume d'actualité » s'achevait sur la vision des « longs accroupissements » des Ruraux. Le mot sert ici de titre : la journée de Milotus se résume en trois accroupissements, dont le dernier ressemble fort au premier, refermant le cycle absurde de ce qu'Antonin Artaud appellera la « fécalité ». C'est une vision saisissante de l'existence que le voyant veut transformer, mais qu'il doit décrire avant de la transformer. **2.** Peut-être Ernest Millot, ami de Rimbaud et de Delahaye ; les premières éditions ont à la place « Calotus » (calotin ?) dont on ignore l'origine (autre manuscrit ?). **3.** Ardennisme qui signifie « ébloui, avec une sensation de vertige ». Le jeu de mots darde/darne est probablement volontaire. **4.** Sa prise (de tabac). **5.** Papier collé sur la vitre ; usage fréquent dans la campagne d'autrefois. **6.** Résine rouge-brun. Milotus a le nez rouge d'un ivrogne. Une explication comme « où coule la morve » serait trop éloignée de la lettre du texte. **7.** Parce que son nez bourgeonne.

Autour, dort un fouillis de meubles abrutis
Dans des haillons de crasse et sur de sales ventres ;
Des escabeaux, crapauds étranges, sont blottis
Aux coins noirs : des buffets ont des gueules de chantres
Qu'entrouvre un sommeil plein d'horribles appétits [.]

L'écœurante chaleur gorge la chambre étroite ;
Le cerveau du bonhomme est bourré de chiffons.
Il écoute les poils pousser dans sa peau moite,
Et parfois, en hoquets fort gravement bouffons
S'échappe, secouant son escabeau qui boite[1]...

....

Et le soir, aux rayons de lune, qui lui font
Aux contours du cul des bavures de lumière,
Une ombre avec détails s'accroupit, sur un fond
De neige rose ainsi qu'une rose trémière...
Fantasque, un nez poursuit Vénus au ciel profond[2].

Vous seriez exécrable de ne pas répondre : vite, car dans huit jours je serai à Paris, peut-être.

Au revoir. A. Rimbaud.

1. En face de ces quatre strophes, dans la marge de gauche : « Quelles rimes ! ô ! quelles rimes ! » **2.** Comme l'écrit Gérald Schaeffer (éd. critique citée, p. 151), ce troisième poème, « Accroupissements », constitue « l'anti-psaume par excellence, où les bruits intestinaux, les poils, les hoquets, les fesses opposent un tableau d'horreur aux derniers vers idylliques ».

[Lettre à Paul Demeny du 10 juin 1871]

Charleville, 10 juin 1871

À M.P. Demeny

Les Poètes de sept ans [1]

Et la Mère, fermant le livre du devoir[2],
S'en allait satisfaite et très fière, sans voir,
Dans les yeux bleus[3] et sous le front plein d'éminences[4]
L'âme de son enfant livrée aux répugnances.

Tout le jour il suait d'obéissance ; très
Intelligent ; pourtant des tics noirs, quelques traits,
Semblaient prouver en lui d'âcres hypocrisies.
Dans l'ombre des couloirs aux tentures moisies,
En passant il tirait la langue, les deux poings
À l'aine, et dans ses yeux fermés voyait des points.
Une porte s'ouvrait sur le soir : à la lampe
On le voyait, là-haut, qui râlait sur la rampe,
Sous un golfe de jour[5] pendant du toit. L'été
Surtout, vaincu, stupide, il était entêté
À se renfermer dans la fraîcheur des latrines :
Il pensait là, tranquille et livrant ses narines[6].

---

1. Izambard a affirmé que Rimbaud avait déjà composé ces vers à Douai en octobre 1870, après avoir lu la lettre où sa mère le traitait de « petit drôle ». Mais nul n'a retrouvé la trace de ce premier manuscrit. Dans le doute, nous accepterons donc la date inscrite ici par le poète lui-même : 26 mai 1871. Et ceci, d'autant plus que Rimbaud a adressé « Les Poètes de sept ans » à Paul Demeny, en juin 1871, pour continuer la leçon de poésie, de poésie nouvelle, commencée le 15 mai. « Voilà ce que je fais » — et qui est bien différent des poésies de l'octobre précédent, à brûler. Émilie Noulet peut donc considérer cette pièce comme « une première vision de la Voyance » (*Le Premier Visage de Rimbaud*, Bruxelles, édition du Palais des Académies, 1953, rééd. 1973, p. 93) : Rimbaud recherche dans son enfance les signes annonciateurs de la poétique qu'il affiche maintenant bruyamment. « Là, dans l'alliance des vertus d'un âge créateur et celle d'un âge de l'expression qui, en fait, ne coïncident jamais, réside la recherche et la tâche de Rimbaud, son échec, son bonheur. » **2.** Sans doute la Bible, dont il sera question plus bas. **3.** Les « yeux de myosotis et de pervenche » dont a parlé Delahaye à propos d'Arthur. **4.** Indiquant une intelligence exceptionnelle, celle qu'Arthur s'attribue (même si ce détail physique appartenait à son frère Frédéric, comme le rapporte Delahaye). **5.** *Cf.* « Voyelles », v. 5 : « Golfes d'ombre ». **6.** *Cf.* « Alchimie du verbe », dans *Une saison en enfer* : « Oh ! le moucheron enivré à la pissotière de l'auberge [...] ».

Quand, lavé des odeurs du jour, le jardinet
Derrière la maison, en hiver, s'illunait[1],
Gisant au pied d'un mur, enterré dans la marne
Et pour des visions écrasant son œil darne[2],
Il écoutait grouiller les galeux espaliers.
Pitié ! Ces enfants seuls étaient ses familiers
Qui, chétifs, fronts nus[3], œil déteignant sur la joue[4],
Cachant de maigres doigts jaunes et noirs de boue
Sous des habits puant la foire[5] et tout vieillots,
Conversaient avec la douceur des idiots !
Et si, l'ayant surpris à des pitiés immondes,
Sa mère s'effrayait ; les tendresses, profondes,
De l'enfant se jetaient sur cet étonnement.
C'était bon. Elle avait le bleu regard[6], — qui ment !

À sept ans, il faisait des romans, sur la vie
Du grand désert, où luit la Liberté ravie,
Forêts, soleils, rios[7], savanes[8] ! — Il s'aidait
De journaux illustrés où, rouge, il regardait
Des Espagnoles rire et des Italiennes.
Quand venait, l'œil brun, folle, en robes d'indiennes,
— Huit ans, — la fille des ouvriers d'à côté,
La petite brutale, et qu'elle avait sauté,
Dans un coin, sur son dos, en secouant ses tresses,
Et qu'il était sous elle, il lui mordait les fesses,
Car elle ne portait jamais de pantalons ;
— Et, par elle meurtri des poings et des talons,
Remportait les saveurs de sa peau dans sa chambre.

Il craignait les blafards dimanches de décembre,
Où, pommadé, sur un guéridon d'acajou,

---

1. Se remplissait de la lumière de la lune ; mot forgé par Rimbaud (*in+luna*) et repris par les poètes de la fin du siècle. Le mot latin correspondant a le sens inverse. **2.** Voir « Accroupissements », p. 249. **3.** Rimbaud avait d'abord écrit : « fronts hauts ». **4.** Yeux larmoyants ou chassieux. **5.** Foireux. **6.** Traits communs à la mère et à l'enfant : le regard bleu et hypocrite. D'où l'ambiguïté du vers précédent, qui a pu être compris de manières très différentes : besoin de tendresse maternelle ; surcroît d'agressivité réciproque. **7.** La lecture habituelle « rives » est fautive, comme nous l'a signalé Steve Murphy. **8.** Souvenir possible de la lecture de *Costal l'Indien* de Gabriel Ferry ; mais Rimbaud ne l'a lu qu'en 1870 (voir sa lettre à Izambard du 25 août).

Il lisait une Bible à la tranche vert-chou ;
Des rêves l'oppressaient chaque nuit dans l'alcôve.
Il n'aimait pas Dieu ; mais les hommes, qu'au soir fauve,
Noirs, en blouse, il voyait rentrer dans le faubourg
Où les crieurs, en trois roulements de tambour,
Font autour des édits rire et gronder les foules.
— Il rêvait la prairie amoureuse[1], où des houles
Lumineuses, parfums sains, pubescences d'or,
Font leur remuement calme et prennent leur essor !

Et comme il savourait surtout les sombres choses,
Quand, dans la chambre nue aux persiennes closes,
Haute et bleue, âcrement prise d'humidité,
Il lisait son roman sans cesse médité,
Plein de lourds ciels ocreux et de forêts noyées,
De fleurs de chair aux bois sidérals[2] déployées,
Vertige, écroulements, déroutes et pitié !
— Tandis que se faisait la rumeur du quartier,
En bas, — seul, et couché sur des pièces de toile
Écrue, et pressentant violemment la voile !

A. R.
26 mai 1871

Les Pauvres à l'église[3]

Parqués entre des bancs de chêne, aux coins d'église
Qu'attiédit puamment[4] leur souffle, tous leurs yeux
Vers le chœur ruisselant d'orrie[5] et la maîtrise
Aux vingt gueules gueulant les cantiques pieux ;

---

1. *Cf.* l'évocation de la nature dans « Sensation » et dans « Soleil et Chair ». 2. Le pluriel correct serait « sidéraux », qu'on trouvera dans « Le Bateau ivre ». 3. Ce poème est de la même veine que le précédent. Il est encore plein de la colère suscitée par les contraintes subies à Charleville, colère qui fait craquer le mètre (le v. 17 n'a que dix syllabes) et le langage (nombreux néologismes, en particulier les adverbes). Trakl se souviendra de cette pièce dans l'un de ses premiers poèmes, « *Die tote Kirche* », « L'église morte ». 4. Dérivé de « puer », cet adverbe n'apparaît pas dans le Littré. 5. De dorures.

Comme un parfum de pain humant l'odeur de cire[1],
Heureux, humiliés comme des chiens battus,
Les Pauvres au bon Dieu, le patron et le sire,
Tendent leurs oremus[2] risibles et têtus.

Aux femmes, c'est bien bon de faire des bancs lisses,
Après les six jours noirs où Dieu les fait souffrir !
Elles bercent, tordus dans d'étranges pelisses,
Des espèces d'enfants qui pleurent à mourir.

Leurs seins crasseux dehors, ces mangeuses de soupe,
Une prière aux yeux et ne priant jamais,
Regardent parader mauvaisement un groupe
De gamines avec leurs chapeaux déformés.

Dehors, le froid, la faim, l'homme en ribote[3] :
C'est bon. Encore une heure ; après, les maux sans nom !
— Cependant, alentour, geint, nasille[4], chuchote
Une collection de vieilles à fanons[5] :

Ces effarés[6] y sont et ces épileptiques
Dont on se détournait hier aux carrefours ;
Et, fringalant[7] du nez dans des missels antiques,
Ces aveugles qu'un chien introduit dans les cours.

Et tous, bavant la foi mendiante et stupide,
Récitent la complainte infinie à Jésus
Qui rêve en haut, jauni par le vitrail livide,
Loin des maigres mauvais et des méchants pansus,

Loin des senteurs de viande et d'étoffes moisies[8],
Farce prostrée et sombre aux gestes repoussants ;
— Et l'oraison fleurit d'expressions choisies,
Et les mysticités prennent des tons pressants,

---

1. Inversion assez gauche : « humant l'odeur de cire comme un parfum de pain ». **2.** *Oremus* = « Prions ». *Cf.* « Le Châtiment de Tartufe ». **3.** Orthographe du manuscrit : « ribotte ». **4.** Orthographe du manuscrit : « nazille ». **5.** Replis du cou des vaches. **6.** Idiots. **7.** Néologisme : les aveugles fouillent dans les missels qu'ils ne peuvent lire, comme leurs chiens dans des tas d'ordures. Le mot « fringaler » se trouve déjà chez Balzac. **8.** *Cf.* les « tentures moisies » dans « Les Poètes de sept ans ».

Quand, des nefs où périt le soleil, plis de soie
Banals, sourires verts[1], les Dames de quartiers
Distingués, — ô Jésus ! — les malades du foie
Font baiser leurs longs doigts jaunes aux bénitiers.

A. Rimbaud.
1871.

Voici, — ne vous fâchez pas, — un motif à dessins drôles : c'est une antithèse aux douces vignettes pérennelles où batifolent les cupidons, où s'essorent[2] les cœurs panachés de flammes, fleurs vertes, oiseaux mouillés, promontoires de Leucade[3], etc... — Ces triolets, eux aussi, au reste, iront

Où les vignettes pérennelles,
Où les doux vers[4].

Voici : — ne vous fâchez pas[5] —

Le Cœur du pitre[6]

Mon triste cœur bave à la poupe,
Mon cœur est plein de caporal :
Ils y lancent des jets de soupe,
Mon triste cœur bave à la poupe :
Sous les quolibets de la troupe
Qui pousse un rire général,
Mon triste cœur bave à la poupe,
Mon cœur est plein de caporal !

---

1. Qui semblent rappeler leur teint bilieux de femmes trop bien nourries par opposition aux pauvres affamés. **2.** Prennent leur essor ; on retrouvera le mot dans « *Bottom* », des *Illuminations*. **3.** D'où Sappho se jeta dans les flots. **4.** Ces expressions, selon Paul Labarrière, figuraient dans une poésie « où il était question d'oies et de canards barbotant dans une mare ». Mais la description est une annonce du poème qui va suivre, « Le Cœur du pitre », poème en triolets (forme fixe comportant un couplet de huit vers, dont le premier se répète après le troisième, et les deux premiers après le sixième). **5.** Comme l'a fait observer justement Jacques Bienvenu (*Parade sauvage* n° 14, 1997, p. 45), cette précaution est l'équivalent de « Ça ne veut pas rien dire » dans la lettre à Izambard du 13 mai 1871. **6.** Nouvelle version du poème inséré dans la lettre du 13 mai 1871 à Izambard, « Le cœur supplicié ». Le titre nouveau accentue le côté histrionesque, hamlétique, du morceau. D'ailleurs l'issue de la Semaine sanglante a désormais rendu toute action inutile.

Ithyphalliques et pioupiesques
Leurs insultes l'ont dépravé !
À la vesprée ils font des fresques
Ithyphalliques et pioupiesques.
Ô flots abracadabrantesques,
Prenez mon cœur, qu'il soit sauvé :
Ithyphalliques et pioupiesques
Leurs insultes l'ont dépravé !

Quand ils auront tari leurs chiques,
Comment agir, ô cœur volé ?
Ce seront des refrains bachiques
Quand ils auront tari leurs chiques :
J'aurai des sursauts stomachiques
Si mon cœur triste est ravalé :
Quand ils auront tari leurs chiques,
Comment agir, ô cœur volé ?

A. R.
Juin 1871[1]

Voilà ce que je fais.

J'ai trois prières à vous adresser

brûlez, *je le veux*, et je crois que vous respecterez ma volonté comme celle d'un mort, brûlez *tous les vers que je fus assez sot* pour vous donner lors de mon séjour à Douai[2] : ayez la bonté de m'envoyer, s'il vous est possible et s'il vous plaît, un exemplaire de vos *Glaneuses*, que je voudrais relire et qu'il m'est impossible d'acheter, ma mère ne m'ayant gratifié d'aucun rond de bronze depuis six mois, — pitié ! enfin, veuillez bien me répondre, quoi que ce soit, pour cet envoi et pour le précédent.

Je vous souhaite un bon jour, ce qui est bien bon.

Écrivez à : M. Deverrière, 95, sous les Allées, pour

A. Rimbaud.

1. La date nouvelle est celle de la nouvelle version. **2.** C'est-à-dire les deux cahiers du recueil Demeny.

[Lettre à Jean Aicard, juin 1871]

À Monsieur Jean Aicard.

Noirs dans la neige et dans la brume,
Au grand soupirail qui s'allume,
  Leurs culs en rond,

À genoux, cinq petits, — misère !
Regardent le Boulanger faire
  Le lourd pain blond.

Ils voient le fort bras blanc qui tourne
La pâte grise, et qui l'enfourne
  Dans un trou clair :

Ils écoutent le bon Pain cuire.
Le boulanger au gras sourire
  Chante un vieil air :

Ils sont blottis, pas un ne bouge
Au souffle du soupirail rouge
  Chaud comme un sein.

Quand, pour quelque médianoche,
Plein de dorures de brioche
  On sort le pain,

Quand, sous les poutres enfumées
Chantent les croûtes parfumées
  Et les grillons ;

Que ce trou chaud souffle la vie ;
Ils ont leur âme si ravie
  Sous leurs haillons,

Ils se ressentent si bien vivre,
Les pauvres petits pleins de givre,
  Qu'ils sont là, tous,

Collant leurs petits museaux roses
Au treillage, et disant des choses,
  Entre les trous,

Des chuchotements de prière ;
Repliés vers cette lumière
De ciel rouvert

Si fort, qu'ils crèvent leur culotte
Et que leur lange blanc tremblotte
Au vent d'hiver.

Juin 1871 — Arth. Rimbaud
5 bis Quai de la Madeleine, Charleville, (Ardennes)
Un ex. des *Rébellions*, s'il plaît à l'auteur.

A. R.

[Lettre à Georges Izambard du 12 juillet 1871]

Charleville, 12 juillet 1871.

[Cher M]onsieur,

[Vous prenez des bains de mer], vous avez été [en bateau... Les boyards, c'est loin, vous n'en] voulez plus[1] [je vous jalouse, moi qui étouffe ici !].

Puis, je m'embête ineffablement et je ne puis vraiment rien porter sur le papier.

Je veux pourtant vous demander quelque chose : une dette énorme, — chez un libraire, — est venue fondre sur moi, qui n'ai pas le moindre rond de colonne en poche. Il faut revendre des livres. Or vous devez vous rappeler qu'en septembre 1870, étant venu, — pour moi, — tenter d'avachir un cœur de mère endurci, vous emportâtes, sur mon con[seil, plusieurs volumes, cinq ou six, qu'en août, à votre intention, j'avais apportés chez vous.]

Eh bien ! tenez-vous à *F[lorise*, de Banville], aux *Exilés*, du même[2] ? Moi qui ai besoin de [rétrocéder d]es bouquins à mon libraire, je serais bien content d[e ravoir] ces deux volumes : j'ai d'autres Banville chez

1. Izambard venait de renoncer à partir pour la Russie, où on lui offrait un préceptorat. Il était alors professeur de rhétorique au collège de Cherbourg. C'est là que Rimbaud lui adresse cette lettre. Le document a été détérioré par un flacon de colle. C'est Izambard lui-même qui a rétabli de mémoire les mots et lettres que nous plaçons entre crochets. **2.** *Florise* (1870), *Les Exilés* (1867).

moi ; joints aux vôtres, ils composeraient une collection, et les collections s'acceptent bien mieux que des volumes isolés.

N'avez-vous pas *Les Couleuvres*[1] ? Je placerais cela comme du neuf ! — Tenez-vous aux *Nuits persanes*[2] ? un titre qui peut affrioler, même parmi des bouquins d'occasion. Tenez-vous, à [ce] volume de Pontmartin[3] ? Il existe des littérateurs [par ici qu]i rachèteraient cette prose. — Tenez-vous a[ux *Glan*]*euses*[4] ? Les collégiens d'Ardennes pou[rraient débo]urser [trois francs] pour bricol[er] dans ces azurs-là. J[e saurais démontr]er à mon crocodile que l'achat d'une [telle collection donnerait de portenteux[5] bénéfices]. Je ferais rutiler les titres ina[perçus. Je réponds] de me découvrir une audace avachissante dans ce brocantage.

Si vous saviez quelle position ma mère peut et veut me faire avec ma dette de 35 fr. 25 c., vous n'hésiteriez pas à m'abandonner ces bouquins ! Vous m'enverriez ce ballot chez M. Deverrière, 95, sous les Allées, lequel est prévenu de la chose et l'attend ! Je vous rembourserais le prix du transport, et je vous serais superbondé de gratitude !

Si vous avez des imprimés inconvenants dans une [bibliothèque de professeur et que vous vous en] apercevi[ez, ne vous gênez pas]. Mais vite, je vous en prie, on me presse !

C[ordialement] et bien merci d'avance.

A. Rimbaud.

P.S. — J'ai vu, en une lettre de vous à M. Deverrière, que vous étiez inquiet au sujet de vos caisses de livres. Il vous les fera parvenir dès qu'il aura reçu vos instructions.

[Je] vous serre la main.

A. R.

[Lettre à Théodore de Banville du 15 août 1871]

Charleville, Ardennes, 15 août 1871.

À Monsieur Théodore de Banville

---

1. Ouvrage de Louis Veuillot, paru en 1869. **2.** Recueil d'Armand Renaud (Lemerre, 1870), auteur déjà nommé dans la lettre du 15 mai 1871. **3.** Armand de Pontmartin, auteur de romans comme *Madame Charbonneau* (1862) ou *Les Corbeaux du Gévaudan* (1868). **4.** Le recueil de Demeny ; curieusement, Rimbaud venait de redemander ce volume à son auteur (voir la fin de la lettre du 15 mai). Il semble pourtant l'avoir tenu en piètre estime. **5.** Plutôt « portentueux » = prodigieux.

Ce qu'on dit au poète à propos de fleurs

I

Ainsi, toujours, vers l'azur noir
Où tremble la mer des topazes,
Fonctionneront dans ton soir
Les Lys [1], ces clystères d'extases [2] !

À notre époque de sagous [3],
Quand les Plantes sont travailleuses,
Le Lys boira les bleus dégoûts
Dans tes Proses religieuses !

— Le lys de monsieur de Kerdrel [4],
Le Sonnet de mil huit cent trente,
Le Lys qu'on donne au Ménestrel [5]
Avec l'œillet et l'amarante !

Des lys ! Des lys ! On n'en voit pas !
Et dans ton Vers, tel que les manches
Des Pécheresses aux doux pas,
Toujours frissonnent ces fleurs blanches !

Toujours, Cher, quand tu prends un bain,
Ta Chemise aux aisselles blondes
Se gonfle aux brises du matin
Sur les myosotis immondes !

L'amour ne passe à tes octrois
Que les Lilas, — ô balançoires !

---

1. Fleur chère à la poésie conventionnelle et en particulier aux Parnassiens. Voir la parodie d'Armand Silvestre par Rimbaud dans l'*Album zutique*, « Lys ». **2.** C'est-à-dire clystères prodiguant des extases. **3.** Palmiers qui produisent une substance amylacée (d'où l'appellation de « plantes travailleuses »). On peut comprendre : « à notre époque où l'on ne s'intéresse qu'à la productivité » (au travail dans le sens que Rimbaud refuse pour ce mot) — avec un jeu possible sagou / sagouin. **4.** Défenseur de la cause royaliste, symbolisée par la fleur de lys. **5.** Allusion aux Jeux Floraux de Toulouse ; les principales récompenses qu'on y décernait étaient le lys, l'œillet et l'amarante.

Et les Violettes du Bois,
Crachats sucrés des Nymphes noires [1] !...

II

Ô Poëtes, quand vous auriez
Les Roses, les Roses soufflées,
Rouges sur tiges de lauriers,
Et de mille octaves [2] enflées !

Quand BANVILLE en ferait neiger [3],
Sanguinolentes, tournoyantes,
Pochant l'œil fou de l'étranger
Aux lectures mal bienveillantes !

De vos forêts et de vos prés,
Ô très paisibles photographes !
La Flore est diverse à peu près
Comme des bouchons de carafes [4] !

Toujours les végétaux Français,
Hargneux, phtisiques, ridicules,
Où le ventre des chiens bassets
Navigue en paix, aux crépuscules ;

Toujours, après d'affreux dessins
De Lotos bleus [5] ou d'Hélianthes,
Estampes roses, sujets saints
Pour de jeunes communiantes !

---

1. Larves d'insectes, selon J. Gengoux. **2.** Octosyllabes, selon S. Bernard ; plutôt strophes de huit vers. **3.** Allusion à la « Symphonie de neige » dans *Les Stalactites*, où Banville faisait neiger les roses blanches. **4.** La rime se trouve dans les *Odes funambulesques*. **5.** Allusion possible au « Mystère de Lotus » de Catulle Mendès, paru dans le premier *Parnasse contemporain*. Il était également question du « Lotus parfumé » dans « Le Voyage » de Baudelaire. Mais le lotus et l'hélianthe abondent dans les *Odes funambulesques*.

L'Ode Açoka[1] cadre avec la
Strophe en fenêtre de lorette[2] ;
Et de lourds papillons d'éclat
Fientent sur la Pâquerette.

Vieilles verdures, vieux galons[3] !
Ô croquignoles[4] végétales !
Fleurs fantasques des vieux Salons !
— Aux hannetons, pas aux crotales[5],

Ces poupards[6] végétaux en pleurs
Que Grandville[7] eût mis aux lisières,
Et qu'allaitèrent de couleurs
De méchants astres à visières !

Oui, vos bavures de pipeaux
Font de précieuses glucoses[8] !
— Tas d'œufs frits dans de vieux chapeaux,
Lys, Açokas, Lilas et Roses !...

III

Ô blanc Chasseur, qui cours sans bas
À travers le Pâtis panique[9],
Ne peux-tu pas, ne dois-tu pas
Connaître un peu ta botanique ?

Tu ferais succéder, je crains,
Aux Grillons roux les Cantharides[10],

---

1. Rimbaud s'amuse à un jeu de sons cacophoniques. L'Açoka est un arbre de l'Inde. On trouverait le nom chez Leconte de Lisle ou Catulle Mendès, donc dans une poésie mythologique et prétentieuse correspondant à ce qui est ici appelé « l'ode Açoka ». **2.** La strophe aguicheuse, comme la lorette qui appelle les passants de sa fenêtre. **3.** *Cf.* le cri des fripiers : « Vieux habits ! vieux galons ! » **4.** Pâtisseries faites avec des fleurs. **5.** Serpents à sonnettes. **6.** Poupons. **7.** Grandville (1803-1847), dessinateur et caricaturiste, a donné aux plantes la physionomie, les vices et les passions de l'homme (*Les Fleurs animées*). **8.** Le mot est féminin dans le *Dictionnaire de l'Académie* ; *cf.* le « sucre sur la denture gâtée » dans « L'Homme juste ». **9.** Les prairies de l'Univers. *Cf.* les « veines de Pan » dans « Soleil et Chair ». **10.** Insectes tropicaux. Leconte de Lisle, qui est probablement visé ici, avait introduit la cantharide dans son poème « Les Jungles ».

L'or des Rios au bleu des Rhins,
Bref, aux Norwèges les Florides :

Mais, Cher, l'Art n'est plus, maintenant,
— C'est la vérité, — de permettre
À l'Eucalyptus étonnant
Des constrictors d'un hexamètre[1] ;

Là... ! Comme si les Acajous
Ne servaient, même en nos Guyanes,
Qu'aux cascades des sapajous[2],
Au lourd délire des lianes !

— En somme, une Fleur, Romarin
Ou Lys, vive ou morte, vaut-elle
Un excrément d'oiseau marin[3] ?
Vaut-elle un seul pleur de chandelle ?

— Et j'ai dit ce que je voulais !
Toi, même assis là-bas, dans une
Cabane de bambous, — volets
Clos, tentures de perse brune, —

Tu torcherais des floraisons
Dignes d'Oises extravagantes !...
— Poète ! ce sont des raisons
Non moins risibles qu'arrogantes !...

IV

Dis, non les pampas printaniers[4]
Noirs d'épouvantables révoltes,
Mais les tabacs, les cotonniers !
Dis les exotiques récoltes !

1. Des alexandrins longs comme des boas constrictors. **2.** Qu'aux acrobaties des singes. **3.** Le guano. *Cf.* dans « Le Bateau ivre » : les « fientes d'oiseaux clabaudeurs aux yeux blonds ». **4.** Le mot est normalement féminin.

Dis, front blanc que Phébus tanna,
De combien de dollars se rente
Pedro Velasquez, Habana[1] ;
Incague[2] la mer de Sorrente[3]

Où vont les Cygnes par milliers ;
Que tes Strophes soient des réclames
Pour l'abatis des mangliers[4]
Fouillés des hydres[5] et des lames[6] !

Ton quatrain plonge aux bois sanglants
Et revient proposer aux Hommes
Divers sujets de sucres blancs,
De pectoraires[7] et de gommes !

Sachons par Toi si les blondeurs
Des Pics neigeux, vers les Tropiques,
Sont ou des insectes pondeurs
Ou des lichens microscopiques[8] !

Trouve, ô Chasseur, nous le voulons,
Quelques garances[9] parfumées
Que la Nature en pantalons
Fasse éclore ! — pour nos Armées !

Trouve, aux abords du Bois qui dort[10],
Les fleurs, pareilles à des mufles,

---

1. À La Havane. **2.** Formé sur *incacare* : couvrir d'excréments. « Dis merde à la mer de Sorrente ». **3.** Chantée par Lamartine, mais aussi par Banville dans les *Odes funambulesques*. **4.** Palétuviers qu'on trouve sur les plages tropicales. **5.** Des animaux aquatiques. **6.** Des lames (de la mer). **7.** Pâtes pectorales. **8.** J. Gengoux a prouvé que Rimbaud se souvenait ici d'un article de la *Revue pour tous* qui expliquait : « Dans les Alpes comme dans les Pyrénées, un grand nombre de cimes sont constamment couvertes de neige. Sur la limite où la neige se fond, fleurissent les mousses et les lichens [...] [la neige est rose] [...] Saumur attribua cette coloration au pollen de quelque plante fleurissant sur ces hauteurs ; et Ramon [...] pensait qu'elle était due à la poussière du mica détachée des granits voisins. Aujourd'hui, grâce au microscope, cela s'explique par la présence d'un petit végétal élémentaire, de la famille des algues, nommé le *Protocacius nivalis* (numéro du 31 janvier 1869, « Science familière », p. 87). **9.** Plante d'où l'on extrait la teinture rouge qui colorait alors les pantalons de l'armée française. **10.** *Cf.* « Tête de faune ».

D'où bavent des pommades d'or
Sur les cheveux sombres des Buffles[1] !

Trouve, aux prés fous, où sur le Bleu
Tremble l'argent des pubescences[2],
Des Calices pleins d'Œufs de feu
Qui cuisent parmi les essences[3] !

Trouve des Chardons cotonneux
Dont dix ânes aux yeux de braises
Travaillent à filer les nœuds !
Trouve des Fleurs qui soient des chaises !

— Oui, trouve au cœur des noirs filons
Des fleurs presque pierres, — fameuses ! —
Qui vers leurs durs ovaires blonds
Aient des amygdales gemmeuses[4] !

Sers-nous, ô Farceur, tu le peux,
Sur un plat de vermeil splendide
Des ragoûts de Lys sirupeux
Mordant nos cuillers Alfénide[5] !

V

Quelqu'un dira le grand Amour,
Voleur des sombres Indulgences :
Mais ni Renan, ni le chat Murr[6]
N'ont vu les Bleus Thyrses immenses[7] !

---

1. Toujours l'image des cheveux pommadés, obsédante chez Rimbaud. **2.** *Cf.* « Les Poètes de sept ans ». **3.** Jeu de mots : les essences végétales s'enflamment elles aussi. **4.** On retrouvera dans les *Illuminations* cette végétation de pierreries. **5.** L'Alfénide est une composition chimique inventée par Halphen vers 1850. On en faisait des couverts de table imitant l'argent. **6.** On le trouve dans les *Contes* d'E.T.A. Hoffmann. Mais Rimbaud emprunte la rime aux *Odes funambulesques*. **7.** Le thyrse est un attribut dionysiaque (bâton couronné de lierre et porteur d'une puissance magique). *Cf.* « Le Thyrse » dans les *Petits poèmes en prose* de Baudelaire.

Toi, fais jouer dans nos torpeurs,
Par les parfums les hystéries ;
Exalte-nous vers des candeurs
Plus candides que les Maries[1]...

Commerçant ! colon ! médium !
Ta Rime sourdra, rose ou blanche,
Comme un rayon de sodium,
Comme un caoutchouc[2] qui s'épanche !

De tes noirs Poèmes, — Jongleur !
Blancs, verts, et rouges dioptriques[3],
Que s'évadent d'étranges fleurs
Et des papillons électriques !

Voilà ! c'est le Siècle d'enfer !
Et les poteaux télégraphiques
Vont orner, — lyre aux chants de fer,
Tes omoplates magnifiques !

— Surtout, rime une version
Sur le mal des pommes de terre !
— Et, pour la composition
De Poèmes pleins de mystère

Qu'on doive lire de Tréguier
À Paramaribo[4], rachète
Des Tomes de Monsieur Figuier[5],
— Illustrés ! — chez Monsieur Hachette !

Alcide Bava.
A. R.
14 juillet 1871.

---

1. *Cf.* « Les Premières Communions » et « Le Bateau ivre ». **2.** L'une de ces « plantes travailleuses » dont il était question au début du poème. **3.** Couleurs obtenues par réfraction. **4.** De Tréguier en Bretagne (ville natale de Renan) à Paramaribo en Guyane. **5.** Le nom de cet auteur, Léon Figuier (1819-1894), est choisi pour sa consonance végétale, mais aussi parce qu'il avait écrit une *Histoire des plantes* (1865), publiée chez Hachette.

Monsieur et cher Maître,

Vous rappelez-vous avoir reçu de province, en juin 1870, cent ou cent cinquante hexamètres mythologiques intitulés *Credo in unam*[1] ? Vous fûtes assez bon pour répondre !

C'est le même imbécile qui vous envoie les vers ci-dessus, signés Alcide Bava. — Pardon.

J'ai dix-huit ans[2]. — J'aimerai toujours les vers de Banville.

L'an passé je n'avais que dix-sept ans !

Ai-je progressé ?

Alcide Bava.
A. R.

Mon adresse

M. Charles Bretagne[3],
Avenue de Mézières, à Charleville,
pour
A. RIMBAUD.

[Lettre à Paul Demeny du 28 août 1871]

Charleville (Ardennes), août 1871.

Monsieur,

Vous me faites recommencer ma prière : soit. Voici la complainte complète. Je cherche des paroles calmes : mais ma science de l'art n'est pas bien profonde. Enfin, voici.

Situation du prévenu : J'ai quitté depuis plus d'un an la vie ordinaire pour ce que vous savez. Enfermé sans cesse dans cette inqualifiable contrée ardennaise, ne fréquentant pas un homme, recueilli dans un travail

---

1. Voir la lettre du 24 mai 1870. **2.** Comme dans la précédente lettre à Banville, Rimbaud se vieillit. **3.** Delahaye présente en ces termes cet ami de Rimbaud (*Rimbaud. — L'artiste et l'être moral*, Messein, 1923, pp. 39-40) : « Violoniste de talent, caricaturiste et chansonnier parfois, Charles Bretagne était attaché, en qualité d'agent contrôleur des Contributions indirectes, à l'une des sucreries de Charleville. Son premier poste avait été Fampoux (Pas-de-Calais), où il exerçait les mêmes fonctions à la sucrerie de Julien Dehée, cousin de Verlaine, qui fit chez son parent de fréquentes villégiatures et avec qui le musicien eut ainsi l'occasion de se lier. Esprit délicat, original et profondément observateur, il connaissait l'auteur des *Effarés* par des amis communs, Georges Izambard et Léon Deverrière. » Voir la notice très précise que lui ont consacrée Pierre Petitfils et Joseph Deschuytter dans le *Bateau ivre*, n° 14, novembre 1955. Né en 1837, il est mort en 1881.

infâme, inepte, obstiné, mystérieux, ne répondant que par le silence aux questions, aux apostrophes grossières et méchantes, me montrant digne dans ma position extra-légale, j'ai fini par provoquer d'atroces résolutions d'une mère aussi inflexible que soixante-treize administrations à casquettes de plomb.

Elle a voulu m'imposer le travail, — perpétuel, à Charleville (Ardennes) ! Une place pour tel jour, disait-elle, ou la porte. — Je refusai cette vie ; sans donner mes raisons : c'eût été pitoyable. Jusqu'aujourd'hui, j'ai pu tourner ces échéances. Elle, en est venue à ceci : souhaiter sans cesse mon départ inconsidéré, ma fuite ! Indigent, inexpérimenté, je finirais par entrer aux établissements de correction. Et, dès ce moment, silence sur moi !

Voilà le mouchoir de dégoût qu'on m'a enfoncé dans la bouche. C'est bien simple.

Je ne demande rien, je demande un renseignement. Je veux travailler libre : mais à Paris que j'aime. Tenez : je suis un piéton, rien de plus ; j'arrive dans la ville immense sans aucune ressource matérielle : mais vous m'avez dit : Celui qui désire être ouvrier à quinze sous par jour s'adresse là, fait cela, vit comme cela. Je m'adresse là, je fais cela, je vis comme cela. Je vous ai prié d'indiquer des occupations peu absorbantes, parce que la pensée réclame de larges tranches de temps. Absolvant le poète, ces balançoires matérielles se font aimer. Je suis à Paris : il me faut une *économie* positive ! Vous ne trouvez pas cela sincère ? Moi, ça me semble si étrange, qu'il me faille vous protester de mon sérieux !

J'avais eu l'idée ci-dessus : la seule qui me parût raisonnable : je vous la rends sous d'autres termes. J'ai bonne volonté, je fais ce que je puis, je parle aussi compréhensiblement qu'un malheureux ! Pourquoi tancer l'enfant qui, non doué de principes zoologiques, désirerait un oiseau à cinq ailes ? On le ferait croire aux oiseaux à six queues, ou à trois becs ! On lui prêterait un Buffon des familles[1] : ça le déleurre[rait].

Donc, ignorant de quoi vous pourriez m'écrire, je coupe les explications et continue à me fier à vos expériences, à votre obligeance que j'ai bien bénie, en recevant votre lettre, et je vous engage un peu à partir de mes idées, — s'il vous plaît...

Recevriez-vous sans trop d'ennui des échantillons de mon travail ?

A. Rimbaud.

---

1. Petit ouvrage de vulgarisation à l'usage des familles, reprenant sous forme simplifiée des éléments de la grande *Histoire naturelle* de Buffon.

[LE DOSSIER VERLAINE]

Les Assis

Noirs de loupes, grêlés[1], les yeux cerclés de bagues
Vertes, leurs doigts boulus[2] crispés à leurs fémurs[3]
Le sinciput[4] plaqué de hargnosités[5] vagues
Comme les floraisons lépreuses des vieux murs ;

Ils ont greffé dans des amours épileptiques
Leur fantasque ossature aux grands squelettes noirs
De leurs chaises ; leurs pieds aux barreaux rachitiques
S'entrelacent pour les matins et pour les soirs !

Ces vieillards ont toujours fait tresse avec leurs sièges,
Sentant les soleils vifs percaliser[6] leur peau,
Ou, les yeux à la vitre où se fanent les neiges,
Tremblant du tremblement douloureux du crapaud[7]

Et les Sièges leur ont des bontés : culottée
De brun, la paille cède aux angles de leurs reins ;
L'âme des vieux soleils s'allume emmaillotée[8]
Dans ces tresses d'épis où fermentaient les grains.

---

1. Grêlés de petite vérole. **2.** « Boudinés » (A. Adam). **3.** Dans un poème de 1871 dont nous n'avons conservé que des bribes, satire des monarchistes que Rimbaud avait envoyée à Henri Perrin, rédacteur en chef du journal républicain de Charleville *Nord-Est*, le vieillard monarchiste s'écrie : « J'ai mon fémur ! j'ai mon fémur ! j'ai mon fémur ! / C'est cela que depuis quarante ans je bistourne / Sur le bord de ma chaise aimée en noyer dur ; / L'impression du bois pour toujours y séjourne ». **4.** L'os du sommet de la tête. **5.** Substantif abstrait formé sur « hargneux » et employé au pluriel : tour insolite dont Hugo avait déjà donné des exemples et qui deviendra une manie chez les décadents. **6.** Rendre fin et transparent comme la percale. **7.** Précise « épileptiques » du v. 5. **8.** Verlaine a écrit « emmaillottée », reproduisant peut-être une faute d'orthographe de Rimbaud.

Et les Assis, genoux aux dents, verts pianistes
Les dix doigts sous leur siège aux rumeurs de tambour
S'écoutent clapoter[1] des barcarolles tristes,
Et leurs caboches vont dans des roulis d'amour.

— Oh ! ne les faites pas lever ! C'est le naufrage...
Ils surgissent, grondant comme des chats giflés[2],
Ouvrant lentement leurs omoplates, ô rage !
Tout leur pantalon bouffe à leurs reins boursouflés

Et vous les écoutez, cognant leurs têtes chauves
Aux murs sombres, plaquant et plaquant leurs pieds tors
Et leurs boutons d'habit sont des prunelles fauves
Qui vous accrochent l'œil du fond des corridors !

Puis ils ont une main invisible qui tue :
Au retour, leur regard filtre ce venin noir
Qui charge l'œil souffrant de la chienne battue
Et vous suez pris dans un atroce entonnoir.

Rassis, les poings noyés[3] dans des manchettes sales,
Ils songent à ceux-là qui les ont fait lever
Et, de l'aurore au soir, des grappes d'amygdales
Sous leurs mentons chétifs s'agitent à crever

Quand l'austère sommeil a baissé leurs visières[4]
Ils rêvent sur leur bras de sièges fécondés,
De vrais petits amours de chaises en lisière[5]
Par lesquelles de fiers bureaux seront bordés ;

---

1. Emploi transitif tout à fait insolite. **2.** « gifflés » sur le manuscrit. **3.** « crispés » dans la version donnée par l'article des *Poètes maudits* (erreur probable de transcription ou de mémoire). **4.** Qui leur tiennent lieu de paupières ; *cf.* le père, dans *La Métamorphose* de Kafka, qui dort avec son uniforme. **5.** Glose de Suzanne Bernard : « le fruit de ces unions tératologiques, ce seront des *petits amours de chaises en lisière* : les enfants qui ne savent pas encore marcher sont tenus en lisière — mais aussi les chaises bordent les *fiers bureaux*, comme la lisière borde un tissu ; et il est évident en outre que les bureaucrates, eux aussi, n'ayant aucune initiative passent leur vie en lisière ». Nous ajouterons que Rimbaud a déjà employé « bureau » au sens de « bureaucrate » et « bordés » fait également penser au geste attentif de l'épouse maternelle qui borde le lit.

Des fleurs d'encre crachant des pollens en virgule
Les bercent, le long des calices accroupis
Tels qu'au fil des glaïeuls le vol des libellules
— Et leur membre s'agace à des barbes d'épis.

L'Homme juste

....

Le Juste[1] restait droit sur ses hanches solides :
Un rayon lui dorait l'épaule[2] ; des sueurs
Me prirent : « Tu veux voir rutiler les bolides ?
Et, debout, écouter bourdonner les flueurs[3]
D'astres lactés, et les essaims d'astéroïdes[4] ?

« Par des farces de nuit ton front est épié[5],
Ô Juste ! Il faut gagner un toit. Dis ta prière,
La bouche dans ton drap doucement expié[6] ;
Et si quelque égaré choque ton ostiaire[7],
Dis : Frère, va plus loin, je suis estropié ! »

Et le Juste restait debout, dans l'épouvante
Bleuâtre des gazons après le soleil mort[8] :
« Alors, mettrais-tu tes genouillères en vente,

1. C'est le nom donné au Christ, à plusieurs reprises, dans les Évangiles ; mais c'est aussi celui des hommes qui seront déclarés dignes du salut au Jugement dernier, comme il l'annonce lui-même (Matthieu, XXV, 37). **2.** Alors qu'au moment de la mort de Jésus « il y eut », dès la sixième heure, « des ténèbres sur toute la terre » (Matthieu, XXVII, 45). **3.** Les menstrues ; l'image est obsédante chez Rimbaud (*cf.* le début de « Soleil et Chair »). Le verbe « bourdonner » annonce plutôt les *Illuminations* (« Des fleurs magiques bourdonnaient », dans « Enfance »). **4.** Aérolithes. Reprise parodique de l'annonce que fait Jésus des catastrophes cosmiques au moment de la Venue en gloire du Fils de l'homme : « le soleil s'obscurcira, et la lune ne donnera pas sa clarté, et les astres tomberont du ciel, et les puissances des cieux seront ébranlées » (Matthieu, XXIV, 29). **5.** « Épié » : non pas espionné, mais couronné d'épis, ou d'épines (*cf.* la couronne dérisoire que les soldats placent sur la tête de Jésus « roi des Juifs », Matthieu, XXVII, 29). **6.** La chlamyde écarlate dont ces mêmes soldats ont revêtu le roi des Juifs ? **7.** Le mot, volontairement archaïque, a une pompe toute royale. C'est plus important que son sens précis (portier), qui convient moins que le sens de « porte ». **8.** Construction latine : après la mort du soleil. Dans l'Évangile selon saint Luc, il est dit que le soleil s'obscurcit à la mort du Christ (XXIII, 44).

Ô vieillard ? Pèlerin sacré ! barde d'Armor[1] !
Pleureur des Oliviers[2] ! Main que la pitié gante !

« Barbe de la famille et poing de la cité,
Croyant très doux : ô cœur tombé dans les calices,
Majestés et vertus, amour et cécité,
Juste ! plus bête et plus dégoûtant que les lices[3] !
Je suis celui qui souffre et qui s'est révolté !

« Et ça me fait pleurer sur mon ventre, ô stupide,
Et bien rire, l'espoir fameux de ton pardon !
Je suis maudit, tu sais ! je suis soûl, fou, livide,
Ce que tu veux ! Mais va te coucher, voyons donc,
Juste ! Je ne veux rien à ton cerveau torpide[4].

« C'est toi le Juste, enfin, le Juste ! C'est assez !
C'est vrai que ta tendresse et ta raison sereines
Reniflent dans la nuit comme des cétacés,
Que tu te fais proscrire et dégoises des thrènes
Sur d'effroyables becs-de-cane[5] fracassés !

« Et c'est toi l'œil de Dieu ! le lâche ! Quand les plantes
Froides des pieds divins passeraient sur mon cou,
Tu es lâche ! Ô ton front qui fourmille de lentes[6] !
Socrates et Jésus, Saints et Justes, dégoût !
Respectez le Maudit suprême aux nuits sanglantes. »

J'avais crié cela sur la terre[7], et la nuit
Calme et blanche occupait les cieux pendant ma fièvre.
Je relevai mon front : le fantôme avait fui,
Emportant l'ironie atroce de ma lèvre...
— Vents nocturnes, venez au Maudit ! Parlez-lui,

---

1. Le tour est elliptique ; il convient de sous-entendre une comparaison : tel le « barde d'Armor », c'est-à-dire Ossian. **2.** Allusion à la tristesse de Jésus à Gethsémani : « Mon âme est triste à mourir » (Matthieu, XXVI, 38). **3.** Femelles des chiens de chasse ; le mot renouvelle « chiennes », traditionnellement péjoratif. **4.** Rempli de torpeurs. **5.** Orthographe du manuscrit : « becs de canne ». Nous corrigeons, en adoptant celle de Littré. Allusion possible aux prédictions apocalyptiques de Jésus : les sceaux sont rompus, comme dans l'Apocalypse de saint Jean. **6.** Œufs déposés par les poux dans les cheveux. **7.** La voix forte du Maudit se substitue aux « voix fortes » qu'on entend dans l'Apocalypse.

Cependant que silencieux sous les pilastres[1]
D'azur, allongeant les comètes et les nœuds
D'univers, remuement énorme sans désastres,
L'ordre, éternel veilleur, rame aux cieux lumineux
Et de sa drague en feu laisse filer les astres !

Ah ! qu'il s'en aille, lui, la gorge cravatée
De honte, ruminant toujours mon ennui, doux
Comme le sucre sur la denture gâtée.
— Tel que la chienne après l'assaut des fiers toutous,
Léchant son flanc d'où pend une entraille emportée[2]

Qu'il dise charités crasseuses et progrès...
— J'exècre tous ces yeux de Chinois [à be]daines[3],
Mais qui chante : nana comme un tas d'enfants près
De mourir, idiots doux aux chansons soudaines :
Ô Justes, nous chierons dans vos ventres de grès[4] [!]

Tête de faune

Dans la feuillée écrin vert taché d'or
Dans la feuillée incertaine[5] et fleurie
De fleurs splendides où le baiser dort[6],
Vif et crevant[7] l'exquise broderie,

Un faune effaré montre ses deux yeux
Et mord les fleurs rouges de ses dents blanches[8]
Brunie et sanglante ainsi qu'un vin vieux[9]
Sa lèvre éclate en rires sous les branches[10].

---

1. Le mot et la rime sont hugoliens (en particulier dans le sixième livre des *Contemplations*, et dans « Pleine mer. — Plein ciel » de *La Légende des siècles*) ; l'image de l'Ordre, « l'ordre invisible au fond du gouffre éblouissant », aussi. **2.** Complète la comparaison avec les lices. **3.** Lecture conjecturale de Paul Hartmann. **4.** *Cf.* les Lamentations de Jérémie (IV, 2) : « Comment les nobles fils de Sion, couverts de l'or le plus pur, sont-ils traités comme des vases de terre, ouvrage des mains du potier ? » **5.** Adjectif verlainien. **6.** *Cf.* « Rêvé Pour l'hiver », v. 3. Texte de *La Vogue*, en juin 1886 : « D'énormes fleurs où l'âcre baiser dort ». **7.** Le texte de *La Vogue* « devant l'exquise » pourrait venir d'une mauvaise lecture. **8.** Texte de *La Vogue* : « Le Faune affolé montre ses grands yeux / Et mord la fleur rouge avec ses dents blanches ». **9.** *Cf.* « Le buffet », v. 4 (Rimbaud semble aimer l'allitération) ; pour l'alliance sang, lèvres, rire, *cf.* « Voyelles », vv. 7-8. **10.** Texte de *La Vogue* : « par les branches ».

Et quand il a fui — tel qu'un écureuil[1] —
Son rire tremble[2] encore à chaque feuille
Et l'on voit[3] épeuré[4] par un bouvreuil
Le Baiser d'or[5] du Bois, qui se recueille [.]

Le Cœur volé

Mon triste cœur bave à la poupe,
Mon cœur couvert de caporal :
Ils y lancent des jets de soupe,
Mon triste cœur bave à la poupe :
Sous les quolibets de la troupe
Qui pousse un rire général,
Mon triste cœur bave à la poupe
Mon cœur couvert de caporal !

Ithyphalliques et pioupiesques
Leurs quolibets l'ont dépravé !
Au gouvernail[6] on voit des fresques
Ithyphalliques et pioupiesques
Ô flots abracadabrantesques
Prenez mon cœur, qu'il soit lavé
Ithyphalliques et pioupiesques
Leurs quolibets l'ont dépravé !

Quand ils auront tari leurs chiques
Comment agir, ô cœur volé ?
Ce seront des hoquets bachiques
Quand ils auront tari leurs chiques
J'aurai des sursauts stomachiques
Moi, si mon cœur est ravalé :

---

1. *Ibid.* : « tel un écureuil ». **2.** *Ibid.* : « Son rire perle ». **3.** *Ibid.* : « Et l'on croit ». **4.** = Apeuré ; *cf.* « Au Cabaret-Vert », v. 9. **5.** Souvenir possible d'un poème des *Glaneuses*, de Demeny, où il était question du « baiser d'or de l'absent ». Il faut surtout noter la reprise équivoquée baiser dort/baiser d'or. **6.** Rimbaud n'a introduit que plus tard « vesprée » (= soir), venu de la langue de la Renaissance (voir Steve Murphy, *Le Premier Rimbaud*, 1990, p. 306).

Quand ils auront tari leurs chiques
Comment agir, ô cœur volé ?

Mai 1871

Les Mains de Jeanne-Marie

Jeanne-Marie a des mains fortes,
Mains sombres que l'été tanna,
Mains pâles comme des mains mortes.
— Sont-ce des mains de Juana [1] ?

Ont-elles pris les crèmes brunes
Sur les mares des voluptés ?
Ont-elles trempé dans des lunes
Aux étangs de sérénités [2] ?

Ont-elles bu des cieux barbares,
Calmes sur les genoux charmants ?
Ont-elles roulé des cigares
Ou trafiqué des diamants ?

Sur les pieds ardents des Madones
Ont-elles fané des fleurs d'or ?
C'est le sang noir des belladones [3]
Qui dans leur paume éclate et dort.

Mains chasseresses des diptères [4]
Dont bombinent [5] les bleuisons [6]
Aurorales, vers les nectaires [7] ?
Mains décanteuses de poisons ?

---

1. Comme féminin de don Juan, Juana se trouve déjà dans le *Don Juan* de Byron. Voir aussi *Les Marana* de Balzac. **2.** Les deux premiers vers de cette strophe développent « sombres » du v. 2, les deux suivants « pâles » du v. 3. **3.** Un sang mortel comme le suc de la belladone ; mais Rimbaud peut jouer sur le sens étymologique *bella donna* : la belle femme. **4.** Insectes à deux ailes. **5.** *Bombus* en latin désigne le bourdonnement des abeilles ; « bombinent » signifie donc bourdonnent en volant. **6.** Les tons bleus de l'aurore ; *bleuison* est un néologisme. **7.** Le nectaire est l'organe de la fleur qui sécrète le nectar.

Oh ! quel Rêve les a saisies
Dans les pandiculations [1] ?
Un rêve inouï des Asies,
Des Khenghavars [2] ou des Sions ?

— Ces mains n'ont pas vendu d'oranges,
Ni bruni sur les pieds des dieux :
Ces mains n'ont pas lavé les langes
Des lourds petits enfants sans yeux.

Ce ne sont pas mains de cousine [3]
Ni d'ouvrières aux gros fronts
Que brûle, aux bois puant l'usine,
Un soleil ivre de goudrons.

Ce sont des ployeuses [4] d'échines,
Des mains qui ne font jamais mal,
Plus fatales que des machines,
Plus fortes que tout un cheval !

Remuant comme des fournaises,
Et secouant tous ses frissons
Leur chair chante des Marseillaises
Et jamais les Eleisons [5] !

Ça serrerait vos cous, ô femmes
Mauvaises, ça broierait vos mains,
Femmes nobles, vos mains infâmes
Pleines de blancs et de carmins.

---

1. Terme de médecine qui, selon Littré, désigne « un mouvement automatique des bras en haut, avec renversement de la tête et du tronc en arrière, et extension des membres abdominaux ». **2.** Ville de Perse ; on dit plutôt Kengawer. **3.** Plusieurs hypothèses au sujet de ce mot : pour Jean-Pierre Chambon, Rimbaud aurait féminisé *cousin* au sens donné par le *Dictionnaire de Trévoux*, « ouvrier au service de la forge dans les métallurgies » (*Circeto* n° 1, octobre 1983, p. 48) ; Cecil A. Hackett envisage celui de « courtisane » (*Parade sauvage*, n° 1, 1984, p. 87) ; Albert Henry se montre sceptique et pense plutôt à un régionalisme (*Contribution à la lecture de Rimbaud*, 1998, pp. 272-273). **4.** Sur le manuscrit, de la main de Verlaine : « variante : casseuses ». **5.** Opposition entre les chants républicains et les chants d'Église, entre l'exaltation de l'énergie et l'appel à la pitié.

L'éclat de ces mains amoureuses
Tourne le crâne des brebis [1] !
Dans leurs phalanges savoureuses
Le grand soleil met un rubis !

Une tache de populace
Les brunit comme un sein d'hier ;
Le dos de ces Mains est la place
Qu'en baisa tout Révolté fier !

Elles ont pâli, merveilleuses,
Au grand soleil d'amour chargé,
Sur le bronze des mitrailleuses
À travers Parïs insurgé !

Ah ! quelquefois, ô Mains sacrées,
À vos poings, Mains où tremblent nos
Lèvres jamais désenivrées,
Crie une chaîne [2] aux clairs anneaux !

Et c'est un soubresaut étrange
Dans nos êtres, quand, quelquefois,
On veut vous déhâler, Mains d'ange,
En vous faisant saigner les doigts !

Les Effarés

Noirs dans la neige et dans la brume,
Au grand soupirail qui s'allume,
        Leurs culs en rond,

A genoux, cinq petits — misère ! —
Regardent le boulanger faire
        Le lourd pain blond.

---

1. Il faut sans doute comprendre : de la foule moutonnière. **2.** Allusion aux arrestations qui ont suivi la Semaine sanglante ; prisonniers et prisonnières étaient liés main à main par rangs de quatre.

Ils voient le fort bras blanc qui tourne
La pâte grise et qui l'enfourne
Dans un trou clair ;

Ils écoutent le bon pain cuire.
Le boulanger au gras sourire
Chante un vieil air.

Ils sont blottis, pas un ne bouge,
Au souffle du soupirail rouge
Chaud comme un sein.

Quand, pour quelque médianoche,
Façonné comme une brioche,
On sort le pain,

Quand, sur les poutres enfumées,
Chantent les croûtes parfumées
Et les grillons,

Que ce trou chaud souffle la vie
Ils ont leur âme ravie,
Sous leurs haillons,

Ils se ressentent si bien vivre,
Les pauvres Jésus pleins de givre,
Qu'ils sont là, tous,

Collant leurs petits museaux roses
Aux grillages, grognant des choses
Entre les trous,

Tout bêtes, faisant leurs prières,
Et repliés vers ces lumières
Du ciel rouvert,

Si fort qu'ils crèvent leur culotte
Et que leur chemise tremblote
Au vent d'hiver.

Les Voyelles (première version)

A, noir ; E, blanc ; I, rouge ; U, vert ; O, bleu : voyelles,
Je dirai quelque jour vos naissances latentes.
A, noir corset velu des mouches éclatantes
Qui bombinent [1] autour des puanteurs cruelles,

Golfes d'ombre. E, frissons [2] des vapeurs et des tentes,
Lances de glaçons fiers, rais blancs, frissons d'ombelles ;
I, pourpre, sang craché, rire des lèvres belles
Dans la colère ou les ivresses pénitentes,

U, cycles, vibrements divins des mers virides ;
Paix des pâtis semés d'animaux, paix des rides
Que l'alchimie imprime aux grands fronts studieux ;

O, suprême Clairon plein de strideurs étranges,
Silences traversés des Mondes et des Anges...
— O l'Oméga, rayon violet de ses yeux !

Voyelles (deuxième version)

A noir, E [3] blanc, I rouge, U vert, O bleu : voyelles,
Je dirai quelque jour vos naissances latentes [4] :
A, noir corset velu des mouches éclatantes
Qui bombinent [5] autour des puanteurs cruelles,

Golfes d'ombre ; E, candeurs [6] des vapeurs et des tentes,
Lances des glaciers [7] fiers, rois blancs [8], frissons d'ombelles ;

---

1. Verlaine innovera en écrivant « bombillent » dans *Les Poètes maudits*. **2.** Rimbaud n'a pas encore corrigé la répétition. **3.** Rimbaud et Verlaine écrivent cet E comme un epsilon grec. **4.** Les « réalités en puissance que portent pour ainsi dire les voyelles » (Jean-Bertrand Barrère, « En rêvant aux "Voyelles" », *R.H.L.F.*, avril-juin 1956) **5.** Voir « Les Mains de Jeanne-Marie », v. 18. **6.** Pour éviter la répétition, Rimbaud a corrigé « frissons » (rayé) en « candeurs ». *Candeur* a ici son sens étymologique de blancheur. **7.** L'image était plus aisément perceptible dans la première version. **8.** Comme des souverains orientaux.

I, pourpres[1], sang craché, rire des lèvres belles
Dans la colère ou les ivresses pénitentes ;

U, cycles, vibrements divins des mers virides[2],
Paix des pâtis semés d'animaux, paix des rides
Que l'alchimie imprime aux grands fronts studieux[3] ;

O, suprême Clairon[4] plein des strideurs étranges,
Silences traversés des Mondes et des Anges :
— O l'Oméga[5], rayon violet de Ses Yeux[6] !

[« L'étoile a pleuré rose... »]

L'étoile a pleuré rose au cœur de tes oreilles,
L'infini roulé blanc de ta nuque à tes reins
La mer a perlé rousse à tes mammes vermeilles
Et l'Homme saigné noir à ton flanc souverain.

Les Douaniers

Ceux qui disent : Cré Nom, ceux qui disent macache[7],
Soldats, marins, débris d'Empire[8], retraités,

---

1. Étoffes pourpres (substantif). En revanche, « pourpre » était singulier, donc adjectif dans le texte de la copie Verlaine. **2.** Etiemble a fait observer l'étrange fréquence des *i* dans ce vers consacré à U. Mais Y (l'upsilon grec tel qu'on le trouve dans *kuklos*), V en latin (vibrements, divins, virides), sont l'un et l'autre des variantes de U. L'image de l'ondulation évoquée par la forme même de la lettre semble de toute façon l'essentiel. **3.** Cette rêverie sur l'alchimie se poursuivra dans *Une saison en enfer*. **4.** L'O de l'ouverture du clairon, mais aussi l'appel strident. Ce dernier tercet a une résonance nettement apocalyptique. **5.** L'O long en grec, et la dernière lettre de l'alphabet (comme le violet est la dernière couleur du prisme). *Cf.* au moment du Jugement dernier dans l'Apocalypse (XXI, 6) : « C'en est fait ! Je suis l'Alpha et l'Omega, le Principe et la Fin. » **6.** La majuscule (« Ses Yeux ») n'existe que sur le manuscrit Blémont : Verlaine, comme les autres amis de Rimbaud (Pierquin, Delahaye), ne pensait peut-être lui aussi qu'à l'évocation tout humaine d'une « jeune fille aux yeux de violette ». **7.** *Macache* : locution arabe, indiquant le refus. Elle avait été importée par les soldats de la campagne d'Égypte. **8.** Débris des armées de l'Empire.

Sont nuls, très nuls, devant les Soldats des Traités[1]
Qui tailladent l'azur frontière[2] à grands coups d'hache[3].

Pipe aux dents, lame en main, profonds[4], pas embêtés[5]
Quand l'ombre bave aux bois comme un mufle de vache
Ils s'en vont, amenant leurs dogues à l'attache,
Exercer nuitamment leurs terribles gaîtés !

Ils signalent aux lois modernes les faunesses[6]
Ils empoignent les Fausts et les Diavolos[7]
« Pas de ça, les anciens ! Déposez les ballots[8] ! »

Quand sa sérénité s'approche des jeunesses,
Le Douanier se tient aux appas contrôlés !
Enfer aux Délinquants que sa paume a frôlés !

Oraison du soir

Je vis assis, tel qu'un ange[9] aux mains d'un barbier,
Empoignant une chope à fortes cannelures,
L'hypogastre[10] et le col cambrés, une Gambier[11]
Aux dents, sous l'air gonflé d'impalpables voilures[12].

---

1. Les soldats placés par les Traités à la frontière. De quels traités s'agit-il ? Des deux traités de Paris — 30 mai 1814, 20 novembre 1815 — (hypothèse de J. Mouquet) ? Des traités qui, quelque temps avant la guerre de 1870, ont associé la Bavière, le Wurtemberg et Bade à la Confédération du Nord animée par Bismarck, et que la presse française avait dénoncés comme une cause de guerre (hypothèse de J. Gengoux, plus satisfaisante pour expliquer le v. 15 de « À la Musique ») ? Des traités qui ont mis fin à la récente guerre franco-allemande — Versailles, 26 février 1871 ; Francfort, 10 mai 1871 — (hypothèse de S. Bernard) ? La dernière solution paraît la plus naturelle. **2.** Glose de J. Gengoux, *op. cit.*, p. 190 : « l'azur qui est du noir, du faux ». Rimbaud souligne plutôt, à notre avis, qu'il est absurde de prévoir d'autre frontière que l'horizon. **3.** Incorrection volontaire, peut-être pour imiter le langage des douaniers. **4.** Latinisme : dans la profondeur de la nuit, ou de la forêt. **5.** Ponctuation du manuscrit. **6.** Celles qui ont choisi la nature comme cadre de leurs ébats amoureux. **7.** Thaumaturges et brigands, jadis promus à la dignité de héros. **8.** Le second guillemet manque sur le manuscrit. Nous l'avons restitué. **9.** Copie Verlaine : « un Ange ». Allusion possible aux longs cheveux de Rimbaud à cette époque. **10.** Usage comique d'un terme pédant pour désigner une partie du corps, ici la partie inférieure du ventre. *Cf.* « Les Assis ». **11.** Une pipe à bon marché. **12.** Les nuages de fumée échappés de la pipe. Copie Verlaine : « sous les cieux gros d'impalpables voilures ».

Tels que les excréments chauds d'un vieux colombier[1],
Mille Rêves en moi font de douces brûlures :
Puis par instants mon cœur triste est comme un aubier[2]
Qu'ensanglante l'or jeune et sombre des coulures[3].

Puis[4], quand j'ai ravalé mes rêves avec soin,
Je me tourne, ayant bu trente ou quarante chopes,
Et me recueille, pour lâcher l'âcre besoin :

Doux comme le Seigneur du cèdre et des hysopes[5],
Je pisse vers les cieux bruns, très haut et très loin,
Avec l'assentiment des grands héliotropes[6].

Les Sœurs de charité

Le jeune homme dont l'œil est brillant, la peau brune,
Le beau corps de vingt ans[7] qui devrait aller nu,
Et qu'eût, le front cerclé de cuivre, sous la lune
Adoré, dans la Perse un Génie inconnu[8],

Impétueux avec des douceurs virginales
Et noires, fier de ses premiers entêtements,
Pareil aux jeunes mers, pleurs de nuits estivales
Qui se retournent sur des lits de diamants[9] ;

---

1. La colombe est un élément traditionnel de l'imagerie parnassienne. La reprise est volontairement dérisoire. **2.** Le bois blanc qui se trouve entre l'écorce et le cœur de l'arbre. Copie Verlaine : « mon cœur tendre est comme un aubier ». **3.** Écoulement de l'arbre. **4.** Copie Verlaine : « Et » **5.** Dieu, le Seigneur du plus grand et du plus petit. L'hysope figure dans la formule rituelle de l'aspersion : *Lavabis me hysope et mundabor*. En fait, comme l'indiquait Louis Figuier dans cette *Histoire des plantes* que connaissait Rimbaud, l'hysope n'est pas du tout douce, mais amère. « Le *lierre terrestre* et l'*hyssope* [*sic*], qui sont aussi consacrés à l'usage médical, agissent à la fois comme amers et aromatiques. » **6.** *Cf.* « Chant de guerre Parisien ». **7.** Si ce jeune homme est Rimbaud lui-même, il se vieillit encore plus que d'habitude. **8.** Réminiscence possible des *Mille et Une Nuits*. **9.** L'image, par sa richesse extrême, reste dans la manière parnassienne (S. Bernard a fait le rapprochement avec un poème de Banville, le « Chant d'Orphée », publié dans *Le Parnasse* en 1870). Il convient de rappeler l'importance de la « nuit d'été » dans l'imagination rimbaldienne (jusque dans le « *Bottom* » des *Illuminations*).

Le jeune homme, devant les laideurs de ce monde
Tressaille dans son cœur largement irrité
Et plein de la blessure éternelle et profonde,
Se prend à désirer sa sœur de charité.

Mais, ô Femme, monceau d'entrailles, pitié douce
Tu n'es jamais la sœur de charité, jamais,
Ni[1] regard noir, ni ventre où dort une ombre rousse,
Ni doigts légers, ni seins splendidement formés

Aveugle irréveillée aux immenses prunelles
Tout notre embrassement n'est qu'une question :
C'est toi qui pends à nous, porteuse de mamelles ;
Nous te berçons, charmante et grave Passion[2].

Tes haines, tes torpeurs fixes, tes défaillances
Et les brutalités souffertes autrefois
Tu nous rends tout, ô Nuit pourtant sans malveillances
Comme un excès de sang épanché tous les mois[3]

— Quand la femme, portée un instant, l'épouvante[4],
Amour, appel de vie et chanson d'action[5]
Viennent la Muse verte[6] et la Justice ardente[7]
Le déchirer de leur auguste obsession.

Ah ! sans cesse altéré des splendeurs et des calmes,
Délaissé des deux Sœurs implacables[8], geignant
Avec tendresse après la science aux bras almes[9],
Il porte à la nature en fleur son front saignant[10].

---

1. Construction libre : série de caractéristiques qui semblent continuer « monceau d'entrailles ». On peut comprendre : « pas même avec ton regard noir, etc. » **2.** Double paradoxe : la porteuse de mamelles est elle-même portée ; la Mère douloureuse qui berce le Christ (*cf.* la *Pietà*) est elle-même bercée et devient Passion. **3.** On trouvait déjà une allusion au sang menstruel (image obsédante chez Rimbaud) au début de « *Credo in unam* » — dans un tout autre registre. **4.** Épouvante le jeune homme ; Rimbaud reprend le fil de son discours, qui a été interrompu par l'invocation des strophes 4, 5 et 6, sorte de parenthèse. **5.** Appositions à « Muse verte » et à « Justice ardente », plutôt qu'à « la femme ». **6.** L'Espérance. La traduction d'Antoine Adam (l'absinthe) ne nous paraît pas nécessaire. **7.** Ardente = rouge. Souvenir possible de Proudhon. **8.** Probablement la « Muse verte » et la « Justice ardente ». **9.** *Almes* = nourriciers, bienfaisants (*cf. alma mater*). Le mot est cher à Verlaine. **10.** Comme le front du Christ.

Mais la noire alchimie[1] et les saintes études
Répugnent au blessé, sombre savant d'orgueil ;
Il sent marcher sur lui d'atroces solitudes
Alors, et toujours beau, sans dégoût du cercueil,

Qu'il croie aux vastes fins, Rêves ou Promenades
Immenses, à travers les nuits de Vérité
Et t'appelle en son âme et ses membres malades
Ô Mort mystérieuse, ô sœur de charité !

Juin 1871.

Les Premières Communions

I

Vraiment, c'est bête, ces églises des villages
Où quinze laids marmots encrassant les piliers
Écoutent, grasseyant les divins babillages,
Un noir[2] grotesque dont fermentent les souliers[3] :
Mais le soleil éveille, à travers des feuillages
Les vieilles couleurs des vitraux irréguliers.

La pierre sent toujours la terre maternelle
Vous verrez des monceaux de ces cailloux terreux
Dans la campagne en rut[4] qui frémit solennelle
Portant près des blés lourds, dans les sentiers ocreux,
Ces arbrisseaux brûlés où bleuit la prunelle[5],
Des nœuds de mûriers noirs et de rosiers fuireux[6].

---

1. Yves Bonnefoy (*Rimbaud par lui-même*, éd. du Seuil, 1961, pp. 47-48) souligne le mot tout en évitant de lui donner trop d'importance : « Faute de pouvoir suivre Baudelaire dans les libres chemins de la subjectivité créatrice, [Rimbaud] s'intéresse aux spéculations qui proposent des moyens plus impersonnels, plus matériels, pour changer le plomb en or. Nul doute qu'il n'ait parcouru dans ces mois quelques livres d'alchimie. Mais s'il est sensible à la métaphore alchimique, il n'a eu ni le temps, ni le goût de s'y engager très avant. Cela est dit sans détour dans "Les Sœurs de charité". » **2.** Un curé. **3.** *Cf. Un cœur sous une soutane* : « J'avais chaud, mes pieds brûlaient sous son regard, et nageaient dans la sueur ». **4.** *Cf.* le début de « Soleil et Chair » : évocation de la seule divinité, la Nature. **5.** La virgule après « prunelle » ne constitue pas un non-sens, comme le dit A. Adam. « Ces arbrisseaux brûlés où bleuit la prunelle » sont les prunelliers. **6.** Foireux (c'est-à-dire couverts de bouse de vache ?) : l'explication traditionnelle n'est guère satisfaisante...

Tous les cent ans, on rend ces granges respectables
Par un badigeon d'eau bleue et de lait caillé :
Si des mysticités grotesques sont notables
Près de la Notre-Dame ou du Saint empaillé,
Des mouches sentant bon l'auberge et les étables
Se gorgent de cire au plancher ensoleillé.

L'enfant se doit surtout à la maison, famille
Des soins naïfs, des bons travaux abrutissants ;
Ils[1] sortent, oubliant que la peau leur fourmille
Où le Prêtre du Christ plaqua ses doigts puissants.
On paie au Prêtre un toit ombré d'une charmille
Pour qu'il laisse au soleil tous ces fronts brunissants

Le premier habit noir, le plus beau jour de tartes,
Sous le Napoléon ou le petit Tambour[2]
Quelque enluminure où les Josephs et les Marthes
Tirent la langue avec un excessif amour
Et que joindront, au jour de science, deux cartes,
Ces seuls doux souvenirs[3] lui restent du grand Jour.

Les filles vont toujours à l'église, contentes
De s'entendre appeler garces par les garçons
Qui font du genre après messe ou vêpres chantantes.
Eux qui sont destinés au chic des garnisons
Ils narguent au café les maisons importantes
Blousés neuf[4], et gueulant d'effroyables chansons.

Cependant le Curé choisit pour les enfances
Des dessins ; dans son clos, les vêpres dites, quand
L'air s'emplit du lointain nasillement des danses
Il se sent, en dépit des célestes défenses,
Les doigts de pied ravis et le mollet marquant[5] ;

— La Nuit vient, noir pirate aux cieux d'or débarquant[6].

---

1. Ceux qui travaillent, les « fronts brunissants ». **2.** Une reproduction du célèbre tableau. **3.** Verlaine avait d'abord écrit : « ces deux seuls souvenirs ». **4.** Avec des blouses neuves ; emploi adverbial de l'adjectif, très caractéristique du Rimbaud de 1871. **5.** Marquant (le rythme). **6.** Le vers est nettement détaché sur le manuscrit.

II

Le Prêtre a distingué parmi les catéchistes[1],
Congrégés[2] des Faubourgs ou des Riches Quartiers[3],
Cette petite fille inconnue, aux yeux tristes,
Front jaune. Les parents semblent de doux portiers.
« Au grand Jour, le marquant parmi les Catéchistes,
Dieu fera sur ce front neiger ses bénitiers[. »]

III

La veille du grand Jour, l'enfant se fait malade.
Mieux qu'à l'Église haute aux funèbres rumeurs,
D'abord le frisson vient, — le lit n'étant pas fade —
Un frisson surhumain qui retourne : « Je meurs... »

Et, comme un vol d'amour fait à ses sœurs stupides[4],
Elle compte, abattue et les mains sur son cœur,
Les Anges, les Jésus et ses Vierges nitides[5]
Et, calmement, son âme a bu tout son vainqueur.

Adonaï[6] !... — Dans les terminaisons latines,
Des cieux moirés de vert baignent les Fronts[7] vermeils
Et, tachés du sang pur des célestes poitrines
De grands linges neigeux tombent sur les soleils !

— Pour ses virginités présentes et futures
Elle mord aux fraîcheurs de ta Rémission,
Mais plus que les lys d'eau, plus que les confitures
Tes pardons sont glacés, ô reine de Sion[8] !

1. Ses catéchumènes plutôt ; on notera la répétition du même mot à la rime. **2.** Rassemblés comme des troupeaux venus de... **3.** Même opposition entre les pauvres et les dévots des riches quartiers dans « Les Pauvres à l'église ». **4.** « Vol » = larcin ; « ses sœurs stupides » : les autres catéchumènes. **5.** Adjectif formé sur le latin *nitidus* = brillant. **6.** Nom donné à Dieu dans l'Ancien Testament. **7.** Du Christ, de la Vierge et des saints. **8.** L'un des noms sous lesquels la Vierge est invoquée dans les litanies.

IV

Puis la Vierge n'est plus que la vierge du livre
Les mystiques élans se cassent quelquefois...
Et vient la pauvreté des images, que cuivre
L'ennui, l'enluminure atroce et les vieux bois ;

Des curiosités vaguement impudiques
Épouvantent le rêve aux chastes bleuités
Qui s'est surpris autour des célestes tuniques,
Du linge dont Jésus voile ses nudités.

Elle veut, elle veut, pourtant, l'âme en détresse,
Le front dans l'oreiller creusé par les cris sourds
Prolonger les éclairs suprêmes de tendresse,
Et bave... — L'ombre emplit les maisons et les cours.

Et l'enfant ne peut plus. Elle s'agite, cambre
Les reins et d'une main ouvre le rideau bleu
Pour amener un peu la fraîcheur de la chambre.
Sous le drap, vers son ventre et sa poitrine en feu...

V

À son réveil, — minuit, — la fenêtre était blanche.
Devant le sommeil bleu des rideaux illunés [1],
La vision la prit des candeurs du dimanche ;
Elle avait rêvé rouge. Elle saigna du nez,

Et, se sentant bien chaste et pleine de faiblesse
Pour savourer en Dieu son amour revenant
Elle eut soif de la nuit où s'exalte et s'abaisse
Le cœur, sous l'œil des cieux doux, en les devinant ;

---

1. Éclairés par la lune ; le mot se trouve déjà dans « Les Poètes de sept ans ».

De la nuit, Vierge-Mère impalpable, qui baigne
Tous les jeunes émois de ses silences gris,
Elle eut soif de la nuit forte où le cœur qui saigne
Écoule sans témoin sa révolte sans cris.

Et faisant la victime et la petite épouse [1]
Son étoile la vit, une chandelle aux doigts
Descendre dans la cour où séchait une blouse,
Spectre blanc, et lever les spectres noirs des toits.

VI

Elle passa sa nuit sainte dans des latrines [2].
Vers la chandelle, aux trous du toit coulait l'air blanc,
Et quelque vigne folle aux noirceurs purpurines,
En deçà d'une cour voisine s'écroulant.

La lucarne faisait un cœur de lueur vive.
Dans la cour où les cieux bas plaquaient d'ors vermeils
Les vitres ; les pavés puant l'eau de lessive
Souffraient [3] l'ombre des murs bondés de noirs sommeils
....

VII

Qui dira ces langueurs et ces pitiés immondes,
Et ce qu'il lui viendra de haine, ô sales fous [4]
Dont le travail divin déforme encor les mondes,
Quand la lèpre à la fin mangera ce corps doux ?
....

1. La petite épouse (du Seigneur). **2.** *Cf.* « Les Poètes de sept ans ». **3.** Orthographe du manuscrit ; la correction « soufraient » faite par la majorité des éditeurs ne donne pas un sens plus satisfaisant ; au contraire ! Il faut comprendre, à notre avis : « supportaient » l'ombre, toujours pesante chez Rimbaud. **4.** Les prêtres.

VIII

Et quand, ayant rentré tous ses nœuds d'hystéries
Elle verra, sous les tristesses du bonheur,
L'amant rêver au blanc million des Maries[1],
Au matin de la nuit d'amour, avec douleur :

« Sais-tu que je t'ai fait mourir ? J'ai pris ta bouche,
Ton cœur, tout ce qu'on a, tout ce que vous avez ;
Et moi, je suis malade : ah ! je veux qu'on me couche
Parmi les Morts des eaux nocturnes abreuvés !

« J'étais bien jeune ; et Christ a souillé mes haleines
Il me bonda jusqu'à la gorge de dégoûts !
Tu baisais mes cheveux profonds comme les laines
Et je me laissais faire... ah ! va, c'est bon pour vous,

[«] Hommes ! qui songez peu que la plus amoureuse
Est, sous sa conscience aux ignobles terreurs
La plus prostituée et la plus douloureuse
Et que tous nos élans vers vous sont des erreurs !

[«] Car ma Communion première est bien passée
Tes baisers, je ne puis jamais les avoir sus[2] :
Et mon cœur et ma chair par ta chair embrassée
Fourmillent du baiser putride de Jésus ! [»]

IX

Alors l'âme pourrie et l'âme désolée
Sentiront ruisseler tes malédictions
— Ils auront couché sur ta Haine inviolée,
Échappés, pour la mort, des justes passions.

Christ ! ô Christ, éternel voleur des énergies
Dieu qui pour deux mille ans vouas à ta pâleur

1. De celles qui sont encore vierges. **2.** Parce que le baiser du Christ les a à l'avance effacés.

Cloués au sol, de honte et de céphalalgies[1]
Ou renversés les fronts des femmes de douleur.

Juillet 1871

Les Chercheuses de poux

Quand le front de l'enfant, plein de rouges tourmentes[2],
Implore l'essaim blanc des rêves indistincts,
Il vient près de son lit deux grandes sœurs charmantes
Avec de frêles doigts aux ongles argentins.

Elles assoient l'enfant devant une croisée[3]
Grande ouverte où l'air bleu baigne un fouillis de fleurs,
Et dans ses lourds cheveux où tombe la rosée
Promènent leurs doigts fins, terribles et charmeurs.

Il écoute chanter leurs haleines craintives
Qui fleurent de longs miels végétaux et rosés,
Et qu'interrompt parfois un sifflement, salives
Reprises sur la lèvre ou désirs de baisers.

Il entend leurs cils noirs battant sous les silences
Parfumés ; et leurs doigts électriques et doux
Font crépiter parmi ses grises indolences
Sous leurs ongles royaux la mort des petits poux.

Voilà que monte en lui le vin de la Paresse,
Soupir d'harmonica qui pourrait délirer ;
L'enfant se sent[4], selon la lenteur des caresses,
Sourdre et mourir sans cesse un désir de pleurer.

---

1. Douleurs de tête. **2.** *Cf.* Dans « Les Sœurs de charité », v. 32, « son front saignant » (ce qui ne signifie pas nécessairement que l'enfant se soit gratté, comme le suggère Suzanne Bernard). **3.** Correction de Paterne Berrichon, reprise par Bouillane de Lacoste, et d'origine inconnue : « auprès d'une croisée ». **4.** Sent en lui.

Paris se repeuple

Ô lâches, la voilà[1] ! Dégorgez dans les gares !
Le soleil essuya de ses poumons ardents
Les boulevards qu'un soir comblèrent les Barbares[2].
Voilà la Cité belle, assise à l'occident !

Allez ! on préviendra les reflux d'incendie,
Voilà les quais ! voilà les boulevards ! voilà
Sur les maisons, l'azur léger qui s'irradie
Et qu'un soir la rougeur des bombes étoila[3] !

Cachez les palais morts[4] dans des niches de planches[5] !
L'ancien jour effaré rafraîchit vos regards.
Voici le troupeau roux des tordeuses de hanches[6] :
Soyez fous, vous serez drôles, étant hagards !

Tas de chiennes en rut mangeant des cataplasmes,
Le cri des maisons d'or vous réclame. Volez !
Mangez ! Voici la nuit de joie aux profonds spasmes
Qui descend dans la rue. Ô buveurs désolés,

Buvez ! Quand la lumière arrive intense et folle,
Fouillant à vos côtés les luxes ruisselants,
Vous n'allez pas baver, sans geste, sans parole,
Dans vos verres, les yeux perdus aux lointains blancs,

Avalez, pour la Reine aux fesses cascadantes !
Écoutez l'action des stupides hoquets
Déchirants ! Écoutez sauter aux nuits ardentes
Les idiots râleux, vieillards[7], pantins, laquais !

---

1. La ville. **2.** Les Allemands ; souvenir de la journée du 1er mars 1871 où ils défilèrent dans Paris. Leconte de Lisle leur donne aussi ce nom. **3.** Pendant l'attaque de Paris par les Versaillais ; voir le « Chant de guerre Parisien ». **4.** Allusion à la destruction des Tuileries et d'une partie du Louvre au cours de l'incendie qui retomba le 26 mai au soir. **5.** Pour les royalistes ils prendront valeur de martyrs, de saints à placer dans une niche. **6.** Les prostituées. **7.** Allusion possible à l'âge de Thiers : 74 ans.

Ô cœurs de saleté, bouches épouvantables,
Fonctionnez plus fort, bouches de puanteurs !
Un vin pour ces torpeurs ignobles, sur ces tables...
Vos ventres sont fondus de hontes, ô Vainqueurs !

Ouvrez votre narine aux superbes nausées !
Trempez de poisons forts les cordes de vos cous !
Sur vos nuques d'enfants baissant ses mains croisées
Le Poète vous dit : « Ô lâches [1], soyez fous !

Parce que vous fouillez le ventre de la Femme,
Vous craignez d'elle encore une convulsion
Qui crie, asphyxiant votre nichée infâme
Sur sa poitrine, en une horrible pression.

Syphilitiques, fous, rois, pantins, ventriloques,
Qu'est-ce que ça peut faire à la putain Paris,
Vos âmes et vos corps, vos poisons et vos loques ?
Elle se secouera de vous, hargneux pourris !

Et quand vous serez bas, geignant sur vos entrailles,
Les flancs morts, réclamant votre argent, éperdus,
La rouge courtisane aux seins gros de batailles
Loin de votre stupeur tordra ses poings ardus !

Quand tes pieds ont dansé si fort dans les colères,
Paris ! quand tu reçus tant de coups de couteau,
Quand tu gis, retenant dans tes prunelles claires
Un peu de la bonté du fauve renouveau,

Ô cité douloureuse, ô cité quasi morte,
La tête et les deux seins jetés vers l'Avenir
Ouvrant sur ta pâleur ses milliards de portes,
Cité que le Passé sombre pourrait bénir :

Corps remagnétisé pour les énormes peines,
Tu rebois donc la vie effroyable ! tu sens

---

1. Reprise de l'apostrophe initiale.

Sourdre le flux des vers livides en tes veines,
Et sur ton clair amour rôder les doigts glaçants !

Et ce n'est pas mauvais. Les vers, les vers livides
Ne gêneront pas plus ton souffle de Progrès
Que les Stryx[1] n'éteignaient l'œil des Cariatides[2]
Où des pleurs d'or astral tombaient des bleus degrés.

Quoique ce soit affreux de te revoir couverte
Ainsi ; quoiqu'on n'ait fait jamais d'une cité
Ulcère plus puant à la Nature verte,
Le Poète te dit : « Splendide est ta Beauté ! »

L'orage t'a sacrée suprême poésie ;
L'immense remuement des forces te secourt ;
Ton œuvre bout, la mort gronde, Cité choisie !
Amasse les strideurs au cœur du clairon sourd[3].

Le Poëte prendra le sanglot des Infâmes,
La haine des Forçats, la clameur des Maudits ;
Et ses rayons d'amour flagelleront les Femmes.
Ses strophes bondiront : Voilà ! voilà ! bandits !

— Société, tout est rétabli[4] : — les orgies
Pleurent leur ancien râle aux anciens lupanars :
Et les gaz en délire, aux murailles rougies,
Flambent sinistrement vers les azurs blafards !

Le Bateau ivre

Comme je descendais des Fleuves impassibles,
Je ne me sentis plus guidé par les haleurs :

---

1. Ou Stryges, sortes de vampires. **2.** Souvenir probable du recueil de Banville. **3.** Texte de *La Plume*, 15 septembre 1890, meilleur que « clairon lourd » dans l'édition Vanier de 1895. **4.** *Cf.* « L'ordre est rétabli », titre d'une section dans *Les Châtiments* de Victor Hugo, d'après un mot d'ordre de Napoléon III.

Des Peaux-Rouges criards les avaient pris pour cibles
Les ayant cloués nus aux poteaux de couleurs [1].

J'étais insoucieux de tous les équipages,
Porteur de blés flamands ou de cotons anglais.
Quand avec mes haleurs ont fini ces tapages [2]
Les Fleuves m'ont laissé descendre où je voulais [3].

Dans les clapotements furieux des marées
Moi l'autre hiver plus sourd que les cerveaux d'enfants [4],
Je courus ! Et les Péninsules démarrées [5]
N'ont pas subi tohu-bohus plus triomphants.

La tempête a béni mes éveils maritimes.
Plus léger qu'un bouchon j'ai dansé sur les flots
Qu'on appelle rouleurs éternels de victimes,
Dix nuits, sans regretter l'œil niais des falots !

Plus douce qu'aux enfants la chair des pommes sures,
L'eau verte pénétra ma coque de sapin [6]
Et des taches de vins bleus et des vomissures [7]
Me lava, dispersant gouvernail et grappin.

Et dès lors, je me suis baigné dans le Poème
De la Mer [8], infusé d'astres, et lactescent [9],
Dévorant les azurs verts [10] ; où [11], flottaison blême
Et ravie [12], un noyé pensif parfois descend ;

---

1. Chateaubriand avait placé chez les Peaux-Rouges « un poteau de diverses couleurs ». **2.** « Avec mes haleurs » = en même temps que mes haleurs. Les tapages sont les cris des Peaux-Rouges (*cf.* le v. 3) plutôt que le chant des haleurs. **3.** C'est-à-dire à la mer. **4.** *Cf.* l'entêtement de l'enfant dans « Les Poètes de sept ans ». **5.** Reprise du mythe ancien de l'île flottante — Délos par exemple. Bouillane de Lacoste a trouvé une source possible de cette expression dans un article du *Magasin pittoresque* intitulé « Promontoire flottant », où il est raconté qu'en 1718 des marins avaient rencontré au large de la côte d'Afrique « une île flottante longue de plusieurs lieues [...]. Il s'élevait de cette île une rumeur formidable (hurlements des fauves) [...]. Le plus intelligent de ces hommes exprima l'opinion que ce pouvait être quelque promontoire séparé tout à coup du continent africain par un tremblement de terre ». **6.** Un bois qui pourrit facilement, comme le rappelle Étiemble. **7.** *Cf.* « Le Cœur volé ». **8.** Non plus de lointaines paroles sur la mer, mais la Mer elle-même, la poésie se confondant avec l'épaisseur du monde. **9.** Prenant une blancheur laiteuse. **10.** Prenant la teinte des azurs verts comme si la mer les avait absorbés. **11.** « Où » a pour antécédent « poème ». **12.** Avec un jeu sur le double sens du mot (enlevé/extasié).

Où, teignant tout à coup les bleuités, délires
Et rhythmes lents[1] sous les rutilements du jour,
Plus fortes que l'alcool, plus vastes que nos lyres,
Fermentent les rousseurs amères de l'amour !

Je sais les cieux crevant en éclairs, et les trombes
Et les ressacs et les courants : je sais le soir,
L'Aube exaltée[2] ainsi qu'un peuple de colombes,
Et j'ai vu quelquefois ce que l'homme a cru voir[3] !

J'ai vu le soleil bas, taché d'horreurs[4] mystiques,
Illuminant de longs figements[5] violets,
Pareils à des acteurs de drames très-antiques[6]
Les flots roulant au loin leurs frissons de volets !

J'ai rêvé la nuit verte aux neiges éblouies,
Baiser montant aux yeux des mers avec lenteurs,
La circulation des sèves inouïes,
Et l'éveil jaune et bleu des phosphores chanteurs[7] !

J'ai suivi, des mois pleins, pareille aux vacheries[8]
Hystériques, la houle à l'assaut des récifs,
Sans songer que les pieds lumineux des Maries[9]
Pussent forcer le mufle aux Océans poussifs !

J'ai heurté, savez-vous, d'incroyables Florides[10]
Mêlant aux fleurs des yeux de panthères à peaux

---

1. Tantôt délires tantôt rythmes lents : les deux mots sont en apposition à « rousseurs ». **2.** Non pas spectacle exaltant (glose de R. Faurisson), mais l'aube prenant son vol vers les hauteurs du ciel. **3.** L'expression rappelle les Épîtres de saint Paul. **4.** Au sens latin : frisson sacré. **5.** *Cf.* Baudelaire : « Le soleil s'est noyé dans son sang qui se fige » (« Harmonie du soir »). **6.** Izambard faisait ici intervenir le souvenir du *Prométhée* d'Eschyle étudié en classe. Les acteurs antiques sont figés dans une conduite statique. **7.** « Les *phosphores chanteurs* sont des animalcules nommés *noctiluques*, qui rendent la mer phosphorescente » (S. Bernard). **8.** « Mufle », à la fin de la strophe, viendra expliquer cette expression surprenante. Enid Starkie y a vu une réminiscence d'un conte d'Edgar Poe, *Une descente dans le Maelström*, où le bruit de la tempête est comparé à celui d'un troupeau de buffles sauvages. **9.** Plusieurs explications ingénieuses, aucune pleinement convaincante pour ce mot. Négation en tout cas d'un prétendu pouvoir surnaturel supérieur à la puissance des flots. « Sans songer que » = sans se soucier un seul instant du fait que. **10.** L'une des « péninsules démarrées » dont il était question au v. 11.

D'hommes ! Des arcs-en-ciel tendus comme des brides
Sous l'horizon des mers, à de glauques troupeaux[1] !

J'ai vu fermenter les marais énormes, nasses
Où pourrit dans les joncs tout un Léviathan[2],
Des écroulements d'eaux au milieu des bonaces[3],
Et les lointains vers les gouffres cataractant[4] !

Glaciers, soleils d'argent, flots nacreux[5], cieux de braises !
Échouages hideux au fond des golfes bruns
Où les serpents géants dévorés des punaises
Choient[6], des arbres tordus, avec de noirs parfums !

J'aurais voulu montrer aux enfants ces dorades
Du flot bleu, ces poissons d'or, ces poissons chantants.
— Des écumes de fleurs ont bercé mes dérades[7]
Et d'ineffables vents m'ont ailé[8] par instants.

Parfois, martyr[9] lassé des pôles et des zones,
La mer dont le sanglot faisait mon roulis doux
Montait vers moi ses fleurs d'ombre aux ventouses jaunes
Et je restais, ainsi qu'une femme à genoux...

Presque île[10], ballottant sur mes bords les querelles
Et les fientes d'oiseaux clabaudeurs aux yeux blonds
Et je voguais, lorsqu'à travers mes liens frêles[11]
Des noyés descendaient dormir, à reculons !...

---

1. Syntaxe assez incertaine ; E. Noulet incline à souligner le parallélisme des constructions, renforcé par la ponctuation. **2.** Monstre biblique, dans le Livre de Job et le Psaume 104. C'est aussi le nom que donnait Hugo, dans « Pleine mer », à un sept-mâts énorme construit à Londres. **3.** Au moment même où la mer paraissait parfaitement calme. **4.** S'écroulant comme des cataractes. **5.** Couleur de nacre (néologisme). **6.** Un savant voyageur, Louis Merlet, expliquait à Izambard, à propos de ces vers : « Les infiniment petits, en Guyane et sous les tropiques en général, s'attaquent non seulement aux charognes, mais aux animaux vivants (serpents inclus). Les boas, trigonocéphales, etc., en sont couverts — du moins, c'est ce que j'ai appris en forêt vierge. Les reptiles n'en ont cure. Ils plongent dans la vase ou les rivières, et c'est tout » (G. Izambard, *Rimbaud tel que je l'ai connu*, p. 199). **7.** Mot formé sur « dérader » = quitter la rade. **8.** M'ont soulevé comme si j'avais des ailes. **9.** On peut mettre *martyr* en apposition à *moi* (A. Adam) ; on peut aussi, et c'est plus naturel, mettre le mot en apposition à *mer* ; d'où son *sanglot*, et le geste de prosternation du bateau (« Et je restais, ainsi qu'une femme à genoux »). **10.** L'orthographe « presqu'île » est fautive. Le bateau est presque une île, et les oiseaux vont venir s'y poser. **11.** Il s'agit moins des cordages (Bouillane de Lacoste) que des « fleurs d'ombre aux ventouses jaunes », des algues qui ont essayé de le retenir.

Or moi, bateau perdu sous les cheveux des anses [1],
Jeté par l'ouragan dans l'éther sans oiseau,
Moi dont les Monitors [2] et les voiliers des Hanses [3]
N'auraient pas repêché la carcasse ivre d'eau ;

Libre, fumant, monté de brumes violettes [4],
Moi qui trouais le ciel rougeoyant comme un mur
Qui porte, confiture exquise aux bons poëtes [5],
Des lichens de soleil et des morves d'azur,
Qui courais, taché de lunules électriques [6],
Planche folle, escorté des hippocampes noirs,
Quand les juillets faisaient crouler à coups de triques
Les cieux ultramarins aux ardents entonnoirs [7] ;

Moi qui tremblais, sentant geindre à cinquante lieues
Le rut des Béhémots [8] et les Maelstroms épais,
Fileur éternel des immobilités bleues,
Je regrette l'Europe aux anciens parapets !

J'ai vu des archipels sidéraux ! et des îles
Dont les cieux délirants sont ouverts au vogueur :
— Est-ce en ces nuits sans fonds que tu dors et t'exiles,
Million d'oiseaux d'or, ô future Vigueur [9] ? —

Mais, vrai, j'ai trop pleuré ! Les aubes sont navrantes.
Toute lune est atroce et tout soleil amer :
L'âcre amour m'a gonflé de torpeurs enivrantes.
Ô que ma quille éclate ! Ô que j'aille à la mer [10] !

Si je désire une eau d'Europe, c'est la flache [11]
Noire et froide où vers le crépuscule embaumé

---

1. La végétation luxuriante des petites baies. **2.** Navires cuirassés servant de garde-côtes. **3.** Ligues de marchands, en particulier ligue des ports de la Baltique (villes hanséatiques). **4.** Seul équipage désormais admis... **5.** Le terme est ironique ; Rimbaud se moque de clichés (le soleil, l'azur) auxquels il donne une forme inattendue. **6.** Comme le *Nautilus* de Jules Verne. **7.** *Cf.* le conte de Poe *Une descente dans le Maelström*, où le Maelström est décrit comme « un terrible entonnoir » (traduction de Baudelaire). **8.** Monstre biblique du Livre de Job. **9.** Objet de la quête du bateau, de tous ceux qui croient dans le Progrès. **10.** Que je coule. **11.** « Mare d'eau dans un bois dont le sol est argileux » (Littré). Les flaches sont particulièrement nombreuses en Belgique et dans le nord de la France.

Un enfant accroupi plein de tristesses, lâche
Un bateau frêle comme un papillon de mai.

Je ne puis plus, baigné de vos langueurs, ô lames,
Enlever leur sillage aux porteurs de cotons,
Ni traverser l'orgueil des drapeaux et des flammes [1],
Ni nager sous les yeux horribles des pontons [2].

1. Prendre leur place sur mer aux navires porteurs de cotons (*cf.* v. 6). **2.** Pour Delahaye, il s'agit des navires où l'on gardait les déportés.

LES DÉSERTS DE L'AMOUR

Avertissement

Ces écritures-ci sont d'un jeune, tout jeune *homme*[1], dont la vie s'est développée n'importe où ; sans mère[2], sans pays, insoucieux de tout ce qu'on connaît[3], fuyant toute force morale, comme furent déjà plusieurs pitoyables jeunes hommes[4]. Mais, lui, si ennuyé et si troublé, qu'il ne fit que s'amener à la mort[5] comme à une pudeur terrible et fatale. N'ayant pas aimé de femmes[6], — quoique plein de sang ! — il eut son âme et son cœur, toute sa force, élevés en des erreurs étranges et tristes[7]. Des rêves suivants, — ses amours ! — qui lui vinrent dans ses lits ou dans les rues, et de leur suite et de leur fin, de douces considérations religieuses se dégagent — peut-être se rappellera-t-on le sommeil continu des Mahométans légendaires[8], — braves pourtant et circoncis ! Mais, cette bizarre

---

1. Deux sujets d'étonnement : Rimbaud d'ordinaire préfère se vieillir ; il souligne le mot *homme*. **2.** Négation qui semble bien l'expression suprême de la rancune contre la « mother ». **3.** M.-A. Ruff fait observer que le tour rappelle « Le Bateau ivre » : « insoucieux de tous les équipages ». **4.** Allusion à Jean-Jacques Rousseau, selon Delahaye ; on pense plutôt aux « enfant[s] du siècle », à commencer par ce Musset qu'abomine Rimbaud. **5.** *Cf.* « Alchimie du verbe » : « J'étais mûr pour le trépas ». **6.** *Cf.* « Délires I » : « Il dit : "Je n'aime pas les femmes" ». **7.** Aveu et regret de son homosexualité ? Cette interprétation courante est refusée par M.-A. Ruff (*op. cit.*, pp. 142-143). De fait, il est question d'« âme » et de « cœur ». Nous verrions là plutôt une allusion à la « sale éducation d'enfance ». **8.** S. Bernard rapproche cette allusion de ce que disait Michelet de la secte des Haschischins au tome 2 de son *Histoire de France* : les membres de cette secte, fondée en Perse au XIe siècle, devaient accomplir des assassinats et, « pour leur inspirer ce courage furieux, le chef les fascinait par des breuvages enivrants, les portait endormis dans des lieux de délices, et leur persuadait ensuite qu'ils avaient goûté les prémices du paradis promis aux hommes dévoués ». Voir sur cette question le livre de Salah Stétié, *Rimbaud, le huitième dormant*, Fata Morgana, 1993, en particulier le chapitre intitulé « Voici le temps des assassins ». S. Stétié est d'ailleurs très sensible à ces *Déserts de l'amour*, texte qu'il juge « particulièrement révélateur », car « la vision s'y déroule et s'y développe en séquences contrastées et cependant fluides, comme sous quelque dictée venue d'ailleurs, avec des interrogations, des métamorphoses et des télescopages qui font partie du mécanisme le plus évident du rêve tel qu'on peut l'analyser cliniquement » (p. 91).

souffrance possédant une autorité inquiétante, il faut sincèrement désirer que cette Âme, égarée parmi nous tous, et qui veut la mort, ce semble, rencontre en cet instant-là des consolations sérieuses et soit digne.

A. Rimbaud

Les Déserts de l'amour

C'est[1], certes, la même campagne. La même maison rustique de mes parents : la salle même où les dessus de portes[2] sont des bergeries roussies, avec des armes et des lions[3]. Au dîner, il y a[4] un salon avec des bougies et des vins et des boiseries rustiques. La table à manger est très-grande. Les servantes ! Elles étaient plusieurs, autant que je m'en suis souvenu. — Il y avait là un de mes jeunes amis anciens, prêtre et vêtu en prêtre maintenant[5] : c'était pour être plus libre. Je me souviens de sa chambre de pourpre, à vitres de papier jaune : et ses livres, cachés, qui avaient trempé dans l'océan !

Moi j'étais abandonné, dans cette maison de campagne sans fin[6] : lisant dans la cuisine, séchant la boue de mes habits devant les hôtes, aux[7] conversations du salon : ému jusqu'à la mort par le murmure du lait du matin et de la nuit du siècle dernier[8].

J'étais dans une chambre très sombre : que faisais-je ? Une servante vint près de moi : je puis dire que c'était un petit chien[9] : quoiqu'elle fût

---

1. Au début de chacun des deux récits, comme l'a fait observer André Guyaux (article cité, 1993, p. 59), le déictique désigne l'occurrence du rêve. **2.** *Cf.* « Alchimie du verbe » : « J'aimais les peintures idiotes, dessus de portes ». **3.** Une demeure rustique, mais aristocratique, où il est vain de chercher, avec Delahaye, la maison familiale de Rimbaud : on songe à la « haute tour », aux « châteaux », à la « vieille cour d'honneur » qui apparaissent dans les poèmes de l'année de 1872 et à cette vie de « gentilhomme d'une campagne aigre » que se prête Rimbaud dans l'une des *Illuminations*. **4.** Apparition du tour qui se multipliera dans « Enfance », III (*Illuminations*), tour lâche, l'enchaînement libre du rêve. **5.** Selon Delahaye, cet ex-condisciple séminariste aurait réellement existé, ainsi que *la chambre de pourpre*. Il prêtait des livres à Rimbaud. **6.** Pour ce déploiement à l'infini, *cf.* « Michel et Christine » : « cent Solognes longues comme un railway » ; et aussi « Métropolitain » dans les *Illuminations*. **7.** Comme on sèche ses vêtements au feu... **8.** Le premier paragraphe s'achevait sur un prodigieux élargissement spatial ; le second s'achève sur un prodigieux élargissement temporel. **9.** Métamorphose (*cf.* « Alchimie du verbe », dans *Une saison en enfer* : « Cette famille est une nichée de chiens ») ? Ou plutôt expression d'une servitude totale (*cf.* Helena à Demetrius dans *Le Songe d'une nuit d'été* : « *I am your spaniel* »).

belle, et d'une noblesse maternelle[1] inexprimable pour moi : pure, connue, toute charmante ! Elle me pinça le bras.

Je ne me rappelle même plus bien sa figure : ce n'est pas pour me rappeler son bras, dont je roulai la peau dans mes deux doigts ; ni sa bouche, que la mienne saisit comme une petite vague désespérée, minant[2] sans fin quelque chose. Je la renversai dans une corbeille de coussins et de toiles de navire, en un coin noir. Je ne me rappelle plus que son pantalon à dentelles blanches.

Puis, ô désespoir ! la cloison devint vaguement l'ombre[3] des arbres, et je me suis abîmé sous la tristesse amoureuse de la nuit.

Les Déserts de l'amour

Cette fois, c'est la Femme que j'ai vue dans la Ville, et à qui j'ai parlé et qui me parle.

J'étais dans une chambre sans lumière. On vint me dire qu'elle était chez moi : et je la vis dans mon lit, toute à moi, sans lumière ! Je fus très ému, et beaucoup parce que c'était la maison de famille : aussi une détresse me prit ! J'étais en haillons, moi, et elle, mondaine qui se donnait : il lui fallait s'en aller ! Une détresse sans nom, je la pris, et la laissai tomber hors du lit, presque nue ; et, dans ma faiblesse indicible, je tombai sur elle et me traînai avec elle parmi les tapis sans lumière[4] ! La lampe de la famille rougissait l'une après l'autre les chambres voisines. Alors, la femme disparut. Je versai plus de larmes que Dieu n'en a jamais pu demander.

Je sortis dans la ville sans fin[5]. Ô fatigue ! Noyé dans la nuit sourde et dans la fuite du bonheur. C'était comme une nuit d'hiver, avec une neige pour étouffer le monde décidément. Les amis, auxquels je criais : où reste-t-elle, répondaient faussement. Je fus devant les vitrages de là où elle va tous les soirs : je courais dans un jardin enseveli. On m'a repoussé. Je pleurais énormément, à tout cela. Enfin, je suis descendu dans un lieu

---

1. Elle remplace la mère absente, ou abolie, de l'Avertissement. **2.** André Guyaux propose la correction « mimant » (article cité, 1993, p. 58). **3.** Même abolition de la clôture, même transformation dans « *Bottom* » (*Illuminations*) : « Tout se fit ombre [...] ». **4.** « Sans lumière » apparaît pour la troisième fois dans ce rêve ; on peut opposer ces tapis sans lumière aux « lampes et [aux] tapis de la veillée » dans les *Illuminations* (« Veillées », III). **5.** Après la maison de campagne sans fin, ou la campagne sans fin, la ville sans fin.

plein de poussière, et, assis sur des charpentes, j'ai laissé finir toutes les larmes de mon corps avec cette nuit. — Et mon épuisement me revenait pourtant toujours.

J'ai compris qu'elle était à sa vie de tous les jours ; et que le tour de bonté serait plus long à se reproduire qu'une étoile. Elle n'est pas revenue, et ne reviendra jamais, l'Adorable qui s'était rendue chez moi, — ce que je n'aurais jamais présumé. Vrai, cette fois j'ai pleuré[1] plus que tous les enfants du monde.

---

1. *Cf.* « Le Bateau ivre » : « Mais, vrai, j'ai trop pleuré ».

[DE L'*ALBUM ZUTIQUE*]

L'Idole
sonnet du Trou du Cul

Obscur et froncé comme un œillet violet
Il respire, humblement tapi parmi la mousse
Humide encor d'amour qui suit la fuite douce
Des Fesses blanches jusqu'au cœur de son ourlet.

Des filaments pareils à des larmes de lait
Ont pleuré, sous le vent cruel qui les repousse,
À travers de petits caillots de marne rousse
Pour s'aller perdre où la pente les appelait.

Mon Rêve s'aboucha souvent à sa ventouse ;
Mon âme, du coït matériel jalouse,
En fit son larmier[1] fauve et son nid de sanglots.

C'est l'olive pâmée, et la flûte câline ;
C'est le tube où descend la céleste praline :
Chanaan féminin dans les moiteurs enclos !

Albert Mérat[2]
P. V. — A. R.

---

1. *Larmier* : angle de l'œil dans lequel se forment les larmes. **2.** Sur Mérat voir p. 248, n. 22.

Lys

Ô balançoirs[1] ! ô lys ! clysopompes[2] d'argent !
Dédaigneux des travaux, dédaigneux des famines[3] !
L'Aurore vous emplit d'un amour détergent[4] !
Une douceur de ciel beurre vos étamines !

Armand Silvestre
A. R.

Les lèvres closes.

Vu à Rome

Il est, à Rome, à la Sixtine,
Couverte d'emblèmes chrétiens,
Une cassette écarlatine[5]
Où sèchent des nez fort anciens :

Nez d'ascètes de Thébaïde,
Nez de chanoines du Saint Graal
Où se figea la nuit livide,
Et l'ancien plain-chant sépulcral.

Dans leur sécheresse mystique,
Tous les matins, on introduit
De l'immondice schismatique
Qu'en poudre fine on a réduit.

Léon Dierx
A. R.

---

1. *Sic* dans le manuscrit. Pascal Pia corrige en « balançoire ». **2.** Tubes en caoutchouc utilisés pour administrer des lavements. **3.** Allusion au lys comme symbole de la monarchie. **4.** Au sens médical, détergent = qui lave les intestins. **5.** De couleur écarlate. Littré considère que ce mot — remplacé par « scarlatine » — n'est plus usité.

Fête galante

Rêveur, Scapin
Gratte un lapin
Sous sa capote.

Colombina,
— Que l'on pina ! —
— Do, mi, — tapote

L'œil du lapin
Qui tôt, tapin,
Est en ribote...

Paul Verlaine
A. R.

J'occupais un wagon de troisième : un vieux prêtre
Sortit un brûle-gueule et mit à la fenêtre,
Vers les brises, son front très calme aux poils pâlis.
Puis ce chrétien, bravant les brocards[1] impolis,
S'étant tourné, me fit la demande énergique
Et triste en même temps d'une petite chique
De caporal[2], — ayant été l'aumônier chef
D'un rejeton royal[3] condamné derechef —
Pour malaxer l'ennui d'un tunnel, sombre veine
Qui s'offre aux voyageurs, près Soissons, ville d'Aisne.

1. L'orthographe du manuscrit, « brocarts », est fautive. Nous corrigeons. **2.** De tabac ; voir « Le Cœur volé », p. 274. **3.** Allusion controversée : ce rejeton royal est-il le fils du roi Louis et de la reine Hortense (Pascal Pia) ou Napoléon III lui-même (S. Bernard) ?

Je préfère sans doute, au printemps, la guinguette[1]
Où des marronniers nains bourgeonne la baguette,
Vers la prairie étroite et communale, au mois
De mai. Des jeunes chiens rabroués bien des fois
Viennent près des Buveurs triturer des jacinthes
De plate-bande. Et c'est, jusqu'aux soirs d'hyacinthe,
Sur la table d'ardoise où, l'an dix-sept cent vingt
Un diacre grava son sobriquet latin
Maigre comme une prose à des vitraux d'église
La toux des flacons noirs qui jamais ne les grise.

François Coppée
A. R.

L'Humanité chaussait le vaste enfant Progrès.

Louis-Xavier de Ricard
A. Rimbaud

---

1. *Cf.* Coppée, *Promenades et intérieurs*, n° VII. « Vous en rirez. Mais j'ai toujours trouvé touchants/ Les couples de pioupious qui s'en vont par les champs/ Côte à côte, épluchant l'écorce des baguettes/ Qu'ils prirent aux bosquets des prochaines guinguettes ».

Conneries

I. Jeune goinfre.

Casquette
De moire,
Quéquette
D'ivoire
Toilette
Très noire,
Paul[2] guette
L'armoire,

Projette
Languette
Sur poire,

II. Paris.

Al. Godillot, Gambier,
Galopeau, Volf-Pleyel,
— Ô Robinets ! — Menier,
— Ô Christs ! — Leperdriel[1] !
Kinck, Jacob, Bonbonnel !
Veuillot, Tropmann, Augier !
Gill, Mendès, Manuel,
Guido Gonin ! — Panier[3]

Des Grâces ! L'Hérissé[4] !
Cirages onctueux !
Pains vieux, spiritueux !

1. Ce premier quatrain rassemble les noms de commerçants à la mode : Alexis Godillot, fabricant de grosses chaussures, dont les ateliers étaient sis rue Rochechouart ; Gambier, fabricant de pipes (et de la pipe préférée de Rimbaud ; voir la lettre à Delahaye de juin 1872), 20, rue de l'Arbre-Sec ; Galopeau, pédicure et manucure, boulevard de Strasbourg ; Wolff (telle est la bonne orthographe) et Pleyel, maison de pianos, rue Rochechouart et rue Richelieu ; Menier, le fabricant de chocolat, rue Sainte-Croix-de-la-Bretonnerie ; Le Perdriel, même rue, fabricant de bas contre les varices. Curieux Paris où l'on peut vendre indistinctement des robinets et des Christs ! **2.** Sans doute Paul Verlaine. **3.** La liste est plus confuse dans ce second quatrain. On y trouve le meurtrier Troppman (bonne orthographe) — guillotiné le 19 janvier 1870 — et sa victime l'Alsacien Jean Kinck ; un célèbre guérisseur, le Zouave Jacob (à moins qu'il ne s'agisse d'un autre fabricant de pipes...) ; Charles-Laurent Bombonnel (bonne orthographe), le chasseur de panthères ; le journaliste catholique Louis Veuillot ; le dramaturge Émile Augier ; le caricaturiste André Gill (dont Rimbaud avait été l'hôte au début de l'année 1871) ; le poète Catulle Mendès ; un autre poète, auteur des *Poésies populaires* (1871) et parodié à l'occasion dans l'*Album zutique*, Eugène Manuel. Guido Gonin n'a pu être identifié. Son nom se retrouve dans un autre poème de l'*Album zutique*, « Épilogue » (signé F. Coppée et dû à Léon Valade), associé à celui de la maison Caussinus spécialisée dans la métallisation du plâtre des statues et objets divers. **4.** Hérissé (Al. Hérissé sur les affiches) était chapelier boulevard de Sébastopol. Il était connu sous le nom de l'Hérissé par suite d'une mauvaise coupure et aussi parce que sa publicité présentait une tête aux cheveux hérissés sur laquelle allait se poser un chapeau.

S'apprête
Baguette,
Et foire.

A. R.

Aveugles ! — puis, qui sait ? —
Sergents de ville, Enghiens
Chez soi[1] ! — Soyons chrétiens !

A. R.

Conneries 2eme série

I. Cocher ivre

Pouacre[2]
Boit :
Nacre
Voit ;

Acre
Loi,
Fiacre
Choit !

Femme
Tombe :
Lombe

Saigne :
— Clame !
Geigne.

A. R.

1. « Enghien chez soi », telle était la réclame pour l'eau d'Enghien vendue en bouteilles (pour les gargarismes), ou en bonbonnes (pour les bains chez soi), ou encore sous forme de pastilles. Voir la reproduction de l'image publicitaire dans le livre de Steve Murphy, qui contient aussi de nombreuses informations éclairant les poèmes de l'*Album zutique, Rimbaud et la ménagerie impériale*, Éditions du CNRS, Presses Universitaires de Lyon, 1991, figure 28. 2. Mot archaïque. Il peut avoir le sens de « podagre ».

Vieux de la vieille !

Aux paysans de l'empereur !
À l'empereur des paysans !
Au fils de Mars
Au glorieux 18 mars !
Où le Ciel d'Eugénie[1] a béni les entrailles !

État de siège ?

Le pauvre postillon, sous le dais de fer blanc
Chauffant une engelure énorme sous son gant,
Suit son lourd omnibus parmi la rive gauche,
Et de son aine en flamme écarte la sacoche.
Et tandis que, douce ombre où des gendarmes sont,
L'honnête intérieur regarde au ciel profond
La lune se bercer parmi la verte ouate,
Malgré l'édit et l'heure encore délicate,
Et que l'omnibus rentre à l'Odéon[2] impur
Le débauché glapit au carrefour obscur !

François Coppée
A. R.

Le Balai

C'est un humble balai de chiendent, trop dur
Pour une chambre ou pour la peinture d'un mur.
L'usage en est navrant et ne vaut pas qu'on rie.
Racine prise à quelque ancienne prairie
Son crin inerte sèche : et son manche a blanchi.
Tel un bois d'île à la canicule rougi.

---

1. L'impératrice Eugénie de Montijo. Inversion cocasse, à des fins parodiques. Louis, le Prince impérial, était né en réalité le 16 mars 1856. **2.** L'Odéon, terminus d'une des trente lignes d'omnibus.

La cordelette semble une tresse gelée.
J'aime de cet objet la saveur désolée
Et j'en voudrais laver tes larges bords de lait,
Ô Lune où l'esprit de nos Sœurs mortes se plaît.

F. C.

Exil

....
Que l'on s'intéressa souvent, mon cher Conneau !.....
Plus qu'à l'Oncle Vainqueur[1], au Petit Ramponneau[2] !..
Que tout honnête instinct sort du Peuple débile !....
Hélas ! ! Et qui a fait tourner mal notre bile[3] !....
Et qu'il nous sied déjà de pousser le verrou
Au Vent que les enfants nomment Bari-barou !...
....

Fragment d'une épître en vers de Napoléon III, 1871

L'Angelot maudit

Toits bleuâtres et portes blanches
Comme en de nocturnes dimanches,

Au bout de la ville sans bruit
La Rue est blanche, et c'est la nuit.

La Rue a des maisons étranges
Avec des persiennes d'Anges.

Mais, vers une borne, voici
Accourir, mauvais et transi,

1. Napoléon Ier, sans doute. **2.** Napoléon III lui-même ? Le type de Ramponneau (1724-1802), cabaretier de la Courtille, puis de la Grand'Pinte, au XVIIIe siècle, était devenu populaire. **3.** La leçon *votre bile*, qui figure dans certaines éditions, est erronée.

Un noir Angelot qui titube
Ayant trop mangé de jujube.

Il fait caca : puis disparaît :
Mais son caca maudit paraît,

Sous la lune sainte qui vaque
De sang sale un léger cloaque !

Louis Ratisbonne.
A. Rimbaud

Les soirs d'été, sous l'œil ardent des devantures
Quand la sève frémit sous les grilles obscures
Irradiant au pied des grêles marronniers,
Hors de ces groupes noirs, joyeux ou casaniers,
Suceurs du brûle-gueule ou baiseurs du cigare,
Dans le kiosque[1] mi-pierre étroit où je m'égare,
— Tandis qu'en haut rougeoie une annonce d'*Ibled*[2], —
Je songe que l'hiver figera le Filet
D'eau propre qui bruit, apaisant l'onde humaine,
— Et que l'âpre aquilon n'épargne aucune veine.

François Coppée
A. Rimbaud

Aux livres de chevet, livres de l'art serein,
Obermann[3] et Genlis[4], Ver-vert[5] et le Lutrin[6],
Blasé de nouveauté grisâtre et saugrenue,

---

1. Une vespasienne. **2.** Marque de chocolat. **3.** Le roman de Senancour. **4.** Les romans de Mme de Genlis (1746-1830), *Adèle et Théodore* (1782), *Mademoiselle de Clermont* (1802), etc., étaient volontiers moralisants. **5.** Le poème de Gresset (1734), qui raconte l'histoire d'un perroquet chez les nonnes. **6.** Le célèbre poème de Boileau, dont Rimbaud écolier avait fait ses délices, si l'on en croit Delahaye.

J'espère, la vieillesse étant enfin venue,
Ajouter le Traité du Docteur Venetti[1].
Je saurai, revenu du public abêti,
Goûter le charme ancien des dessins nécessaires.
Écrivain et graveur ont doré les misères
Sexuelles : et c'est, n'est-ce pas, cordial :
Dr Venetti, Traité de l'Amour conjugal.

F. Coppée
A. R.

Hypotyposes[2] saturniennes, ex Belmontet

———

Quel est donc ce mystère impénétrable et sombre ?
Pourquoi, sans projeter leur voile blanche, sombre
Tout jeune esquif royal gréé ?

———

Renversons la douleur de nos lacrymatoires. ———

———

....
L'amour veut vivre aux dépens de sa sœur,
—
L'amitié vit aux dépens de son frère.
....
Le spectre, qu'à peine on révère,
N'est que la croix d'un grand calvaire
Sur le volcan des nations !

———

....
Oh ! l'honneur ruisselait sur ta mâle moustache.

Belmontet, archétype Parnassien

---

1. En fait, Nicolas Venette, médecin rochelais du XVIIe siècle, auteur d'un traité *De la génération de l'homme ou Tableau de l'Amour conjugal*. **2.** Pierre Fontanier, au début du XIXe siècle, définissait cette figure comme propre à « peindre les choses d'une manière si vive et si énergique qu'elle les met en quelque sorte sous les yeux ». Sur Louis Belmontet, voir la seconde lettre du Voyant, p. 247, note 4.

Les Remembrances du vieillard idiot

Pardon, mon père !
Jeune, aux foires de campagne,
Je cherchais, non le tir banal où tout coup gagne,
Mais l'endroit plein de cris où les ânes, le flanc
Fatigué, déployaient ce long tube sanglant
Que je ne comprends pas encore !...

Et puis ma mère,
Dont la chemise avait une senteur amère
Quoique fripée au bas et jaune comme un fruit,
Ma mère qui montait au lit avec un bruit
— Fils du travail pourtant, — ma mère, avec sa cuisse
De femme mûre, avec ses reins très gros où plisse
Le linge, me donna ces chaleurs que l'on tait !...

Une honte plus crue et plus calme, c'était
Quand ma petite sœur, au retour de la classe,
Ayant usé longtemps ses sabots sur la glace,
Pissait, et regardait s'échapper de sa lèvre
D'en bas serrée et rose, un fil d'urine mièvre !...

Ô pardon !
Je songeais à mon père parfois :
Le soir, le jeu de carte et les mots plus grivois,
Le voisin, et moi qu'on écartait, choses vues...
— Car un père est troublant ! — et les choses conçues !...
Son genou, câlineur parfois ; son pantalon
Dont mon doigt désirait ouvrir la fente,... — oh ! non ! —
Pour avoir le bout, gros, noir et dur, de mon père,
Dont la pileuse main me berçait !...
Je veux taire
Le pot, l'assiette à manche, entrevue au grenier,
Les almanachs couverts en rouge, et le panier
De charpie, et la Bible, et les lieux, et la bonne,
La Sainte-Vierge et le crucifix...
Oh ! personne
Ne fut si fréquemment troublé, comme étonné !
Et maintenant, que le pardon me soit donné :

Puisque les sens infects m'ont mis de leurs victimes,
Je me confesse de l'aveu des jeunes crimes !...
....

Puis ! — qu'il me soit permis de parler au Seigneur !
Pourquoi la puberté tardive et le malheur
Du gland tenace et trop consulté ? Pourquoi l'ombre
Si lente au bas du ventre ? et ces terreurs sans nombre
Comblant toujours la joie ainsi qu'un gravier noir ?

— Moi j'ai toujours été stupéfait. Quoi savoir ?
....
Pardonné ?...
Reprenez la chancelière bleue,
Mon père.
Ô cette enfance !
....
.... — et tirons-nous la queue !

François Coppée.
A. R.

Ressouvenir

Cette année [1] où naquit le Prince impérial
Me laisse un souvenir largement cordial
D'un Paris limpide où des N [2] d'or et de neige
Aux grilles du palais, aux gradins du manège,
Éclatent, tricolorement enrubannés.
Dans le remous public des grands chapeaux fanés,
Des chauds gilets à fleurs, des vieilles redingotes,
Et des chants d'ouvriers anciens dans les gargotes,
Sur des châles jonchés l'Empereur marche, noir
Et propre, avec la Sainte espagnole [3], le soir.

François Coppée

---

1. 1856. Rimbaud est son aîné d'un an et demi. Mais Coppée, né en 1842, pourrait se souvenir de l'annonce officielle de cette naissance. **2.** Initiale de Napoléon. **3.** L'impératrice Eugénie.

« *Qu'est-ce pour nous, mon cœur...* »

Qu'est-ce pour nous, mon cœur, que les nappes de sang
Et de braise [1], et mille meurtres, et les longs cris
De rage, sanglots de tout enfer renversant
Tout ordre ; et l'Aquilon [2] encor sur les débris

Et toute vengeance ? Rien !... — Mais si, tout encor,
Nous la [3] voulons ! Industriels, princes, sénats,
Périssez ! Puissance, justice, histoire, à bas !
Ça nous est dû. Le sang ! le sang ! la flamme d'or !

Tout à la guerre, à la vengeance, à la terreur,
Mon Esprit [4] ! Tournons dans la Morsure : Ah ! passez,
Républiques de ce monde ! Des empereurs,
Des régiments, des colons, des peuples, assez !

Qui remuerait les tourbillons de feu furieux,
Que [5] nous et ceux que nous nous imaginons frères ?
À nous ! Romanesques amis : ça va nous plaire.
Jamais nous ne travaillerons [6], ô flots de feux !

Europe, Asie, Amérique, disparaissez.
Notre marche vengeresse a tout occupé [7],
Cités et campagnes ! — Nous serons écrasés !
Les volcans sauteront ! et l'océan frappé...

---

1. *Cf.* « Barbare », dans les *Illuminations*. **2.** Vent du nord, traditionnellement considéré comme un vent violent. **3.** La vengeance. **4.** *Cf.* « Michel et Christine », v. 13. **5.** Sinon. **6.** Refus du travail maintes fois exprimé par Rimbaud en 1871, mais aussi en 1873. **7.** *Cf.* « Démocratie ».

Oh ! mes amis ! — mon cœur, c'est sûr, ils sont des frères :
Noirs inconnus, si nous allions ! allons ! allons !
Ô malheur ! je me sens frémir, la vieille terre,
Sur moi de plus en plus à vous ! la terre fond,

Ce n'est rien : j'y suis ; j'y suis toujours [1].

1. Fin du rêve. Cette dernière ligne n'a pas à être considérée comme un vers.

LES POÈMES DU PRINTEMPS ET DE L'ÉTÉ 1872

On ne peut aborder qu'avec une prudence accrue la production rimbaldienne de l'année 1872. Même Bouillane de Lacoste, qui d'ordinaire n'hésite pas devant les affirmations audacieuses, écrit à ce propos : « Ici nous nous engageons dans l'inconnu[1]. *» Raison de plus pour s'accrocher très fermement au connu.*

Et tout d'abord aux dates qui figurent sur certains des manuscrits autographes. La première, et la plus fréquente, est mai 1872. On la trouve pour une version de « Larme », une version de « La Rivière de Cassis », une version de « Comédie de la Soif » qui échurent à Forain. Le système de l'« hospitalité circulaire » pratiqué après le retour de M. Mauté avait amené Rimbaud à loger à plusieurs reprises chez « Gavroche » jusqu'à son installation en décembre 1871 dans une chambre louée par Verlaine rue Campagne-Première et, après son départ pour Charleville en février, c'est Forain qui s'est occupé de déménager ce qu'il avait pu y laisser. C'est chez lui, en mai, que Rimbaud adressait son courrier à Verlaine (à l'hôtel Lauzun, 17, quai d'Anjou) : ces pièces ont pu faire partie d'un des envois qu'il lui faisait de ses « vers "mauvais"*(! ! ! !)*[2] *». Même date, mai 1872, pour une version de « Bonne pensée du matin » qui a dû être écrite après le retour de Rimbaud à Paris, vers le 18, et l'installation provisoire rue Monsieur-le-Prince dans une mansarde donnant sur un jardin du lycée Saint-Louis*[3]. *Même date encore pour une version de « Bannières de mai », une version de « Chanson de la plus haute Tour » et une version de « L'Éternité ». Ces trois poèmes ont été réunis avec un quatrième, « Âge d'or », à l'intention de Jean Richepin*[4], *mais « Âge d'or » est daté de juin, et le*

---

1. Édition critique des *Poésies*, p. 43. **2.** Lettres de Verlaine à Rimbaud d'avril et de mai 1872. Voir pp. 825-828. **3.** Voir la lettre de Rimbaud à Delahaye de « Jumphe 72 », p. 355, où le renseignement vaut pour « le mois passé ». **4.** Richepin a raconté dans un article publié le 1er janvier 1927 dans *La Revue de France* comment il avait rencontré Rimbaud en 1872 dans l'atelier du peintre Jolibois, rue Saint-Jacques, et comment il eut de lui des poèmes, des lettres et un « cahier d'expressions ». Il n'a conservé que les *Fêtes de la patience*.

sommaire, ainsi que le titre du petit recueil Fêtes de la patience, *devraient l'être aussi.*

Juin — ou plutôt, dans le nouveau langage rimbaldo-verlainien, « jumphe » —, c'est encore la date d'une importante lettre adressée au camarade de Charleville, Ernest Delahaye, pour l'inviter à ne pas « [s]e confiner dans les bureaux et maisons de famille ». Nous y trouvons des renseignements précis sur le nouveau séjour parisien : après la mansarde de la rue Monsieur-le-Prince, c'est rue Victor-Cousin, à l'hôtel de Cluny, que Rimbaud a élu domicile, ou plutôt que Verlaine — qui paie — a élu domicile pour lui. Cette lettre éclaire surtout la récente production poétique de Rimbaud, et la place qu'y occupent ses soifs et sa faim : les « Fêtes de la faim », complément naturel et de la « Comédie de la Soif » et des Fêtes de la patience, *et qui constituaient sans doute une série*[1], *datant probablement de la même époque, même si le fac-similé Messein porte l'indication douteuse « août 1872*[2] *». Juin 1872, et très précisément le 27, c'est encore la date du poème intitulé « Jeune ménage », un manuscrit singulier puisqu'il porte au verso un billet laissé par Forain à l'intention de Rimbaud.*

*Ce billet est daté d'avril dans l'*Album Rimbaud, *de mai dans l'édition Adam. Ces deux dates nous paraissent impossibles. Quand Forain écrit « dis-moi si tu t'amuses là-bas », il ne s'agit pas de Charleville (Rimbaud avait dû lui dire qu'on ne s'y amusait guère), mais du pays où le 7 juillet Rimbaud a décidé de partir : la Belgique. Le pays où l'on buvait, où l'on mangeait si bien en octobre 1870 et qui avait inspiré au poète « bohémien » les poèmes heureux (dans tous les sens du terme) du second cahier de Douai. Verlaine allait l'y accompagner, et ils partaient* læti et errabundi. *Le nouveau bonheur poétique éclate dans deux textes jumeaux, dont le premier seul est daté (*« Est-elle almée ?... », *juillet 1872). Mais les indications qui figurent en tête du second (Juillet. Bruxelles, Boulevard du Régent) ne laissent à notre avis aucun doute. Et Verlaine qui au même moment s'exerce aux « simples fresques » de « Bruxelles » (datées dans les* Romances sans paroles *d'août 72) pourrait bien participer à une manière de joute poétique.*

---

1. Le pluriel du titre en est un indice suffisant. Dans « Alchimie du verbe », une seconde pièce, « *Le loup criait sous les feuilles* », suit une nouvelle version du poème. **2.** Nous suivons ici la démonstration irréprochable de Pierre Petitfils (dans *Le Bateau ivre*, nº 26, juillet 1962) : les prétendues corrections (qui ne font que tenter d'aligner le texte sur celui qui figure dans *Une saison en enfer*), la date et les initiales ne sont pas de la main de Rimbaud. Il n'en reste pas moins que cette date d'août 1872 convient fort bien, si l'on veut interpréter « Fêtes de la faim » à la lumière du séjour à Bruxelles en compagnie de Verlaine.

Le 7 septembre, les deux compagnons quittent la Belgique pour Londres. Le 14, sans qu'ils le sachent, la revue fondée en avril par Émile Blémont, La Renaissance littéraire et artistique *— que Rimbaud conspuait en juin —, publiait* « Les Corbeaux[1] » *— un poème peut-être moins ancien qu'on ne l'a dit. Car si Rimbaud progresse par bonds, il ne rompt pas toutes les attaches qui le retiennent à son passé poétique : la preuve en est fournie par le nouveau pastiche de Coppée,* « L'Enfant qui ramassa les balles... », *qu'on serait tenté de publier à la suite de l'*Album zutique *; mais il fut écrit et inscrit à Londres, en septembre, sur l'album de Félix Régamey, un vieil ami de Verlaine qui laissa des deux compères un croquis inoubliable.*

Restent six poèmes non datés, et dont plusieurs sont des textes majeurs. « Ô saisons, ô châteaux... » *sera, dans « Alchimie du verbe » et dans une autre version, le dernier maillon d'une chaîne qui comprend « Larme », « Bonne pensée du matin », « Chanson de la plus haute Tour », « Fêtes de la faim », et « L'Éternité ». C'est dire que cette chanson est inséparable des poèmes de l'année 1872. Il en va de même pour « Mémoire » qui, dans les brouillons d'« Alchimie du verbe », fait partie de la première chaîne prévue : « Faim » (c'est-à-dire « Fêtes de la faim »), « Chanson de la plus haute Tour », « Éternité » (« L'Éternité »), « Âge d'or », « Mémoire », « Confins du monde » (pièce non identifiée, probablement perdue), « Bon[heu]r » (c'est-à-dire* « Ô saisons, ô châteaux... »*). Par la technique, par l'inspiration, « Michel et Christine » nous semble inséparable de « Mémoire ». La présence de Charleville et des Ardennes dans ces deux poèmes pourrait amener à en reculer la date jusqu'au retour de Rimbaud en décembre. Ou au contraire à l'avancer au printemps[2].*

« Michel et Christine » figure parmi les pièces de vers que La Vogue *retenait en 1886 dans la série des* Illuminations. *Il en va de même pour* « Entends comme brame... », *« Honte » et* « Qu'est-ce pour nous, mon cœur... ». *Le cas de chacun est pourtant singulier, même s'ils se placent tous les trois sous le signe d'une révolte qui peut s'exprimer par l'ironie*

---

1. Le 22 septembre Verlaine écrit à Blémont et paie le montant d'un abonnement pour un an à *La Renaissance*. Il lui demande de lui envoyer, « sous forme de prime, les 21 premiers numéros parus ». A-t-il alors appris que le numéro du 14 contenait « Les Corbeaux » ?
2. C'est l'opinion de Jean-Pierre Giusto (« Explication de "Mémoire" », dans *Études rimbaldiennes*, n° 3, Lettres modernes, 1972, p. 44) : « *Mémoire* dut être composé au printemps 1872 — avant le nouveau voyage de Rimbaud à Paris. L'interrogation des souvenirs enfantins se placerait bien, en effet, en ce moment de retour au pays natal, après un séjour parisien déjà bien mouvementé. »

(« Entends comme brame... *»), la feinte soumission (« Honte »), la révolte extrême («* Qu'est-ce pour nous mon cœur... *»). Le premier nous apparaît comme une des plus subtiles illustrations de l'« Alchimie du verbe ». Le deuxième doit correspondre à un moment de crise, qui pourrait être décembre 1872-janvier 1873. Le troisième, jugé moins audacieux dans sa forme, est souvent placé en tête des « Vers nouveaux », et parfois daté de 1871. C'est à cette dernière solution que nous nous sommes rangé, à cause d'une inspiration révoltée qui est proche de celle de Rimbaud au temps de la Commune. Pourtant l'alexandrin y est brisé, ainsi que le rêve destructeur (l'ironique commentaire final) ; et l'inspiration est proche de certaines des* Illuminations *en prose. Dans les trois cas donc, ce sont des textes charnières, même s'il est impossible de dater avec précision le tournant.*

Dans la Préface qu'il écrivit pour l'édition Vanier des Poésies complètes *Verlaine affirmait : « Rimbaud fut un poète mort jeune (à dix-huit ans, puisque, né à Charleville le 20 octobre 1854, nous n'avons pas de vers de lui postérieurs à 1872). » Si l'on admettait sans sourciller cette déclaration, le problème de datation se trouverait aisément résolu. Mais la précision, on le sait, n'est pas la qualité majeure de Verlaine. De plus, malgré les analogies qu'on a pu remarquer entre la poétique verlainienne et la nouvelle poétique de Rimbaud en 1872*[1]*, il n'appréciait guère les « vers nouveaux » de Rimbaud : « vers délicieusement faux exprès » (1886), « pièces par trop enfantines presque, ou alors par trop s'écartant de la versification romantique ou parnassienne, et à dire la seule classique, la seule française » (1895). La phrase que nous avons citée plus haut pourrait donc signifier, à la date où elle se situe : « Nous n'avons pas de vers » (véritables, c'est-à-dire classiques) « de lui postérieurs à cette date ».*

La Préface de 1895 nous fournit encore un renseignement intéressant :

> *« Sur le tard, je veux dire vers dix-sept ans au plus tard, Rimbaud s'avisa d'assonances, de rythmes qu'il appelait* néants *et il avait même l'idée d'un recueil :* Études néantes, *qu'il n'écrivit à ma connaissance, pas. »*

Aurait-on le droit de regrouper les poèmes de l'année 1872 — l'année de ses dix-sept ans — sous ce titre ? Tout autant que d'intituler un autre ensemble Illuminations *à partir d'un autre renseignement fourni par le même Verlaine. Un autre ensemble dont, à dire vrai, ces mêmes poèmes de 1872 pourraient faire partie...*

---

1. Voir sur ce point M.-A. Ruff, *Rimbaud*, Hatier, 1968, chapitre 5.

Si l'on se fie aux renseignements fournis par Verlaine, Rimbaud aurait tenté de constituer deux ensembles, les Études néantes *(les poèmes en vers de l'année 1872) et les* Illuminations *(les poèmes en prose, dont certains seraient écrits à cette date). Mais curieusement les premiers éditeurs des* Illuminations, *en 1886, y ont introduit certaines des* Études néantes. *L'amalgame est douteux, et le devoir de l'éditeur moderne est de rétablir le partage.*

La différence, si on revient à deux projets de recueils séparés, est que celui des Études néantes *se laisse beaucoup moins aisément constituer que l'autre, malgré la présence, dans les deux cas, de séries : ici, les quatre* Fêtes de la patience, *les cinq sections de* Comédie de la Soif. *« Fêtes de la faim » pourra être scindé en deux dans la version « Faim », que citera « Alchimie du verbe ». Le compte rendu des « Délires » permet, précisément, de constituer une chaîne à laquelle aucun maillon ne manque si on tient compte des brouillons d'*Une saison en enfer. *En restituant les titres, cela donne : « Larme », « Bonne pensée du matin », « Chanson de la plus haute Tour », « Fêtes de la faim », « L'Éternité », « Âge d'or », « Mémoire », « Confins du monde », « Bonheur », «* Ô saisons, ô châteaux... *»).*

D'autres poèmes, datés (« La Rivière de Cassis », mai 1872, « Jeune ménage », 27 juin 1872) ou non datés (« Michel et Christine », « Honte », et celui qui commence par « Entends comme brame... *»), méritent d'en être rapprochés tant par la tonalité que par la technique, celle que Verlaine a caractérisée par les « assonances » et les « rythmes » que Rimbaud lui-même appelait «* néants *».*

Mais là cesse l'accord des deux compagnons, représentés peut-être dans le « couple de jeunesse » qui « s'isole sur l'arche » et « chante » à la fin de « Mouvement », l'un des deux poèmes en vers libres, ou en prose versifiée, qu'on maintient dans les Illuminations. *Verlaine s'étonne de la nouvelle manière qu'a Rimbaud de versifier. Mais il se souciait bien de versification française, celui qui avait rejeté en mai 1871 le prétendu « génie français » comme « haïssable au suprême degré » ! En 1872, lors même qu'il est près de Verlaine à Paris, qu'il fréquente avec lui l'Académie d'absomphe (d'absinthe) ou qu'il l'accompagne dans le « vertigineux voillage », son art poétique s'écarte sensiblement de celui de Verlaine, même de ce qui sera sa forme la plus avancée dans l'« Art poétique » publié dans* Jadis et naguère. *L'« opéra fabuleux », par son expression volontairement « égarée au possible », la reprise considérablement stylisée d'éléments empruntés pour des montages de plus en plus subtils, l'effet de néant qu'on a pris pour de l'impressionnisme à la manière de l'impression fausse de Verlaine, la syntaxe bouleversée de « Honte », le prolongement à l'infini* (indesinenter) *d'« Âge d'or », rien de cela n'a d'équivalent véritable dans la poétique verlainienne.*

Qui, en définitive, pouvait passer pour l'émule de l'autre ? Aucun des deux sans doute, chacun étant un trop grand artiste pour cela. L'homosexualité, trop complaisamment invoquée par la critique, n'explique rien, ou pas grand-chose. Elle fut elle aussi vécue différemment, dans le sentimentalisme fadasse et vite douloureusement déçu, pour Verlaine, dans le désir suivi de dégoût pour ce « sans-cœur » de Rimbaud. Mais celui-ci précisera dans les Illuminations *que, dans l'aventure des « Vagabonds » telle qu'il l'a vécue, il était seul « pressé de trouver le lieu et la formule ».*

P. B.

CHRONOLOGIE

1872 *Février-Mars*. Rimbaud et Verlaine passent ce que ce dernier appelle des « nuits d'Hercule » dans le poème recueilli dans *Jadis et naguère*, « Le Poète et la Muse ».

2 mars. Au cours d'un dîner des « Vilains Bonshommes », Rimbaud se querelle avec Étienne Carjat (qui a fait une très belle photographie de lui), et le blesse même d'un léger coup de canne-épée. Cet incident peut l'avoir conduit à quitter Paris.

15 mars. Retour à Paris de Mathilde, qui reprend la vie commune avec Verlaine.

Vers le 4 mai. Rimbaud rentre de Charleville à Paris. Il est logé rue Monsieur-le-Prince.

Mai-juin. Henri Fantin-Latour expose *Un coin de table* au Salon. Le tableau a été achevé en mars. Première mention dans la presse de « M. Arthur Rimbaut *[sic]* », sous la plume de Banville, qui rend compte du Salon et du tableau dans *Le National*.

Juin. Il habite à l'hôtel de Cluny, rue Victor-Cousin, tout près de la Sorbonne.

15 juin. Scène atroce chez les Verlaine.

7 juillet. Verlaine et Rimbaud quittent Paris par le train et partent en direction de la Belgique. C'est d'abord un faux départ, car leur attitude paraît inquiétante en gare d'Arras, et ils sont invités à rebrousser chemin. Ils vont repartir, non de la gare du Nord mais de la gare de Strasbourg, gagner Charleville et de là la Belgique.

9 juillet. Ils traversent Walcourt (qui a inspiré un poème à Verlaine), Charleroi et parviennent à Bruxelles. Ils vont loger au Grand Hôtel Liégeois, rue du Progrès.

21 juillet. Arrivée à Bruxelles de Mathilde et de Mme Verlaine. Verlaine feint de les suivre et de revenir avec elles à Paris, mais il leur fausse compagnie à la gare-frontière de Quiévrain, et rejoint Rimbaud.

Août. Ils sont à une fête foraine sur le champ de foire de Saint-Gilles, à Bruxelles. Les chevaux de bois inspirent à Verlaine un poème, et leur tournoiement se retrouve dans un poème de Rimbaud qui date sans doute de ce moment-là, « Fêtes de la faim ».

7 septembre. Verlaine et Rimbaud gagnent Ostende, et s'y embarquent à destination de l'Angleterre. De Douvres, ils gagnent Londres, où ils arrivent le 8 au soir.

Dans les jours qui suivent leur arrivée dans la capitale britannique, Verlaine reprend contact avec d'anciens camarades communards exilés. Chez l'un d'eux, le peintre Félix Régamey, Rimbaud inscrit sur un album un « coppée », « *L'Enfant qui ramassa les balles...* », orné d'un dessin et d'une signature d'un humour noir. Ils vont loger au 34-35, Howland Street.

14 septembre. À Paris, le journal d'Émile Blémont, *La Renaissance littéraire et artistique*, publie un poème de Rimbaud, « Les Corbeaux ».

[PARIS, MAI-JUIN 1872]

Larme

Loin des oiseaux[1], des troupeaux, des villageoises,
Je buvais, accroupi dans quelque bruyère
Entourée de tendres bois de noisetiers,
Par un brouillard d'après-midi tiède et vert.

Que pouvais-je boire dans cette jeune Oise[2],
Ormeaux sans voix[3], gazon sans fleurs, ciel couvert.
Que tirais-je à la gourde de colocase[4] ?
Quelque liqueur d'or, fade et qui fait suer[5].

Tel, j'eusse été mauvaise enseigne d'auberge[6].
Puis l'orage[7] changea le ciel, jusqu'au soir.
Ce furent des pays noirs, des lacs, des perches,
Des colonnades sous la nuit bleue[8], des gares.

---

1. Indice, chez Rimbaud, d'une solitude totale. *Cf.* dans « Enfance » le passage de la section III (« Au bois il y a un oiseau ») à la section IV (« Que les oiseaux et les sources sont loin ! »). **2.** L'Oise peu après sa source. **3.** Parce que les oiseaux sont loin, ou se sont tus. Ce silence, l'absence de fleurs, le ciel couvert (*cf.* « les brumes s'assemblent », dans « Enfance », V), autant de signes d'une approche de la fin du monde dans les *Illuminations*. **4.** Plante tropicale (*arum colocasia*) dont il est tout à fait impossible de faire une gourde. Rimbaud choisit le mot pour sa sonorité, et peut-être aussi pour sa valeur symbolique (naissance d'un monde nouveau), parce qu'il l'a trouvé dans la *Quatrième Églogue* de Virgile. **5.** La définition convient admirablement pour la bière ; mais la bière devient ici une merveilleuse « liqueur d'or » : telles sont les vertus de l'« alchimie du verbe ». **6.** Retour à un motif de l'automne 1870. **7.** Orage qui a été annoncé par le « ciel couvert » du v. 6. **8.** Couleur complémentaire du noir chez Rimbaud ; *cf.* « au trot des grandes juments bleues et noires » dans « Ornières » (*Illuminations*).

L'eau des bois se perdait sur des sables vierges
Le vent, du ciel, jetait des glaçons aux mares[1]...
Or[2] tel qu'un pêcheur d'or ou de coquillages,
Dire que je n'ai pas eu souci de boire !

Mai 1872

[Autre version]

Loin des oiseaux, des troupeaux, des villageoises,
Je buvais à genoux dans quelque bruyère
Entourée de tendres bois de noisetiers,
Par un brouillard d'après-midi tiède et vert.

Que pouvais-je boire dans cette jeune Oise,
Ormeaux sans voix, gazon sans fleurs, ciel couvert,
Boire à ces gourdes vertes, loin de ma case
Claire, quelque liqueur d'or qui fait suer ?

Effet mauvais pour une enseigne d'auberge.
Puis l'orage changea le ciel jusqu'au soir :
Ce furent des pays noirs, des perches,
Des colonnades sous la nuit bleue, des gares,

L'eau des bois se perdait sur les sables vierges,
Le vent de Dieu jetait des glaçons aux mares,
Et, tel qu'un pêcheur d'or et de coquillages,
Dire que je n'ai pas eu souci de boire !

La Rivière de Cassis

La Rivière de Cassis roule ignorée
En des vaux étranges :

1. Évocation de la grêle. **2.** L'effet d'équivoque entre la conjonction de coordination et le substantif étonne dans ce vers. Il est calculé, dans le contexte alchimique.

La voix de cent corbeaux[1] l'accompagne, vraie[2]
Et bonne voix d'anges :
Avec les grands mouvements des sapinaies[3]
Quand plusieurs vents plongent.

Tout roule avec des mystères révoltants
De campagnes[4] d'anciens temps ;
De donjons visités[5], de parcs importants[6] :
C'est en ces bords qu'on entend
Les passions mortes de chevaliers errants[7] :
Mais que salubre est le vent !

Que le piéton regarde à ces clairevoies[8] :
Il ira plus courageux.
Soldats des forêts que le Seigneur envoie,
Chers corbeaux délicieux[9] !
Faites fuir d'ici le paysan matois[10]
Qui trinque d'un moignon vieux.

Mai 1872.

[Autre version]

La rivière de cassis roule ignorée
à[11] des vaux étranges
la voix de cent corbeaux l'accompagne vraie
et bonne voix d'anges
avec les grands mouvements des sapinaies
où plusieurs vents plongent.

---

1. *Cf.* « Les Corbeaux », où ils sont opposés aux « fauvettes de mai ». **2.** Rimbaud se débarrasse de l'imagerie dévote, et il substitue aux anges les corbeaux. **3.** Pour « sapinières » : le mot a été forgé par Rimbaud d'après « saulaie », « hêtraie », etc. **4.** Le mot peut avoir le sens de « campagnes militaires » que lui prêtait Bouillane de Lacoste. Rimbaud joue sur le mot. Il pense au temps des légendes. **5.** Le donjon de Bouillon, par exemple. **6.** *Cf.* le parc dans « Enfance », II, et surtout les bosquets proliférants dans « Métropolitain » (*Illuminations*). **7.** Godefroy de Bouillon, les quatre fils Aymon, etc. **8.** Orthographe du manuscrit. **9.** *Cf.* « Les Corbeaux », v. 6 : « Les chers corbeaux délicieux ». **10.** Habituellement méprisé par Rimbaud ; *cf.* « Mauvais sang » (*Une saison en enfer*) et la lettre à Delahaye de mai 1873. S'y ajoute le rejet de la vieillesse. **11.** Indice, cette fois, d'une direction.

Tout roule avec des mystères révoltants
de campagnes d'ancien temps
de donjons visités de parcs importants
c'est en ces bords qu'on entend
les passions mortes des chevaliers errants
mais que salubre est le vent.

Que le piéton regarde à ces claires voies
il ira plus courageux
soldats des forêts que le Seigneur envoie
chers corbeaux délicieux
faites fuir d'ici le paysan matois
Qui trinque d'un moignon vieux.

Comédie de la Soif

1. Les Parents.

Nous sommes tes Grand-Parents [1]
Les Grands !
Couverts des froides sueurs
De la lune et des verdures.
Nos vins secs avaient du cœur [2] !
Au soleil sans imposture
Que faut-il à l'homme ? boire.

Moi — Mourir aux fleuves barbares.

Nous sommes tes Grand-Parents
Des champs.
L'eau est au fond des osiers :
Vois le courant du fossé
Autour du château mouillé.

---

1. Les grands-parents maternels, les Cuif, gros propriétaires de la Basse-Ardenne. Au vers suivant, Rimbaud joue sur le mot. **2.** Reprise parodique de l'expression : un vin a du corps. Mais il y a un autre jeu de mots sur « avoir le cœur sec ».

Descendons en nos celliers ;
Après, le cidre et le lait [1].

Moi — Aller où boivent les vaches [2].

Nous sommes tes Grand-Parents ;
Tiens, prends
Les liqueurs dans nos armoires
Le Thé, le Café, si rares [3],
Frémissent dans les bouilloires.
— Vois les images, les fleurs.
Nous rentrons du cimetière.

Moi — Ah ! tarir toutes les urnes [4] !

2. L'Esprit [5].

Éternelles Ondines [6]
Divisez l'eau fine.
Vénus, sœur de l'azur,
Émeus le flot pur [7].

Juifs errants [8] de Norwège
Dites-moi la neige.
Anciens exilés chers [9],
Dites-moi la mer.

---

1. Après, [viendront] le cidre et le lait. **2.** Commentaire sarcastique de la proposition précédente. **3.** Bouillane de Lacoste glose : « Si rares sur la table des gens de la campagne ». Mais on peut penser à l'époque du Blocus continental, et plus largement aux périodes de crise où seuls les gens riches pouvaient se procurer le café et le thé introuvables. **4.** Y compris les urnes funéraires ; cri de révolte contre le sot respect des ancêtres et des rites funèbres qui étouffent les vivants. **5.** Au sens d'esprit malin. **6.** Évoquées par Aloysius Bertrand dans *Gaspard de la nuit*. *Cf.* « l'ondine niaise » dans « Métropolitain » (*Illuminations*) : imagerie traditionnelle refusée par Rimbaud. **7.** Autre image traditionnelle : la naissance de Vénus anadyomène. Rimbaud a illustré, puis parodié ce motif mythologique, qu'il refuse ici, en même temps que les autres. **8.** Mythe fréquemment illustré à l'époque du Romantisme. Baudelaire l'évoquait encore dans « Le Voyage ». Banville avait consacré un recueil aux *Exilés*. **9.** Allusion plus vague à d'autres légendes, celle du Hollandais volant, par exemple.

Moi — Non, plus ces boissons pures,
Ces fleurs d'eau pour verres [1]
Légendes ni figures
Ne me désaltèrent
Chansonnier, ta filleule
C'est ma soif si folle [2]
Hydre intime sans gueules [3]
Qui mine [4] et désole.

3. Les amis [5].

Viens, les vins vont aux plages,
Et les flots par millions !
Vois le Bitter [6] sauvage
Rouler du haut des monts !

Gagnons, pèlerins sages
L'absinthe aux verts piliers [7]...
Moi — Plus ces paysages.
Qu'est l'ivresse, Amis ?

J'aime autant, mieux, même,
Pourrir dans l'étang,
Sous l'affreuse crème [8],
Près des bois flottants.

1. L'expression est péjorative, diminutive. **2.** Rimbaud accuse les « bons poètes » (tout au plus des « chansonniers ») de n'avoir fait qu'aviver sa soif. **3.** Contrairement à l'hydre de Lerne, aux cent gueules (avec un autre jeu de mots sur *hydre* = l'eau, et un nouveau trait contre les légendes). **4.** Autre jeu de mots, assuré par le passage de « gueule » à « mine ». **5.** Rimbaud s'en montre déjà singulièrement distant. **6.** Apéritif amer que consommaient volontiers Verlaine et ses amis. **7.** Première rédaction : « L'ivresse » ; correction : « L'absinthe ». Comme le vin prend les proportions de la mer, le Bitter celles d'un torrent impétueux, l'absinthe devient une cathédrale. Transformation de « l'Académie d'Absomphe » (voir la lettre à Delahaye de juin 1872). Rimbaud joue peut-être aussi avec le mot piliers (de cabaret). **8.** « Le dépôt qui se forme à la surface des eaux stagnantes » (S. Bernard).

4. Le pauvre songe

Peut-être un Soir m'attend
Où je boirai tranquille
En quelque vieille Ville [1],
Et mourrai plus content :
Puisque je suis patient !

Si mon mal se résigne
Si j'ai jamais quelque or [2]
Choisirai-je le Nord
Ou le Pays des Vignes [3] ?...
— Ah songer est indigne

Puisque c'est pure perte !
Et si je redeviens
Le voyageur ancien
Jamais l'auberge verte [4]
Ne peut bien m'être ouverte.

5. Conclusion

Les pigeons qui tremblent dans la prairie
Le gibier, qui court et qui voit la nuit,
Les bêtes des eaux, la bête asservie,
Les derniers papillons [5] !... ont soif aussi.

Mais fondre où fond ce nuage sans guide,
— Oh ! favorisé de ce qui est frais !
Expirer en ces violettes humides
Dont les aurores chargent ces forêts ?

Mai 1872

---

1. Serait-ce Charleville retrouvée ? **2.** L'obsession reviendra dans *Une saison en enfer*. **3.** Le Midi. **4.** *Cf.* le « Cabaret-Vert », où Rimbaud s'était arrêté en octobre 1870. Mais ce vert paradis des havres enfantins ne saurait revenir, car il est vain d'espérer le retour au passé. **5.** Les moindres des papillons.

[Deuxième version]

Nous sommes tes grands parents
  Les grands,
Couverts des froides sueurs
De la terre[1] et des verdures.
Nos vins secs avaient du cœur.
Au soleil sans imposture
Que faut-il à l'homme ? Boire...

Moi. — Mourir aux fleuves barbares.

Nous sommes tes grands parents
  Des champs...
L'eau est au fond des osiers...
Vois le courant du fossé
Autour du château mouillé...
Descendons dans nos celliers
Après le cidre, ou le lait[2]...

Moi. — Aller où boivent les vaches.

Nous sommes tes grands parents :
  Tiens, prends
Les liqueurs dans nos armoires.
Le thé, le café, si rares,
Frémissent dans les bouilloires.
Vois les images ; les fleurs :
Nous entrons du cimetière[3]...

Moi. — Ah ! tarir toutes les urnes.

Éternelles Ondines,
Divisez l'eau fine ;
Vénus, sœur de l'azur,
Émeus le flot pur.

---

1. Ce qui indique beaucoup plus clairement qu'ils sont enterrés. *Cf.* « Enfance », II dans les *Illuminations*. **2.** L'emploi de la préposition et le sens sont différents : à la recherche du cidre et du lait. **3.** Comme si les morts pouvaient en sortir.

Juifs errants de Norwège,
    Dites-moi la neige ;
Anciens exilés chers,
    Dites-moi la mer...

— Non, plus ces boissons pures,
    Ces fleurs d'eau pour verres ;
Légendes ni figures
    Ne me désaltèrent ;

Chansonnier, ta filleule
    C'est ma soif si folle ;
Hydre intime, sans gueule,
    Qui mine et désole !

Viens ! les vins sont aux plages,
Et les flots, par millions !
Vois le bitter sauvage
Rouler du haut des monts ;

Gagnons, pèlerins sages,
L'absinthe aux verts piliers...

Moi — Plus ces paysages.
    Qu'est l'ivresse, amis ?

J'aime autant, mieux, même
Pourrir dans l'étang,
Sous l'affreuse crème,
Près des bois flottants.

Peut-être un soir m'attend
Où je boirai tranquille
En quelque bonne ville,
Et mourrai... [c]ontent.
Puisque je s[uis] pa[tient].

Si mon mal se résigne,
Si jamais j'ai quelque or,
Choisirai-je le Nord
Ou les pays des vignes ?...
Ah ! songer est indigne,

Puisque c'est pure perte ;
Et si je redeviens
Le voyageur ancien
Jamais l'auberge verte
Ne peut bien m'être ouverte.

Les pigeons qui tremblent dans la prairie ;
Le gibier qui court et qui voit la nuit ;
Les bêtes des eaux, la bête asservie ;
Les derniers papillons ; ont soif aussi.

Mais fondre où fond ce nuage sans guide...
Oh ! favorisé de ce qui soit frais,
Expirer en ces violettes humides
Dont les aurores chargent ces forêts.

[Troisième version]

Enfer de la soif

1. Les parents

Nous sommes tes Grand'Parents
  Les Grands,
Couverts des froides sueurs
De la lune et des verdures !
Nos Vins secs avaient du cœur !
Au soleil sans imposture
Que faut-il à l'homme ? boire...

MOI. — Mourir aux fleuves Barbares !

Nous sommes tes Grand'Parents
  Des champs ;
L'eau est au fond des osiers...
Vois le courant du fossé
Autour du Château mouillé.

Descendons en nos celliers ;
Après, le cidre, ou le lait.

MOI. — Aller où boivent les vaches.

Nous sommes tes Grand'Parents ;
    Tiens, prends
Les liqueurs dans nos armoires.
Le Thé, le Café, si rares,
Frémissent dans les bouilloires.
— Vois les images, les fleurs :
Nous rentrons du cimetière

MOI. — Ah tarir toutes les urnes.

2. De l'esprit.

Éternelles Ondines,
  Divisez l'eau fine ;
Vénus sœur de l'Azur
  Émeus le flot pur ;

Juifs-Errants de Norwège
  Dites-moi la neige.
Anciens Exilés chers
  Dites-moi la mer.

MOI — Non plus ces boissons pures,
  Ces fleurs d'eau pour verres ;
Légendes ni figures
  Ne me désaltèrent ;

Chansonnier, ta filleule
  C'est ma Soif si folle ;
Hydre intime, sans gueule,
  Qui mine et désole.

3. Des amis

Viens les Vins vont aux plages ;
Et les flots ! par millions !
Vois les Bitters sauvages
Rouler du haut des monts.

Gagnons, pèlerins sages,
L'Absinthe aux verts piliers...
MOI — Plus ces paysages.
Qu'est l'ivresse, amis ?

J'aime autant, mieux, même,
Pourrir dans l'étang
Sous l'affreuse crème
Près des bois flottants.

4. Chanson

Peut-être un soir m'attend
Où je boirai tranquille
En quelque bonne ville
Et mourrai plus content :
— Puisque je suis patient

Si mon mal se résigne
Si jamais j'ai quelque or
Choisirai-je le Nord
Ou le pays des vignes ?...
— Ah songer est indigne

Puisque c'est pure perte
Et si je redeviens
Le voyageur ancien
Jamais l'auberge verte
Ne peut bien m'être ouverte

5

Les pigeons qui tremblent dans la prairie
Le gibier qui court et qui voit la nuit
Les bêtes des eaux la bête asservie
Les derniers papillons..., ont soif aussi.

Mais fondre où fond ce nuage sans guide !
Ô favorisé de ce qui est frais
Expirer en ces violettes humides
Dont les aurores chargent ces forêts !

A. Rimbaud

Bonne pensée du matin

À quatre heures du matin, l'été,
Le sommeil d'amour dure encore.
Sous les bosquets l'aube évapore
L'odeur du soir fêté [1].

Mais là-bas dans l'immense chantier
Vers le soleil des Hespérides [2],
En bras de chemise, les charpentiers
Déjà s'agitent.

Dans leur désert de mousse, tranquilles,
Ils préparent les lambris précieux
Où la richesse de la ville
Rira sous de faux cieux [3].

Ah ! pour ces Ouvriers charmants
Sujets d'un roi de Babylone [4],

---

1. Le soir, domaine des fêtards. **2.** Raccourci : le soleil est comme l'une des pommes d'or du jardin des Hespérides. **3.** Peints sur les riches plafonds. **4.** Allusion aux grands travaux que firent exécuter les rois de Babylone Sargon et Nabuchodonosor II. Par extension, « roi de Babylone » peut désigner tout instigateur d'une construction gigantesque.

Vénus ! laisse un peu les Amants,
    Dont l'âme est en couronne [1]

    Ô Reine des Bergers [2] !
Porte aux travailleurs l'eau-de-vie [3].
Pour que leurs forces soient en paix
En attendant le bain dans la mer [4], à midi.

Mai 1872

[Autre version]

À quatre heures du matin l'été
le sommeil d'amour dure encore
dans les bosquets l'aube évapore
    l'odeur du soir fêté

Or là-bas dans l'immense chantier
vers le soleil des Hespérides
en bras de chemise les charpentiers
    déjà s'agitent

Dans leurs déserts de mousse tranquille
ils préparent les lambris précieux
où la richesse de la ville
    rira sous de faux cieux

O pour ces ouvriers charmants
sujets d'un roi de Babylone
Vénus ! laisse un peu les amants
    dont l'âme est en couronne

---

1. À rapprocher du vers 2 : la béatitude prolongée des amants-rois est opposée à celle des ouvriers-sujets. **2.** Allusion probable au mythe de Pâris qui, alors qu'il était berger, remit à Vénus le prix de la beauté. Mais l'expression est formée sur le patron des épithètes liturgiques de la Vierge. **3.** Qui leur tiendra lieu de ce « pain de vie » dont il est parlé dans l'Évangile. **4.** Peut-être le bain de Vénus anadyomène.

O Reine des Bergers
porte aux travailleurs l'eau-de-vie
pour que leurs forces soient en paix
en attendant le bain dans la mer à midi

Fêtes de la patience

1. Bannières de mai.
2. Chanson de la plus haute Tour.
3. L'Éternité.
4. Âge d'or.

Fêtes de la patience

1 Bannières de mai
2 Chanson de la plus haute Tour
3 Eternité.
4 Age d'or

1. Bannières de mai

Aux branches claires des tilleuls
Meurt un maladif hallali[1].
Mais des chansons spirituelles
Voltigent parmi les groseilles.
Que notre sang rie en nos veines,
Voici s'enchevêtrer les vignes.
Le ciel est joli comme un ange

1. Le motif apparaissait déjà dans « Ophélie ». Sa banalité peut surprendre ; mais précisément il « meurt », il s'abolit, comme les motifs légendaires auxquels Rimbaud renonce dans « Comédie de la Soif ». De plus, les mots s'appellent par le son (« maladif hallali »).

L'azur et l'onde communient[1].
Je sors. Si un rayon me blesse
Je succomberai sur la mousse.

Qu'on patiente et qu'on s'ennuie
C'est trop simple. Fi de mes peines.
Je veux que l'été dramatique
Me lie à son char de fortune[2].
Que par toi beaucoup, ô Nature,
— Ah moins seul et moins nul ! — je meure[3].
Au lieu que les Bergers, c'est drôle,
Meurent à peu près par le monde[4].

Je veux bien que les saisons m'usent.
À toi, Nature, je me rends ;
Et ma faim et toute ma soif.
Et, s'il te plaît, nourris, abreuve.
Rien de rien ne m'illusionne ;
C'est rire aux parents, qu'au soleil[5],
Mais moi je ne veux rire à rien ;
Et libre[6] soit cette infortune.

Mai 1872

---

1. Le vocabulaire religieux « communient », et plus haut « ange », indique assez quel sens il convient de donner à « spirituelles » au v. 3. Ces touches religieuses ont quelque chose de figé et sont à prendre avec ironie, comme l'a suggéré Albert Henry (*Contribution à la lecture de Rimbaud*, 1998, p. 209). **2.** Son char de théâtre, comme le chariot de Thespis. **3.** Parallélisme de construction (« par toi, [...] Nature » / « par le monde ») qui souligne un paradoxe. **4.** *Par le monde* n'a pas un sens causal, mais locatif (le *per* latin : à travers), comme le note Albert Henry. C'est la « fin de l'Idylle », comme au terme de « Michel et Christine ». **5.** Car c'est accepter la vie qu'ils vous ont donnée ? On voit déjà apparaître la figure du fils du soleil qui reparaîtra dans les *Illuminations* (« Vagabonds »). **6.** « Libre, c'est-à-dire délibérée. Infortune acceptée parce qu'elle est le prix d'un renouveau » (M.-A. Ruff, *op. cit.*, p. 134).

[Autre version]

Patience

D'un été

Aux branches claires des tilleuls
Meurt un maladif hallali.
Mais des chansons spirituelles
Voltigent partout les groseilles.
Que notre sang rie en nos veines
Voici s'enchevêtrer les vignes.
Le ciel est joli comme un ange
Azur et onde communient.
Je sors ! Si un rayon me blesse,
Je succomberai sur la mousse.

Qu'on patiente et qu'on s'ennuie,
C'est si simple !... Fi de ces peines !
Je veux que l'été dramatique
Me lie à son char de fortune.
Que par toi beaucoup, ô Nature,
— Ah ! moins nul et moins seul ! je meure,
Au lieu que les bergers, c'est drôle,
Meurent à peu près par le monde.

Je veux bien que les saisons m'usent.
À toi, Nature ! je me rends,
Et ma faim et toute ma soif ;
Et s'il te plaît, nourris, abreuve.
Rien de rien ne m'illusionne ;
C'est rire aux parents qu'au soleil ;
Mais moi je ne veux rire à rien ;
Et libre soit cette infortune.

2. Chanson de la plus haute Tour.

Oisive jeunesse[1]
À tout asservie,
Par délicatesse[2]
J'ai perdu ma vie.
Ah ! Que le temps vienne
Où les cœurs s'éprennent[3].

Je me suis dit : laisse,
Et qu'on ne te voie :
Et sans la promesse
De plus hautes joies.
Que rien ne t'arrête
Auguste retraite[4].

J'ai tant fait patience
Qu'à jamais j'oublie ;
Craintes et souffrances
Aux cieux sont parties.
Et la soif malsaine
Obscurcit mes veines[5].

Ainsi la Prairie
À l'oubli livrée,
Grandie, et fleurie
D'encens et d'ivraies

---

1. *Cf.* « Alchimie du verbe » : « J'étais oisif, en proie à une lourde fièvre ». Comme le note Bernard Meyer (*Parade sauvage*, nº 9, 1994, p. 35), ce vers ne constitue pas un vocatif, mais « une sorte d'apposition libre ». **2.** Selon Delahaye, la « délicatesse » qui a poussé Rimbaud à rentrer à Charleville pour laisser une chance au ménage de Verlaine. Interprétation biographique réductrice. Il s'agit plus largement de la délicatesse qui l'a empêché de secouer tous les jougs. **3.** Izambard a indiqué que Rimbaud avait dû se souvenir du vieux refrain qu'il avait entendu fredonner : « Avène, avène, / Que le beau temps t'amène ». Le refrain sera mis en valeur dans la troisième version, celle d'« Alchimie du verbe », dans *Une saison en enfer*. **4.** C'est-à-dire la plus haute tour où l'asservi est enfermé, symbole de toutes les servitudes qu'il a acceptées. **5.** *Cf.* « Comédie de la Soif ». Cette strophe 3 devient la strophe 4 dans l'autre version.

Au bourdon farouche
De cent sales mouches[1].

Ah ! Mille veuvages
De la si pauvre âme
Qui n'a que l'image
De la Notre-Dame !
Est-ce que l'on prie
La Vierge Marie[2] ?

Oisive jeunesse
À tout asservie
Par délicatesse
J'ai perdu ma vie.
Ah ! Que le temps vienne
Où les cœurs s'éprennent !

Mai 1872

[Autre version]

Oisive jeunesse
À tout asservie,
Par délicatesse
J'ai perdu ma vie.
Ah ! que le temps vienne
Où les cœurs s'éprennent !

Je me suis dit : Laisse,
Et qu'on ne te voie.
Et sans la promesse
De plus hautes joies.
Que rien ne t'arrête,
Auguste retraite.

---

1. Strophe 5 dans l'autre version. *Bourdon* = bourdonnement. Construction : « À l'oubli livrée, [...] au bourdon ». **2.** Strophe 3 dans l'autre version. Rimbaud met en place une imagerie, celle du prisonnier de la tour, qui n'a pour recours que l'image de la Vierge. Mais le temps de Villon est passé.

Ô mille veuvages
De la si pauvre âme
Qui n'a que l'image
De la Notre-Dame :
Est-ce que l'on prie
La vierge Marie ?

J'ai tant fait patience
Qu'à jamais j'oublie.
Craintes et souffrances
Aux cieux sont parties
Et la soif malsaine
Obscurcit mes veines.

Ainsi la prairie
À l'oubli livrée ;
Grandie et fleurie
D'encens et d'ivraies ;
De cent sales mouches.

Oisive jeunesse
À tout asservie,
Par délicatesse
J'ai perdu ma vie.
Ah ! que le temps vienne
Où les cœurs s'éprennent !

3. L'Éternité

Elle est retrouvée.
Quoi ? — L'Éternité.
C'est la mer allée
Avec le soleil[1]

---

1. *Cf.* « Bannières de mai » : « L'azur et l'onde communient ». Et voir le commentaire de Jean-Pierre Richard dans *Poésie et profondeur*, éd. du Seuil, 1955, p. 217 : « L'union des termes sensibles, eau et feu, ne se sépare pas du mouvement qui les attire l'un *vers* l'autre, et qui les pousse en même temps, l'un *avec* l'autre, vers un autre espace et un autre temps, vers une autre substance, une et ambiguë, l'eau du feu. »

Âme sentinelle[1],
Murmurons l'aveu
De la nuit si nulle[2]
Et du jour en feu.

Des humains suffrages,
Des communs élans
Là tu te dégages
Et voles selon[3].

Puisque de vous seules,
Braises de satin[4],
Le Devoir s'exhale
Sans qu'on dise : enfin[5].

Là pas d'espérance,
Nul orietur[6].
Science avec patience,
Le supplice est sûr.

Elle est retrouvée.
Quoi ? — L'éternité.
C'est la mer allée
Avec le soleil.

Mai 1872

---

1. Comme si elle était toujours sur la « plus haute tour ». **2.** La nuit se trouve annulée au profit de la lumière solaire retrouvée dans toute sa pureté, dans tout son éclat. *Cf.* « Alchimie du verbe » : « j'écartai du ciel l'azur, qui est du noir ». **3.** L'expression est elliptique et ambiguë. Après avoir été ballottée au gré des mouvements extérieurs, l'âme n'obéit qu'à elle-même, et vole de ses propres ailes selon [son gré]. **4.** Expression précieuse et saisissante à la fois pour décrire l'éclat du soleil et de la mer mêlés. **5.** Puisque le temps est aboli et que « la mer allée / Avec le soleil », c'est l'éternité. **6.** L. Forestier traduit : « pas d'aube » (*orior* = se lever). Mais la connotation religieuse ne saurait être éludée ; cf. Malachie, IV, 20 : *Et orietur vobis timentibus nomen meum sol justitiae* (« Et le soleil de la justice se lèvera pour vous qui craignez mon nom »). Tout terme, tout futur perd sa signification quand le temps est aboli.

[Autre version]

Éternité

Elle est retrouvée.
Quoi ? L'éternité.
C'est la mer allée
Avec le soleil.

Âme sentinelle,
Murmurons l'aveu
De la nuit si nulle
Et du jour en feu.

Des humains suffrages,
Des communs élans,
Donc tu te dégages :
Tu voles selon...

Jamais l'espérance ;
Pas d'*orietur*.
Science avec patience...
Le supplice est sûr.

De votre ardeur seule,
Braises de satin,
Le devoir s'exhale
Sans qu'on dise : enfin.

Elle est retrouvée.
Quoi ? L'éternité.
C'est la mer allée
Avec le soleil.

4. Âge d'or

Quelqu'une des voix
Toujours angélique
— Il s'agit de moi, —
Vertement[1] s'explique :

Ces mille questions
Qui se ramifient
N'amènent, au fond,
Qu'ivresse et folie[2] ;

Reconnais ce tour
Si gai, si facile :
Ce n'est qu'onde, flore,
Et c'est ta famille !

Puis elle[3] chante. Ô
Si gai, si facile,
Et visible à l'œil nu...
— Je chante avec elle, —

Reconnais ce tour
Si gai, si facile,
Ce n'est qu'onde, flore,
Et c'est ta famille !... etc....

Et puis une voix
— Est-elle angélique ! —
Il s'agit de moi,
Vertement s'explique ;

---

1. L'adverbe contient une nuance de réprimande, selon Suzanne Bernard, de couleur obtenue alchimiquement, selon Yves Bonnefoy, — peut-être surtout de franchise : « vertement » laisse entendre « ouvertement ». **2.** Renonçant aux « mille questions », aux ratiocinations qui ne conduisent qu'à la folie, le poète a besoin d'une réponse, d'une explication, et il opte donc pour « ce tour / Si gai, si facile » : « vivre étincelle d'or de la lumière *nature* », être frère de l'*onde* et de la *flore*. **3.** La voix.

Et chante à l'instant
En sœur des haleines [1] :
D'un ton Allemand [2],
Mais ardente et pleine :

Le monde est vicieux [3] ;
Si cela t'étonne [4] !
Vis et laisse au feu
L'obscure infortune.

Ô ! joli château [5] !
Que ta vie est claire !
De quel Âge es-tu
Nature princière [6]
De notre grand frère ? etc....,

Je chante aussi, moi :
Multiples sœurs ! Voix
Pas du tout publiques [7] !
Environnez-moi
De gloire pudique. etc...

Juin [8] 1872

---

1. Des haleines (du monde). **2.** Ton dont se moquait Rimbaud durant l'occupation (témoignage de Delahaye). Il peut songer aussi à l'opéra allemand. **3.** L'expression est ambiguë : condamnation du monde vicieux (au nom d'un idéalisme qui rappellerait l'idéalisme allemand) ; mais aussi : le monde est vicieux comme le cercle ; il ramène donc à l'âge d'or. **4.** Exclamation qui correspond à une interrogation dans l'autre version. **5.** Imagerie proche de celle des poèmes précédents (la tour, l'âme sentinelle). **6.** Selon Jean-Luc Steinmetz, allusion ironique à la rue Monsieur-le-Prince, où loge Rimbaud (éd. de 1989, p. 184). L'hypothèse, astucieuse, ne suffit pas à rendre compte de la continuité dans la fin du poème. **7.** Même exigence aristocratique, élitiste, que dans l'affirmation de la « nature princière » du « grand frère ». Il s'agit toujours de se dégager des « communs élans ». **8.** En surcharge sur « Mai ».

[Deuxième version]

Âge d'or

Quelqu'une des voix,
— Est-elle angélique ! —
Il s'agit de moi,
Vertement s'explique :

Ces mille questions
Qui se ramifient
N'amènent, au fond,
Qu'ivresse et folie.

Reconnais ce tour
Si gai, si facile ;
C'est tout onde et flore.
Et c'est ta famille[1] !

Et puis une voix,
— Est-elle angélique ! —
Il s'agit de moi,
Vertement s'explique ;

Et chante à l'instant,
En sœur des haleines ;
D'un ton allemand,
Mais ardente et pleine :

Le monde est vicieux,
Tu dis ? tu t'étonnes ?
Vis ! et laisse au feu
L'obscure infortune...

Ô joli château !
Que ta vie est claire.

---

1. En marge de cette strophe : « *Terque quaterque* » (trois et quatre fois).

De quel Âge es-tu.
Nature princière
De notre grand frère [1] ?

Je chante aussi, moi !
Multiples sœurs ; voix
Pas du tout publiques,
De gloire pudique
Environnez-moi [2].

Jeune ménage

La chambre est ouverte au ciel bleu-turquin [3] ;
Pas de place : des coffrets et des huches !
Dehors le mur est plein d'aristoloches [4]
Où vibrent les gencives des lutins.

Que ce sont bien intrigues de génies
Cette dépense et ces désordres vains !
C'est la fée africaine qui fournit
La mûre, et les résilles dans les coins.

Plusieurs [5] entrent, marraines mécontentes,
En pans de lumière dans les buffets,
Puis y restent ! le ménage s'absente
Peu sérieusement [6], et rien ne se fait.

Le marié a le vent qui le floue [7]
Pendant son absence, ici, tout le temps.

---

1. En marge de cette strophe : « *Pluries* » (plusieurs fois). **2.** En marge : « *Indesinenter* » (sans plus jamais s'arrêter). **3.** Bleu tirant sur l'ardoise (mais Rimbaud a pu vouloir dire bleu turquoise). **4.** Littré signale que cette plante passe pour « tonique et emménagogue [qui provoque les règles] ». **5.** Plusieurs (fées). Elles jouent traditionnellement le rôle de marraines, bienfaisantes ou malfaisantes, dans les contes de fées (par exemple dans *La Belle au bois dormant*). **6.** Ce qui peut vouloir dire qu'il ne s'absente pas « pour de vrai ». **7.** Qui le trompe : le vent, lui aussi, entre en intrus dans la pièce.

Même des esprits des eaux, malfaisants[1]
Entrent vaguer[2] aux sphères de l'alcôve.

La nuit, l'amie oh ! la lune de miel[3]
Cueillera leur sourire et remplira
De mille bandeaux de cuivre le ciel.
Puis ils auront affaire au malin rat.

— S'il n'arrive pas un feu follet blême,
Comme un coup de fusil, après des vêpres[4].
— Ô Spectres saints et blancs de Bethléem,
Charmez plutôt le bleu de leur fenêtre[5] !

A. Rimbaud
27 juin 72.

[Lettre à Ernest Delahaye de juin 1872]

Parmerde[6]. Jumphe[7] 72.

Mon ami,

Oui, surprenante est l'existence dans le cosmorama Arduan[8]. La province, où on se nourrit de farineux et de boue, où l'on boit du vin du cru et de la bière du pays, ce n'est pas ce que [je] regrette. Aussi tu as raison de la dénoncer sans cesse. Mais ce lieu-ci : distillation, composition, tout étroitesses : et l'été accablant : la chaleur n'est pas très constante, mais de voir que le beau temps est dans les intérêts de chacun, et que chacun est un porc, je hais l'été, qui me tue quand il se manifeste un peu. J'ai une soif à craindre la gangrène : les rivières ardennaises et belges, les cavernes[9], voilà ce que je regrette.

---

1. Première rédaction : « Même des fantômes des eaux, errants ». La correction, en surcharge, est d'une tout autre encre. **2.** Errer çà et là (mot archaïque). **3.** Jeu de mots : lune/lune de miel. **4.** Aussi inattendu qu'un coup de fusil après les vêpres. Ce feu follet blême introduit la pensée de la mort, qui ruinerait le bonheur du couple. **5.** Exercez plutôt votre charme, votre puissance (maléfique plutôt que bénéfique), sur le bleu de leur fenêtre. **6.** Paris. **7.** Juin. **8.** Cosmorama ardennais. Littré définit *cosmorama* comme une « espèce d'optique où l'on voit des tableaux représentant les principales villes ou vues du monde ». Il faut entendre ici par antiphrase ce qu'il y a de rétréci, de clos, dans la vie ardennaise. **9.** *Cf.* « Vagabonds », dans les *Illuminations*.

Il y a bien ici un lieu de boisson que je préfère. Vive l'académie d'Absomphe[1], malgré la mauvaise volonté des garçons[2] ! C'est le plus délicat et le plus tremblant des habits, que l'ivresse par la vertu de cette sauge de glaciers, l'absomphe ! Mais pour, après, se coucher dans la merde !

Toujours même geinte[3], quoi ! Ce qu'il y a de certain, c'est merde à Perrin[4]. Et au comptoir de l'Univers[5], qu'il soit en face du square ou non. Je ne maudis pas l'Univers, pourtant. — Je souhaite très fort que l'Ardenne soit occupée et pressurée de plus en plus immodérément. Mais tout cela est encore ordinaire.

Le sérieux, c'est qu'il faut que tu te tourmentes beaucoup, peut-être que tu aurais raison de beaucoup marcher et lire. Raison en tout cas de ne pas te confiner dans les bureaux et maisons de famille. Les abrutissements doivent s'exécuter loin de ces lieux-là. Je suis loin de vendre du baume, mais je crois que les habitudes n'offrent pas des consolations, aux pitoyables jours.

Maintenant, c'est la nuit que je travaince[6]. De minuit à cinq du matin. Le mois passé, ma chambre, rue Monsieur-le-Prince, donnait sur un jardin du lycée Saint-Louis. Il y avait des arbres énormes sous ma fenêtre étroite. À trois heures du matin, la bougie pâlit : tous les oiseaux crient à la fois dans les arbres : c'est fini. Plus de travail. Il me fallait regarder les arbres, le ciel, saisis par cette heure indicible, première du matin[7]. Je voyais les dortoirs du lycée, absolument sourds. Et déjà le bruit saccadé, sonore, délicieux des tombereaux sur les boulevards. — Je fumais ma pipe-marteau, en crachant sur les tuiles, car c'était une mansarde, ma chambre. À cinq heures, je descendais à l'achat de quelque pain ; c'est l'heure. Les ouvriers sont en marche partout. C'est l'heure de se soûler chez les marchands de vin, pour moi. Je rentrais manger, et me couchais à sept heures du matin, quand le soleil faisait sortir les cloportes[8] de dessous les tuiles. Le premier matin en été, et les soirs de décembre, voilà ce qui m'a ravi toujours ici.

Mais, en ce moment, j'ai une chambre jolie, sur une cour sans fond, mais de trois mètres carrés. — La rue Victor Cousin fait coin sur la place de la Sorbonne par le café du Bas-Rhin, et donne sur la rue Soufflot, à

---

1. L'Académie d'absinthe ; il s'agit du débit du « distillateur » Prosper Pellerier, sis au 176 de la rue Saint-Jacques. **2.** Qui devaient repousser Rimbaud en raison de son jeune âge, ou le mettre à la porte quand il était ivre. **3.** Les mêmes gémissements. **4.** Le successeur d'Izambard ; après avoir démissionné de ses fonctions d'enseignant, il était devenu le directeur du journal *Le Nord-Est* en juillet 1871. Rimbaud lui en voulait d'avoir refusé les poèmes qu'il lui avait envoyés. **5.** Le café de l'Univers, à Charleville. **6.** Que je travaille. **7.** *Cf.* « Bonne pensée du matin ». **8.** Peut-être aussi les Parisiens ordinaires, qui sont comme des cloportes.

l'autre extrémité. — Là je bois de l'eau toute la nuit, je ne vois pas le matin, je ne dors pas, j'étouffe. Et voilà.

Il sera certes fait droit à ta réclamation ! N'oublie pas de chier sur *La Renaissance*, journal littéraire et artistique[1], si tu le rencontres. J'ai évité jusqu'ici les pestes d'émigrés caropolmerdés[2]. Et merde aux saisons. Et colrage[3].

Courage.

A. R.

Rue Victor Cousin, Hôtel de Cluny.

---

1. *La Renaissance littéraire et artistique*, revue dirigée par Émile Blémont, l'un des « Vilains Bonshommes ». **2.** Les Carolopolitains (habitants de Charleville) venus à Paris. **3.** Courage. L'équivoque obscène est probable (*col* = cul ; *cf. t'accolle* dans la lettre de Verlaine à Rimbaud du 2 avril 1872, p. 826 et note 6).

[BRUXELLES, JUILLET-AOÛT 1872]

« Est-elle almée ?... »

Est-elle almée[1] ?... aux premières heures bleues[2]
Se détruira-t-elle comme les fleurs feues[3]...
Devant la splendide étendue où l'on sente[4]
Souffler la ville énormément florissante !

C'est trop beau ! c'est trop beau ! mais c'est nécessaire
— Pour la Pêcheuse et la chanson du Corsaire[5],
Et aussi puisque les derniers masques[6] crurent
Encore aux fêtes de nuit sur la mer pure !

Juillet 1872

« Plates-bandes d'amarantes... »

Juillet.
Bruxelles, Boulevard[7] du Régent.

Plates-bandes d'amarantes[8] jusqu'à
L'agréable palais de Jupiter[9].

---

1. Danseuse orientale. « Femme faisant profession d'improviser des vers, de chanter et de danser dans les fêtes publiques » (Dictionnaire de Bescherelle). **2.** Les premières heures du matin. **3.** Les fleurs défuntes. **4.** Le subjonctif n'est pas là seulement pour la rime ; il arrache la proposition au réel : c'est un vœu, l'appel lancé à une ville énorme et florissante qui fait penser tant aux « splendides villes » désirées à la fin d'*Une saison en enfer* qu'à celles qui seront magiquement créées dans les *Illuminations*. **5.** L'identification est impossible, et d'ailleurs inutile. Inutile de chercher du côté de Byron, de l'opéra de Verdi (1848), du ballet-pantomime d'Adolphe Adam (1856), comme le fait Albert Henry. S'il y avait opéra, ce serait plutôt un « opéra vieux », comme *Le Corsaire* de Dalayrac (1783). **6.** Parmi les « fantasmagories » de « Métropolitain » (*Illuminations*) on trouvera « ces masques enluminés sous la lanterne fouettée par la nuit froide ». Ceux qui sont les derniers à quitter la fête en prolongent le souvenir. **7.** Orthographe de Rimbaud : boulevart. **8.** Fleur pourpre, qui chez les Anciens était le symbole de l'immortalité. **9.** Le Palais Royal de Bruxelles, selon Delahaye. Mais il convient de ne pas oublier le climat mythologique : l'accès à l'Olympe, à Jupiter, à l'immortalité des dieux.

— Je sais que c'est Toi[1] qui, dans ces lieux,
Mêles ton Bleu presque de Sahara !

Puis, comme rose et sapin du soleil
Et liane ont ici leurs jeux enclos,
Cage de la petite veuve !...
Quelles
Troupes d'oiseaux, ô ia io, ia io[2] !

— Calmes maisons, anciennes passions[3] !
Kiosque de la Folle par affection[4].
Après les fesses des rosiers[5], balcon
Ombreux[6] et très bas de la Juliette[7].

— La Juliette, ça rappelle l'Henriette[8],
Charmante station du chemin de fer,
Au cœur d'un mont comme au fond d'un verger
Où mille diables bleus[9] dansent dans l'air !

Banc vert où chante au paradis d'orage[10],
Sur la guitare[11], la blanche Irlandaise.

---

1. Le Boulevard — auquel le poète s'adressera sur le mode du *tu* (mais sans majuscule) ? Jupiter ? Peut-être plutôt le Soleil, avec une allusion aux mirages du Sahara. **2.** Après l'évocation d'une libre étendue vient dans cette strophe l'évocation de la clôture : entrelacs de la végétation, cage, oiseaux enfermés. Pour certains commentateurs, la « petite veuve » serait Verlaine : interprétation sans doute trop séduisante. **3.** Autres recluses : les jeunes filles passionnées aux amours contrariées qui vont être évoquées dans cette troisième strophe. **4.** Ophélie plutôt que Verlaine ; mais l'identification n'est pas nécessaire. L'« opéra vieux » et Dalayrac pourraient être une fois de plus convoqués avec *Nina ou la Folle par amour* (1786). Le kiosque bruxellois a pu amener l'image de la cage, et elle s'associe à celle du spectacle. **5.** Les branches flexibles des rosiers, en patois ardennais ; reprise de « rose », au v. 5. **6.** Caché au soleil par la végétation ; elle se conjurait également contre le soleil dans les vv. 5-6. **7.** L'héroïne de Shakespeare. **8.** Rimbaud se fie maintenant aux associations de sons pour de nouvelles évocations. Il s'agirait, selon J. Gengoux, de l'Henriette de Molière dans *Les Femmes savantes* (dans *Les Cariatides*, un poème de Banville, « La Voie lactée », évoquait Shakespeare à travers Juliette, Molière à travers Henriette). L'hypothèse est plus séduisante que convaincante. Pourquoi ne pas s'en tenir à l'explication que nous fournit Rimbaud, même si cette « charmante station du chemin de fer » — et son nom — sont imaginaires ? **9.** J. Gengoux nous rappelle que *blue devils* en anglais signifie cauchemars. Mais « Jeune ménage » avait déjà introduit des créatures fantastiques analogues à ces « diables bleus ». **10.** *Cf.* « Villes », dans les *Illuminations* : « Le paradis des orages s'effondre. » **11.** On attendrait plutôt la harpe celtique, celle dont Tristan jouait devant l'Irlandaise Iseut.

Puis de la salle à manger guyanaise,
Bavardage des enfants et des cages[1].

Fenêtre du duc[2] qui fais que je pense
Au poison[3] des escargots et du buis
Qui dort ici-bas au soleil. Et puis
C'est trop beau[4] ! trop ! Gardons notre silence.

— Boulevard sans mouvement[5] ni commerce,
Muet, tout drame et toute comédie,
Réunion des scènes infinie[6],
Je te connais et t'admire en silence.

Fêtes de la faim

Ma faim, Anne, Anne,
Fuis sur ton âne[7].

Si j'ai du *goût*, ce n'est guères[8]
Que pour la terre et les pierres
Dinn ! dinn ! dinn ! dinn ! je pais l'air[9],
Le roc, les terres[10], le fer.

---

1. Retour aux évocations de la strophe 2 (clôture, ramage). Il existait, paraît-il, au 21, boulevard du Régent, un pensionnat de fillettes. La Guyane, avec ses lianes et ses forçats, trouve comme naturellement sa place dans une évocation carcérale. **2.** Celle de la fastueuse demeure du duc et prince Charles d'Aremberg, alors située au 35, boulevard du Régent. **3.** À cause des sombres histoires d'empoisonnement que fait apparaître la chronique des grandes familles. **4.** Reprise de l'exclamation qu'on trouvait au v. 5 de « *Est-elle almée ?...* ». Mais ici elle introduit au silence. **5.** Différent du « mouvement d'un boulevard de Bagdad » dans « Villes — *Ce sont des villes !* ». **6.** Des scènes que la contemplation du Boulevard a suscitées dans l'imagination de Rimbaud. **7.** La rime est volontairement trop facile pour ce « refrain niais ». Anne pourrait rappeler la « sœur Anne » dans *Barbe-Bleue*. **8.** Orthographe pour la rime qui paraît surprenante à un moment où Rimbaud n'a plus nul souci de la rime pour l'œil. **9.** Correction en surcharge : « Mangeons l'air ». On note l'équivoque sonore dinn/dîne. **10.** Correction en surcharge : « les charbons ».

Tournez, les faims ! paissez, faims [1],
Le pré des sons !
Puis l'humble et vibrant venin [2]
Des liserons.

Les cailloux qu'un pauvre brise [3],
Les vieilles pierres d'églises,
Les galets, fils des déluges [4],
Pains [5] couchés aux vallées grises !

Mes faims, c'est les bouts d'air noir [6] ;
L'azur sonneur ;
— C'est l'estomac qui me tire.
C'est le malheur.

Sur terre ont paru les feuilles :
Je vais aux chairs de fruit blettes.
Au sein du sillon je cueille
La doucette [7] et la violette.

Ma faim, Anne, Anne !
Fuis sur ton âne

---

1. Correction en surcharge : « Mes faims, tournez. Paissez, faims, ». L'analogie avec « Bruxelles. Chevaux de bois », poème de Verlaine daté de « Champ de foire de Saint-Gilles, août 72 », est frappante : « Tournez, tournez, bons chevaux de bois ». Elle doit confirmer, pour « Fêtes de la faim », la date d'août 1872. **2.** *Cf.* le motif du poison dans l'avant-dernière strophe de « *Plates-bandes d'amarantes...* ». **3.** Correction en surcharge : « Mangez / Les cailloux qu'un pauvre brise ». *Cf.* le brouillon d'« Alchimie du verbe » : « je cassais des pierres sur des routes balayées toujours ». **4.** Allusion à la légende de Deucalion et Pyrrha : après le déluge, les deux survivants lancent derrière eux des cailloux d'où naît la nouvelle humanité. **5.** Galets en forme de pains. Allusion probable au conte du *Petit Poucet*. *Cf.* « Ma Bohême ». **6.** *Cf.* brouillon d'« Alchimie du verbe » : « j'écartais du ciel l'azur, qui est du noir [...] ». **7.** Autre nom de la mâche.

[POÈMES SANS DATE]

« *Ô saisons ô châteaux...* »

Ô saisons[1] ô châteaux[2]
L'âme[3] n'est pas sans défauts

J'ai fait la magique étude
Du Bonheur que[4] nul n'élude

Je suis à lui, chaque fois
Si chante son coq gaulois[5].

Je n'aurai rien ! plus d'envie[6]
Il s'est chargé de ma vie[7]

Ce Charme[8] ! il prit âme et corps
Je me crois libre d'efforts[9].

---

1. Sur le brouillon, le poème est précédé de deux lignes de prose entièrement raturées : « C'est pour dire que ce n'est rien, la vie : voilà donc Les Saisons ». Et *cf.* la lettre à Delahaye de juin 1872 : « Et merde aux saisons ». Les saisons, c'est le temps contre l'éternité. **2.** *Cf.* la plus haute Tour. **3.** *Quelle*, ajouté sur le manuscrit, et non biffé, donnerait un vers faux. Au-dessus de ce vers, biffé : « Où court où vole où coule ». **4.** *Que* a pour antécédent *étude* plutôt que *bonheur*, comme l'a fait observer Etiemble. **5.** Brouillon : « Chaque nuit son coq gaulois ». *Lui* ne saurait désigner que le *bonheur*, bonheur annoncé comme l'aube (*cf.* « Aube », dans les *Illuminations*) par le chant du *coq*. Obscène, ce « coq gaulois », comme le veut R. Goffin approuvé par A. Adam ? Liturgique, comme le suggère Jean-Claude Morisot ? Il pourrait s'agir tout simplement d'un jeu de mots : *gallus* signifie à la fois le « coq » et le « Gaulois » en latin. **6.** En raison des surcharges, le texte est difficile à lire et à déchiffrer. **7.** Le bonheur annule toutes les autres aspirations, toutes les autres envies. **8.** *Charme* au sens fort de « sortilège », de « pouvoir magique ». **9.** Surcharge : « Et dispersera mes efforts ».

Quoi comprendre à ma parole
Il fait qu'elle fuie et vole

Ah[1] ! si le malheur m'entraîne
Sa disgrâce n'est certaine

Il faut que son dédain, las[2] !
Me livre au plus prompt trépas[3]

[Autre version]

Ô saisons, ô châteaux,
Quelle âme est sans défauts ?

Ô saisons, ô châteaux !

J'ai fait la magique étude
Du bonheur, que nul n'élude.

Ô vive lui, chaque fois,
Que chante son coq gaulois.

Mais je n'aurais plus d'envie,
Il s'est chargé de ma vie.

Ce Charme ! il prit âme et corps,
Et dispersa tous efforts.

Que comprendre à ma parole ?
Il fait qu'elle fuie et vole !

Ô saisons, ô châteaux !

---

1. Surcharge : « Et ». **2.** Biffé au-dessus de ce vers : « C'est pour moi ». **3.** Biffé au-dessus de ce vers : « Soit pour moi ».

Mémoire

1

L'eau claire ; comme le sel des larmes d'enfance [1],
l'assaut au soleil des blancheurs des corps de femmes ;
la soie, en foule et de lys pur, des oriflammes
sous les murs dont quelque pucelle eut la défense ;

l'ébat des anges [2] ; — Non [3]... le courant d'or [4] en marche,
meut ses bras noirs, et lourds, et frais surtout, d'herbe [5]. Elle [6]
sombre, avant [7] le Ciel bleu pour ciel-de-lit, appelle
pour rideaux l'ombre de la colline et de l'arche [8].

2

Eh ! l'humide carreau [9] tend ses bouillons limpides !
l'eau meuble d'or pâle et sans fond les couches [10] prêtes.
les robes vertes et déteintes des fillettes
font les saules, d'où sautent les oiseaux sans brides [11].

Plus pure qu'un louis, jaune et chaude paupière
le souci d'eau [12] — ta foi conjugale [13], ô l'Épouse ! —

---

1. Première version : « de l'enfance ». **2.** F. Ruchon a parlé, à propos de cette première série d'évocations, d'une « symphonie en blanc majeur ». Etiemble et Yassu Gauclère (*Rimbaud*, Gallimard, 1935, rééd. 1966, p. 192) reprennent à leur compte l'expression. « L'ébat des anges » fait songer à « Mystique », dans les *Illuminations*, où reparaîtra souvent le motif de la soie. Aussi ne voyons-nous pas dans ces vers l'intention parodique qu'a cru y déceler Suzanne Bernard. **3.** Refus d'une poétique jugée périmée ? Refus profonds de Rimbaud — plus de larmes, plus de femmes, plus de roi, plus de religion ? Il nous semble plutôt que le « courant d'or en marche », celui de la rivière, de la vie aussi, suffit à l'éloigner de ce dont il n'aura plus que « mémoire ». **4.** La rivière sous le soleil, dans la journée. **5.** « Les longues herbes, dans le lit du fleuve » (Bouillane de Lacoste). **6.** *Elle* = la rivière personnifiée. **7.** De nombreux éditeurs ont cru devoir corriger *avant* (texte du manuscrit) en *ayant*. Mais le texte se comprend ainsi. **8.** Le motif de l'arche reparaîtra souvent dans les *Illuminations*. **9.** Comparaison avec le « carreau » d'une chambre (S. Bernard). **10.** La comparaison amorcée par le jeu de mots du v. 7 (Ciel/ciel-de-lit) se poursuit. **11.** Par une sorte d'échange : les robes vertes des fillettes perdent leur teinte pour faire la couleur des saules. Et appel de sons (saules/sautent). Les fillettes sont bridées comme des oiseaux en cage (*cf.* « *Plates-bandes d'amarantes...* », strophe 5) ; l'échange permet une métamorphose en oiseaux libres, en oiseaux sans brides. **12.** Le nénuphar, selon Delahaye. **13.** Après avoir évoqué le louis d'or, le « souci d'eau » évoque l'anneau conjugal.

au midi prompt, de son terne miroir, jalouse
au ciel gris de chaleur la Sphère rose et chère[1].

3

Madame[2] se tient trop debout dans la prairie
prochaine où neigent les fils du travail ; l'ombrelle
aux doigts ; foulant l'ombelle[3] ; trop fière pour elle
des enfants lisant dans la verdure fleurie

leur livre de maroquin rouge ! Hélas, Lui[4], comme
mille anges blancs qui se séparent sur la route,
s'éloigne par delà la montagne ! Elle[5], toute
froide, et noire, court ! après le départ de l'homme !

4

Regret des bras épais et jeunes d'herbe pure !
Or des lunes d'avril au cœur du saint lit[6] ! Joie
des chantiers[7] riverains à l'abandon, en proie
aux soirs d'août qui faisaient germer ces pourritures.

Qu'elle pleure[8] à présent sous les remparts ! l'haleine
des peupliers d'en haut est pour la seule brise.
Puis, c'est la nappe, sans reflets, sans source[9], grise :
un vieux, dragueur, dans sa barque immobile, peine.

---

1. Le Soleil. **2.** S'agit-il encore de la rivière ? Nous pensons plutôt à une femme réelle, une mère, la mère, dans une scène riveraine qui devient concurrente de la précédente. **3.** Ombrelle/ombelle : équivoque sonore, jeu de mots, où apparaît toujours l'idée de concurrence. **4.** Le Soleil-époux qui, « lorsqu'il disparaît derrière la montagne, laisse derrière lui un faisceau de rayons qui se divise dans le ciel » (Etiemble et Y. Gauclère, *Rimbaud*, p. 193) ; mais aussi le père, qui s'est enfui. **5.** La rivière que le soleil a abandonnée ; Madame que son époux, « l'homme », a abandonnée. **6.** En surcharge sur « sentier ». **7.** Selon Delahaye, ce chantier se trouvait à Mézières, et l'on y tamisait le sable extrait du fleuve. Mais une localisation aussi précise doit être immédiatement oubliée. **8.** En surcharge sur « quel murmure ». **9.** Que n'alimente plus aucune source.

5

Jouet de cet œil d'eau morne, je n'y puis prendre,
ô canot immobile ! oh ! bras trop courts[1] ! ni l'une
ni l'autre fleur : ni la jaune[2] qui m'importune,
là ; ni la bleue[3], amie à l'eau couleur de cendre.

Ah ! la poudre des saules qu'une aile secoue !
Les roses des roseaux[4] dès longtemps dévorées !
Mon canot, toujours fixe ; et sa chaîne tirée
au fond de cet œil d'eau sans bords, — à quelle boue[5] ?

Michel et Christine

Zut alors[6] si le soleil quitte ces bords !
Fuis, clair déluge[7] ! Voici l'ombre des routes.
Dans les saules[8], dans la vieille cour d'honneur[9]
L'orage d'abord jette ses larges gouttes.

Ô cent agneaux[10], de l'idylle soldats blonds[11],
Des aqueducs[12], des bruyères[13] amaigries,

---

1. Première version : « O ! mon canot immobile ! O ! mes bras trop courts ! » **2.** Le souci d'eau. **3.** Couleur complémentaire du noir, de la nuit chez Rimbaud. **4.** Nouveau jeu de mots, nouvelle équivoque sonore, caractéristique de la préciosité rimbaldienne. **5.** Commentaire d'Etiemble et Y. Gauclère pour ces deux dernières strophes : « Rimbaud, *jouet de cet œil d'eau morne*, reste immobile dans son canot — qu'une chaîne fixe *à quelle boue* ? — pendant que défilent dans son esprit les visions multiples de la rivière, les souvenirs des bords qu'elle a dû réfléchir (d'où le titre de *Mémoire*). » **6.** Souvenir d'un « refrain niais », comme l'air « Ah ! zut alors si Nadar est malade » inséré par Baudelaire dans l'argument de son livre sur la Belgique (où le goût des Belges pour « le vaudeville français » est ridiculisé). **7.** La rivière qui doit courir après le fugitif ; *cf.* dans les *Illuminations*, « Enfance », I, « le clair déluge qui sourd des prés ». **8.** Autre motif présent dans « Mémoire ». **9.** Celle du château d'« Enfance », II, peut-être... **10.** Un troupeau, ou le moutonnement des nuages. **11.** La troupe qui va fuir devant les hordes sauvages. La métamorphose prépare la vision dramatique qui va suivre ; elle repose sur une métaphore que Louis Forestier retrouve chez Apollinaire (« Marie » dans *Alcools*). **12.** Métamorphose des simples ponts (*cf.* « l'arche » dans « Mémoire », v. 8) ; mais la notation est importante : elle transpose la vision dans la Gaule romaine (*cf.* v. 22). **13.** *Cf.* « Larme », v. 2.

Fuyez ! plaine, déserts, prairie, horizons
Sont à la toilette rouge de l'orage !

Chien noir, brun pasteur dont le manteau s'engouffre [1],
Fuyez l'heure des éclairs supérieurs ;
Blond troupeau, quand voici nager ombre et soufre [2],
Tâchez de descendre à des retraits [3] meilleurs.

Mais moi, Seigneur ! voici que mon Esprit vole,
Après les cieux glacés de rouge [4], sous les
Nuages célestes qui courent et volent
Sur cent Solognes longues comme un railway [5].

Voilà mille loups, mille graines sauvages
Qu'emporte, non sans aimer les liserons [6],
Cette religieuse [7] après-midi d'orage
Sur l'Europe ancienne où cent hordes [8] iront !

Après, le clair de lune ! partout la lande,
Rougissant [9] leurs fronts aux cieux noirs, les guerriers
Chevauchent lentement leurs pâles coursiers !
Les cailloux sonnent sous cette fière bande !

— Et verrai-je le bois jaune et le val clair [10],

---

1. Ellipse peut-être pour « dans un manteau où le vent s'engouffre ». On retrouve les bergers, et leur disparition, dans la strophe 2 de « Bannières de mai ». **2.** Couleur et odeur infernales de l'orage. **3.** Refuges. **4.** Comme on dit qu'un gâteau est glacé de chocolat ; mais aussi alliance de la glace et du feu, du « feu qui gèle », dans l'imagerie traditionnelle de l'enfer, chez Dante et Milton entre autres. *Après* = à la recherche de. **5.** On peut rapprocher cette vision du deuxième alinéa de « Métropolitain », dans les *Illuminations*, qui est aussi une vision de la bataille. **6.** Pour Rimbaud, plante dangereuse parce que vénéneuse ; *cf.* la troisième strophe des « Fêtes de la faim ». **7.** Parce qu'elle est apocalyptique. Manifestation de la colère du « Seigneur ». **8.** Le mythe des Barbares a fasciné toute la fin du XIXe siècle (voir par exemple le chapitre III d'*À rebours* de J.K. Huysmans, ou *Tête d'or* de Claudel). Mais ici le futur (« iront ») rejoint un lointain passé (« l'Europe ancienne »). Le rappel se confond avec l'appel lancé à ces hordes barbares, autre déluge dévastant l'Europe. **9.** Lecture de Paul Hartmann, la plus satisfaisante. Autre lecture : « Rougis et leurs fronts ». **10.** Deux éléments du paysage rimbaldien dans les poèmes de l'année 1872 ; *cf.* les « vaux étranges » dans « La Rivière de Cassis » (v. 2), les « tendres bois de noisetiers » dans « Larme » (v. 3). Ils contribueraient ici à la composition d'un nouveau monde (d'une manière de nouveau paradis terrestre) après la destruction précédente et la transformation du monde ancien en une lande désolée.

L'Épouse aux yeux bleus, l'homme au front rouge[1], — ô Gaule[2],
Et le blanc agneau Pascal, à leurs pieds chers,
— Michel et Christine, — et Christ[3] ! — fin de l'Idylle[4].

« Entends comme brame... »

Entends comme brame
près des acacias
en avril la rame
viride[5] du pois !

Dans sa vapeur nette,
vers Phœbé[6] ! tu vois
s'agiter la tête
de saints d'autrefois[7]...

Loin des claires meules
des caps, des beaux toits[8],
ces chers Anciens[9] veulent
ce philtre sournois...

Or ni fériale[10]
ni astrale[11] ! n'est
la brume qu'exhale
ce nocturne effet.

---

1. Surimposition : l'Épouse, c'était la rivière dans « Mémoire », donc le « clair déluge » évoqué ici dans la strophe 1, l'eau claire retrouvée après l'orage, après la nuit, au matin ; l'homme au front rouge, le soleil qui s'était enfui et qui revient. Mais c'est aussi, après l'invasion destructrice, le couple nouveau (l'Épouse aux yeux bleus conquise sur les vaincus par le vainqueur, l'homme au front rouge, le guerrier qui a rougi son front aux cieux noirs). C'est encore Marie et Joseph — ce qui ruinera l'espoir de Rimbaud. **2.** Le pays ancien de Rimbaud (voir le début de « Mauvais sang »), mais aussi le pays de ses vœux (l'appel au « coq gaulois » dans « *Ô saisons, ô châteaux...* »). **3.** Michel = l'homme ; Christine = l'Épouse ; Christ = le blanc agneau Pascal. Si c'est à lui qu'aboutit toute la fantasmagorie précédente, son nom suffit à la ruiner. **4.** Retour de l'idylle ancienne (les agneaux du v. 5) : après le déluge, ici aussi, tout recommence ; en surimposition : le Christ, *agnus Dei*, qui met fin à l'Idylle (le paganisme retrouvé) ; l'enfant du couple nouveau. On ne peut pas ne pas remarquer, avec Antoine Adam, l'addition des couleurs bleu-blanc-rouge. **5.** Verte ; mais le mot a quelque chose de dérisoire dans cette strophe envahie par le son *a*. Il n'est pas impossible que Rimbaud joue implicitement sur l'équivoque *viride/virile*. **6.** Nom mythologique de la lune. **7.** Dont l'auréole rappelle la lune. **8.** Première rédaction : « des beaux caps, des toits ». **9.** Les saints d'autrefois. **10.** De fête. **11.** Émanant des astres.

Néanmoins ils[1] restent,
— Sicile, Allemagne[2],
dans ce brouillard triste
et blêmi[3], justement !

Honte

Tant que la lame[4] n'aura
Pas coupé cette cervelle,
Ce paquet blanc vert et gras
À vapeur[5] jamais nouvelle,

(Ah ! Lui, devrait couper son
Nez, sa lèvre, ses oreilles,
Son ventre ! et faire abandon
De ses jambes ! ô merveille[6] !)

Mais, non, vrai, je crois que tant
Que pour sa tête la lame[7],
Que les cailloux pour son flanc[8],
Que pour ses boyaux la flamme[9],

N'auront pas agi, l'enfant
Gêneur, la si sotte bête,
Ne doit cesser un instant
De ruser et d'être traître

---

1. Les saints. **2.** Que ce soit au sud, que ce soit au nord ; *cf.* « Comédie de la Soif », « Le pauvre songe », vv. 8 et 9. **3.** Blêmi par leur présence ; *cf.* la dernière strophe de « Jeune ménage ». **4.** Du chirurgien pratiquant la dissection. **5.** La pensée issue du cerveau comme une vapeur (voir le rapprochement fait par J. Gengoux, *op. cit.*, p. 128, avec le livre de L. Büchner, *Force et matière*, Paris, Reinwald, 1865, p. 140, où le cerveau est considéré comme « la machine à vapeur »). **6.** Les merveilleuses jambes, les jambes infatigables de Rimbaud dont a parlé Verlaine. On a ici un excellent exemple de « facule discursive », telle que l'a analysée Albert Henry, qui prend cet exemple (*Contribution à la lecture de Rimbaud*, 1998, p. 289) : « une espèce d'insertion compositionnelle », « un des produits extrêmes de la propension rimbaldienne à animer le langage poétique par un jeu soutenu et varié d'insertions stylistiques ». **7.** Supplice de la décollation. **8.** Supplice de la lapidation. **9.** *Cf.* l'holocauste dans les sacrifices antiques.

Comme un chat des Monts-Rocheux[1] ;
D'empuantir toutes sphères !
Qu'à sa mort pourtant, ô mon Dieu !
S'élève quelque prière !

---

1. Peut-être l'hyène dont il est question dans *Une saison en enfer*. Mais surtout jeu de mots avec Roche, le hameau où se trouvait la ferme familiale. Le chat des Monts-Rocheux serait alors Rimbaud lui-même.

[LONDRES, SEPTEMBRE 1872]

« L'Enfant qui ramassa les balles... »

L'Enfant qui ramassa les balles[1], le Pubère
Où circule le sang de l'exil et d'un Père
Illustre entend germer sa vie[2] avec l'espoir
De sa figure et de sa stature et veut voir
Des rideaux autres que ceux du Trône et des Crèches.
Aussi son buste exquis n'aspire pas aux brèches
De l'Avenir[3] ! — Il a laissé l'ancien jouet —

---

1. Allusion au télégramme envoyé par Napoléon III le 2 août 1870, après « l'éclatante victoire de Sarrebruck » : « Louis vient de recevoir le baptême du feu ; il a été admirable de sang-froid et n'a nullement été impressionné. / Il a conservé une balle qui est tombée près de lui ». **2.** Sa puberté lui donne l'espoir d'avoir un héritier, un semblable. **3.** Il renonce à toute ambition, et aux victoires de Sarrebruck futures.

Ô son doux rêve ô son bel Enghien * ! Son œil est
Approfondi par quelque immense solitude ;
« Pauvre jeune homme, il a sans doute l'Habitude[1] ! »

François Coppée[2]

* Parce que « Enghien chez soi »[3].

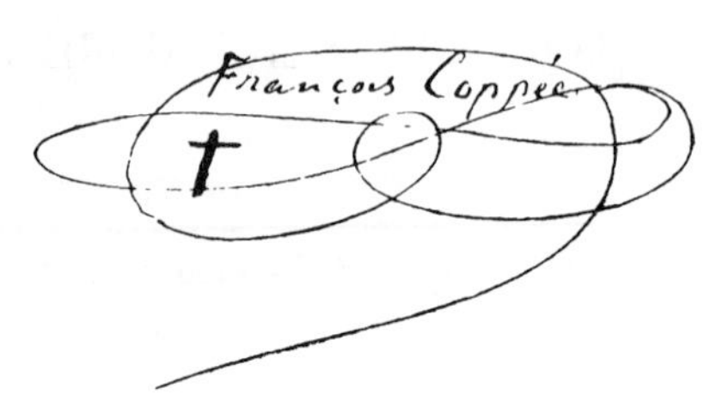

Les Corbeaux[4]

Seigneur, quand froide est la prairie,
Quand, dans les hameaux abattus,
Les longs angélus se sont tus...
Sur la nature défleurie
Faites s'abattre des grands cieux
Les chers corbeaux délicieux[5].

Armée étrange[6] aux cris sévères,
Les vents froids attaquent vos nids !
Vous, le long des fleuves jaunis,
Sur les routes aux vieux calvaires,
Sur les fossés et sur les trous[7]
Dispersez-vous, ralliez-vous !

---

1. Solitude/habitude : jeu de rimes perfide, suggérant la masturbation fréquente. **2.** Fausse signature pour ce faux-coppée. **3.** Note de Rimbaud lui-même. Pour la réclame d'où naît le jeu de mots engin/Enghien, suggérant l'habitude masturbatoire, voir « Paris », dans l'*Album zutique*, p. 308. **4.** Poème publié dans *La Renaissance artistique et littéraire* le 14 septembre 1872. Il a été écrit à une date antérieure qui demeure inconnue. On relève maintes analogies avec « La Rivière de Cassis », un poème de mai 1872. **5.** *Cf.* « La Rivière de Cassis », v. 16 : « Chers corbeaux délicieux ! » **6.** Celle des corbeaux. **7.** Les flaches.

Par milliers, sur les champs de France,
Où dorment des morts d'avant-hier[1],
Tournoyez, n'est-ce pas, l'hiver,
Pour que chaque passant repense !
Sois donc le crieur du devoir[2],
Ô notre funèbre oiseau noir !

Mais, saints du ciel[3], en haut du chêne,
Mât perdu dans le soir charmé,
Laissez les fauvettes de mai
Pour ceux[4] qu'au fond du bois enchaîne,
Dans l'herbe d'où l'on ne peut fuir,
La défaite sans avenir.

---

1. Comme le dit fort justement Antoine Adam (éd. cit., p. 874), l'expression s'explique mal trois mois après la fin de la guerre, et fort bien un an plus tard. **2.** Le piéton, dans « La Rivière de Cassis », est également invité à être « plus courageux ». Courage auquel Rimbaud invite Delahaye à la fin de la lettre de juin 1872, et qui n'a sans doute rien à voir avec le devoir patriotique au sens où on l'entend habituellement. **3.** Les *corbeaux* étaient appelés *anges* dans « La Rivière de Cassis ». **4.** Les morts de 1870-1871 ? Plus probablement Rimbaud lui-même, pour qui mai (1872) est l'espoir d'un renouveau.

VERS *UNE SAISON EN ENFER*

L'histoire de la genèse d'Une saison en enfer reste floue. Tout commence — pour nous — avec la lettre adressée à Ernest Delahaye en mai 1873. Depuis le 11 avril, Rimbaud, retour d'Angleterre, est dans sa famille, non pas à Charleville (qu'il en vient à regretter), mais à Roche, ou Roches, près d'Attigny, en pleine campagne, dans « un triste trou ». Il s'y occupe en composant « de petites histoires en prose, titre général : Livre païen ou Livre nègre ». Trois de ces « histoires atroces » sont écrites ; il lui en reste encore « une demi-douzaine [...] à inventer ». Mais la composition semble avancer lentement, car le cadre déprimant de la campagne n'est guère propice : loin de la ville, loin de cet « atroce Charlestown », « comment inventer des atrocités » ? Il est impossible de préciser quels étaient les trois fragments déjà prêts : le retour des mots innocence, païen, nègre oriente vers certains passages de « Mauvais sang » ou de « Nuit de l'enfer », encore qu'il ne s'agisse pas à proprement parler d'histoires. Impossible de dire jusqu'où est allé Rimbaud dans son projet. Une chose est certaine : Rimbaud écrit à Delahaye un peu avant le 18 mai ; le 25, il retrouve Verlaine et repart avec lui pour Liège, Anvers et Londres. La rédaction du livre s'est trouvée suspendue, — pour combien de temps ?

Ce nouvel épisode de sa vie allait offrir à Rimbaud l'« atrocité » dont il avait besoin. Moins le mois de juin passé à Londres, dans un « quartier très gai » selon Verlaine — qui semble alors avoir retrouvé tout son optimisme —, que le mois de juillet, avec la brouille du 3, le départ de Verlaine, l'état d'incertitude et d'insécurité dans lequel Rimbaud s'est brusquement trouvé, les dramatiques retrouvailles de Bruxelles, les coups de revolver du 10, l'instruction du procès. Le Rimbaud qui rentre à Roche le 20 juillet sait bien qu'une page de son existence est tournée, et que cela ne s'est pas fait sans hésitations, sans retours en arrière, sans « petites lâchetés en retard ». On peut pour une fois se fier au témoignage d'Isabelle Rimbaud, à travers le récit de son mari, Pierre Dufour, alias *Paterne Berrichon* :

> *« Il jura, avec invectives à l'adresse des auteurs responsables du malheur, que c'en était bien fini désormais, et quoi qu'il arrivât, de cette amitié calamiteuse […].*
> *La journée s'acheva pour lui dans la tristesse la plus morne. Il ne fallait pas songer à le consoler, refermé qu'il était ainsi farouchement sur sa peine. On essaya de le distraire. Ce fut en vain.*
> *Dès le lendemain, s'isolant dans son grenier à grain où, au printemps, il l'avait ébauchée, il continua d'écrire et de mettre au point* Une saison en enfer.
> *Ce jour-là et les jours suivants, dans la salle à manger, à la table de famille, il est de plus en plus triste, muet. Mais, aux heures de travail, à travers le plancher, on perçoit les sanglots qui réitèrent, convulsifs, coupés, tour à tour, de gémissements, de ricanements, de cris de colère, de malédictions*[1]. »

Un ouvrage écrit dans la rage, sans doute. Mais il faut se garder sur ce point encore de céder au « mythe ». Cecil A. Hackett a fait observer à juste titre que la « frénésie d'inspiration » n'excluait pas la « lucidité de structure » dans Une saison en enfer[2]. *Rimbaud, à la fin juillet, reprend un projet sur lequel il a déjà médité, auquel il a déjà travaillé : le livre n'est pas écrit dans une flambée de colère, à coups de poing. Il y a peut-être même travaillé plus et plus longtemps qu'on ne l'a dit. Les brouillons dont le manuscrit (sans doute incomplet) a été conservé étaient dans les papiers de Verlaine qui devait plus tard, vers 1891, les remettre à son ami Cazals pour qu'il les déposât chez l'éditeur Vanier. On imagine mal que Verlaine ait pu se procurer ces documents après sa sortie de prison. Verlaine aurait d'ailleurs, paraît-il*[3], *représenté, dans un dessin aujourd'hui perdu, Rimbaud en chapeau haut de forme, écrivant dans un* pub *avec cette légende : « Comme se fit la* Saison en enfer *— Londres 72-73. » Et comment ne pas être frappé par le retour du chiffre trois : trois histoires atroces écrites en mai, trois ébauches retrouvées (celle de « Mauvais sang », celle de « Nuit de l'enfer », celle de « Délires », II). L'étude de ces brouillons est d'un intérêt exceptionnel : ils prouvent que Rimbaud n'était pas l'homme du premier jet, mais un écrivain tourmenté, raturant presque immédiatement ce qu'il avait écrit.*

Le verso de ces brouillons révèle trois proses, inspirées à Rimbaud par une lecture toute personnelle des Évangiles. De l'Évangile selon saint

---

1. Paterne Berrichon, *Jean-Arthur Rimbaud le poète*, Mercure de France, 1912, pp. 278-279. **2.** Cecil A. Hackett, « *Une saison en enfer.* — Frénésie et structure », dans le numéro 2 de la série Rimbaud de la *Revue des Lettres Modernes*, 1973, p. 7. **3.** Témoignage de Charles Houin, *Revue d'Ardenne et d'Argonne*, septembre 1901.

Jean surtout, mais pas seulement : le titre de « Suite johannique », proposé par J. Mouquet et Rolland de Renéville, n'est donc pas pleinement satisfaisant. Celui de « Proses évangéliques », généralement retenu (S. Bernard, A. Adam, etc.), n'est pas bon non plus. Car il s'agit bien plutôt de proses contre-évangéliques. De quand datent-elles ? Elles sont assurément antérieures à Une saison en enfer, *et même à l'ébauche d'« Alchimie du verbe ». Peut-être aussi aux deux autres ébauches : elles se trouveraient alors au recto du feuillet, dont les brouillons d'*Une saison en enfer *occuperaient le verso. C'est ce que suggère Pierre Petitfils. Mais nous ne pensons pas, comme lui*[1]*, que Rimbaud les ait écrites en 1872 et à Londres. 1873, Roche, le printemps plutôt que l'été : ces hypothèses nous semblent plus satisfaisantes. Une chose est certaine : ces trois proses sont liées aux ébauches d'*Une saison en enfer, *elles font corps avec ce projet.*

La critique interne vient confirmer ce que laissait deviner l'étude du manuscrit. Chercher des sources multiples à Une saison en enfer — *dans* La Divine Comédie, *comme l'a fait par exemple Margherita Frankel*[2] —, *c'est aller à contresens des indications de Rimbaud. En mai, il regrette l'absence de la bibliothèque de Charleville, il n'a « pas un livre ». Il lui faudrait au moins le* Faust *de Goethe et le* Théâtre *de Shakespeare, qu'il demande à Delahaye, et que celui-ci ne lui a peut-être jamais envoyés*[3]*. En revanche, il est sûr qu'il a sous la main au moins un livre : la Bible, cette « Bible à la tranche vert-chou » qui ne quittait pas la famille. Les trois proses dites « évangéliques » ne peuvent pas avoir été écrites à partir de vagues réminiscences : Rimbaud suit l'ordre du texte de l'Évangile selon saint Jean, et il en fait une reprise systématique.*

*Or, d'un bout à l'autre, le texte d'*Une saison en enfer *procède aussi par reprises de l'Évangile. Soit que revienne comme une tentation, comme une faiblesse, l'acquis de la « sale éducation d'enfance ». Soit que Rimbaud tourne en dérision un message qu'il voudrait nier pour lui substituer un contre-évangile, le sien. Pour ne prendre que les exemples les plus nets, la vision de Jésus marchant sur les flots irrités du lac de Tibériade (« Nuit de l'enfer »), la parabole de la Vierge folle (« Délires », I), la parodie des Rois mages (« Matin ») attestent que,*

---

1. « Les Manuscrits de Rimbaud », article cité, p. 47. **2.** *Le Code dantesque dans l'œuvre de Rimbaud*, Nizet, 1975. **3.** Les recherches à la bibliothèque de Charleville nous ont prouvé que les *Œuvres* de Goethe dans la traduction de J. Porchat (10 volumes, 1862-1873 ; *Faust* se trouve dans le tome III) et celles de Shakespeare dans la traduction de Benjamin Laroche (six volumes, Charpentier, 1854) figuraient au catalogue.

depuis les proses écrites en marge de l'Évangile, la démarche, l'intention n'ont pas changé. « Adieu », l'épilogue de la Saison, *va plus loin, jusqu'à l'*Apocalypse de saint Jean *dont elle nous semble constituer une reprise inversée.*

*Ainsi se justifie l'ordre dans lequel nous présentons le « dossier » d'*Une saison en enfer, *un dossier qui est encore, au début, un « dossier Verlaine » :*

1. La lettre à Delahaye, contenant le premier état du projet.

2. Les lettres à Verlaine, qui éclairent le drame.

3. Les proses contre-évangéliques.

4. Les ébauches ou brouillons.

Reste un dernier problème, le plus difficile à résoudre. Dans sa lettre à Delahaye de mai 1873, Rimbaud parle de « quelques fraguemants [sic] *en prose de moi [Rimbaud] ou de lui [Verlaine] » que Verlaine devait lui remettre. L'attribution indécise est fort étonnante : faut-il penser à une collaboration des deux compagnons ? S'agit-il de fragments anciens (ceux qu'Edmond Lepelletier, l'ami de Verlaine, était chargé de rechercher à Paris en novembre 1872) ou tout récents ? À son arrivée à Roche, le 20 juillet, Rimbaud fut, dit-on, interrogé par sa mère au sujet des papiers qu'on devait lui rendre, et qu'il considérait désormais comme perdus. Auraient-ils trouvé place dans* Une saison en enfer *? Était-ce déjà des Illuminations, était-ce déjà les* Illuminations *?*

P. B.

CHRONOLOGIE

1872 *Octobre*. Rimbaud est toujours à Londres en compagnie de Verlaine.

Novembre. Inquiète de la situation d'Arthur et de sa relation avec Verlaine, Mme Rimbaud vient à Paris pour y rencontrer Mme Verlaine mère et Mathilde, qui a demandé le divorce.

À la fin du mois, Rimbaud décide ou accepte de rentrer à Charleville. Il y passe le mois de décembre.

1873 *Janvier*. Verlaine, resté à Londres, prétend être malade, et lance un appel vers Rimbaud. Celui-ci est alerté par Mme Verlaine mère, qui lui envoie de l'argent pour le voyage. Il part.

25 mars. Il prend une carte de lecteur au British Museum : nº 1351 — Arthur Rimbaud, 34, Howland Street, Fitzroy Square. Si l'on en croit Delahaye, il aurait demandé l'autorisation de lire les œuvres du marquis de Sade, mais il ne l'aurait pas obtenue.

Avril. Le 4, Verlaine et Rimbaud gagnent Douvres, où ils s'embarquent sur le *Comtesse-de-Flandres* à destination d'Ostende. Le 11, jour du vendredi saint, Arthur arrive à Roche sans avoir prévenu sa famille.

Mai. Il annonce à Delahaye, dans une lettre écrite à Roche, qu'il travaille à un *Livre nègre* ou *Livre païen*, et qu'il a déjà écrit, pour cela, plusieurs « histoires atroces ».

Le 24, après un premier rendez-vous manqué, Rimbaud et Verlaine se retrouvent à Bouillon. Le 25, ils gagnent Anvers. Le 26, ils reprennent le bateau pour l'Angleterre. Le 27, ils arrivent à Londres. Le 29, ils prennent un logement 8, Great College Street, Camden-Town, N.W.

Juin. Verlaine et Rimbaud passent des annonces (dans *The Echo*, les 11, 12 et 13 juin, dans le *Daily Telegraph*, le 21 juin). Ils proposent leurs services et leurs talents pour donner des leçons de fran-

çais, de latin et de littérature, mais en français. Ils se présentent comme « deux Gentlemen parisiens ».
Juillet. Le 3, Rimbaud se moque de Verlaine revenant du marché. Celui-ci se fâche, s'embarque sur la Tamise, gagne la mer puis la Belgique. Quand Rimbaud arrive sur le quai (docks Sainte-Catherine), il s'aperçoit que le bateau transportant son compagnon vient de partir. Verlaine écrit à Rimbaud « en mer ». Il menace de se suicider s'il ne retrouve pas sa femme.
Le 5, Rimbaud répond à la lettre écrite en mer. Il met en garde Verlaine contre un retour auprès de Mathilde.
Le 6, Mme Rimbaud écrit à Verlaine pour le dissuader de se suicider. Elle réprouve la liaison de Verlaine et d'Arthur.
Le 7, Verlaine télégraphie à Rimbaud en lui demandant de le rejoindre. Il lui annonce son intention de se porter « volontaire Espagne », c'est-à-dire de s'engager dans les troupes carlistes.
Le 8, Rimbaud quitte Londres, arrive à Bruxelles. Verlaine et lui vont loger à l'hôtel de Courtrai, 1, rue des Brasseurs.
Le 9, désarroi de Verlaine quand Rimbaud lui annonce qu'il a l'intention de repartir seul pour Paris.
Le 10, Verlaine, qui a acheté le matin un revolver, rentre ivre à l'hôtel vers midi et, dans la chambre, deux heures plus tard, il tire deux coups sur Rimbaud. Une balle l'atteint à l'avant-bras gauche. Il se fait soigner à l'hôpital Saint-Jean, puis se dirige vers la gare du Midi, accompagné de Verlaine et de la mère de celui-ci. Se croyant sur le point d'être de nouveau menacé, il court vers un agent de police et dénonce Verlaine, qui est écroué après comparution devant le commissaire Delhalle.
Le 17, Rimbaud a été hospitalisé et on extrait la balle.
Le 19, Rimbaud renonce officiellement à toute poursuite.
Le 20, il sort de l'hôpital, et semble avoir logé chez une dame Pincemaille.
Août. Pendant que Verlaine est jugé à Bruxelles, condamné et incarcéré (le 27), Rimbaud est à Roche, où il écrit dans la fièvre *Une saison en enfer*.
Septembre. Mme Verlaine quitte Bruxelles. Rimbaud remet à l'éditeur bruxellois Jacques Poot le manuscrit d'*Une saison en enfer*.

[LETTRES]

[Lettre à Ernest Delahaye]

Laïtou, (Roches [1]), (canton d'Attigny) Mai 73

Cher ami, tu vois mon existence actuelle dans l'aquarelle ci-dessous [2].

1. L'orthographe Roches est attestée aussi dans la correspondance tardive ; le nom de Laïtou peut s'expliquer par le patois = là aussi. 2. Le dessin représente, près d'un arbre, à l'extrême droite, un homme (Rimbaud) en sabots, un bâton à la main ; à gauche dans le ciel un petit bonhomme (un ange), avec une bêche en ostensoir, lui crie : « ô nature ô ma sœur » ; dans l'herbe, une oie : « ô nature ô ma tante ».

Ô Nature ! ô ma mère[1] !

Quelle chierie ! et quels monstres d'innocince[2], ces paysans. Il faut, le soir, faire deux lieu[es][3], et plus, pour boire un peu. La *mother* m'a mis là dans un triste trou[4].

Je ne sais comment en sortir : j'en sortirai pourtant. Je regrette cet atroce Charlestown[5], l'Univers[6], la Bibliothè., etc. Je travaille pourtant assez régulièrement ; je fais de petites histoires en prose, titre général : Livre païen, ou Livre nègre. C'est bête et innocent. Ô innocence ! innocence ; innocence, innoc... fléau !

Verlaine doit t'avoir donné la malheureuse commission de parlementer avec le sieur Devin, imprimeux du *Nôress*[7]. Je crois que ce Devin pourrait faire le livre de Verlaine[8] à assez bon compte et presque proprement. (S'il n'emploie pas les caractères emmerdés du *Nôress*. Il serait capable d'en coller un cliché, une annonce !)

Je n'ai rien de plus à te dire, la contemplostate[9] de la Nature m'absorculant[10] tout entier. Je suis à toi, ô Nature, ô ma mère !

Je te serre les mains, dans l'espoir d'un revoir que j'active autant que je puis[11].

R.

---

1. Comme l'a montré Bouillane de Lacoste (éd. crit. d'*Une saison en enfer*, Mercure de France, 1941, p. 13), l'expression peut venir des *Confessions* de Rousseau ou du « Souvenir » de Musset. **2.** D'innocence. **3.** Rimbaud écrit *lieux*. **4.** Suit un autre dessin représentant « Laïtou, mon village ». **5.** *Charlestown* est Charleville comme la *mother* est Mme Rimbaud. **6.** Le café de l'Univers. **7.** Le *Nord-Est*, journal dirigé par Henri Perrin (voir la lettre à Delahaye de juin 1872) ; le rédacteur en chef était Deverrière. **8.** Les *Romances sans paroles*. **9.** La contemplation mâtinée de prostate. **10.** M'absorbant (jusqu'au cul). **11.** C'est-à-dire qu'il presse sa mère de rentrer à Charleville.

Je rouvre ma lettre. Verlaine doit t'avoir proposé un rendez-vol[1] au dimanche 18, à Boulion[2]. Moi je ne puis y aller. Si tu y vas, il te chargera probablement de quelques fraguemants[3] en prose de moi ou de lui, à me retourner.

La mère Rimb. retournera à Charlestown dans le courant de juin. C'est sûr, et je tâcherai de rester dans cette jolie ville quelque temps.

Le soleil est accablant et il gèle le matin. J'ai été avant-hier voir les Prussmars[4] à Vouziers, une sous-préfecture de 10 000 âmes, à sept kilom. d'ici. Ça m'a ragaillardi.

Je suis abominablement gêné. Pas un livre, pas un cabaret à portée de moi, pas un incident dans la rue. Quelle horreur que cette campagne française. Mon sort dépend de ce livre pour lequel une demi-douzaine d'histoires atroces sont encore à inventer. Comment inventer des atrocités ici ? Je ne t'envoie pas d'histoires, quoique j'en aie déjà trois[5], *ça coûte tant*[6] ! Enfin voilà !

Bon revoir, tu verras ça.

Rimb.

Prochainement je t'enverrai des timbres pour m'acheter et m'envoyer le *Faust* de Gœthe[7], Biblioth. populaire. Ça doit coûter un sou de transport.

Dis-moi s'il n'y a pas des traduct. de Shakespeare dans les nouveaux livres de cette biblioth.

Si même tu peux m'en envoyer le catalogue le plus nouveau, envoie.

R.

---

1. Un rendez-vous. **2.** C'est-à-dire Bouillon, à la frontière belge ; en effet, Rimbaud ne se trouvera pas au rendez-vous le 18, mais il y sera le 24. Voir la lettre de Verlaine à Rimbaud (Boglione, 18 mai 1873, dans l'éd. Adam des *Œuvres complètes* de Rimbaud, Gallimard, Bibliothèque de la Pléiade, 1972, pp. 268-269). Delahaye n'est pas venu non plus. **3.** *Cf.* la lettre de Verlaine citée : « Tu auras bientôt des fragments ». De quoi s'agit-il ? On l'ignore. La lettre de Rimbaud est plus mystérieuse encore, puisqu'elle semble faire de ces fragments en prose une création commune de Verlaine et de Rimbaud. **4.** Les Prussiens. **5.** Ces « histoires » sont difficiles à identifier ; peut-être dans ce qui deviendra « Mauvais sang ». **6.** Rimbaud parodie sa mère. **7.** Collection des chefs-d'œuvre des littérateurs français et étrangers, à vingt-cinq centimes le volume. Le personnage de Méphisto intéresse son projet infernal. Jean-Luc Steinmetz a attiré l'attention sur les relations entre la future *Saison en enfer* et *Faust*, et en particulier sur le climat des fêtes pascales qui ouvrait le drame de Goethe. Le projet serait alors remodelé. Voir sa note dans *Œuvre-vie*, p. 1193 et « Rimbaud et *Faust* », communication au colloque de Marseille en 1991.

[Lettres à Verlaine]

[Lettre du 4 juillet 1873]

Londres, vendredi apr[ès]-midi.

Reviens, reviens, cher ami, seul ami, reviens. Je te jure que je serai bon. Si j'étais maussade avec toi, c'est une plaisanterie où je me suis entêté, je m'en repens plus qu'on ne peut dire. Reviens, ce sera bien oublié. Quel malheur que tu aies cru à cette plaisanterie. Voilà deux jours que je ne cesse de pleurer. Reviens. Sois courageux, cher ami. Rien n'est perdu. Tu n'as qu'à refaire le voyage. Nous revivrons ici bien courageusement, patiemment. Ah ! je t'en supplie. C'est ton bien, d'ailleurs [1]. Reviens, tu retrouveras toutes tes affaires. J'espère que tu sais bien à présent qu'il n'y avait rien de vrai dans notre discussion. L'affreux moment ! Mais toi, quand je te faisais signe de quitter le bateau, pourquoi ne venais-tu pas ? Nous avons vécu deux ans ensemble pour arriver à cette heure-là ! Que vas-tu faire ? Si tu ne veux pas revenir ici, veux-tu que j'aille te trouver où tu es ?

Oui c'est moi qui ai eu tort.
Oh tu ne m'oublieras pas, dis ?
Non tu ne peux pas m'oublier.
Moi je t'ai toujours là.
Dis, répon[d]s à ton ami, est-ce que nous ne devons plus vivre ensemble ?
Sois courageux. Réponds-moi vite.
Je ne puis rester ici plus longtemps.
N'écoute que ton bon cœur.
Vite, dis si je dois te rejoindre.
À toi toute la vie.

Rimbaud.

Vite, réponds : je ne puis rester ici plus tard que lundi soir. Je n'ai pas encore un penny, je ne puis mettre ça à la poste. J'ai confié à *Vermersch* [2] tes livres et tes manuscrits.

---

1. Rimbaud considère comme une catastrophe pour Verlaine qu'il reprenne la vie conjugale.
2. Eugène Vermersch (1845-1878) s'était signalé en 1871 par ses pamphlets dans *Le Cri du peuple*, et Rimbaud les avait appréciés. L'ancien Communard se trouvait à Londres, et Verlaine le voyait au Club des exilés de la Commune, Rupert Street.

Si je ne dois plus te revoir, je m'engagerai dans la marine ou l'armée.

Ô reviens, à toutes les heures je repleure. Dis-moi de te retrouver, j'irai, dis-le-moi, télégraphie-moi — Il faut que je parte lundi soir, où vas-tu, que veux-tu faire ?

[Lettre du 5 juillet 1873]

Cher ami, j'ai ta lettre datée « En mer[1] ». Tu as tort, cette fois, et très tort. D'abord rien de positif dans ta lettre : ta femme ne viendra pas ou viendra dans trois mois, trois ans, que sais-je ? Quant à claquer, je te connais[2].

Tu vas donc, en attendant ta femme et ta mort, te démener, errer, ennuyer des gens. Quoi, toi, tu n'as pas encore reconnu que les colères étaient aussi fausses d'un côté que de l'autre ! Mais c'est toi qui aurais les derniers torts, puisque, même après que je t'ai rappelé, tu as persisté dans tes faux sentiment[s]. Crois-tu que ta vie sera plus agréable avec d'autres que moi ? *Réfléchis-y !* — Ah ! certes non ! —

Avec moi seul tu peux être libre, et, puisque je te jure d'être très gentil à l'avenir, que je déplore toute ma part de torts, que j'ai enfin l'esprit net, que je t'aime bien, si tu ne veux pas revenir, ou que je te rejoigne, tu fais un crime, et *tu t'en repentiras de* LONGUES ANNÉES *par la perte de toute liberté, et des ennuis plus atroces* peut-être que tous ceux que tu as éprouvés. Après ça, resonge à ce que tu étais avant de me connaître[3].

Quant à moi, je ne rentre pas chez ma mère. Je vais à Paris, je tâcherai d'être parti lundi soir. Tu m'auras forcé à vendre tous tes habits[4], je ne puis faire autrement. Ils ne sont pas encore vendus : ce n'est que lundi matin[5] qu'on me les emporterait. Si tu veux m'adresser des lettres à Paris, envoie à L. Forain, 289, rue S[ain]t-Jacques[6], pour A. Rimbaud. Il saura mon adresse.

Certes, si ta femme revient, je ne te compromettrai pas en t'écrivant, — je n'écrirai jamais.

---

1. Au moment où Verlaine quittait l'Angleterre, le 3 juillet ; cette lettre a été conservée ; on la trouvera dans l'éd. Adam. pp. 269-270. **2.** « [...] je tiens aussi à te confirmer », écrivait Verlaine, « que si d'ici à trois jours, je ne suis pas r'avec ma femme, dans des conditions parfaites, je me brûle la gueule ». Rimbaud rappelle à Verlaine ce qui s'est passé en avril : Verlaine a convoqué sa femme par télégramme à Namur, mais elle n'est pas venue et l'a prié par lettre de cesser cette comédie. **3.** *Cf.* l'entreprise évoquée dans « Vagabonds », dans les *Illuminations.* **4.** Le même jour Verlaine écrivait à un autre exilé à Londres, le colonel Matuszewicz : « J'ai dû laisser Rimbaud un peu en plan, quelque horrible peine, là, franchement ! (et quoi qu'on die) que ça me fît, — en lui laissant toutefois mes livres et hardes en vue de les laver pour se rapatrier. » **5.** Le 7. **6.** Adresse du nouvel atelier où s'est installé le dessinateur et peintre Jean-Louis Forain qui avait quelque temps hébergé Rimbaud en 1871-1872. Voir son billet à Rimbaud, éd. Adam, p. 263.

Le seul vrai mot, c'est : reviens, je veux être avec toi, je t'aime. Si tu écoutes cela, tu montreras du courage et un esprit sincère.

Autrement, je te plains.

Mais je t'aime, je t'embrasse et nous nous reverrons.

Rimbaud.

8 Great Colle[ge] [1], etc. jusqu'à lundi soir, ou mardi midi, si tu m'appelles.

[Lettre du 7 juillet 1873]

Lundi midi.

Mon cher ami,

J'ai vu la lettre que tu as envoyée à Mme Smith [2].

Tu veux revenir à Londres ! Tu ne sais pas comme tout le monde t'y recevrait ! Et la mine que me feraient Andrieu [3] et autres, s'ils me revoyaient avec toi ! Néanmoins, je serai très courageux. Dis-moi ton idée bien sincère. Veux-tu retourner à Londres pour moi ? Et quel jour ? Est-ce ma lettre qui te conseille ? Mais il n'y a plus rien dans la chambre. — Tout est vendu, sauf un paletot. J'ai eu deux livres dix. Mais le linge est encore chez la blanchisseuse, et j'ai conservé un tas de choses pour moi : cinq gilets, toutes les chemises, des caleçons, cols, gants, et toutes les chaussures. Tous tes livres et manuss [4] sont en sûreté. En somme, il n'y a de vendu que tes pantalons, noir et gris, un paletot et un gilet, le sac et la boîte à chapeau. Mais pourquoi ne m'écris-tu pas, à moi ?

Oui, cher petit, je vais rester une semaine encore. Et tu viendras, n'est-ce pas ? dis-moi la vérité. Tu aurais donné une marque de courage. J'espère que c'est vrai. Sois sûr de moi, j'aurai très bon caractère.

À toi. Je t'attends.

Rimb.

1. Great College Street, Camden Town, N.W. ; adresse de Verlaine et Rimbaud à Londres. 2. Vient sur le manuscrit une phrase biffée : « C'est malheureusement trop tard. » 3. Autre Communard exilé. 4. Manuscrits.

[PROSES « CONTRE-ÉVANGÉLIQUES »]

[I]

À Samarie[1], plusieurs ont manifesté leur foi en lui. Il ne les a pas vus[2]. Samarie la parvenue, l'égoïste, plus rigide observatrice de sa loi protestante[3] que Juda des tables antiques[4]. Là la richesse universelle permettait bien peu de discussion éclairée. Le sophisme, esclave et soldat de la routine, y avait déjà, après les avoir flattés, égorgé plusieurs prophètes.

C'était un mot sinistre[5], celui de la femme à la fontaine : « Vous êtes prophète, vous savez ce que j'ai fait ».

Les femmes et les hommes croyaient aux prophètes. Maintenant on croit à l'homme d'état[6].

À deux pas de la ville étrangère[7], incapable de la menacer matériellement[8], s'il était pris comme prophète, puisqu'il s'était montré là si bizarre, qu'aurait-il fait ?

Jésus n'a rien pu dire à Samarie[9].

---

1. Samarie est le nom de la contrée, le nom de la ville est Sychar (Jean, IV, 5). **2.** Selon l'Évangile, Jésus est resté deux jours parmi eux. **3.** Dans l'Ancien Testament, les Samaritains sont présentés comme des impies qui refusent d'obéir à Yahvé et rendent un culte aux idoles. Instruits du vrai culte par un prêtre (II Rois, XVII, 24-41), ils restent hostiles aux Juifs, refusent d'accueillir les messagers du Christ (Luc, IX, 51-56) et élèvent sur leur montagne, le mont Carizim, un temple rival de celui de Jérusalem (Jean, IV, 20). Des hérétiques, donc des « protestants » (le mot n'implique nullement, comme le croit Antoine Adam, que Rimbaud assimile Samarie et l'Angleterre). **4.** Les tables de Moïse. **5.** Dangereux pour Jésus, puisque les Samaritains égorgeaient les prophètes (interprétation de S. Bernard, reprise par Antoine Adam). On peut comprendre aussi que Rimbaud, réunissant deux indications du texte évangélique (Jean, IV, 19 : « Seigneur, je vois que tu es un prophète ! » et IV, 39 : « Il m'a dit tout ce que j'ai fait »), souligne ce que peut avoir de sinistre une prophétie qui repose sur une dénonciation du passé. **6.** Croyance également dérisoire pour Rimbaud, qui met dans le même sac politique et religion. **7.** La scène se passe en effet en dehors de la ville (Jean, IV, 28-30). **8.** Comme le prophète de l'Ancien Testament. *Cf.* Luc, IX, 54-55 : ses disciples Jacques et Jean, mal accueillis dans un village de Samarie, demandent à Jésus : « Seigneur, veux-tu que nous ordonnions au feu de descendre du ciel et de les consumer ? » ; mais Jésus les réprimande. Rimbaud interprète ce refus comme une impuissance. **9.** Conclusion logique : « Jésus n'a pas pu

[II]

L'air léger et charmant de la Galilée[1] : les habitants le reçurent avec une joie curieuse[2] : ils l'avaient vu, secoué par la sainte colère, fouetter les changeurs et les marchands de gibier du temple[3]. Miracle de la jeunesse pâle et furieuse, croyaient-ils[4].

Il sentit sa main aux mains chargées de bagues et à la bouche d'un officier[5]. L'officier était à genoux dans la poudre[6] : et sa tête était assez plaisante, quoique à demi chauve.

Les voitures filaient dans les étroites rues[7] ; un mouvement, assez fort pour ce bourg[8] ; tout semblait devoir être trop content ce soir-là.

Jésus retira sa main : il eut un mouvement d'orgueil enfantin et féminin. « Vous autres, si vous ne voyez des miracles, vous ne croyez point[9]. »

Jésus n'avait point encor fait de miracles[10]. Il avait, dans une noce, dans une salle à manger verte et rose, parlé un peu hautement à la Sainte Vierge[11]. Et personne n'avait parlé du vin de Cana[12] à Capharnaüm, ni sur le marché, ni sur les quais[13]. Les bourgeois peut-être.

---

parler à la Samaritaine, comme le dit l'Évangile selon saint Jean, car cette action, à ce moment, aurait été trop dangereuse pour lui, compte tenu de son incapacité de menacer Samarie matériellement » (André Thisse, *Rimbaud devant Dieu*, José Corti, 1975, p. 121).

1. Après les deux jours passés chez les Samaritains, Jésus « partit de là pour la Galilée », au nord (Jean, IV, 43). Cette prose s'enchaîne donc naturellement à la précédente en suivant l'itinéraire indiqué dans le texte évangélique. **2.** « Lors donc qu'il vint en Galilée, les Galiléens lui firent bon accueil, pour avoir vu tout ce qu'il avait fait à Jérusalem pendant la fête ; car eux aussi étaient venus à la fête » (Jean, IV, 45). Cette fête, c'est la Pâque des Juifs, celle au cours de laquelle, à Jérusalem, Jésus a chassé les marchands du Temple (Jean, II, 13-18). Rimbaud est invité à ce retour en arrière par le texte même de l'Évangile. **3.** Les changeurs permettaient de se procurer des devises juives, seules acceptées comme offrandes ; les « marchands de gibier » vendaient pour les sacrifices « des bœufs, des brebis et des colombes ». **4.** Ajout de Rimbaud, ainsi que l'épithète « furieuse » : le miracle d'une force naturelle, non d'une force divine. **5.** Rimbaud suit toujours le texte, mais donne un tour dérisoire à la scène : Jean, IV, 46-54. À Cana en Galilée, un officier royal dont le fils était malade à Capharnaüm prie le Christ de descendre et de guérir son fils. « Va, ton fils vit », lui dit Jésus, et ses esclaves viennent en effet lui annoncer que son fils est vivant. **6.** Dans la poussière. **7.** Rayé : de la ville. **8.** Cana. **9.** Rimbaud revient sur l'épisode de l'officier royal. À la prière du père affligé, Jésus a d'abord répondu : « Si vous ne voyez signes et prodiges, vous ne croirez pas ! » (Jean, IV, 48). Rimbaud voit dans cette parole un trait de mépris ; on retrouve l'attitude distante qu'il prêtait à Jésus dans la prose précédente. **10.** Même à Cana (Jean, II, 4) Jésus estimait que l'heure n'était pas encore venue. **11.** Interprétation malveillante de la réponse faite par Jésus à sa mère quand le vin manqua aux noces de Cana et qu'elle le lui fit remarquer : « Que me veux-tu, femme, mon heure n'est pas encore arrivée ? » Il est vrai que certaines traductions donnent à cette phrase un tour dur et méprisant. **12.** Jésus a transformé l'eau des jarres en vin (Jean, II, 6-11). **13.** Capharnaüm se trouvait au bord d'un lac.

Jésus dit : « Allez, votre fils se porte bien [1] ». L'officier s'en alla, comme on porte quelque pharmacie légère, et Jésus continua par les rues moins fréquentées. Des liserons, des bourraches [2] montraient leur lueur magique entre les pavés. Enfin il vit au loin la prairie poussiéreuse, et les boutons d'or et les marguerites demandant grâce au jour [3].

[III]

Bethsaïda [4], la piscine des cinq galeries, était un point d'ennui. Il me semblait que ce fût un sinistre lavoir, toujours accablé de la pluie et noir, et les mendiants [5] s'agitant sur les marches intérieures, — blêmies par ces lueurs d'orages précurseurs des éclairs d'enfer [6], en plaisantant sur leurs yeux bleus aveugles, sur les linges blancs ou bleus dont s'entouraient leurs moignons. Ô buanderie militaire, ô bain populaire. L'eau était toujours noire, et nul infirme n'y tombait même en songe.

C'est là que Jésus fit la première action grave [7] ; avec les infâmes infirmes. Il y avait un jour, de février, mars ou avril, où le soleil de 2 h. ap. midi [8], laissait s'étaler une grande faux de lumière sur l'eau ensevelie [9] ;

---

1. Jean, IV, 50. **2.** Deux plantes magiques pour Rimbaud : le liseron et son « venin » se trouvaient évoqués dans « Fêtes de la faim » (*cf.* p. 361) ; « Alchimie du verbe » (et son brouillon) montrent le moucheron « enivré », « amoureux de la bourrache ». Le rapprochement entre le pouvoir de ces plantes et la « pharmacie légère » (quelques mots de Jésus) avec laquelle est reparti l'officier de Capharnaüm n'est pas fortuit. **3.** Le moucheron se laisse dissoudre par un rayon (« Alchimie du verbe ») ; Rimbaud lui-même acceptait d'être blessé par un rayon et de succomber sur la mousse (« Bannières de mai »). Le jour — comme plus haut la force de la jeunesse — ce sont là les vraies divinités : et Jésus le sait bien. Il ne s'agit donc pas là d'une simple rêverie d'évasion. **4.** Le nom de cette piscine est diversement transcrit dans les diverses traductions de la Bible. La transcription de Rimbaud, *Bethsaïda*, est celle de Le Maistre de Sacy, dont nous suivrons donc le texte. Jean, V, 2 : « Or il y avait à Jérusalem la piscine des brebis, qui s'appelle en hébreu Bethsaïda, qui avait cinq galeries. » **5.** V, 3 : « dans lesquelles étaient couchés un grand nombre de malades, d'aveugles, de boiteux et de ceux qui avaient les membres desséchés et qui attendaient que l'eau fût remuée ». L'appellation de « mendiants » est tendancieuse : pour eux, comme le suggérera Rimbaud plus loin, la piscine de Bethsaïda est le lieu « où l'aumône est sûre ». **6.** Deuxième transformation : la piscine devient un lieu infernal. Pour le lien thématique chez Rimbaud entre l'orage et l'enfer voir « Michel et Christine », v. 11. **7.** Action accomplie un jour de sabbat, et que les Juifs vont reprocher à Jésus, alors que les précédentes (la révélation à la Samaritaine, la transformation de l'eau aux noces de Cana, la guérison du fils de l'officier) n'ont eu aucune conséquence : et pour cause... **8.** Rimbaud ajoute ces précisions chronologiques. **9.** Infernale donc, au sens étymologique du terme.

et comme, là-bas, loin derrière les infirmes, j'aurais pu [1] voir tout ce que ce rayon seul éveillait de bourgeons et de cristaux et de vers, dans ce reflet, pareil à un ange blanc couché sur le côté [2], tous les reflets infiniment pâles remuaient.

Alors tous les péchés [3], fils légers et tenaces du démon, qui pour les cœurs un peu sensibles, rendaient ces hommes plus effrayants que les monstres, voulaient se jeter à cette eau [4]. Les infirmes descendaient, ne raillant plus ; mais avec envie.

Les premiers entrés sortaient guéris [5], disait-on. Non. Les péchés les rejetaient sur les marches, et les forçaient de chercher d'autres postes [6] : car leur Démon ne peut rester qu'aux lieux où l'aumône est sûre.

Jésus entra aussitôt après l'heure de midi [7]. Personne ne lavait ni ne descendait de bêtes [8]. La lumière dans la piscine était jaune comme les dernières feuilles des vignes. Le divin maître se tenait contre une colonne : il regardait les fils du Péché ; le démon tirait sa langue en leur langue [9] ; et riait ou niait [10].

---

1. Intrusion inattendue du *je*, qu'on ne saurait éluder : Rimbaud se trouve comme concerné par la scène. **2.** Interprétation « naturaliste » du texte de Jean, V, 4 (considéré par les exégètes de la Bible comme une interpolation) : « Car l'ange du Seigneur, en un certain temps, descendait dans cette piscine et en remuait l'eau, et celui qui y entrait le premier, après que l'eau avait été *ainsi* remuée, était guéri, quelque maladie qu'il eût. » Pour la force du jour *cf.* la fin de la prose précédente ; pour la force d'un rayon *cf.* la fin des « Ponts » dans les *Illuminations*. Cette vision d'un rayon de soleil dans l'eau ensevelie a fait naître l'idée d'une guérison miraculeuse. **3.** Première rédaction, biffée : « Les para[lytiques] infirmes avaient alors le désir de sillonner l'eau de la piscine. » Le nouveau texte amène une nouvelle transformation des infirmes : en pécheurs irrécupérables, en damnés. Rimbaud superpose sans doute ici au texte de Jean ceux de Marc (II, 1-12) et de Luc (V, 17-26) racontant l'histoire de la guérison d'un paralytique à Capharnaüm. **4.** Pour se débarrasser de leurs péchés, ou pour rejoindre l'enfer ? **5.** Reprise de Jean, V, 4, mais pour une négation immédiate. **6.** Ils ne sont ni guéris ni acceptés par l'enfer. Car le Démon de la cupidité ne serait pas satisfait. — Après « sûre » vient sur le manuscrit le début d'un paragraphe biffé : « Un signe de vous, ô volonté divine ; et toute obéissance est prévue presque avant vos ». **7.** La notation surprend ; car plus haut il était « deux heures après midi ». Explication plus ingénieuse que convaincante d'André Thisse (*op. cit.*, p. 124) : « La traction du symbolisme de ce sommet de la journée a fait tourner l'horloge à l'envers car midi c'est l'heure opposée à celle du "diable". » Il est une explication plus simple : Rimbaud évoquait plus haut ce qui se passait tous les jours ; mais un jour vient où le Christ croit devoir intervenir et se substituer au « rayon » prétendument miraculeux — à l'ange du Seigneur dont parle la Bible. **8.** Buanderie (voir plus haut), cette piscine fait également office d'abreuvoir. **9.** Les « infâmes infirmes » lui tirent la langue — et c'est le démon qui par leur entremise lui tire la langue. **10.** Nouveau jeu sur les sonorités, et retour aux plaisanteries initiales : mais c'est le Christ qui en fait les frais.

Le Paralytique se leva, qui était resté couché sur le flanc[1], franchit la galerie, et ce fut d'un pas singulièrement assuré qu'ils le virent franchir la galerie et disparaître dans la ville, les Damnés[2].

---

1. Reprise de Jean, V, 5-9 : « Or il y avait là un homme qui était malade depuis trente-huit ans. Jésus l'ayant vu couché, et connaissant qu'il était malade depuis longtemps, lui dit : Voulez-vous être guéri ? Le malade lui répondit : Seigneur, je n'ai personne pour me jeter dans la piscine après que l'eau a été remuée, et pendant le temps que je mets à y aller, un autre y descend avant moi. Jésus lui dit : Levez-vous, emportez votre lit, et marchez. Et cet homme fut guéri à l'instant ; et prenant son lit, il commença à marcher. » Ici Jésus n'a pas à intervenir, ni même à marcher : le Paralytique se lève tout seul, et marche. **2.** L'étonnement des témoins vient de l'épisode du paralytique de Capharnaüm (Marc, II, 12 : « Il se leva au même instant, emporta son lit, et s'en alla devant tout le monde : de sorte qu'ils furent tous saisis d'étonnement ; et rendant grâce à Dieu, ils disaient : Jamais nous n'avons rien vu de semblable »).

[BROUILLONS D'*UNE SAISON EN ENFER*]

[I] [1]

Oui c'est un vice que j'ai, qui s'arrête et qui [reprend] remarche avec moi, et, ma poitrine ouverte, je verrais un horrible cœur infirme. Dans mon enfance, j'entends [les] ses racines de souffrance jetée à mon flanc : aujourd'hui elle [monte] / a poussé / au ciel, elle [me] est bien plus forte que moi, elle me bat, me traîne, me jette à terre.

Donc / c'est dit / renier la joie, éviter le devoir, ne pas [jouir(?)] (1 mot illisible) au monde, / mon espérance(?), et mes trahisons supérieures et mon (1 mot illisible) / la dernière innocence, la dernière timidité.

Allons. la marche ! le désert. le fardeau. / les coups / le malheur. l'ennui. la colère. — l'enfer, la science et les délices de l'esprit etc. sans dispense [2].

À quel démon me / je suis à/ louer ? Quelle bête faut-il adorer ? dans quel sang faut-il marcher ? Quels cris faut-il pousser ? Quel mensonge faut-il soutenir ? [à] Quelle sainte image faut-il attaquer quels cœurs faut-il briser ?

Plutôt, [éviter la main bruta(le)] souffrir(?) la stupide justice de la mort, j'entendrais les complaintes chantées [aujourd'hui, sur les marchés] Justice dure (?). Point de popularité. / la dure vie / l'abrutissement pur, — et puis soulever [du] d'un poing séché le couvercle du cercueil, s'asseoir et s'étouffer. [Je ne vieillirai pas] Pas de vieillesse. Point de dangers [3], la terreur n'est pas française.

Ah ! Je suis tellement délaissé, que j'offre à n'importe quelle divine image des élans vers la perfection : autre marché grotesque.

---

1. *Note sur l'établissement du texte* : — Les mots raturés ou surchargés sont entre crochets [...] — Les compléments ou commentaires de notre part sont entre parenthèses (...) — Les mots dans l'interligne supérieur sont entre des barres obliques /... /, dont le sens est inversé pour les mots dans l'interligne inférieur \... \ 2. Lecture conjecturale. Les trois derniers mots sont en surcharge sur un texte illisible. 3. *Dangers* surcharge un mot illisible.

[À quoi servent] Ô mon abrégation, [et] ô ma charité inouïes [mon] De profundis, domine ! [que] je suis bête ?

Assez. Voici la punition ! Plus à parler d'innocence. En marche Oh ! les reins se déplantent, le cœur gronde[1], la poitrine brûle, la tête est battue, la nuit roule dans les yeux, au Soleil [Sais-je où, je vais] Où va-t-on à la bataille ?

Ah ! mon ami ! ma sale jeunesse ! Va... va les autres avancent [remuent] les autels et les armes

Oh ! oh. C'est la faiblesse, c'est la bêtise, moi !

Allons, feu sur moi ou je me rends ! [le bât me] Qu'on me blesse, je me jette à plat ventre, foulé aux pieds des chevaux.

Ah !

Je m'y habituerai.

Ah ça, je mènerais la vie française, et je suivrais le sentier de l'honneur.

[II]

Fausse conversion.

Jour de malheur ! J'ai avalé un fameux [verre] gorgée de poison La rage du désespoir m'emporte contre tout la nature les objets, moi, que je veux déchirer. Trois fois béni soit le conseil qui m'est arrivé. [Mes] Les entrailles me brûlent la violence du venin tord mes membres, me rend difforme Je meurs de soif. J'étouffe, Je ne puis crier. C'est l'enfer l'éternité de la peine. Voilà comme [la] le feu se relève. Va démon, [va diable, va Satan,] attise-le. Je brûle [bien] / comme il faut / C'est / un bel et bon / un bon enfer.

J'avais entrevu [le salut,] la conversion, le bien, le bonheur, le salut. Puis-je décrire la vision on n'est pas poète [dans] en enfer [Dès que] c'était [l'apparition de milliers de personnes charmantes] des milliers d'Apsaras(?) charmantes[2], un admirable concert spirituel, la force et la paix, les nobles ambitions, que sais-je !

Ah ! les nobles ambitions ! ma haine. [Je recommence] Recommencer l'existence enragée : la colère dans le sang [la vie bestiale] l'abêtissement

1. Lecture conjecturale. Le mot surcharge un autre mot illisible. 2. Nous lisons clairement le texte biffé, mais très difficilement le texte ajouté. Séduisante, la lecture de Bouillane de Lacoste « Apsaras » (déesses analogues aux Grâces dans la mythologie hindoue) n'est qu'une conjecture très douteuse. Pour la clarté, nous avons donné successivement les deux membres de phrase intégralement.

/ [le malheur ô mon malheur et le malheur des autres] qui m'importe peu / et c'est encore la vie : si la damnation est éternelle. C'est [encore] [la vie encore]. C'est l'exécution des lois religieuses pourquoi a-t-on semé une foi pareille dans mon esprit. [On a] [Les] Mes parents ont fait mon malheur, et le leur, ce qui m'importe peu. On a abusé de mon innocence. Oh ! l'idée du baptême. Il y en a qui ont vécu mal, qui vivent mal, et qui ne sentent rien ! C'est [le] mon baptême et [la] ma faiblesse dont je suis esclave. C'est la vie encore ! Plus tard les délices de la damnation seront plus profondes. Je reconnais(?) [le démon] la damnation. [Quand] Un homme qui veut se mutiler est bien damné n'est-ce pas. / Je me crois en enfer, donc j'y suis / Un crime, vite, que je tombe au néant, par la loi des hommes.

Tais-toi, mais tais-toi ! C'est la honte et le reproche à côté[1] de moi ; c'est Satan qui me dit que son feu est ignoble, idiot, et que ma colère est affreusement laide. Assez. Tais-toi ! ce sont des erreurs qu'on me souffle à l'oreille [la] les magies, [l'] les alchimies, les mysticismes, les parfums faux[2], les musiques naïves, / les /. C'est Satan qui se charge de cela. / Alors les poètes sont damnés. Non, ce n'est pas cela. /

Et dire que je tiens la vérité. Que j'ai un jugement sain et arrêté sur toute chose, que je suis tout prêt pour la perfection. [Tais-toi, c'est] l'orgueil ! à présent. Je ne suis qu'un bonhomme en bois la peau de ma tête se dessèche. Ô Dieu[3] ! mon Dieu ! mon Dieu. J'ai peur, pitié. Ah ! j'ai soif, ô mon enfance, mon village, les prés[4], le lac sur la grève le clair de lune quand le clocher sonnait douze. Satan est au clocher[5] que je deviens bête. Ô Marie, Sainte Vierge, faux sentiment, fausse prière.

[III]

Enfin mon esprit devin(t)..
[de Londres ou de Pékin, ou Ber...
qui [disparaissent(?)] on [plaisante(?) sur] ....
de réjouissance populaire. [Voilà]..
les [petits] / fourmille (?) / (un mot surchargé illisible) ....

---

1. En surcharge sur un texte illisible. **2.** *Faux* en surcharge sur un mot de lecture douteuse : Berrichon lisait « maudits », Bouillane « fleuris ». La première lecture est plus probable. **3.** En surcharge sur un texte illisible. **4.** En surcharge sur un texte illisible. **5.** *Satan* surcharge un groupe de mots illisible, mais n'en fait pas partie comme l'a cru Bouillane qui lit [Satan a ri].

J'aurais [voulu le désert crayeux de ....

J'adorai les boissons tiédies, les boutiques[1] fanées, les vergers brûlés. Je restais de longues heures la langue pendante, comme les bêtes harassées : je me traînais dans les ruelles puantes et, les yeux fermés, je [priais le] m'offrais au soleil, Dieu de feu, qu'il me renversât, [et,] Général, roi, disais-je, si tu as encore un vieux canons[2] sur tes remparts qui dégringolent, bombarde les hommes avec des [monceaux] mottes de terre sèches. Aux glaces des magasins splendides ! Dans les salons frais ! Que les [araignées] [À la (mot surchargé illisible)] Fais manger sa poussière à la ville ! Oxyde des gargouilles. À l'heure / exprès (?) / lance du sable de rubis les / boudoirs brûlent /

[Je portais des vêtements de] toile. Je me (quatre mots surchargés illisibles) je cassais des pierres sur des routes balayées toujours. [Le soleil descendait vers la merde, au centre de la terre[3])] / Le souterrain donnait[4] / une merde dans la vallée le / sou / moucheron enivré à la pissotière de l'auberge isolée, amoureux de la bourrache [et qui va se fondre au soleil] / et dissous en un rayon /

Faim*

[Je réfléchis] J'ai réfléchi [aux bêtes] au bonheur des bêtes, les chenilles étaient la foule (un mot illisible), [petits corps] les corps blancs / innocents / des limbes : [l'araignée [romantique] faisait l'ombre romantique envahie par l'aube opale] ; la punaise brune personne, attendait [qu'on] son (?) passionné. Heureuse / le saule ? / La taupe, sommeil de toute la virginité !

Je m'éloignais [du contact] Étonnante virginité, [que j'essay(ai)] de décrire avec une espèce de romance Chanson de la plus haute tour.

[Je (un groupe de mots illisible)] \Je crus avoir trouvé\ raison et bonheur. J'écoutais [du] le ciel, l'azur, qui est du noir, et je vivais, étincelle d'or de la lumière *nature*. C'était très sérieux. / J'exprimai, [le plus] bêtement /

*Éternité.

Et [pour comble] De joie, je devins un opéra fabuleux. *Âge d'or. À cette [période c'était] c'était ma vie éternelle, non écrite, non chantée,

---

1. Le mot surcharge peut-être « optiques », ou l'inverse. Nous avons, comme Bouillane, suivi le texte définitif. **2.** *Sic.* **3.** Le groupe de mots biffés est parfaitement lisible, et nous l'avons reproduit dans son intégralité. La phrase est à rapprocher de la fin d'« Enfance » (motif du souterrain, de la boue, des égouts), mais aussi peut-être du chant XVIII de l'*Enfer* de Dante (les adulateurs plongés dans la merde). **4.** Lecture très conjecturale.

— quelque chose comme la Providence / les lois du monde / / l'essence (?) / à laquelle on croit et qui ne chante pas.

Après ces nobles minutes, [vint] stupidité complète. Je [m] vis une fatalité de bonheur dans tous les êtres : l'action n'était / pas la vie / qu'une façon / mauvaise / [instinctive] de gâcher une satiété[1] de vie : [seulement, moi je laissai en sachant], un hasard sinistre et doux, [un] énervement, [déviation] errement. Le [génie(?)] morale était la faiblesse de la cervelle

.... êtres et toutes choses m'apparaissant

.... d'autres vies autour d'elles. Ce monsieur

.... un ange. Cette famille n'est pas

.... (un mot raturé illisible) Avec plusieurs hommes

.... moment d'une de leurs autres vies.

.... histoire plus de principes. Pas un des sophismes qui la folie enfermée. / Je pourrais les redire tous et [d'autres] / \ et bien d'autres, et d'autres \\ je sais le système. \ Je n'éprouvais plus rien. Les [hallucinations [étaient] tourbillonnaient (?) trop (?)] Mais maintenant je n'essaierais / ne saurais (?) / pas de me faire écouter.

Un mois de cet exercice. / je crus / Ma santé [s'ébranla] fut menacée. J'avais bien autre chose à faire que de vivre. Les hallucinations étant plus vives [plus éprouvantes] la terreur [plus] venait ! Je faisais les rêves / les plus tristes ou égarés / partout.

*Mémoire.

Je me trouvais mûr pour [la mort] le trépas et ma faiblesse me tirait jusqu'aux confins du monde et de la vie où le tourbillon (...) dans la Cimmérie noire, patrie des morts, où un grand (...) a pris une route de dangers laissé presque toute l'âme chez une (...) sur une emb(arca)tion à épouvantes[2] *Confins du monde.

Je voyageai un peu. J'allai au Nord : je [rappelai au] Je \voulus reconnaître la \ / fermai mon / cerveau toutes mes odeurs féodales, bergères, sources sauvages. J'aimais la mer [(un groupe de mots illisibles)] [l'anneau magique dans l'eau lumineuse] [éclairée] comme si elle dût me laver [de ces aberra(tions)] d'une souillure. Je voyais la croix consolante. J'avais été damné par l'arc-en-ciel et les \magies\ religieuses ; et par le Bonheur, [mon remor(ds)] ma fatalité, mon ver, et qui [Je] quoique [le

---

1. Et non *insatiété*, comme dans les précédentes éditions. **2.** La lecture de ce passage, et en particulier des deux derniers mots, est loin d'être sûre. Nous pensons que le feuillet a été légèrement endommagé en fin de ligne et que des mots manquent (nous avons signalé ces lacunes par des points entre parenthèses). L'allusion est claire en tout cas au voyage d'Ulysse chez les morts (*Odyssée* X, XI).

monde me parût très nouveau, à moi qui avais] levé toutes [les impressions possibles] ; faisant ma vie trop immense \ seulement \ énervait même après que ma (un mot surchargé illisible) pour aimer sincèr(ement) / [seulement] / \ bien réellement \ la force et la beauté.

Dans les plus grandes villes, à l'aube, *ad / matutinum / diluculum* [1], / au *Christus venit* /, [quand pour les hommes forts le Christ vient] sa dent, douce à [la] mort, m'avertissait avec le chant du coq. *Bon(heu)r.

/ Si faible je ne me crus plus supportable dans la société, qu'à force de / \ pitié \ \ quel malheur \ Quel cloître possible pour ce beau dégoût ? bienveill(ance) [2].

(un groupe de mots illisible) Ça s'est passé peu à peu.

Je hais maintenant les élans mystiques et les bizarreries de style.

Maintenant je puis dire que l'art est une sottise. Nos grands poètes / Ma beauté (?) / aussi facile : l'art est une sottise.

Salut à la bont(é) [3].

---

1. *Diluculum* = le point du jour. **2.** La lecture de ce mot est conjecturale. **3.** Nous suivons ici les lectures précédentes. Mais celle du dernier mot reste conjecturale.

UNE SAISON EN ENFER

Seul livre publié par Rimbaud, en octobre 1873, Une saison en enfer *est la seule de ses œuvres qui soit véritablement achevée. Qu'elle ne constitue qu'une mince plaquette n'ôte rien à son importance extrême. Journal, « carnet de damné », ce récit pourrait être un roman ; mais il est d'une grande densité et tend à devenir oraculaire et prophétique. S'organisant autour d'un paradoxe central, il ouvre sur une lumière inattendue.*

Une composition forte

Suivant l'incident du 10 juillet 1873 dans Bruxelles devenu le lieu d'un drame, Une saison en enfer *est une œuvre de la rupture : le passé récent est rejeté ; la Vierge folle et son compagnon d'enfer forment un couple grinçant, celui de « Délires I ». C'est surtout une œuvre de rupture, même si elle a été préparée, dès le printemps de cette année-là, par les « histoires atroces » inventées pour le* Livre païen, *le* Livre nègre, *et par des exercices d'écriture contre-évangélique, qui se poursuivent dans la* Saison, *en particulier dans « Nuit de l'enfer » et dans « Matin ».*

Au cours de l'été, le texte a sans doute été rédigé dans la rage. Mais l'ouvrage a été très travaillé.

Une aventure se déroule, comme dans un roman. Tout commence par une conquête, cette fois brutale, de la liberté (« Je me suis enfui », dans le Prologue, le départ « sur la plage armoricaine » dans « Mauvais sang »). Au milieu du livre, dans « Délires II », l'aventure devient Odyssée vers une sombre Cimmérie, aux confins du monde. À la fin, dans la première section d'« Adieu », le bateau, qui n'est plus qu'une « barque », « tourne », retourne, « vers le port de la misère, la cité énorme au ciel taché de feu et de boue ». Il est nargué par des plages qui ne sont plus qu'au ciel, par un « grand vaisseau d'or » qui n'est plus que le mirage des ambitions détruites. Mais pourquoi un autre départ, vers les « splendides villes », ne serait-il pas possible ?

Sur cette trame narrative, d'ailleurs discrète, et à la faveur d'une série d'« histoires » (le mot revient au début de « Délires II »), s'organise une composition dramatique très frappante. Le court Prologue, sans titre, met déjà en place le conflit avec Satan. Le démon veut rétablir dans son état d'« hyène » celui qui croyait pouvoir rêver de « charité ». « Mauvais sang » replonge dans le passé le plus lointain, — celui de la famille, celui de la race, celui de l'Histoire —, avant de faire revivre au damné une nouvelle vie, celle d'un nègre soumis aux Blancs. « Nuit de l'enfer » évoque le plus brûlant de l'enfer, le feu du feu, où le damné remâche ses ambitions déçues, ses illusions perdues, ses tentatives vaines pour sortir « hors du monde ». Vient alors, véritablement central, le grand diptyque des « Délires » : délires de l'amour (I), monologue prêté à la « Vierge folle » et sarcastiquement commenté, qui prend des allures de psychodrame ; délires de la création poétique pour celui qui a cru dans la chimère d'une « Alchimie du verbe » (II). Négatif dans le premier cas (l'échec de la liaison avec Verlaine est transparent), le bilan est ambigu dans le second : l'aventure de la folie volontaire, qui ne se confond pas avec celle du Voyant, est revécue de manière brûlante avant d'être suspendue. « L'Impossible » dit le leurre d'une évasion vers l'Orient, qui a pourtant permis une « minute d'éveil ». À partir de cette « vision de la pureté », la scène s'éclaire peu à peu, et pas seulement à la flamme fuligineuse de l'enfer : si « L'Éclair » n'apporte que le rappel, immédiatement rejeté, de la nécessité du travail, « Matin » laisse espérer un « travail nouveau », un « Noël sur la terre », plus socialiste que chrétien. Le texte final, « Adieu », laisse craindre le retour de l'automne et bientôt de l'hiver, mais il fait aussi de l'« heure nouvelle », si « sévère » soit-elle, le point de départ d'une reconquête de soi.

Le damné a failli devenir un « opéra fabuleux ». La composition savante, en tout cas, est aussi une composition musicale. Yoshikazu Nakaji a montré qu'on pouvait faire de « Délires II » un opéra, avec cinq récitatifs et une coda, entrecoupés de cinq airs[1]*. L'alchimie n'est-elle pas le lieu où « se cristallisent des airs » ? Ces airs, auxquels conduit un récitatif parfois très tendu, on les rencontre tout au long d'*Une saison en enfer*. C'est, par exemple, l'air, bref, mais intense, de l'avènement de la force dans « Mauvais sang ». C'est le boniment du thaumaturge dans « Nuit de l'enfer ». C'est — grand air de non-bravoure — la confession de la Vierge folle. La vie nouvelle, dans « Adieu », exclura les « cantiques », non la musique.*

---

1. *Combat spirituel ou immense dérision ? Essai d'analyse textuelle d'*Une saison en enfer, José Corti, 1987.

Une prose oraculaire

« C'est très-certain, c'est oracle, ce que je dis » : ainsi, dans « Mauvais sang », le païen, le damné pourtant, commente-t-il sa propre parole. Une telle notation sert de guide pour suggérer les lignes d'une poétique de la Saison.

Une parole oraculaire est d'abord une parole abrupte. Et tel est bien le cas ici. La phrase est souvent très brève (« On ne part pas », « Les blancs débarquent »). Elle se réduit même à des éléments nominaux (« Assez ! Voici la punition. — En marche ! *»). Les tours exclamatifs abondent (« Le travail humain ! », « Noël sur la terre ! »). Les affirmations sont impérieuses (« Il faut être absolument moderne »), les négations coupantes (« Point de cantiques ») et les formules y ont valeur d'ordre (« La vie est la farce à mener par tous », « tenir le pas gagné »).*

C'est ensuite une parole obscure. L'oracle de Delphes s'exprimait par énigmes. Rimbaud lui-même passe par là, et il en a conscience. L'obscurité tient alors à une concision extrême, à la pratique constante de la juxtaposition, de l'asyndète. Cette prose va vite, et pourtant chaque mot a du poids, et d'autant plus que Rimbaud joue sur le double sens (le « paysan » est à la fois le païen, paganus, *et le travailleur de la terre, la « main à charrue », ou encore celui qui aura, comme lui, « la réalité rugueuse à étreindre » ; « saluer la beauté », c'est lui rendre hommage, mais aussi lui dire adieu).*

Cette parole a du prix même si elle n'est pas, comme la jeunesse fabuleuse, « à écrire sur des feuilles d'or ». Rimbaud sait qu'il ne dispose que de « quelques hideux feuillets de [s]on carnet de damné ». Sur ces feuillets peuvent s'inscrire des vers blancs (« Je me suis armé contre la justice », « Je devins un opéra fabuleux »). Mais la prose poétique n'est pas nécessairement celle qui imite la poésie. Rimbaud ne cherche à éviter ni le brouillage syntaxique, ni la cacophonie, ni l'hiatus (« Par l'esprit on va à Dieu »). Il utilise systématiquement le cliquetis de la répétition, la surprise de la rupture, un rythme saccadé, haletant. Il arrive aussi que l'évocation s'amplifie, que l'écrivain laisse exceptionnellement fuser un chant clair. Cette évolution est de plus en plus sensible dans la fin du livre, confirmant l'espoir d'une « aurore ».

Le paradoxe de la *Saison*

Rimbaud n'échappe pas plus à la religion catholique de son enfance qu'aux visions antiques du Tartare. Mais de Champs Élysées, de Prairie de l'Asphodèle, il n'est pas plus question dans Une saison en enfer *que de paradis : la vision, ou plutôt l'entrevision, de « millions de créatures charmantes » n'offre que l'image de ce dont le damné est exclu, et devrait encore augmenter sa souffrance. N'eût-il été que païen, il pouvait échapper à l'enfer des chrétiens, espérer, pourquoi pas, ces Limbes à dire vrai peu attirants où Dante place les héros, les poètes de l'Antiquité, et sur lesquels Baudelaire a rêvé quelque temps avant d'opter, résolument, pour* Les Fleurs du mal. *Mais « la mère Rimb. », elle aussi, est passée par là, et l'église de Charleville, et le registre de baptême sur lequel s'est trouvé inscrit, à la fin de 1854, le nom de Jean-Nicolas-Arthur Rimbaud. De la bouche du damné émane encore une bribe de psaume pénitentiel, «* De profundis Domine *», même s'il se le reproche aussitôt et ricane : « suis-je bête ! » Non seulement il a « reçu au cœur le coup de la grâce ». Mais on lui a fait le coup de la grâce. Sous prétexte de faire de lui un chrétien, on a fait de lui un damné. Païen, il eût été protégé, car « l'enfer ne peut attaquer les païens ». Mais il est l'« esclave de [s]on baptême ». Son supplice est « l'exécution du catéchisme » — et on comprend bien qu'il faut prendre ici* exécution *au sens le plus fort : pire encore qu'une exécution capitale. Comme la tête tombe sous la guillotine, l'âme tombe, et elle est engloutie dans les profondeurs.* De profundis Domine.

L'enfer des chrétiens est éternel. Cette notation est plus importante, pour sa définition, que le supplice même. Sur la porte de l'enfer, telle que l'a décrite Dante, telle que l'a sculptée Rodin, il est précisé qu'on laisse au seuil toute espérance. Et, dans un mouvement suprême de charité, Péguy, par la voix de sa Jeanne d'Arc, s'interroge sur la cruauté d'une telle condamnation sans recours, qui est la damnation même.

Cette question, Rimbaud pourrait se la poser. Mais, d'une manière très significative, il la convertit en exclamation dans « Nuit de l'enfer » : « Si la damnation est éternelle ! » Ce pourrait être l'absolu de l'affirmation. Et pourtant on ne peut s'empêcher d'entendre dans le sifflement de ce si, *dissonance dans le « suave concert spirituel », mais aussi dans celui de tous ceux qui s'acharnent à damner les autres, une dérision, une protestation encore, et bien plus radicale que la révolte contre les parents, responsables du baptême. À la fin du livre, on percevra, désormais attardés, éloignés, modérés aussi, les derniers « grincements de dents, les sifflements de feu, les soupirs empestés ». Mais, comme le diable, le damné est capable de siffler, et son carnet porte la trace de ces sifflements. En voici un, précisément, et c'est encore : « Si la damnation est éternelle ! »*

Rimbaud le sait bien. C'est une vérité de catéchisme, et c'est un mode de ce qu'il appelle son « exécution ». Mais il fait mentir cette vérité, il la rend folle, comme eût dit G.K. Chesterton, puisque dans cet enfer éternel son damné ne passe qu'une saison. Il faut dire avec force combien le titre du texte est impertinent, provocateur. Au moment même où il s'énonce, où il s'annonce, dans Une saison en enfer, *l'enfer est vidé de sa substance (si tant est qu'il puisse avoir une substance...), de sa signification. Rimbaud, s'il a travaillé en 1872 à des* Études néantes, *a fait pendant l'été de 1873 une étude néante de l'enfer.*

*Ce paradoxe fondamental n'est pas le seul. L'enfer n'est pas souterrain ici, comme le voudrait le sens étymologique du terme, adapté aussi bien à la représentation la plus fréquente dans l'Antiquité qu'à celle qui se continue dans la Bible, à tel point que la Vulgate parle encore d'*Inferi *(« les lieux souterrains »). Rimbaud installe bel et bien l'enfer sur terre, et il ne fait que de rares concessions à la topographie infernale traditionnelle. Tout au plus est-il question de « tombeau » dans « Nuit de l'enfer ». Le damné est représenté tour à tour, dans « Mauvais sang », en voyageur maudit, en forçat sur qui se referme toujours le bagne, en nègre, enfant de Cham, soumis à la brutalité du colon, en recrue appelée à devenir chair à canon.*

La biographie offre non seulement une clef, mais plusieurs clefs : la blessure causée par l'invasion prussienne, le désir de quitter l'« Europe aux anciens parapets », la hantise du service militaire, le sentiment de savoir interdites pour lui « l'orgie et la camaraderie des femmes », l'absence d'une main amie ou même d'un compagnon. La relation avec Verlaine est l'une de ces clefs, et elle reste la plus immédiate. Il est difficile de ne pas reconnaître en lui le « compagnon d'enfer » de « Délires I. — Vierge folle. L'Époux infernal ». On sait, par le témoignage de sa sœur Isabelle, qu'après les deux coups de revolver tirés à Bruxelles par l'amant aux abois, Rimbaud a écrit Une saison en enfer *dans la quasi-solitude de la ferme familiale de Roche, et plein d'une rage frénétique. Ce n'est pas le coup de la grâce, mais le coup de la colère. Et rien ne résiste aux sarcasmes destructeurs : ni les « vieilles amours mensongères », ni les « couples menteurs », ni — bien avant* Porcheria *ou* Truismes *— l'amant métamorphosé en porc. Ni même, et c'est autrement grave, la poésie écrite au temps de la relation avec Verlaine : car dans le bilan volontairement négatif d'« Alchimie du verbe », et dans un mouvement destructeur que Rimbaud renouvellera jusqu'au silence, figurent pour l'essentiel des poèmes du printemps et de l'été de 1872.*

Le Temps et l'Éternité

La présence, parmi ces poèmes, de celui qui a d'abord porté le titre « L'Éternité », ou « Éternité », mérite de retenir tout particulièrement l'at-

tention. Rimbaud, s'il détruit ses vers, ou s'il s'en détache, les cite pourtant. Il peut sembler les abîmer, les ruiner de l'intérieur, et toutefois certains commentateurs considèrent que les versions contenues dans « Alchimie du verbe » sont supérieures aux précédentes. Le laminoir se fait conservatoire.

On peut être surtout sensible, dans « Délires II », à la séquence constituée par « Elle est retrouvée ! / Quoi ? l'éternité » et par le dernier poème cité, abrégé il est vrai, « Ô saisons, ô châteaux ! *» En effet, elle oblige à repérer une fois encore l'alliance de ces contraires dans le livre de 1873 : l'*éternité *— qu'elle soit celle de l'enfer des chrétiens ou celle des éléments, « la mer mêlée / Au soleil » — ; la* saison, *qui est une tranche de temps, même si elle revient dans le cadre d'une année, ou d'une Grande Année à la manière de celle de la quatrième églogue de Virgile.*

Rimbaud a été victime, comme beaucoup d'autres, de l'Histoire de son temps. En poète, il aspire à s'évader, non seulement hors du lieu, mais hors du temps.

« L'Éternité » correspond à cette aspiration. Elle est inséparable d'une volonté de clarté absolue, de rejet du noir et même de l'azur qui peut encore être du noir, au profit d'une vie élémentaire et sublime à la fois, comme « étincelle d'or de la lumière nature *». Le commentaire dont Rimbaud assortit son poème dans* Une saison en enfer *est le meilleur qu'on puisse imaginer. Mais il ne va pas sans critique de l'« expression bouffonne et égarée au possible », du risque de prolifération dans ce qui, même sous forme réduite, prend précisément des allures d'« opéra fabuleux ».*

« Ô saisons, ô châteaux ! », *connu par deux autres manuscrits, aurait dû s'intituler « Bonheur », ou « Les saisons », ou « Saisons ». Le bonheur devrait-il donc être lié au temps ? L'ultime recours du poète est-il de chanter les saisons, comme l'a fait Hölderlin dans les poèmes du temps de sa folie ? La chute d'« Alchimie du verbe » ne se laisse pas confondre avec un quelconque culte des saisons. Rimbaud sait bien que ces saisons ne sont que châteaux, châteaux en Espagne. Que, comme il l'écrivait en marge d'une version de ce poème, « ce n'est rien, la vie ». Du prétendu bonheur dans le temps, il se méfie autant que des malheurs du damné : « sa dent », prétendument « douce à la mort », est encore un instrument d'« exécution ».*

En 1872, il croyait aux vertus du retour. « L'Éternité », « Chanson de la plus haute Tour » s'achèvent sur une reprise de la première strophe. S'enfermer dans le cercle, dans la redite perpétuelle, ce serait retomber dans l'éternité de l'enfer, de l'enfer poétique cette fois. Comme il réduit à une saison son passage par l'enfer, Rimbaud a hâte d'en finir dans la coda, « Adieu » : c'est un adieu aux damnés, mais aussi un adieu aux cantiques, un adieu à la « vieillerie poétique » qui était encore celle de la chanson à refrain, de l'espèce de romance, au profit de l'« absolument moderne ». Une saison en enfer *ne se referme pas comme l'enfer, elle ouvre sur une « aurore », sur la possible possession d'une « vérité ».*

Une lumière inattendue

*De la fin d'*Une saison en enfer, *on retient une éthique nouvelle, «* posséder la vérité dans une âme et un corps *» ; le credo d'une esthétique avancée, « Il faut être absolument moderne » ; le sentiment d'avoir acquis chèrement et de justesse, malgré une solitude essentielle, une « victoire » dont on veut conserver l'acquis : « tenir le pas gagné ». Est-ce à dire que le contre-évangile rimbaldien tende à se constituer en nouvel évangile, qu'à la manière d'un utopiste comme Étienne Cabet, Rimbaud aille, pour le seul livre qu'il ait publié, vers un* Vrai Christianisme [1] *?*

*La question mérite d'être posée, même si elle peut paraître surprenante à propos d'un écrivain qui passe pour l'ennemi de la religion, aspirant à se venger d'une mère dévote et de la « sale éducation d'enfance ». Souvent l'imagerie rimbaldienne passe par celle de la Bible « à la tranche vert-chou » qu'il lisait, poète de sept ans. L'entrée « aux splendides villes », dans l'« Adieu » d'*Une saison en enfer, *ne peut qu'être imaginée d'après l'entrée du Christ à Jérusalem : « Le peuple, en foule, étendit ses vêtements sur la route ; certains coupaient des branches aux arbres et en jonchaient la route. [...] Quand Jésus entra dans Jérusalem, toute la ville fut en émoi : "Qui est-ce ?" disait-on ; et les foules répondaient : "C'est le prophète Jésus, de Nazareth en Galilée" » (Matthieu, XXI, 8-11). « Royauté » en gardera quelque chose. C'est l'une des raisons pour lesquelles, en dépit d'une chronologie incertaine, on peut penser qu'*Une saison en enfer *ouvre sur les* Illuminations.

P. B.

1. Étienne Cabet a publié *Le Vrai Christianisme suivant Jésus-Christ* en 1846 à la suite de son célèbre *Voyage en Icarie*, 1839-1840, auquel Baudelaire fait allusion dans « Le Voyage ». Sur cet auteur, voir Jules Prudhommeaux, *Icarie et son fondateur Étienne Cabet*, Édouard Cornély, 1907, rééd. Slatkine Reprints, 1977.

CHRONOLOGIE

Externe

1873 *Avril*. Rimbaud, de retour dans la ferme familiale de Roche, travaille à un livre nouveau.

Mai. Il l'annonce à Delahaye comme *Livre païen* ou *Livre nègre*, lié au thème de l'innocence, ou de la fausse innocence (« innocince ») des paysans. Il a déjà écrit trois des « histoires atroces » qui doivent le composer. Il en prévoit encore une demi-douzaine. Il demande à son camarade des traductions de Shakespeare et du *Faust* de Goethe.

Juin. Revenu à Londres, il travaille à son livre, en s'installant volontiers, pour écrire, dans les pubs.

Juillet. L'incident de Bruxelles, les deux coups de revolver tirés par Verlaine sur Rimbaud le 10 juillet, la séparation inévitable qui suit, le retour à Roche donnent un tour nouveau au projet.

Août. À Roche, Rimbaud travaille dans la fièvre à *Une saison en enfer*. Les deux « Délires » portent la marque de cette fièvre, qui est allée en s'apaisant.

À la fin d'« Adieu », Rimbaud indique les dates de la rédaction de l'ensemble : « avril-août 1873 ».

Septembre. On doit supposer qu'il s'est rendu à Bruxelles pour confier le manuscrit à l'Imprimerie typographique (gérant Jacques Poot), 37, rue aux Choux.

Octobre. La plaquette sort des presses. Elle a été tirée à 500 exemplaires. Rimbaud en retire quelques-uns seulement, dont l'un est envoyé à Verlaine.

1886 *La Vogue* réédite *Une saison en enfer*, à partir de l'exemplaire que possédait Gustave Kahn et sans demander d'autorisation ni verser des droits. Rimbaud n'est pas informé. La publication se fait dans le nº 8, 6-13 septembre, le nº 9, 13-20 septembre, et le nº 10, 20-27 septembre.

1901 Un stock de 425 exemplaires est retrouvé par Léon Losseau dans l'atelier de Jacques Poot.

INTERNE

1. « Jadis » lance le prologue, qui n'a pour titre que cinq étoiles. L'adverbe renvoie à une « enfance » (« L'Impossible »), « sobre surnaturellement », ou mieux à une « jeunesse [...] fabuleuse » (« Matin »), à une période festive à laquelle une décision brutale, « un soir », a mis fin. Cette fin peut correspondre à la menace récente du « dernier *couac* » (surtout s'il se confond avec l'incident de Bruxelles), ou à l'arrivée prochaine des « vingt ans » (le 10 septembre 1874) dans « L'Éclair ».
2. La présentation du texte comme feuillets d'un carnet de damné indique qu'il s'est constitué peu à peu dans la durée, comme un journal intime.
3. Le locuteur revient sur son ascendance, ses origines roturières, dans « Mauvais sang ». Il remonte loin dans le passé et il annonce des départs futurs. Il revient sur son enfance, sur son adolescence, sur sa jeunesse. La hantise du service militaire semble correspondre à l'approche des « vingt ans », à l'appel de la classe 74.
4. « Nuit de l'enfer » met en cause son baptême (le 20 novembre 1854, par l'abbé Constant Grison, en la chapelle dite du Grand Prieuré, à Charleville), son éducation chrétienne aboutissant à sa première communion,
5. « Délires I. — Vierge folle » transpose la liaison qui a existé entre Verlaine et Rimbaud, et plus particulièrement leur vie à deux, du 7 juillet 1872 au 10 juillet 1873 : une saison en enfer qui a duré un an, avec des jérémiades et des propos brutaux plus fréquents dans la phase finale.
6. « Délires II. Alchimie du verbe » évoque une période de l'aventure poétique qui, préparée, a commencé avec les « Voyelles » (fin 1871) et s'achève sur un silence volontaire. L'essentiel est constitué par les poèmes du printemps et de l'été 1872.
7. « L'Impossible » fait allusion à une fascination exercée par l'Orient, qui peut trouver son origine dans l'ascendance paternelle (l'intérêt pour le Coran). Il ne faut donc pas chercher à la dater,

car elle est permanente chez Rimbaud. Mais il insiste lui-même sur l'importance décisive d'une « minute d'éveil ».
8. « L'Éclair » fait allusion à son lit d'hôpital après la blessure de Bruxelles.
9. Attente d'un « Noël sur la terre », qui ne se confond nullement avec le Noël chrétien de 1873.
10. Avec « Adieu », c'est l'entrée dans l'automne, qui est l'automne prochain de 1873, mais surtout un éternel automne, le moment, pour Rimbaud, de l'entrée dans la stérilité et le silence. Il exprime aussi la crainte de l'hiver, le retour sur l'été à l'ardeur infernale, l'espoir, sans doute, d'en finir non seulement avec la *Saison*, mais avec les saisons.

* * * * *

Jadis[1], si je me souviens bien, ma vie était un festin[2] où s'ouvraient tous les cœurs[3], où tous les vins coulaient.

Un soir, j'ai assis la Beauté[4] sur mes genoux. — Et je l'ai trouvée amère. — Et je l'ai injuriée.

Je me suis armé contre la justice[5].

Je me suis enfui. Ô sorcières[6], ô misère, ô haine, c'est à vous que mon trésor[7] a été confié !

Je parvins à faire s'évanouir dans mon esprit toute l'espérance[8] humaine. Sur toute joie pour l'étrangler j'ai fait le bond sourd de la bête féroce[9].

J'ai appelé les bourreaux pour, en périssant, mordre la crosse de leurs fusils. J'ai appelé les fléaux, pour m'étouffer avec le sable, le sang[10]. Le malheur a été mon dieu. Je me suis allongé dans la boue[11]. Je me suis séché à l'air du crime. Et j'ai joué de bons tours à la folie[12].

Et le printemps[13] m'a apporté l'affreux rire de l'idiot.

---

1. Renvoi à un passé ancien, le « festin ancien » dont il sera question plus bas. **2.** Évocation d'une enfance prodigue, d'une « jeunesse fabuleuse » (« Matin »), d'une vie antérieure mythique ? Le mot appelle en tout cas le souvenir de la parabole du festin dans l'Évangile (Matthieu, XXII, 2-13 ; Luc, XIV, 16-24). L'invité qui n'a pas mis les habits de noces est rejeté, damné. **3.** Donc une *agapè*. **4.** Échange de la Charité contre la Beauté. Beauté qui est abandonnée à son tour à la fin de « Délires II ». **5.** *Cf.* « *Qu'est-ce pour nous, mon cœur...* », v. 7 : « Périssez ! puissance, *justice*, histoire : à bas ! » Et « Les Sœurs de charité » où le jeune homme est « déchiré » de l'« auguste obsession » de « la Muse verte » (la Beauté) et « la Justice ardente », les deux « sœurs implacables » qui finissent par le délaisser. **6.** Ces « sorcières » sont la « misère » et la « haine », les contre-sœurs de charité auxquelles il s'est ensuite confié. Le motif des sorcières, qu'on retrouve dans les *Illuminations*, est présent dans les lectures que prévoyait Rimbaud en mai 1873 : le *Faust* de Goethe, le théâtre de Shakespeare (*Macbeth*). **7.** Autre mot à résonance évangélique : *cf.* la parabole des talents (Matthieu, XXV, 14 *sqq.*) : celui qui n'a pas su faire fructifier le trésor qui lui a été confié est rejeté, comme le convive de la parabole du festin, dans les ténèbres où sont « les pleurs et les grincements de dents » (retour de la même expression dans Matthieu, XXII, 13 et XXV, 30, qui assure le lien entre les deux paraboles). **8.** Seconde vertu théologale. **9.** Annonce du motif de l'hyène. **10.** *Cf.* « *Qu'est-ce pour nous, mon cœur...* », « Michel et Christine », etc. **11.** *Cf.* « Honte ». **12.** *Cf.* « Délires II. » **13.** Peut-être le printemps 1872, le moment où l'expérience de la folie volontaire a failli conduire Rimbaud à la folie réelle ; peut-être le printemps 1873 (où Rimbaud semble être tombé malade à Londres).

Or, tout dernièrement m'étant trouvé sur le point de faire le dernier *couac* [1] ! j'ai songé à rechercher la clef [2] du festin ancien, où je reprendrais peut-être appétit.

La charité [3] est cette clef. — Cette inspiration [4] prouve que j'ai rêvé [5] !

« Tu resteras hyène [6], etc... », se récrie le démon qui me couronna de si aimables pavots [7]. « Gagne la mort [8] avec tous tes appétits, et ton égoïsme et tous les péchés capitaux. »

Ah ! j'en ai trop pris [9] : — Mais, cher Satan [10], je vous en conjure, une prunelle moins irritée ! et en attendant les quelques petites lâchetés en retard [11] !, vous qui aimez dans l'écrivain l'absence des facultés descriptives ou instructives [12], je vous détache ces quelques hideux feuillets de mon carnet de damné.

Mauvais sang

J'ai de mes ancêtres gaulois l'œil bleu blanc [13], la cervelle étroite, et la maladresse dans la lutte. Je trouve mon habillement aussi barbare que le leur. Mais je ne beurre pas ma chevelure [14].

---

1. Le 10 juillet 1873 à Bruxelles est l'hypothèse la plus séduisante et finalement la plus satisfaisante. Encore qu'on soit tenté de renoncer à la chronologie réelle au profit de la chronologie de la fable : dans « Délires II », « l'histoire d'une de [s]es folies » conduit Rimbaud aux abords du trépas (le dernier *couic*, plutôt). **2.** Coquille dans l'édition originale : *le clef*. **3.** Troisième vertu théologale. Le festin ancien était, rappelons-le, une *agapè* « où s'ouvraient tous les cœurs ». La charité s'oppose à la solitude de la « bête féroce ». **4.** Le livre qui va suivre. **5.** De même que le rêve de violence était brisé à la fin de « *Qu'est-ce pour nous, mon cœur...* », de même le rêve inverse de charité a été brisé. Mais cette fois Rimbaud en avertit à l'avance son lecteur. **6.** La « bête féroce » dont il était question plus haut ; *cf.* « Honte ». **7.** L'illusion de l'« entreprise de charité ». Haine et charité, espoir et désespoir, ce sont toujours des inventions du démon. **8.** Avance-toi dans la mort. *Cf.* la fin de l'Avertissement des *Déserts de l'amour*. La Mort était la dernière « Sœur de charité ». **9.** *Cf.* le début de « Nuit de l'enfer » : « J'ai avalé une fameuse gorgée de poison. » La *Saison en enfer* lui a donné un avant-goût suffisant de la mort et de la damnation. **10.** Nous ne voyons pas pourquoi ce Satan serait Verlaine, comme le suggèrent J. Gengoux et S. Bernard. Comme Faust, le damné demande un sursis au démon : avant de se livrer à lui, il va lui livrer, pour apaiser son appétit, les « quelques feuillets » qui vont suivre. **11.** Les remords. **12.** Puisque la littérature satanique n'est que cris de révolte. **13.** *Cf.* l'invocation à la Gaule dans « Michel et Christine ». Les Gaulois, une race conquise, rebelle au christianisme qu'on lui a imposé : Rimbaud a peut-être lu Michelet. **14.** Détail peut-être emprunté à Chateaubriand qui écrivait dans le *Voyage en Amérique* : « Sidoine Apollinaire se plaignait d'être obligé [...] de fréquenter le Bourguignon qui se frottait les cheveux avec du beurre », et dans les *Mémoires d'outre-tombe* : « Le cheftain frank Khilpérick se frottait les cheveux avec du beurre aigre, *infundens acido comam butyro* ».

Les Gaulois étaient les écorcheurs de bêtes, les brûleurs d'herbes les plus ineptes de leur temps.

D'eux, j'ai : l'idolâtrie et l'amour du sacrilège ; — oh ! tous les vices, colère, luxure, — magnifique, la luxure ; — surtout mensonge et paresse.

J'ai horreur de tous les métiers. Maîtres et ouvriers, tous paysans, ignobles [1]. La main à plume vaut la main à charrue. — Quel siècle à mains ! — Je n'aurai jamais ma main. Après, la domesticité mène [2] trop loin. L'honnêteté de la mendicité me navre. Les criminels dégoûtent comme des châtrés : moi, je suis intact, et ça m'est égal.

Mais ! qui a fait ma langue perfide tellement, qu'elle ait guidé et sauvegardé jusqu'ici ma paresse ? Sans me servir pour vivre même de mon corps, et plus oisif que le crapaud, j'ai vécu partout. Pas une famille d'Europe que je ne connaisse. — J'entends des familles comme la mienne, qui tiennent tout de la déclaration des Droits de l'Homme. — J'ai connu chaque fils de famille !

Si j'avais des antécédents à un point quelconque de l'histoire de France !

Mais non, rien.

Il m'est bien évident que j'ai toujours été race inférieure. Je ne puis comprendre la révolte. Ma race ne se souleva jamais que pour piller [3] : tels les loups à la bête qu'ils n'ont pas tuée [4].

Je me rappelle l'histoire de la France fille aînée de l'Église [5]. J'aurais fait, manant, le voyage de terre sainte [6] ; j'ai dans la tête des routes dans les plaines souabes, des vues de Byzance, des remparts de Solyme [7] ; le culte de Marie, l'attendrissement sur le crucifié s'éveillent en moi parmi mille féeries profanes [8]. — Je suis assis, lépreux, sur les pots cassés et les

---

1. À la fois au sens littéral (non noble) et au sens figuré. **2.** Coquille dans l'édition originale : *même*. **3.** Une révolte instinctive, comme inconsciente. **4.** Phrase elliptique. On peut comprendre : tels les loups (qui sont inférieurs) à la bête qu'ils n'ont pas tuée. La « race inférieure », malgré sa violence, n'est pas parvenue à éliminer l'autre, qui mérite en cela d'être dite supérieure. **5.** Voir le témoignage de Delahaye (*Rimbaud, l'artiste et l'être moral*, p. 45) : « c'était vers la fin de l'hiver de 1871-1872. Il me parle d'un projet nouveau — qui le ramène aux poèmes en prose essayés l'année précédente, veut faire plus grand, plus vivant, plus pictural que Michelet, ce grand peintre de foules et d'actions collectives, a trouvé un titre : *L'Histoire magnifique*, débute par une série qu'il appelle la « Photographie des temps passés ». Il me lit plusieurs de ces poèmes [...]. Je me rappelle vaguement une sorte de Moyen Âge, mêlée rutilante à la fois et sombre, où se trouvaient les "étoiles de sang" et les "cuirasses d'or" dont Verlaine s'est souvenu pour un vers de *Sagesse* ». **6.** Le jeu de mots souligne la contradiction : le *manant* est, au sens étymologique du terme, celui qui reste, qui ne bouge pas. **7.** = Jérusalem. **8.** Un païen entraîné dans la Croisade.

orties, au pied d'un mur rongé par le soleil. — Plus tard, reître, j'aurais bivaqué[1] sous les nuits d'Allemagne.

Ah ! encore : je danse le sabbat dans une rouge clairière, avec des vieilles et des enfants[2].

Je ne me souviens pas plus loin que cette terre-ci et le christianisme. Je n'en finirais pas de me revoir dans ce passé. Mais toujours seul ; sans famille[3] ; même, quelle langue parlais-je ? Je ne me vois jamais dans les conseils du Christ ; ni dans les conseils des Seigneurs, — représentants du Christ[4].

Qu'étais-je au siècle dernier : je ne me retrouve qu'aujourd'hui. Plus de vagabonds, plus de guerres vagues[5]. La race inférieure a tout couvert[6] — le peuple, comme on dit, la raison ; la nation et la science.

Oh ! la science ! On a tout repris[7]. Pour le corps et pour l'âme, — le viatique, — on a la médecine et la philosophie, — les remèdes de bonnes femmes et les chansons populaires arrangés[8]. Et les divertissements des princes et les jeux qu'ils interdisaient[9] ! Géographie, cosmographie, mécanique, chimie !...

La science, la nouvelle noblesse[10] ! Le progrès. Le monde marche ! Pourquoi ne tournerait-il pas[11] ?

C'est la vision des nombres[12]. Nous allons à l'*Esprit*. C'est très-certain, c'est oracle, ce que je dis. Je comprends, et ne sachant m'expliquer sans paroles païennes, je voudrais me taire[13].

---

1. Autre emploi du manant : il est mercenaire. Les reîtres étaient des cavaliers allemands qui, à partir du XVe siècle, furent engagés par la France. Rimbaud choisit ici la forme *bivac* plus proche que *bivouac* de l'origine germanique du terme (*bei-Wacht*). **2.** Image amenée à la fois par *reître* (l'Allemagne), *profanes* (croyances hérétiques), *manant* (formes populaires de la superstition). Souvenir possible de la « Nuit de Walpurgis » où Méphistophélès entraîne Faust, dans le *Premier Faust* de Goethe. **3.** *Cf.* plus haut : il est sans « antécédents » ; et *cf.* l'Avertissement des *Déserts de l'amour*. **4.** Les deux autres ordres (clergé, noblesse) s'octroyant le privilège du christianisme, le tiers état auquel appartient constamment Rimbaud dans ses vies antérieures en est toujours exclu. *Cf. L'Histoire magnifique* qui a laissé à Delahaye « une image du XVIIe siècle, où le catholicisme de France paraît à l'apogée de son triomphe, et qu'il condensait, il me semble, en un personnage splendidement chapé et mitré d'or ». **5.** Les mots s'appellent. **6.** À la suite de la Révolution de 1789. **7.** Il n'existe plus de privilèges, plus de mystères. **8.** Expressions dérisoires qui viennent redoubler les précédentes et corriger l'hymne que Rimbaud a l'air d'entonner au progrès. **9.** Les livres de Prospéro interdits à Caliban dans *La Tempête* de Shakespeare... **10.** Slogan scientiste que Rimbaud reprend non sans ironie, ainsi que l'idéologie du Progrès. **11.** Jeu de mots et allusion plaisante au mot de Galilée : « Et pourtant elle [la terre] tourne. » **12.** L'arithmétique qui veut se promouvoir au rang de l'ancienne magie et qui est représentée par la vision des nombres pythagoricienne. **13.** Le langage, lui, ne progresse guère : constatation dérisoire qui suffirait à ruiner l'idéologie du progrès.

Le sang païen revient ! L'Esprit est proche, pourquoi Christ ne m'aide-t-il pas, en donnant à mon âme noblesse et liberté [1]. Hélas ! l'Évangile a passé ! l'Évangile ! l'Évangile [2].

J'attends Dieu avec gourmandise [3]. Je suis de race inférieure de toute éternité [4].

Me voici sur la plage armoricaine. Que les villes s'allument dans le soir. Ma journée est faite ; je quitte l'Europe. L'air marin brûlera mes poumons ; les climats perdus me tanneront. Nager, broyer l'herbe, chasser, fumer surtout ; boire des liqueurs fortes comme du métal bouillant, — comme faisaient ces chers ancêtres autour des feux.

Je reviendrai, avec des membres de fer, la peau sombre, l'œil furieux : sur mon masque, on me jugera d'une race forte. J'aurai de l'or : je serai oisif et brutal. Les femmes soignent ces féroces infirmes retour des pays chauds. Je serai mêlé aux affaires politiques. Sauvé.

Maintenant je suis maudit, j'ai horreur de la patrie. Le meilleur, c'est un sommeil bien ivre, sur la grève [5].

On ne part pas. — Reprenons les chemins d'ici, chargé de mon vice, le vice qui a poussé ses racines de souffrance à mon côté, dès l'âge de raison — qui monte au ciel, me bat, me renverse, me traîne [6].

La dernière innocence et la dernière timidité [7]. C'est dit. Ne pas porter au monde mes dégoûts et mes trahisons.

Allons ! La marche, le fardeau, le désert [8], l'ennui et la colère.

À qui me louer ? Quelle bête faut-il adorer ? Quelle sainte image attaque-t-on ? Quels cœurs briserai-je ? Quel mensonge dois-je tenir ? — Dans quel sang marcher ?

---

1. Après les privilèges sociaux et les privilèges intellectuels, il resterait à reprendre les privilèges spirituels. **2.** « Aucune réponse ne viendra plus, Rimbaud le sait maintenant, et qu'entre ce silence et l'anonymat futur de l'*Esprit*, il n'aura plus à compter que sur ses seules ressources » (Y. Bonnefoy, *Rimbaud par lui-même*, p. 114). Mais aucune réponse est-elle jamais venue ? L'Évangile semble avoir passé inutilement : ici et là, le même sang païen. **3.** Parce qu'il en a toujours été privé et qu'il en est privé encore. La reconquête des privilèges sur les « représentants du Christ » ne lui a pas donné Dieu. **4.** La Révolution n'a donc abouti à rien à cet égard. **5.** Ce départ sur la plage n'a été, pour l'instant, qu'un départ rêvé sur la grève. **6.** Non pas l'homosexualité, comme le disent d'ordinaire les commentateurs, mais son infériorité native. **7.** Céder en ne se révoltant pas (innocence) et en rentrant dans le rang (timidité) ; s'enfoncer dans l'infériorité. **8.** Non pas le désert africain, mais plutôt le désert de la civilisation européenne, de la société française, où l'inférieur de toute éternité va se résigner à porter son fardeau.

Plutôt, se garder de la justice[1]. — La vie dure, l'abrutissement simple[2], — soulever, le poing desséché, le couvercle du cercueil[3], s'asseoir, s'étouffer. Ainsi point de vieillesse, ni de dangers : la terreur n'est pas française.

— Ah ! je suis tellement délaissé que j'offre à n'importe quelle divine image des élans vers la perfection.

Ô mon abnégation, ô ma charité merveilleuse ! ici-bas, pourtant !

De profundis Domine, suis-je bête[4] !

Encore tout enfant, j'admirais le forçat[5] intraitable sur qui se referme toujours le bagne ; je visitais les auberges et les garnis qu'il aurait sacrés par son séjour ; je voyais *avec son idée* le ciel bleu et le travail fleuri de la campagne ; je flairais sa fatalité dans les villes. Il avait plus de force qu'un saint, plus de bon sens qu'un voyageur — et lui, lui seul ! pour témoin de sa gloire et de sa raison.

Sur les routes, par des nuits d'hiver, sans gîte, sans habits, sans pain, une voix étreignait mon cœur gelé : « Faiblesse ou force : te voilà, c'est la force[6]. Tu ne sais ni où tu vas ni pourquoi tu vas, entre partout, réponds à tout. On ne te tuera pas plus que si tu étais cadavre. » Au matin j'avais le regard si perdu et la contenance si morte, que ceux que j'ai rencontrés *ne m'ont peut-être pas vu*.

Dans les villes la boue m'apparaissait soudainement rouge et noire[7], comme une glace quand la lampe circule dans la chambre voisine[8], comme un trésor dans la forêt ! Bonne chance, criais-je, et je voyais une mer de flammes et de fumée au ciel ; et, à gauche, à droite, toutes les richesses flambant comme un milliard de tonnerres.

---

1. La justice comme institution sociale, cette fois. Au début de l'année 1873, Rimbaud et Verlaine s'étaient crus traqués (voir la correspondance de Verlaine). **2.** Il est pour Rimbaud deux sortes d'abrutissements : l'abrutissement simple imposé par la famille, la société, la religion ; les abrutissements qu'on s'impose à soi-même (voir la lettre à Delahaye de « jumphe » 72). **3.** Pour y prendre place déjà. « Le poing desséché » par une mort avant l'heure. Souvenir possible de Matthieu, XII, 9 *sqq.* (la guérison de l'homme à la main desséchée). **4.** Reprise dérisoire du psaume de pénitence. Un jeu de mots s'établit entre ce psaume et l'enfer évoqué par le livre. **5.** Souvenir possible de Jean Valjean dans *Les Misérables*, ce livre que Mme Rimbaud, dans sa lettre du 4 mai 1870, reprochait à Izambard de faire connaître à son fils. **6.** Le fait que tu existes est un signe suffisant de ta force. **7.** Le paysage prend des teintes d'apocalypse ; *cf.* « Enfance » V : « La boue est rouge ou noire. Ville monstrueuse, nuit sans fin ! » **8.** Autre image obsédante chez Rimbaud ; *cf.* le deuxième rêve dans *Les Déserts de l'amour*.

Mais l'orgie et la camaraderie des femmes m'étaient interdites[1]. Pas même un compagnon. Je me voyais devant une foule exaspérée, en face du peloton d'exécution, pleurant du malheur qu'ils n'aient pu comprendre, et pardonnant ! — Comme Jeanne d'Arc ! — « Prêtres, professeurs, maîtres, vous vous trompez en me livrant à la justice. Je n'ai jamais été de ce peuple-ci ; je n'ai jamais été chrétien ; je suis de la race qui chantait dans le supplice ; je ne comprends pas les lois ; je n'ai pas le sens moral, je suis une brute : vous vous trompez... »

Oui, j'ai les yeux fermés à votre lumière. Je suis une bête, un nègre. Mais je puis être sauvé. Vous êtes de faux nègres[2], vous maniaques, féroces, avares. Marchand, tu es nègre ; magistrat, tu es nègre ; général, tu es nègre ; empereur, vieille démangeaison[3], tu es nègre : tu as bu d'une liqueur non taxée, de la fabrique de Satan. — Ce peuple est inspiré par la fièvre et le cancer. Infirmes et vieillards sont tellement respectables qu'ils demandent à être bouillis. — Le plus malin est de quitter ce continent, où la folie rôde pour pourvoir d'otages ces misérables. J'entre au vrai royaume des enfants de Cham[4].

Connais-je encore la nature ? me connais-je ? — *Plus de mots*[5]. J'ensevelis les morts dans mon ventre[6]. Cris, tambour, danse, danse, danse, danse ! Je ne vois même pas l'heure où, les blancs débarquant, je tomberai au néant.

Faim, soif, cris, danse, danse, danse, danse !

Les blancs débarquent. Le canon ! Il faut se soumettre au baptême, s'habiller, travailler.

J'ai reçu au cœur le coup de la grâce[7]. Ah ! je ne l'avais pas prévu !

Je n'ai point fait le mal. Les jours vont m'être légers, le repentir me sera épargné. Je n'aurai pas eu les tourments de l'âme presque morte au

---

1. *Cf.* l'Avertissement des *Déserts de l'amour* : « n'ayant pas aimé de femmes, — quoique plein de sang ». Mais il ne faut pas oublier que Rimbaud revit ici en imagination l'existence du forçat. L'aveu, si aveu il y a, est aveu de solitude avant d'être aveu d'homosexualité. **2.** Voir l'article de Michel Courtois, « Le mythe du nègre chez Rimbaud », dans *Littérature*, octobre 1973, nº 11. Ces « faux nègres » sont des « nègres blancs », expression qu'on retrouvera dans les lettres de Rimbaud en Abyssinie. **3.** Reprise d'« Éviradnus » dans *La Légende des siècles* : « Est-ce que tu n'as pas des ongles, vil troupeau, / Pour ces démangeaisons d'empereurs sur ta peau ! » À cette date, Rimbaud n'a oublié ni Hugo ni Napoléon III, mort le 9 janvier 1873. **4.** Cham est l'ancêtre de la race noire dans la Bible. **5.** *Cf. Hamlet* : « *Words ! words ! words !* » **6.** Comme les anthropophages. **7.** La correction *le coup de grâce* ne s'impose nullement. Mais Rimbaud joue sur les deux expressions.

bien, où remonte la lumière sévère comme les cierges funéraires. Le sort du fils de famille, cercueil prématuré couvert de limpides larmes. Sans doute la débauche est bête, le vice est bête ; il faut jeter la pourriture à l'écart. Mais l'horloge ne sera pas arrivée à ne plus sonner que l'heure de la pure douleur ! Vais-je être enlevé comme un enfant, pour jouer au paradis dans l'oubli de tout le malheur !

Vite ! est-il d'autres vies ? — Le sommeil dans la richesse est impossible. La richesse a toujours été bien public. L'amour divin seul octroie les clefs de la science. Je vois que la nature n'est qu'un spectacle de bonté. Adieu chimères, idéals, erreurs.

Le chant raisonnable des anges s'élève du navire sauveur[1] : c'est l'amour divin. — Deux amours ! je puis mourir de l'amour terrestre, mourir de dévouement. J'ai laissé des âmes dont la peine s'accroîtra de mon départ ! Vous me choisissez parmi les naufragés ; ceux qui restent sont-ils pas mes amis ?

Sauvez-les !

La raison m'est née. Le monde est bon. Je bénirai la vie. J'aimerai mes frères. Ce ne sont plus des promesses d'enfance. Ni l'espoir d'échapper à la vieillesse et à la mort. Dieu fait ma force, et je loue Dieu.

L'ennui n'est plus mon amour. Les rages, les débauches, la folie, dont je sais tous les élans et les désastres, — tout mon fardeau est déposé. Apprécions sans vertige l'étendue de mon innocence[2].

Je ne serais plus capable de demander le réconfort d'une bastonnade. Je ne me crois pas embarqué pour une noce avec Jésus-Christ pour beau-père[3].

Je ne suis pas prisonnier de ma raison. J'ai dit : Dieu. Je veux la liberté dans le salut : comment la poursuivre ? Les goûts frivoles m'ont quitté. Plus besoin de dévouement ni d'amour divin. Je ne regrette pas le siècle des cœurs sensibles. Chacun a sa raison, mépris et charité : je retiens ma place au sommet de cette angélique échelle de bon sens.

Quant au bonheur établi, domestique ou non... non, je ne peux pas. Je suis trop dissipé, trop faible. La vie fleurit par le travail, vieille vérité : moi, ma vie n'est pas assez pesante, elle s'envole et flotte loin au-dessus de l'action, ce cher point du monde.

---

1. Le navire qui transporte les élus. Le damné ne peut être qu'un laissé-pour-compte, un naufragé. **2.** *Cf.* la lettre à Delahaye de mai 1873 : « Ô innocence ! innocence ; innocence, innoc... fléau ! » **3.** Reprise du thème évangélique des noces. Comme l'a suggéré Jean-Luc Steinmetz (*Œuvres* de Rimbaud, G-F, 1989, t. II, p. 197, n. 24), une logique sous-tend le texte : si la France est bien la « fille aînée de l'Église », et si le damné épouse la vie française, il a bien Jésus-Christ pour beau-père.

Comme je deviens vieille fille, à manquer du courage d'aimer la mort !

Si Dieu m'accordait le calme céleste, aérien, la prière, — comme les anciens saints. — Les saints ! des forts ! les anachorètes, des artistes comme il n'en faut plus !

Farce continuelle ! Mon innocence me ferait pleurer. La vie est la farce à mener par tous.

Assez ! Voici la punition. — *En marche*[1] *!*

Ah ! les poumons brûlent, les tempes grondent ! la nuit roule dans mes yeux, par ce soleil ! le cœur... les membres...

Où va-t-on ? au combat ? Je suis faible ! les autres avancent. Les outils, les armes... le temps !...

Feu ! feu sur moi ! Là ! ou je me rends. — Lâches ! — Je me tue ! Je me jette aux pieds des chevaux !

Ah !...

— Je m'y habituerai.

Ce serait la vie française, le sentier de l'honneur !

Nuit de l'enfer

J'ai avalé une fameuse gorgée de poison[2]. — Trois fois béni soit le conseil[3] qui m'est arrivé ! — Les entrailles me brûlent[4]. La violence du venin tord mes membres, me rend difforme, me terrasse. Je meurs de soif, j'étouffe, je ne puis crier. C'est l'enfer, l'éternelle peine ! Voyez comme le feu se relève ! Je brûle comme il faut. Va, démon !

---

1. L'expression est soulignée, car c'est le titre donné par Hugo à la cinquième partie des *Contemplations*. **2.** Cette « liqueur non taxée, de la fabrique de Satan » dont il est question dans « Mauvais sang ». Dans le Prologue, Rimbaud s'écriait : « Ah ! j'en ai trop pris ». **3.** Ce conseil est le conseil du démon dans le Prologue : « Gagne la mort » ; celui qui a poussé Rimbaud à vivre par anticipation une saison en enfer. La souffrance qu'il éprouve au cours de cette saison lui permet de connaître celle qu'il éprouverait s'il devait se trouver en enfer pour l'éternité. **4.** Supplice infernal traditionnel, celui de Tantale chez les Antiques, celui des faussaires chez Dante (*Enfer*, XXX, 18-21 ; le rapprochement est fait par Margherita Frankel dans *Le Code dantesque dans l'œuvre de Rimbaud*, Nizet, 1975, p. 196). Mais on sait que Rimbaud au printemps 1872 a souffert cet « Enfer de la soif » (titre prévu pour une autre version de la « Comédie de la Soif » et *cf.* la lettre à Delahaye de « jumphe » 72).

J'avais entrevu[1] la conversion au bien et au bonheur, le salut[2]. Puis-je décrire la vision[3], l'air de l'enfer ne souffre pas les hymnes ! C'était des millions de créatures charmantes, un suave concert spirituel, la force et la paix, les nobles ambitions, que sais-je ?

Les nobles ambitions[4] !

Et c'est encore la vie ! — Si la damnation est éternelle ! Un homme qui veut se mutiler[5] est bien damné, n'est-ce pas ? Je me crois en enfer, donc j'y suis. C'est l'exécution du catéchisme. Je suis esclave de mon baptême. Parents, vous avez fait mon malheur et vous avez fait le vôtre. Pauvre innocent ! — L'enfer ne peut attaquer les païens[6]. — C'est la vie encore ! Plus tard, les délices de la damnation seront plus profondes. Un crime, vite, que je tombe au néant, de par la loi humaine[7].

Tais-toi, mais tais-toi !... C'est la honte, le reproche, ici[8] : Satan qui dit que le feu est ignoble, que ma colère est affreusement sotte. — Assez !... Des erreurs qu'on me souffle, magies, parfums faux, musiques puériles[9]. — Et dire que je tiens la vérité, que je vois la justice : j'ai un jugement sain et arrêté, je suis prêt pour la perfection[10]... Orgueil. — La peau de ma tête se dessèche[11]. Pitié ! Seigneur, j'ai peur. J'ai soif[12], si soif ! Ah ! l'enfance, l'herbe, la pluie, le lac sur les pierres, *le clair de lune quand le clocher sonnait douze*[13]... le diable est au clocher, à cette heure. Marie ! Sainte-Vierge !... — Horreur de ma bêtise.

Là-bas[14], ne sont-ce pas des âmes honnêtes, qui me veulent du bien... Venez... J'ai un oreiller sur la bouche, elles ne m'entendent pas, ce sont des fantômes. Puis, jamais personne ne pense à autrui. Qu'on n'approche pas. Je sens le roussi, c'est certain.

---

1. Alors qu'il lui est donné de vivre l'enfer, il a seulement « entrevu » le paradis. **2.** *Cf.* « *Ô saisons, ô châteaux !* » et la fin d'« Alchimie du verbe ». **3.** « On n'est pas poète en enfer », écrivait Rimbaud dans le brouillon ; il a expliqué dans le Prologue que Satan « aim[e] dans l'écrivain l'absence des facultés descriptives ». **4.** Ambition implique attente, implique temps, implique vie, alors que la damnation est éternelle. **5.** Une phrase du début du brouillon permet d'expliquer cette mutilation : « La rage du désespoir m'emporte contre [...] moi, que je veux déchirer. » Il y a dans l'*Enfer* de Dante des damnés qui exercent leur violence contre eux-mêmes. **6.** Ils vont dans les Limbes. **7.** Qui le condamnera à mort. **8.** Et non pas les délices, comme Rimbaud essayait de se le persuader. **9.** Erreur aussi que les visions paradisiaques qu'on lui montre ; *cf.* plus haut « un suave concert spirituel ». **10.** Accuser les autres d'erreur, et se croire seul porteur de la vérité, c'est un trait d'orgueil, donc un péché, donc une raison supplémentaire d'être damné. **11.** Comme s'il était mort avant l'heure (*cf.* « le poing desséché » dans « Mauvais sang ») et desséché par le feu infernal. **12.** *Cf.* le « *Sitio* » du Christ, dont c'est l'avant-dernière parole (Jean, XIX, 28-29). **13.** Rappel d'un dicton populaire : le diable est au clocher quand sonnent les douze coups de minuit, et il faut se signer en invoquant la Sainte Vierge. Ce trait de superstition est inséparable de l'enfance de Rimbaud telle que ses parents la lui ont fait vivre : cette enfance elle-même le ramène à Satan. **14.** Au paradis.

Les hallucinations sont innombrables. C'est bien ce que j'ai toujours eu : plus de foi en l'histoire, l'oubli des principes. Je m'en tairai : poètes et visionnaires seraient jaloux. Je suis mille fois le plus riche, soyons avare comme la mer [1].

Ah ça ! l'horloge de la vie [2] s'est arrêtée tout à l'heure. Je ne suis plus au monde. — La théologie est sérieuse, l'enfer est certainement *en bas* — et le ciel en haut. — Extase, cauchemar, sommeil dans un nid de flammes [3].

Que de malices dans l'attention dans la campagne... Satan, Ferdinand [4], court avec les graines sauvages [5]... Jésus marche sur les ronces purpurines [6], sans les courber... Jésus marchait sur les eaux irritées. La lanterne [7] nous le montra debout, blanc et des tresses brunes, au flanc d'une vague d'émeraude...

Je vais dévoiler tous les mystères [8] : mystères religieux ou naturels, mort, naissance, avenir, passé, cosmogonie, néant. Je suis maître en fantasmagories.

---

1. Apologie du voyant par lui-même : c'est l'amorce du développement charlatanesque qu'on trouvera plus bas. « Avare comme la mer » qui ne rend pas ses trésors. **2.** Nouvel effort pour échapper au temps et au monde — à la vie — par l'hallucination. **3.** Rimbaud poursuit à la fois l'évocation de son enfance et celle de ses hallucinations. Elles ne sortiront ni l'une ni l'autre grandies du rapprochement. L'enfant a vu la campagne avec les yeux des gens superstitieux qui l'entouraient et qui lui ont fait voir partout des « malices » — des signes du Malin — comme ils lui en faisaient entendre dans les douze coups de la cloche. Mais les hallucinations du voyant n'ont pas été différentes : Rimbaud songe à certains de ses poèmes « égarés » de 1872, par exemple à « Michel et Christine » où l'ouragan de « mille graines sauvages » (et empoisonnées) au cours d'une après-midi d'« ombre et [de] soufre » annonçait l'invasion de hordes barbares. **4.** Selon Delahaye, nom donné au diable par les paysans vouzinois. **5.** La vision populaire des « malices », la vision populaire de « Jésus », ce sont toujours des hallucinations inspirées par la campagne (*cf.* dans les *Illuminations* le troisième alinéa de « Métropolitain » : « les derniers potagers de Samarie » — ce lieu proche de la ville où saint Jean voulait que le Christ eût rencontré la Samaritaine ; voir p. 388 — ne sont qu'une des « fantasmagories » inspirées par « la campagne »). **6.** Associations d'images : les graines (où la superstition paysanne devine la présence de Satan), les ronces (dont Jésus a été couronné par les soldats de Pilate en même temps qu'ils le revêtaient d'un manteau de pourpre ; Jean, XIX, 2 : d'où le raccourci « ronces purpurines »), Jésus marchant sur la mer, sur les eaux du lac de Tibériade qui « s'agitaient au souffle d'un grand vent » (Jean, VI, 16-21). Il est remarquable que Rimbaud poursuit ici sa lecture de l'Évangile selon saint Jean en reprenant le texte à l'endroit où il l'a laissé avec « Bethsaïda ». **7.** Appellation désinvolte pour saint Jean. Un peu plus haut dans le texte évangélique, le Christ compare Jean, son témoin, à « une lampe qui brûle et qui brille » (V, 35). On retrouvera la lanterne dans le troisième alinéa de « Métropolitain ». La manière dont Rimbaud « décolle » du texte évangélique pour évoquer la scène à sa façon n'est en rien différente de celle qu'on trouvait dans les « Proses "évangéliques" ». **8.** Comme il l'a fait précédemment, Rimbaud superpose l'apologie du voyant (la sienne) et l'apologie de Jésus par lui-même ; le rapprochement doit ruiner en même temps les deux boniments.

Écoutez !...

J'ai tous les talents ! — Il n'y a personne ici et il y a quelqu'un[1] : je ne voudrais pas répandre mon trésor[2]. Veut-on des chants nègres, des danses de houris[3] ? Veut-on que je disparaisse, que je plonge à la recherche de l'*anneau*[4] ? Veut-on ? Je ferai de l'or[5], des remèdes.

Fiez-vous donc à moi, la foi soulage, guide, guérit. Tous, venez, — même les petits enfants[6] — que je vous console, qu'on répande pour vous son cœur, — le cœur merveilleux ! — Pauvres hommes, travailleurs[7] ! Je ne demande pas de prières ; avec votre confiance seulement, je serai heureux[8].

— Et pensons à moi[9]. Ceci me fait peu regretter le monde. J'ai de la chance de ne pas souffrir plus[10]. Ma vie ne fut que folies douces, c'est regrettable.

Bah ! faisons toutes les grimaces imaginables[11].

Décidément, nous sommes hors du monde[12]. Plus aucun son. Mon tact[13] a disparu. Ah ! mon château, ma Saxe, mon bois de saules[14]. Les soirs, les matins, les nuits, les jours... Suis-je las[15] !

Je devrais avoir mon enfer pour la colère, mon enfer pour l'orgueil, — et l'enfer de la caresse ; un concert d'enfers[16].

Je meurs de lassitude. C'est le tombeau, je m'en vais aux vers, horreur de l'horreur ! Satan, farceur, tu veux me dissoudre, avec tes charmes. Je réclame. Je réclame ! un coup de fourche, une goutte de feu.

Ah ! remonter à la vie ! Jeter les yeux sur nos difformités. Et ce poison, ce

---

1. Premier talent : concilier des affirmations qui se détruisent (Dieu est là et il n'est pas là), imaginer la présence des absents. **2.** Deuxième talent : celui de l'intendant fidèle, et économe. « Je suis mille fois le plus riche, soyons avare comme la mer », disait plus haut le voyant ; et Jésus est également avare de ses trésors, selon Rimbaud (*cf.* « Mauvais sang » : « pourquoi Christ ne m'aide-t-il pas ? »). **3.** *Houri* : femme divinement belle que le Coran (LV, 56-78) promet, dans la vie future, au fidèle musulman. **4.** Pour le voyant, ce peut être l'anneau des Nibelungen ; pour le Christ, c'est l'anneau de son mariage avec l'Église (*cf.* le motif de la noce dans « Mauvais sang »). **5.** L'*or* renvoie à l'alchimiste, les *remèdes* au Christ guérisseur (*cf.* la seconde des « Proses "évangéliques" »). **6.** Matthieu, XIX, 13-15. **7.** Matthieu, XI, 28 : « Venez à moi, vous tous qui peinez et ployez sous le fardeau. » **8.** Jean, XVI, 27 : « Car le Père lui-même vous aime, parce que vous, vous m'avez aimé et que vous avez cru que moi je suis venu d'auprès de Dieu. » **9.** De même, après avoir prié pour ses disciples, Jésus prie pour lui-même, se félicitant d'avoir « vaincu le monde » et de le quitter (Jean, XVI, 33-XVII). **10.** Le voyant n'a pas, comme le Christ, à souffrir de Passion. **11.** Rimbaud vient de singer le Christ. **12.** Jean, XVII, 11 : « Et je ne suis plus dans le monde. » **13.** Mon sens du toucher. **14.** Retour des visions d'enfance, le temps d'un regret. J.-L. Steinmetz a suggéré que la « Saxe » pouvait renvoyer à *Faust*. C'est plutôt le luxe de la (porcelaine de) Saxe. **15.** Mais le temps n'inspire que lassitude. **16.** Si le paradis se définissait comme « un suave concert spirituel », ce « concert d'enfers » devient une sorte de paradis infernal.

baiser mille fois maudit[1] ! Ma faiblesse[2], la cruauté du monde ! Mon Dieu, pitié, cachez-moi, je me tiens trop mal ! — Je suis caché et je ne le suis pas.

C'est le feu qui se relève avec son damné[3].

Délires

I

Vierge folle.
L'Époux infernal

Écoutons la confession d'un compagnon d'enfer :

« Ô divin Époux, mon Seigneur[4], ne refusez pas la confession de la plus triste de vos servantes. Je suis perdue. Je suis soûle. Je suis impure. Quelle vie !

« Pardon, divin Seigneur, pardon ! Ah ! pardon ! Que de larmes ! Et que de larmes encore plus tard, j'espère !

« Plus tard, je connaîtrai le divin Époux ! Je suis née soumise à Lui. — L'autre[5] peut me battre maintenant !

« À présent, je suis au fond du monde[6] ! Ô mes amies !... non, pas mes amies... Jamais délires ni tortures semblables... Est-ce bête[7] !

« Ah ! je souffre, je crie. Je souffre vraiment. Tout pourtant m'est permis[8], chargée du mépris des plus méprisables cœurs.

« Enfin, faisons cette confidence, quitte à la répéter vingt autres fois, — aussi morne, aussi insignifiante !

« Je suis esclave[9] de l'Époux infernal, celui qui a perdu les vierges folles.

---

1. *Cf.* le « baiser putride de Jésus » dans « Les Premières Communions ». Ce n'est plus le poison, le conseil béni de Satan qui était évoqué au début ; mais l'inverse, le poison, le « baiser mille fois maudit » de Jésus. 2. Avec ces lâchetés qu'il avait annoncées dans le Prologue. 3. Retour au début du texte : « Voyez comme le feu se relève ! » 4. Dans l'Évangile, les Vierges folles supplient aussi le Seigneur : « Seigneur, Seigneur, ouvre-nous » (Matthieu, XXV, 11). 5. L'autre = l'Époux infernal ; il n'intervient pas dans le texte évangélique. 6. Dans l'enfer, qui selon la théologie est « en bas » (voir « Nuit de l'enfer »). 7. Le rapprochement s'impose avec « *De profundis Domine*, suis-je bête ! » dans « Mauvais sang ». Mais le sens n'est pas le même : l'expérience volontaire et comme provisionnelle de l'enfer, la saison en enfer, n'est pas de l'enfer pour rire (« Je souffre vraiment »), à tel point qu'il arrive au damné de regretter son expérience, de trouver « bête » d'avoir accepté. 8. Y compris de revenir en arrière. 9. Singulière limite à la liberté. Ce n'est pas tant une expérience volontaire que la conséquence de la fascination exercée sur la Vierge folle par le Démon.

C'est bien ce démon-là. Ce n'est pas un spectre, ce n'est pas un fantôme[1]. Mais moi qui ai perdu la sagesse, qui suis damnée et morte au monde, — on ne me tuera pas[2] ! — Comment vous le décrire[3] ! Je ne sais même plus parler. Je suis en deuil, je pleure, j'ai peur. Un peu de fraîcheur, Seigneur, si vous voulez, si vous voulez bien !

« Je suis veuve[4]... — J'étais veuve[5]... — mais oui, j'ai été bien sérieuse jadis, et je ne suis pas née pour devenir squelette !... — Lui était presque un enfant... Ses délicatesses mystérieuses m'avaient séduite. J'ai oublié tout mon devoir humain pour le suivre[6]. Quelle vie ! La vraie vie est absente. Nous ne sommes pas au monde[7]. Je vais où il va, il le faut. Et souvent il s'emporte contre moi, *moi, la pauvre âme*. Le Démon ! — C'est un Démon, vous savez, *ce n'est pas un homme*.

« Il dit : « Je n'aime pas les femmes. L'amour est à réinventer, on le sait. Elles ne peuvent plus que vouloir une position assurée[8]. La position gagnée, cœur et beauté sont mis de côté : il ne reste que froid dédain, l'aliment du mariage, aujourd'hui. Ou bien je vois des femmes, avec les signes du bonheur, dont, moi, j'aurai pu faire de bonnes camarades, dévorées tout d'abord par des brutes sensibles comme des bûchers[9]... »

« Je l'écoute faisant de l'infamie une gloire, de la cruauté un charme. « Je suis de race lointaine : mes pères étaient Scandinaves : ils se perçaient les côtes, buvaient leur sang. — Je me ferai des entailles partout le corps, je me tatouerai, je veux devenir hideux comme un Mongol : tu verras, je hurlerai dans les rues. Je veux devenir bien fou de rage. Ne me montre jamais de bijoux, je ramperais et me tordrais sur le tapis[10]. Ma richesse, je la voudrais tachée de sang partout. Jamais je ne travaillerai... » Plusieurs nuits, son démon[11] me saisissant, nous nous roulions, je luttais avec lui ! — Les nuits, souvent, ivre, il se poste dans des rues ou dans des maisons,

---

1. Contrairement aux créatures qui peuplent le paradis, ces « fantômes » (« Nuit de l'enfer »). **2.** *Cf.* « Mauvais sang » : « On ne te tuera pas plus que si tu étais cadavre. » **3.** Toujours la même impossibilité de décrire en enfer ; *cf.* le Prologue et le début de « Nuit de l'enfer » ; *cf.* surtout le « Je ne sais plus parler » de « Matin ». **4.** La Vierge folle par son imprudence a perdu l'Époux divin. L'imagerie de la parabole est poussée à son terme. **5.** Elle n'est plus veuve puisqu'elle a trouvé l'Époux infernal. **6.** En enfer. **7.** On cite souvent à contresens ces deux phrases parce qu'on les isole de leur contexte. **8.** *Cf.* « Les reparties de Nina ». **9.** *Cf.* la lettre à Demeny du 15 mai 1871, et la défense de la femme qu'elle contient. **10.** Même regard de cupidité dans le deuxième alinéa de « *Bottom* ». **11.** On est passé du Démon (= l'Époux infernal) au démon de l'Époux infernal (l'Époux pouvant être alors Rimbaud lui-même) : ce glissement permet la superposition des sens.

pour m'épouvanter mortellement. — « On me coupera vraiment le cou[1] ; ce sera dégoûtant[2]. » Oh ! ces jours où il veut marcher avec l'air du crime !

« Parfois il parle, en une façon de patois attendri, de la mort qui fait repentir, des malheureux qui existent certainement, des travaux pénibles, des départs qui déchirent les cœurs. Dans les bouges où nous nous enivrions, il pleurait en considérant ceux qui nous entouraient, bétail de la misère[3]. Il relevait les ivrognes dans les rues noires. Il avait la pitié d'une mère méchante pour les petits enfants. — Il s'en allait avec des gentillesses de petite fille au catéchisme[4]. — Il feignait d'être éclairé sur tout, commerce, art, médecine. — Je le suivais, il le faut !

« Je voyais tout le décor dont, en esprit, il s'entourait ; vêtements, draps, meubles : je lui prêtais des armes[5], une autre figure. Je voyais tout ce qui le touchait, comme il aurait voulu le créer pour lui. Quand il me semblait avoir l'esprit inerte, je le suivais, moi, dans des actions étranges et compliquées, loin, bonnes ou mauvaise : j'étais sûre de ne jamais entrer dans son monde. À côté de son cher corps endormi, que d'heures des nuits j'ai veillé[6], cherchant pourquoi il voulait tant s'évader de la réalité. Jamais homme n'eut pareil vœu. Je reconnaissais, — sans craindre pour lui, — qu'il pouvait être un sérieux danger dans la société. — Il a peut-être des secrets pour *changer la vie* ? Non, il ne fait qu'en chercher, me répliquais-je. Enfin sa charité est ensorcelée, et j'en suis la prisonnière. Aucune autre âme n'aurait assez de force, — force de désespoir ! — pour la supporter, — pour être protégée et aimée par lui. D'ailleurs, je ne me le figurais pas avec une autre âme : on voit son Ange, jamais l'Ange d'un autre, — je crois. J'étais dans son âme comme dans un palais qu'on a vidé pour ne pas voir une personne si peu noble que vous : voilà tout. Hélas ! je dépendais bien de lui. Mais que voulait-il avec mon existence terne et lâche ? Il ne me rendait pas meilleure, s'il ne me faisait pas mourir ! Tristement dépitée, je lui dis quelquefois : « Je te comprends. » Il haussait les épaules.

« Ainsi, mon chagrin se renouvelant sans cesse, et me trouvant plus égarée à mes yeux, — comme à tous les yeux qui auraient voulu me fixer, si je n'eusse été condamnée pour jamais à l'oubli de tous ! — j'avais de

---

1. *Cf.* « Nuit de l'enfer » : « Un crime, vite, que je tombe au néant, de par la loi humaine. »
2. Ce n'est pas le crime qui est « dégoûtant » (voir le Prologue), mais l'exécution du criminel.
3. Attendrissement qui n'est qu'une feinte. **4.** *Cf.* le charlatan de « Nuit de l'enfer ».
5. Des armoiries. **6.** Les Vierges folles sont condamnées à veiller : « Veillez donc, parce que vous ne savez ni le jour ni l'heure » (Matthieu, XXV, 13).

plus en plus faim de sa bonté. Avec ses baisers et ses étreintes amies, c'était bien un ciel, un sombre ciel, où j'entrais, et où j'aurais voulu être laissée, pauvre, sourde, muette, aveugle. Déjà j'en prenais l'habitude. Je nous voyais comme deux bons enfants, libres de se promener dans le Paradis de tristesse. Nous nous accordions. Bien émus, nous travaillions ensemble. Mais, après une pénétrante caresse, il disait : « Comme ça te paraîtra drôle, quand je n'y serai plus, ce par quoi tu as passé. Quand tu n'auras plus mes bras sous ton cou, ni mon cœur pour t'y reposer, ni cette bouche sur tes yeux. Parce qu'il faudra que je m'en aille, très-loin, un jour. Puis il faut que j'en aide d'autres : c'est mon devoir. Quoique ce ne soit guère ragoûtant..., chère âme... » Tout de suite je me pressentais, lui parti, en proie au vertige, précipitée dans l'ombre la plus affreuse : la mort. Je lui faisais promettre qu'il ne me lâcherait pas. Il l'a faite vingt fois, cette promesse d'amant. C'était aussi frivole que moi lui disant : « Je te comprends. »

« Ah ! je n'ai jamais été jalouse de lui. Il ne me quittera pas, je crois. Que devenir ? Il n'a pas une connaissance ; il ne travaillera jamais. Il veut vivre somnambule. Seules, sa bonté et sa charité lui donneraient-elles droit dans le monde réel ? Par instants, j'oublie la pitié où je suis tombée : lui me rendra forte, nous voyagerons, nous chasserons dans les déserts, nous dormirons sur les pavés des villes inconnues, sans soins, sans peines. Ou je me réveillerai, et les lois et les mœurs auront changé, — grâce à son pouvoir magique[1], — le monde, en restant le même, me laissera à mes désirs, joies, nonchalances. Oh ! la vie d'aventures qui existe dans les livres des enfants, pour me récompenser, j'ai tant souffert, me la donneras-tu ? Il ne peut pas. J'ignore son idéal. Il m'a dit avoir des regrets, des espoirs : cela ne doit pas me regarder. Parle-t-il à Dieu ? Peut-être devrais-je m'adresser à Dieu. Je suis au plus profond de l'abîme[2], et je ne sais plus prier.

« S'il m'expliquait ses tristesses, les comprendrais-je plus que ses railleries ? Il m'attaque, il passe des heures à me faire honte de tout ce qui m'a pu toucher au monde, et s'indigne si je pleure.

« — Tu vois cet élégant jeune homme, entrant dans la belle et calme maison : il s'appelle Duval[3], Dufour, Armand, Maurice, que sais-je ? Une

---

1. *Cf.* les « charmes » de Satan dans « Nuit de l'enfer ». **2.** Retour du motif du *De profundis* et *cf.* « Nuit de l'enfer » : « l'air de l'enfer ne souffre pas les hymnes. » **3.** On a cru voir ici une réminiscence de *La Dame aux camélias* où Marguerite meurt abandonnée par son amant Armand Duval ; une pièce tirée du roman d'Alexandre Dumas fils avait été jouée à Londres en juin 1873. Le « fils de famille » est déjà apparu comme le type du débauché dans « Mauvais sang », sixième partie.

femme s'est dévouée à aimer ce méchant idiot : elle est morte, c'est certes une sainte au ciel, à présent. Tu me feras mourir comme il a fait mourir cette femme. C'est notre sort, à nous, cœurs charitables... » Hélas ! il avait des jours où tous les hommes agissant lui paraissaient les jouets de délires grotesques : il riait affreusement, longtemps. — Puis, il reprenait ses manières de jeune mère, de sœur aimée[1]. S'il était moins sauvage, nous serions sauvés ! Mais sa douceur aussi est mortelle. Je lui suis soumise. — Ah ! je suis folle !

« Un jour peut-être il disparaîtra merveilleusement ; mais il faut que je sache, s'il doit remonter à un ciel, que je voie un peu l'assomption de mon petit ami ! »

Drôle de ménage !

Délires

II
Alchimie du verbe

À moi[2]. L'histoire d'une de mes folies.

Depuis longtemps je me vantais de posséder tous les paysages possibles, et trouvais dérisoires les célébrités de la peinture et de la poésie moderne.

J'aimais les peintures idiotes, dessus de portes, décors, toiles de saltimbanques, enseignes, enluminures populaires ; la littérature démodée, latin d'église, livres érotiques sans orthographe, romans de nos aïeules, contes de fées, petits livres de l'enfance, opéras vieux[3], refrains niais, rhythmes naïfs.

Je rêvais croisades, voyages de découvertes dont on n'a pas de relations, républiques sans histoires, guerres de religion étouffées, révolu-

---

1. La correction « sœur aînée » ne se justifie pas. **2.** C'est « à moi » de parler. Après avoir donné la parole à la Vierge folle — à Verlaine —, Rimbaud reprend la parole. Si l'on n'admet pas cette interprétation, on peut constater la fréquence de ce retour à soi dans *Une saison en enfer* après des mouvements de charité réels ou feints ; *cf.* « Et pensons à moi » dans « Nuit de l'enfer ». **3.** On a souvent vu là des allusions à Favart, également cher à Verlaine. D'après « Il pleure dans mon cœur » et son épigraphe signée Arthur Rimbaud « Il pleut doucement sur la ville », on pourrait penser qu'ils ont été tentés de collaborer à des « Ariettes oubliées ».

tions de mœurs, déplacements de races et de continents[1] : je croyais à tous les enchantements[2].

J'inventai la couleur des voyelles[3] ! — *A* noir, *E* blanc, *I* rouge, *O* bleu, *U* vert. — Je réglai la forme et le mouvement de chaque consonne, et, avec des rhythmes instinctifs[4], je me flattai d'inventer[5] un verbe poétique accessible, un jour ou l'autre, à tous les sens[6]. Je réservais la traduction.

Ce fut d'abord une étude. J'écrivais des silences, des nuits[7], je notais l'inexprimable. Je fixais des vertiges.

Loin des oiseaux, des troupeaux, des villageoises,
Que buvais-je, à genoux dans cette bruyère
Entourée de tendres bois de noisetiers,
Dans un brouillard d'après-midi tiède et vert !

Que pouvais-je boire dans cette jeune Oise,
— Ormeaux sans voix, gazon sans fleurs, ciel couvert ! —
Boire à ces gourdes jaunes, loin de ma case
Chérie ? Quelque liqueur d'or qui fait suer.

Je faisais une louche enseigne d'auberge.
— Un orage vint chasser le ciel. Au soir
L'eau des bois se perdait sur les sables vierges,
Le vent de Dieu jetait des glaçons aux mares ;

Pleurant, je voyais de l'or — et ne pus boire[8]. —

À quatre heures du matin, l'été,
Le sommeil d'amour dure encore.
Sous les bocages s'évapore
    L'odeur du soir fêté.

---

1. *Cf.* les « Péninsules démarrées » dans « Le Bateau ivre » ; le double motif reparaît dans les *Illuminations*. **2.** La magie, dont l'alchimie n'est qu'une des formes. **3.** Autre exercice préparatoire, qui complète le précédent. Rimbaud respecte ici l'ordre alphabétique (*cf.* « Voyelles », pp. 279-280). **4.** Donc eux aussi naïfs. **5.** Le mot *inventer* est répété ; *cf.* « Vies » II : « Je suis un inventeur bien autrement méritant que tous ceux qui m'ont précédé. » **6.** L'expression est ambiguë : s'agit-il d'un prolongement de l'expérience baudelairienne des correspondances (poétique du transfert) ou d'une volonté totale de polysémie que Rimbaud soulignait quand il déclarait à sa mère qu'il fallait le lire « littéralement et dans tous les sens » ? **7.** Complément d'objet plutôt que complément circonstanciel de temps. **8.** Autre version de « Larme » (voir pp. 329-330), plus courte de trois vers et avec des variantes. Les visions ont disparu, à l'exception de l'or.

Là-bas, dans leur vaste chantier
Au soleil des Hespérides,
Déjà s'agitent — en bras de chemise —
    Les Charpentiers.

Dans leurs Déserts de mousse, tranquilles,
Ils préparent les lambris précieux
    Où la ville
Peindra de faux cieux.

Ô, pour ces Ouvriers charmants
Sujets d'un roi de Babylone,
Vénus ! quitte un instant les Amants
Dont l'âme est en couronne.

    Ô Reine des Bergers,
Porte aux travailleurs l'eau-de-vie,
Que leurs forces soient en paix
En attendant le bain dans la mer à midi [1].

La vieillerie poétique [2] avait une bonne part dans mon alchimie du verbe.

Je m'habituai à l'hallucination simple : je voyais très-franchement une mosquée à la place d'une usine, une école de tambours faite par des anges, des calèches sur les routes du ciel [3], un salon au fond d'un lac ; les monstres, les mystères ; un titre de vaudeville [4] dressait des épouvantes devant moi.

Puis j'expliquai mes sophismes magiques avec l'hallucination des mots !

Je finis par trouver sacré le désordre de mon esprit. J'étais oisif, en proie à une lourde fièvre : j'enviais la félicité des bêtes, — les chenilles, qui représentent l'innocence des limbes [5], les taupes, le sommeil de la virginité !

Mon caractère s'aigrissait. Je disais adieu au monde dans d'espèces de romances :

---

1. Autre version de « Bonne pensée du matin » (voir pp. 341-342), poème daté, comme le précédent, de mai 1872. Nombreuses variantes dans l'ordre des mots, vers encore plus souple. Les deux poèmes cités se complètent : heure diurne/heure nocturne ; paysage rural/paysage urbain. **2.** C'est la conséquence des goûts exprimés plus haut. **3.** Des rapprochements sont possibles avec « Nocturne vulgaire » et avec « Soir historique » (« On joue aux cartes au fond de l'étang »), dans les *Illuminations*. **4.** *Michel et Christine* était le titre d'un vaudeville de Scribe. **5.** Retour des thèmes de l'innocence et du paganisme (les païens vont dans les Limbes) tandis que monte la fièvre, le feu infernal.

CHANSON DE LA PLUS HAUTE TOUR

Qu'il vienne, qu'il vienne,
Le temps dont on s'éprenne.

J'ai tant fait patience
Qu'à jamais j'oublie.
Craintes et souffrances
Aux cieux sont parties.
Et la soif malsaine
Obscurcit mes veines.

Qu'il vienne, qu'il vienne,
Le temps dont on s'éprenne.

Telle la prairie
À l'oubli livrée,
Grandie, et fleurie
D'encens et d'ivraies,
Au bourdon farouche
Des sales mouches.

Qu'il vienne, qu'il vienne,
Le temps dont on s'éprenne[1].

J'aimai le désert, les vergers brûlés, les boutiques fanées, les boissons tiédies. Je me traînais dans les ruelles puantes et, les yeux fermés, je m'offrais au soleil, dieu de feu.

« Général[2], s'il reste un vieux canon sur tes remparts en ruines, bombarde-nous avec des blocs de terre sèche[3]. Aux glaces des magasins splendides ! dans les salons ! Fais manger sa poussière à la ville. Oxyde les gargouilles. Emplis les boudoirs de poudre de rubis brûlante... »

---

1. Troisième version, singulièrement écourtée, d'un autre poème de mai 1872. Rimbaud ne garde que les strophes 3 et 4 et met en valeur le refrain. L'insertion du texte était prévue plus tard dans le brouillon. **2.** Invocation au Général Soleil, qui n'est pas la citation d'une Illumination perdue, comme l'a suggéré Bouillane de Lacoste. Mais c'est aussi le rêve d'une destruction du monde par le feu. Le passage est sensiblement plus développé dans le brouillon. **3.** Pour empêcher l'eau de couler et donc tout assécher.

Oh ! le moucheron enivré à la pissotière de l'auberge, amoureux de la bourrache[1], et que dissout un rayon !

FAIM

Si j'ai du goût, ce n'est guère
Que pour la terre et les pierres.
Je déjeune toujours d'air,
De roc, de charbons, de fer.

Mes faims, tournez. Paissez, faims,
 Le pré des sons.
Attirez le gai venin
 Des liserons.

Mangez les cailloux qu'on brise,
Les vieilles pierres d'églises ;
Les galets des vieux déluges,
Pains semés dans les vallées grises[2].

Le loup criait sous les feuilles[3]
En crachant les belles plumes
De son repas de volailles :
Comme lui je me consume.

Les salades, les fruits
N'attendent que la cueillette ;
Mais l'araignée de la haie
Ne mange que des violettes.

Que je dorme ! que je bouille
Aux autels de Salomon[4].

---

1. Plante sudorifique à laquelle Rimbaud prête des propriétés magiques (*cf.* « L'air léger et charmant de la Galilée »). **2.** Version abrégée d'un poème de 1872, « Fêtes de la faim ». **3.** Seule version connue de ces vers qui peuvent constituer, soit un poème autonome, soit une variante des dernières strophes de « Fêtes de la faim ». **4.** Les autels construits par Salomon à Jérusalem (II Chroniques, IV).

Le bouillon court sur la rouille[1],
Et se mêle au Cédron[2].

Enfin, ô bonheur, ô raison, j'écartai du ciel l'azur[3], qui est du noir, et je vécus, étincelle d'or de la lumière *nature*[4].

De joie, je prenais une expression bouffonne et égarée au possible :

Elle est retrouvée !
Quoi ? l'éternité.
C'est la mer mêlée
Au soleil.

Mon âme éternelle,
Observe ton vœu
Malgré la nuit seule
Et le jour en feu.

Donc tu te dégages
Des humains suffrages,
Des communs élans !
Tu voles selon...

— Jamais l'espérance.
Pas d'*orietur*.
Science et patience,
Le supplice est sûr.

Plus de lendemain,
Braises de satin,
Votre ardeur
Est le devoir.

---

1. *Cf.* plus haut « Oxyde les gargouilles » ; la *rouille* est, plutôt qu'un élément culinaire, un motif lié au thème de la sécheresse. **2.** Torrent qui sépare Jérusalem du mont des Oliviers ; c'est près du Cédron que Jésus, trahi par Judas, est saisi par les gardes (Jean, XVIII). **3.** *Cf.* le brouillon : « J'écartais le ciel, l'azur, qui est du noir. » L'azur n'est pas lumineux au point de paraître noir, comme le suggère S. Bernard ; au contraire il paraît encore trop peu lumineux, comme un voile qui cache le plein éclat du soleil et qu'il faut écarter. **4.** *Cf.* « Bannières de mai ».

Elle est retrouvée !
— Quoi ? — l'Éternité.
C'est la mer mêlée
Au soleil[1].

Je devins un opéra fabuleux[2] : je vis que tous les êtres ont une fatalité de bonheur[3] : l'action n'est pas la vie, mais une façon de gâcher quelque force, un énervement[4]. La morale est la faiblesse de la cervelle.

À chaque être[5], plusieurs *autres* vies me semblaient dues. Ce monsieur ne sait ce qu'il fait : il est un ange. Cette famille est une nichée de chiens. Devant plusieurs hommes, je causai tout haut avec un moment d'une de leurs autres vies[6]. — Ainsi, j'ai aimé un porc[7].

Aucun des sophismes de la folie, — la folie qu'on enferme[8], — n'a été oublié par moi : je pourrais les redire tous, je tiens le système[9].

Ma santé fut menacée. La terreur venait. Je tombais dans des sommeils de plusieurs jours, et, levé, je continuais les rêves les plus tristes. J'étais mûr pour le trépas, et par une route de dangers ma faiblesse me menait aux confins du monde et de la Cimmérie[10], patrie de l'ombre et des tourbillons.

Je dus voyager, distraire les enchantements[11] assemblés sur mon cerveau. Sur la mer, que j'aimais comme si elle eût dû me laver d'une souillure[12], je voyais se lever la croix consolatrice[13]. J'avais été damné par l'arc-

---

1. Autre version, avec des variantes notables, de « L'Éternité », autre poème de mai 1872. L'avant-dernière strophe, en particulier, est beaucoup plus libre (ou librement citée). **2.** *Cf.* le brouillon « De joie je devins un opéra fabuleux ». Rimbaud prévoyait alors une illustration poétique qu'il a supprimée : « Âge d'or ». **3.** Le brouillon montre que cette phrase ne se rattache pas vraiment à ce qui précède (malgré les deux points). Rimbaud prévoyait une nouvelle étape de « stupidité complète ». Tous les êtres n'ont qu'une destination : le bonheur. **4.** Ce sophisme doit justifier le refus du travail, le suivant le refus de la morale. **5.** En raison de sa « fatalité de bonheur ». La pensée de la mort au terme d'une vie unique viendrait troubler cette félicité. **6.** *Cf.* « Vies » dans les *Illuminations*. **7.** L'allusion à Verlaine s'impose moins que le rapprochement avec la lettre à Delahaye de « jumphe » 72 : « de voir [...] que chacun est un porc, je hais l'été. » **8.** Jeu de mots : on enferme les fous ; mais il y a aussi une sorte de boîte de Pandore où l'on enfermait jusqu'ici les sophismes de la Folie, et dont Rimbaud croit avoir trouvé la clef (« je tiens le système »). **9.** Sur le brouillon, Rimbaud se proposait d'insérer ici « Mémoire ». **10.** Pays de ténèbres près duquel les Anciens plaçaient le séjour des morts. Le brouillon prouve que Rimbaud se souvient ici du chant XI de l'*Odyssée*. Ce moment devait être illustré par le poème « Confins du monde », non retrouvé ou non identifié. **11.** Enchantements dont l'apprenti-sorcier n'est plus maître. **12.** *Cf.* « Le Bateau ivre ». **13.** Hallucination involontaire qui est le signe de la « faiblesse » de la cervelle du voyant.

en-ciel[1]. Le Bonheur[2] était ma fatalité[3], mon remords, mon ver : ma vie serait toujours trop immense pour être dévouée à la force et à la beauté.

Le Bonheur ! Sa dent, douce à la mort[4], m'avertissait au chant du coq, — *ad matutinum*, au *Christus venit*[5], — dans les plus sombres villes :

Ô saisons, ô châteaux !
Quelle âme est sans défauts[6] ?

J'ai fait la magique étude
Du bonheur, qu'aucun n'élude.

Salut à lui, chaque fois
Que chante le coq gaulois.

Ah ! je n'aurai plus d'envie :
Il s'est chargé de ma vie.

Ce charme a pris âme et corps
Et dispersé les efforts.

Ô saisons, ô châteaux !

L'heure de sa fuite, hélas !
Sera l'heure du trépas[7].

Ô saisons, ô châteaux !

---

1. Signe de l'alliance fatale que Dieu a cru devoir conclure avec l'homme après le Déluge (voir Genèse, IX, 12 *sq.*). Il condamne Rimbaud à la damnation, comme le baptême dans « Nuit de l'enfer ». **2.** Il n'y échappe pas plus que les autres êtres, et cela l'amène à désirer une autre vie, un au-delà ; le Bonheur l'incite au remords (la lâcheté) ; il le ronge (« mon ver ») **3.** Lui qui a voulu la force et la beauté, il est contraint à faire de sa vie une quête du Bonheur. **4.** L'expression est très elliptique : le Bonheur est un rongeur (sa dent) et il invite à la mort en la faisant passer pour douce. C'est au Bonheur des chrétiens que Rimbaud s'en prend. **5.** C'est l'heure où saint Pierre a renié le Christ, mais c'est aussi, dans la liturgie, le moment du repentir et de la conversion. Jean-Claude Morisot (*Claudel et Rimbaud*, Minard, 1976) rappelle à juste titre l'hymne des laudes du dimanche qui figure par le réveil au chant du coq la conversion personnelle, liée au repentir de Pierre : « *Gallo canente spes redit,/ Aegris salus refunditur,/ Mucro latronis conditur,/ Lapsis fides revertitur*. » On peut aussi songer à *Hamlet*, I, 1 : « Certains disent qu'en ce temps de l'année qui précède la célébration de la naissance du Seigneur, l'oiseau de l'aube chante toute la nuit » (trad. d'André Gide). Ce chant est donc une invitation à la conversion pour trouver le Bonheur. **6.** Nouvelle version d'un autre poème non daté. **7.** L'ajout de ce dernier distique constitue la variante la plus remarquable. C'est une chute : la promesse se révèle trompeuse ; la mort n'est pas l'introduction au bonheur, elle en est la fin.

Cela s'est passé. Je sais aujourd'hui saluer la beauté[1].

L'Impossible

Ah ! cette vie de mon enfance[2], la grande route par tous les temps, sobre surnaturellement, plus désintéressé que le meilleur des mendiants, fier de n'avoir ni pays, ni amis, quelle sottise c'était[3]. — Et je m'en aperçois seulement !

— J'ai eu raison de mépriser ces bonshommes[4] qui ne perdraient pas l'occasion d'une caresse, parasites de la propreté et de la santé de nos femmes, aujourd'hui qu'elles sont si peu d'accord avec nous[5].

J'ai eu raison dans tous mes dédains : puisque je m'évade[6].

Je m'évade !

Je m'explique.

Hier encore, je soupirais : « Ciel ! sommes-nous assez de damnés ici-bas ! Moi, j'ai tant de temps déjà dans leur troupe[7] ! Je les connais tous. Nous nous reconnaissons toujours ; nous nous dégoûtons. La charité nous est inconnue. Mais nous sommes polis ; nos relations avec le monde sont très-convenables. » Est-ce étonnant ? Le monde ! les marchands, les naïfs ! — Nous ne sommes pas déshonorés[8]. —

Mais les élus, comment nous recevraient-ils[9] ? Or il y a des gens hargneux et joyeux, de faux élus, puisqu'il nous faut de l'audace ou de l'hu-

---

1. Comme on salue quelqu'un pour prendre congé de lui ? L'expression reste ambiguë. Le brouillon était sensiblement différent : « Salut à la bont[é] ». Mais il invitait bien à renoncer à la littérature, ou à une certaine forme de littérature : « Cela s'est passé peu à peu./ Je hais maintenant les élans mystiques et les bizarreries de style./ Maintenant je puis dire que l'art est une sottise. » **2.** Retour sur son enfance comme dans « Mauvais sang » (cinquième partie : « Sur les routes, par des nuits d'hiver, sans gîte, sans habits, sans pain ») et dans « Nuit de l'enfer » (« Ah ! l'enfance, l'herbe, la pluie [...] »). **3.** Cette première tentative d'une fuite impossible n'était que « sottise ». **4.** Les « faux nègres » invectivés dans « Mauvais sang ». **5.** D'où l'enfer des femmes évoqué à la fin d'« Adieu ». **6.** Fantasme d'une fugue nouvelle. **7.** La « saison » a trop duré. **8.** Aux yeux du monde qui se contente des apparences. **9.** La fugue envisagée « hier » était fuite loin de l'enfer pour trouver le paradis des « élus ». Mais les « élus » ne sont pas aussi « naïfs » que les gens du monde.

milité pour les aborder. Ce sont les seuls élus. Ce ne sont pas des bénisseurs[1] !

M'étant retrouvé deux sous de raison — ça passe vite ! — je vois que mes malaises viennent de ne m'être pas figuré assez tôt que nous sommes à l'Occident. Les marais occidentaux[2] ! Non que je croie la lumière altérée, la forme exténuée, le mouvement égaré[3]... Bon ! voici que mon esprit veut absolument se charger de tous les développements cruels qu'a subis l'esprit depuis la fin de l'Orient[4]... Il en veut, mon esprit !

... Mes deux sous de raison sont finis ! — L'esprit est autorité[5], il veut que je sois en Occident. Il faudrait le faire taire pour conclure comme je voulais.

J'envoyais au diable[6] les palmes des martyrs, les rayons de l'art, l'orgueil des inventeurs, l'ardeur des pillards ; je retournais à l'Orient et à la sagesse première et éternelle. — Il paraît que c'est un rêve de paresse grossière !

Pourtant, je ne songeais guère au plaisir d'échapper aux souffrances modernes. Je n'avais pas en vue la sagesse bâtarde du Coran[7]. — Mais n'y a-t-il pas un supplice réel en ce que, depuis cette déclaration de la science, le christianisme[8], l'homme *se joue*[9], se prouve les évidences, se gonfle du plaisir de répéter ces preuves, et ne vit que comme cela ! Torture subtile, niaise ; source de mes divagations spirituelles[10]. La nature pourrait s'ennuyer, peut-être[11] ! M. Prudhomme est né avec le Christ.

N'est-ce pas parce que nous cultivons la brume ! Nous mangeons la

---

1. Glissements successifs (« élus », « faux élus », « seuls élus ») qui vident le terme même de son sens : ces prétendus élus qui repousseraient le damné fugitif, « gens hargneux », repliés sur leur joie égoïste, ignorent eux aussi la charité. Nouveau sophisme qui doit détruire le message évangélique. **2.** Ceux que retrouvait le bateau ivre au terme de sa course. Ils deviennent ici des marais infernaux (le Styx des Anciens, les marais de l'*Enfer* de Dante). L'Occident sera donc l'enfer même qu'il faut fuir. **3.** Comme le remarque très finement Yves Bonnefoy, Rimbaud, au moment même où il dénonce l'Occident, retombe sous l'empire des catégories occidentales (celles d'Aristote : la forme, le mouvement) et s'en rend compte. **4.** L'Orient n'est pas seulement une autre partie du monde ; il est une autre partie du temps, un en-deçà de l'histoire occidentale, qui prend valeur d'âge d'or. **5.** Tyrannie de l'esprit formé aux catégories occidentales. **6.** Rimbaud reprend le fil du raisonnement brisé par l'esprit. L'expression est plaisante pour un damné qui cherche à s'échapper de l'enfer. **7.** Le fatalisme. Le Coran est bâtard puisqu'il part de l'Écriture. L'Orient désiré de Rimbaud est l'Orient antéislamique. **8.** Apposition à « cette déclaration de la science ». Jésus se présente comme celui qui sait : « vrai est mon témoignage, parce que je sais d'où je suis venu et où je m'en vais » (Jean, VIII, 14). **9.** Se trompe lui-même. **10.** C'est à cette torture qu'il veut échapper, et il la connaît bien puisque — les proses précédentes l'ont montré — il lui arrive de revenir aux préceptes du christianisme qu'on lui a imposés. **11.** Si elle était seule... Parodie d'une de ces preuves niaises dont M. Prudhomme, le bourgeois stupide, se contenterait.

fièvre avec nos légumes aqueux. Et l'ivrognerie ! et le tabac ! et l'ignorance ! et les dévouements ! — Tout cela est-il assez loin de la pensée de la sagesse de l'Orient, la patrie primitive ? Pourquoi un monde moderne, si de pareils poisons s'inventent !

Les gens d'Église diront : C'est compris. Mais vous voulez parler de l'Eden. Rien pour vous dans l'histoire des peuples orientaux. — C'est vrai ; c'est à l'Eden que je songeais ! Qu'est-ce que c'est pour mon rêve, cette pureté des races antiques [1] !

Les philosophes : Le monde n'a pas d'âge. L'humanité se déplace, simplement. Vous êtes en Occident, mais libre d'habiter dans votre Orient, quelque ancien qu'il vous le faille, — et d'y habiter bien. Ne soyez pas un vaincu. Philosophes, vous êtes de votre Occident [2] !

Mon esprit [3], prends garde. Pas de partis de salut violents. Exerce-toi ! — Ah ! la science ne va pas assez vite pour nous !

— Mais je m'aperçois que mon esprit dort.

S'il était bien éveillé toujours à partir de ce moment, nous serions bientôt à la vérité, qui peut-être nous entoure avec ses anges pleurant !... — S'il avait été éveillé jusqu'à ce moment-ci, c'est que je n'aurais pas cédé aux instincts délétères, à une époque immémoriale !... — S'il avait toujours été bien éveillé, je voguerais en pleine sagesse !...

Ô pureté ! pureté !

C'est cette minute d'éveil [4] qui m'a donné la vision de la pureté ! — Par l'esprit on va à Dieu [5] !

Déchirante infortune !

---

1. La pureté du premier couple humain avant la chute n'est rien à côté de l'objet de son rêve. **2.** Un sophisme, un « impératif catégorique » : voilà toute la réponse des philosophes, reclus dans leurs catégories occidentales. **3.** Occidental, lui aussi, et rebelle au rêve oriental. Rimbaud veut bien céder à son autorité : mais il le découvre lent, endormi, nul. **4.** Celle qui correspond aux « deux sous de raison » qu'il avait réussi à retrouver — à dérober à l'esprit. **5.** Précepte qu'on a voulu lui imposer et qui pourrait correspondre encore à l'enseignement évangélique (Jean, XIV, 26 : « le Paraclet, l'Esprit, l'Esprit saint, qu'enverra le Père en mon nom, lui vous enseignera tout et vous rappellera tout ce que moi je vous ai dit »). Rimbaud joue sur le mot « esprit » et, après la description qu'il en a faite, il peut souligner le caractère dérisoire, désespérant, d'une semblable proposition.

L'Éclair

Le travail humain[1] ! c'est l'explosion qui éclaire mon abîme[2] de temps en temps.

« Rien n'est vanité[3] ; à la science, et en avant ! » crie l'Ecclésiaste moderne, c'est-à-dire *Tout le monde*. Et pourtant les cadavres des méchants et des fainéants tombent sur le cœur des autres[4]... Ah ! vite, vite un peu ; là-bas, par delà la nuit, ces récompenses futures, éternelles[5]... les échappons-nous[6] ?...

— Qu'y puis-je ? Je connais le travail ; et la science est trop lente[7]. Que la prière galope[8] et que la lumière gronde[9]... je le vois bien. C'est trop simple, et il fait trop chaud[10] ; on se passera de moi. J'ai mon devoir, j'en serai fier à la façon de plusieurs, en le mettant de côté[11].

Ma vie est usée. Allons ! feignons, fainéantons[12], ô pitié ! Et nous existerons en nous amusant, en rêvant amours monstres et univers fantastiques, en nous plaignant et en querellant les apparences du monde, saltimbanque, mendiant, artiste, bandit, — prêtre[13] ! Sur mon lit d'hôpital[14], l'odeur de l'encens m'est revenue si puissante ; gardien des aromates sacrés, confesseur, martyr[15]...

---

1. Travailler : commandement biblique, sur lequel insiste à nouveau saint Paul (Éphésiens, IV, 28 ; I Thessaloniciens, IV, 11 ; II Thessaloniciens, III, 10) ; mais aussi commandement moderne contre lequel Rimbaud se rebellait déjà dans sa lettre à Izambard du 13 mai 1871. **2.** L'abîme infernal, et aussi l'abîme intérieur. **3.** L'inverse du « Tout est vanité » de l'Ecclésiaste de l'Ancien Testament. **4.** Ce qui contredit déjà le principe de l'Ecclésiaste moderne. Il y a de la perte... **5.** Celles qui récompensent les « œuvres ». **6.** Les laissons-nous échapper ? **7.** *Cf.* « L'Impossible » : « Ah ! la science ne va pas assez vite pour nous ! » **8.** À l'inverse de la science. « Demandez, et on vous donnera » (Matthieu, VII, 7). **9.** La lumière = Dieu au début de l'Évangile selon saint Jean. Comme les élus (voir « L'Impossible »), Dieu est « hargneux » quand on demande accès à son paradis. **10.** Toujours la fournaise de l'enfer. **11.** L'un de ces trésors que, selon le commandement évangélique, il convient de ne pas gaspiller. C'est un peu comme le sophisme enfantin : il ne faut pas travailler, ça use les mains. D'où l'image qui suit. **12.** Jeu de mots feignant/ fainéant. L'hypocrisie (*cf.* « Les Poètes de sept ans »), la feinte soumission (*cf.* « Mauvais sang ») : une attitude aussi constante que la paresse chez Rimbaud. **13.** Autant de parias qui rusent avec la loi du travail. **14.** S'il s'agit d'un épisode de la biographie réelle, il est difficile à préciser (voir V.P. Underwood, *Rimbaud et l'Angleterre*, Nizet, 1976, p. 110, note 195). Dans la biographie fictive, en revanche, il s'enchaîne tout naturellement à la fin de « Délires II » : « Ma santé fut menacée. » Avec le même fantasme religieux. **15.** Suite de l'énumération. « L'Église associe dans ses litanies les saints, les confesseurs et les martyrs » (S. Bernard).

Je reconnais là ma sale éducation d'enfance [1]. Puis quoi !... Aller mes vingt ans [2], si les autres vont vingt ans...

Non ! non ! à présent je me révolte contre la mort [3] ! Le travail paraît trop léger à mon orgueil [4] : ma trahison au monde serait un supplice trop court. Au dernier moment, j'attaquerais à droite, à gauche [5]...

Alors, — oh ! — chère pauvre âme, l'éternité serait-elle pas perdue pour nous [6] !

Matin

N'eus-je pas *une fois* [7] une jeunesse aimable, héroïque, fabuleuse, à écrire sur des feuilles d'or, — trop de chance ! Par quel crime, par quelle erreur, ai-je mérité ma faiblesse actuelle ? Vous qui prétendez que des bêtes poussent des sanglots de chagrin, que des malades désespèrent, que des morts rêvent mal, tâchez de raconter ma chute et mon sommeil [8]. Moi, je ne puis pas plus m'expliquer que le mendiant avec ses continuels *Pater* et *Ave Maria. Je ne sais plus parler* [9] *!*

Pourtant, aujourd'hui, je crois avoir fini la relation de mon enfer. C'était bien l'enfer ; l'ancien, celui dont le fils de l'homme [10] ouvrit les portes.

Du même désert, à la même nuit, toujours mes yeux las se réveillent à l'étoile d'argent [11], toujours, sans que s'émeuvent [12] les Rois de la vie, les

---

1. « Sale éducation d'enfance », non pas parce qu'elle a voué la vie de Rimbaud « aux incessantes révoltes et à l'orgueil » (interprétation d'Yves Bonnefoy), mais parce qu'elle a été une éducation chrétienne, et qu'elle donne des couleurs sulpiciennes à son rêve d'oisiveté. **2.** Le 20 octobre 1873 Rimbaud va commencer sa vingtième année. **3.** Pensée torturante, l'un des supplices de l'enfer sur terre. **4.** Au regard de cette tâche essentielle : la révolte contre la mort. **5.** *Cf.* les « bravoures plus violentes » dans « Dévotion ». **6.** La damnation — éternelle cette fois — serait le fruit de cette révolte. **7.** Reprise de la formule traditionnelle des contes : « Il était *une fois* ». *Cf.* le « Jadis » sur lequel s'ouvrait *Une saison en enfer*. **8.** Avec ses cauchemars, ses « délires ». **9.** « Je ne sais même plus parler », disait la « Vierge folle » ; et l'on sait les limites que le Démon imposait aux « facultés descriptives » du damné. Plus émouvante ici, la phrase semble prendre valeur d'aveu : après la « vie usée » (« L'Éclair »), c'est la parole usée. **10.** Non pas Dante, comme le veut Margherita Frankel (*op. cit.*, p. 224), mais Jésus-Christ, qui est descendu « dans les régions inférieures de la terre » (Éphésiens, IV, 9). « Fils de l'homme » : allusion à la double naissance de Jésus, mais Rimbaud choisit la naissance humaine (Matthieu, I, 18-24). **11.** Reprise de la parabole des rois mages venus du Levant quand, arrivés du « désert » (l'Arabie), ils se présentèrent à Jérusalem après la naissance du Christ : « Où est le roi des Juifs qui vient de naître ? Car nous avons vu son étoile au Levant et nous sommes venus nous prosterner devant lui » (Matthieu, II, 2). **12.** Se mettent en marche, comme les rois mages qui s'avancèrent précédés de l'étoile (Matthieu, II, 9-10).

trois mages, le cœur, l'âme, l'esprit. Quand irons-nous, par delà les grèves et les monts, saluer la naissance du travail nouveau, la sagesse nouvelle, la fuite des tyrans et des démons, la fin de la superstition, adorer — les premiers ! — Noël sur la terre[1] !

Le chant des cieux, la marche des peuples ! Esclaves, ne maudissons pas la vie.

Adieu

L'automne déjà[2] ! — Mais pourquoi regretter un éternel soleil[3], si nous sommes engagés à la découverte de la clarté divine[4], — loin des gens qui meurent sur les saisons[5].

L'automne. Notre barque[6] élevée dans les brumes[7] immobiles tourne vers le port de la misère, la cité énorme[8] au ciel taché de feu et de boue. Ah ! les haillons pourris, le pain trempé de pluie, l'ivresse, les mille amours qui m'ont crucifié ! Elle ne finira donc point cette goule[9] reine de millions d'âmes et de corps morts *et qui seront jugés*[10] ! Je me revois la peau rongée par la boue et la peste[11], des vers plein les cheveux et les aisselles et encore de plus gros vers dans le cœur, étendu parmi les inconnus sans âge, sans sentiment... J'aurais pu y mourir... L'affreuse évocation[12] ! J'exècre la misère.

---

1. Un Noël laïque. **2.** L'automne 1872 ? — ce serait écourter la « saison ». L'automne 1873 ? — Le texte est achevé en août. La chronologie est plus fictive que réelle. Cette « saison » de feu et de fièvre ne saurait être que l'été, et s'achève sur l'automne. **3.** Pourquoi regretter, donc, que l'enfer n'ait duré qu'une saison ? **4.** Voir la fin du texte précédent. **5.** « Les saisons » = le temps. **6.** Élément de l'imagerie infernale (la barque de Charon) qui complète « les marais occidentaux » (« L'Impossible »). **7.** *Cf. ibid.* « Nous cultivons la brume ». **8.** Londres, peut-être ; mais surtout la cité infernale : la cité de Dité, dans *La Divine Comédie*, se trouve elle aussi au-delà d'un lac stagnant couvert de vapeurs et empli de boue ; un feu éternel l'embrase (*Enfer*, VII-VIII) ; le rapprochement, intéressant, est fait par Margherita Frankel, *op. cit.*, p. 227 (mais il resterait évidemment à démontrer que Rimbaud avait lu Dante). Il est question aussi dans la Bible de cités précipitées dans l'abîme infernal (dans Isaïe, dans Matthieu, XI, 20-24, dans l'Apocalypse — la grande Babylone). **9.** La « ville sans fin » (*cf. Les Déserts de l'amour*), la grande prostituée de l'Apocalypse, devenue « une demeure de démons » (Apocalypse, XVIII, 2). **10.** Apocalypse, XVIII, 10 : « Malheur ! Malheur ! la grande ville, Babylone la ville puissante ! car en une heure est venu ton jugement. » **11.** *Ibid.*, XVIII, 8 : « En un seul jour arriveront ses plaies : peste, deuil et famine. » **12.** La barque, après un dernier regard vers le port, quitte la ville ; *cf.* Apocalypse, XVIII, 17 : « Et tout pilote et tout caboteur, et les matelots et tous ceux qui exploitent la mer se tinrent au loin ; et ils criaient, en regardant la fumée de son incendie : "Qui était semblable à la grande ville ?" »

Et je redoute l'hiver parce que c'est la saison du comfort[1] !

— Quelquefois je vois au ciel des plages sans fin couvertes de blanches nations en joie[2]. Un grand vaisseau d'or, au-dessus de moi, agite ses pavillons multicolores sous les brises du matin. J'ai créé[3] toutes les fêtes, tous les triomphes, tous les drames. J'ai essayé d'inventer de nouvelles fleurs, de nouveaux astres, de nouvelles chairs, de nouvelles langues. J'ai cru acquérir des pouvoirs surnaturels. Eh bien ! je dois enterrer mon imagination et mes souvenirs ! Une belle gloire d'artiste et de conteur emportée !

Moi ! moi qui me suis dit mage ou ange, dispensé de toute morale, je suis rendu au sol, avec un devoir à chercher, et la réalité rugueuse à étreindre ! Paysan[4] !

Suis-je trompé ? la charité serait-elle sœur de la mort, pour moi[5] ?

Enfin, je demanderai pardon pour m'être nourri de mensonge. Et allons.

Mais pas une main amie ! et où puiser le secours ?

Oui l'heure nouvelle est au moins très sévère.

Car je puis dire que la victoire m'est acquise[6] : les grincements de dents, les sifflements de feu, les soupirs empestés se modèrent. Tous les souvenirs immondes s'effacent. Mes derniers regrets détalent, — des jalousies pour[7] les mendiants, les brigands, les amis de la mort, les arriérés de toutes sortes. — Damnés, si je me vengeais[8] !

Il faut être absolument moderne.

Point de cantiques : tenir le pas gagné[9]. Dure nuit[10] ! le sang séché[11] fume sur ma face, et je n'ai rien derrière moi, que cet horrible arbris-

---

1. Orthographe anglaise, utilisée aussi par Baudelaire. « Et » = et dire que. Rimbaud souligne ses propres contradictions. Ou bien l'on peut comprendre : du confort dont je suis privé. **2.** La vision s'oppose à la précédente comme la Jérusalem céleste à Babylone la grande dans l'Apocalypse. Le vaisseau céleste s'oppose à la barque infernale. **3.** Parataxe qui vaut une opposition forte : *mais* j'ai créé. Rimbaud se rend compte qu'il est, qu'il n'a cessé d'être la proie des « hallucinations innombrables », même quand il a cru en être le maître. **4.** Pour ce que le terme peut avoir pour lui de péjoratif, *cf.* la lettre à Delahaye de mai 1873. **5.** Alors que la charité évangélique passe pour conduire à l'éternité. Échec de l'« entreprise de charité » pour l'autre (« Vierge folle ») et pour soi-même. **6.** Il parvient à s'échapper de l'enfer. **7.** L'envie que je portais aux... **8.** C'est une manière de se venger de l'enfer, « l'ancien, celui dont le fils de l'homme ouvrit les portes » en mettant « fin » à « la superstition » (« Matin »). D'où l'affirmation suivante. **9.** Ne pas reculer d'un pas quand on a avancé d'un pas ; donc mettre fin à ces hésitations qui ont marqué sa « saison ». **10.** La « Nuit de l'enfer ». **11.** Le sang répandu des coupes de la fureur de Dieu (Apocalypse, XVI, 3-4).

seau[1]... Le combat spirituel est aussi brutal que la bataille d'hommes ; mais la vision de la justice[2] est le plaisir de Dieu seul.

Cependant c'est la veille[3]. Recevons tous les influx de vigueur et de tendresse réelle. Et à l'aurore, armés d'une ardente patience, nous entrerons aux splendides villes[4].

Que parlais-je de main amie ! Un bel avantage, c'est que je puis rire des vieilles amours mensongères, et frapper de honte ces couples menteurs, — j'ai vu l'enfer des femmes là-bas[5] ; — et il me sera loisible de *posséder la vérité dans une âme et un corps*[6].

Avril-août, 1873.

---

1. Allusion dantesque douteuse (l'arbrisseau = la tentation du suicide), contrairement à ce que prétend M. Frankel, *op. cit.*, p. 231. Il s'agit plutôt à notre avis de l'arbre de vie, symbole de l'élection, dernière vision de l'Apocalypse. Rimbaud renonce à se poser ce torturant problème du salut, qui a été pour lui un supplice infernal. Il met ainsi fin à son « combat spirituel ». **2.** Le Jugement dernier. Reprise élargie de l'opposition qu'on trouvait en 1870 dans « Le Mal » : combat meurtrier des humains/ satisfaction égoïste de Dieu. **3.** Le temps de veille, après le temps de sommeil et de délires. **4.** Des villes nouvelles qui ne seront pas des hallucinations. **5.** « Là-bas » = dans l'enfer qu'il vient de traverser. **6.** Donc dans son individualité intacte, sans cette séparation que suggère la religion. *Une âme et un corps* = les siens. La diction devrait souligner l'article.

ILLUMINATIONS

*À la fin d'*Une saison en enfer, *Rimbaud nous laisse à l'entrée de « splendides villes ». Dans les* Illuminations, *le lecteur est ballotté entre les villes réelles (Londres, que V. P. Underwood a vu derrière mainte illumination, Paris, toujours désiré) et les villes mythiques, les Sodomes et les Solymes (Jérusalem, précisément, dans « Nocturne vulgaire »). Rimbaud, dans ses poèmes en prose, pratique volontiers l'amalgame des deux registres, en particulier dans « Villes ».* — « L'acropole officielle... », *où Hampton Court et la Sainte-Chapelle servent de références, même si la construction urbaine complexe et enchevêtrée est digne d'un « Nabuchodonosor norwégien », composite lui-même.*

On ne peut nier la marque laissée par les séjours à Londres en compagnie de Verlaine, de septembre 1872 à juillet 1873, et encore avec Germain Nouveau qui, au printemps de 1874, prêta son écriture pour certaines des Illuminations, *dont précisément celle-ci*[1]. *Cela ne signifie pas qu'on puisse réduire les mystérieux poèmes en prose à la transcription de* realia. *Par ailleurs, la création poétique, dans ce recueil inabouti auquel la postérité a voulu donner forme, est inséparable de la réinvention d'une mythologie, que Rimbaud porte en lui depuis la solide formation gréco-latine qu'il a reçue au Collège de Charleville. De là surgit le « gracieux fils de Pan » d'« Antique », figure nouvelle de l'hermaphrodite, de là viennent les « Érynnies nouvelles » de « Ville » — le trio de la Mort, de l'Amour et du Crime.*

Pour les « splendides villes », il faut convoquer aussi les fabuleuses cités orientales (le « boulevard de Bagdad » de « Villes ». — « Ce sont des villes... », *où l'on pourrait deviner le calife Haroun-el-Rachid et son fidèle vizir ; l'allusion à Damas dans « Métropolitain »). Mais il arrive que Rimbaud retrouve l'architecture régulière des cités d'utopie : le « circus d'un seul style, avec galeries à arcades » de « Villes ».* — « L'acro-

1. Sur ce point, voir André Guyaux, *Poétique du fragment : Essai sur les* Illuminations *de Rimbaud*, Neuchâtel, À la Baconnière, 1985, et son édition critique des *Illuminations*, même éditeur, même date.

pole officielle... », *ou l'uniformité poussée à l'extrême de « Ville », où « tout ici ressemble à ceci », où toutes les maisons reproduisent un modèle unique, comme dans un ensemble de corons, tandis que la morale et la langue sont réduites à leur plus simple expression : une cité laïque, au demeurant, conformément à la tradition utopique, où on ne signalerait « les traces d'aucun monument de superstition ».*

Depuis longtemps, la critique a relevé des marques laissées dans l'œuvre de Rimbaud par l'illuminisme social du XIXe *siècle. Le thème de l'émancipation de la femme, dans la seconde lettre du voyant (15 mai 1871), semble venu d'Enfantin ; Lamennais a laissé sa trace dans* Une saison en enfer, *et le « Noël sur la terre » de « Matin » est un Noël laïque. L'utopie est une création de l'imagination, et pourtant elle veut être une œuvre de raison*[1]. *Or la liste de « Dévotion », commençant par les « mystérieuses passantes » dont a parlé André Breton, pourrait conduire à la dévotion « à une Raison », dans le poème en prose qui porte ce titre.*

On a accordé à juste titre beaucoup d'importance au thème de la « nouvelle harmonie », dans les Illuminations. *Sans négliger ni l'ambition musicale, ni l'harmonie d'une Création recommencée, on doit rappeler que* New Harmony *fut le nom d'une tentative utopiste aux États-Unis, dont l'échec remontait à 1828, et qu'il y avait eu une société des* Harmonistes, *établie à Economy, dans les environs de Pittsburgh*[2].

Rimbaud entre dans des villes qui sont « splendides » comme étaient « splendides » les amours rêvées dans « Ma Bohême ». Cela correspond à un grand flamboiement de son imagination sans doute, mais aussi à une volonté de reconstruction qui, dans le domaine urbain, aboutit à des labyrinthes apparemment confus comme la Cité des Immortels dans L'Aleph *de Borges, mais marqués par une exigence d'ordre digne de l'architecte, de l'ingénieur que Rimbaud voudrait être aussi (« Jeunesse »), par des « applications de calcul » qui vont de pair avec les « sauts d'harmonie inouïs » (« Solde »).*

Une genèse recommencée

Il serait, pour le coup, réducteur et appauvrissant de ne voir dans les Illuminations *que cela. La tentative de Rimbaud est beaucoup plus radi-*

1. J. Prudhommeaux le souligne à propos de Cabet et de *Voyage en Icarie* : « d'un bout à l'autre de ce même livre, il érige en lois universelles les décrets de sa propre raison et n'admet pas que ce qui lui semble juste puisse manquer d'obtenir l'adhésion unanime des autres consciences » (*op. cit.*, p. 130). **2.** Voir J. Prudhommeaux, *op. cit.*, p. 214, p. 386-387.

cale. Il s'agit pour le poète d'agir à la manière d'un démiurge, et de proposer de refaire le monde, l'homme et la vie. Si, parmi les titres que croyait se rappeler Verlaine, « painted plates » *ou* « coloured plates » *(assiettes coloriées*[1]*) paraît pauvre et peu significatif, en revanche celui d'*Illuminations *est particulièrement heureux. Non seulement il va au-delà des « visions » du voyant et salue l'accès à une lumière, fût-elle sporadique, mais encore il rappelle l'*illuminatio *de la Genèse, quand Dieu dit : « Que la lumière soit ! » Le poète-démiurge recréera lui aussi la lumière.*

On comprend pourquoi, dans ces conditions, les premiers éditeurs, dans La Vogue, *ont placé « Après le Déluge » en tête de l'ensemble. C'était marquer une telle volonté de recommencement, quand la Création de Dieu s'est révélée si décevante, revenant aux tares précédentes qui semblent, hélas, les tares de toujours, qu'il faut convoquer de nouveaux déluges, une foule de déluges pour tout anéantir. À défaut de retrouver un secret bien gardé par « la Reine », « la Sorcière », le poète sera attentif à la naissance d'une musique, à l'émergence d'un « monde » dans le chaos polaire (« Barbare »), au surgissement pygmalionien d'un nouvel Être de Beauté* (« Being Beauteous »).

Une telle alliance des contraires, à peu près constante dans les Illuminations, *marque la vision rimbaldienne de la Démocratie, idéal des utopistes du* XIXe *siècle, mais inquiétante dans le poème en prose qui porte ce titre, où les « Conscrits du bon vouloir » annoncent « la crevaison pour le monde qui va ». L'utopie ne joue pas jusqu'au bout son rôle compensatoire, elle se retourne en un échec ou elle prend des formes géantes, délirantes. La simplification, la tendance à l'uniformisation, n'excluent pas une prolifération inquiétante et vraisemblablement mortifère. Comme arrivait un moment où le Bateau ivre sentait sa quille près d'éclater, la création rimbaldienne, si drue, est menacée d'un anéantissement soudain : chute dans le petit poème sans titre qui suit* « Being Beauteous » (« Ô la face cendrée... »), *rayon blanc qui vient mettre fin à la comédie (« Les Ponts »).*

*Une telle Création spasmodique pourrait faire penser à l'*Eureka *d'Edgar Poe, traduit par Baudelaire. Mais elle n'en a pas le caractère systématique, et l'apparence de traité cosmogonique laisse la place ici à des fusées, à des décharges, à la levée de nouveaux hommes, semés ou non, qui se mettent en marche pour des destinations inconnues, peut-être les « pays poivrés et détrempés ». S'il y a quelque chose de systématique,*

1. « Dans un plat colorié » : l'expression apparaissait déjà, à l'automne de 1870, dans « Au Cabaret-Vert », l'un des poèmes du recueil Demeny (p. 218).

dans cette Genèse incessamment recommencée, c'est moins la recherche d'un secret enfoui que la volonté de tout reprendre à zéro, d'inaugurer le temps de « l'affection et [du] bruit neufs » (« Départ »), du « nouvel amour » (« À une Raison »), de « rendre [l'homme] à son état primitif de fils du soleil » (« Vagabonds »).

Tout est donc réinventé dans les Illuminations *: les récits d'aventures dans les régions du pôle à la manière d'Edgar Poe (« Barbare »), les utopies (« Ville »), les mythes, celui de Pygmalion* (« Being Beauteous ») *ou de Daphné (« Aube »), les contes orientaux (« Conte »), les fables de métamorphoses (*« Bottom »*), les* Eddas *scandinaves (les Nornes, dans « Soir historique »). Mais celui qui se présente, dans la deuxième des « Vies », comme « un inventeur bien autrement méritant que tous ceux qui [l'] ont précédé », réinvente aussi les roses (« Fleurs »), la guerre (« Je songe à une Guerre, de droit ou de force, de logique bien imprévue »), le théâtre (*« Fairy », *« Scènes »), le corps (« le corps merveilleux, pour la première fois », dans « Matinée d'ivresse ») et peut-être l'âme aussi, car le mot a encore sa place ici, comme à la fin d'*Une saison en enfer. *Le « Génie », salué dans l'un des plus beaux de ces poèmes en prose, longuement célébré sans crainte d'essoufflement, est ce pouvoir supérieur d'invention, cette « fécondité de l'esprit » qui veut être à la mesure, ou à la démesure, de l'« immensité de l'univers », du nouveau monde créé plus que de l'ancien.*

Force et faiblesse du langage

Cette réinvention totale n'a pour instrument que le langage, le verbe lui-même réinventé à la faveur d'une autre alchimie du verbe qui ne se laisse pas confondre avec celle des poèmes ténus de 1872. À deux exceptions près, et encore plus apparentes que réelles, celles de poèmes en vers libres cette fois, « Marine », une étude de superposition ouvrant sur des « tourbillons de lumière », et « Mouvement », où l'Arche flotte encore sur un déluge en forme de « lumière diluvienne », les Illuminations *adoptent la forme du poème en prose : ni celle, pittoresque, du* Gaspard de la nuit *d'Aloysius Bertrand, publié à titre posthume en 1842, ni celle de Baudelaire dans* Le Spleen de Paris, *adaptée « aux mouvements de l'âme, aux ondulations de la rêverie, aux soubresauts de la conscience*[1] *», mais fulgurante plutôt, portée par des enthousiasmes fié-*

---

1. « À Arsène Houssaye », texte publié par Baudelaire dans *La Presse* le 26 août 1862, et possible dédicace des *Petits poèmes en prose*, dans *Œuvres complètes* de Baudelaire, éd. de Claude Pichois, Gallimard, Bibliothèque de la Pléiade, tome I, 1975, p. 275-276.

vreux, des exclamations fréquentes, des invocations qui peuvent devenir, au sens le plus fort du mot, évocations.

Car il existe chez Rimbaud un culte de la force, et l'« ivresse », sans se confondre avec aucune de ses formes vulgaires, exige ce qui était déjà appelé dans « Le Bateau ivre » un « vin de vigueur ». Dans Une saison en enfer, *la force trouvait dans la marche, dans la manifestation de soi, en dépit de tous les obstacles, de toutes les entraves, fussent-elles les fers du forçat, une manière de se réaffirmer (« Mauvais sang » : « Faiblesse ou force : te voilà, c'est la force »). Dans les* Illuminations, *elle plane sur les eaux, pour dominer l'angoisse, la « honte de notre inhabileté fatale » :*

> *« (Ô palmes ! diamant ! — Amour, force ! — plus haut que toutes joies et gloires ! — de toutes façons, partout, — démon, dieu, — Jeunesse de cet être-ci ; moi !) » (« Angoisse »).*

Car la menace de la ruine reste constante. Les Illuminations *sont des éclairs arrachés par le langage poétique à tout ce qui résiste au « Génie », à commencer par le silence, le « silence [...] houleux », et même par le langage lui-même. Le faux damné d'*Une saison en enfer *a pu craindre de ne savoir plus parler (« Matin »), le poète-démiurge des* Illuminations *a conscience de ne livrer que des « accidents » du langage sous couvert d'« accidents de féerie scientifique ». D'où la crainte que le paradis ne soit que « Parade », que la « nouvelle harmonie » ne se retourne en « fanfare atroce » ou ne revienne à « l'ancienne inharmonie », que l'imagination ne se révèle incapable de produire de « merveilleuses images », que la raison ne soit enfermée dans l'ancienne méthode, celle du discours cartésien. Bref, que la force n'aboutisse à la faiblesse, révélant l'imbécillité de l'homme, même quand il a cru pouvoir être poète.*

Aussi deux conceptions des Illuminations *sont-elles possibles : celle d'un ensemble qui, malgré l'inachèvement, l'état de liasse dans lequel Rimbaud a vraisemblablement remis le manuscrit à Verlaine quand ils se sont retrouvés à Stuttgart pour peu de temps en février-mars 1875, est d'une singulière cohérence et correspond au projet ambitieux d'une Genèse magnifique ; celle de « fragments » épars, dont il est aussi difficile de constituer une œuvre que de reconstituer l'*Apologie de la religion chrétienne *à partir des* Pensées *de Pascal.*

Ces deux conceptions ne sont pas nécessairement inconciliables. Mais elles déterminent des principes d'édition différents. Ceux qui sont plus sensibles au caractère grandiose du projet placent l'hymne au « Génie » à la fin du recueil reconstitué. Ceux qui croient voir l'édifice s'effriter en fragments préfèrent laisser le lecteur sur « Solde », grande braderie des ambitions de Rimbaud, vente aux enchères de ses espérances et de ses créations dégradées. Nous avons adopté d'instinct le premier choix et respecté en grande partie l'ordre de présentation fondé sur la tradition éditoriale plus que sur le souci philologique du texte tel qu'il se présente sur le manuscrit. Libre au lecteur de « héler » différemment le génie de Rimbaud, d'être sensible aux brisures du langage plus qu'à la plénitude de textes où, à l'exception du « Sonnet » en prose de « Jeunesse », on ne constate pas de lacune, de se heurter à des suspens du sens qui, pour certains, tiendraient lieu de sens même. La difficulté du texte, devenue exemplaire, la subtilité des glissements de sons, des superpositions de sens, ne doivent pas faire oublier qu'on peut trouver et aimer dans la musique la plus savante la simplicité d'une phrase musicale.

P. B.

CHRONOLOGIE

1872 Après le projet des *Études néantes* (les poèmes du printemps et de l'été 1872), « un prosateur étonnant s'ensuivit » en Rimbaud, selon Verlaine. Il place les *Illuminations* peu après *Un coin de table*, le tableau de Fantin-Latour achevé en mars 1872 (voir p. 453).

1873 Dans la lettre à Delahaye de mai, Rimbaud annonce à son camarade que Verlaine se chargera sans doute « de quelques fraguemants en prose de moi ou de lui, à me retourner ». Il n'est pas sûr que tels de ces fragments correspondent à des textes à insérer dans les *Illuminations*.

1874 *Avril*. Rimbaud est de nouveau à Londres en compagnie de Germain Nouveau. A la fin de mars, ils se sont installés au 178, Stamfort Street. Le 4 avril, ils ont pris une carte de lecteur au British Museum. Rimbaud travaille à mettre au point et à compléter son recueil. Nouveau s'y intéresse et d'une certaine manière y participe. On trouve la marque de l'écriture de celui-ci dans le manuscrit de deux des poèmes en prose qui seront publiés comme *Illuminations*, « Métropolitain » et « Villes ». — *« L'acropole officielle... »*.

6-31 juillet. Mme Rimbaud et Vitalie sont à Londres. Selon le témoignage de sa sœur, Arthur va à la British Library pour y travailler : lire ou écrire, son *Journal* ne le précise pas.

1875 *Fin février ou début mars*. À Stuttgart, lors de leur dernière entrevue, Rimbaud a remis à Verlaine un dossier que celui-ci devait transmettre à Nouveau. Il correspond peut-être à ce qui deviendra les *Illuminations*.

1878 Le dossier des futures *Illuminations* se trouve entre les mains du musicien Charles de Sivry, le demi-frère de Mathilde Verlaine, redevenue Mathilde Mauté. Verlaine, qui lui a remis ces textes, en parle comme de « *painted plates* ».

1883 Verlaine consacre une notice à Rimbaud dans la revue *Lutèce* en octobre-novembre. Elle sera reprise en plaquette en 1884 dans *Les Poètes maudits*. Il ne parle pas des *Illuminations*, et s'il loue le prosateur final en Rimbaud, il n'est pas du tout sûr que fassent allusion à ces poèmes en prose-là les lignes suivantes : « Un manuscrit dont le titre nous échappe et qui contenait d'étranges mysticités et les plus aigus aperçus psychologiques tomba dans des mains qui l'égarèrent sans savoir ce qu'elles faisaient. » Il s'agit plus probablement du manuscrit perdu de *La Chasse spirituelle*, dont l'absence ne saurait être compensée par le faux Rimbaud qui parut sous ce titre au Mercure de France en 1949, avec une introduction de Pascal Pia (le texte apocryphe a été repris dans l'édition Bouquins, pp. 421-426).

1886 Confié à Gustave Kahn, le texte des *Illuminations* est publié dans la revue *La Vogue*, du 13 mai au 27 juin (voir le détail, p. 880 *sqq.*), mais on a la surprise de trouver parmi les poèmes en prose non seulement deux poèmes en vers libres ou proses versifiées, mais aussi des poèmes du printemps et de l'été 1872, et même de 1871.

La même année, au mois d'octobre, les éditions de *La Vogue* publient en plaquette les *Illuminations*. Comme pour la préoriginale, l'ordre (un peu différent) est dû à Félix Fénéon. Verlaine a préfacé cette édition. Voici le texte intégral de cette préface :

> « Le livre que nous offrons au public fut écrit de 1873 à 1875, parmi des voyages tant en Belgique qu'en Angleterre et dans toute l'Allemagne.
>
> Le mot *Illuminations* est anglais et veut dire gravures coloriées, — *coloured plates* : c'est même le sous-titre que M. Rimbaud avait donné à son manuscrit.
>
> Comme on va voir, celui-ci se compose de courtes pièces, prose exquise ou vers délicieusement faux exprès. D'idée principale il n'y en a ou du moins nous n'y en trouvons pas. De la joie évidente d'être un grand poète, tels paysages féeriques, d'adorables vagues amours esquissées et la plus haute ambition (arrivée) de style : tel est le résumé que nous croyons pouvoir oser donner de l'ouvrage ci-après. Au lecteur d'admirer en détail.
>
> De très courtes notes biographiques feront peut-être bien.
>
> M. Arthur Rimbaud est né d'une famille de bonne bourgeoisie à Charleville (Ardennes), où il fit d'excellentes études quelque peu révoltées. À seize ans il avait écrit les plus beaux vers du monde, dont de

nombreux extraits furent par nous donnés naguère dans un libelle intitulé *Les Poètes maudits*. Il a maintenant dans les trente-deux ans, et voyage en Asie où il s'occupe de travaux d'art. Comme qui dirait le Faust du second *Faust*, ingénieur de *génie* après avoir été l'immense poète vivant élève de Méphistophélès et possesseur de cette blonde Marguerite !

On l'a dit mort plusieurs fois. Nous ignorons ce détail, mais en serions bien triste. Qu'il le sache au cas où il n'en serait rien. Car nous fûmes son ami et le restons de loin.

Deux autres manuscrits en prose et quelque[s] vers inédits seront publiés en leur temps.

Un nouveau portrait par Forain qui a connu également M. Rimbaud paraîtra quand il faudra.

Dans un très beau tableau de Fantin-Latour, *Coin de table*, à Manchester actuellement, croyons-nous, il y a un portrait en buste de M. Rimbaud à seize ans.

Les *Illuminations* sont un peu postérieures à cette époque. »

1888 Verlaine publie dans *Les Hommes d'aujourd'hui* (n° 318, janvier 1888) un texte écrit en 1887 et daté de 1884, qu'il a consacré à Rimbaud. Il rappelle ce que disait Fénéon au sujet des *Illuminations* : « que c'était en dehors de toute littérature et sans doute au-dessus ». Lui-même cite « deux divins poèmes en prose détachés de ce pur chef-d'œuvre, flamme et cristal, fleuves et fleurs et grandes voix de bronze et d'or : *les Illuminations* ». Ce sont « Aube » et « Veillées » (I).

1895 Édition Vanier des *Poésies complètes*, qui ajoute cinq pièces nouvelles aux *Illuminations*. Ce sont celles qui sont appelées « Autres *Illuminations* » dans l'édition de 1898 supervisée par Paterne Berrichon, au Mercure de France, *Œuvres de Jean-Arthur Rimbaud : Poésies, Les Illuminations, Autres Illuminations, Une saison en enfer*.

1949 Première édition critique des *Illuminations* : *Painted Plates* par Henry de Bouillane de Lacoste, au Mercure de France. L'auteur soutient à la Sorbonne, en mai, sa thèse de doctorat : ce travail d'édition constituait sa thèse complémentaire. La thèse principale est publiée sous le titre *Rimbaud et le problème des* Illuminations. Se fondant sur l'analyse graphologique, il place les *Illuminations* après *Une saison en enfer*.

1967 *Illuminations*, texte établi, annoté et commenté avec une introduction, un répertoire des thèmes et une bibliographie par Albert

Py, professeur à l'université de Genève, Éditions Droz.

1985 L'édition critique et commentée d'André Guyaux (*Illuminations*, Neuchâtel, À la Baconnière) et son étude : *Poétique du fragment : essai sur les* Illuminations *de Rimbaud* (même éditeur), issues l'une et l'autre de sa thèse de doctorat, préparée sous la direction de René Etiemble, puis de Pierre Brunel, et soutenue en Sorbonne en 1981, renouvellent la connaissance du texte et sa présentation.

1995 Emmanuel Martineau, fort d'un précédent travail sur les *Pensées* de Pascal, essaie d'appliquer le principe de regroupement de textes aux *Illuminations* : « *Enluminures* (ex-*Illuminations*), restituées et publiées par Emmanuel Martineau », dans la revue *Conférence*, n° 1, automne 1995. Ce travail contestable dans son principe même reste sans lendemain.

Après le Déluge

Aussitôt que l'idée[1] du Déluge se fut rassise[2],

Un lièvre[3] s'arrêta dans les sainfoins et les clochettes[4] mouvantes et dit sa prière à l'arc-en-ciel[5] à travers la toile de l'araignée[6].

Oh les pierres précieuses qui se cachaient, — les fleurs qui regardaient déjà[7].

Dans la grande rue sale les étals[8] se dressèrent, et l'on tira les barques vers la mer étagée là-haut comme sur les gravures[9].

Le sang coula, chez Barbe-Bleue[10], — aux abattoirs, — dans les cirques[11], où le sceau de Dieu[12] blêmit les fenêtres[13]. Le sang et le lait[14] coulèrent.

---

1. *Cf.* l'idée, le projet de Déluge que Dieu a conçus et exposés devant Noé (Genèse, VI, 13 *sq.*). Mais c'est aussi plus largement l'idée qui préside à tous les Déluges connus dans les diverses mythologies et les diverses religions. **2.** Métonymie : Dieu dans sa colère s'est levé ; il se rassied. Il est désigné par son idée du Déluge. **3.** L'« animal qui symbolise la rapidité et la fuite » (M. Davies) et qui curieusement s'arrête. Image familière, rassurante, l'une de ces « merveilleuses images » que peuvent regarder les enfants. **4.** Les noms des deux plantes sont choisis pour leurs sonorités religieuses (*sain*foins, *clochet*tes). **5.** Signe de l'alliance de Dieu non seulement avec l'homme, mais avec « tous les animaux de la terre » (Genèse, IX, 9-10). Rimbaud se révolte contre cette alliance dans « Alchimie du verbe » (« J'avais été damné par l'arc-en-ciel »). **6.** Tout se passe avec une extrême rapidité (« Aussitôt que... ») ; l'araignée a déjà eu le temps de tisser sa toile. **7.** Les pierres précieuses ont eu le temps de s'enfouir sous terre, les fleurs de s'ouvrir. **8.** Retour au commerce de la chair des bêtes qu'on tue : les animaux de boucherie débités sur les étals des bouchers ; les poissons pêchés par les pêcheurs dans des barques. Dieu, qui a conclu une alliance avec les animaux, les a pourtant donnés à manger à l'homme (Genèse, IX, 2-3). **9.** La vie humaine est « située à une époque primitive avant la découverte de la perspective » (M. Davies) : comme sur une enluminure naïve. **10.** Un de ces contes qui ont frappé Rimbaud (voir « Anne » dans les « Fêtes de la faim »), conte cruel (c'est le sang humain qui coule cette fois), qui pourtant plaît aux enfants. **11.** Comme les cirques romains, où coulait le sang des bêtes et des hommes. **12.** L'arc-en-ciel. **13.** Raccourci saisissant : on passe des cirques aux églises par l'intermédiaire absent des martyrs sacrifiés. **14.** Et non le lait et le miel qu'on attendrait dans un nouveau paradis.

Les castors[1] bâtirent. Les « mazagrans »[2] fumèrent dans les estaminets.

Dans la grande maison de vitres encore ruisselante les enfants[3] en deuil regardèrent les merveilleuses images.

Une porte claqua, et sur la place du hameau, l'enfant tourna[4] ses bras compris des girouettes et des coqs des clochers de partout, sous l'éclatante giboulée.

Madame***[5] établit un piano dans les Alpes. La messe et les premières communions se célébrèrent aux cent mille autels[6] de la cathédrale.

Les caravanes partirent. Et le Splendide Hôtel fut bâti dans le chaos de glaces et de nuit du pôle[7].

Depuis lors, la Lune entendit les chacals piaulant par les déserts de thym[8], — et les églogues en sabots grognant dans le verger. Puis, dans la futaie violette, bourgeonnante, Eucharis[9] me dit que c'était le printemps.

Sourds, étang, — Écume, roule sur le pont et par-dessus les bois ; — draps noirs et orgues[10], — éclairs et tonnerres, — montez et roulez ; — Eaux et tristesses, montez et relevez[11] les Déluges.

Car depuis qu'ils se sont dissipés, — oh les pierres précieuses s'enfouissant, et les fleurs ouvertes ![12] — c'est un ennui ! et la Reine, la Sorcière[13] qui allume sa braise dans le pot de terre, ne voudra jamais nous raconter ce qu'elle sait, et que nous ignorons.

---

1. « Des bêtes qui, en détournant le cours des fleuves, saccagent l'ordre primitif de la nature » (M. Davies). **2.** « MAZAGRAN. — Breuvage dont le nom et l'usage datent de l'héroïque défense de Mazagran, en Algérie, par le capitaine Lelièvre ; on sert, dans un verre profond, du café noir, avec une cuiller à long manche, pour mêler le sucre et l'eau, et quelquefois l'eau-de-vie que le consommateur agite » (Littré). L'alcool : un des poisons inventés par l'Occident et le monde moderne (*cf.* « L'Impossible »). **3.** Seuls survivants du Déluge. La maison de vitres (première rédaction : « la maison en vitres »), fragile, mais transparente, leur permet de voir la création nouvelle. **4.** L'enfant ne se contente plus de regarder ; il sort pour commander et, en tournant ses bras, fait tourner les girouettes et les coqs de clochers — qui ont eu eux aussi le temps de s'installer. **5.** La petite fille, déjà devenue Madame***. Elle transforme les montagnes en salon (on a parfois vu là une allusion vengeresse à la belle-mère de Verlaine). **6.** L'accélération s'accompagne de prolifération. **7.** Déserts de sable et déserts de glace sont colonisés. **8.** Tout se trouve bouleversé, en revanche, dans l'univers familier : ce sont les églogues qui grognent (et non les chacals) ; et elles ont déserté le thym au profit des chacals. **9.** Nom d'une nymphe compagne de Calypso dans le *Télémaque* de Fénelon. Mais Rimbaud connaissait-il ce texte ? *Eucharis* pourrait bien être la Grâce et, dans ce monde nouveau, on tente de refaire « le coup de la grâce » (« Mauvais sang »). **10.** Comme pour des funérailles de la Terre... **11.** Antithèse exacte de « rassise ». **12.** Retour à la vision initiale d'un monde qui renaît : une image préraphaélite (V.P. Underwood, *op. cit.*, p. 90), fade, ennuyeuse... **13.** Créature mythique qui détient le feu destructeur.

Enfance

I

Cette idole[1], yeux noirs et crin jaune[2], sans parents ni cour, plus noble que la fable, mexicaine et flamande ; son domaine, azur et verdure insolents, court sur des plages nommées, par des vagues sans vaisseaux, de noms férocement grecs, slaves, celtiques.

À la lisière de la forêt — les fleurs de rêve tintent[3], éclatent, éclairent, — la fille à lèvre d'orange[4], les genoux croisés dans le clair déluge qui sourd des prés, nudité qu'ombrent, traversent et habillent les arcs-en-ciel, la flore, la mer.

Dames qui tournoient sur les terrasses voisines de la mer[5] ; enfantes[6] et géantes, superbes noires dans la mousse vert-de-gris, bijoux debout sur le sol gras des bosquets et des jardinets dégelés[7] — jeunes mères et grandes sœurs aux regards pleins de pèlerinages[8], sultanes, princesses de démarche et de costume tyranniques[,] petites étrangères et personnes doucement malheureuses.

Quel ennui, l'heure du « cher corps » et « cher cœur »[9].

II

C'est elle, la petite morte, derrière les rosiers. — La jeune maman trépassée descend le perron — La calèche du cousin crie sur le sable — Le

1. L'Enfance elle-même ? La Femme plutôt (*cf.* « Soleil et Chair » : « Et l'Idole où tu mis tant de virginité,/ Où tu divinisas notre argile, la Femme »). Ou une réduction de la Femme. **2.** Dans « Les Poètes de sept ans », si Rimbaud a « les yeux bleus », sa voisine de huit ans, « la petite brutale », a « l'œil brun ». Mais on songe surtout ici à la description d'une poupée. **3.** *Cf.* les « clochettes » dans « Après le Déluge ». Les verbes ensuite s'appellent. **4.** L'idole de l'enfance — la poupée — est devenue l'idole de l'adolescence, « la fille à lèvre d'orange », celle de « Trois baisers ». **5.** Atmosphère de cour, cette fois (à l'opposé du « sans parents ni cour » du premier alinéa), avec des terrasses voisines de la mer qui font penser à Elseneur et à Ophélie. **6.** Néologisme pour un groupe fortement assonancé : petites et grandes. **7.** Comme dans « Après le Déluge », c'est le printemps. **8.** *Cf.* « Dévotion » : « À ma *sœur* Louise Vanaen de Voringhem : — Sa *cornette* bleue tournée à la mer du Nord [...] ». Les mots *sœurs* et *pèlerinages* s'appellent ici de la même façon. **9.** M.-A. Ruff a noté l'analogie avec « Le Balcon » de Baudelaire : « Car à quoi bon chercher tes beautés langoureuses/ Ailleurs qu'en ton *cher corps* et qu'en ton *cœur* si doux ? » Monde féminin, « *Mundus muliebris* » (pour reprendre une autre expression chère à Baudelaire), que Rimbaud juge parfaitement ennuyeux.

petit frère — (il est aux Indes !) là, devant le couchant, sur le pré d'œillets. — Les vieux qu'on a enterrés tout droits dans le rempart aux giroflées[1].

L'essaim des feuilles d'or entoure la maison du général[2]. Ils sont dans le midi. — On suit la route rouge pour arriver à l'auberge vide. Le château est à vendre ; les persiennes sont détachées. — Le curé aura emporté la clef de l'église. — Autour du parc, les loges[3] des gardes sont inhabitées... Les palissades sont si hautes qu'on ne voit que les cimes bruissantes. D'ailleurs il n'y a rien à voir là dedans[4].

Les prés remontent aux hameaux sans coqs, sans enclumes[5]. L'écluse est levée[6]. Ô les calvaires et les moulins du désert, les îles et les meules.

Des fleurs magiques bourdonnaient. Les talus *le*[7] berçaient. Des bêtes d'une élégance fabuleuse circulaient. Les nuées s'amassaient sur la haute mer faite d'une éternité de chaudes larmes.

III

Au bois il y a un oiseau, son chant vous arrête et vous fait rougir[8].

Il y a une horloge qui ne sonne pas[9].

Il y a une fondrière avec un nid de bêtes blanches[10].

Il y a une cathédrale qui descend et un lac qui monte[11].

Il y a une petite voiture abandonnée dans le taillis, ou qui descend le sentier en courant, enrubannée.

---

1. Le jeu des identifications est ici difficile, et sans doute inutile. Dans les cinq cas apparition miraculeuse d'un absent. Tour particulièrement elliptique pour la dernière phrase : « les vieux qu'on a enterrés », les voilà « tout droits » (debout) « dans le rempart aux giroflées » (qui, si l'on en croit Delahaye, a réellement existé à Charleville). **2.** Selon le même Delahaye, souvenir de la villa du général Noiset, située sur la route de Flandre, près de Charleville. **3.** « Loges » en surcharge sur « maisonnettes ». **4.** Série de cinq demeures vides, la dernière étant doublement vide : on ne peut rien voir ; il n'y a rien à voir. **5.** Des hameaux d'où toute vie a disparu (à l'opposé du « hameau » avec ses girouettes et ses coqs de clochers dans « Après le Déluge »). **6.** Pour un nouveau déluge ? Le « désert » évoqué ensuite pourrait être la surface des eaux d'où émergent encore les calvaires, les moulins, les îles et les meules (avec un appel de mots moulins/ meules). **7.** L'enfant-poète, selon A. Py (éd. des *Illuminations*, Droz, 1969, p. 86). *Le* est souligné sur le manuscrit, d'abord à l'encre, donc par Rimbaud, ensuite au crayon sans doute par Fénéon, qui ne savait à quoi renvoyait ce pronom. **8.** Un rouge-gorge, peut-être ; mais c'est celui qui l'écoute qui rougit. « Il rougissait pour la moindre chose », dit Delahaye au sujet de Rimbaud (lettre à Marcel Coulon du 2 avril 1929). **9.** *Cf.* « Nuit de l'enfer » : « Ah ça ! l'horloge de la vie s'est arrêtée tout à l'heure. » **10.** La vie se réfugie dans un lieu d'où elle devrait être exclue. **11.** Inversion plus systématique encore que les précédentes ; mais c'est encore la vision d'eaux qui montent et engloutissent une cathédrale.

Il y a une troupe de petits comédiens en costumes, aperçus sur la route à travers la lisière du bois [1].

Il y a enfin, quand l'on a faim et soif, quelqu'un qui vous chasse [2].

IV

Je suis le saint, en prière sur la terrasse, — comme les bêtes pacifiques [3] paissent jusqu'à la mer de Palestine.

Je suis le savant au fauteuil sombre. Les branches et la pluie se jettent à la croisée [4] de la bibliothèque.

Je suis le piéton de la grand'route par les bois nains ; la rumeur des écluses couvre mes pas. Je vois longtemps la mélancolique lessive d'or du couchant.

Je serais bien [5] l'enfant abandonné sur la jetée partie à la haute mer, le petit valet, suivant l'allée dont le front touche le ciel.

Les sentiers sont âpres. Les monticules se couvrent de genêts. L'air est immobile. Que les oiseaux et les sources sont loin ! Ce ne peut être que la fin du monde, en avançant.

V

Qu'on me loue [6] enfin ce tombeau, blanchi [7] à la chaux avec les lignes du ciment en relief — très loin sous terre.

Je m'accoude à la table, la lampe éclaire très vivement ces journaux que je suis idiot de relire, ces livres sans intérêt. —

À une distance énorme au dessus de mon salon souterrain, les maisons s'implantent, les brumes s'assemblent. La boue est rouge ou noire. Ville monstrueuse, nuit sans fin [8] !

---

1. *Cf.* « Ornières ». **2.** L'« enfance mendiante » évoquée au début de « L'Impossible ». **3.** Les « ouailles » du Christ. **4.** *Cf.* « Première Soirée », strophe I. **5.** Curieusement, l'indicatif (« je suis ») a dit les vocations, les rêves ; le conditionnel (« je serais bien », c'est-à-dire « il se pourrait bien plutôt que je sois ») exprime la chute dans la réalité. Dans tous les cas, ces visions de solitude conduisent à l'asphyxie dans un « admirable poème du malaise » (Jean-Pierre Richard, *Poésie et profondeur*, éd. du Seuil, 1955, p. 192). **6.** Le mot implique un séjour temporaire, une « saison » au tombeau. **7.** *Cf.* « les sépulcres blanchis » dans Matthieu, XXIII, 27. Le rapprochement fait par V.P. Underwood (*op. cit.*, p. 86) est plus convaincant que ceux que le même commentateur a faits avec la ville de Londres et ses *basements*. **8.** *Cf.* l'« Adieu » d'*Une saison en enfer*. Mais Rimbaud est ici plus bas que la ville de l'enfer, et dissocié d'elle.

Moins haut, sont des égouts. Aux côtés, rien que l'épaisseur du globe. Peut-être les gouffres d'azur, des puits de feu[1]. C'est peut-être sur ces plans que se rencontrent lunes et comètes, mers et fables.

Aux heures d'amertume je m'imagine des boules de saphir, de métal. Je suis maître du silence. Pourquoi une apparence de soupirail blêmirait-elle au coin de la voûte[2] ?

Conte

Un Prince était vexé de ne s'être employé jamais qu'à la perfection des générosités vulgaires. Il prévoyait d'étonnantes révolutions de l'amour[3], et soupçonnait ses femmes[4] de pouvoir mieux que cette complaisance agrémentée de ciel et de luxe. Il voulait voir la vérité, l'heure du désir et de la satisfaction essentiels. Que ce fût ou non une aberration de piété[5], il voulut[6]. Il possédait au moins un assez large pouvoir humain.

— Toutes les femmes qui l'avaient connu furent assassinées. Quel saccage du jardin de la beauté ! Sous le sabre, elles le bénirent. Il n'en commanda point de nouvelles. — Les femmes réapparurent.

Il tua tous ceux qui le suivaient, après la chasse ou les libations[7]. — Tous le suivaient.

Il s'amusa à égorger les bêtes de luxe. Il fit flamber les palais. Il se ruait sur les gens et les taillait en pièces. — La foule, les toits d'or[8], les belles bêtes existaient encore.

Peut-on s'extasier dans la destruction, se rajeunir par la cruauté[9] ! Le peuple ne murmura pas. Personne n'offrit le concours de ses vues[10].

Un soir il galopait fièrement. Un Génie apparut, d'une beauté ineffable, inavouable même[11]. De sa physionomie et de son maintien ressortait

---

1. *Cf.* la braise gardée par la Sorcière à la fin d'« Après le Déluge » ; elle pourrait être la force secrète du monde, celle aussi qui en permet la destruction. **2.** Refus de la lumière — du « sceau de Dieu [qui] blêmit les fenêtres » (« Après le Déluge »). **3.** *Cf.* les paroles de l'Époux infernal dans « Délires I » : « Je n'aime pas les femmes. L'amour est à réinventer, on le sait. » **4.** Polygamie : la scène se situe en Orient. **5.** Piété tournée vers la recherche d'un Absolu qui est la satisfaction du Désir. **6.** « Il voulait » [...] il voulut » : moment de la décision, que le Prince peut prendre et exécuter en raison du « pouvoir humain » qu'il possède. **7.** Les festins. **8.** *Cf.* la *domus aurea* de Néron. **9.** Le point d'exclamation marque cette extase même, cette satisfaction qui ne dure que le temps de l'acte. **10.** Point de conseiller fâcheux. **11.** « Ineffable » : qui ne peut être dite ; « inavouable » : que l'on n'ose pas reconnaître comme la sienne. Parallélisme des constructions : « d'un bonheur indicible, insupportable même ! »

la promesse d'un amour multiple et complexe ! d'un bonheur indicible, insupportable même ! Le Prince et le Génie s'anéantirent probablement dans la santé essentielle[1]. Comment n'auraient-ils pas pu en mourir ? Ensemble donc ils moururent.

Mais ce Prince décéda, dans son palais, à un âge ordinaire. Le prince était le Génie. Le Génie était le Prince[2].

La musique savante[3] manque à notre désir[4].

Parade

Des drôles[5] très solides. Plusieurs ont exploité vos mondes[6]. Sans besoins, et peu pressés de mettre en œuvre leurs brillantes facultés et leur expérience de vos consciences. Quels hommes mûrs ! Des yeux hébétés à la façon de la nuit d'été, rouges et noirs, tricolores[7], d'acier piqué d'étoiles d'or ; des faciès déformés, plombés, blêmis[,] incendiés[8] ; des enrouements folâtres ! La démarche cruelle des oripeaux ! — Il y a quelques jeunes, — comment regarderaient-ils Chérubin[9] ? — pourvus de voix effrayantes et de quelques ressources dangereuses. On les envoie prendre du dos[10] en ville, affublés d'un *luxe* dégoûtant.

Ô le plus violent Paradis[11] de la grimace enragée[12] ! Pas de comparaison avec vos Fakirs et les autres bouffonneries scéniques. Dans des costumes improvisés avec le goût du mauvais rêve ils jouent des complaintes, des tragédies de malandrins et de demi-dieux spirituels comme l'histoire

---

1. *Cf.* « l'heure du désir et de la satisfaction essentiels » que le Prince attendait. **2.** Singulière restriction : le Génie n'était que le Prince. **3.** Celle qui, comme le Prince, veut trouver la *vérité*, l'*essence*. **4.** Déçoit notre désir, qui est aussi désir de l'Absolu. **5.** Rimbaud jouera sur le double sens du terme : des personnages inquiétants (« terreur »), mais amusants (« raillerie », « comédie »). **6.** Exploiter le monde sous le couvert de la grimace, velléité ancienne chez Rimbaud (voir la lettre à Izambard du 13 mai 1871) confirmée dans *Une saison en enfer* : c'est une manière de se venger. **7.** L'expression justifie tardivement la comparaison avec la nuit d'été. Description des yeux fardés des clowns. **8.** Les uns pâles, les autres rubiconds. **9.** Leur contraire, le jeune homme charmant dont le rôle est chanté par une voix mélodieuse de femme dans l'opéra de Mozart. **10.** L'expression est une parodie plaisante de « prendre du ventre ». On songe à des gigolos, mettant en œuvre des « ressources dangereuses ». Ou à des petits-maîtres, faisant « le gros dos », une main dans la ceinture de la culotte et l'autre dans la veste. **11.** Parade/ Paradis : les mots s'appellent. **12.** *Cf.* « Nuit de l'enfer » : « Bah ! faisons toutes les grimaces imaginables. »

ou les religions ne l'ont jamais été[1], Chinois, Hottentots[2], bohémiens[3], niais, hyènes[4], Molochs[5], vieilles démences, démons[6] sinistres, ils mêlent les tours populaires, maternels, avec les poses et les tendresses bestiales[7]. Ils interpréteraient des pièces nouvelles et des chansons « bonnes filles ». Maîtres jongleurs[8], ils transforment le lieu et les personnes et usent de la comédie magnétique. Les yeux flambent, le sang chante, les os s'élargissent, les larmes et des filets rouges ruissellent[9]. Leur raillerie ou leur terreur dure une minute, ou des mois entiers.

J'ai seul la clef de cette parade sauvage[10].

Antique

Gracieux fils de Pan[11] ! Autour de ton front couronné de fleurettes et de baies[12] tes yeux, des boules précieuses, remuent[13]. Tachées de lies brunes[14], tes joues se creusent. Tes crocs luisent[15]. Ta poitrine ressemble à une cithare, des tintements circulent dans tes bras blonds. Ton cœur bat dans ce ventre où dort le double sexe[16]. Promène-toi, la nuit[17], en mouvant doucement cette cuisse, cette seconde cuisse et cette jambe de gauche.

---

1. Des tragédies supérieures à l'histoire (pour ce qui est des malandrins) et aux religions (pour ce qui est des demi-dieux spirituels). Se décidant à feindre, Rimbaud était prêt à jouer aussi bien le rôle du « bandit » que celui du « martyr » (« L'Éclair »). Première rédaction : « Spirituels comme l'histoire ni les religions n'ont jamais été ». **2.** Grimés en Chinois (le faciès blêmi) ou en Hottentots (le faciès plombé). **3.** Synonyme de saltimbanques. **4.** Les deux mots s'appellent par inversion de sons. **5.** Moloch : monstre auquel sacrifiaient les idolâtres. **6.** Démences/ démons : les mots s'appellent. **7.** *Cf.* le Bottom de Shakespeare dans *Le Songe d'une nuit d'été*. **8.** Expression calquée sur « maîtres chanteurs ». Ils jonglent avec les personnes, les attirant ou les rejetant tour à tour (« la comédie magnétique »). **9.** Étonnante évocation, avant la lettre, d'un « théâtre de la cruauté » qui possède le spectateur. **10.** C'est-à-dire : je suis maître de cette parade sauvage, je peux jouer tous ces rôles. **11.** « Le fils de Pan, le torcol ou oiseau mangeur de serpents, était un oiseau migrateur de printemps qu'on utilisait pour fabriquer des charmes érotiques » (Robert Graves, *Les Mythes grecs*, trad. Mounir Hafez, Fayard, 1967, p. 89). Sans tenter de donner par là une explication littérale de l'expression (qui relève assurément d'une mythologie fantaisiste), on peut observer que cet emblème érotique convient fort bien pour un rêve d'« amours monstres ». **12.** D'un corymbe dionysiaque. **13.** En surcharge sur « luisent ». **14.** La lie de vin, autre symbole dionysiaque. **15.** Ces deux phrases ont été ajoutées dans l'interligne. **16.** Cette phrase constitue une mystification, selon Bouillane de Lacoste (*Rimbaud et le problème des* Illuminations, p. 232, n. 2). Au contraire, en introduisant le motif de l'hermaphrodite, elle nous fournit la clef de cette prose. **17.** En rêve.

Being Beauteous

Devant une neige[1] un Être de Beauté de haute taille. Des sifflements de mort et des cercles de musique sourde[2] font monter, s'élargir[3] et trembler comme un spectre[4] ce corps adoré ; des blessures écarlates et noires[5] éclatent dans les chairs superbes. Les couleurs propres de la vie[6] se foncent, dansent, et se dégagent autour de la Vision, sur le chantier. Et les frissons s'élèvent[7] et grondent et la saveur forcenée de ces effets se chargeant[8] avec les sifflements mortels et les rauques musiques que le monde, loin derrière nous, lance sur notre mère de beauté[9], — elle[10] recule, elle se dresse. Oh ! nos os sont revêtus d'un nouveau corps amoureux[11].

* * *

Ô[12] la face cendrée[13], l'écusson de crin[14], les bras de cristal[15] ! le canon[16] sur lequel je dois m'abattre à travers la mêlée des arbres et de l'air léger !

---

1. Monde de neige, monde polaire, monde arctique où la vie de ce monde-ci a été abolie. **2.** Comme le note S. Bernard, l'expression est tirée d'un cliché : les ondes de musique. **3.** *Cf.* « Parade » : « les os s'élargissent ». **4.** Géant, massif, ce corps est pourtant fragile et irréel. **5.** A. Adam veut retrouver ici des détails anatomiques (la pointe des seins, le sexe). Mais l'important n'est pas là : ce corps superbe est déjà un corps blessé, donc menacé. **6.** Le chantier de la Nouvelle Création. Les couleurs de la vie sont rebelles au nouveau démiurge. **7.** Reprise de « trembler » ; la fragilité même tente de se faire force. **8.** *Se chargeant avec* = venant se surimposer à. La musique créatrice — mais qui pourrait être aussi destructrice — (sifflements de mort, cercles de musique sourde) est doublée par une musique qui émane du corps créé lui-même, qui collabore à l'effort *forcené* de la vie, mais qui en dit en même temps la fragilité (les frissons). **9.** Car cet Être de Beauté doit être la matrice de toute beauté future. **10.** La Vision. Double mouvement contradictoire : une vie qui hésite à naître et pourtant tente de s'affirmer. **11.** S. Bernard fait un rapprochement judicieux avec la vision des ossements desséchés dans Ezéchiel, XXXVII : « Il me dit : Prophétise sur ces ossements. Tu leur diras : Ossements desséchés, écoutez la parole de Yahvé. Ainsi parle le Seigneur Yahvé à ces ossements. Voici que je vais faire entrer en vous l'esprit, et vous vivrez. Je mettrai sur vous des nerfs, je ferai pousser sur vous de la chair, je tendrai sur vous de la peau et je vous donnerai un esprit, et vous vivrez, et vous saurez que je suis Yahvé. » **12.** *Oh* : l'enthousiasme ; *Ô* : le désappointement. **13.** Qui redevient poussière. **14.** *Cf.* « Enfance » I, le « crin jaune » de l'idole. L'expression, cette fois, pourrait désigner le pubis. Le terme est nettement péjoratif. **15.** Aussi fragiles que le cristal. **16.** Il s'agit moins d'une image phallique que d'un fantasme : peur de la guerre, du monde et de la mort (voir la fin de « Mauvais sang »).

Vies

I

Ô les énormes avenues du pays saint, les terrasses du temple[1] ! Qu'a-t-on fait du brahmane qui m'expliqua les Proverbes[2] ? D'alors, de là-bas, je vois encore même les vieilles[3] ! Je me souviens des heures d'argent et de soleil vers les fleuves, la main de la campagne[4] sur mon épaule, et de nos caresses debout dans les plaines poivrées[5]. — Un envol de pigeons écarlates[6] tonne autour de ma pensée. — Exilé ici j'ai eu une scène[7] où jouer les chefs-d'œuvre dramatiques de toutes les littératures. Je vous indiquerais les richesses inouïes[8]. J'observe l'histoire des trésors[9] que vous trouvâtes. Je vois la suite[10] ! Ma sagesse[11] est aussi dédaignée que le chaos. Qu'est mon néant[12], auprès de la stupeur[13] qui vous attend ?

---

1. *Cf.* « Enfance » IV : « Je suis le saint, en prière sur la terrasse. » **2.** Les *sutras* védiques. **3.** Tant les images sont restées vives. L'expression n'a rien d'un non-sens. **4.** Texte du manuscrit que certains éditeurs ont cru devoir corriger en « compagne ». En croyant éviter un non-sens, ils commettent un contresens. La campagne tient lieu ici de compagnie féminine. **5.** *Cf.* « Démocratie » : « aux pays poivrés et détrempés ». **6.** V.P. Underwood a découvert l'expression « *red turbits* » dans les listes de mots anglais de Rimbaud ; de là à dire que les « pigeons écarlates » de « Vies » I venaient des « petites annonces des colombophiles anglais », il n'y avait qu'un pas, qu'il s'est heureusement gardé de franchir (« Rimbaud et l'Angleterre » dans *Revue de littérature comparée*, janvier-mars 1955, p. 33 ; l'hypothèse a été contestée par C.A. Hackett dans *Autour de Rimbaud* ; mise au point de V.P. Underwood dans son livre sur *Rimbaud et l'Angleterre*, pp. 333-335). La disposition entre tirets de cette phrase indique qu'elle exprime une brisure, et un passage — le passage d'*alors* à maintenant, de *là-bas* à ici. Un prodigieux *envol* (*cf.* « million d'oiseaux d'or » dans « Le Bateau ivre »), un éblouissement (*écarlates*), un bruit de tonnerre : comme étourdi, sans comprendre, le poète se retrouve dans une autre vie. La phrase « Tout se fit ombre et aquarium ardent » a la même fonction dans « *Bottom* ». **7.** Le monde occidental n'est qu'une scène pour un saltimbanque (*cf.* « Parade »). **8.** Fort de mes vies antérieures, je pourrais vous indiquer des richesses que vous ne connaissez pas. On pense au boniment de « Nuit de l'enfer » — de l'imitation, de la simulation, du « théâtre ». **9.** Trésors qui, à côté de ces « richesses inouïes », sont dérisoires. Rimbaud pense certainement aux pauvres trésors de la religion chrétienne. **10.** Qui n'est pas telle que les Occidentaux se l'imaginent. **11.** La « sagesse de l'Orient » (« L'Impossible ») : non pas la « sagesse bâtarde du Coran », mais celle de l'Inde. **12.** Le *nirvana*. **13.** L'étonnement que vous éprouverez quand vous verrez que les promesses de la religion chrétienne étaient trompeuses.

II

Je suis un inventeur[1] bien autrement méritant que tous ceux qui m'ont précédé ; un musicien même, qui ai trouvé quelque chose comme la clef de l'amour[2]. À présent, gentilhomme d'une campagne aigre au ciel sobre[3] j'essaie de m'émouvoir[4] au souvenir de l'enfance mendiante, de l'apprentissage ou de l'arrivée en sabots, des polémiques, des cinq ou six veuvages[5], et quelques noces où ma forte tête m'empêcha de monter au diapason des camarades[6]. Je ne regrette pas ma vieille part de gaîté divine[7] : l'air sobre de cette aigre campagne alimente fort activement mon atroce scepticisme[8]. Mais comme ce scepticisme ne peut désormais être mis en œuvre, et que d'ailleurs je suis dévoué à un trouble nouveau, — j'attends de devenir un très méchant fou.

III

Dans un grenier où je fus enfermé à douze ans j'ai connu le monde, j'ai illustré la comédie humaine. Dans un cellier j'ai appris l'histoire. À quelque fête de nuit dans une cité du Nord j'ai rencontré toutes les femmes des anciens peintres[9]. Dans un vieux passage[10] à Paris on m'a enseigné les sciences classiques. Dans une magnifique demeure[11] cernée par l'Orient entier j'ai accompli mon immense œuvre et passé mon illustre

---

1. *Cf.* le passé de l'inventeur que Rimbaud envoie « au diable » dans « L'Impossible » et dont il reconnaît la vanité dans « Adieu ». **2.** « La charité est cette clef » (Prologue d'*Une saison en enfer*). Le motif (musical ici) de la clef amène l'image du musicien. **3.** On songe évidemment à Roche, à la maison familiale, à la sobriété imposée par les lieux (*cf.* la lettre à Delahaye de mai 1873). **4.** Tentative d'application de son invention : l'amour, la charité. **5.** Abandons. Le mot est verlainien, et on le trouvait dans la « Chanson de la plus haute Tour ». **6.** Quelques beuveries où il s'est montré plus sobre que ses camarades, ayant plus de volonté qu'eux (« ma forte tête »). La métaphore musicale (« diapason ») ne se poursuit pas sans intention de dérision. **7.** Acquise dans une vie antérieure. **8.** Donc ma raillerie : celle qui s'exerçait contre les paysans et contre l'innocence dans la lettre à Delahaye de mai 73 ; mais aussi à celle qui est mise en œuvre dans les « Proses "évangéliques" » et dans *Une saison en enfer*. **9.** Les femmes que représentaient les anciens peintres. Une ville flamande plutôt que Londres. **10.** Y. Bonnefoy songe au passage Denfert près duquel Rimbaud a vécu (le « passage d'Enfer »), A. Py au passage Choiseul où était installé Lemerre, l'éditeur des Parnassiens. Cette seconde hypothèse paraît la meilleure. Mais la suite prouve qu'il s'agit de lieux rêvés plus que de lieux réels. **11.** Ce pourrait être, une fois de plus, la transformation fantasmatique de Roche en château, avec la tentation orientale de « L'Impossible » et le temps de retraite qui a permis l'achèvement d'*Une saison en enfer*. Toutes les expressions sont volontairement grossies à des fins de dérision.

'ai brassé mon sang[1]. Mon devoir m'est remis. Il ne faut même ger à cela. Je suis réellement d'outre-tombe, et pas de commissions[2].

Départ

Assez vu. La vision s'est rencontrée à[3] tous les airs.
Assez eu. Rumeurs des villes, le soir, et au soleil, et toujours.
Assez connu. Les arrêts de la vie[4]. — Ô Rumeurs et Visions !
Départ dans l'affection[5] et le bruit neufs !

Royauté

Un beau matin, chez un peuple fort doux, un homme et une femme superbes[6] criaient sur la place publique. « Mes amis, je veux qu'elle soit reine ! » « Je veux être reine ! » Elle riait et tremblait[7]. Il parlait aux amis de révélation, d'épreuve terminée. Ils se pâmaient l'un contre l'autre.

En effet ils furent rois toute une matinée où les tentures carminées[8] se relevèrent sur les maisons[9], et toute l'après-midi, où ils s'avancèrent du côté des jardins de palmes[10].

---

1. Dans « Mauvais sang ». **2.** On trouve le mot au singulier à la fin de « Solde », associé à l'idée de voyage et de commerce. Les « commissions », c'est la récompense pour une mission accomplie (un « devoir »). Mais ce « devoir » est remis : Rimbaud en est déchargé. **3.** *À* en surcharge sur *dans*. **4.** Des « moments d'extase » (A. Py, p. 111), mais tout aussi bien des moments de crise. **5.** « Affection » : état aussi bien physique que moral qui résulte d'une influence subie (c'est le sens du latin *affectio*). Le terme résume très bien les décisions prises à la fin d'*Une saison en enfer*, en particulier : « Recevons tous les influx de vigueur et de tendresse réelle. » **6.** Le mot s'oppose à *doux*. **7.** Comme l'Être de Beauté de « *Being Beauteous* ». **8.** La pourpre royale ? **9.** Pour permettre de mieux voir passer le couple royal. **10.** On retrouvera le motif dans « Angoisse » : les « palmes » devraient également servir de décor au « jour de succès ». *Cf.* Jean, XII, 12-15 : rentrant à Jérusalem après la résurrection de Lazare, Jésus est accueilli triomphalement par une foule nombreuse qui a « pris les rameaux des palmiers », et il arrive comme le « Roi » annoncé par les prophètes Isaïe et Zacharie.

À une Raison

Un coup de ton doigt sur le tambour décharge tous les sons [1] et commence la nouvelle harmonie.

Un pas de toi, c'est la levée des nouveaux hommes et leur en-marche [2].

Ta tête se détourne [3] : le nouvel amour [4] ! Ta tête se retourne, — le nouvel amour !

« Change nos lots [5], crible les fléaux [6], à commencer par le temps », te chantent ces enfants. « Élève n'importe où [7] la substance de nos fortunes et de nos vœux » on t'en prie,

Arrivée de toujours, qui t'en iras partout [8].

Matinée d'ivresse

Ô *mon* Bien ! Ô *mon* Beau [9] ! Fanfare atroce où je ne trébuche point ! Chevalet féerique [10] ! Hourra pour l'œuvre inouïe et pour le corps merveilleux [11], pour la première fois ! Cela commença sous les rires des enfants, cela finira par eux [12]. Ce poison [13] va rester dans toutes nos veines même quand, la fanfare tournant [14], nous serons rendu à l'ancienne inhar-

---

1. Épuise tous les sons connus ; c'est la *tabula rasa*, comme chez Descartes ! **2.** *Cf.* « Matin » ; mais on sait le peu de sympathie de Rimbaud pour l'armée. **3.** Signe de tête de la divinité classique, comme l'a fait observer Rolland de Renéville ; mais c'est tout aussi bien le mouvement de tête d'un homme qui marche au pas. **4.** *Cf.* « Génie » : « Il est l'amour, mesure parfaite et réinventée, raison merveilleuse et imprévue. » **5.** Lot attribué à chacun par le destin *(moira)*. **6.** Transperce les fléaux pour les abolir. **7.** N'importe où (hors du monde). **8.** Rien de moins « rationnel » que cette dernière phrase, avec des contradictions dont on trouvera l'équivalent dans « Génie » (« il voyage »/« Il ne s'en ira pas ») et dont la moindre n'est pas la présence-absence. Et pourquoi avoir besoin de supplier une « arrivée de toujours » ? Là où d'autres ont vu l'exaltation nous verrions plus volontiers la chute. **9.** On peut observer que cette double invocation correspond à la fois au « salut à la Bont[é] » prévu dans le brouillon d'« Alchimie du verbe » et au « salut à la Beauté » retenu dans la version définitive de ce même texte. Le Beau est inséparable du Bien comme la voyance était inséparable de l'« entreprise de charité ». **10.** Instrument de torture (mais surcharge sémantique du mot : le chevalet du peintre, le chevalet du violon). **11.** La « nouvelle harmonie » et le « nouvel amour » (« À une Raison »). *Inouïe* est à prendre au sens littéral et le *corps merveilleux* à rapprocher du « *Being Beauteous* ». **12.** *Cf.* le chant des enfants dans « À une Raison ». **13.** Autre instrument de la torture. **14.** Ayant le résultat inverse (le retour à l'ancienne inharmonie) par rapport à celui qui était attendu (l'harmonie).

monie. Ô maintenant nous si digne[1] de ces tortures[2] ! rassemblons fervemment cette promesse surhumaine faite à notre corps et à notre âme créés : cette promesse, cette démence ! L'élégance, la science, la violence[3] ! On nous a promis d'enterrer dans l'ombre l'arbre du bien et du mal[4], de déporter les honnêtetés tyranniques[5], afin que nous amenions notre très pur amour. Cela commença par quelques dégoûts et cela finit, — ne pouvant nous saisir sur[-]le[-]champ de cette éternité[6], — cela finit par une débandade de parfums.

Rire des enfants, discrétion des esclaves, austérité des vierges, horreur des figures et des objets d'ici, sacrés soyez-vous par le souvenir de cette veille[7]. Cela commençait par toute la rustrerie[8], voici que cela finit par des anges de flamme et de glace[9].

Petite veille d'ivresse[10], sainte[11] ! quand ce ne serait que pour le masque[12] dont tu nous a[s] gratifié. Nous t'affirmons, méthode[13] ! Nous n'oublions pas que tu as glorifié hier chacun de nos âges[14]. Nous avons foi au poison. Nous savons donner notre vie tout entière tous les jours[15].

Voici le temps des *Assassins*[16].

---

1. Le mot a d'abord été écrit au pluriel, puis l'*s* a été biffé sur le manuscrit. **2.** La « fanfare atroce » (pour l'œuvre inouïe), le « chevalet » (pour le corps merveilleux), le « poison ». **3.** *Cf.* Matthieu, X, 34 : « Ne croyez pas que je sois venu apporter la paix sur terre ; je ne suis pas venu apporter la paix, mais le glaive » ; XI, 12 : « Depuis les jours de Jean le Baptiste jusqu'à présent, le royaume des Cieux est violenté, et des violents s'en emparent. » **4.** Abolition donc de ce qui a causé la chute, et condition d'une rédemption. Les catégories traditionnelles — le Bien et le Mal — laisseront la place au *Bien* nouveau salué au début du texte. Dans la première version de son « *Crimen amoris* », Verlaine fait dire à son Satan de seize ans : « Vous le saviez qu'il n'est point de différence / Entre ce que vous dénommez Bien et Mal. » L'expression de Rimbaud est particulièrement vigoureuse : on doit enterrer l'arbre du Bien et du Mal comme on enterre la hache de guerre. **5.** Au lieu de déporter les criminels, on déportera les tyranniques garants de la morale : étonnant avatar du motif du forçat chez Rimbaud ! **6.** Même si l'épreuve ouvre les portes de l'éternité, elle se situe dans le temps, elle dure : justification entre tirets de la présentation chronologique. **7.** *Cf.* l'« Adieu » d'*Une saison en enfer* : « Cependant c'est la veille. » **8.** *Ibid.* « [...] la réalité rugueuse à étreindre ! Paysan ! » **9.** *Ibid.* « Moi ! moi qui me suis dit mage ou ange, dispensé de toute morale, je suis rendu au sol. » Le mouvement ici se trouve inversé. **10.** Cette « veille d'ivresse » est une « matinée d'ivresse » comme dans « Adieu » la « veille » est un « matin ». **11.** Reprise du mouvement précédent « sacrés soyez-vous ». **12.** Toujours le thème de la feinte, de la simulation. **13.** Le mot consonne étrangement avec « raison » dans la prose précédente. **14.** Chacun des âges précédents a eu sa « méthode ». Elle est elle aussi une « arrivée de toujours ». **15.** *Cf.* Matthieu, X, 39 : « Qui aura trouvé sa vie la perdra, et qui aura perdu sa vie à cause de moi la trouvera. » « Tout entière » a été ajouté dans l'interligne. **16.** Reprise de « la violence ». Le précepte évangélique est poussé à son terme. Depuis la suggestion d'Enid Starkie, l'explication d'*Assassins* par *Haschischins* (mot dont il est la corruption) est devenue traditionnelle.

Phrases

Quand le monde sera réduit en un seul bois noir[1] pour nos quatre yeux étonnés, — en une plage pour deux enfants fidèles[2] — en une maison musicale[3] pour notre claire sympathie, — je vous trouverai.

Qu'il n'y ait ici[-]bas qu'un vieillard[4] seul, calme et beau, entouré d'un « luxe inouï », — et je suis à vos genoux.

Que j'aie réalisé tous vos souvenirs, — que je sois celle qui sait vous garrotter, — je vous étoufferai[5].

Quand nous sommes très forts, — qui recule ? très gais, qui tombe de ridicule ? Quand nous sommes très méchants, que ferait-on de nous[6].

Parez-vous, dansez, riez. — Je ne pourrai jamais envoyer l'Amour par la fenêtre[7].

— Ma camarade, mendiante, enfant monstre[8] ! comme ça t'est égal, ces malheureuses et ces manœuvres, et mes embarras[9]. Attache-toi à nous avec ta voix impossible[10], ta voix ! unique flatteur de ce vil désespoir.

---

1. *Cf.* Verlaine, *La Bonne Chanson*, XVII : « Isolés dans l'amour ainsi qu'en un bois noir,/ Nos deux cœurs, exhalant leur tendresse paisible, / Seront deux rossignols qui chantent dans le soir. » **2.** *Cf.* Verlaine, *Romances sans paroles*, « Ariettes oubliées », IV : « Soyons deux enfants, soyons deux jeunes filles / Éprises de rien et de tout étonnées. » **3.** *Ibid.*, V : « Le piano que baise une main frêle ». **4.** *Cf. ibid.*, « Paysages belges », « Bruxelles » II : « J'estimerais beau / D'être ces vieillards ». « Seul » a été rajouté dans l'interligne. **5.** Comme l'ancienne « Comédie en trois baisers », c'est une Comédie de l'amour en trois actes, dont le dernier est mortel. Verlaine et ses « phrases » ne sortent pas épargnés de cette parodie. **6.** Le rapprochement avec Verlaine tenté par A. Adam s'impose moins ici. Les « phrases » sont trois affirmations superlatives, et également sans effet. La troisième s'éclaire si l'on se reporte à « Honte ». **7.** À l'attitude légère des femmes (« aujourd'hui qu'elles sont si peu d'accord avec nous », écrit-il dans « L'Impossible »), il oppose sa foi en l'Amour (« le nouvel amour ») : mais ce n'est encore qu'une « phrase ». **8.** Motif des « amours monstres » (« L'Éclair ») renouvelé dans « Antique ». **9.** Types, actes et situations qui représentent la banalité des « vieilles amours mensongères » et des « couples menteurs » (« Adieu »). **10.** La voix double de l'hermaphrodite (*cf.* « Contralto » dans *Émaux et camées* de Théophile Gautier). Le mot « impossible » est à prendre littéralement (comme dans la sixième partie d'*Une saison en enfer*) : voix d'une créature imaginaire qui n'existe qu'à la faveur des mots, des « phrases » — un « mythe », au sens péjoratif du terme.

[Fragments sans titre]

Une matinée couverte, en Juillet. Un goût de cendres vole dans l'air ; — une odeur de bois suant dans l'âtre, — les fleurs rouies[1] — le saccage des promenades — la bruine des canaux par les champs, — pourquoi pas déjà les joujoux et l'encens[2] ?

* * *

J'ai tendu des cordes de clocher à clocher ; des guirlandes de fenêtre à fenêtre ; des chaînes d'or d'étoile à étoile, et je danse[3].

* * *

Le haut étang fume continuellement. Quelle sorcière va se dresser sur le couchant blanc ? Quelles violettes frondaisons vont descendre[4] ?

* * *

Pendant que les fonds publics s'écoulent en fêtes de fraternité, il sonne une cloche de feu rose dans les nuages[5].

---

1. Pourrissant dans l'eau. De même, les arbres des promenades sont saccagés. **2.** Pourquoi pas Noël ? tant cette mauvaise journée de juillet fait penser à décembre. Parodie d'une phrase toute faite (« On se croirait à Noël »), mais peut-être aussi de l'espoir d'un « Noël sur la terre » (« Matin ») en toutes saisons. **3.** Après l'abolition du temps, l'abolition de l'espace ; on songe à ce qu'écrira Nietzsche dans sa lettre à Burckhardt du 4 janvier 1889 : « J'ai seulement à être l'équilibre d'or de toutes choses. » Rimbaud s'est cru doué de « pouvoirs surnaturels » jusqu'au jour où il a été « rendu au sol » (« Adieu »). **4.** Deux des « hallucinations innombrables » (« Nuit de l'enfer »), l'une illustrant les « malices dans l'attention dans la campagne », l'autre la descente miraculeuse d'une couronne de feuillage (les « ronces purpurines » du Christ ?). *Cf.* pour la conjonction d'une descente et d'une ascension « Enfance » III : « Il y a une cathédrale qui descend et un lac qui monte. » **5.** L'hypothèse du souvenir d'un 14 Juillet a été définitivement ruinée par M.-A. Ruff (*op. cit.*, pp. 204-205), qui a rappelé que la date anniversaire de la prise de la Bastille est devenue fête nationale en 1880 seulement, après la chute de Mac-Mahon. À d'absurdes et coûteuses « fêtes de fraternité », Rimbaud oppose cette fête perpétuelle que le poète crée dans la nature, fête musicale mais fugitive. À rapprocher de « Fête d'hiver » et de « J'ai créé toutes les fêtes » dans l'« Adieu » d'*Une saison en enfer*.

* * *

Avivant un agréable goût d'encre de Chine une poudre noire pleut doucement sur ma veillée. — Je baisse les feux du lustre, je me jette sur le lit, et tourné du côté de l'ombre je vous vois, mes filles ! mes reines[1] !

Ouvriers

Ô cette chaude matinée de février[2]. Le Sud[3] inopportun vint relever[4] nos souvenirs d'indigents[5] absurdes, notre jeune misère[6].

Henrika[7] avait une jupe de coton à carreau blanc et brun, qui a dû être portée au siècle dernier, un bonnet à rubans et un foulard de soie. C'était bien plus triste qu'un deuil. Nous faisions un tour dans la banlieue. Le temps était couvert et ce vent du Sud excitait toutes les vilaines odeurs des jardins ravagés et des prés desséchés[8].

Cela ne devait pas fatiguer ma femme au même point que moi. Dans une flache laissée par l'inondation du mois précédent[9] à un sentier assez haut elle me fit remarquer de très petits poissons[10].

La ville, avec sa fumée et ses bruits de métiers[11], nous suivait très loin[12] dans les chemins. Ô l'autre monde[13], l'habitation bénie par le ciel et les ombrages ! Le sud me rappelait les misérables incidents de mon enfance, mes désespoirs d'été[14], l'horrible quantité de force et de science que le sort a toujours éloignée de moi. Non ! Nous ne passerons pas l'été dans

---

1. Débauche de noir pour créer artificiellement la nuit qui doit permettre la vision. **2.** Il était question, dans l'un des fragments précédents, d'un juillet pourri qui faisait songer à décembre. Cette « chaude matinée de février » présente l'anomalie inverse. **3.** *Le vent du Sud* ; raccourci d'expression. **4.** Ranimer. **5.** *Cf.* « Royauté » et « Angoisse » : l'épreuve du temps d'indigence. « Absurde », appliqué à une personne, est un anglicisme. **6.** *Cf.* « Phrases » : « Ma camarade, mendiante [...] ». **7.** Le nom est germanique plutôt qu'anglais (M.-A. Ruff), et plus précisément encore scandinave (A. Adam). **8.** Sécheresse également inhabituelle en hiver : il n'a pas plu depuis un mois. **9.** *Cf.* la « flache » où désirait revenir le Bateau ivre ; l'image est indissociable du passé ardennais de Rimbaud. **10.** Image réduite, ironique de leur propre destin. On a cherché, qui à Londres en janvier 1873 (Chadwick), qui à Stuttgart en janvier 1875 (Ruff), des inondations ou des pluies excessives auxquelles Rimbaud pourrait faire ici allusion. Mais nous sommes dans l'imaginaire, avec un retour affaibli du mythe du déluge. **11.** De métiers (à tisser). Ces rumeurs dont veut s'éloigner Rimbaud au profit du « bruit neuf » dans « Départ ». **12.** Première rédaction : « nous poursuivait partout ». **13.** Celui qu'ils désiraient trouver et qu'ils n'ont point trouvé. **14.** Ses soifs : *cf.* les poèmes de mai 1872 et *Une saison en enfer*.

cet avare pays où nous ne serons jamais que des orphelins fiancés[1]. Je veux que ce bras durci[2] ne traîne plus *une chère image*[3].

Les Ponts

Des ciels gris de cristal[4]. Un bizarre dessin de ponts, ceux-ci droits, ceux-là bombés, d'autres descendant ou obliquant en angles sur les premiers[5], et ces figures se renouvelant dans les autres circuits éclairés du canal, mais tous tellement longs et légers que les rives, chargées de dômes[,] s'abaissent et s'amoindrissent. Quelques-uns de ces ponts sont encore chargés de masures[6]. D'autres soutiennent des mâts[7], des signaux, de frêles parapets. Des accords mineurs se croisent, et filent, des cordes[8] montent des berges. On distingue une veste rouge, peut-être d'autres costumes et des instruments de musique. Sont-ce des airs populaires, des bouts de concerts seigneuriaux[9], des restants d'hymnes publics ? L'eau est grise et bleue, large comme un bras de mer[10]. — Un rayon blanc, tombant du haut du ciel, anéantit cette comédie.

Ville

Je suis un éphémère[11] et point trop mécontent citoyen d'une métropole crue moderne[12] parce que tout goût connu a été éludé dans les ameublements et l'extérieur des maisons aussi bien que dans le plan de la ville. Ici vous ne signaleriez les traces d'aucun monument de supersti-

---

1. Des êtres faibles, dont l'union ne saurait faire la force. **2.** Ayant donc acquis la force désirée. **3.** Image affaiblie de la compagne traditionnelle ; *cf.* l'heure du « cher corps » et du « cher cœur » dans « Enfance » I. **4.** Une lumière qui se réduit à une transparence sans éclat. **5.** Effet de perspective. **6.** Selon V.P. Underwood, Rimbaud a pu voir des gravures où le Pont de Londres était encore chargé de maisons (ce qui fut vrai jusqu'au XVIIIe siècle). **7.** Les mâts des bateaux, vus au-dessus des ponts. **8.** Appel de mots : accords/ cordes. Les uns « filent », les autres retiennent. **9.** Le passé lui-même se trouve donc relié. **10.** On pourrait penser à la Tamise. **11.** La réduction de la durée est immédiatement indiquée et le mot « éphémère » sert en quelque sorte d'emblème à cette prose. **12.** *Cf.* l'« Adieu » d'*Une saison en enfer* : « Il faut être absolument moderne. » Mais l'expression « crue moderne » implique quelque doute sur le résultat obtenu.

tion[1]. La morale et la langue sont réduites à leur plus simple expression, enfin ! Ces millions de gens qui n'ont pas besoin de se connaître amènent[2] si pareillement l'éducation, le métier et la vieillesse[3], que ce cours de vie doit être plusieurs fois moins long que ce qu'une statistique folle trouve pour les peuples du continent[4]. Aussi comme[5], de ma fenêtre, je vois des spectres nouveaux[6] roulant à travers l'épaisse et éternelle fumée[7] de charbon, — notre ombre des bois, notre nuit d'été[8] ! — des Érynnies[9] nouvelles, devant mon cottage qui est ma patrie et tout mon cœur puisque tout ici ressemble à ceci[10], — la Mort sans pleurs, notre active fille et servante, et un Amour désespéré, et un joli Crime[11] piaulant dans la boue de la rue.

Ornières

À droite l'aube d'été[12] éveille les feuilles et les vapeurs et les bruits de ce coin du parc, et les talus de gauche[13] tiennent dans leur ombre vio-

---

1. *Cf.* Lucrèce : « Tant la superstition a pu conseiller d'erreurs ». **2.** Mènent. **3.** Les trois âges de la vie. **4.** Opposition de cette « métropole » et du « continent » : l'un des éléments que retiennent les commentateurs qui identifient Londres avec cette ville — et la morale réduite à sa plus simple expression avec le « *struggle for life* » (Steinmetz, dans *Littérature* n° 11). Mais la tendance à fuir le continent est permanente chez Rimbaud. **5.** *Aussi comme* : tour syntaxique lâche qui commence une phrase apparemment inachevée — laissée à l'état d'inachèvement. Il pourrait reprendre *si pareillement* : le nivellement est poussé à son terme, nivellement des citoyens, nivellement des morts et des vivants. **6.** *Nouveaux* : le terme surprend à côté de « spectres » ou d'« Érynnies » et il est important, puisqu'il sera redoublé. Ces créatures destinées à peupler la ville nouvelle, la ville moderne, apparaissent comme la proie ou les fléaux de la mort. **7.** *Cf.* « Ouvriers » : « La ville, avec sa fumée ». **8.** Deux éléments du décor rêvé (les « ombrages » définissaient aussi l'« autre monde » dans « Ouvriers »), rappel nostalgique. **9.** L'orthographe correcte serait Érinyes. Divinités du remords, elles poursuivent le criminel. Suzanne Bernard (éd. cit., n. 2) rappelle que Leconte de Lisle avait fait jouer en janvier 1873 *Les Érinnyes*, adaptation d'Eschyle. Rimbaud pouvait se passer de cet intermédiaire. **10.** La réduction est donc bien la conséquence de l'uniformité, de l'identité de toutes choses. **11.** Ce trio final peut renvoyer à l'*Orestie* : Agamemnon (le mort non pleuré), Cassandre (l'amante désespérée), Oreste (le vengeur). Mais cette explication n'est ni nécessaire ni suffisante. Il faudrait en particulier résoudre le problème syntaxique : à quel mot ces trois termes servent-ils d'apposition ? **12.** *Cf.* « Aube » : « J'ai embrassé l'aube d'été. » La droite est la direction lumineuse et favorable. **13.** La gauche reste la zone d'ombre, sinistre ; d'où la transformation finale de la vision. Jean-Pierre Richard a remarqué le rôle privilégié des talus dans l'imagination de Rimbaud : ils « sont sans doute les endroits où l'on peut le mieux voir germer la métamorphose et circuler la féerie » (*Poésie et profondeur*, p. 200).

lette[1] les mille rapides[2] ornières de la route humide. Défilé de féeries. En effet : des chars chargés d'animaux de bois doré, de mâts et de toiles bariolées, au grand galop de vingt chevaux de cirque tachetés, et les enfants et les hommes sur leurs bêtes les plus étonnantes ; — vingt véhicules, bossés[3], pavoisés et fleuris comme des carrosses anciens ou de contes, pleins d'enfants attifés pour une pastorale suburbaine[4] ; — Même des cercueils[5] sous leur dais de nuit dressant les panaches d'ébène, filant au trot des grandes juments bleues et noires.

Villes

Ce sont des villes ! C'est un peuple pour qui se sont montés[6] ces Alleghanys[7] et ces Libans de rêve ! Des chalets de cristal[8] et de bois qui se meuvent sur des rails et des poulies invisibles[9]. Les vieux cratères ceints de colosses et de palmiers de cuivre[10] rugissent mélodieusement dans les feux. Des fêtes amoureuses sonnent[11] sur les canaux pendus derrière les chalets[12]. La chasse des carillons[13] crie dans les gorges. Des corporations de chanteurs géants[14] accourent dans des vêtements et des oriflammes éclatants comme la lumière des cimes. Sur les plate[s-]formes au milieu des gouffres les Rolands sonnent leur bravoure[15]. Sur les passerel-

---

1. *Cf.* la « futaie violette » dans « Après le Déluge » : « cette couleur, beaucoup plus que le vert, signale une fécondité en acte » (J.-P. Richard, *ibid.*, p. 199). **2.** Mot clef qui déclenche la vision. **3.** Travaillés en bosse, avec des effets de relief. **4.** On songe à la « troupe de petits comédiens en costumes » dans « Enfance » III. « Pastorale suburbaine » : le comble de l'artifice. **5.** Même transformation du *carrosse* en *corbillard* dans « Nocturne vulgaire ». **6.** Double connotation du terme : altitude (montagne)/artifice (construction, théâtre). **7.** *Les Alleghanys* : chaîne de montagnes à l'est des États-Unis ; *le Liban* = la chaîne libanaise. Réunion de l'Occident et de l'Orient. **8.** *Cf.* la « maison de vitres » dans « Après le Déluge », les « boulevards de cristal » dans « Métropolitain ». Indice de fragilité pour cette création et pour ce rêve. **9.** Même exigence de modernité que dans « Ville ». Liée aux « Alleghanys », à la modernité des États-Unis. **10.** Vision orientale, appelée par les « Libans ». Tons rouges (le cuivre, les feux) avec un jeu de mots implicite (rougissent/ rugissent). Mélange de douceur (les palmiers) et de terreur (les cratères, les colosses) qui culmine dans l'alliance « rugissent mélodieusement ». **11.** Toujours la création des « fêtes » (« Adieu » d'*Une saison en enfer*), toujours le décor rêvé pour le « nouvel amour ». *Sonare* = résonner. **12.** Effet de perspective, comme sur une gravure ; mais surtout surimposition de deux paysages inconciliables : des chalets sur une pente ; une ville plate avec ses canaux. **13.** D'une ville à l'autre les carillons se poursuivent, ou ils sont répétés par l'écho dans les gorges qui les amplifient. **14.** On songe aux Maîtres Chanteurs. Même rappel du Moyen Âge, même alliance du passé et du présent dans « Les Ponts ». **15.** Souvenir multiplié de Roland sonnant du cor à Roncevaux (Rimbaud nommait Théroldus (Turold) dans sa lettre à Demeny du 15 mai 1871).

les de l'abîme et les toits des auberges l'ardeur du ciel pavoise les mâts [1]. L'écroulement des apothéoses rejoint les champs des hauteurs où les centauresses séraphiques évoluent parmi les avalanches [2]. Au[-]dessus du niveau des plus hautes crêtes une mer troublée par la naissance éternelle de Vénus [3], chargée de flottes orphéoniques [4] et de la rumeur des perles et des conques précieuses [5], — la mer s'assombrit parfois avec des éclats mortels [6]. Sur les versants des moissons de fleurs grandes comme nos armes et nos coupes, mugissent [7]. Des cortèges de Mabs [8] en robes rousses, opalines [9], montent des ravines. Là[-]haut, les pieds dans la cascade et les ronces, les cerfs tettent Diane [10]. Les Bacchantes des banlieues [11] sanglotent et la lune brûle et hurle [12]. Vénus entre dans les cavernes des forgerons [13] et

---

1. Surimposition (des « mâts » soutenus par des « passerelles », comme dans « Les Ponts ») et ambiguïté (mâts d'un vaisseau, mâts de cocagne, mâts d'un cirque comme dans « Ornières »). **2.** Série d'alliances de termes qui s'annulent. « Champs des hauteurs », calque d'une expression virgilienne, *campi aerei*. **3.** « Naissance éternelle » : encore deux termes qui s'annulent. Retour et reprise parodique du mythe de Vénus anadyomène. **4.** *Cf.* la « fanfare » de « Matinée d'ivresse » ; mais Rimbaud peut jouer sur les mots, avec un rappel du navire *Argo* où s'était embarqué Orphée. C'est de l'« orphique mâtiné d'orphéonesque » (Jean-Luc Steinmetz). **5.** Coquilles en spirale dont, selon la fable, les Tritons se servaient comme de trompes. Mais surimposition : on songe aussi à la conque dans laquelle surgit Vénus anadyomène (*cf.* Du Bellay : « Telle qu'estoit la nouvelle Cyprienne/ Venant à bord dans sa conque de mer »). *Conques* appelle *perles* (qui se forment dans certaines coquilles), mais « perle » peut aussi avoir un sens musical (les sons pleins de la flûte, sens 9 du Littré). **6.** Alliance des contraires : « s'assombrit » avec des « éclats ». Éclats « mortels » parce qu'ils peuvent anéantir la vision, comme à la fin des « Ponts ». Toute cette phrase peut être interprétée comme une description métaphorique du ciel en termes de mer. **7.** Alliance de l'inoffensif (les fleurs) et de l'offensif (les armes) : d'où la terreur inspirée par un mugissement qui est signe du *numen* (dans l'*Énéide*, la Sibylle mugit, VI, 99 ; la terre mugit, VI, 256). **8.** Souvenir, là encore multiplié, de la reine Mab dans le *Roméo et Juliette* de Shakespeare, I, 4. C'est une sorcière qui « vient, pas plus grosse qu'une pierre d'agate à l'index d'un échevin, traînée par un attelage de petits atomes » (trad. de P.J. Jouve et G. Pitoëff). On passe d'évocations *géantes* à une évocation *enfante*. **9.** Couleur de l'aube pour Rimbaud (« l'aube opale » dans le brouillon d'« Alchimie du verbe »). **10.** V.P. Underwood (*Rimbaud et l'Angleterre*, pp. 92-93) voit là le souvenir d'un groupe sculptural de Charles Bell, la *Wood Nymph*. Mais il s'agit bien plutôt d'une expression classique de l'*adunaton* (l'impossible), par exemple dans la première des *Bucoliques* de Virgile : « Aussi l'on verra les cerfs légers paître dans les airs », *adunaton* redoublé puisque les cerfs tètent Diane leur chasseresse. **11.** Glatigny, dans *Les Vignes folles* (« La Bacchante apprivoisée ») avait évoqué l'essaim des Bacchantes : « Ivres de vin et de fureur,/ Qui bondissaient par les ravines/ Et les forêts pleines d'horreur » pour nous conduire à la Bacchante apaisée des salons. Même métamorphose, même affaiblissement allant jusqu'au larmoiement pour les Bacchantes suburbaines de Rimbaud (*cf.* les « Sabines de la banlieue » dans « *Bottom* »). **12.** Alors qu'elle est habituellement froide et silencieuse. Échange et inversion des clichés traditionnels. **13.** Vénus était l'épouse de Vulcain, le dieu-forgeron, mais plus pressée de sortir du logis conjugal que d'y entrer. Et — en principe du moins ! — elle ne visite guère les ermites.

des ermites. Des groupes de beffrois chantent les idées des peuples. Des châteaux bâtis en os sort la musique inconnue. Toutes les légendes évoluent et les élans se ruent dans les bourgs. Le paradis des orages s'effondre[1]. Les sauvages dansent sans cesse la fête de la nuit. Et une heure je suis descendu dans le mouvement d'un boulevard de Bagdad où des compagnies ont chanté la joie du travail nouveau[2], sous une brise épaisse, circulant sans pouvoir éluder les fabuleux fantômes des monts où l'on a dû se retrouver[3].

Quels bons bras, quelle belle heure me rendront cette région d'où viennent mes sommeils[4] et mes moindres mouvements ?

Vagabonds

Pitoyable frère ! Que d'atroces veillées je lui dus[5] ! « Je ne me saisissais pas fervemment de cette entreprise[6]. Je m'étais joué de son infirmité[7]. Par ma faute nous retournerions en exil, en esclavage. » Il me supposait un guignon[8] et une innocence très-bizarres, et il ajoutait des raisons inquiétantes.

Je répondais en ricanant à ce satanique docteur[9], et finissais par gagner

---

1. Dans ces quatre phrases, l'incohérence augmente, les termes nous égarent entre divers sens possibles (les *élans* : les animaux si craintifs devenus furieux ? ou de purs dynamismes ? — le *paradis* : au sens architectural ou au sens spirituel du terme ?) ; mais surtout la vision entre dans la nuit (« la fête de la nuit ») et dans la mort (les « os » ; images de destruction : « se ruent », *cf.* « Conte » ; « s'effondre »), comme celle du défilé de féeries dans « Ornières ». **2.** *Cf. Une saison en enfer*, « Matin » : « Quand irons-nous, par delà les grèves et les monts, saluer la naissance du travail nouveau [...] ! » *Bagdad* (ville de Mésopotamie, donc au centre d'une très large plaine) tente de continuer le rêve oriental ; le mouvement du boulevard (*cf.* « *Plates-bandes d'amarantes...* »), le rêve de vie ; les *compagnies*, l'espoir d'une collectivité heureuse. Mais l'image des monts demeure, avec le reflet mortel qu'elle renvoie. **3.** *Cf.* Gérard de Nerval, *Aurélia*, I, 2 : « Je croyais voir le lieu où nous étions s'élever, et prendre les formes que lui donnait sa configuration urbaine [...]. C'est là que nous devons nous retrouver. » **4.** Donc mes songes (*somnia* en latin). « Villes I se présente ouvertement comme le récit d'un songe » (Jean Hartweg, « *Illuminations*, un texte en pleine activité », dans *Littérature* nº 11). **5.** Passé, sinon « lointain » comme le dit Bouillane de Lacoste, du moins volontairement rejeté dans le lointain. **6.** Le terme reste vague, les deux compagnons n'étant pas d'accord sur son objet. **7.** Sa faiblesse. On peut penser à la situation conjugale de Verlaine. **8.** « Mauvaise chance » (Littré), « mauvais œil » (A. Py). **9.** Rimbaud répond en ricanant (comme Méphistophélès) à cet autre docteur Faust. Rimbaud avait demandé à Delahaye de lui procurer le *Faust* de Goethe au moment où il préparait son *Livre païen* (lettre de mai 1873). Faust, acceptant la promesse du Diable, est moins « satanique » que devenu la proie de Satan.

la fenêtre. Je créais, par delà la campagne traversée par des bandes[1] de musique rare, les fantômes du futur luxe nocturne[2].

Après cette distraction vaguement hygiénique[3], je m'étendais sur une paillasse. Et, presque chaque nuit, aussitôt endormi, le pauvre frère se levait, la bouche pourrie, les yeux arrachés, — tel qu'il se rêvait ! — et me tirait dans la salle en hurlant son songe de chagrin idiot[4].

J'avais en effet, en toute sincérité d'esprit, pris l'engagement de le rendre à son état primitif de fils du soleil[5], — et nous errions, nourris du vin des cavernes[6] et du biscuit de la route, moi pressé de trouver le lieu et la formule[7].

Villes

L'acropole[8] officielle outre les conceptions de la barbarie moderne les plus colossales[9]. Impossible d'exprimer le jour mat produit par ce ciel immuablement gris[10], l'éclat impérial des bâtisses, et la neige éternelle du sol. On a reproduit dans un goût d'énormité singulier toutes les merveilles classiques de l'architecture[11]. J'assiste à des expositions de peinture dans des locaux vingt fois plus vastes qu'Hampton-Court[12]. Quelle

---

1. Notation visuelle (*cf.* « Veillées » II), mais Rimbaud peut jouer sur le sens anglais du terme (*band*, musique, fanfare). **2.** Un luxe « inouï » qui serait celui de leurs nuits futures. Mais ce n'étaient que chimères, « fantômes ». **3.** Singulière réduction, après coup, de l'« entreprise ». **4.** Au rêve féerique de l'un s'oppose le « songe de chagrin » de l'autre — le cauchemar où il se voit décrépit et ravagé. **5.** Dans les diverses mythologies, les « fils du soleil » sont les immortels ; voir W.J. Perry, *The Children of the Sun*, London, 1927, et Mircea Eliade, *Traité d'histoire des religions*, Payot, 1949, pp. 125-126 : « dans différentes parties du monde les chefs passaient pour descendre directement du soleil. » La révolte contre la mort a été le *travail* rimbaldien (voir « L'Éclair » dans *Une saison en enfer*). **6.** La correction *tavernes* est un contresens. Et l'explication fournie par Charles Bruneau est la bonne : les cavernes sont des petites fontaines comme on en trouve dans les forêts ardennaises. **7.** La formule magique de la métamorphose, de la transformation alchimique de l'homme. **8.** « Ville élevée ou citadelle dans les cités grecques » (Littré), lieu de la religion officielle en particulier. V.P. Underwood voudrait bien retrouver là un bâtiment de Londres, mais il hésite entre le Crystal Palace (p. 71) et la National Gallery (p. 308). Et qu'aurait de « barbare » l'« architecture très classique » de ce dernier édifice ? **9.** Le mot est essentiel : des villes géantes. Le mot *colosses*, qui reviendra plus loin, est présent aussi dans « Villes », « *Ce sont des villes...* ». **10.** Acropole non plus grecque, mais nordique. Les « ciels gris » suscitaient aussi la vision des ponts. **11.** Création « crue moderne », comme « Ville » (p. 472, n. 12), mais artificielle, épigonale. **12.** « Allusion peu claire. Hampton Court, résidence royale des XVIe, XVIIe siècles, à 20 km de Londres, sur la Tamise, n'est pas vaste et n'est pas spécialement un musée de peintures, bien que ses grands appartements en renferment beaucoup » (V.P. Underwood, *Rimbaud et l'Angleterre*, p. 73). Mais ce n'est qu'un point de comparaison.

peinture ! Un Nabuchodonosor norwégien[1] a fait construire les escaliers des ministères ; les subalternes que j'ai pu voir sont déjà plus fiers que des Brahmas[2] et j'ai tremblé à l'aspect des gardiens de colosses et officiers de constructions[3]. Par le groupement des bâtiments en squares, cours et terrasses fermées, on [a] évincé les cochers[4]. Les parcs représentent la nature primitive travaillée par un art superbe. Le haut quartier a des parties inexplicables : un bras de mer, sans bateaux, roule sa nappe de grésil bleu entre des quais chargés de candélabres géants[5]. Un pont court conduit à une poterne immédiatement sous le dôme de la Sainte-Chapelle[6]. Ce dôme est une armature d'acier artistique de quinze mille pieds[7] de diamètre environ.

Sur quelques points des passerelles de cuivre, des plates-formes, des escaliers qui contournent les halles et les piliers, j'ai cru pouvoir juger la profondeur de la ville. C'est le prodige dont je n'ai pu me rendre compte : quels sont les niveaux des autres quartiers sur ou sous l'acropole ? Pour l'étranger de notre temps la reconnaissance[8] est impossible. Le quartier commerçant est un circus[9] d'un seul style, avec galeries à arcades. On ne

---

1. Roi constructeur ; c'est le « roi de Babylone » dont il était question dans « Bonne pensée du matin » et qui, ici, est transformé en souverain septentrional. Mais surtout l'idée de gigantisme reste attachée à Nabuchodonosor en raison de la statue colossale et fragile, aux pieds d'argile, qui lui apparaît dans la Bible. **2.** Jugé illisible, le mot devient lisible quand on le démêle de celui qu'il surcharge (*nababs*). Il ne peut être alors que « Brahmas » comme l'a montré de manière définitive André Guyaux (éd. critique, p. 38). Rimbaud pense à certaines représentations colossales du dieu Brahma (à quatre têtes). On bien il emploie « Brahmas » pour *Brahmanes* ou *Brahmes* (membres de la première caste, la caste sacerdotale, en Inde). **3.** Calque de l'anglais *building-officers* (Underwood, p. 73). La reconstruction d'André Guyaux : « à l'aspect de colosses des gardiens et officiers de constructions », plus satisfaisante pour la raison, n'est conforme ni à la lettre du manuscrit ni à la liberté parfois déroutante de l'écriture rimbaldienne. Voir sur ce point les réserves de Roger Little (*Parade sauvage*, n° 4, pp. 99-101) et le plaidoyer d'Albert Henry (*Contribution à la lecture de Rimbaud*, 1998, pp. 261-265). **4.** Donc on est dans des ensembles sans issue, étouffants. **5.** Surimposition, comme dans « Villes », « *Ce sont des villes...* » : une surface d'eau plane (un « bras de mer », *cf.* « Les Ponts ») se superpose à la vision d'une acropole. Bras de mer sans bateaux parce qu'il est gelé, arctique (sa « nappe de grésil bleu »). Décor de plus en plus funèbre, avec les réverbères devenus « candélabres ». **6.** Demeure donc ici un « monument de superstition », contrairement à « Ville ». **7.** C'est-à-dire 4 615 mètres. Ni les dimensions fantastiques de l'édifice, ni le nom français qui cette fois lui est donné n'invitent à l'identifier avec tel ou tel dôme londonien (sur les hypothèses proposées, voir V.P. Underwood, *op. cit.*, pp. 69-70). **8.** Le visiteur est donc originaire d'un autre lieu et d'un autre temps par rapport à ces villes « d'anticipation » qui, comme le « Splendide Hôtel » dans « Après le Déluge », sont bâties « dans le chaos de glaces et de nuit du pôle ». **9.** « Rond-point » en anglais (*cf.* « Piccadilly-Circus, avec ses *théâtres* et ses *arcades* bordées de *boutiques* », V.P. Underwood, *op. cit.*, p. 341).

voit pas de boutiques. Mais[1] la neige de la chaussée est écrasée ; quelques nababs[2] aussi rares que les promeneurs d'un matin de dimanche à Londres, se dirigent vers une diligence de diamants. Quelques divans de velours rouge : on sert des boissons polaires[3] dont le prix varie de huit cent[s] à huit mille roupies. À l'idée de chercher des théâtres sur ce circus, je me réponds que les boutiques doivent contenir des drames assez-sombres[4]. Je pense qu'il y a une police ; mais la loi doit être tellement étrange, que je renonce à me faire une idée des aventuriers[5] d'ici.

Le faubourg[6] aussi élégant qu'une belle rue de Paris est favorisé d'un air de lumière. L'élément démocratique compte quelques cents âmes[7]. Là encore les maisons ne se suivent pas ; le faubourg se perd bizarrement dans la campagne, le « Comté »[8] qui remplit l'occident éternel des forêts et des plantations prodigieuses où les gentilshommes sauvages chassent leurs chroniques sous la lumière qu'on a créée[9].

Veillées

I

C'est le repos éclairé, ni fièvre ni langueur[10], sur le lit ou sur le pré.
C'est l'ami ni ardent ni faible. L'ami.
C'est l'aimée ni tourmentante ni tourmentée. L'aimée.

---

1. = et pourtant (comme si des clients l'avaient piétinée). **2.** Richards. « Nabab. Titre des princes de l'Inde musulmane. Famil[ièrement]. Se dit des Anglais qui ont rempli de grands emplois ou fait le commerce dans l'Inde, et qui sont revenus avec des revenus considérables » (Littré). Le mot appelle et le nom de Londres et le terme *roupie* (monnaie de l'Inde). **3.** Boissons glacées, ou plutôt boissons en usage dans ce pays polaire. **4.** (Pour qu'il ne soit pas besoin de chercher de théâtres). Boutiques doublement inquiétantes : on ne voit pas ce qu'elles contiennent ; on ne les voit même pas elles-mêmes. Première rédaction : *dans ce circus.* **5.** Ceux qui font fi de cette loi. **6.** Ce qui est en dehors du bourg, de l'enceinte ; donc ici la ville basse par opposition à l'acropole. **7.** = Quelques centaines d'âmes. **8.** On peut suivre ici les indications précieuses de V.P. Underwood. « Comté » transpose l'anglais *County* (qui lui-même vient du français) et Rimbaud passe sans solution de continuité du *Comté* comme espace au *Comté* comme caste : « l'aristocratie terrienne, surtout hippomane et adonnée à la chasse ». Il a pu voir « dans une vitrine du British Museum, sous quelque éclairage artificiel "moderne", des enluminures des *Chroniques* [de Froissart] et de la *Chasse* du comte Gaston Phébus » et les transposerait ici. Le passé devient futur : rien n'a changé. **9.** La lumière artificielle ; pas seulement celle des vitrines du musée, mais celle que la civilisation moderne installe dans cette ville de l'avenir, au cœur de la nuit polaire. **10.** Ce mot et cette négation indiquent suffisamment qu'il ne saurait s'agir de Verlaine, comme l'a cru Charles Chadwick.

L'air et le monde point cherchés. La vie[1].
— Était-ce donc ceci[2] ?
— Et le rêve fraîchit[3].

II

L'éclairage revient à l'arbre de bâtisse[4]. Des deux extrémités de la salle, décors quelconques[5], des élévations harmoniques se joignent[6]. La muraille en face du veilleur est une succession psychologique de coupes de frises, de bandes atmosphériques et d'accidences géologiques[7]. — Rêve intense et rapide de groupes sentimentaux avec des êtres de tous les caractères parmi toutes les apparences[8].

III

Les lampes et les tapis de la veillée font le bruit des vagues, la nuit, le long de la coque et autour du steerage[9].

La mer de la veillée[10], telle que les seins d'Amélie[11].

Les tapisseries, jusqu'à mi-hauteur, des taillis de dentelle, teinte d'émeraude, où se jettent les tourterelles de la veillée[12].

---

1. La vie (comme plénitude). **2.** Expression d'une déception : « N'était-ce donc que ceci ? » **3.** « Baisse de tension » pour S. Bernard ; au contraire « accélération du rêve » pour A. Py. La première interprétation nous semble plus naturelle, plus conforme aussi au sens donné au verbe *fraîchir* par le dictionnaire Littré : « Terme de marine. Il se dit du vent qui devient plus fort ». **4.** Le pilier central autour duquel s'est édifiée la construction. **5.** En apposition à « élévations ». **6.** Des surfaces qui s'élèvent comme d'un commun accord et finissent par se rejoindre au sommet de l'arbre de bâtisse. L'architecture, sommaire, est celle d'un chapiteau autour d'un mât. **7.** La phrase semble ne pas parvenir à capter la vision, avec des termes qui voudraient être techniques et ne parviennent pas à l'être, des alliances de mots impossibles. À rapprocher de la phrase suspendue à la fin de « Ville ». **8.** Prolifération qui tend vainement vers la totalité. **9.** Première rédaction : *sur le pont*. « *Steerage* n'était pas [...] un mot très accessible aux Français : peu de dictionnaires bilingues expliquaient qu'il s'agit de l'entrepont arrière d'un navire, où l'on parque les passagers de troisième classe — c'est sans doute la partie que connaissait le mieux notre *voyageur* impécunieux » (V.P. Underwood, *Rimbaud et l'Angleterre*, p. 294). **10.** Préparée par la phrase précédente, la métaphore se fixe définitivement dans un raccourci d'expression saisissant. **11.** Inutile de chercher à identifier cette Amélie, terme d'une rêverie ondulatoire. **12.** *Cf.* l'envol des « pigeons écarlates » dans « Vies » I. Là interruption d'une vie, ici interruption d'un rêve. D'où la ligne de points qui suit.

....

La plaque du foyer noir[1], de réels soleils des grèves : ah ! puits des magies ; seule vue d'aurore, cette fois.

Mystique

Sur la pente du talus[2] les anges tournent[3] leurs robes de laine[4] dans les herbages d'acier et d'émeraude[5].

Des prés de flammes[6] bondissent jusqu'au sommet du mamelon. À gauche[7] le terreau de l'arête est piétiné par tous les homicides et toutes les batailles, et tous les bruits désastreux filent leur courbe. Derrière l'arête de droite la ligne des orients, des progrès[8].

Et tandis que la bande en haut du tableau est formée de la rumeur tournante et bondissante des conques des mers et des nuits humaines[9],

La douceur fleurie des étoiles et du ciel et du reste[10] descend en face du talus, comme un panier[11], — contre notre face[12], et fait l'abîme[13] fleurant et bleu[14] là-dessous.

---

1. Transfert d'épithète (la plaque noire du foyer) : le foyer est éteint. Les visions lumineuses vont naître d'un manque ; mieux, elles seront ce manque même. **2.** Au sujet de « talus », voir « Ornières » et la note 13. **3.** Dans l'Apocalypse ils tournent autour du trône de Dieu : c'est cette ronde qui est évoquée ici. **4.** « Ils ont lavé leurs robes et les ont blanchies dans le sang de l'Agneau » (Apocalypse, VII, 14). Rimbaud procède par raccourci d'expression (*robes* faites *de la laine* de l'Agneau) et enchaînement des images (agneau — herbages). **5.** Ce « monde rayonnant de métal et de pierre » — comme le dit Baudelaire — est caractéristique des *Illuminations*. L'émeraude n'est pas seulement une notation de couleur, mais de substance (les pierres précieuses, qui sont aussi dans l'Apocalypse le matériau de la Jérusalem céleste). Le métal est au contraire la substance moderne qui s'allie à la précédente pour une vision nouvelle. **6.** Les flammes de l'étang de feu (Apocalypse, XX, 15), de l'enfer. **7.** La gauche est ici la direction défavorable, la droite la direction favorable comme dans « Ornières ». Mais à la vision naïve des damnés (à gauche) et des élus (à droite) se trouve substituée la vision moderne des « batailles » (à gauche), des « progrès » (à droite). **8.** Des lumières qui se lèvent. *Cf.* « L'Impossible » dans *Une saison en enfer*. **9.** Même perspective que dans « Après le Déluge » : la mer là où l'on attendait le ciel, les « nuits humaines » là où l'on attendait la lumière divine. La reprise des termes et le passage de « tournante » (*cf.* les anges) à « bondissante » (*cf.* les flammes) renforcent encore la substitution. **10.** Une pointe d'insolence dans cet *et cætera*. **11.** Comme un panier (de fleurs) ; on songe aussi à la descente dans un panier du *deus ex machina*. **12.** L'homme peut respirer cette douceur à pleines narines. **13.** L'abîme qui aurait dû être infernal. **14.** L'odeur, la couleur du Ciel.

Aube

J'ai embrassé[1] l'aube d'été[2].

Rien ne bougeait encore au front[3] des palais. L'eau était morte. Les camps d'ombres[4] ne quittaient pas la route du bois. J'ai marché, réveillant[5] les haleines vives et tièdes, et les pierreries regardèrent[6], et les ailes se levèrent sans bruit[7].

La première entreprise fut, dans le sentier déjà empli de frais et blêmes éclats, une fleur qui me dit son nom.

Je ris au wasserfall[8] blond qui s'échevela à travers les sapins : à la cime argentée je reconnus la déesse[9].

Alors je levai un à un les voiles. Dans l'allée, en agitant les bras[10]. Par la plaine, où je l'ai dénoncée au coq. À la grand'ville elle fuyait parmi les clochers et les dômes, et courant comme un mendiant sur les quais de marbre, je la chassais.

En haut de la route[11], près d'un bois de lauriers, je l'ai entourée avec ses voiles amassés[12], et j'ai senti un peu son immense corps. L'aube et l'enfant tombèrent au bas du bois.

Au réveil il était midi[13].

---

1. Au sens propre : j'ai entouré de mes bras. **2.** *Cf.* « Bonne pensée du matin » et le début d'« Ornières ». **3.** « Fronton » (A. Py) ; mais l'autre sens n'est pas exclu dans ce climat d'animisme. **4.** La métaphore s'explique par la prose précédente. **5.** Le poète reprend la tâche qui était dévolue à la seule « aube d'été » dans « Ornières ». **6.** *Cf.* « Après le Déluge » : « Oh les pierres précieuses qui se cachaient, — les fleurs qui regardaient déjà ». Le poète semble revenir ici à un « âge d'or » que l'accélération du temps bousculait dans « Après le Déluge ». **7.** À l'inverse de l'envol bruyant qui brise le rêve (voir « Vies » I, « Veillées » III). **8.** Chute d'eau, en allemand. De nombreux commentateurs ont cru pouvoir utiliser ce trait linguistique pour retrouver dans « Aube » le souvenir d'une promenade faite par Rimbaud à Stuttgart en 1875. Mais il y était de février à avril, et non l'été, et la date est certainement trop tardive. **9.** L'aube d'été elle-même. **10.** *Cf.* « Après le Déluge » : « sur la place du hameau, l'enfant tourna ses bras ». Comme cet enfant, le poète manifeste une autorité croissante et inopportune que traduit la montée de la violence (agiter, dénoncer, chasser). **11.** « Au lieu précis où, tout à l'heure, s'accrochaient les *camps d'ombre* » (A. Thisse, *op. cit.*, p. 150). **12.** Démarche humble, pudique qui contraste avec la précédente (« je levai un à un les voiles ») et permet, cette fois, de « sentir un peu son immense corps ». Résultat à la fois positif et restrictif. **13.** « Bonne pensée du matin » s'achevait aussi sur le mot « midi ».

Fleurs

D'un gradin[1] d'or, — parmi les cordons de soie, les gazes grises, les velours verts et les disques de cristal qui noircissent[2] comme du bronze au soleil, — je vois la digitale s'ouvrir[3] sur un tapis de filigranes[4] d'argent, d'yeux et de chevelures.

Des pièces d'or jaune[5] semées sur l'agate, des piliers d'acajou supportant un dôme d'émeraudes, des bouquets de satin blanc et de fines verges de rubis[6] entourent la rose d'eau[7].

Tels qu'un dieu aux énormes yeux bleus et aux formes de neige, la mer et le ciel[8] attirent aux terrasses[9] de marbre la foule des jeunes et fortes roses[10].

---

1. Le mot est souligné par les commentateurs qui pensent au théâtre, et il a en effet une connotation théâtrale. C'est en tout cas le siège du spectateur, qu'il s'agisse du simple talus métamorphosé ou du trône de Dieu (Apocalypse, XXI, 3). Intéressant rapprochement fait par M. Frankel avec la traduction de Lamennais pour le *Paradis* de Dante (*op. cit.*, p. 157). **2.** « Le noircissement des teintes indique très souvent chez Rimbaud une imminence de création, un paroxysme latent » (J.-P. Richard, p. 205). **3.** Les pierres précieuses ne se cachent donc pas ici pendant que les fleurs regardent, s'ouvrent, comme dans la création manquée d'« Après le Déluge ». **4.** *Filigrane* : « ouvrage d'or ou d'argent travaillé à jour et dont les figures sont formées de petits filets enlacés les uns dans les autres ou contournés les uns sur les autres ; il y a des grains sur les filets ». Ces grains sont ici d'*argent* (notation attendue), d'*yeux* (*cf.* les « pierreries » qui « regardèrent », dans « Aube ») et de *chevelures* (même alliance dans « Barbare »). M. Frankel retrouve l'expression la « chevelure de la fleur » dans la traduction citée du *Paradis*, XXXII, 6 (*op. cit.*, p. 160). **5.** *Cf.* « Mémoire » : « Plus pure qu'un louis, jaune et chaude paupière le souci d'eau [...] ». **6.** En botanique, la « verge d'or » est une « plante radiée qui porte un long épi de fleurs jaunes » (Littré). **7.** S. Bernard pense au nénuphar. Mais il est bien plus important que le centre de l'évocation soit, non une fleur réelle, et à la place de la rose mystique, une fleur qui n'existe pas en dehors de la flore rimbaldienne : une rose qui a la transparence de l'eau. **8.** L'azur et les nuages ; l'onde et l'écume. On a déjà vu comment dans les *Illuminations* la mer et le ciel sont interchangeables dans une même abolition de la verticalité. **9.** Élément des nouvelles villes rimbaldiennes (« Villes » II), et aussi lieu de prière (« Enfance » IV) ; *cf.* dans « Enfance » I les « dames qui tournoient sur les terrasses voisines de la mer ». **10.** Comme une foule de fleurs élues, en tout cas une flore régénérée. Jean-Pierre Richard voit au contraire ici une destruction de la floralité.

Nocturne vulgaire

Un souffle ouvre des brèches opéradiques[1] dans les cloisons, — brouille le pivotement[2] des toits rongés, — disperse[3] les limites de foyers, — éclipse les croisées. — Le long de la vigne[4], m'étant appuyé du pied à une gargouille, — je suis descendu dans ce carrosse[5] dont l'époque est assez indiquée par les glaces convexes, les panneaux bombés et les sophas contournés — Corbillard[6] de mon sommeil, isolé, maison de berger de ma niaiserie[7], le véhicule vire sur le gazon de la grande route effacée[8] : et dans un défaut en haut de la glace de droite tournoient les blêmes figures lunaires, feuilles, seins[9] ; — Un vert et un bleu très foncés envahissent l'image[10]. Dételage aux environs d'une tache de gravier[11].

— Ici va-t-on siffler[12] pour l'orage, et les Sodomes, — et les Solymes[13], — et les bêtes féroces et les armées,

(— Postillon et bêtes de Songe reprendront-ils sous les plus suffocantes futaies, pour m'enfoncer jusqu'aux yeux dans la source de soie[14].)

---

1. D'opéra. Le mot est un calque de l'anglais *operatic*, mais on le trouve aussi chez les Goncourt, comme l'a fait observer V.P. Underwood. **2.** Pivoter = enfoncer en terre sa racine principale. À rapprocher de l'« arbre de bâtisse » dans « Veillées » II. **3.** En surcharge sur *éclipse*. **4.** Sans doute la vigne vierge, et la « gargouille » est une simple gouttière. C'est une évasion romanesque, ou « opéradique », par la fenêtre. **5.** *Cf.* « Ornières ». J. Plessen souligne la « joliesse rococo du carrosse », « vrai carrosse de conte de fées » qui est aussi une « demeure féminisée » (*Promenade et poésie*, p. 194) ; J.-P. Richard note que ce « véhicule XVIIIe siècle » est « tout entier construit comme une symphonie de lignes courbes ». **6.** Même transformation dans « Ornières ». **7.** C'est-à-dire de la niaiserie de mon songe. Allusion dépréciative à la « maison du berger » dont Vigny faisait le cadre idéal de son évasion avec Éva. **8.** Le gazon qui existait avant que la grande route ne fût tracée. Cette route se trouve « effacée » par la remontée dans le temps. **9.** Images rondes dans les glaces convexes (S. Bernard) ; « déchaînement onirique du paysage, et des objets apparemment incongrus, mais tous également reliés à une rêverie de fécondité et de sexualité » (J.-P. Richard) ; « ballet érotique » (J. Plessen). Images fades et dépréciées en tout cas. **10.** Obscurcissement menaçant qui « annonc[e] le déchaînement d'une violence multiforme » (J.-P. Richard), en tout cas une mutation du rêve. **11.** Comme si la grande route reparaissait ou comme si cette « tache de gravier » prenait les proportions d'un obstacle. Un simple détail, devenu obsédant, modifie le cours du rêve. **12.** Pour les appeler. **13.** Solyme = Jérusalem (*cf.* « Mauvais sang »). Sodome et Solyme : deux villes soumises à la colère de Dieu et qui apparaissent comme telles dans les invectives de Jésus : voir Matthieu, XI, 23-24 ; XXIII, 37 *sqq.* ; XXIV, I *sqq.* en particulier : « Il ne sera pas laissé ici pierre sur pierre qui ne soit détruite. » Pour les Apôtres, la ruine de Jérusalem doit entraîner la fin du monde. C'est la première direction possible : direction vers un avenir qui est *eschaton*, la fin du monde. **14.** Seconde direction possible : reprendre le voyage féerique dans un monde d'un « luxe inouï », voyage qui ramène au passé, donc à l'asphyxie.

— Et nous envoyer, fouettés à travers les eaux clapotantes et les boissons répandues, rouler sur l'aboi des dogues[1]...

— Un souffle disperse les limites du foyer[2].

Marine

Les chars d'argent et de cuivre —
Les proues d'acier[3] et d'argent —
Battent l'écume, —
Soulèvent les souches des ronces —
  Les courants de la lande,
Et les ornières immenses du reflux
Filent circulairement[4] vers l'est,
Vers les piliers de la forêt, —
Vers les fûts[5] de la jetée,
Dont l'angle est heurté par des tourbillons de lumière[6]

Fête d'hiver

La cascade sonne[7] derrière les huttes d'opéra-comique[8]. Des girandoles[9] prolongent, dans les vergers et les allées voisins du Méandre[10], — les

1. Continuation de la première hypothèse (les boissons répandues = les coupes de l'Apocalypse ; les dogues = les bêtes féroces) ou tout aussi bien de la seconde (les roturiers chassés, *cf.* « Mauvais sang », « Enfance » III), ou même d'une troisième : dénouement en tout cas catastrophique ; « le tournoiement aboutit à un *roulement*, un trébuchement d'ivesse, un vertige » (J.-P. Richard). **2.** Reprise d'une partie de la phrase initiale, la cellule mère du songe. **3.** En surcharge sur *azur*. **4.** L'adverbe est important : la vision va « virer », revenir à la normale. **5.** Le système d'échange invite à prendre *fûts* au sens d'arbres droits et élancés. Mais Rimbaud joue sur le double sens du terme (*fût* en architecture = le corps de la colonne compris entre la base et le chapiteau), ce qui va permettre à l'élément architectural (la jetée, la limite) de l'emporter. **6.** Éblouissement, choc, tourbillon : interruption fréquente du rêve rimbaldien dans les *Illuminations*. **7.** *Cf.* « Villes » I : « Des fêtes amoureuses sonnent sur les canaux pendus derrière les chalets. » *Sonner* a son sens latin = retentir. **8.** On sait le goût de Rimbaud pour les « opéras vieux » (« Alchimie du verbe ») et singulièrement pour les opéras-comiques de Favart. Il pourrait y avoir un jeu de mots sur *huttes* (ut). **9.** Gerbes tournantes d'un feu d'artifice qui prolongent les feux naturels du couchant (les *verts* et les *rouges*). Mais ce sont aussi des faisceaux de jets d'eau (d'où la continuité des images liquides : *cascade, girandoles, Méandre*). Le mot va imposer la vision d'un tournoiement (girer). **10.** Fleuve d'Asie Mineure au cours particulièrement sinueux. Contiguïté (*voisins*) qui pourrait exprimer un rapport métaphorique (les allées sinueuses, les méandres des allées). La majuscule n'a rien d'« académique », comme le suggère Bruno Claisse (*Rimbaud ou le « dépaysement rêvé »*, 1990, p. 36).

verts et les rouges du couchant. Nymphes d'Horace coiffées au Premier Empire[1], — Rondes Sibériennes[2], Chinoises de Boucher[3].

Angoisse

Se peut-il qu'Elle[4] me fasse pardonner les ambitions continuellement écrasées, — qu'une fin aisée[5] répare les âges d'indigence, — qu'un jour de succès[6] nous endorme sur la honte[7] de notre inhabileté fatale[8],

(Ô palmes ! diamant[9] ! — Amour, force[10] ! — plus haut[11] que toutes joies et gloires ! — de toutes façons, partout, — démon[12], dieu, — Jeunesse[13] de cet être-ci ; moi !)

---

1. Donc doublement conventionnelles, comme pour une « pastorale suburbaine » (« Ornières »). *Nymphes* est appelé par *vergers*, cadre traditionnel des *églogues* (voir « Après le Déluge »). **2.** Couple qui confirme le titre : *Rondes* appartient au registre de la fête, des girandoles ; *Sibériennes* à celui de l'hiver. C'est singulièrement réduire la notation que d'y voir, avec Bruno Claisse, les patineurs du Bois de Boulogne ! **3.** François Boucher (1703-1770) a dessiné des cartons de tapisserie représentant des chinoiseries. Comme les opéras-comiques de Favart, ils flattent le goût de Rimbaud pour les charmes désuets du XVIIIe siècle. Rapport de contiguïté (la Sibérie et la Chine sont limitrophes), continuité des images (coiffures des nymphes, coiffures des Chinoises en forme de huttes), allitération donnant à la fin du poème une pulsation, un rythme giratoire (« *Ch*inoises de Bou*ch*er »). **4.** La majuscule surcharge la minuscule sur le manuscrit. Multiples exégèses : la Femme (Gengoux), la Sorcière (Étiemble-Y. Gauclère), la religion chrétienne (Matucci), la Mort (S. Bernard), la Vie (Adam), la Raison, la Méthode, la Musique savante, la Poésie (Py). Mais pourquoi vouloir à tout prix préciser ? Il s'agit d'un « principe féminin » (Forestier), mais démoniaque (« la Vampire ») qui inspire des espérances trompeuses. André Guyaux a noté avec subtilité que *Elle* « subit la contagion de l'impersonnalité », par voisinage avec *il* (éd. critique, p. 183). **5.** Fortune au terme de l'épreuve de la pauvreté. *Cf.* « Ouvriers ». **6.** Un seul jour, comme dans « Royauté » (le couple royal pourrait reparaître dans le *nous* qui vient relayer le *je*). **7.** Nous fasse fermer les yeux sur la honte. **8.** Le succès devrait pouvoir s'obtenir par « science » (voir plus bas) mais aussi par « rouerie » (*cf.* « Démocratie ») : deux chimères. **9.** Deux éléments du « comfort », du « luxe » désirés : le motif des *palmes* apparaissait à la fin de « Royauté », celui du *diamant* dans « Villes ». — « *L'acropole officielle...* » (la « diligence de diamants » des nababs). **10.** Deux aspirations essentielles : le nouvel amour (« À une Raison ») et la « force [...] que le sort a toujours éloignée de moi » (« Ouvriers »). *Cf.* « Adieu » d'*Une saison en enfer* : « Recevons tous les influx de vigueur et de tendresse réelle. » **11.** *Cf.* « À une Raison » : « Élève n'importe où la substance de nos fortunes et de nos vœux. » **12.** La minuscule surcharge la majuscule. **13.** Vœu d'une jeunesse éternelle, celle d'un démon ou d'un dieu, peu importe.

Que des accidents de féerie scientifique [1] et des mouvements de fraternité sociale [2] soient chéris comme restitution progressive de la franchise [3] première ?...

Mais la Vampire qui nous rend gentils commande que nous nous amusions avec ce qu'elle nous laisse [4], ou qu'autrement nous soyons plus drôles [5].

Rouler aux blessures [6], par l'air lassant et la mer ; aux supplices, par le silence des eaux et de l'air meurtriers ; aux tortures qui rient, dans leur silence atrocement houleux [7].

Métropolitain

Du détroit d'indigo [8] aux mers d'Ossian [9], sur le sable rose et orange qu'a lavé le ciel vineux [10] viennent de monter et de se croiser des boulevards de cristal [11] habités incontinent [12] par des jeunes familles pauvres qui s'alimentent chez les fruitiers [13]. Rien de riche. — La ville !

---

1. Les résultats d'une recherche qui a les apparences de la science mais procède par surprises comme la magie. *Cf.* « Mouvement ». **2.** *Cf. Une saison en enfer*, « Matin ». **3.** Liberté. **4.** Les hochets que sont tous ces vœux chimériques. **5.** Renvoi à l'attitude de la « parade ». **6.** *Cf.* « Nocturne vulgaire » : « Et nous envoyer, fouettés à travers les eaux clapotantes et les boissons répandues, rouler sur l'aboi des dogues. » Cette dernière phrase est d'ordinaire interprétée comme l'expression d'une préférence et d'un choix, ceux de l'aventurier (= Mieux vaut encore rouler). On peut y voir aussi un complément de la proposition précédente : la Vampire s'amuse à nous voir rouler... D'où les « tortures qui rient ». André Guyaux note que « l'infinitif, énoncé impersonnel, suffit au mouvement » (éd. critique, p. 187). **7.** Redondances et reprises de mots exprimant une répétition plus qu'une véritable progression. **8.** *Indigo* : le bleu le plus foncé tirant sur le violet. Toute tentative de localisation est vouée à l'échec, et inutile. **9.** Parmi les trop nombreuses suggestions de V.P. Underwood, nous retiendrons celle d'un jeu de mots Océan / Ossian (*Rimbaud et l'Angleterre*, p. 304). Si l'on se fie à la suggestion des sonorités et des images (indigo / Inde ; Ossian / Écosse), la métropole se situe au centre d'un *Commonwealth* parfaitement uni. **10.** Transfert d'expression à partir d'un cliché poétique, d'origine homérique : la mer vineuse. Autre référence ironique, après Ossian. **11.** Les rues gelées de Londres (Underwood), des rues bordées de maisons aux grandes baies (Adam) : c'est oublier que nous sommes en pleine fantasmagorie ; avec des boulevards qui « mont[ent] » comme les chalets de cristal sur des rails dans « Villes ». — « *Ce sont des villes...* », et avec ce cristal, substance à la fois précieuse et fragile, qui, comme le note Margaret Davies, est « la matière même de l'imagination rimbaldienne, matière qui parce qu'elle diffuse la lumière en est une source féconde, et qui peut donc être en elle-même une illumination ». **12.** Jeu de mots probable avec *continent* (*cf.* « Ville »). **13.** Périphrase ironique pour « qui ont une nourriture frugale » ; *cf.* la lettre de Verlaine à Lepelletier du 23 novembre 1872 : « ici on a pour 2 sous (one penny), trois oranges, et des poires (exquises) incalculablement. Des grandes aussi, des pommes, etc. ! » S'il devait y avoir là « un aspect de l'illuminisme social professé par Rimbaud » (L. Forestier), ce ne pourrait être que sur le mode dérisoire !

Du désert de bitume[1] fuient droit en déroute avec les nappes de brumes échelonnées en bandes affreuses au ciel qui se recourbe, se recule et descend, formé de la plus sinistre fumée noire que puisse faire l'Océan en deuil, les casques, les roues, les barques, les croupes[2]. — La bataille !

Lève la tête : ce pont de bois[3], arqué ; les derniers potagers de Samarie[4] ; ces masques enluminés sous la lanterne fouettée par la nuit froide[5] ; l'ondine[6] niaise à la robe bruyante, au bas de la rivière ; les crânes lumineux dans les plan[t]s de pois[7], — et les autres fantasmagories — la campagne.

Des routes bordées de grilles et de murs[8], contenant à peine leurs bosquets, et les atroces fleurs qu'on appellerait cœurs et sœurs[9], Damas[10] damnant de long[u]eur, — possessions de féeriques aristocra-

---

1. Le pavage des rues au bitume était encore une « merveille » de Londres à l'époque — encore qu'il ne fût pas inconnu à Paris (voir Underwood, p. 307). Mais c'est encore l'Océan qui est vu comme un « désert de bitume ». Du moins saisit-on l'enchaînement des visions. **2.** Ces quatre mots sont sujets de « fuient droit ». La vision d'une bataille navale et celle d'une bataille terrestre sont mêlées. S'il s'agit aussi d'une vision urbaine, on retiendra la suggestion de V.P. Underwood (p. 56) : le souvenir de gravures londoniennes de Gustave Doré, publiées en 1872, avec les casques des policemen, les roues des voitures, les croupes des chevaux et les barques dont on voit les agrès au bout de la rue. Sans oublier le *fog*... **3.** Suggestion de M. Davies : « Le ciel qui, dans la vision précédente, se recourbait et descendait, s'est changé à cause de cet acte en un pont de bois, arqué » (pp. 29-30). Le pont : l'instrument d'une composition ; l'arche ; un point de salut. **4.** Association d'idées : un pont de bois / des potagers près d'une rivière ; l'arche / la voûte d'une église / le Christ et sa rencontre avec une femme aux abords de Samarie, dans les derniers potagers qui marquent la limite entre la campagne et la ville de Samarie (car pour Rimbaud Samarie est une ville ; voir « À Samarie », p. 388). **5.** Le rapprochement a souvent été fait avec « *Entends comme brame*... », où nous avons cru reconnaître la lune et son reflet ironique, l'auréole prêtée aux saints. Peut s'y ajouter le souvenir du *Songe d'une nuit d'été* (que Rimbaud connaissait ; voir « *Bottom* ») où la lune est représentée par une *lanterne* tenue par l'un des clowns (les *masques*). Mais la nuit d'été est devenue une « nuit froide », et la fête une « fête d'hiver ». **6.** Image chère à Aloysius Bertrand dans *Gaspard de la nuit* ; Rimbaud l'a déjà congédiée dans la deuxième partie de sa « Comédie de la Soif ». Le mot *niais* revient plusieurs fois dans les *Illuminations* pour déprécier les visions (*cf.* « Parade », « Nocturne vulgaire »). **7.** Nouveau rappel de « *Entends comme brame*... », avec « la rame viride du pois » et l'« effet nocturne » des auréoles des saints, « ces crânes lumineux ». La correction « plan[t]s » nous paraît s'imposer. **8.** C'est à « Enfance » II, à la « route rouge pour arriver à l'auberge vide », aux « palissades » dominées par des « cimes bruissantes » qu'on est maintenant renvoyé : une campagne, mais tout aussi bien une ville, une banlieue comme celle de Charleville ou de Londres, qui se réduisent à des routes bordées de propriétés closes d'où le vagabond se sent exclu. **9.** Végétation proliférante et inquiétante, avec des *fleurs atroces* auxquelles les gens bien (et les poètes ; *cf.* « Ce qu'on dit au poète à propos de fleurs ») s'obstinent à donner des noms fades dans un enchaînement de mots écœurant : *fleurs/ cœurs/ sœurs*. **10.** Il s'agirait de l'étoffe, selon Étiemble et Y. Gauclère (*Rimbaud*, p. 231). Mais la majuscule semble exclure cette hypothèse. Rimbaud continue à jouer avec les associations de mots : routes (d'où chemins), (chemin de) Damas — le lieu de l'illumination de saint Paul (Actes des apôtres, XXVI, 12-13 : « je me rendais à Damas [...] quand, vers le milieu du jour, en chemin, je vis, venant du

ties ultra-Rhénanes, Japonaises, Guaranies[1], propres encore à recevoir la musique des anciens — et il y a des auberges qui pour toujours n'ouvrent déjà plus[2] — il y a des princesses, et si tu n'es pas trop accablé, l'étude des astres[3] — le ciel.

Le matin où avec Elle[4] vous vous débattîtes parmi les éclats de neige, les lèvres vertes, les glaces[,] les drapeaux noirs et les rayons bleus, et les parfums pourpres du soleil des pôles, — ta force.

Barbare

Bien après les jours et les saisons, et les êtres et les pays[5],

Le pavillon en viande saignante[6] sur la soie des mers[7] et des fleurs arctiques ; (elles n'existent pas.)

Remis des vieilles fanfares d'héroïsme — qui nous attaquent encore le cœur et la tête — loin des anciens assassins[8] —

---

ciel, plus brillante que le soleil, une lumière resplendir autour de moi et de ceux qui faisaient route avec moi. » Pas d'illumination soudaine ici, mais une longue attente (*longueur* sur le manuscrit est une coquille, mais la bonne leçon est bien *longueur* et non, comme l'a suggéré Bouillane de Lacoste, *langueur*) ; non pas le salut, mais la damnation (avec appel de sonorités *Damas damnant*).

1. Propriétés privées, domaines réservés à des aristocrates que le rêveur imagine comme lointains et féeriques. L'Allemagne, le Japon, le folklore des Indiens (les *Guaranies* sont des Indiens d'Amérique du Sud) : tout le trésor des contes. Avec un éloignement progressif dans l'espace (lancé par *ultra*) et dans le temps (rêve d'un avant la colonisation des Indiens). **2.** Rapprochement suggéré par M. Davies avec « L'Irréparable » de Baudelaire, où « L'Espérance qui brille aux carreaux de l'Auberge / Est soufflée, est morte à jamais » et où « Le Diable a tout éteint aux carreaux de l'Auberge ». **3.** L'élégance (les *princesses*) et la science (l'*étude des astres*), deux aspirations rimbaldiennes (*cf.* « Matinée d'ivresse »). **4.** *Cf.* « Elle », « la Vampire » dans la pièce précédente. Il s'agit ici non plus de se laisser berner par elle, non plus d'être purement et simplement rejeté, mais de lutter, et en luttant de conquérir la « force » désirée. Décor polaire. **5.** Après la fin du temps, après la fin du monde. **6.** Le pavillon d'un vaisseau, le drapeau rouge qui succède aux *drapeaux noirs* de « Métropolitain ». Intéressant rapprochement fait par Margaret Davies avec le *Moby Dick* de Melville et la carcasse saignante de cachalot que le capitaine Achab fait hisser jusqu'au mât (« Rimbaud and Melville », *Revue de littérature comparée*, octobre-décembre 1969). Bruno Claisse a cherché du côté de Michelet, dans *La Mer*. **7.** *Cf.* les « cordons de soie » dans « Fleurs », la « source de soie » dans « Nocturne vulgaire ». **8.** Rappel explicite de « Matinée d'ivresse » (les fanfares, les assassins) et de « Démocratie » : la voyance, la destruction du monde sont rejetées dans le temps.

Oh[1] ! le pavillon en viande saignante sur la soie des mers et des fleurs arctiques ; (elles n'existent pas)

Douceurs[2] !

Les brasiers[3], pleuvant aux rafales de givre, — Douceurs ! — les feux à la pluie du vent de diamants — jetée par le cœur terrestre éternellement carbonisé pour nous[4]. — Ô monde[5] ! —

(Loin des vieilles retraites et des vieilles flammes, qu'on entend, qu'on sent[6],)

Les brasiers et les écumes. La musique, virement des gouffres et choc des glaçons aux astres[7].

Ô Douceurs, ô monde, ô musique ! Et là, les formes, les sueurs, les chevelures et les yeux, flottant[8]. Et les larmes blanches, bouillantes, — ô douceurs ! — et la voix féminine[9] arrivée au fond des volcans et des grottes arctiques.

Le pavillon[10]...

---

1. Marque d'une intensité plus grande (M. Davies, commentaire de « Barbare » dans *Images et témoins*, article cité, p. 37). **2.** « Charme » par lequel le poète démiurge tente de conjurer le chaos et de faire régner la « nouvelle harmonie ». **3.** En surcharge sur *fournaises* ; de même plus bas. *Cf.* les « braises de satin » dans « L'Éternité ». **4.** Le monde semble avoir explosé, libérant la matière à l'état de fusion qui en occupe le centre, le « cœur terrestre » : d'où ce déluge de feu, de diamants (les pierres précieuses qui se cachaient) qui ne saurait se confondre avec le simple geyser. *Cf.* le « puits de feu » à la fin d'« Enfance » et le pot de terre où la Sorcière allume sa braise dans « Après le Déluge ». **5.** Invocation cette fois, appel à un monde à naître. **6.** *Cf.* les « anges de flamme et de glace » dans « Matinée d'ivresse ». De nouveau la voyance ancienne est éloignée, et pourtant elle reste présente. « Comme pour les fanfares musicales, il y a encore des retours en arrière dans un mouvement qui ne cesse d'être cyclique. Ce sont des retraites, des flammes *qu'on entend, qu'on sent* toujours » (M. Davies, art. cit.). **7.** Donc une musique du chaos. **8.** Triomphe de l'élément liquide dans un paysage diluvien : des chevelures isolées, des yeux épars — épaves sinistres d'un monde barbare où la viande des corps déchirés semble saigner de toute part —, les sueurs, plus légères que l'eau, flottant à la surface. Enfin les formes, dont Rimbaud rêve, dans *Une saison en enfer*, « l'impossible » dissolution, sont abandonnées au chaos. *Yeux* et *chevelures* entraient pourtant dans le filigrane du nouveau monde floral (voir « Fleurs ») et Jean-Pierre Richard voit dans ces épaves des symboles d'une renaissance future : « le dernier mouvement de "Barbare" parvient à rassembler sur la surface d'une eau-mère, et dans la fécondité d'un chaud désordre flottant, la plupart des objets, organes ou substances où s'incarne d'ordinaire le mythe rimbaldien de la genèse » (*Poésie et profondeur*, p. 213). **9.** Nous ne pouvons en revanche suivre ici J.-P. Richard quand, victime des interprétations sentimentales (Delahaye, Henry Miller, etc.), il perçoit dans cette voix « une directe intervention d'autrui dans l'aventure rimbaldienne, [...] la nostalgie d'un éveil par les autres, [...] la possibilité d'une métamorphose qui serait due à une influence amoureuse ». On songe plutôt à la Sorcière, cette déesse chtonienne qui livrerait enfin son secret (M. Davies), ou à « Elle », l'antagoniste des deux poèmes en prose précédents. **10.** « Le fait que le chant s'interrompt aussitôt qu'entendu, et que le pavillon une fois nommé disparaît [...] marque, au moment de la défaite et tout en la reconnaissant, un des triomphes de l'art » (M. Davies, art. cit.).

Fairy[1]

Pour Hélène[2] se conjurèrent les sèves ornamentales[3] dans les ombres vierges et les clartés impassibles dans le silence astral. L'ardeur de l'été fut confiée à des oiseaux muets et l'indolence requise à une barque de deuils sans prix par des anses d'amours morts et de parfums affaissés[4].

— Après le moment de l'air des bûcheronnes[5] à[6] la rumeur du torrent sous la ruine des bois, de la sonnerie des bestiaux à l'écho des vals, et des cris des steppes[7]. —

Pour l'enfance d'Hélène frissonnèrent les fourrures et les ombres, — et le sein des pauvres, et les légendes du ciel[8].

Et ses yeux et sa danse supérieurs encore aux éclats précieux, aux influences froides[9], au plaisir du décor et de l'heure uniques.

Guerre

Enfant, certains ciels ont affiné mon optique[10] : tous les caractères[11] nuancèrent ma physionomie. Les Phénomènes s'émurent[12]. — À présent,

---

1. *Fairy* signifie « Fée » en anglais. Mais, fait observer V.P. Underwood, « le rapport de *Fairy* [...] avec le poème auquel il est attribué est insaisissable, à moins qu'il ne faille donner à ce mot le sens argotique de *cocotte*. [...] Il est possible qu'il ait prêté à ce substantif le sens de *féerie* qu'il ne possède pas, ou encore que notre poète ait mal écrit le mot *Faery*, assez fréquent dans la poésie anglaise et signifiant *royaume féerique, fantastique* » (*Rimbaud et l'Angleterre*, p. 293). **2.** Difficile à identifier. Ni l'Hélène de Troie, ni celle de Shakespeare dans *Le Songe d'une nuit d'été*, ni celle d'Edgar Poe (pour cette dernière suggestion, voir Underwood, *op. cit.*, p. 112) ne ressemblent à l'Hélène évoquée ici. **3.** Anglicisme pour « ornementales ». Deux registres métaphoriques : l'arbre (*sèves/ ombres*), le ciel (*clartés/ silence astral*) avec un chiasme. Dominante : la froideur (*ornamentales, vierges, impassibles*). **4.** Symbolisme des objets (de faux oiseaux, une barque funèbre). La fin de la phrase est très elliptique et les mots peuvent s'enchaîner par appel de sonorités (« a*m*ours *m*orts », « par*f*ums a*ff*aissés »). Autre représentation visuelle d'un parfum à la fin de « Métropolitain ». **5.** Albert Henry (1998, p. 172) rappelle que les femmes ont longtemps exercé le dur métier de bûcheron. **6.** *À* surcharge *avec*. **7.** Si cet alinéa contient des allusions, elles échappent aux commentateurs. Touches impressionnistes pour définir le moment précédent : un temps de destruction (les bûcheronnes, responsables sans doute de la *ruine des bois*) et de bruits inquiétants (*la rumeur du torrent*) ou inquiets (*la sonnerie des bestiaux* en écho, comme un signal d'alarme ; les *cris des steppes*). Divers bruits, divers paysages se mêlent dans cette symphonie. **8.** *Cf.* le quatrième alinéa de « Métropolitain ». **9.** Qui les ont déterminés. **10.** Ma vue. **11.** On l'a obligé à prendre toutes les expressions correspondant à des caractères différents. Ce sont les « âcres hypocrisies » de l'enfant qui « suait d'obéissance » (« Les Poètes de sept ans » : rapprochement judicieux fait par Suzanne Bernard). **12.** Toutes les manifestations du visible se mirent en mouvement. Sorte de conjuration cosmique contre lui.

l'inflexion éternelle des moments et l'infini des mathématiques[1] me chassent par ce monde[2] où je subis tous les succès civils[3], respecté de l'enfance étrange et des affections énormes[4]. — Je songe à une Guerre[5], de droit ou de force, de logique bien imprévue.

C'est aussi simple qu'une phrase musicale.

Solde

À vendre ce que les Juifs n'ont pas vendu[6], ce que noblesse ni crime n'ont goûté, ce qu'ignore[7] l'amour maudit et la probité infernale des masses : ce que le temps ni la science n'ont pas à reconnaître ;

Les Voix[8] reconstituées ; l'éveil fraternel de toutes les énergies chorales et orchestrales et leurs applications instantanées ; l'occasion, unique, de dégager nos sens[9] !

À vendre les Corps sans prix, hors de toute race, de tout monde, de tout sexe, de toute descendance[10] ! Les richesses jaillissant à chaque démarche ! Solde de diamants sans contrôle[11] !

À vendre l'anarchie pour les masses[12] ; la satisfaction irrépressible pour les amateurs supérieurs[13] ; la mort atroce pour les fidèles et les amants !

À vendre les habitations[14] et les migrations, sports, féeries et comforts parfaits, et le bruit, le mouvement et l'avenir qu'ils font[15] !

---

1. « L'inflexion des moments (qui constituent le temps) vers l'éternité », celle des chiffres vers l'infini mathématique le poussent à des départs, vers la ligne indéfiniment reculée de l'horizon. Commentaire de J. Plessen : « Il semble bien que, dans ses rêves d'un monde devenu pure harmonie fondée sur le nombre, il ait supposé les mathématiques capables de cette *expansion des choses infinies* dont parle Baudelaire » (*Promenade et poésie*, p. 140). **2.** À travers ce monde (sens de *per* latin). **3.** Ceux dont il est exclu. **4.** Ses aspirations impossibles. **5.** Penser ici à l'intention qu'eut Rimbaud (en juillet 1875 !) de s'engager dans l'armée carliste est pure aberration... **6.** Eux qui ont la réputation de faire commerce de tout. *Cf.* la Pâque des Juifs et les vendeurs chassés du temple dans Jean, II, 16 : « Cessez de faire de la Maison de mon Père une maison de commerce. » **7.** Accord latin. Les éditeurs font d'ordinaire la correction « ignorent », qui a été faite par une main étrangère sur le manuscrit. **8.** Motif de la voix (« Barbare », « Sonnet » de « Jeunesse », etc.), motif du chœur (« Vingt ans ») liés au nouvel espoir de Rimbaud. **9.** *Cf.* « Jeunesse » IV. **10.** *Cf. « Being Beauteous »*. **11.** Le monde d'un « luxe inouï », où les pierres précieuses ne se cachent plus (voir le début de « Fleurs », « Aube », etc.). *Diamants sans contrôle* : dont nul n'a contrôlé la pureté. **12.** *Cf.* « Démocratie ». **13.** *Cf.* « les tics d'orgueil puéril » (« Jeunesse » IV). **14.** Les constructions des « Villes ». **15.** *Cf.* « Mouvement », mais aussi « Scènes », « *Fairy* » et « Génie ».

À vendre les applications de calcul et les sauts d'harmonie inouïs [1]. Les trouvailles et les termes non soupçonnés, possession immédiate.

Élan insensé et infini aux splendeurs invisibles, aux délices insensibles [2], — et ses secrets affolants pour chaque vice — et sa gaîté effrayante pour la foule [3] —

À vendre les Corps, les voix, l'immense opulence inquestionable [4], ce qu'on ne vendra jamais. Les vendeurs ne sont pas à bout de solde ! Les voyageurs n'ont pas à rendre leur commission de si tôt [5] !

Jeunesse

I

DIMANCHE

Les calculs de côté [6], l'inévitable descente du ciel [7], et la visite des souvenirs et la séance des rhythmes occupent la demeure, la tête et le monde de l'esprit.

— Un cheval détale sur le turf suburbain [8] et le long des cultures et des boisements [9] percé par la peste carbonique [10]. Une misérable femme de drame [11], quelque part dans le monde, soupire après des abandons improbables. Les desperadoes [12] languissent après l'orage, l'ivresse et les

---

1. *Cf.* « Jeunesse » I et IV. **2.** Aux splendeurs que jusqu'ici l'on ne pouvait pas voir, aux délices que jusqu'ici on ne pouvait goûter. *Cf.* les « douceurs » invoquées dans « Barbare ». **3.** *Cf.* « Parade ». Première rédaction : « pour tous ». **4.** *Unquestionable* signifie en anglais « incontestable » (Underwood, *Rimbaud et l'Angleterre*, p. 117). Mais Rimbaud a fort bien pu créer un mot qui signifie « qu'on ne peut questionner », « insondable » (hypothèse d'A. Py, éd. cit., p. 182). **5.** On songe au voyageur de commerce et à la commission qui lui revient sur les ventes. Mais Rimbaud joue sur le sens du terme : sa quête lui est très tôt apparue comme un voyage, et elle l'est restée de la lettre à Demeny du 15 mai 1871 (et du « Bateau ivre ») jusqu'à « Mouvement » ou à « Barbare ». Sur le sens de l'expression, voir Albert Henry, *Contribution*, p. 157, qui interprète : « Rimbaud ne demande aucune gratitude ». **6.** Étant mis de côté. **7.** *Cf.* la fin de « Mystique » ou le deuxième alinéa de « Métropolitain ». **8.** « Pour Littré en 1873, le *turf* est un genre de sport, mais le *turf suburbain* de Rimbaud a son sens primitif de *gazon* » (V.P. Underwood, *Rimbaud et l'Angleterre*, p. 294). **9.** *Boisement* : au sens propre, « plantation de bois », comme le rappelle Albert Henry (*Contribution*, 1998, p. 185). **10.** Aggravation de la « fumée de charbon » (« Ville » et *cf.* « Ouvriers »). Le motif de la *peste* lié à celui de la *ville* et associé à l'idée de châtiment apocalyptique se trouve à la fin d'*Une saison en enfer*. **11.** Inutile de penser, comme on l'a fait, à Mathilde Verlaine. **12.** Des « cerveaux brûlés », des risque-tout, tels les aventuriers de « Démocratie ». « *Desperadoes* est un mot anglais, venu du vieil espagnol, employé surtout par les journalistes et les auteurs de romans policiers : Rimbaud écrit très exactement le pluriel anglais en -*oes* » (Underwood, *op. cit.*, pp. 294-295).

blessures. De petits enfants étouffent des malédictions le long des rivières. —

Reprenons l'étude au bruit de l'œuvre dévorante qui se rassemble et remonte dans les masses[1].

II

SONNET

Homme[2] de constitution ordinaire, la chair
n'était-elle pas un fruit pendu dans le verger[3], — ô
journées enfantes ! le corps un trésor à prodiguer ; — ô
aimer, le péril ou la force de Psyché[4] ? La terre
avait des versants fertiles en princes et en artistes[5],
et la descendance et la race vous poussaient aux
crimes et aux deuils[6] : le monde votre fortune et votre
péril[7]. Mais à présent, ce labeur[8] comblé, toi, tes calculs,
— toi, tes impatiences[9] — ne sont plus que votre danse et
votre voix[10], non fixées[11] et point forcées, quoique d'un double
événement[12] d'invention et de succès une saison[13],

---

1. La promesse de chaos, la préparation à l'apocalypse dont il était question à la fin de « Soir historique ». Albert Henry (p. 186) fait observer que ce « bruit évoque ici le fourmillement harmonique du travail poétique cherchant sans cesse la forme souterraine ». **2.** *Homme* est souligné. Les sonnets amoureux n'étaient-ils pas généralement adressés à une Dame ? Car c'est bien une apparence de sonnet que ce poème en prose disposé sur quatorze lignes. **3.** V.P. Underwood a rapproché ces mots du sonnet « Luxures », que Verlaine envoyait à Lepelletier le 16 mai 1873 : « Chair ! ô seul fruit mordu des jardins d'ici-bas... » Rappel du mythe de l'Éden — dans les premiers temps de l'humanité, ses « journées enfantes » — et de la Chute. **4.** L'âme (avec un rappel implicite du mythe d'Éros et de Psyché). **5.** Les vocations nobles. **6.** Les vocations « ignobles ». **7.** Reprise du mot « péril », avec disposition en chiasme. **8.** Première rédaction : « le labeur ». Le démonstratif annonce ce qui suit (les « calculs », les « impatiences » du travailleur). **9.** Modalités différentes du « labeur » : pour l'un, les calculs ; pour l'autre, les impatiences. Rimbaud s'adresse à l'un, puis à l'autre, mais pour aboutir à une « humanité fraternelle » où ces disparités n'existent plus. Ainsi s'explique le passage du *tu* au *vous*. **10.** C'est-à-dire : « Il n'y a plus que votre danse et votre voix. » La *danse* est une manière de dominer l'univers *(cf. « Fairy »)*, la *voix* l'incantation qui permet de faire surgir un univers nouveau. **11.** *Non fixées* sur un corps, comme l'amour ; non déterminées par les versants de la terre ou de la race, comme les vocations. **12.** Reprise : le « double événement », c'est la double façon d'arriver, donc les deux modalités précédemment évoquées — les « calculs », les « impatiences » — pour l'« invention » et le « succès » de la « danse » et de la « voix ». **13.** Lecture incertaine : « saison » plutôt que « raison ». La « saison » est le temps même de l'« événement ».

— en l'humanité fraternelle[1] et discrète par l'univers
sans images[2] ; — la force et le droit réfléchissent la danse
et la voix à présent seulement appréciées[3].

III

VINGT ANS

Les voix instructives exilées... L'ingénuité physique amèrement rassise... — Adagio[4] — Ah ! l'égoïsme infini de l'adolescence[5], l'optimisme studieux : que le monde était plein de fleurs cet été ! Les airs et les formes mourant[6]... Un chœur, pour calmer l'impuissance et l'absence ! Un chœur de verres[7] de mélodies nocturnes... En effet les nerfs vont vite chasser[8].

IV

Tu en es encore à la tentation d'Antoine[9]. L'ébat du zèle écourté, les tics d'orgueil puéril, l'affaissement et l'effroi[10].

Mais tu te mettras à ce travail : toutes les possibilités harmoniques et architecturales s'émouvront autour de ton siège[11]. Des êtres parfaits, imprévus, s'offriront à tes expériences. Dans tes environs affluera rêveusement la curiosité d'anciennes foules et de luxes oisifs. Ta mémoire et tes sens ne seront que la nourriture de ton impulsion créatrice. Quant au

---

1. Dans une humanité désormais fraternelle. **2.** La vision se trouverait définitivement abolie. **3.** Même couple à la fin de « Guerre ». Ils ont été acquis grâce à la danse et à la voix auxquels ils renvoient et auxquels, par conséquent, il faut rendre grâces. **4.** Mouvement lent. **5.** Le reproche majeur formulé par Verlaine contre Rimbaud. **6.** La dissolution du monde qu'il a désirée. **7.** V.P. Underwood songe aux *pubs* londoniens, ce qui nous ramène un peu trop sur terre. Il ne s'agit pas non plus, à notre avis, de ce monde de cristal que construisent pour le briser certaines des *Illuminations*. Il y a bien là le vœu d'une ambiance cordiale et même banale. **8.** Selon S. Bernard, Rimbaud songeait au terme de marine : un navire chasse sur ses ancres lorsqu'il ne reste pas stable, mais qu'il entraîne ses ancres, emmené par le courant. **9.** T majuscule ou minuscule, le manuscrit n'est pas clair sur ce point. L'ouvrage de Flaubert a paru en avril 1874. Mais on en connaissait déjà des fragments, et Rimbaud n'avait pas besoin de Flaubert pour songer à « la tentation d'Antoine ». **10.** Ces trois mots ou groupes de mots pourraient renvoyer, dans l'ordre, aux trois mouvement précédents : l'interruption dans l'étude (« Dimanche »), la satisfaction anticipée (« Sonnet »), le moment de dépression (« Vingt ans »). **11.** Le trône du nouveau démiurge.

monde, quand tu sortiras, que sera-t-il devenu ? En tout cas, rien des apparences actuelles[1].

Promontoire

L'aube d'or[2] et la soirée frissonnante trouvent notre brick en large[3] en face de cette Villa et de ses dépendances[4], qui forment un promontoire aussi étendu que l'Épire et le Péloponnèse, ou que la grande île du Japon, ou que l'Arabie[5] ! Des fanums[6] qu'éclaire la rentrée des théories[7], d'immenses vues de la défense des côtes modernes ; des dunes illustrées de chaudes fleurs[8] et de bacchanales ; de grands canaux de Carthage et des Embankments d'une Venise louche[9], de molles éruptions d'Etnas[10] et des crevasses de fleurs et d'eaux des glaciers[11], des lavoirs entourés de peupliers d'Allemagne ; des talus de parcs singuliers penchant des têtes d'Arbre du Japon, et les façades circulaires des « Royal » ou des « Grand » de Scarbro' ou de Brooklyn[12] ; et leurs railways[13] flanquent, creusent,

---

1. Cette phrase, souvent citée, est importante : la rupture sera moins brutale que ne le dit ailleurs Rimbaud. Les « apparences actuelles » restent, passées au filtre de la mémoire et des sens, le point de départ des métamorphoses. **2.** Encore l'aube d'été (*cf.* « Ornières », « Aube »). **3.** Texte du manuscrit. **4.** Chez les Romains, la *villa* était constituée par un ensemble de bâtiments. **5.** Ces comparaisons accumulées indiquent clairement une rêverie sur une carte, ou à partir des souvenirs visuels d'un atlas. **6.** Autre latinisme : des temples. Il y a, paraît-il, des édifices de style classique à Scarborough. Mais « Villes » — « *L'acropole officielle...* » rassemble aussi « toutes les merveilles classiques de l'architecture ». **7.** *Théorie* : « dans l'antiquité grecque, députation qu'on envoyait pour offrir, au nom d'une ville, des sacrifices à un dieu, ou lui demander des oracles » (Littré). Certaines étaient envoyées par mer, celle des Athéniens à Délos par exemple. **8.** L'opposé des « fleurs arctiques » de « Barbare ». *Illustrées* : ces dunes sont vues comme les pages d'un livre, comme une enluminure. **9.** Transfert : les canaux sont la caractéristique majeure de Venise ; les quais celle d'un port, comme Carthage. Le mot anglais *Embankments* désignait alors à Londres des chaussées très modernes (Underwood, p. 294). **10.** *Cf.* les « vieux cratères » dans « Villes ». — « *Ce sont des villes...* » ; « molles » par rapport aux éruptions désirées de « Barbare ». V.P. Underwood songe, assez gratuitement, aux pièces montées d'un feu d'artifice (p. 182). **11.** Même procédé d'atténuation : des crevasses de glaciers, mais de fleurs et d'eaux. **12.** « Royal Hotel » et « Grand Hotel » : ils existaient tous les deux à Scarborough (ville très à la mode à l'époque, sur la côte du Yorkshire, à 380 km de Londres ; le Grand Hotel était le plus grand d'Europe ; l'orthographe phonétique *Scarbro'* avait été utilisée dans des feuilles locales : nous empruntons tous ces renseignements à V.P. Underwood) ; en revanche ils étaient inconnus à Brooklyn. Aux diverses hypothèses présentées par V.P. Underwood pour justifier la conjonction de ces deux noms, nous ajouterons celle-ci : les États-Unis sont déjà considérés alors comme le lieu de la modernité et des constructions géantes. **13.** Imaginés sans doute d'après les railways londoniens, et métamorphose des ascenseurs.

surplombent les dispositions dans cet Hôtel, choisies dans l'histoire des plus élégantes et des plus colossales constructions de l'Italie, de l'Amérique et de l'Asie[1], dont les fenêtres et les terrasses à présent pleines d'éclairages, de boissons et de brises riches, sont ouvertes à l'esprit des voyageurs et des nobles — qui permettent, aux heures du jour, à toutes les tarentelles des côtes[2], — et même aux ritournelles des vallées illustres de l'art, de décorer merveilleusement les façades du Palais-Promontoire[3].

Dévotion

À ma sœur Louise Vanaen de Voringhem[4] : — Sa cornette bleue tournée à la mer du Nord. — Pour les naufragés.

À ma sœur Léonie Aubois d'Ashby[5]. Baou[6] — l'herbe d'été bourdonnante et puante[7]. — Pour la fièvre des mères et des enfants.

À Lulu[8], — démon — qui a conservé un goût pour les oratoires du temps des Amies et de son éducation incomplète. Pour les hommes ! À madame***[9].

À l'adolescent que je fus[10]. À ce saint vieillard[11], ermitage ou mission.

À l'esprit des pauvres. Et à un très haut clergé[12].

---

1. Le modernisme extrême va de pair avec une plongée dans toutes les architectures du passé. **2.** Des côtes (biffé : illustres). Les tarentelles, danses de Tarente, sont particulièrement endiablées. À mettre en parallèle avec les bacchanales qui « illustraient » les dunes. Visions superposées comme cela arrive fréquemment dans les *Illuminations* et motif de la ronde, déjà rencontré dans « Fête d'hiver ». **3.** *Cf.* Victor Hugo : « Le pâtre promontoire au chapeau de nuées » (« Pasteurs et troupeaux », dans *Les Contemplations*). **4.** Nom à consonance flamande, vraisemblablement forgé par Rimbaud. D'où la cornette (avec un autre appel de mots *sœur/ cornette*). **5.** *Ashby* : « Il y a en Angleterre une trentaine de localités de ce nom » (V.P. Underwood, p. 312). De quoi décourager toutes les tentatives d'identification de « l'une des plus mystérieuses passantes qui traversent les *Illuminations* » (André Breton, *Flagrant Délit*). Les composantes du nom s'appellent par leurs sonorités. **6.** Exclamation à valeur incantatoire. **7.** *Cf.* « Voyelles », v. 3-4, « Chanson de la plus haute Tour », les « vilaines odeurs » des « prés desséchés » dans « Ouvriers ». La chaleur, autre menace mortelle. **8.** Même consonne initiale que pour les deux précédents prénoms, et elle se trouve redoublée. Une lesbienne, comme le suggère l'allusion au recueil de Verlaine *Les Amies* (1868), scènes d'amour saphiques. L'homosexualité féminine : une menace pour les hommes. **9.** Anonymat voulu. On trouve dans l'*Album zutique* un poème de Verlaine « À Madame*** ». Complément, peut-être, de l'allusion précédente. **10.** *Cf.* « Vingt ans », dans « Jeunesse », et l'adieu à l'adolescence. **11.** À ce saint vieillard qu'il aurait pu être (*cf.* le début d'« Enfance » IV et la note). A. Adam songe au brahmane de « Vies » I. **12.** *Cf.* l'opposition des Croisés, des manants et des « conseils du Christ » dans « Mauvais sang ».

Aussi bien à tout culte en telle place de culte mémoriale[1] et parmi tels événements qu'il faille se rendre, suivant les aspirations du moment ou bien notre propre vice sérieux[2].

Ce soir, à Circeto[3] des hautes glaces, grasse comme le poisson, et enluminée comme les dix mois de la nuit rouge[4] — (son cœur ambre et spunk[5]), — pour ma seule prière muette comme ces régions de nuit et précédant des bravoures plus violentes que ce chaos polaire.

À tout prix et avec tous les airs[6], même dans des voyages métaphysiques[7]. — Mais plus *alors*[8].

Démocratie

« Le drapeau va au paysage immonde[9], et notre patois[10] étouffe le tambour[11].

« Aux centres[12] nous alimenterons la plus cynique prostitution. Nous massacrerons les révoltes logiques[13].

« Aux pays poivrés[14] et détrempés ! — au service des plus monstrueuses exploitations industrielles ou militaires.

---

1. Calque probable de l'expression anglaise « *memorial place of worship* » (Underwood, p. 306) : lieu consacré à quelque culte qu'on ne veut ou ne peut qualifier de *church* et au souvenir d'une personne ou d'un événement intéressant les fidèles. **2.** Reprise possible des « impatiences » (de l'être impulsif) et des « calculs » (de « l'être sérieux ») dont il est question dans le « Sonnet » de « Jeunesse ». **3.** Métamorphose probable de Circé (Rimbaud connaissait l'épisode de la *nekuia*, l'invocation des morts, au chant XI de l'*Odyssée* ; voir « Alchimie du verbe », p. 433 ; et il est possible qu'il s'en soit souvenu dans « Barbare », autre évocation polaire). Voir l'hypothèse de V.P. Underwood, p. 190, celle de Margaret Davies (« Rimbaud and Melville », art. cit.), celle d'A. Py, éd. cit., p. 221. Autre hypothèse mythologique : l'amalgame de Circé et de la déesse phénicienne Dirceto. **4.** On attendrait plutôt « les six mois de la nuit rouge ». Rimbaud amplifie le phénomène connu sous le nom de « soleil de minuit ». **5.** Parenthèse mystérieuse et diversement glosée (voir Underwood, p. 295). L'hypothèse la plus satisfaisante est celle qui décèle une allusion aux sécrétions des cétacés (l'ambre gris du cachalot est son sperme, et *spunk* a le sens de sperme en anglais argotique). Dans un monde vidé des humains, pourrait s'élever une prière « muette » pour la reproduction des seules baleines. **6.** Toujours les « impatiences » (cette prière doit être satisfaite « à tout prix ») et les « calculs » (la voix usera de « tous les airs »). **7.** Des voyages qui vont au-delà du monde connu (*cf.* le début de « Barbare »). **8.** Il n'y aura plus besoin de dévotion quand l'épreuve du chaos polaire sera achevée. **9.** Paysage méprisé tant que le drapeau du colonisateur n'y a pas été planté. **10.** Première entreprise : la déchéance du langage. **11.** Non pas celui des militaires, mais celui des indigènes. *Cf.* « Mauvais sang » : « Cris, tambour ». **12.** Dans les bourgades. **13.** Que ne pourra manquer de susciter l'entreprise coloniale. **14.** « Producteurs de poivre » (A. Py) ; mais l'expression est plus forte encore. *Cf.* les « plaines poivrées » dans « Vies » I.

« Au revoir ici, n'importe où [1]. Conscrits du bon vouloir [2], nous aurons la philosophie féroce ; ignorants pour la science [3], roués pour le confort ; la crevaison pour le monde qui va. C'est la vraie marche. En avant, route ! »

Scènes

L'ancienne Comédie poursuit ses accords et divise ses Idylles [4] :

Des boulevards [5] de tréteaux.

Un long pier [6] en bois d'un bout à l'autre d'un champ rocailleux où la foule barbare évolue sous les arbres dépouillés [7].

Dans des corridors de gaze noire [8] suivant le pas des promeneurs aux lanternes et aux feuilles [9].

Des oiseaux des mystères [10] s'abattent sur un ponton de maçonnerie [11] mû par l'archipel couvert des embarcations des spectateurs [12].

---

1. Raccourci : allons n'importe où. **2.** Volontaires (A. Py). Mais, là encore, l'expression est plus forte. Ces conscrits semblent recrutés par une volonté qui les dépasse. **3.** *Cf.* la deuxième strophe de « Mouvement ». Ici la science est méprisée ; seule importe la satisfaction matérielle qu'elle peut procurer et qu'il faudra obtenir par tous les moyens. **4.** Double suggestion : un prolongement comme illimité ; une dé-composition. **5.** Le mot, déjà rencontré plusieurs fois dans les *Illuminations* (« Villes » I, « Métropolitain »), accentue la première suggestion. De plus, l'image de *boulevard* est liée chez Rimbaud à celle de mouvement et de théâtre *(cf. « Plates-bandes d'amarantes... »)*. **6.** En anglais : jetée, digue. Ce « *pier* en bois » peut figurer une scène de dimension inhabituelle et d'une construction sommaire (donc encore un « boulevard de tréteaux »), mais à l'image de la ville se trouve substituée celle du port, qui sera reprise plus loin. **7.** On songe à la « ruine des bois » dans « *Fairy* ». Les *arbres* ont été *dépouillés* pour la construction de ce *long pier en bois* qui tient lieu de scène. Le mot « barbare » a été rajouté sur la ligne. **8.** Les coulisses, pour A. Py (éd. cit., p. 202). Notre interprétation est différente. Le « champ rocailleux » (ou devenu tel après la « ruine des bois ») va tenir lieu de salle : et selon une métamorphose où se plaît l'imagination rimbaldienne, il se couvre d'étoffe précieuse et propice au silence (la gaze ; *cf.* les « gazes grises » dans « Fleurs »). **9.** Salle plongée dans l'obscurité (*noire*) où l'on ne suit les *pas des promeneurs* (le public) que grâce aux *lanternes* (*cf.* les lampes de nos modernes ouvreuses) et (retour à l'image du champ) au bruit des *feuilles* (tombées des *arbres dépouillés*). **10.** Première rédaction, rayée et surchargée sur le manuscrit : *Des oiseaux comédiens*. Rimbaud peut se souvenir des *Oiseaux* d'Aristophane (les deux expressions surprenantes pourraient alors trouver leur justification). Mais l'image a un intérêt : elle permet de passer des arbres dépouillés (d'où les oiseaux ont été chassés) au *ponton* (où, comme des mouettes, ils peuvent se rassembler). Les trois registres d'images (le théâtre, le champ, le port) sont ainsi superposés. **11.** Scène qui devrait être plus solide puisqu'elle est de *maçonnerie* et qui est pourtant mobile, sujette aux mouvements du public. **12.** Au champ s'est substituée la surface de la mer, nouvelle image de la salle. Ce sont les embarcations des spectateurs (leurs sièges ou les groupes de sièges) qui constituent comme autant d'îlots.

Des scènes lyriques accompagnées de flûte et de tambour[1] s'inclinent dans des réduits ménagés sous les plafonds[2], autour des salons de clubs modernes ou des salles[3] de l'Orient ancien.

La féerie manœuvre au sommet d'un amphithéâtre couronné par les taillis[4] — Ou s'agite et module pour les Béotiens[5], dans l'ombre des futaies mouvantes sur l'arête des cultures.

L'opéra-comique se divise sur une scène[6] à[7] l'arête d'intersection de dix[8] cloisons dressées de la galerie aux feux.

Soir historique

En quelque soir[9], par exemple, que se trouve le touriste naïf, retiré de nos horreurs économiques, la main d'un maître anime le clavecin des prés[10] ; on joue aux cartes au fond de l'étang[11], miroir évocateur des

---

1. La flûte et le tambour (le tambourin dionysiaque) accompagnent les passages lyriques dans la comédie grecque. **2.** Comme il convient à des oiseaux. C'est cette fois la seconde suggestion (dé-composition, scène compartimentée) qui l'emporte. **3.** « Salles » surcharge *maisons*. Comme dans les grands passages rhapsodiques des *Illuminations* (les « Villes », « Promontoire », etc.) l'ancien et le moderne, l'Orient et l'Occident se trouvent réunis. Ils pourraient figurer ici les civilisations humaines d'où, comme dans la comédie d'Aristophane, s'échappent ceux qui veulent rejoindre la cité des oiseaux. Les « salons de clubs modernes » constituent une allusion à la vie londonienne (voir V.P. Underwood, *Rimbaud et l'Angleterre*, p. 64). **4.** Le regard est entraîné vers le haut, les *taillis*, les feuillages où peuvent nicher les oiseaux. Dans la comédie d'Aristophane, la huppe (Térée métamorphosé) appelle sa compagne dans les taillis. **5.** *Ibid.* Pisthétaïros, pour convaincre la huppe Térée de fonder la cité des oiseaux, lui prouve qu'elle occupera la même situation intermédiaire entre la Terre et les dieux que la Béotie entre Athènes et le sanctuaire de Delphes. « Alors, tout comme nous autres, si nous voulons aller au sanctuaire de Delphes, nous demandons passage aux Béotiens, de la même façon quand les hommes sacrifieront aux dieux, si les dieux ne vous versent pas des droits pour le transit en territoire étranger et à travers le vide, vous intercepterez la fumée des gigots. » Si le rapprochement paraît fragile, on pensera au public des béotiens... **6.** Faute de lecture fréquente (*notre scène*) dans les éditions, avec des commentaires qui constituent inévitablement des contresens. **7.** « À » surcharge *que*. Rimbaud a hésité dans la rédaction de cette phrase difficile. **8.** « De dix » surcharge *d'une*. Hésitation dans la vision architecturale elle-même. Ces dix cloisons qui semblent se rejoindre ne forment-elles pas comme une « hutte d'opéra-comique » (*cf.* « Fête d'hiver ») ? **9.** Le moment de « Barbare » est situé « loin des vieilles retraites », donc au-delà de ce « soir » quelconque. **10.** Double retraite donc : dans l'espace (la nature vierge), dans le temps (un salon du XVIIIe siècle avec un clavecin). La plupart des commentateurs ont pensé au bruit des grillons ou des cigales : explication simple, mais trop banale. Un « maître » (un peintre tout aussi bien qu'un musicien) peut jouer avec la gamme des couleurs (*cf.* plus bas les « chromatismes »). **11.** Rappelant l'époque où il « s'habituai[t] à l'hallucination simple », Rimbaud prend entre autres exemples dans « Alchimie du verbe » : « je voyais [...] un salon au fond d'un lac. »

reines et des mignonnes [1] ; on a les saintes, les voiles, et les fils d'harmonie, et les chromatismes légendaires, sur le couchant [2].

Il [3] frissonne au passage des chasses et des hordes [4]. La comédie goutte sur les tréteaux de gazon [5]. Et l'embarras des pauvres et des faibles sur ces plans [6] stupides !

À sa vision esclave [7], l'Allemagne [8] s'échafaude vers des lunes ; les déserts tartares s'éclairent ; les révoltes anciennes grouillent dans le centre du Céleste Empire [9] ; par les escaliers et les fauteuils de rois [10] — un petit monde blême et plat [11], Afrique et Occidents, va s'édifier. Puis un ballet de mers et de nuits connues [12], une chimie sans valeur [13], et des mélodies impossibles.

La même magie [14] bourgeoise à tous les points où la malle [15] nous déposera ! Le plus élémentaire physicien sent qu'il n'est plus possible de se soumettre à cette atmosphère personnelle, brume de remords physiques [16], dont la constatation est déjà une affliction.

---

1. Explication de la vision précédente, présentée donc avec quelque timidité. « Mignonnes » pourrait être un équivalent féminin de « mignons » : favorites. **2.** Jetées comme négligemment, quelques évocations nées du soleil couchant. Mais les mots s'appellent : on passe sans peine de « saintes » à « voiles » (vêtements religieux : *cf.* les « voiles » de la déesse dans « Aube »), de « voiles » à « fils », d'« harmonie » à « chromatismes ». Les alliances de mots (« les fils d'harmonie »), le double sens (*chromatismes* = la gamme chromatique ; mais *chroma* signifie « couleur » en grec) permettent comme plus haut de jouer sur un double registre visuel et auditif. **3.** *Il* : le « touriste naïf ». **4.** *Cf.* « Michel et Christine ». **5.** Les gouttes de rosée sur le pré évoquent une comédie qui se monterait sur des tréteaux. Voir Jean-Pierre Richard, *Poésie et profondeur*, p. 212 : « Former des gouttes, les faire s'égoutter, ce sera la fonction primordiale du pré, une fonction qui peut donner lieu aux plus stupéfiantes genèses, celle par exemple dans "Soir historique" de tout un monde artificiel, de la *comédie* qui *goutte sur les tréteaux de gazon.* » **6.** *Les plans* = les scènes. Transfert d'épithète (*stupides*). Le « touriste » peut songer à la maladresse des artisans d'Athènes, la troupe de Quince, dans *Le Songe d'une nuit d'été*. Après l'évocation d'un monde aristocratique dans le premier alinéa, c'est se retrouver roturier, paysan, « esclave ». **7.** L'expression est ambiguë : « vision d'esclave » (voir la note précédente) ou vision passive, qui accepte toutes les hallucinations qui se présentent. **8.** Point de départ d'une évasion dans l'espace, dans le temps, dans la légende (de même « ultra-Rhénanes » est le premier terme d'une série dans « Métropolitain »). **9.** L'Empire du Milieu, la Chine. **10.** Lecture de Paul Hartmann ; d'autres lisent *fauteuils de rocs*. Accumulation des architectures et des royautés connues. **11.** Piètre résultat après l'accumulation de tant de matériaux. *Blême* est dépréciatif chez Rimbaud (*cf.* « Nocturne vulgaire »). **12.** Le qualificatif vaut pour les deux substantifs précédents. L'image chorégraphique prend le relais de l'image architecturale pour dénoncer la même vanité de vastes rhapsodies oniriques tentant de rassembler la totalité du temps et de l'espace. **13.** La chimie : science des mélanges. **14.** *Cf.* « Adieu » : « moi qui me suis dit mage ». **15.** La malle-poste, mode de transport collectif. **16.** La « faiblesse », le « vice », le « mauvais sang », l'« infirmité ».

Non ! Le moment de l'étuve[1], des mers enlevées[2], des embrasements souterrains[3], de la planète emportée[4], et des exterminations conséquentes[5], certitudes si peu malignement indiquées dans la Bible et par les Nornes[6] et qu'il sera donné à l'être sérieux de surveiller. — Cependant ce ne sera point un effet de légende !

Bottom

La réalité étant trop épineuse[7] pour mon grand caractère[8], — je me trouvai néanmoins[9] chez Madame[10], en gros oiseau gris bleu[11] s'essorant[12] vers les moulures du plafond et traînant l'aile dans les ombres de la soirée.

Je fus, au pied du baldaquin supportant ses bijoux adorés[13] et ses chefs-d'œuvre physiques, un gros ours aux gencives violettes[14] et au poil chenu de chagrin, les yeux aux cristaux et aux argents des consoles.

Tout se fit ombre et aquarium[15] ardent. Au matin[16], — aube de juin[17]

---

1. Quand le monde sera en fusion. **2.** Des raz de marée. **3.** *Cf.* « Barbare ». **4.** Dans un tourbillon cosmique. **5.** Qui s'ensuivront. **6.** Déesses de la Destinée dans la mythologie scandinave : « Urd (le passé), Verdandi (le présent), Skuld (le futur). Elles se tenaient sous l'arbre Yggdrasil et donnaient en runes la destinée de chaque nouveau-né » (René Guichard, *De la mythologie scandinave*, Picard, 1971, p. 51). Rimbaud pouvait les connaître par « La Légende des Nornes » dans les *Poèmes barbares* de Leconte de Lisle, mais aussi directement par une traduction du *Voluspä* (par exemple *Poëmes islandais tirés de l'Edda de Saemund*, éd. F.G. Bergmann, Imprimerie royale, 1838). **7.** L'épithète apparaîtra plaisante quand on aura appris, à la fin du poème, la métamorphose en âne. **8.** *Cf.* « les tics d'orgueil puéril » (« Jeunesse » IV). **9.** Lien logique inattendu : il oppose l'ensemble de l'aventure à cette proposition initiale. **10.** Autre lecture : « ma dame ». **11.** Lucius, dans les *Métamorphoses* d'Apulée, aurait dû être métamorphosé en hibou si la servante Photis avait utilisé le bon onguent. Enid Starkie a songé au prince charmant, dans *L'Oiseau bleu*, devenu oiseau « couleur du temps » et volant vers sa bien-aimée enfermée en haut d'une tour. Il y aurait d'autres « sources » possibles. Aucune ne rend exactement compte de la scène ici décrite. **12.** Prenant son essor. « *S'essorer*. Se dit, en fauconnerie, de l'oiseau qui s'écarte et revient difficilement sur le poing » (Littré). **13.** *Cf.* « Les Bijoux » de Baudelaire. **14.** Là encore, diverses sources possibles (Apulée, ou encore *La Belle et la Bête, L'Ours et le Pacha*) et des interprétations parfois surprenantes (une descente de lit, pour Antoine Adam). Mais Rimbaud joue surtout avec les allitérations (genci*v*es *v*iolettes, poil *ch*enu de *ch*agrin) et sur les mots (chagrin/ consoles). Regard de cupidité, en tout cas, plus que de lubricité... **15.** V.P. Underwood a tenté d'identifier cet aquarium avec celui du Crystal Palace, ouvert en septembre 1871 et le premier au monde qui fût pourvu d'un système d'éclairage artificiel inauguré le 10 octobre 1872, un peu plus d'un mois après l'arrivée de Rimbaud à Londres. Le renseignement est intéressant (*Rimbaud et l'Angleterre*, pp. 76-77). L'essentiel reste la nouvelle métamorphose possible en poisson, et le passage, marqué par l'obscurcissement et la couleur vive, de la captivité à la liberté, du luxe au dénuement. **16.** Première rédaction : « Et au matin ». **17.** La « nuit d'été » shakespearienne est la nuit de la Saint-Jean, en juin.

bataillleuse, — je courus aux champs, âne, claironnant et brandissant mon grief[1], jusqu'à ce que les Sabines de la banlieue[2] vinrent se jeter à mon poitrail.

H

Toutes les monstruosités[3] violent les gestes atroces d'Hortense. Sa solitude est la mécanique érotique[4], sa lassitude, la dynamique amoureuse[5]. Sous la surveillance d'une enfance, elle a été, à des époques nombreuses, l'ardente hygiène des races[6]. Sa porte est ouverte à la misère. Là, la moralité des êtres actuels se décorpore[7] en sa passion, ou en son action. — Ô terrible frisson des amours novice[s] sur le sol sanglant et par l'hydrogène clarteux[8] ! trouvez Hortense.

Mouvement

Le mouvement de lacet sur la berge des chutes[9] du fleuve,
Le gouffre à l'étambot[10],
La célérité de la rampe,

---

1. Certains commentateurs ont vu là une équivoque obscène. Mais est-ce bien nécessaire ? Le grief est celui du favori expulsé ou trompé, ou de celui qui a été trop longtemps captif. **2.** Comme sur le tableau de David, *Les Sabines*, où les Sabines se jettent au-devant des guerriers prêts à s'entretuer. L'image a été préparée par les images militaires précédentes (*bataillleuse, claironnant, brandissant*). On traduit d'ordinaire : les prostituées. **3.** *Cf.* le rêve des « amours monstres » (« L'Éclair »). Sorte de chaos érotique. **4.** La masturbation, peut-être, refuge du solitaire à qui « la camaraderie des femmes » est « interdit[e] » (« Mauvais sang »). **5.** Au contraire, le désir inspiré par un autre être, qui conduit à la lassitude, l'« ennui » du « cher corps » et « cher cœur » (« Enfance » I). **6.** Exact, précisent Étiemble et Yassu Gauclère : dans les civilisations de l'Inde antique, les mères croyaient viriliser leurs fils en leur enseignant la masturbation. Mais le texte nous oblige à considérer que l'enfance reste en dehors d'Hortense (même tour négatif que dans « Guerre » : « respecté d'une enfance ») ; cette « distraction [...] hygiénique » (« Vagabonds ») ne saurait intervenir qu'à partir du temps des « amours novices ». **7.** Le mot semble s'opposer à *hygiène (mens sana in corpore sano)*, comme la « moralité actuelle » à l'usage des « époques nombreuses ». **8.** Le gaz d'éclairage. **9.** Détail qui, comme le note A. Adam, suffit à ruiner l'hypothèse des commentateurs qui veulent voir dans ce fleuve l'Escaut et dans cette traversée celle de la mer du Nord par Verlaine et Rimbaud en mars 1873. **10.** *Étambot* : « forte pièce de bois élevée à l'extrémité de la quille sur l'arrière du bâtiment » (Littré). Le mot se trouve chez Jules Verne.

L'énorme passade[1] du courant
Mènent par les lumières inouïes[2]
Et la nouveauté chimique[3]
Les voyageurs entourés des trombes du val
Et du strom[4].

Ce sont les conquérants du monde
Cherchant la fortune chimique personnelle[5] ;
Le sport et le comfort[6] voyagent avec eux ;
Ils emmènent l'éducation
Des races, des classes et des bêtes, sur ce Vaisseau.
Repos et vertige[7]
À la lumière diluvienne,
Aux terribles soirs d'étude[8].

Car[9] de la causerie parmi les appareils, — le sang[10], les fleurs, le feu, les bijoux, —
Des comptes agités à ce bord fuyard,
On voit, roulant comme une digue au delà de la route hydraulique[11] motrice :
Monstrueux, s'éclairant sans fin, — leur stock d'études ;
Eux chassés dans l'extase harmonique[12],
Et l'héroïsme de la découverte.

---

1. *Passade* : « action par laquelle un nageur en enfonce un autre dans l'eau, et le fait passer sous lui » (Littré). **2.** L'un des mots clefs des *Illuminations*. Avec ici une alliance de mots remarquable. **3.** De nouvelles substances, de nouveaux alliages. **4.** Mot germanique, qui désigne un violent courant marin. La présence de ce mot ne saurait permettre de conclure à la transposition d'un voyage réel fait par Rimbaud. Le mot se trouve plusieurs fois dans la traduction qu'a faite Baudelaire d'*Une descente dans le Maelstrom* d'Edgar Poe (voir V.P. Underwood, *Rimbaud et l'Angleterre*, p. 22). Et il était question des « Maelstroms épais » dans « Le Bateau ivre ». **5.** Rimbaud souligne la contradiction entre l'entreprise collective et l'ambition personnelle, la quête du nouveau (la chimie) et la conquête du connu (le monde). **6.** Orthographe anglaise du mot. *Sport* et *comfort* sont liquidés dans « Solde ». **7.** Tour très elliptique qui permet de renforcer une nouvelle contradiction : ce vaisseau permet de se donner la sensation de vertige tout en goûtant le repos du *comfort*, du connu préservé à bord. **8.** C'est le Déluge qui est terrible, et les soirs d'études qui sont éclairés. Rimbaud brouille volontairement les groupes de mots pour montrer, là encore, l'étrange contradiction de l'entreprise. **9.** Le mot introduit un commentaire du mot *étude*. **10.** *Les appareils* : l'action moderne ; *le sang* : l'action primitive (« Le sang coula », dans « Après le Déluge »). **11.** Expression forgée, avec équivoque sonore, sur *roue hydraulique*. Comme le note A. Py (éd. cit., p. 217), le chemin de la mer semble entraîner le navire dans son propre mouvement. **12.** L'extase de celui qui entend l'harmonique au-delà de la note, donc de celui qui se sent toujours entraîné plus loin.

Aux accidents atmosphériques les plus surprenants[1]
Un couple de jeunesse s'isole sur l'arche,
— Est-ce ancienne sauvagerie qu'on pardonne[2] ?
Et chante et se poste[3].

Génie

Il est l'affection[4] et le présent puisqu'il a fait la maison ouverte à l'hiver écumeux et à la rumeur de l'été[5], lui qui a purifié les boissons et les aliments, lui qui est le charme des lieux fuyants[6] et le délice surhumain des stations. Il est l'affection et l'avenir, la force et l'amour que nous, debout dans les rages et les ennuis, nous voyons passer dans le ciel de tempête et les drapeaux d'extase.

Il est l'amour[7], mesure parfaite et réinventée, raison merveilleuse et imprévue, et l'éternité : machine[8] aimée des qualités fatales. Nous avons tous eu l'épouvante de sa concession et de la nôtre[9] : ô jouissance de notre santé, élan de nos facultés, affection égoïste et passion pour lui, lui qui nous aime pour sa vie infinie...

Et nous nous le rappelons et il voyage... Et si l'Adoration s'en va, sonne, sa promesse sonne[10] : « Arrière ces superstitions, ces anciens corps, ces ménages et ces âges[11]. C'est cette époque-ci qui a sombré ! »

Il ne s'en ira pas, il ne redescendra pas d'un ciel[12], il n'accomplira pas

---

1. Les modalités du Déluge. **2.** Un pareil isolement était considéré comme impardonnable dans l'ancien monde. Le serait-il désormais ? **3.** « La répétition de *et* suggère une détermination entêtée » (Jacques Plessen, *Promenade et poésie*, Mouton, 1967, p. 206). **4.** Terme qui correspond à une aspiration nouvelle majeure ; *cf.* les « affections énormes » (qui lui manquent) dans « Guerre », et le départ « dans l'affection et le bruit neufs » (« Départ »). **5.** *Cf.* « Adieu » : « Recevons tous les influx de vigueur et de tendresse réelle. » **6.** *Lieux fuyants* : « Il semble que dans la combinaison de ce substantif et de cet adjectif, le poète ait cherché à relier ce qu'il y a de ferme et de protecteur dans le mot *lieux* à tous les plaisirs de la course éperdue suggérés par le mot *fuyants* » (J. Plessen, *op. cit.*, p. 271). **7.** Le « nouvel amour » demandé « à une Raison ». Le Prince de « Conte » « prévoyait d'étonnantes révolutions de l'amour » et vit dans la « physionomie » et le « maintien » du Génie « la promesse d'un amour multiple et complexe ». **8.** Nous entendons ici le mot au sens théâtral du terme : la *méchanè (machina)* d'où descend le dieu. **9.** Notre concession : ce que les enfants appelaient « nos lots » dans « À une Raison », lots qu'ils aspiraient à changer. **10.** Aucune négligence dans la rédaction, comme le croient d'ordinaire les éditeurs. Mais effet imitatif, comme dans une chanson populaire. **11.** *Ménages/ âges*, rappel de son qui constitue un autre effet imitatif. **12.** Contrairement au Christ à la fin de chacun des Évangiles.

la rédemption des colères de femmes et des gaîtés des hommes et de tout ce péché : car c'est fait, lui étant, et étant aimé[1].

Ô ses souffles, ses têtes, ses courses ; la terrible célérité de la perfection des formes et de l'action.

Ô fécondité de l'esprit et immensité de l'univers !

Son corps ! le dégagement rêvé, le brisement de la grâce croisée de violence nouvelle !

Sa vue, sa vue ! tous les agenouillages anciens et les peines *relevés* à sa suite[2].

Son jour ! l'abolition de toutes souffrances sonores et mouvantes dans la musique plus intense[3].

Son pas ! les migrations plus énormes que les anciennes invasions[4].

Ô Lui et nous ! l'orgueil plus bienveillant que les charités perdues.

Ô monde ! et le chant clair des malheurs nouveaux[5] !

Il nous a connus tous et nous a tous aimés. Sachons, cette nuit d'hiver[6], de cap en cap, du pôle tumultueux au château, de la foule à la plage[7], de regards en regards, forces et sentiments las[8], le héler et le voir, et le renvoyer[9], et, sous les marées[10] et au haut des déserts de neige, suivre ses vues, ses souffles, son corps, son jour[11].

---

1. « *S'il n'accomplira pas la rédemption*, c'est qu'elle est déjà réalisée du simple fait qu'il est et qu'il est aimé » (A. Thisse, *Rimbaud devant Dieu*, p. 243). **2.** Abolition des formes (les agenouillages, terme aussi méprisant que les accroupissements, comme l'a noté J. Plessen, *op. cit.*, p. 63) et des craintes (les châtiments de l'enfer) ou de la discipline (les actes de contrition) de la religion chrétienne. *Relevées* est corrigé en « *relevés* » sur le manuscrit. **3.** Transformation du chaos des souffrances en une nouvelle harmonie. **4.** Les déplacements de races et de continents. « Invasions » surcharge *guerres*. **5.** *Cf.* « Barbare » : « La musique, virement des gouffres et choc des glaçons aux astres ». Nouveau chaos qui est la promesse d'un monde nouveau. **6.** *Cf. Les Déserts de l'amour* : « C'était une nuit d'hiver, avec une neige pour étouffer le monde décidément. » Mais c'est en même temps une autre (une contre-) Nuit de Noël. **7.** Tous lieux rimbaldiens de l'attente et du « travail » pour un monde nouveau : le pôle (*cf.* la fin de « Dévotion »), le château (*cf.* le Palais-Promontoire), la foule (motif du boulevard), la plage (*cf.* la « plage armoricaine » dans « Mauvais sang »). **8.** Union de la force et de la faiblesse dans une collectivité, ou alternance acceptée de l'espérance forte et du moindre espoir en un même être. **9.** Le congédier, selon René Char (*Recherche de la base et du sommet*, p. 104) ; le renvoyer, comme on renvoie une balle, ou comme un miroir renvoie un reflet, selon A. Py (éd. cit., p. 227). Le contexte nous paraît imposer l'idée d'un relais (comme les signaux qui doivent transmettre à Argos la nouvelle de la prise de Troie, au début de l'*Agamemnon* d'Eschyle). **10.** « La haute mer devient une véritable voûte céleste, que l'homme contemple d'en bas » (J. Plessen, *op. cit.*, p. 118). **11.** Reprise incomplète, et dans un ordre légèrement modifié, de la précédente série d'anaphores.

L'ADAGIO DES VINGT ANS

Vingt ans a été pour Rimbaud un âge butoir. Il l'avait laissé deviner dans Une saison en enfer *(« L'Éclair ») et plus clairement encore quand il avait placé cet âge sous le signe de l'*adagio, *dans les* Illuminations *(« Jeunesse », III) : le temps s'allonge, s'étire, jusqu'à un arrêt de toute création littéraire qui peut s'expliquer par une décision brutale ou par l'épuisement d'un génie précoce — on n'ose dire « trop consulté ».*

Jusqu'au dernier moment de ce qu'on peut considérer comme sa vie littéraire[1] *(mais l'est-elle encore ?), Rimbaud pense à Verlaine, même si c'est pour le rejeter plus que jamais. Le converti, libéré de la prison de Mons, est passé par Stuttgart « un chapelet aux pinces » en février 1875, le temps de renier son dieu et de faire saigner les 98 plaies de Jésus-Christ. En octobre, le « Loyola » se manifeste encore auprès de Rimbaud par des lettres restantes, que son ancien compagnon, se voulant décidément sorti de l'enfer, traite de « loyolas » comme il appelait « coppées » les faux Coppée. À cette date, quand il écrit de Charleville le 14 octobre à Ernest Delahaye, celui qui a été le troisième homme du trio quand on se contentait de camaraderie pure, il a d'autres soucis que les « grossièretés » de Verlaine, succédant à ses mièvreries : le service militaire auquel est appelée la classe 74, le bachot que le bon élève n'a jamais préparé ni passé. Ce seront d'ailleurs des soucis sans lendemain, ou Rimbaud choisira d'éviter d'y penser.*

Se préoccupe-t-il davantage, en octobre 1875, de ce qui fut la ferveur *de l'« entreprise » des « Vagabonds » ? Il est probable qu'il veut, lui, reculer le « naguère » vers un « jadis », oublier la recherche du lieu et de la formule, la volonté de retour à l'état de fils du soleil, et même ce climat d'émulation poétique qui commença dès sa lecture des* Fêtes galantes *dans la bibliothèque d'Izambard en août 1870 et*

---

1. Cette expression, bien approximative et insuffisante, est reprise de Jean-Marie Carré, quand il publiait les *Lettres de la vie littéraire d'Arthur Rimbaud*.

aboutit à une esquisse de chant amébée lors de la vie avec le compagnon errant. Faute de cette émulation, désormais ruinée, Rimbaud va entrer dans l'état de silence poétique, dans ce fameux « silence de Rimbaud » qu'on a sans doute trop glosé, qu'il vaut mieux comprendre le plus simplement du monde et devant lequel il faut s'incliner.

A-t-on, dans ces conditions, le droit de considérer l'évocation de la chambrée à la caserne future, dans la lettre du 14 octobre, comme l'expression suprême du génie de Rimbaud (André Breton), comme l'un des deux « sommets » de son œuvre (Mario Richter, pour qui l'autre serait « Dévotion »), ou même, comme l'a délicatement suggéré Louis Forestier, « le dernier signe » ?

La « Valse » qui suit le « Rêve », l'évocation de la chambrée de nuit,

« On nous a joints, Lefêvre et moi, etc. »

est bien plutôt un dernier tour : un dernier tour de valse où Lefêvre, le fils des propriétaires de la maison où logeait ce qui restait de la famille Rimbaud, 31, rue Barthélemy, à Charleville, se substitue, pioupiou improvisé, au maréchal Lefebvre, mais surtout au Loyola rejeté ; un dernier tour du pitre aussi, du cœur du pitre, du « sans-cœur » de Rimbaud.

À grossièreté, grossièreté et demie, d'ailleurs : les émanations malodorantes, les explosions des conscrits pétomanes. La Comédie de la caserne ne prendra pas l'allure de « Fêtes de la faim », même si « on a faim dans la chambrée », ni d'un opéra fabuleux, même si on échange de brefs propos de vie et de mort, et même si Lefêvre se joint à Rimbaud pour un ballet grotesque. Au centre de la scène figure bien toujours le Génie, et il se désigne à trois reprises comme tel dans la présentation des protagonistes : mais il n'est plus que moisissure (« Je suis le Roquefort ! »), substitut alimentaire de la « vraie vie » (« Je suis le Brie !/ — Les soldats coupent sur leur pain : "C'est la vie !" »), un Génie, mais un Génie troué (« Je suis le Gruère ! »).

Si dernier signe il y a, c'est celui d'une « crevaison », non plus celle que, dans les Illuminations, *d'autres conscrits, les « Conscrits du bon vouloir », les recrues de la Démocratie, annonçaient pour « le monde qui va », mais celle du génie auquel quelque temps on a cru et qui a crevé comme le ballon d'un enfant, fragile lui aussi comme un « papillon de mai ».*

S'il restait une « liberté libre » pour Rimbaud, c'était la liberté qu'il pouvait prendre avec la poésie même. Il allait repartir, pour le monde cette fois, toujours les poings dans ses poches crevées, plus décidé pourtant cette fois à les remplir.

P. B.

CHRONOLOGIE

1873 *Novembre*. Rimbaud vient à Paris, où on lui tourne le dos avec ostentation. Il retrouve ou il fait la connaissance du poète Germain Nouveau (1851-1920), avec lequel il se lie d'une amitié non suspecte.

Il passe le reste de l'hiver à Roche.

1874 *Vers le 25 mars*. Rimbaud part pour Londres en compagnie de Germain Nouveau. Le 26, ils sont dans la capitale britannique et logent 178, Stamfort Street, Waterloo Road.

4 avril. Rimbaud et Nouveau prennent une carte de lecteur au British Museum : nº 2336 — Jean-Nicolas-Joseph-Arthur Rimbaud ; nº 2337 Marie-Bernard-Germain Nouveau.

6 juillet. Alors que Germain Nouveau est déjà reparti pour la France, Mme Rimbaud et sa fille Vitalie viennent retrouver Arthur à Londres. Ils visitent ensemble la ville, et Vitalie note ses impressions dans son journal (voir p. 925, *sqq.*).

31 juillet. Mme Rimbaud et sa fille repartent pour la France. Arthur quitte Londres pour une destination inconnue, mais il reste sans doute en Angleterre.

20 octobre. Arthur Rimbaud atteint l'âge espéré, redouté, de vingt ans.

7 et 9 novembre. Une annonce passe dans le *Times* : « Un Parisien (vingt ans) ayant de hautes connaissances littéraires et linguistiques, excellente conversation, serait heureux d'*accompagner un Gentleman* (artiste de préférence) ou une famille désirant voyager dans le Sud ou les pays d'Orient. Bonnes références. Arthur Rimbaud, nº 165 King's Road — Reading. »

29 décembre. Arrivée précipitée de Rimbaud à Charleville à 9 heures du matin. Il a été convoqué d'urgence par l'autorité militaire. Il bénéficie de l'engagement de son frère Frédéric pour cinq ans.

1875 *15 janvier*. Frédéric Rimbaud rejoint son unité militaire.

16 janvier. Verlaine est libéré de prison.

13 février. Départ de Rimbaud pour Stuttgart, où il veut apprendre la langue allemande. Il y a peut-être trouvé une place de précepteur.

Fin février. Verlaine a retrouvé la trace de Rimbaud grâce à Delahaye. Il vient le revoir à Stuttgart. Ce sera la dernière entrevue, probablement orageuse après les allures patelines prises par le nouveau converti. Rimbaud rejette ce « Loyola ».

Mars. Rimbaud loge dans la Marienbadstrasse, toujours à Stuttgart.

Avril. Il quitte Stuttgart, où il n'avait pas d'emploi fixe ; il traverse la Suisse, et il gagne Milan en traversant les Alpes. Il aurait logé chez une dame très charitable, 39 piazza del Duomo. Frappé d'insolation sur la route qui conduit de Sienne à Livourne, il est rapatrié en France par les soins du consulat, vers le 15 juin. De Marseille, où il a été hospitalisé pour peu de temps, il regagne Charleville.

Juillet. Il est à Paris avec sa mère et avec sa sœur Vitalie, qui souffre d'une synovite et est venue consulter. Il y retrouve des connaissances dont le musicien Cabaner et le peintre Forain.

Octobre. Rimbaud est à Charleville. Il ne songe qu'à avoir un piano et à prendre des leçons de musique. Le 14, il écrit à Delahaye une lettre qui, à beaucoup d'égards, est un adieu à la poésie. La rupture avec Verlaine est consommée, et il laisse éclater le mépris qu'il éprouve pour lui.

WAGNER VERDAMMT IN EWIGKEIT!

5 février 75

Verlaine est arrivé ici l'autre jour, un chapelet aux pinces... Trois heures après on avait renié son dieu et fait saigner les 98 plaies de N.S. Il est resté deux jours et demi, fort raisonnable et sur ma remonstration s'en est retourné à Paris, pour, de suite, aller finir d'étudier là-bas dans l'île.

Je n'ai plus qu'une semaine de Wagner et je regrette cette argent payant de la haine, tout ce temps foutu à rien. Le 15 j'aurai une Ein freundliches Zimmer n'importe où, et je fouaille la langue avec frénésie, tant et tant que j'aurai fini dans deux mois au plus.

Tout est assez inférieur ici. J'excèpe un : Riessling, dont j'en vite un ferre en face des gôdeaux qui l'ont vu naître, à ta santé imperbédueuse. Il soleille et gèle, c'est tannant.

(Après le — Poste restante Stuttgart

[Lettre à Delahaye, 5 mars 1875[1]]

Stuttgart, 5 février[2] 75.

Verlaine est arrivé ici l'autre jour, un chapelet aux pinces... Trois heures après on avait renié son dieu et fait saigner les 98 plaies de N.S[3]. Il est resté deux jours et demi, fort raisonnable et sur ma remonstration s'en est retourné à Paris, pour, de suite, aller finir d'étudier *là-bas dans l'île*[4].

Je n'ai plus qu'une semaine de Wagner[5] et je regrette cette argent payant de la haine, tout ce temps foutu à rien. Le 15 j'aurai Ein freundliches Zimmer[6] n'importe où, et je fouaille la langue avec frénésie[7], tant et tant que j'aurai fini dans deux mois au plus.

Tout est assez inférieur ici — j'excèpe[8] un : Riessling[9], dont j'en vite un ferre en vâce des gôdeaux gui l'onh fu naîdre, à ta santé imperbédueuse. Il soleille et gèle, c'est tannant.

(Après le 15, *Poste restante Stuttgart*.)

À toi.

Rimb.

---

1. En haut à gauche un dessin de Rimbaud (reproduit ci-contre) représentant une rue (la Wagnerstrasse où résidait le docteur Lübner), la maison Lübner et, repartant, Verlaine qui est sans doute celui qui prononce les mots inscrits : « DAMMT IN EWIGKEIT ! » (Damné pour l'éternité). Ceci à l'adresse de Rimbaud, qui ne serait plus damné pour une saison seulement. Facsimilé dans l'*Album Rimbaud*, p. 196, *Lettres d'Europe*, Textuel, p. 85. **2.** *Sic* sur le manuscrit ; la correction s'impose. Rimbaud est parti de Charleville le 13 février. **3.** Notre-Seigneur. **4.** En Angleterre. **5.** La Wagnerstrasse. **6.** Une chambre agréable (celle de la Marienstrasse dont il sera question dans la lettre suivante). **7.** On a conservé des listes de mots allemands recopiés par Rimbaud, voir *Album Rimbaud*, p. 195, *Lettres d'Europe*, p. 87. **8.** J'excepte (jeu de mots sur cépage ?). **9.** La bonne orthographe est *Riesling* : cépage blanc, qui constitue la base des vignobles de la région du Rhin. Le mot apparaît plusieurs fois inscrit dans le dessin en bas de page, confus comme un rêve d'ivresse, mais où l'on reconnaît la vieille ville, la gare et le train.

[Lettre aux siens]

17 mars 1875.

Mes chers parents

Je n'ai pas voulu écrire avant d'avoir une nouvelle adresse. Aujourd'hui j'accuse réception de votre dernier envoi, de 50 francs. Et voici le modèle de subscription [1] des lettres à mon adresse :

Wurtemberg
Monsieur Arthur Rimbaud
2 Marien Strasse 3 tr.
Stuttgart.

« 3 tr. [2] » signifie 3e étage.

J'ai là une très grande chambre, fort bien meublée, au centre de la ville, pour 10 florins, c'est-à-dire 21 fr. 50 c, le service compris ; et on m'offre la pension pour 60 francs par mois : je n'en ai pas besoin d'ailleurs : c'est toujours tricherie et assujet[t]issement, ces petites combinaisons, quelque économiques qu'elles paraissent. Je m'en vais donc tâcher d'aller jusqu'au 15 avril avec ce qui me reste : encore cinquante francs, comme je vais encore avoir besoin d'avances à cette date-là : car ou je dois rester encore un mois pour me mettre bien en train, ou j'aurai fait des annonces pour des placements dont la poursuite (le voyage, par ex.) demandera q[uelq]ue argent. J'espère que tu trouves [3] cela modéré et raisonnable. Je tâche de m'infiltrer les manières d'ici par tous les moyens possibles, je tâche de me renseigner ; quoiqu'on ait réellement à souffrir de leur genre. Je salue l'armée [4], j'espère que Vitalie et Isabelle vont bien, je prie qu'on m'avertisse si l'on désire q[uel]que chose d'ici, et suis votre dévoué.

A. Rimbaud.

1. *Sic*, pour « suscription ». **2.** *Treppe*. **3.** Les « parents » se réduisent alors à la mère, malgré la salutation finale. **4.** Frédéric Rimbaud, qui faisait alors son service militaire.

[ADIEU À LA POÉSIE]

[Lettre à Delahaye du 14 octobre 1875]

14 8bre 75.

Cher ami,

Reçu le Postcard et la lettre de V.[1] il y a huit jours. Pour tout simplifier, j'ai dit à la Poste d'envoyer ses restantes chez moi de sorte que tu peux écrire ici, si encore rien aux restantes. Je ne commente pas les dernières grossièretés[2] du Loyola, et je n'ai plus d'activité à me donner de ce côté-là à présent, comme il paraît que la 2e « portion » du « contingent » de la « classe 74 » va-t-être appelée le trois novembre suivant ou prochain[3] : la chambrée de nuit : « Rêve ».

On a faim dans la chambrée —
C'est vrai...
Émanations, explosions. Un génie :
« Je suis le gruère ! —
Lefêbvre[4] : « Keller[5] ! »
Le Génie[6] : « Je suis le Brie ! »
Les soldats coupent sur leur pain :

1. De Verlaine, alors à Stickney en Angleterre. Cette carte et cette lettre sont perdues : Verlaine fait allusion à la lettre d'« il y a environ deux mois » dans un nouvel envoi à Rimbaud le 12 décembre. **2.** C'est-à-dire, certainement, ses répugnantes leçons de morale. **3.** Rimbaud venait d'avoir 21 ans et croyait être prochainement appelé pour le service militaire. En réalité, il en était exempté pour cinq ans grâce à l'engagement contracté par son frère. **4.** Fils du propriétaire du 13, rue Saint-Barthélemy, où habitait Mme Rimbaud. **5.** *Der Keller* : la cave, en allemand. Le vin doit accompagner le fromage. Keller était aussi le député alsacien à qui l'on devait l'allongement du service militaire. **6.** La majuscule est douteuse sur le manuscrit. C'est le génie au sens militaire, mais aussi un curieux avatar du Génie des *Illuminations*.

« C'est la vie !
Le Génie — « Je suis le Roquefort !
— « Ça s'ra not' mort !...
— Je suis le gruère
Et le Brie... etc.

— Valse —

On nous a joints, Lefêvre[1] et moi, etc.

De telles préoccupations ne permettent que de s'y absorbère[2]. Cependant renvoyer obligeamment, selon les occases, les « Loyolas[3] » qui rappliqueraient.

Un petit service : veux-tu me dire précisément et concis — en quoi consiste le « bachot » « ès-sciences » actuel, partie classique, et mathém., etc. — Tu me dirais le point de chaque partie que l'on doit atteindre : mathém., phys., chim., etc., et alors des titres, immédiat, (et le moyen de se procurer) des livres employés dans ton collège ; par ex. pour ce « Bachot », à moins que ça ne change aux diverses universités : en tous cas, de professeurs ou d'élèves compétents, t'informer à ce point de vue que je te donne. Je tiens surtout à des choses précises, comme il s'agirait de l'achat de ces livres prochainement. Instruct. militaire et « bachot », tu vois, me feraient deux ou trois agréables saisons ! Au diable d'ailleurs ce « gentil labeur ». Seulement sois assez bon pour m'indiquer le plus mieux possible la façon comment on s'y met.

Ici rien de rien.

J'aime à penser que le Petdeloup[4] et les gluants pleins d'haricots patriotiques ou non ne te donnent pas plus de distraction qu'il ne t'en faut. Au moins ça ne schlingue[5] pas la neige, comme ici.

À toi « dans la mesure de mes faibles forces ».

---

1. L'orthographe du nom varie d'une fois à l'autre dans le manuscrit. **2.** Prononciation provinciale de l'infinitif. **3.** Les lettres et envois de Verlaine. **4.** *Pet-de-loup* : désignation courante et péjorative de l'universitaire. **5.** *Schlinguer* : puer.

Tu écris :

A. RIMBAUD.
31, rue St-Barthélémy
Charleville (Ardennes), va sans dire.

P.-S. — La corresp. « en passepoil[1] » arrive à ceci que le « Némery[2] » avait confié les journaux du Loyola à un *agent de police* pour me les porter !

---

1. Passe-passe plutôt, mais la préoccupation militaire l'emporte : le passepoil est l'ourlet du pantalon de l'uniforme du soldat. **2.** Hémery, ancien camarade de collège. Il était employé à la mairie de Charleville.

LETTRES, COMPTES RENDUS ET RAPPORTS DU VOYAGEUR

*Rimbaud avait été un aventurier en poésie. Après son renoncement à la littérature, il décide de courir l'aventure, il devient « l'homme aux semelles de vent ». Il ne sème que quelques lettres jusqu'à ce qu'il tende à se fixer dans des situations plus stables : Chypre, Aden, le Harar, — avec des va-et-vient d'un lieu à l'autre, avec des poussées de nomadisme chez celui qui, même au loin, fait bien souvent figure de sédentaire, presque d'*assis. *Rimbaud a rêvé d'être un explorateur. Mais il a été avant tout un commerçant.*

Sa correspondance d'Orient en témoigne. Sans doute contient-elle des commandes de matériel pour l'exploration, des descriptions d'itinéraires, et s'accompagne-t-elle de ce « Rapport sur l'Ogadine » qui, comme la lettre au directeur du Bosphore égyptien, *a été publié, et par sa volonté. (Avec les compositions latines, ces documents encadrent le si petit nombre de textes d'écrivain qui ont eu cette chance.) Mais à côté de cela, que de comptes, que de reçus, que de bilans financiers ! Rimbaud l'Africain ne laisse plus « les calculs de côté », comme le poète des* Illuminations *(« Jeunesse » I), mais il encombre de chiffres des lettres d'affaires dont les plus longues sont celles qu'il adresse à Alfred Ilg, l'homme de confiance du roi Ménélik II du Choa, devenu empereur du Tigré — Ilg, un homme qui a aussi partie liée avec lui.*

Rimbaud à Chypre, Rimbaud à Aden, Rimbaud en Abyssinie a souffert de l'ennui. Jamais plus, sans doute, qu'au cours d'une année presque entière passée à Tadjourah, au bord de la mer Rouge, quand il a attendu que pût partir la caravane dont il avait la charge. « Il souffre de l'acte d'ennui », a écrit Alain Borer dans une formule saisissante de vérité[1]*. Et il a mis en valeur deux paradoxes qui permettent de mieux comprendre ces longues années : que l'« absolu de l'ennui » est atteint dans une « activité aburissante » déployée dans un « empire indolent » ; que Rimbaud n'a tant cherché à gagner de l'argent que dans l'espoir*

1. *Rimbaud en Abyssinie, essai*, éd. du Seuil, 1984, p. 74.

de trouver un jour le repos. Il ne l'obtint que d'étrange, que de douloureuse façon.

On entre dans cette immense correspondance de Rimbaud comme dans un désert, et pourtant elle est passionnante. On est gêné par des zones d'ombre (il n'y a pratiquement rien sur sa vie intime, si tant est qu'il en ait eu une). On y souffre plus encore des excès d'une lumière aveuglante. Entre ces deux extrêmes, le lecteur a pourtant besoin d'y voir clair. C'est pourquoi, comme dans l'édition Œuvre-vie, *nous avons distingué des séries dans ces lettres, en fonction le plus souvent du lieu géographique dans lequel elles ont été écrites. Nous avons fait des « lots », comme il le faisait lui-même en tête de la dernière lettre qu'il ait écrite, ou plutôt dictée à sa sœur Isabelle, le 9 novembre 1891, la veille de sa mort à l'hôpital de Marseille.*

« UN LOT : UNE DENT SEULE.
UN LOT : DEUX DENTS.
UN LOT : TROIS DENTS.
UN LOT : QUATRE DENTS.
UN LOT : DEUX DENTS.

Monsieur le Directeur,

Je viens vous demander si je n'ai rien laissé à votre compte. Je désire changer aujourd'hui de ce service-ci, dont je ne connais même pas le nom, mais en tout cas que ce soit le service d'Aphinar. Tous ces services sont là partout, et moi, impotent, malheureux, je ne peux rien trouver, le premier chien dans la rue vous dira cela.

Envoyez-moi donc le prix des services d'Aphinar à Suez. Je suis complètement paralysé : donc je désire me trouver de bonne heure à bord. Dites-moi à quelle heure je dois être transporté à bord... »

Dans un dernier sursaut mental, Rimbaud nie sa mort imminente. Pourtant, il la connaît. « Ma vie est passée », constatait-il le 10 juillet 1891. Il a compris que le moment était venu d'exprimer ses dernières volontés. Isabelle veille, mais elle sait que « son avoir reviendra à d'autres » (lettre à sa mère du 28 octobre 1891), et elle est décidée à faire respecter cette demande. Elle enveloppe d'un pluriel qu'on sent condescendant, d'un mystère qui cache mal sa propre surprise, un nom que sa correspondance ultérieure révèle : Djâmi, le serviteur indigène de Rimbaud à Harar, devenu après son départ le domestique de Felter, agent à Harar de la Maison Bienenfeld et Cie. Elle entrera en contact avec le consul de France à Aden pour faire parvenir à Djâmi cette « libéralité » (lettre du 19 février 1892).

Isabelle Rimbaud évalue cette somme à 3 000 F. Nous savons pourtant que le compte du dernier employeur de Rimbaud, César Tian, négociant d'Aden, faisait apparaître le 5 mai 1891, peu de temps avant le départ du malade pour la France, la somme de 3 677,15 roupies, soit 6 618,87 F. C'est ce que Rimbaud lui-même appelait « solde » dans une lettre à César Tian écrite à Aden le 6 mai 1891 :

> *« Il demeure entendu que le solde de mon compte chez vous ne me sera réglé qu'après la liquidation des affaires en suspens au Harar dont le résultat sera à partager par moitié. »*

On peut penser que la famille a prélevé sa dîme (Isabelle s'est au moins remboursée de ses frais de voyage et de séjour). On peut penser surtout que la liquidation était rendue très compliquée par le fait que, comme le précisera César Tian à Isabelle, le reliquat consiste en marchandises qui n'ont toujours pas été vendues.

C'est donc bien 3 000 F qui furent remis à Djâmi, ou plutôt à la famille de Djâmi (car il était mort entre-temps), par l'intermédiaire, choisi par Isabelle, de Monseigneur Taurin-Cahagne, vicaire apostolique des Gallas résidant au Harar. Ces 3 000 F sont le terme d'une longue histoire qu'il n'est peut-être pas inutile de rappeler.

Rimbaud avait d'abord été l'employé, à Aden, de la firme Mazeran, Viannay, Bardey et Cie. Au début de 1884, cette firme a fait faillite. Entre cette date et le 19 juin 1884, date du nouveau contrat qu'il signe avec la maison Bardey frères, née des cendres de la précédente, Rimbaud a certainement connu l'angoisse. Témoin sa longue lettre à sa famille du 5 mai, où s'exprime le pessimisme le plus noir. La réussite de Bardey est douteuse, toutes les grandes maisons de Marseille qui avaient des agences à Aden ont sauté, « il n'y a pas de travail ici à présent », le pécule amassé est inutilisable et il faut le surveiller sans arrêt, la vie à Aden est un cauchemar. Même après le nouveau contrat, Rimbaud juge ses affaires mauvaises, il craint d'être obligé de sortir d'emploi et de se mettre à son compte (lettre du 10 juillet 1884). Même pessimisme dans la lettre du 10 septembre 1884, dans celle du 30 décembre (« les affaires vont très mal ici, à présent »).

Dans ces mois si sombres de l'année 1884, et tout particulièrement en décembre, Rimbaud a sans doute pensé à partir. Non pas pour rentrer en France, dans sa famille, à Roche : il a renoncé définitivement au « labourage » et il le réaffirme fortement dans sa lettre du 30 décembre. Mais il s'est imaginé, cette fois, repartant sur les mers. Certes le temps du bateau ivre est passé, et il emprunterait maintenant des chemins mieux balisés. Il n'envisagerait pas la navigation sans ce commerce qui est devenu son métier. Il réclame à sa famille le Dictionnaire du Commerce et de la Navigation *de Guillaumin, dans sa lettre du 15 janvier 1885. En septembre de cette même année, il songe à l'Inde, au Tonkin, au canal de Panama, qui le hante depuis longtemps et pour lequel il donnerait volontiers Suez. Les Messageries maritimes — la compagnie qui assure le service de navigation vers l'Orient — représentent la libération pour celui qui est devenu le captif d'Aden.*

En octobre 1885, un projet nouveau le détourne pourtant de l'idée du départ. Il l'annonce dans sa lettre du 22, en même temps qu'il apprend aux siens qu'il a quitté volontairement les frères Bardey, « ces ignobles pignoufs qui prétendaient [l']abrutir à perpétuité ». L'affaire est engagée sur une Invincible Armada qui ne peut être, une fois encore, que les services des Messageries maritimes :

> *« Il me vient quelques milliers de fusils d'Europe. Je vais former une caravane, et porter cette marchandise à Ménélik, roi du Choa. »*

L'histoire de la caravane Labatut commence.

Pierre Labatut, négociant au Choa, en Abyssinie, s'est entendu avec Rimbaud et l'a chargé de conduire sa première caravane de vieux fusils vers Ménélik II, le roi du Choa, alors en guerre contre son suzerain, l'empereur Jean du Tigré. Ce projet a détourné Rimbaud de la route des mers. L'anabase reprend, vers l'intérieur des terres, vers la montagne :

> *« La route pour le Choa est très longue : deux mois de marche presque jusqu'à Ankober, la capitale, et les pays qu'on traverse jusque là sont d'affreux déserts. Mais là-haut, en Abyssinie, le climat est délicieux, la population est chrétienne et hospitalière, la vie est presque pour rien. Il n'y a là que quelques Européens, une dizaine en tout, et leur occupation est le commerce des armes, que le roi achète à bon prix. S'il ne m'arrive pas d'accidents, je compte y arriver, être payé de suite et redescendre avec un bénéfice de 25 à 30 mille francs réalisé en moins d'un an. »*

On est loin des 3 000 F de la liquidation finale ! Rimbaud compte sur ce bénéfice rapide et important pour pouvoir ensuite s'établir à son compte et « quitter avec bonheur ces malheureux pays », les « déserts brûlants » et « les rivages incandescents de la mer Rouge » : deux idées qui deviennent fixes et qu'il ne parviendra pas à réaliser, ou du moins à réaliser complètement.

Pendant longtemps, la caravane Labatut reste paralysée à Tadjourah, au bord de la mer, faute des autorisations nécessaires. Faut-il liquider ? Labatut et Rimbaud écrivent le 15 avril 1886 au ministre français des Affaires étrangères, responsable de l'arrêt de toute importation d'armes au Choa, pour lui démontrer que c'est impossible. Ce qu'ils ne disent pas, c'est que plusieurs « gros bonnets » se trouvent impliqués dans l'entreprise : Suel, le propriétaire du Grand Hôtel de l'Univers à Aden, un nommé Ugo Ferrandi, que Rimbaud retrouvera à Harar, un nommé Deschamps, correspondant des Messageries maritimes à Aden, qui se révèlera le plus tenace des créanciers.

Il existe une autre caravane, peut-être concurrente à l'origine, celle de Paul Soleillet. La prudence exige qu'on s'entende pour partir ensemble et s'entraider en chemin. Malheureusement Soleillet meurt, le 9 septembre 1886, frappé d'une congestion. Labatut est atteint d'un cancer. Suel, qui est derrière tout cela et qui ne veut pas renoncer, laisse assez cyniquement espérer à Rimbaud, le 16 septembre, que son associé ne mourra que dans quelques mois. « Vous aurez le temps », lui dit-il, « de tout liquider sans être inquiété des héritiers, qui ne seront probablement informés de sa mort que d'ici. » Le mot liquidation *qui va apparaître si souvent, ainsi que* solde, *dans la correspondance des dernières années de la vie de Rimbaud, se révèle dans toute son ambiguïté : c'est à la fois la* réalisation *d'une affaire et sa* fin précipitée, *à tout prix, fût-ce à perte.*

Rimbaud partit, sans doute en octobre. Nul paradis de commerce ne l'attendait là-haut. Ménélik, déjà pourvu d'armes, foulait le sentier de la guerre et faisait la conquête du Harar. À son retour, si l'on en croit Rimbaud, il s'empara de toutes les marchandises et le força à les lui vendre à prix réduit, lui interdisant la vente au détail et le menaçant de le renvoyer à la côte à ses frais. De la somme consentie en bloc (14 000 thalers), il retira 2 500 thalers pour frais de caravane et 3 000 thalers en prétendant que feu Labatut les lui devait. Rimbaud trouve suspect ce « solde de compte au débit de Labatut chez lui » quand le roi semble bien plutôt le débiteur du défunt. Il n'hésite pas à parler de vol caractérisé. Quand, le 30 juillet 1887, Rimbaud rend compte au vice-consul de France à Aden, M. de Gaspary, de la « liquidation de la caravane », c'est bien au sens de faillite qu'il faut entendre le terme. La caravane Labatut est devenue la caravane Rimbaud, mais ce sont les créanciers de Labatut, ou ceux qui se prétendent tels, et l'avide veuve Labatut, une femme indigène, qui se précipitent sur l'associé survivant.

Il n'est pas exagéré de dire que la liquidation de la caravane Labatut va continuer de tourmenter Rimbaud jusqu'à la veille de son départ définitif, en 1891. Suite à la réclamation de Deschamps, il doit établir un premier bilan chiffré à l'intention du consul, le 3 novembre 1887. Le document manquant de précision, il lui en adresse un second sur sa requête, le 9 novembre. Dans la correspondance de Rimbaud nous retrouvons donc d'une part un inventaire, avec l'alternance des deux rubriques « Doit » et « Avoir », d'autre part l'exposé de ses propres droits sur la caravane, et le compte des frais. Sa stratégie consiste à se situer lui-même en dehors des bénéfices de l'entreprise, à calculer ce qui lui est dû tant au titre des obligations contractées par Labatut qu'en raison du temps qu'il a personnellement investi dans l'expédition et qu'il estime modestement à 900 thalers.

L'affaire resurgit au début de l'année 1890. Elle traîne jusqu'en février 1891, date à laquelle Rimbaud, pressé de toute part, est bien obligé de trouver un arrangement. Mais cet arrangement est sur fond de tragédie. 20 février 1891 : c'est aussi la date d'une lettre à sa mère où Rimbaud avoue qu'il va mal, qu'il souffre beaucoup de la jambe droite et qu'il aimerait bien s'en aller. Et une autre liquidation l'attend, dont il faut raconter l'histoire.

En 1887, après la liquidation de la caravane Labatut, Rimbaud est revenu du Choa en Aden, non par l'épouvantable route dankalie qu'il avait suivie à l'aller, mais par le Harar, en compagnie de l'explorateur Jules Borelli. Il s'est rendu compte qu'il était devenu très difficile, pour ne pas dire impossible, de faire le commerce des armes avec le Choa, en raison de l'interdiction gouvernementale et à la suite de ses propres déconvenues. Mais il a compris aussi que si un commerce restait ouvert, il passait par la route du Harar, et d'autant plus que le Harar était désormais soumis à Ménélik.

Cette idée domine dans la longue lettre de Rimbaud au directeur du Bosphore égyptien *qui fut publiée dans ce journal du Caire les 25 et 27 août 1887. Rimbaud s'y montre désireux d'ouvrir la voie à des commerces futurs : non celui du sel, qui lui paraît sans avenir, non les projets de canalisation, qui sont démentiels, mais le trafic avec Ménélik* via *le Harar et le chargé d'affaires qui y représente le roi, le ras Makonnen. Ce trafic restera un trafic d'armes. Mais au lieu d'en demander le paiement en argent, mieux vaut pratiquer le troc. D'abord, Ménélik « manque complètement de fonds » ; ensuite, il est « dans la plus com-*

plète ignorance (ou insouciance) de l'exploitation des ressources des régions qu'il a soumises et continue à soumettre ». Il faut donc échanger les vieux fusils contre des matières premières et des produits dont le roi ignore la grande valeur. Et puisque le commerce des armes est pour l'instant interdit, on peut montrer de l'argent et acheter de l'ivoire et autres marchandises.

Visiblement, Rimbaud est à la recherche d'un commanditaire dont il serait le fondé de pouvoirs dans ces pays et qui serait enthousiasmé par son idée. Il fait appel à lui par voie de presse, et c'est pourquoi il tenait tant à ce que cette lettre fût publiée dans Le Bosphore égyptien. *Surmontant sa répulsion à l'égard des « ignobles pignoufs », il écrit le 26 août 1887, toujours du Caire, à Alfred Bardey pour lui exposer sa grande idée. À défaut d'autres patrons, il se contenterait de lui. Au Caire, on trouve ça trop loin. Il faut donc rentrer à Aden. C'est à Aden qu'on revient toujours (la pathétique lettre-testament du 9 novembre 1891 le confirmera). Ce qui ramène Rimbaud à Aden, en cette fin de l'été 1887, c'est la volonté de faire aboutir son projet. Le Rimbaud qui rentre à Aden, à la fin de septembre 1887, est décidé, coûte que coûte, ou plutôt rapporte que rapporte, à faire du commerce avec Ménélik* via *le Harar.*

On peut passer sur une nouvelle et malheureuse entreprise de trafic d'armes, la caravane Francon. Rimbaud dut comprendre que l'avenir était bouché de ce côté-là. L'autre volet du projet, celui auquel il tient le plus depuis qu'il a découvert l'axe Choa-Harar-Aden, le requiert bien davantage. Il explique la reprise de ses relations avec les Bardey, non pour travailler à leur compte, mais comme fournisseurs à l'aller ou comme acheteurs au retour. Il explique aussi l'association avec César Tian, rentré à Aden fin novembre 1887. D'un pluriel, on passe à ce singulier dans les lettres de 1888 : après avoir annoncé sa prochaine installation au Harar « au compte des négociants d'Aden », c'est vers l'un d'eux, Tian, qu'il se tourne presque exclusivement. Il le présente comme son correspondant à Aden dans la lettre aux siens du 4 juillet, c'est son adresse à Aden qu'il leur donne — et c'est tout naturellement à lui qu'ils écriront, en décembre 1890 quand, étant sans nouvelles de lui, ils seront saisis d'inquiétude. C'est avec lui, nous le savons, qu'il règlera les dernières affaires quand il s'arrêtera à Aden, au début du mois de mai 1891, avant de prendre le bateau des Messageries maritimes pour rentrer en France : il le rappelle à Isabelle, dans sa lettre du 15 juillet 1891, et nous avons les deux documents signés l'un de Tian, l'autre de Rimbaud qui, le 6 mai, apurent les comptes et établissent le solde de « l'affaire participation au Harar ».

On se perd très vite dans le maquis de ces lettres d'affaires, considérablement enrichi par la publication qu'a faite Jean Voellmy en 1965 de la correspondance échangée entre Rimbaud et Alfred Ilg, cet ingénieur suisse qui était devenu l'homme de confiance de Ménélik. En simplifiant les choses, on peut dire que l'axe Aden-Harar-Choa est devenu la trinité Tian-Rimbaud-Ilg. Tian est à Aden le fournisseur principal des marchandises qui seront vendues directement par Rimbaud à Harar ou indirectement par Ilg au Choa. « Je suis ici au travail », écrit Rimbaud à Ilg le 25 juin 1888, « je me fournis graduellement des m[archand]ises d'importation pour l'Abyssinie : mes commandes répétées d'articles étranges et odieux exaspèrent mon correspondant à Aden, Monsieur Tian. »

Il convient d'ajouter que Rimbaud n'a pas de correspondant exclusif. Il est aussi en relation avec Sotiro à Zeilah, par exemple. Sans se mettre tout à fait à son compte (par prudence), il a pourtant recherché une situation moyenne qui lui donne parfois l'illusion d'y être. C'est la grande différence avec son précédent séjour au Harar, quand il n'était que l'employé des Bardey. Aussi pourra-t-il écrire à sa mère, le 10 novembre 1890, au moment où il songe à venir se marier en France et où il pressent peut-être qu'il lui faudra bientôt tout liquider pour rentrer au pays :

> *« Mon association avec lui [M. Tian] date de deux années et demie. Je travaille aussi à mon compte, seul ; et je suis libre, d'ailleurs, de liquider mes affaires dès qu'il me conviendra. »*

Dès le 7 avril 1890, Rimbaud écrivait à Ilg, dans une lettre très impérieuse :

> « Renvoyez-moi au plus tôt tout le produit de mes m[archand]ises vendues, et liquidez le reste au mieux, *je veux en finir avec le compte Tian.* »

La demande est réitérée plusieurs fois dans les jours qui suivent, puis dans les mois qui suivent. Mais les choses traînent. Rimbaud écrit encore à Ilg le 20 février 1891 : « Il faut en finir. Bazardez donc tout ce qui reste. » Ilg, il est vrai, semblait se débattre avec le stock. « J'aurais bien voulu vous envoyer le solde de vos marchandises, si j'avais trouvé le moyen de les vendre », lui répond-il le 30 janvier 1891, « mais je suis complètement au bout de mes ressources. Sa Majesté, qui m'avait fait espérer qu'elle allait prendre au moins une partie des ferrailles, n'en veut plus, je crois pour raison d'économie et je ne vends que casserole par casserole, et même à 1 thaler la pièce, avec des difficultés. Le fil rouge ne se vendant pas ici, je l'ai envoyé en partie au Godjam, en partie aux Gallas, les domestiques sont partis il y a à peu près un mois et j'attends avec impatience leur retour ; j'ai envoyé également les quelques pièces de soie, cretonne etc., dans l'espérance de m'en défaire au moins pour quelque chose. Les marchandises, ivoire, or, musc, sont absolument introuvables, depuis que Sa Majesté a fait ramasser tout pour son propre compte. »

Il fallait citer cette lettre pour faire apparaître la distance qui existe entre les marchandises importées et les produits que Rimbaud espérait acquérir en échange. D'un côté, des ferrailles, du fil rouge, des tissus dont personne ne veut (il est vrai que Tian a donné l'ordre d'arrêter toutes commandes d'importation, et le stock a pu s'appauvrir, se réduire à des invendus qui sont proches de l'invendable). De l'autre, ce que ces pays peuvent produire de plus précieux. Le grand projet commercial de Rimbaud reposait, il faut bien l'avouer, sur un marché de dupes. Et, comme dans l'affaire Labatut, Ménélik se montre plus clairvoyant, plus roué, qu'il ne l'avait cru. Il est devenu soupçonneux à l'égard des marchandises d'importation, d'autant plus que l'offre n'a cessé d'augmenter. Il prend toutes les précautions pour ne pas laisser les étrangers dépouiller son royaume de ses richesses naturelles. Rimbaud s'était-il trompé ? Ou avait-on ouvert les yeux au roi ? On aimerait bien connaître le rôle d'Alfred Ilg, correspondant de Rimbaud, mais conseiller du roi, dans toute cette affaire...

On se rappelle le projet du « damné », dans « Mauvais sang » : « J'aurai de l'or. » Les projets n'étaient alors que des souvenirs rapportés à l'heure du bilan, dans ce testament qu'était déjà Une saison en enfer. *Rimbaud s'obstine depuis que son pied a touché un sol plus dur. Du commerce avec le Choa il attend « de l'ivoire, du musc et de l'or » (lettre à Bardey du 26 août 1887). Après la vente ou le troc des produits importés, il envoie à la côte « des caravanes de produits de ces pays : or, musc, ivoire, café etc. etc. » (lettre à sa mère du 10 novembre 1890). Que l'or vienne en tête ou en fin de l'énumération, on sent qu'il exerce toujours sur lui la même fascination. Le musc n'éveille pas en lui les profondes rêveries baudelairiennes, « le transport de l'esprit et des sens » : c'est un produit précieux, intéressant pour le commerce, c'est tout. Il en va tout autrement de l'ivoire : il était seul nommé, flanqué vaguement des « autres marchandises » dans la lettre au directeur du* Bosphore égyptien. *Même dans la lettre à Bardey, il occupe la plus grande partie du premier point, concernant ce qu'il faut acheter au Choa :*

> *« [...] On ne trouve plus un thaler au Choa. J'ai laissé l'ivoire au détail à cinquante thalaris ; chez le roi, à soixante thalaris.*
> *Le ras Govana seul a pour plus de quarante mille thalaris d'ivoire et veut vendre : pas d'acheteurs, pas de fonds ! [...] Il y a aussi beaucoup d'autres détenteurs d'ivoire de qui on peut acheter, sans compter les particuliers qui vendent en cachette. »*

Il n'est pas exagéré de dire qu'un grand rêve d'ivoire se déploie dans les lettres de Rimbaud. Il s'exprime déjà dans ce qu'il écrivait aux siens le 4 mai 1881 :

> *« La récolte de café aura lieu dans six mois.*
> *Pour moi, je compte quitter prochainement cette ville-ci [Harar, où Rimbaud est alors l'employé de Bardey] pour aller trafiquer dans l'inconnu. Il y a un grand lac à quelques journées, et c'est un pays d'ivoire : je vais tâcher d'y arriver. Mais le pays doit être hostile.*
> *Je vais acheter un cheval et m'en aller. »*

*On pourrait appeler cette lettre la « nouvelle lettre du voyant », ou la « lettre du nouveau voyant ». Comme en mai 1871, mais avec de tout autres moyens, Rimbaud voudrait sortir des ornières trop banales (l'achat de café) et rechercher ce qui est plus rare (l'ivoire) ; « arriver à l'*inconnu *» est devenu « trafiquer dans l'inconnu ». La métamorphose du poète en négociant ne va pas sans une continuité qui est celle de l'imagination, qui est celle aussi d'un être toujours en attente d'autre chose.*

Après la découverte de l'axe Choa-Harar-Aden, le rêve d'ivoire devient une idée fixe. Un relevé lexical ferait apparaître la remarquable fréquence du mot dans les lettres de Rimbaud à partir de 1887. Il serait fastidieux de reprendre toutes ces occurrences. Il vaut mieux les classer pour faire apparaître trois points principaux.

1. La question des cours : il existe un véritable étalon-ivoire et Rimbaud, comme ses confrères, suit avec passion la courbe du prix de l'ivoire. Par exemple le 18 novembre 1890 : « L'ivoire, dents mélangées petites et grandes, se vend TH. 90 à 100 les 32 1/2 livres à Aden. Les grosses dents, au-dessus de 40 livres, *obtiennent un prix fort supérieur, de 100 à 130 th. » Rimbaud jusqu'à la fin de son séjour à Harar est obsédé par la valeur de l'ivoire, il a confiance en elle. On apprend par la même occasion qu'il y a dent et dent, grandes et petites, mortes ou non.*

2. La question du protectionnisme de Ménélik sur l'ivoire : le roi du Choa essaie de monopoliser l'ivoire et déclenche une véritable guerre de l'ivoire. Dans bon nombre de régions, Ménélik a défendu la vente de l'ivoire. Au Harar, il a inventé une taxe sur l'ivoire à l'entrée et à la sortie, que Rimbaud considère comme un véritable vol. Donc, au moment où le Choa n'achète plus guère de marchandises importées, il se refuse à vendre de l'ivoire, ou si cette vente se fait, elle est grevée par de continuelles et exorbitantes taxations. Dès lors, ce ne sont plus seulement les affaires de Tian qui sont menacées, mais celles que Rimbaud suit pour son propre compte.

3. La question des points d'ivoire : si l'ivoire se cache, ou s'il est caché, il faut le trouver. Rimbaud négociant se double alors du Rimbaud explorateur pour fouler le sentier de l'ivoire. La lettre à Alfred Bardey du 26 août 1887 est encore remarquable à cet égard. « Au-delà de l'Hawasch », note Rimbaud dans le point 9 de l'Itinéraire d'Entotto à Harar, « 30 kilomètres de brousse, [on] marche par les sentiers des éléphants. » Jules Borelli lui fournit de précieux renseignements, qu'il attend, dans sa lettre du 26 juillet 1888 (« L'ivoire de Djimma vient du Wallamo, du lac Abbala. Je suis allé jusqu'aux frontières de ce pays, j'ai connu les prix de l'ivoire, les éléphants pullulent autour du lac Chambara »). Mais il a échoué — pour ce qui est de l'ivoire seulement — dans la tractation dont Rimbaud l'avait chargé auprès du roi Abba Djiffar. L'une des souffrances morales de Rimbaud fut sans doute d'être obligé de se fier, pour ces renseignements, à des intermédiaires. Il eût aimé, comme il le disait en 1881, partir à cheval pour trafiquer dans l'inconnu peut-être, mais pour l'ivoire. On s'explique mieux ces épuisantes marches à cheval dans le Harar qu'il rend en partie responsables de sa maladie.

On comprend aussi pourquoi, dans ses délires de mourant, à Marseille, il rêve de repartir vers l'Orient avec Isabelle. « Moi, il m'appelle parfois Djâmi », note Isabelle, « mais je sais que c'est parce qu'il le veut, et que cela rentre dans son rêve voulu ainsi ; au reste, il mêle tout et... avec art. Nous sommes au Harar, nous partons toujours pour Aden, et il faut chercher des chameaux, organiser la caravane ; il marche très facilement avec la nouvelle jambe articulée, nous faisons quelques tours de promenade sur de beaux mulets richement harnachés ; puis il faut travailler, tenir les écritures, faire des lettres. Vite, vite, on nous attend, fermons les valises et partons » (lettre d'Isabelle Rimbaud à sa mère, 28 octobre 1891). Curieux rêve, dont l'interprétation que donne Isabelle est bien douteuse. Au cauchemar d'un retour de Harar vers Aden, comparable à l'affreux itinéraire d'avril 1891 dont des notes du malade conservent la trace, se substitue le rêve d'un nouveau départ, de nouvelles caravanes, avec un nouveau domestique qui serait peut-être Isabelle à la recherche de l'ivoire.

Il fallait rassembler tous ces éléments pour pouvoir aborder enfin l'autre délire, celui dont Isabelle, décidément affectée aux écritures, se fait le scribe le 9 novembre 1891. Citons de nouveau cette étrange épigraphe :

« UN LOT : UNE DENT SEULE.
UN LOT : DEUX DENTS.
UN LOT : TROIS DENTS.
UN LOT : QUATRE DENTS.
UN LOT : DEUX DENTS. »

Si c'est une nouvelle caravane qui s'organise, pour une nouvelle vente ou à la suite d'une nouvelle acquisition, c'est une caravane d'ivoire pur. Si c'est une nouvelle liquidation, par lots successifs, le stock est constitué d'ivoire seulement. Le grand rêve d'ivoire trouve ici son apogée.

*Rimbaud savait-il que la réalisation en était définitivement impossible ? Procède-t-il à une répartition de lots ? Se fait-elle entre des créanciers ? entre des héritiers ? Cette interprétation n'entamerait en rien la confiance qu'il n'a cessé d'accorder à la valeur ivoire. Il ne resterait plus qu'un capital-ivoire idéal. Le « j'aurai de l'or » d'*Une saison en enfer *s'est transformé en un « j'aurai de l'ivoire » ou plutôt en un « j'avais de l'ivoire ».*

Qu'il se refuse à abolir le futur, le reste de la lettre le prouve. Rimbaud rêve de se réembarquer sur un navire des Messageries maritimes, pour une destination inconnue : Aphinar, le sans-fin. C'est bien ce rêve-là qui inquiétait le plus, de loin, Mme Rimbaud. Isabelle a cru devoir la rassurer dans sa lettre du 5 octobre 1891 :

« Je ne crois pas qu'Arthur entreprendra en ce moment quelque opération commerciale. Il est trop mal : dans tous les cas je l'en dissuaderais de toutes mes forces. Il pense que 30 000 francs sont à Roche et je pourrais lui dire que tu les as placés ; cela retarderait toujours de près d'un mois s'il voulait les ravoir ».

Mais qu'était ce triste magot auprès du capital-ivoire qu'il rêvait d'acquérir, ou de vendre, ou peut-être de distribuer dans un dernier solde ? Qu'était ce pauvre bas de laine auprès du rêve d'un autre départ vers les côtes d'Ivoire de la région d'Aden ?

P. B.

CHRONOLOGIE

LETTRES DE « L'HOMME AUX SEMELLES DE VENT » (1876-1878)
Brême, 14 mai 1877, au consul des États-Unis d'Amérique
Gênes, 17 novembre 1878, aux siens
Alexandrie, décembre 1878, aux siens

LETTRES DE CHYPRE (1879-1880)
Larnaca, 15 février 1879, aux siens
Larnaca, 24 avril 1879, aux siens
Mont Troodos, 23 mai 1880, aux siens
(Limassol), 4 juin 1880, aux siens

LETTRES D'ADEN (première série, 1880)
17 août 1880, aux siens
25 août 1880, aux siens
22 septembre 1880, aux siens
2 novembre 1880, aux siens

LETTRES DE HARAR (première série, 1880-1881)
12 novembre 1880, reçu à Armand Savouré
13 décembre 1880, aux siens
15 janvier 1881, aux siens
15 février 1881, aux siens
12 mars 1881, aux siens
16 avril 1881, aux siens
4 mai 1881, aux siens
25 mai 1881, aux siens
10 juin 1881, aux siens
2 juillet 1881, aux siens

22 juillet 1881, aux siens
5 août 1881, aux siens
2 septembre 1881, aux siens
22 septembre 1881, aux siens
7 novembre 1881, aux siens
3 décembre 1881, aux siens
9 décembre 1881, à Alfred Bardey
9 décembre 1881, aux siens

LETTRES D'ADEN (deuxième série, 1882-1883)
18 janvier 1882, aux siens
18 janvier 1882, à Ernest Delahaye
22 janvier 1882, aux siens
22 janvier 1882, à M. Devisme
12 février 1882, aux siens
15 avril 1882, à sa mère
10 mai 1882, aux siens
10 juillet 1882, aux siens
31 juillet 1882, aux siens
10 septembre 1882, aux siens
28 septembre 1882, aux siens
3 novembre 1882, aux siens
16 novembre 1882, aux siens
18 novembre 1882, à sa mère
8 décembre 1882, à sa mère
6 janvier 1883, à sa mère et à sa sœur
15 janvier 1883, aux siens
28 janvier 1883, à M. de Gaspary, vice-consul de France à Aden
8 février 1883, à sa mère et à sa sœur
14 mars 1883, aux siens
19 mars 1883, aux siens
20 mars 1883, aux siens

LETTRES DE HARAR (deuxième série, 1883-1884)
6 mai 1883, aux siens
20 mai 1883, aux siens
12 août 1883, aux siens
25 août 1883, à MM. Mazeran, Viannay et Bardey
26 août 1883, à Alfred Bardey

23 septembre, à MM. Mazeran, Viannay et Bardey
4 octobre 1883, aux siens
7 octobre 1883, aux siens
10 décembre, Rapport sur l'Ogadine (publié en 1884)
21 décembre 1883, aux siens (contenant la lettre à M. Hachette)
14 janvier 1884, aux siens

LETTRES D'ADEN (troisième série, 1884-1885)
24 avril 1884, aux siens
5 mai 1884, aux siens
20 mai 1884, aux siens
29 mai 1884, aux siens
16 juin 1884, aux siens
19 juin 1884, aux siens
10 juillet 1884, aux siens
31 juillet 1884, aux siens
10 septembre 1884, aux siens
2 octobre 1884, aux siens
7 octobre 1884, aux siens
30 décembre 1884, aux siens
15 janvier 1885, aux siens
14 avril 1885, aux siens
3-17 mai 1885, à Ernest Delahaye
26 mai 1885, aux siens
date inconnue, à M. Franzoj
28 septembre 1885, aux siens
22 octobre 1885, aux siens
18 novembre 1885, aux siens

LETTRES DE TADJOURAH (1885-1886)
3 décembre 1885, aux siens
10 décembre 1885, aux siens
2 janvier 1886, aux siens
6 janvier 1886, aux siens
31 janvier 1886, aux siens
28 février 1886, aux siens
8 mars 1886, aux siens
15 avril 1886, au ministre des Affaires étrangères
21 mai 1886, aux siens

1er juin 1886, reçu à Jules Suel
27 juin 1886, reçu à A. Deschamps
9 juillet 1886, aux siens
15 septembre 1886, aux siens

DU CHOA AU CAIRE (1887)
Entotto, 7 avril 1887, aux siens
Aden, 30 juillet 1887, à M. de Gaspary
Le Caire, août 1887, au Directeur du *Bosphore égyptien* (lettre publiée dans *Le Bosphore égyptien*, 25 et 27 août)
Le Caire, 23 août 1887, aux siens
Le Caire, 24 août 1887, à sa mère
Le Caire, 25 août 1887, à sa mère
Le Caire, 26 août 1887, à Alfred Bardey (avec la description de l'itinéraire d'Entotto à Harar)

LETTRES D'ADEN (quatrième série, 1887-1888)
8 octobre 1887, aux siens
12 octobre 1887, au consul de France à Beyrouth
3 novembre 1887, à M. de Gaspary
4 novembre 1887, à Monseigneur Taurin-Cahagne
5 novembre 1887, aux siens
9 novembre 1887, à M. de Gaspary
22 novembre 1887, aux siens
15 décembre 1887, aux siens (contenant une lettre au député de l'arrondissement de Vouziers)
décembre 1887, à M. le Ministre de la Marine et des Colonies
25 janvier 1888, aux siens
1er février 1888, à Alfred Ilg
29 mars 1888, à Alfred Ilg
2 avril 1888, à Ugo Ferrandi
4 avril 1888, aux siens
10 avril 1888, à Ugo Ferrandi
12 avril 1888, à Alfred Ilg

LETTRES DE HARAR (troisième série, 1888-1891)
3 mai 1888, à Alfred Bardey
15 mai 1888, aux siens
25 juin 1888, à Alfred Ilg

4 juillet 1888, aux siens
4 août 1888, aux siens
10 novembre 1888, aux siens
10 janvier 1889, aux siens
25 février 1889, aux siens
25 février 1889, à Jules Borelli
30 avril 1889, à Ugo Ferrandi
18 mai 1889, aux siens
1er juillet 1889, à Alfred Ilg
20 juillet 1889, à Alfred Ilg
24 août 1889, à Alfred Ilg
26 août 1889, à Alfred Ilg
7 septembre 1889, à Alfred Ilg
12 septembre 1889, à Alfred Ilg
13 septembre 1889, à Alfred Ilg
18 septembre 1889, à Alfred Ilg
7, 9, 10 octobre 1889, à Alfred Ilg
16 novembre 1889, à Alfred Ilg
11 décembre 1889, à Alfred Ilg
20 décembre 1889, à Alfred Ilg
20 décembre 1889, aux siens
3 janvier 1890, aux siens
27 janvier 1890, à A. Deschamps
11 février 1890, relevé pour Armand Savouré
24 février 1890, à Alfred Ilg
25 février 1890, aux siens
1er mars 1890, à Alfred Ilg
16 mars 1890, à Alfred Ilg
18 mars 1890, à Alfred Ilg
7 avril 1890, à Alfred Ilg
7 avril 1890, au roi Ménélik
sans date, à Armand Savouré
21 avril 1890, à sa mère
25 avril 1890, à Alfred Ilg et Ernest Zimmermann
30 avril 1890, à Alfred Ilg et Ernest Zimmermann
15 mai 1890, à Alfred Ilg et Ernest Zimmermann
6 juin 1890, à Alfred Ilg
10 août 1890, à sa mère
20 septembre 1890, à Alfred Ilg
10 novembre 1890, à sa mère

18 novembre 1890, à Alfred Ilg
18 novembre 1890, autre lettre à Alfred Ilg
20 novembre 1890, à Alfred Ilg
26 novembre 1890, à Alfred Ilg
1er février 1891, à Alfred Ilg
5 février 1891, à Alfred Ilg
20 février 1891, à Alfred Ilg
20 février 1891, à sa mère

LE RETOUR (1891)
Du 7 au 17 avril 1891, Carnet de route (de Harar à Warambot)
Aden, 30 avril 1891, à sa mère
Aden, 6 mai 1891, à César Tian

LETTRES DE MARSEILLE (1891)
2(1) mai 1891, aux siens
22 mai 1891, télégramme à sa mère
30 mai 1891, au ras Makonnen
17 juin 1891, à sa sœur Isabelle
23 juin 1891, à sa sœur
24 juin 1891, à sa sœur
29 juin 1891, à sa sœur
2 juillet 1891, à sa sœur
10 juillet 1891, à sa sœur
15 juillet 1891, à sa sœur
juillet, au Commandant de recrutement à Marseille
20 juillet 1891, à sa sœur
9 novembre 1891, au Directeur des Messageries maritimes

N.B. Les lettres à Alfred Ilg n'ayant pu être reproduites, on voudra bien se reporter aux notices correspondantes.

[Premier lot]

[LETTRES DE « L'HOMME AUX SEMELLES DE VENT » (1876-1878)]

AU CONSUL DES ÉTATS-UNIS D'AMÉRIQUE À BRÊME

Bremen the 14 may 77.

The untersigned Arthur Rimbaud — Born in Charleville (France) — Aged 23 — 5 ft. 6 height — Good healthy, — Late a teacher of sciences[1] and languages — Recently deserted from the 47e Regiment of the French Army[2] — Actually in Bremen without any means, the French Consul refusing any Relief, —

Would like to know on which conditions he could conclude an immediate engagement in the American navy.

Speaks and writes English, German, French, Italian and Spanish.

Has been four months as a sailor in a Scotch bark[3], from Java to Queenstown[4], from August to December 76.

Would be very honoured and grateful to receive an answer.

John Arthur Rimbaud.

---

1. Il avait tout au plus envisagé de passer le baccalauréat ès sciences. **2.** Le régiment où le père de Rimbaud a servi durant toute sa vie. Autre substitution étonnante, justement soulignée par Jean-Luc Steinmetz (*Rimbaud. — Une question de présence*, p. 260) : « Sa désertion de l'armée coloniale hollandaise se transforme ici en désertion de l'armée française. » **3.** Le *Wandering Chief*, sur lequel il était revenu d'Indonésie, était en effet un bateau écossais. *Bark* désigne un bateau de faible tonnage. **4.** En Irlande.

AUX SIENS

Gênes, le dimanche[1] 17 novembre 78.

Chers amis

J'arrive ce matin à Gênes, et reçois vos lettres. Un passage pour l'Égypte se paie en or, de sorte qu'il n'y a aucun bénéfice. Je pars lundi 19 à 9 heures du soir. On arrive à la fin du mois.

Quant à la façon dont je suis arrivé ici elle a été accidentée et rafraîchie de temps en temps par la saison. Sur la ligne droite des Ardennes en Suisse, voulant rejoindre, de Remiremont, la corresp[ondance] allemande à Wesserling, il m'a fallu passer les Vosges : d'abord en diligence ; puis à pied, aucune diligence ne pouvant plus circuler dans cinquante[2] centimètres de neige en moyenne et par une tourmente signalée. Mais l'exploit prévu était le passage du Gothard[3], qu'on ne passe plus en voiture à cette saison, et que je ne pouvais passer en voiture.

À Altdorf, à la pointe méridionale du lac des Quatre Cantons, qu'on a côtoyé en vapeur, commence la route du Gothard. À Amsteg à une quinzaine de kilomètres d'Altdorf, la route commence à grimper et à tourner selon le caractère alpestre. Plus de vallées, on ne fait plus que dominer des précipices, par-dessus les bornes décamétriques de la route. Avant d'arriver à Andermatt, on passe un endroit d'une horreur remarquable, dit le pont du Diable, — moins beau pourtant que la Via Mala du Splügen[4], que vous avez en gravure. À Göschenen, un village devenu bourg par l'affluence des ouvriers, on voit au fond de la gorge l'ouverture du fameux tunnel, les ateliers et les cantines de l'entreprise. D'ailleurs tout ce pays d'aspect si féroce est fort travaillé et travaillant. Si l'on ne voit pas de batteuses à vapeur dans la gorge, on entend un peu partout la scie et la pioche sur la hauteur invisible. Il va sans dire que l'industrie du pays se montre surtout en morceaux de bois. Il y a beaucoup de fouilles minières. Les aubergistes vous offrent des spécimens minéraux plus ou moins curieux, que le diable, dit-on, vient acheter au sommet des collines et va revendre en ville.

Puis commence la vraie montée, à Hospital, je crois : d'abord presque une escalade, par les traverses, puis des plateaux ou simplement la route

---

1. Rayé sur le manuscrit : samedi. **2.** Rayé « dans [près de] cinquante ». **3.** Appellation normale, sans la nuance antireligieuse qu'on a voulu y trouver. **4.** Autre col des Grisons, par où passe une autre route pour Côme.

des voitures. Car il faut bien se figurer que l'on ne peut suivre tout le temps celle-ci, qui ne monte qu'en zig-zags ou terrasses fort douces, ce qui mettrait un temps infini, quand il n'y a à pic que 4 900 d'élévation pour chaque face, et même moins de 4 900, vu l'élévation du voisinage. On ne monte non plus à pic, on suit des montées habituelles, sinon frayées. Les gens non habitués au spectacle des montagnes apprennent aussi qu'une montagne peut avoir des pics, mais qu'un pic n'est pas la montagne. Le sommet du Gothard a donc plusieurs kilomètres de superficie.

La route, qui n'a guère que six mètres de largeur, est comblée tout le long à droite par une chute de neige de près de deux mètres de hauteur, qui, à chaque instant, allonge sur la route une barre d'un mètre de haut qu'il faut fendre sous une atroce tourmente de grésil. Voici ! plus une ombre[1] dessus, dessous ni autour, quoique nous soyons entourés d'objets énormes ; plus de route, de précipices, de gorge ni de ciel : rien que du blanc à songer, à toucher, à voir, ou ne pas voir, car impossible de lever les yeux de l'embêtement blanc qu'on croit être le milieu du sentier. Impossible de lever le nez[2] à une bise aussi carabinante, les cils et la moustache en stala[c]tites, l'oreille déchirée, le cou gonflé. Sans l'ombre qu'on est soi-même, et sans[3] les poteaux du télégraphe, qui suivent la route supposée, on serait aussi embarrassé qu'un pierrot dans un four.

Voici à fendre plus d'un mètre de haut, sur un kilomètre de long. On ne voit plus ses genoux de longtemps. C'est échauffant. Haletants, car en une demi-heure la tourmente peut nous ensevelir sans trop d'efforts[,] on s'encourage par des cris, (on ne monte jamais tout seul, mais par bandes). Enfin voici une cantonnière : on y paie le bol d'eau salée 1,50. En route. Mais le vent s'enrage, la route se comble visiblement. Voici un convoi de traîneaux, un cheval tombé moitié enseveli. Mais la route se perd. De quel côté des poteaux est-ce ? (Il n'y a de poteaux que d'un côté.) On dévie, on plonge jusqu'aux côtes, jusque sous les bras... Une ombre pâle derrière une tranchée : c'est l'hospice du Gothard, établissement civil et hospitalier, vilaine bâtisse de sapin et pierres ; un clocheton. À la sonnette un jeune homme louche vous reçoit ; on monte dans une salle basse et malpropre où on vous régale de droit de pain et fromage, soupe et goutte. On voit les beaux gros chiens jaunes à l'histoire connue. Bientôt arrivent à moitié morts les retardataires de la montagne. Le soir on est une trentaine, qu'on distribue, après la soupe, sur des paillasses

---

1. Rimbaud a écrit « un ombre » **2.** *Le nez* en surcharge sur *la tête*. **3.** On ne peut conserver « dans », la lecture que Cl. Jeancolas fait du manuscrit.

dures et sous des couvertures insuffisantes. La nuit, on entend les hôtes exhaler en cantiques sacrés leur plaisir de voler un jour de plus les gouvernements qui subventionnent leur cahute[1].

Au matin, après le pain-fromage-goutte, raffermis par cette hospitalité gratuite qu'on peut prolonger aussi longtemps que la tempête le permet, on sort : ce matin, au soleil, la montagne est merveilleuse : plus de vent, toute descente, par les traverses, avec des sauts, des dégringolades kilométriques, qui vous font arriver à Airolo, l'autre côté du tunnel, où la route reprend le caractère alpestre, circulaire et engorgé, mais descendant. C'est le Tessin.

La route est en neige jusqu'à plus de trente kilomètres du Gothard. À 30 k. seulement, à Giornico, la vallée s'élargit un peu. Quelques berceaux de vignes et quelques bouts de prés, qu'on fume soigneusement avec des feuilles et autres détritus de sapin qui ont dû servir de litière. Sur la route défilent chèvres, bœufs et vaches gris, cochons noirs. À Bellinzona, il y a un fort marché de ces bestiaux. À Lugano, à vingt lieues du Gothard, on prend le train, et on va de l'agréable lac de Lugano à l'agréable lac de Como. Ensuite, trajet connu.

Je suis tout à vous, je vous remercie et dans une vingtaine de jours vous aurez une lettre.

Votre ami.

AUX SIENS

Alexandrie, [début décembre] 1878.

Chers amis,

Je suis arrivé ici après une traversée d'une dizaine de jours, et, depuis une quinzaine que je me retourne ici, voici seulement que les choses commencent à mieux tourner ! Je vais avoir un emploi prochainement ; et je travaille déjà assez pour vivre, petitement il est vrai. Ou bien je serai occupé dans une grande exploitation agricole à quelque dix lieues d'ici (j'y suis déjà allé, mais il n'y aurait rien avant quelques semaines) ; — ou

---

1. M.-A. Ruff voit dans ces lignes un « petit couplet anticlérical, à seule fin sans doute de faire sursauter les pieuses destinataires de sa lettre ».

bien j'entrerai prochainement dans les douanes anglo-égyptiennes, avec bon traitement ; — ou bien, je crois plutôt que je partirai prochainement pour Chypre, l'île anglaise[1], comme interprète d'un corps de travailleurs. En tous cas, on m'a promis quelque chose ; et c'est avec un ingénieur français — homme obligeant et de talent — que j'ai affaire. Seulement voici ce qu'on demande de moi : un mot de toi, maman, avec légalisation de la mairie et portant ceci :

« Je soussignée, épouse Rimbaud, propriétaire à Roche, déclare que mon fils Arthur Rimbaud sort de travailler sur ma propriété, qu'il a quitté Roche de sa propre volonté, le 20 octobre 1878, et qu'il s'est conduit honorablement ici et ailleurs, et qu'il n'est pas actuellement sous le coup de la loi militaire.

Signé : Ép. R... »

Et le cachet de la mairie qui est le plus nécessaire.

Sans cette pièce on ne me donnera pas un placement fixe, quoique je croie qu'on continuerait à m'occuper incidemment. Mais gardez-vous de dire que je ne suis resté que quelque temps à Roche, parce qu'on m'en demanderait plus long, et ça n'en finirait pas ; ensuite ça fera croire aux gens de la compagnie agricole que je suis capable de diriger des travaux.

Je vous prie en grâce de m'envoyer ce mot le plus tôt possible : la chose est bien simple et aura de bons résultats, au moins celui de me donner un bon placement pour tout l'hiver.

Je vous enverrai prochainement des détails et des descriptions d'Alexandrie et de la vie égyptienne. Aujourd'hui, pas le temps. Je vous dis au revoir. Bonjour à F[rédéric], s'il est là. Ici il fait chaud comme l'été à Roche.

Des nouvelles.

A. Rimbaud
poste française, Alexandrie,
Égypte.

---

1. Le 12 juillet 1878, l'amiral Lord John Hay a pris possession de Chypre et a fait hisser le drapeau britannique sur Nicosie. Le 14 août, le sultan de Turquie a accordé à la Grande-Bretagne le droit d'occuper et d'administrer l'île, qui était sous domination turque depuis 1571. Comme le note Alain Blondy, « entre les Britanniques et les Chypriotes ce fut le début d'un long malentendu. Les Anglais organisèrent alors l'île, mais loin de changer le système ottoman, ils se contentèrent de soumettre les fonctionnaires corrompus du régime précédent à l'autorité des chefs britanniques » (*Chypre*, PUF, Que sais-je ? n° 1009, 1998, p. 108).

[Deuxième lot]

[LETTRES DE CHYPRE (1879-1880)]

AUX SIENS

E. Jean et Thial fils
Entrepreneurs
Larnaca (Chypre).

Larnaca (Chypre), le 15 février 1879.

Chers amis

Je ne vous ai pas écrit plus tôt, ne sachant de quel côté on me ferait tourner. Cependant vous avez dû recevoir une lettre d'Alexandrie, où je vous parlais d'un engagement prochain pour Chypre. Demain, 16 février il y aura juste deux mois que je suis employé ici. Les patrons sont à Larnaca, le port principal de Chypre. Moi je suis surveillant d'une carrière au désert, au bord de la mer[1] : on fait un canal aussi. Il y a aussi à faire l'embarquement des pierres sur les cinq bateaux et le vapeur de la compagnie. Il y a aussi un four à chaux, briqueterie, etc. Le premier village est à une heure de marche. Il n'y a ici qu'un chaos de rocs, la rivière et la mer. Il n'y a qu'une maison. Pas de terre, pas de jardins, pas un arbre.

1. L'Angleterre entreprenait de grands travaux de construction. Un ingénieur était chargé de reconstruire les quais, et la pierre dont Rimbaud surveillait l'extraction était destinée à cet effet. Alain Blondy situe cette carrière dans les environs de Potamos (*op. cit.*, p. 109, n.).

En été il y a quatre-vingt[s] degrés de chaleur. À présent, on en a souvent cinquante. C'est l'hiver. Il pleut quelquefois. On se nourrit de gibier, de poules, etc. Tous les Européens ont été malades, excepté moi. Nous avons été ici 20 Européens au plus au camp. Les premiers sont arrivés le 9 décembre. Il y en a trois ou quatre de morts. Les ouvriers chypriotes viennent des villages environnants ; on en a employé jusqu'à soixante par jour. Moi je les dirige : je pointe les journées, dispose du matériel, je fais les rapports à la compagnie, tiens le compte de la nourriture et de tous les frais ; et je fais la paie ; hier j'ai fait une petite paie de 500 francs aux ouvriers grecs.

Je suis payé au mois, cent cinquante francs je crois : je n'ai encore rien reçu qu'une vingtaine de francs. Mais je vais bientôt être payé entièrement et je crois même congédié, comme je crois qu'une nouvelle compagnie va venir s'installer en notre place et prendre tout à la tâche. C'est dans cette incertitude que je retardais d'écrire. En tous cas, ma nourriture ne me coûtant que 2, 25 par jour, et ne devant pas grand'chose au patron, il me restera toujours de quoi attendre d'autre travail, et il y en aura toujours pour moi ici dans Chypre. On va faire des chemins de fer, des forts, des casernes, des hôpitaux, des ports, des canaux, etc. Le 1er mars, on va donner des concessions de terrains, sans autres frais que l'enregistrement des actes.

Que se passe-t-il chez vous ? Préféreriez-vous que je rentre ? Comment vont les petites affaires [1] ?

Écrivez-moi au plus tôt.

Arthur Rimbaud
Poste restante
à Larnaca
Chypre.

Je vous écris ceci au désert et ne sais quand faire partir.

---

1. Le plus étonnant dans cette lettre est que Rimbaud propose à sa famille de rentrer si elle a besoin de lui.

AUX SIENS

Larnaca (Chypre), le 24 avril 1879.

Aujourd'hui seulement, je puis retirer cette procuration à la chancellerie[1] ; mais je crois qu'elle va manquer le bateau et attendre le départ de l'autre jeudi.

Je suis toujours chef de chantier aux carrières de la compagnie et je charge et fais sauter et tailler la pierre.

La chaleur est très forte. On fauche le grain. Les puces sont un supplice affreux, de nuit et de jour. En plus, les moustiques. Il faut dormir au bord de la mer, au désert. J'ai eu des querelles avec les ouvriers et j'ai dû demander des armes[2].

Je dépense beaucoup. Le 16 mai finira mon cinquième mois ici.

Je pense que je vais revenir ; mais je voudrais, avant, que vous me donnassiez des nouvelles.

Écrivez-moi donc.

Je ne vous donne pas mon adresse aux carrières, parce que la poste n'y passe jamais, mais à la ville, qui est à six lieues.

A. Rimbaud,
poste restante, Larnaca (Chypre).

AUX SIENS

Voilà quinze jours qu'on m'a annoncé de Paris que la tente et le poignard étaient expédiés et je ne reçois toujours rien.

C'est navrant.

---

1. Procuration demandée à Arthur par sa mère pour pouvoir régler les affaires de sa succession après la mort de son père. On notera que Rimbaud ne dit pas un mot sur ce dernier événement. **2.** Récit reconstitué « d'après des dires d'Isabelle » par Jean Bourguignon et Charles Houin (donc doublement sujet à caution) : « Un jour, la plus grande partie des ouvriers cosmopolites auxquels il commande met au pillage, sous l'excitation de l'ivresse, la caisse qu'on lui a confiée pour payer ses hommes. Voilà Rimbaud fort embarrassé ; mais, sans se démonter, il recherche les misérables, leur exprime à chacun en particulier le chagrin qu'il éprouve, les responsabilités qu'il encourt, le tort fait aux camarades ; il finit par les émouvoir, et la plupart, leur ivresse dissipée, s'empressent de restituer l'argent. » (*Vie d'Arthur Rimbaud*, 1896-1901, rééd. de Michel Drouin, Payot, 1991, p. 113).

AUX SIENS

Mont-Troodos (Chypre), dimanche 23 mai 1880.

Excusez-moi de n'avoir pas écrit plus tôt. Vous avez peut-être eu besoin de savoir où j'étais ; mais jusqu'ici j'ai réellement été dans l'impossibilité de vous faire parvenir de mes nouvelles.

Je n'ai rien trouvé à faire en Égypte et je suis parti pour Chypre il y a presque un mois. En arrivant, j'ai trouvé mes anciens patrons[1] en faillite. Au bout d'une semaine, j'ai cependant trouvé l'emploi que j'occupe à présent. Je suis surveillant au palais[2] que l'on bâtit pour le gouverneur général, au sommet du Troodos, la plus haute montagne de Chypre[3].

Jusqu'ici j'étais seul avec l'ingénieur, dans une des baraques en bois qui forment le camp. Hier sont arrivés une cinquantaine d'ouvriers et l'ouvrage va marcher. Je suis seul surveillant, jusqu'ici je n'ai que deux cents francs par mois. Voici quinze jours que je suis payé, mais je fais beaucoup de frais : il faut toujours voyager à cheval ; les transports sont excessivement difficiles, les villages très loin, la nourriture très chère. De plus, tandis qu'on a très chaud dans les plaines, à cette hauteur-ci il fait, et fera encore pendant un mois, un froid désagréable ; il pleut, grêle, vente à vous renverser. Il a fallu que je m'achète matelas, couvertures, paletot, bottes, etc., etc.

Il y a au sommet de la montagne un camp où les troupes anglaises arriveront dans quelques semaines, dès qu'il fera trop chaud dans la plaine et moins froid sur la montagne. Alors le service des provisions sera assuré.

Je suis donc, à présent, au service de l'administration anglaise : je compte être augmenté prochainement et rester employé jusqu'à la fin de ce travail, qui se finira probablement vers septembre. Ainsi, je pourrai gagner un bon certificat, pour être employé dans d'autres travaux qui vont probablement suivre, et mettre de côté quelques cents francs.

Je me porte mal ; j'ai des battements de cœur qui m'ennuient fort. Mais il vaut mieux que je n'y pense pas. D'ailleurs qu'y faire ? Cependant l'air est très sain ici. Il n'y a sur la montagne que des sapins et des fougères.

---

1. Ernest Jean et Thial fils. Voir les lettres précédentes. **2.** Ce bâtiment porte aujourd'hui une plaque avec cette inscription : « ARTHUR RIMBAUD (poète et génie français) au mépris de sa renommée contribua à la construction de cette maison ». Voir l'*Album Rimbaud*, p. 237. **3.** 2 100 mètres.

Je fais cette lettre aujourd'hui dimanche ; mais il faut que je la mette à la poste à dix lieues d'ici, dans un port nommé Limassol, et je ne sais quand je trouverai l'occasion d'y aller ou d'y envoyer. Probablement pas avant huitaine.

À présent, il faut que je vous demande un service. J'ai absolument besoin, pour mon travail, de deux livres intitulés, l'un :

Album des Scieries forestières et agricoles, en anglais, prix 3 francs, contenant 128 dessins.

(Pour cela, écrire vous-mêmes à M. Arbey, constructeur-mécanicien, cours de Vincennes, Paris.)

Ensuite :

Le Livre de poche du Charpentier, collection de 140 épures, par Merly, prix 6 francs.

(À demander chez Lacroix, éditeur, rue des Saints-Pères, Paris.)

Il faut que vous me demandiez et m'envoyiez ces deux ouvrages au plus tôt, à l'adresse ci-dessous :

Monsieur Arthur Rimbaud
Poste restante
Limassol (Chypre).

Il faudra que vous payiez ces ouvrages, je vous en prie. *La poste ici ne prend pas d'argent, je ne puis donc vous en envoyer*. Il faudrait que j'achète un petit objet quelconque, que la poste accepterait, et je cacherais l'argent dedans. Mais c'est défendu et je ne tiens pas à le faire. Prochainement cependant, si j'ai autre chose à vous faire envoyer, je tâcherai de vous faire parvenir de l'argent de cette manière.

Vous savez combien de temps il faut, aller et retour, pour Chypre ; et là où je me trouve, je ne compte pas, avec toute la diligence, avoir ces livres avant *six semaines*.

Jusqu'ici je n'ai encore parlé que de moi. Pardonnez-moi. C'est que je pensais que vous devez vous trouver en bonne santé, et au mieux pour le reste. Vous avez bien sûr plus chaud que moi. Et donnez-moi bien des nouvelles du petit train. Et le père Michel[1] ? et Cotaîche[2] ?

---

1. Vieux domestique de la ferme de Roche ; il était d'origine luxembourgeoise (renseignements fournis par P. Berrichon). **2.** Prononciation luxembourgeoise de « Comtesse », une jument conduite par le père Michel (*id.*).

Je vais tâcher de vous faire prochainement un petit envoi du fameux vin de la Commanderie.

Je me recommande à votre souvenir.

À vous.

Arthur Rimbaud,
Poste restante, Limassol (Chypre).

À propos, j'oubliais l'affaire du livret[1]. Je vais prévenir le consul de France ici, et il arrivera de la chose ce qu'il en arrivera.

AUX SIENS

Vendredi, 4 juin 1880.

Chers amis,

Je n'ai pas encore trouvé l'occasion de vous faire parvenir une lettre. Demain cependant je confie ceci à une personne qui va à Limassol. Ayez l'extrême bonté de me répondre et de m'envoyer ce que je demande, j'en ai tout à fait besoin. Je suis toujours employé ici. Il fait beau à présent. Je vais, dans quelques jours, partir pour une entreprise de pierres de taille et de chaux, où j'espère gagner quelque chose.

À bientôt.

A. Rimbaud,
Poste restante, Limassol (Chypre).

---

1. Sans doute le livret militaire.

[Troisième lot]

[LETTRES D'ADEN (première série, 1880)]

AUX SIENS

Aden, 17 août 1880.

Chers amis,

J'ai quitté Chypre avec 400 francs, depuis près de deux mois, après des disputes que j'ai eues avec le payeur général et mon ingénieur. Si j'étais resté, je serais arrivé à une bonne position en quelques mois. Mais je puis cependant y retourner.

J'ai cherché du travail dans tous les ports de la Mer Rouge, à Djeddah, Souakim, Massaouah, Hodeidah, etc. Je suis venu ici après avoir essayé de trouver quelque chose à faire en Abyssinie. J'ai été malade en arrivant[1]. Je suis employé chez un marchand de café, où je n'ai encore que sept francs. Quand j'aurai quelques centaines de francs, je partirai pour Zanzibar[2], où, dit-on, il y a à faire.

Donnez-moi de vos nouvelles.

Rimbaud.
Aden-camp.

---

1. Voir le témoignage tardif et plutôt imprécis d'Alfred Bardey : « Il avait quitté l'île de Chypre depuis quelque temps, et était allé, à l'aventure, par la Mer Rouge, à la recherche d'une situation. En cours de route, il tomba malade à Hodeidah. Complètement désemparé, il fut hospitalisé par M. Trébuchet, agent d'une maison de commerce française » (lettre à M. de B... du 18 avril 1922, publiée dans *Carrefour*, le 2 novembre 1949). **2.** Le lieu, ne serait-ce que par son nom, a toujours exercé une fascination, et encore plaisamment dans *Les Mamelles de Tirésias* d'Apollinaire et de Poulenc. Jean-Luc Steinmetz (*op. cit.*, p. 285) note que Zanzibar représente pour Rimbaud « l'indispensable plus loin » : « Le mot reviendra constamment sous sa plume lorsqu'il voudra tout quitter. »

L'affranchissement est de plus de 25 centimes. Aden n'est pas dans l'Union postale.

— À propos, m'aviez-vous envoyé ces livres, à Chypre ?

AUX SIENS

Aden, 25 août 1880.

Chers amis,

Il me semble que j'avais posté dernièrement une lettre pour vous, contant comme j'avais malheureusement dû quitter Chypre et comment j'étais arrivé ici après avoir roulé la Mer Rouge.

Ici, je suis dans un bureau de marchand de café. L'agent de la Compagnie est un général en retraite [1]. On fait passablement d'affaires, et on va faire beaucoup plus. Moi, je ne gagne pas beaucoup, ça ne fait pas plus de six francs par jour ; mais si je reste ici, et il faut bien que j'y reste, car c'est trop éloigné de partout pour qu'on ne reste pas plusieurs mois avant de seulement gagner quelques centaines de francs pour s'en aller en cas de besoin, si je reste, je crois que l'on me donnera un poste de confiance, peut-être une agence dans une autre ville, et ainsi je pourrais gagner quelque chose un peu plus vite.

Aden est un roc affreux, sans un seul brin d'herbe ni une goutte d'eau bonne : (on boit l'eau de mer distillée). La chaleur y est excessive, surtout en Juin et Septembre, qui sont les deux canicules. 35° la température nuit et jour constante d'un bureau très frais et très ventilé. Tout est très cher et ainsi de suite. Mais il n'y a pas : je suis comme prisonnier ici et assuré-

1. M. Dubar n'était que colonel en retraite. Cf. le témoignage d'Alfred Bardey (lettre du 18 avril 1922 citée) : « À peine rétabli, il se rendit à Aden, chez M. Dubar — directeur du comptoir appartenant à la société commerciale dont je faisais partie —, qui l'engagea, provisoirement, comme employé, et put reconnaître, tout de suite, sa puissance de travail et la facilité avec laquelle il apprenait les langues du pays. »

ment il me faudra y rester au moins trois mois avant d'être un peu sur mes jambes ou d'avoir un meilleur emploi.

Et à la maison ? La moisson est finie ? Contez-moi vos nouvelles.

Arthur Rimbaud.
Maison Viannay Bardey C°
at the Camp
Aden

AUX SIENS

Aden, 22 septembre 1880.

Chers amis,

Je reçois votre lettre du 9 sep[tembr]e, et, comme un courrier part demain pour la France, je réponds.

Je suis aussi bien qu'on peut l'être ici. La maison fait plusieurs centaines de mille francs d'affaires par mois. Je suis le seul employé et tout passe par mes mains, je suis très au courant du commerce du café à présent. J'ai absolument la confiance du patron. Seulement, je suis mal payé : je n'ai que cinq francs par jour, nourri, logé, blanchi, etc., etc., avec cheval et voiture, ce qui représente bien une douzaine de francs par jour. Mais comme je suis le seul employé un peu intelligent d'Aden, à la fin de mon deuxième mois ici, c'est-à-dire le 16 octobre, si l'on ne me donne pas deux cents francs par mois, en dehors de tous frais, je m'en irai. J'aime mieux partir que de me faire exploiter. J'ai d'ailleurs déjà environ 200 francs en poche. J'irais probablement à Zanzibar, où il y a à faire. Ici aussi, d'ailleurs, il y a beaucoup à faire. Plusieurs sociétés commerciales vont s'établir sur la côte d'Abyssinie. La maison a aussi des caravanes dans l'Afrique ; et il est encore possible que je parte par là, où je me ferais des bénéfices et où je m'ennuierais moins qu'à Aden, qui est, tout le monde le reconnaît, le lieu le plus ennuyeux du monde, après toutefois celui que vous habitez.

J'ai 40 degrés de chaleur ici, à la maison : on sue des litres d'eau par jour ici. Je voudrais seulement qu'il y ait 60 degrés, comme quand je restais à Massaoua !

Je vois que vous avez eu un bel été. Tant mieux. C'est la revanche du fameux hiver[1].

Les livres ne me sont pas parvenus, parce que (j'en suis sûr) quelqu'un se les sera appropriés à ma place, aussitôt que j'ai eu quitté le Troodos. J'en ai toujours besoin, ainsi que d'autres livres, mais je ne vous demande rien, parce que je n'ose pas envoyer d'argent avant d'être sûr que je n'aurai pas besoin de cet argent, par exemple si je partais à la fin du mois.

Je vous souhaite mille chances et un été de 50 ans sans cesser.

Répondez-moi toujours à la même adresse ; si je m'en vais, je ferai suivre.

Rimbaud.

Maison Viannay, Bardey et Cie,

Aden

— Bien faire mon adresse, parce qu'il y a ici un Rimbaud agent des Messageries maritimes. On m'a fait payer 10 centimes de supplément d'affranchissement.

Je crois qu'il ne faut pas encourager Frédéric à venir s'établir à Roche, s'il a tant soit peu d'occupation ailleurs. Il s'ennuierait vite, et on ne peut compter qu'il y resterait. Quant à l'idée de se marier, quand on n'a pas le sou ni la perspective ni le pouvoir d'en gagner, n'est-ce pas une idée misérable ? Pour ma part, celui qui me condamnerait au mariage dans des circonstances pareilles ferait mieux de m'assassiner tout de suite. Mais chacun son idée ! Ce qu'il pense ne me regarde pas, ne me touche en rien, et je lui souhaite tout le bonheur possible sur terre et particulièrement dans le canton d'Attigny (Ardennes).

AUX SIENS

Aden, 2 novembre 1880.

Chers amis,

Je suis encore ici pour un certain temps, quoique je sois engagé pour un autre poste sur lequel je dois me diriger prochainement. La maison a

---

1. L'hiver 79-80, dont Rimbaud garde un mauvais souvenir. Voir la lettre du 15 février 1881.

fondé une agence dans le Harar, une contrée que vous trouverez sur la carte au sud-est de l'Abyssinie. On exporte de là du café, des peaux, des gommes, etc., qu'on acquiert en échange de cotonnades et marchandises diverses. Le pays est très sain et frais grâce à sa hauteur. Il n'y a point de routes et presque point de communications. On va d'Aden au Harar : par mer d'abord, d'Aden à Zeilah, port de la côte africaine ; de là au Harar, par vingt jours de caravane.

Monsieur Bardey [1], un des chefs de la maison, a fait un premier voyage, établi une agence et ramené beaucoup de marchandises. Il a laissé un représentant là-bas [2], sous les ordres duquel je serai. Je suis engagé, à partir du 1er novembre, aux appointements de 150 roupies par mois, c'est-à-dire 330 francs, soit 11 francs par jour, plus la nourriture, tous les frais de voyages et 2 % sur les bénéfices [3]. Cependant, je ne partirai pas avant un mois ou six semaines, parce que je dois porter là-bas une forte somme d'argent qui n'est pas encore disponible. Il va sans dire qu'on ne peut aller là qu'armé, et qu'il y a danger d'y laisser sa peau dans les mains des Gallas [4] — quoique le danger n'y soit pas très sérieux non plus.

À présent, j'ai à vous demander un petit service, qui, comme vous ne devez pas être très occupés à présent, ne vous gênera guère. C'est un envoi de livres à me faire. J'écris à la maison de Lyon de vous envoyer la somme de 100 francs. Je ne vous l'envoie pas moi-même, parce que l'on me ferait 8 % de frais. La maison portera cet argent à mon compte. Il n'y a rien de plus simple.

Au reçu de ceci, vous envoyez la note suivante, que vous recopiez et affranchissez, à l'adresse : « *Lacroix*, *éditeur*, rue des Saints-Pères, à Paris ».

Roche, le... etc...

Monsieur,

Veuillez m'envoyer, le plus tôt possible, les ouvrages ci-après, inscrits sur votre catalogue :

Traité de Métallurgie (le prix doit être) .... 4 fr. 00

---

1. Alfred Bardey. Il a raconté comment Rimbaud s'était proposé de lui-même pour remplir cette mission à Harar. **2.** Ce représentant était un ancien sous-officier nommé Pinchard. **3.** 1 % seulement, selon le contrat signé le 10 novembre. **4.** Les Gallas : des tribus d'indigènes qui n'avaient pas encore vu de Blancs. Comme le rappelle Jean-Luc Steinmetz (*op. cit.*, p. 228), « cette population réputée cruelle avait récemment taillé en pièces une caravane passant sur son territoire ».

Hydraulique urbaine et agricole .... 3 fr. 00
Commandant de navires à vapeur .... 5 fr. 00
Architecture navale .... 3 fr. 00
Poudres et Salpêtres .... 5 fr. 00
Minéralogie .... 10 fr. 00
Maçonnerie, par DEMANET .... 6 fr. 00
Livre de poche du Charpentier .... 6 fr. 00

Il existe un *Traité des Puits artésiens*, par F. GARNIER. Je vous serais très réellement obligé de me trouver ce traité, même s'il n'a pas été édité chez vous, et de me donner dans votre réponse une adresse de fabricants d'appareils pour forage instantané, si cela vous est possible.

Votre catalogue porte, si je me rappelle, une *Instruction sur l'établissement des Scieries*. Je vous serais obligé de me l'envoyer.

Il serait préférable que vous m'envoyassiez par retour du courrier le coût total de ces volumes, en m'indiquant le mode de paiement que vous préférez.

Je tiens à trouver le *Traité des Puits artésiens*, que l'on m'a demandé. On me demande aussi le prix d'un ouvrage sur *les Constructions métalliques*, que doit porter votre catalogue, et d'un ouvrage complet sur toutes *les Matières textiles*, que vous m'enverrez, ce dernier seulement.

J'attends ces renseignements dans le plus bref délai, ces ouvrages devant être expédiés à une personne qui doit partir de France dans quatre jours.

Si vous préférez être payé par remboursement, vous pouvez faire cet envoi de suite.

Rimbaud,
Roche, etc.

Là-dessus, vous adresserez la somme qu'on vous demandera, et vous m'expédierez le paquet.

Cette lettre-ci arrivera vers le 20 novembre, en même temps qu'un mandat-poste de la maison Viannay, de Lyon, vous portant la somme que j'indique ici. Le premier bateau des Messageries partira de Marseille pour Aden le 26 novembre et arrivera ici le 11 décembre. En huit jours, vous aurez bien le temps de faire ma commission.

Vous me demanderez également chez M. Arbey, constructeur, cours de Vincennes, à Paris, l'*Album des Scieries agricoles et forestières* que vous m'avez dû envoyer à Chypre et que je n'ai pas reçu. Vous enverrez 3 francs pour cela.

Demandez aussi à M. Pilter, quai de Jemmapes, son grand *Catalogue illustré des Machines agricoles*, Franco.

Enfin, à la librairie Roret :

Manuel du Charron,
Manuel du Tanneur,
Le parfait Serrurier, par Berthaut.
Exploitation des Mines, par J.F. Blanc.
Manuel du Verrier.
— du Briquetier.
— du Faïencier, Potier, etc.
— du Fondeur en tous métaux.
— du Fabricant de bougies.
Guide de l'Armurier.

Vous regardez le prix de ces ouvrages, et vous les demandez contre remboursement, si cela peut se faire ; et au plus tôt : j'ai surtout besoin du *Tanneur*.

Demandez le *Catalogue complet de la Librairie de l'École centrale,* à Paris.

On me demande l'adresse de *Constructeurs d'appareils plongeurs* : vous pouvez demander cette adresse à Pilter, en même temps que le catalogue des Machines.

Je serai fort gêné si tout cela n'arrive pas pour le 11 décembre. Par conséquent, arrangez-vous pour que tout soit à Marseille pour le 26 novembre. Ajoutez au paquet le *Manuel de Télégraphie, le Petit Menuisier* et *le Peintre en bâtiments*.

— Voici deux mois que j'ai écrit et je n'ai pas encore reçu les livres arabes que j'ai demandés [1]. Il faut faire vos envois par la Compagnie des Messageries maritimes. D'ailleurs, informez-vous.

Je suis vraiment trop occupé aujourd'hui pour vous en écrire plus long. Je souhaite seulement que vous vous portiez bien et que l'hiver ne vous soit pas trop dur. Donnez-moi de vos nouvelles en détail. Pour moi, j'espère faire quelques économies.

Quand vous m'enverrez le reçu des 100 francs que je vous fais envoyer, je rembourserai la maison immédiatement.

Rimbaud.

1. Dans une lettre qui est perdue et n'était peut-être pas arrivée à destination.

[Quatrième lot]

[LETTRES DE HARAR
(première série, 1880-1881)]

REÇU

Reçu de la douane du Harar pour le compte de M. Savouré[1] avec le roi Ménélik, 173 fraslehs et 9 livres café.

Six thalers et demi le frasleh, valeur thalaris

Mille cent vingt-sept thalaris et huit piastres 1 127, 8.

Harar, le 12 novembre 1880
Pour M. Savouré
Rimbaud

AUX SIENS

Harar, 13 décembre 1880.

Chers amis

Je suis arrivé dans ce pays après 20 jours de cheval à travers le désert somali. Harar est une ville colonisée par les Égyptiens et dépendant de

1. Première mention de cet Armand Savouré, trafiquant d'armes bien connu sur toute la mer Rouge, avec lequel Rimbaud fera affaire en 1888.

leur gouvernement [1]. La garnison est de plusieurs milliers d'hommes. Ici se trouve notre agence et nos magasins. Les produits marchands du pays sont le café, l'ivoire, les peaux, etc. Le pays est élevé [2], mais non infertile. Le climat est frais et non malsain [3]. On importe ici toutes marchandises d'Europe, par chameaux. Il y a d'ailleurs beaucoup à faire dans le pays. Nous n'avons pas de poste régulière ici. Nous sommes forcés d'envoyer notre courrier à Aden par rares occasions. Ceci ne vous arrivera donc pas d'ici longtemps. Je compte que vous avez reçu ces *100 francs*, que je vous ai fait envoyer par la maison de Lyon, et que vous avez trouvé moyen de mettre en route les objets que j'ai demandés. J'ignore cependant quand je les recevrai.

Je suis ici dans les Gallas. Je pense que j'aurai à aller plus en avant prochainement. Je vous prie de me faire parvenir de vos nouvelles le plus fréquemment possible. J'espère que vos affaires vont bien et que vous vous portez bien. Je trouverai moyen d'écrire encore prochainement. Adressez vos lettres ou envois ainsi :

« M. Dubar, agent général à Aden.
« Pour M. Rimbaud, Harar. »

AUX SIENS

Harar, le 15 janvier 1881.

Chers amis,

Je vous ai écrit deux fois [4] en décembre 1880, et n'ai naturellement pas encore reçu de réponses de vous. J'ai écrit en décembre que l'on vous envoie une 2e somme de cent francs, qui vous est peut-être déjà parvenue et que vous emploierez à l'usage que je vous ai dit. J'ai fort besoin de tout ce que je vous ai demandé, et je suppose que les premiers objets sont déjà arrivés à Aden. Mais d'Aden ici il y a encore un mois. Il va nous arriver une masse de marchandises d'Europe, et nous allons avoir un fort travail. Je vais prochainement faire une grande tournée au désert pour

---

1. Depuis 1875, date de la conquête de Harar par Raouf Pacha. **2.** C'est un plateau situé à 2 000 mètres au-dessus du niveau de la mer. **3.** Le climat de la Toscane, si l'on en croit l'Anglais Burton qui y précéda Rimbaud (*First Steps in East Africa*). **4.** Une fois, le 13 décembre. L'autre lettre semble s'être perdue, ce qui n'est pas très étonnant car les postes de Harar étaient alors fort mal organisées.

des achats de chameaux. Naturellement nous avons des chevaux, des armes et le reste. Le pays n'est pas déplaisant [:] en ce moment il fait le temps du mois de mai de France.

J'ai reçu vos 2 lettres de novembre ; mais je les ai perdues tout de suite, ayant cependant eu le temps de les parcourir, je me rappelle que vous m'accusez réception des premiers cent francs que je vous ai fait envoyer. Je vous fais renvoyer cent francs pour le cas où je vous aurais occasionné des frais, ceci fera le 3e envoi, et je m'arrêterai là jusqu'à nouvel ordre, d'ailleurs quand j'aurai reçu une réponse à ceci, le mois d'avril sera arrivé. Je ne vous ai pas dit que je suis engagé ici pour trois ans, ce qui ne m'empêchera pas de sortir avec gloire et confiance si l'on me fait des misères. Mes appoints [1] sont de 300 francs par mois en dehors de toute espèce de frais, et tant pour cent [2] sur les bénéfices.

Nous allons avoir en cette ville-ci un évêque catholique qui sera probablement seul catholique du pays [3]. Nous sommes ici dans le Galla.

Nous faisons venir un appareil photographique, et je vous enverrai des vues du pays et des gens, nous recevrons aussi le matériel de préparateur d'histoire naturelle et je pourrai vous envoyer des oiseaux et des animaux qu'on n'a pas encore vus en Europe. J'ai déjà ici quelques curiosités que j'attends l'occasion d'expédier.

Je suis heureux d'entendre que vous pensez à moi et que vos affaires vont assez bien. J'espère que cela marchera chez vous le mieux possible. De mon côté je tâcherai de rendre mon travail intéressant et lucratif.

J'ai à présent à vous donner quelques petites commissions faciles. Envoyez la lettre suivante à M. Lacroix, libraire-éditeur, Paris :

Monsieur,

Il existe un ouvrage d'un auteur allemand ou suisse publié en Allemagne il y a quelques années et traduit en français, portant le titre de : *Guide du Voyageur ou Manuel théorique et pratique de l'Explorateur*. C'est là le titre ou à peu près.

Cet ouvrage, me dit-on, est un compendium très intelligent de toutes les connaissances nécessaires à l'Explorateur en Topographie, Minéralogie, Hydrographie, Histoire naturelle, etc., etc. — Me trouvant en ce

---

1. *Sic* dans le manuscrit. Il faut comprendre « appointements ». **2.** On notera la variation. **3.** Ce qui souligne que Rimbaud, lui, ne se considère pas comme tel. « Les Hararis étaient des musulmans nourrissant une haine acharnée contre les chrétiens » (E. Starkie, *op. cit.*, p. 20). Il s'agit de Mgr Taurin-Cahagne, un Normand de 55 ans, vicaire apostolique des Gallas. Il arrivera mi-avril à Harar, dans une ville musulmane sous domination égyptienne depuis 1875 (voir Claude Jeancolas, *Lettres manuscrites*, p. 415).

moment, dans un endroit où je ne puis me procurer ni le nom de l'auteur ni l'adresse des éditeurs-traducteurs, j'ai supposé que cet ouvrage vous était connu et que vous pourriez me donner ces renseignements. Je vous serais même heureux de vouloir bien me l'expédier de suite, en choisissant le mode de paiement que vous préférerez.

Vous remerciant,

Rimbaud,
Roche, par Attigny, Ardennes, France.

Envoyez celle-ci à M. Bautin, fabricant d'instruments de précision, Paris, rue du Quatre-Septembre, 6 :

Aden, le 30 janvier 188[1 [1]].

Monsieur,

Désirant m'occuper de placer des instruments de précision en général en l'Orient, je me suis permis de vous écrire pour vous demander le service suivant : je désire connaître l'ensemble de ce qui se fabrique de mieux en France (ou à l'étranger) en instruments de Mathématiques, Optique, Astronomie, Électricité, Météorologie, Pneumatique, Mécanique, Hydraulique, et Minéralogie. Je ne m'occupe pas d'instruments de Chirurgie. Je serais très heureux que l'on pût me rassembler tous les catalogues formant cet ensemble, et je me rapporte de ce soin à votre bienveillante compétence. On me demande également des catalogues de fabriques de jouets physiques, pyrotechnie, prestidigitation, modèles mécaniques et de construction en raccourci, etc. S'il existe en France des fabriques intéressantes en ce genre, ou si vous connaissez mieux à l'étranger, je vous serai plus obligé que je ne puis dire de vouloir bien me procurer adresses ou catalogues.

Vous adresseriez vos communications dans ce sens à l'adresse ci-dessous : « Rimbaud, Roches, par Attigny, Ardennes. France. » Ce correspondant se charge naturellement de tous frais à encourir et les avancera immédiatement sur votre observation.

Envoyez également, s'il en existe de sérieux et de tout à fait modernes et pratiques, un *Manuel complet du fabricant d'instruments de précision*.

Vous remerciant cordialement,

Rimbaud,
Aden Arabie.

---

1. Le manuscrit porte par erreur la date de 1880.

Vous faites précéder cette lettre des mots suivants :

Monsieur,

Nous vous communiquons une note à votre adresse, d'un de nos parents en Orient, et nous serions très heureux que vous vouliez bien y prêter attention. Nous sommes à votre disposition, quant aux frais que cela occasionnerait.

Rimbaud,
Roches, par Attigny, Ardennes.

Enfin, informez-vous s'il n'existe pas à Paris une Librairie de l'École des Mines ; et si elle existe envoyez-m'en le catalogue.

À vous de tout cœur.

Rimbaud,
Maison Viannay Bardey
Aden Arabie.

AUX SIENS

Harar, le 15 février 1881.

Chers amis,

J'ai reçu votre lettre du 8 décembre, et je crois même vous avoir écrit une fois depuis. J'en ai, d'ailleurs, perdu la mémoire en campagne.

Je vous rappelle que je vous ai fait envoyer 300 francs : 1° d'Aden[1] ; 2° de Harar à la date du 10 décembre environ[2] ; 3° de Harar à la date du 10 janvier environ[3]. Je compte qu'en ce moment vous avez déjà reçu ces trois envois de cent francs et mis en route ce que je vous ai demandé. Je vous remercie dès à présent de l'envoi que vous m'annoncez, mais que je ne recevrai pas avant deux mois d'ici, peut-être.

Envoyez-moi *les Constructions métalliques*, par Monge, prix : 10 francs.

Je ne compte pas rester longtemps ici ; je saurai bientôt quand je partirai. Je n'ai pas trouvé ce que je présumais ; et je vis d'une façon fort ennuyeuse

1. Voir la lettre du 2 novembre. **2.** Voir la lettre du 15 janvier. **3.** Voir *ibid.*

et sans profits. Dès que j'aurai 1 500 ou 2 000 francs, je partirai, et j'en serai bien aise. Je compte trouver mieux un peu plus loin. Écrivez-moi des nouvelles des travaux de Panama : aussitôt ouverts, j'irai. Je serai même heureux de partir d'ici, dès à présent. J'ai pincé une maladie [1], peu dangereuse par elle-même ; mais ce climat-ci est traître pour toute espèce de maladie. On ne guérit jamais d'une blessure. Une coupure d'un millimètre à un doigt suppure pendant des mois et prend la gangrène très facilement. D'un autre côté, l'administration égyptienne n'a que des médecins et des médicaments insuffisants. Le climat est très humide en été : c'est malsain ; je m'y déplais au possible, c'est beaucoup trop froid pour moi.

En fait de livres, ne m'envoyez plus de ces manuels Roret.

Voici quatre mois que j'ai commandé des effets à Lyon, et je n'aurai encore rien avant deux mois.

Il ne faut pas croire que ce pays-ci soit entièrement sauvage. Nous avons l'armée, artillerie et cavalerie, égyptienne, et leur administration. Le tout est identique à ce qui existe en Europe ; seulement, c'est un tas de chiens et de bandits. Les indigènes sont des Gallas, tous agriculteurs et pasteurs : gens tranquilles, quand on ne les attaque pas. Le pays est excellent, quoique relativement froid et humide ; mais l'agriculture n'y est pas avancée. Le commerce ne comporte principalement que les peaux des bestiaux, qu'on trait pendant leur vie et qu'on écorche ensuite ; puis du café, de l'ivoire, de l'or ; des parfums, encens, musc, etc. Le mal est que l'on est à 60 lieues de la mer et que les transports coûtent trop.

Je suis heureux de voir que votre petit manège va aussi bien que possible. Je ne vous souhaite pas une réédition de l'hiver 1879-80, dont je me souviens assez pour éviter à jamais l'occasion d'en subir un semblable.

Si vous trouviez un exemplaire dépareillé du Bottin, Paris et Étranger, (quand ce serait un ancien), pour quelques francs, envoyez-le-moi, en caisse ; j'en ai spécialement besoin.

Fourrez-moi aussi une demi-livre de graines de betterave saccharifère dans un coin de l'envoi.

Demandez — si vous avez de l'argent de reste — chez Lacroix le *Dictionary of Engineering military and civil*, prix 15 francs. Ceci n'est pas fort pressé.

---

1. La syphilis, si l'on en croit Alfred Bardey, suivi par la plupart des biographes (lettre à Paterne Berrichon du 7 juillet 1897, publiée dans « Nouveaux documents sur Rimbaud », *Mercure de France*, 15 mai 1919, p. 14 et 18, 19). Comme le fait observer Jean-Luc Steinmetz (*op. cit.*, p. 298), « le verbe qu'il utilise pour le dire, "j'ai pincé", correspond assez aux expressions habituelles dont on se servait à l'époque pour évoquer les maux vénériens ».

Soyez sûrs que j'aurai soin de mes livres.

Notre matériel de photographie et de préparation d'histoire naturelle n'est pas encore arrivé, et je crois que je serai parti avant qu'il n'arrive.

J'ai une foule de choses à demander ; mais il faut que vous m'envoyiez le Bottin d'abord.

À propos, comment n'avez-vous pas retrouvé le dictionnaire arabe ? Il doit être à la maison cependant.

Dites à F[rédéric] de chercher dans les papiers arabes un cahier intitulé : *Plaisanteries, jeux de mots*, etc., en arabe ; et il doit y avoir aussi une collection de dialogues, de chansons ou je ne sais quoi, utile à ceux qui apprennent la langue. S'il y a un ouvrage en arabe, envoyez ; mais tout ceci comme emballage seulement, car ça ne vaut pas le port.

Je vais vous faire envoyer une vingtaine de kilos café moka à mon compte, si ça ne coûte pas trop de douane.

Je vous dis : à bientôt ! dans l'espoir d'un temps meilleur et d'un travail moins bête ; car, si vous présupposez que je vis en prince, moi, je suis sûr que je vis d'une façon fort bête et fort embêtante.

Ceci part avec une caravane, et ne vous parviendra pas avant fin mars. C'est un des agréments de la situation. C'est même le pire.

À vous,

Rimbaud.

AUX SIENS

Harar, 12 mars 1881.

Chers amis,

J'ai reçu avant-hier une lettre de vous sans date, mais timbrée, je crois, du 6 février 1881.

J'ai déjà reçu, par vos lettres précédentes, nouvelle de votre envoi ; et le colis doit se trouver à présent à Aden. Seulement, j'ignore quand il prendra le chemin de Harar. Les affaires de cette entreprise-ci sont assez embrouillées.

Mais, vous dites avoir reçu ma lettre du 13 décembre 1880. Alors, vous auriez dû recevoir par la même occasion une somme de cent francs que j'ai commandé à la maison de vous envoyer à la date du 13 décembre 1880 ; et, votre lettre étant partie du 10 février environ, vous auriez dû également recevoir une 3e somme de cent francs que j'ai commandé à la maison de vous envoyer, à la date du 10 janvier 1881, par lettre à eux, et lettre à vous, à cette même date du 10 janvier [1].

J'ai écrit pour savoir comment cela a été réglé. Il est vraisemblable que vous n'ayez pas encore reçu ma lettre du 10 janvier à la date où vous avez écrit la vôtre, c'est-à-dire au 16 février ; mais je me demande ce qu'il est advenu de la demande d'argent qui accompagnait ma lettre du 14 décembre 1880, lettre que vous dites avoir reçue. En tout cas, il n'y a rien de perdu si l'on n'a rien envoyé. Je vais me renseigner définitivement. — Figurez-vous que j'ai commandé deux vêtements de drap à Lyon en novembre 1880 et que je serai peut-être longtemps encore sans les recevoir. En attendant, j'ai froid ici, vêtu que je suis des tenues de coton d'Aden.

Je saurai, dans un mois, si je dois rester ici ou déguerpir, et je serai de retour à Aden au moment où vous recevrez ceci. J'ai eu des ennuis absurdes à Harar, et il n'y a pas à y faire, pour le moment, ce que l'on croyait. Si je quitte cette région, je descendrai probablement à Zanzibar, et je trouverai peut-être de l'occupation aux Grands Lacs [2]. — J'aimerais mieux qu'il s'ouvrît quelque part des travaux intéressants, et ici les nouvelles n'en arrivent pas souvent.

Que l'éloignement ne soit pas une raison de me priver de vos nouvelles. Adressez toujours à Aden, d'où cela me parviendra.

À bientôt d'autres nouvelles.

Bonne santé et bonheur à tous.

Rimbaud.

AUX SIENS

Harar Dimanche 16 avril 1881.

Chers amis

J'ai reçu de vous une lettre dont je ne me rappelle pas la date [:] j'ai égaré cette lettre dernièrement. Vous m'y accusiez réception d'une somme de 100 francs ; c'était la 2e dites-vous. C'est bien cela. L'autre

1. En fait, le 15. 2. Ils ont été découverts par Burton et Speke en 1858.

selon moi, la 3e c'est-à-dire, ne doit pas vous être parvenue, ma demande a dû être égarée. Gardez ainsi ces 100 francs de côté.

Je suis toujours en suspens. Les affaires ne sont pas brillantes. Qui sait combien je resterai ici. Peut-être prochainement vais-je faire une campagne dans le pays. Il est arrivé une troupe de missionnaires français [1], et il se pourrait que je les suive dans les pays jusqu'ici inaccessibles aux blancs de ce côté.

Votre envoi ne m'est pas encore parvenu, il doit être cependant à Aden, et j'ai l'espoir de le recevoir dans quelques mois. Figurez-vous que je me suis commandé des tenues à Lyon, il y a 7 mois, et qu'elles ne songent pas à arriver !

Rien de bien intéressant pour le moment.

Je vous souhaite des estomacs moins en danger que le mien, et des occupations moins ennuyeuses que les miennes.

M. Dubar à Aden
pour M. A. Rimbaud.
Harar

Ne m'envoyez rien jusqu'à nouvel ordre. Bonne santé à *tous*.

AUX SIENS

Harar, 4 mai 1881.

Chers amis,

Vous êtes en été, et c'est l'hiver ici, c'est-à-dire qu'il fait assez chaud, mais il pleut souvent. Cela va durer quelques mois.

La récolte du café aura lieu dans six mois.

Pour moi, je compte quitter prochainement cette ville-ci pour aller trafiquer dans l'inconnu. Il y a un grand lac à quelques journées, et c'est en pays d'ivoire : je vais tâcher d'y arriver. Mais le pays doit être hostile.

---

1. Cinq prêtres franciscains accompagnant Mgr Taurin-Cahagne, évêque d'Adramithe et vicaire apostolique des Gallas, qui arrive à Harar à ce moment-là. Rimbaud est venu à leur rencontre à Gueldossa, où il accueille aussi Alfred Bardey, et Pierre Mazeran. À Harar, tous seront provisoirement logés à la factorerie.

Je vais acheter un cheval et m'en aller. Dans le cas où cela tournerait mal, et que j'y reste, je vous préviens que j'ai une somme de 7 fois 150 roupies m'appartenant déposée à l'agence d'Aden, et que vous réclamerez, si ça vous semble en valoir la peine.

Envoyez-moi un numéro d'un journal quelconque de travaux publics, que je sache ce qui se passe. Est-ce qu'on travaille à Panama [1] ?

Écrivez à MM. Wurster et Cie, éditeurs à Zurich, Suisse, et demandez de vous envoyer de suite le *Manuel du Voyageur*, par M. Kaltbrünner, contre remboursement ou comme il lui plaira. Envoyez aussi *les Constructions à la mer*, par Bonniceau, librairie Lacroix.

Expédiez à l'agence d'Aden.

Portez-vous bien. Adieu.

A. Rimbaud.

AUX SIENS

Aden, 25 mai 1881.

Chers amis,

Chère maman, je reçois ta lettre du 5 mai. Je suis heureux de savoir que ta santé s'est remise et que tu peux rester en repos. À ton âge, il serait malheureux d'être obligée de travailler. Hélas ! moi, je ne tiens pas du tout à la vie ; et si je vis, je suis habitué à vivre de fatigue ; mais si je suis forcé de continuer à me fatiguer comme à présent, et à me nourrir de chagrins aussi véhéments qu'absurdes dans ces climats atroces, je crains d'abréger mon existence.

Je suis toujours ici aux mêmes conditions, et, dans trois mois, je pourrais vous envoyer 3 000 francs [2] d'économies ; mais je crois que je les garderai pour commencer quelque petite affaire à mon compte dans ces parages, car je n'ai pas l'intention de passer toute mon existence dans l'esclavage.

Enfin, puissions-nous jouir de quelques années de vrai repos dans cette vie ; et heureusement que cette vie est la seule, et que cela est évident,

1. Même demande déjà dans la lettre du 15 février. **2.** 5 000 francs, selon Guillemin.

puisqu'on ne peut s'imaginer une autre vie avec un ennui plus grand que celle-ci !

Tout à vous,

Rimbaud.

AUX SIENS

Harar, le 10 juin 1881.

Chers amis,

Je reviens d'une campagne au dehors, et je repars demain pour une nouvelle campagne à l'ivoire.

Mon adresse est toujours la même, et je recevrai de vos nouvelles avec plaisir.

Rimbaud.

Je n'ai rien reçu de vous depuis longtemps.

AUX SIENS

Harar, le 2 juillet 1881.

Chers amis,

Je reviens de l'intérieur, où j'ai acheté une quantité considérable de cuirs secs.

J'ai un peu la fièvre à présent. Je repars dans quelques jours pour un pays totalement inexploré par les Européens ; et, si je réussis à me mettre décidément en route, ce sera un voyage de six semaines, pénible et dangereux, mais qui pourrait être de profit. — Je suis seul responsable de cette petite expédition. J'espère que tout ira pour le moins mal possible. En tous cas, ne vous mettez pas en peine pour moi.

Vous devez être très occupés à présent ; et je vous souhaite une réussite heureuse dans vos petits travaux.

À vous,

Rimbaud.

P.-S. — Je ne suis pas en contravention avec la loi militaire[1] ? Je ne saurai donc jamais où j'en suis à ce sujet.

AUX SIENS

Harar Vendredi 22 juillet 1881.

Chers amis

J'ai reçu dernièrement une lettre de vous de Mai ou de Juin. Vous vous étonnez du retard des correspondances, cela n'est pas juste : elles arrivent à peu près régulièrement, quoique à longues échéances, et quant aux paquets, caisses et livres de chez vous j'ai tout reçu à la fois il y a plus de quatre mois et je vous en ai accusé réception. La distance est grande voilà tout [;] c'est le désert à franchir deux fois qui double la distance postale.

Je ne vous oublie pas du tout, comment le pourrais-je, et si mes lettres sont trop brèves, c'est que, toujours en expéditions, j'ai toujours été pressé aux heures de départ des courriers. Mais je pense à vous et je ne pense qu'à vous. Et que voulez-vous que je vous raconte de mon travail d'ici qui me répugne déjà tellement, et du pays que j'ai en horreur, et ainsi de suite. Quand je vous raconterais les essais que j'ai faits avec des fatigues extraordinaires et qui n'ont rien rapporté que la fièvre, qui me tient à présent depuis quinze jours de la manière dont je l'avais à Roches il y a 2 ans ? Mais que voulez-vous je suis fait à tout à présent je ne crains rien.

Prochainement je ferai un arrangement avec la maison pour que mes appointements soient régulièrement payés entre vos mains en France,

1. Rimbaud sera de plus en plus hanté par ce problème. Comme le note Jean-Luc Steinmetz (*op. cit.*, p. 260), « toujours [il] aura le sentiment de ne pas être en règle avec les autorités, même quand, plus tard, il sera en état de totale invalidité ».

par trimestres. Je vous ferai d'abord payer tout ce qui m'est dû jusqu'aujourd'hui, et par la suite cela marchera régulièrement. Que voulez-vous que je fasse de monnaie improductive en Afrique ?

Vous achèterez immédiatement un titre d'une valeur ou rente quelconque avec les sommes que vous recevrez et le consignerez à mon nom chez un notaire de confiance. Ou vous vous arrangerez de toute autre façon convenable, plaçant chez un notaire ou un banquier sûrs des environs. Les 2 seules choses que je souhaite sont : que cela soit bien placé en sûreté et à *mon nom* ; 2° que cela rapporte régulièrement.

Seulement il faudrait que je fusse sûr que je ne suis pas du tout en contravention avec la loi militaire, pour que l'on ne vienne pas m'empêcher d'en jouir ensuite d'une façon ou d'une autre.

Vous toucherez pour vous-mêmes la quantité qu'il vous plaira des intérêts des sommes ainsi placées par vos soins.

La première somme que vous pourriez recevoir dans 3 mois pourrait s'élever à 3 000 francs.

Tout cela est fort naturel. Je n'ai pas besoin d'argent pour le moment et je ne peux rien faire produire à l'argent ici.

Je vous souhaite réussite dans vos petits travaux. Ne vous fatiguez pas, c'est une chose déraisonnable ! La santé et la vie ne sont-elles pas plus précieuses que toutes les autres saletés au monde !

Vivez tranquillement.

Rimbaud.

AUX SIENS

Harar, le 5 août 1881.

Chers amis,

Je viens de demander que l'on donne l'ordre à la Maison en France[1] de payer entre vos mains, en monnaie française, la somme de onze cent soixante-cinq roupies et quatorze anas, ce qui fait, la roupie valant à peu près 2 fr. 12 cent., deux mille quatre cent soixante-dix-huit francs. Toute-

1. La maison de Lyon.

fois, le change est variable. Dès que vous aurez reçu cette petite somme, placez-la selon qu'il convient, et prévenez-moi promptement.

Désormais, je tâcherai que mes appointements vous soient payés directement en France tous les trois mois.

Tout cela, hélas ! n'est pas bien intéressant. Je commence à me remettre un peu de ma maladie. Je compte que vos santés sont bonnes et que votre petit travail marche à votre souhait. Moi j'ai été bien éprouvé ici, mais je compte qu'un petit tour à la côte ou à Aden me referont[1] tout à fait. Et qui diable sait encore sur quelle route nous conduira notre chance ?

À vous,

Rimbaud.

AUX SIENS

Harar, 2 septembre 1881.

Chers amis,

Je crois vous avoir écrit une fois depuis votre lettre du 12 juillet.

Je continue à me déplaire fort dans cette région de l'Afrique. Le climat est grincheux et humide ; le travail que je fais est absurde et abrutissant, et les conditions d'existence généralement absurdes aussi. J'ai eu d'ailleurs des démêlés désagréables avec la direction et le reste, et je suis à peu près décidé à changer d'air prochainement. J'essayerai d'entreprendre quelque chose à mon compte dans le pays ; et, si ça ne répond pas (ce que je saurai vite), je serai tôt parti pour, je l'espère, un travail plus intelligent sous un ciel meilleur. Il se pourrait, d'ailleurs, qu'en ce cas même je restasse associé de la maison, — ailleurs.

Vous me dites m'avoir envoyé des objets, caisses, effets, dont je n'ai pas donné réception. J'ai tout juste reçu un envoi de livres selon votre liste et des chemises avec. D'ailleurs, mes commandes et correspondances ont toujours circulé d'une façon insensée dans cette boîte.

Figurez-vous que j'ai commandé deux tenues en drap à Lyon, l'année passée en novembre, et que rien n'est encore venu !

---

1. *Sic* dans le manuscrit.

J'ai eu besoin d'un médicament, il y a six mois ; je l'ai demandé à Aden, et je ne l'ai pas encore reçu ! — Tout cela est en route, au diable.

Tout ce que je réclame au monde est un bon climat et un travail convenable, intéressant : je trouverai bien cela, un jour ou l'autre ! J'espère aussi ne recevoir que de bonnes nouvelles de vous et de votre santé. C'est mon plaisir premier d'avoir de vos nouvelles, chers amis ; et je vous souhaite plus de chance et de gaîté qu'à moi.

Au revoir.

Rimbaud.

— J'ai fait donner l'ordre à la maison de Lyon de vous adresser à Roche, par la poste, le total de mes appointements en espèces, du 1er décembre 1880 au 31 juillet 1881, s'élevant à 1 165 roupies (la roupie vaut à peu près deux francs et 12 centimes). Prière de me prévenir dès que vous aurez reçu, et de placer cette somme convenablement.

— À propos du service militaire, je continue à croire que je ne suis pas en faute ; et je serais très fâché de l'être. Renseignez-vous au juste là-dessus. Il faudra bientôt que je me fasse faire un passeport à Aden, et je devrai des explications sur ce point.

Bonjour à Frédéric.

AUX SIENS

Harar, le 22 septembre 1881.

Chers amis,

Vos nouvelles sont en retard, il me semble : je n'ai rien reçu ici depuis longtemps. On fait peu de cas de la correspondance, dans cette agence !

L'hiver va commencer chez vous. Ici, la saison des pluies va finir et l'été commencer.

Je suis seul[1] chargé des affaires, en ce moment, à l'agence, durant l'absence du directeur. J'ai donné ma démission, il y a une vingtaine de jours, et j'attends un remplaçant. Cependant, il se pourrait que je restasse dans le pays.

---

1. Pinchard, atteint de paludisme, avait dû descendre sur la côte.

On a dû écrire à l'agence de Lyon de vous envoyer une somme de 1 165 roupies, provenant de mes appointements du 1er décembre au 31 juillet. Avez-vous reçu ? — Si oui, placez cela comme il vous convient. — À présent, je toucherai moi-même à la caisse, étant pour déguerpir d'un moment à l'autre.

Pourquoi ne m'avez-vous pas envoyé, selon ma demande, les ouvrages intitulés :

1° *Manuel du Voyageur*, par Kaltbrünner (se trouve chez Reinwald et Compagnie, 15, rue des Saints-Pères, à Paris) ;

2° *Constructions à la mer*, par Bonniceau (chez Lacroix) ?

Il me semble avoir demandé cela il y a très longtemps et rien n'est venu.

Ne me laissez pas trop sans nouvelles. Je vous souhaite un automne agréable et toute prospérité.

À vous,

Rimbaud.

AUX SIENS

Chers amis,

Je reçois, aujourd'hui 7 novembre, trois lettres de vous, des 8, 24 et 25 septembre. Pour l'histoire militaire, j'écris immédiatement au Consul de France à Aden, et l'Agent général à Aden joindra un certificat à la déclaration du Consul et vous l'enverra de suite, je l'espère. Je ne peux pas quitter l'agence ici, où ça arrêterait de suite les affaires, puisque je suis chargé de tout et directeur du mouvement provisoirement. D'ailleurs, je vais aller en exploration plus loin encore. Quant à prédire que ceci arrivera bientôt, ou même que cela arrivera du tout, on n'en sait rien : ainsi votre lettre du 8 septembre m'arrive après celle du 25. Une fois, j'ai reçu une lettre de mai en septembre.

Une chose qui me paraît fort singulière est que vous n'ayez pas reçu mon argent, à cette date du 25 septembre. L'ordre de payer a été donné et est parti d'ici par un courrier du 4 août, et c'est arrivé à Lyon, au plus tard vers le 10 septembre. Pourquoi ne vous a-t-on pas payés ? Je vous envoie le modèle de la réclamation qu'il faut que vous adressiez de suite à cette boîte :

Messieurs Mazeran, Viannay et Bardey,
rue de l'Arbre-Sec, Lyon.

« MM.

« Mon fils, monsieur Rimbaud, employé à votre agence au Harar, m'ayant averti par lettre de Harar, du..., que l'ordre avait été donné, dans un courrier du Harar, du 4 août 1881, à votre maison de Lyon, de payer dans mes mains une somme de Roupies mille cent soixante-cinq en francs au change d'Aden, solde des appointements de M. Rimbaud au Harar, du 1er décembre 1880 au 30 juillet 1881, je suis étonnée de n'avoir reçu jusqu'aujourd'hui rien de relatif à ce sujet. Je vous serai obligée de me dire ce qu'il en est et ce que vous entendez en faire.

« Agréez, MM., l'assurance de mes respects. »

Et si on ne répond pas, réclamez énergiquement.

Si on répond, vous savez que la somme est de 1 165 roupies, et le change de la roupie 2 fr. 15, c'est-à-dire, 215

5 825
1 165
2 330

soit francs 2 504,75

que vous devrez toucher.

En tous cas, je ne déguerpirai pas d'ici sans avoir des nouvelles sûres de cette somme, et sans posséder le reçu ou au moins la nouvelle de votre main.

Vous êtes en hiver à présent, et je suis en été. Les pluies ont cessé ; il fait très beau et assez chaud. Les caféiers mûrissent. Je vais prochainement faire une grande expédition, peut-être jusqu'à Choa [1], un nom que vous voyez dans vos cartes. Soyez tranquille je ne m'aventure jamais qu'à bon escient. Il y aurait beaucoup à faire et à gagner ici, si le pays n'était entouré de brigands qui coupent les routes des meilleurs débouchés.

Je me confie à vous pour ces malheureux fonds. Mais que diable voulez-vous que je fasse de propriétés foncières ? J'ai bien quelques fonds à

1. Première apparition du nom du royaume de Ménélik.

envoyer, à présent encore, environ 1 500 francs ; mais je voudrais voir arriver les premiers.

J'aime à croire que cette affaire des 28 jours s'arrangera sans bruit, je préviens à Aden qu'on ne laisse pas traîner ça. Comment diable voulez-vous que je flanque tous mes travaux à la dérive pour ces 28 jours ?

Quoi qu'il arrive, je prends plaisir à penser que vos petites affaires vont bien. Si vous avez besoin, prenez ce qui est à moi, c'est à vous. Pour moi, je n'ai personne à qui songer, sauf ma propre personne, qui ne demande rien.

Tout à vous,

Harar, 7 novembre 81.
Rimbaud.

AUX SIENS

Harar, 3 décembre 1881.

Chers amis,

Ceci vous signifie mes souhaits de bonne année pour 1882. Bonne chance, bonne santé, et beau temps.

Je n'ai pas le temps de vous écrire plus. Je suppose que la déclaration, que j'ai envoyée à Aden au consul de France, aura été visée et envoyée à votre adresse, et qu'il ne sera rien de cette affaire militaire.

J'ai réclamé à la maison pour cette somme de 1 160 roupies que l'on doit vous verser, au change au moins de 2 francs et 12 centimes par roupie. On ne m'a pas encore répondu. Si l'on ne paie pas bientôt, je vais faire une plainte au consul de France à Aden.

Je me porte bien.

Tout à vous,

Rimbaud.

À ALFRED BARDEY

Harar, 9 décembre 1881.

Je serais heureux de vous voir personnellement à Aden.

Rimbaud.

AUX SIENS

Harar, 9 décembre 1881.

Chers amis,

Ceci pour vous saluer simplement.

Ne m'adressez plus rien au Harar. Je pars très prochainement, et il est peu probable que je revienne jamais ici.

Aussitôt rentré à Aden, à moins d'avis de vous, je télégraphierai à la maison pour ces malheureux 2 500 francs qu'on vous doit, et je ferai connaître la chose au consul de France. Cependant, je crois qu'on vous aura payés à ce jour. Je compte trouver un autre travail, aussitôt rentré à Aden.

Je vous souhaite un petit hiver pas trop rigoureux et une bonne santé.

À vous,

Rimbaud.

[Cinquième lot]

[LETTRES D'ADEN
(deuxième série, 1882-1883)]

AUX SIENS

Aden, le 18 janvier 1882.

Chers amis,

Je reçois votre lettre du 27 décembre 1881, contenant une lettre de Delahaye. Vous me dites m'avoir écrit deux fois au sujet du reçu de cette somme d'argent. Comment se fait-il que vos lettres ne me soient pas arrivées ? Et je viens de télégraphier d'Aden à Lyon, à la date du 5 janvier, sommant de payer cette somme. Vous ne me dites pas non plus quelle somme vous avez reçue, ce que je suis cependant pressé de savoir. Enfin, il est heureux que cela soit arrivé, après avoir été retenu pendant six mois ! Je me demande aussi à quel change cela a pu vous être payé. — À l'avenir, je choisirai un autre moyen pour mes envois d'argent, car la façon d'agir de ces gens est très désagréable. J'ai en ce moment environ 2 000 francs de libres, mais j'en aurai besoin prochainement.

Je suis sorti du Harar et rentré à Aden, où j'attends de rompre mon engagement avec la maison. Je trouverai facilement autre chose.

Quant à l'affaire du service militaire, vous trouverez ci-inclus une lettre du consul à mon adresse, vous montrant ce que j'ai fait et quelles pièces sont au ministère. Montrez cette lettre à l'autorité militaire, ça les tranquillisera. S'il est possible de m'envoyer un double de mon livret perdu, je vous serai obligé de le faire prochainement, car le consul me le demande.

Enfin, avec ce que vous avez et ce que j'ai envoyé, je crois que l'affaire va pouvoir s'arranger.

Ci-joint une lettre pour Delahaye, prenez-en connaissance. S'il reste à Paris, cela fera bien mon affaire : j'ai besoin de faire acheter quelques instruments de précision. Car je vais faire un ouvrage pour la Société de Géographie, avec des cartes et des gravures sur le Harar et les pays Gallas. Je fais venir en ce moment de Lyon un appareil photographique ; je le transporterai au Harar, et je rapporterai des vues de ces régions inconnues. C'est une très bonne affaire.

Il me faut aussi des instruments pour faire des levés topographiques et prendre des latitudes. Quand ce travail sera terminé et aura été reçu à la Société de Géographie, je pourrai peut-être obtenir des fonds d'elle pour d'autres voyages. La chose est très facile.

Je vous prie donc de faire parvenir la commande ci-incluse à Delahaye, qui se chargera de ces achats, et vous n'aurez qu'à payer le tout. Il y en aura pour plusieurs milliers de francs, mais cela me fera un bon rapport. Je vous serai très reconnaissant de me faire parvenir le tout le plus tôt possible, directement, à Aden. Je vous conjure d'exécuter entièrement la commande ; si vous me faisiez manquer quelque chose là-dedans, vous me mettriez dans un grand embarras.

Tout à vous,

Rimbaud.

À ERNEST DELAHAYE

Monsieur Alfred [*sic*] Delahaye,
8, place Gerson, à Paris.

Aden, le 18 janvier 1882.

Mon cher Delahaye,

Je reçois de tes nouvelles avec plaisir.

Sans autres préambules, je vais t'expliquer comme quoi, si tu restes à Paris, tu peux me rendre un grand service.

Je suis pour composer un ouvrage sur le Harar et les Gallas que j'ai explorés, et le soumettre à la Société de Géographie. Je suis resté un an dans ces contrées, en emploi dans une maison de commerce française.

Je viens de commander à Lyon un appareil photographique qui me permettra d'intercaler dans cet ouvrage des vues de ces étranges contrées.

Il me manque des instruments pour la confection des cartes, et je me propose de les acheter. J'ai une certaine somme d'argent en dépôt chez ma mère, en France et je ferai ces frais là-dessus.

Voici ce qu'il me faut, et je te serai infiniment reconnaissant de me faire ces achats en t'aidant de quelqu'un d'expert, par exemple d'un professeur de mathématiques de ta connaissance, et tu t'adresseras au meilleur fabricant de Paris :

1° Un théodolite[1] de voyage, de petites dimensions. Faire régler soigneusement, et emballer soigneusement. Le prix d'un théodolite est assez élevé. Si cela coûte plus de 15 à 18 cents francs, laisser le théodolite et acheter les deux instruments suivants :

Un bon sextant[2] ;

Une boussole de reconnaissance Cravet, à niveau.

2° Acheter une collection minéralogique de 300 échantillons. Cela se trouve dans le commerce.

3° Un baromètre anéroïde[3] de poche.

4° Un cordeau d'arpenteur en chanvre.

5° Un étui de mathématiques contenant : une règle, une équerre, un rapporteur, compas de réduction, décimètre, tire-lignes, etc.

6° Du papier à dessin.

Et les livres suivants :

Topographie et Géodésie[*], par le commandant Salneuve (librairie Dumaine, Paris) ;

Trigonométrie des lycées supérieurs ;

Minéralogie des lycées supérieurs, ou le meilleur cours de l'École des Mines ;

Hydrographie, le meilleur cours qui se trouve ;

Météorologie, par Marie Davy (Masson, libraire) ;

---

1. Instrument de géodésie, servant à mesurer les angles réduits à l'horizon, les distances zénithales et les azimuts. **2.** Instrument permettant de mesurer des hauteurs d'astres. **3.** Baromètre fonctionnant par élasticité des métaux.

---

* Sinon cela, le meilleur cours de topographie.

Chimie industrielle, par Wagner (Savy, libraire, rue Hautefeuille) ;
Manuel du Voyageur, par Kaltbrünner (chez Reinwald) ;
Instructions pour les Voyageurs préparateurs (Librairie du Muséum d'Histoire naturelle) ;
Le Ciel, par Guillemin ;
Enfin, l'*Annuaire du Bureau des Longitudes* pour 1882.

Fais la facture du tout, joins-y tes frais, et paie-toi sur mes fonds déposés chez Madame Rimbaud, à Roche.

Tu ne t'imagines pas quel service tu me rendras. Je pourrai achever cet ouvrage et travailler ensuite aux frais de la Société de Géographie.

Je n'ai pas peur de dépenser quelques milliers de francs, qui me seront largement revalus.

Je t'en prie donc, si tu peux le faire, achète-moi ce que je demande le plus promptement possible ; surtout le théodolite et la collection minéralogique. D'ailleurs, j'ai également besoin de tout. Emballe soigneusement.

À la prochaine poste, qui part dans trois jours, détails. En attendant, hâte-toi.

Salutations cordiales.

Rimbaud.
Maison Mazeran, Viannay et Bardey,
à Aden.

AUX SIENS

Aden, 22 janvier 1882.

Chers amis,

Je vous confirme ma lettre du 18, partie avec le bateau anglais et qui vous arrivera quelques jours avant ceci.

Aujourd'hui, un courrier de Lyon m'apprend que l'on ne vous a payé que 2 250 francs au lieu de 2 469 fr. 80 qui me sont dus, en comptant la roupie au change de 2 francs 12 centimes, comme il était spécifié dans l'ordre de paiement. J'envoie de suite une réclamation à la maison et je vais faire une plainte au consul, car ceci est une filouterie pure et simple ; et, d'ailleurs, j'aurais dû m'y attendre, car ces gens sont des ladres et des fripons, bons seulement pour exploiter les fatigues de leurs employés. Mais je persiste à ne pas comprendre comment vos lettres mentionnant le paiement de cette somme ne me sont pas arrivées : vous les avez donc adressées à eux, à Lyon ? En ce cas, cela ne m'étonne pas que rien ne soit parvenu, car ces gens s'arrangent de façon à bouleverser et intercepter toutes les correspondances de leurs employés.

Faites attention, à l'avenir, de m'adresser tout ceci directement, sans passer par leur maudite entremise. Faites-y attention, surtout à propos de l'envoi des objets que je vous ai demandés par ma lettre d'avant-hier et à l'achat desquels je suis décidé à employer la somme que vous avez reçue : que rien ne passe par chez eux, car cela serait infailliblement gâté ou perdu.

Vous m'avez fait un premier envoi de livres, qui m'est débarqué en mai 1881. Ils avaient eu l'idée d'emballer des bouteilles d'encre dans la caisse, et, les bouteilles s'étant cassées, tous les livres ont été baignés d'encre.

M'avez-vous fait un autre envoi que celui-là ? Dites-le-moi, que je puisse réclamer, s'il s'est égaré quelque chose.

Je suppose que vous avez transmis ma lettre à Delahaye, et que celui-ci aura pu se charger des commissions indiquées. Je recommande de nouveau que les instruments de précision soient soigneusement vérifiés, avant l'achat, par des personnes compétentes, et, ensuite, soigneusement emballés et expédiés directement, à mon adresse à Aden, par les agences à Paris des Messageries maritimes.

Je tiens surtout au théodolite, car c'est le meilleur instrument topographique et celui qui peut me rendre le plus de services. Il est bien entendu que le sextant et la boussole sont pour remplacer le théodolite, si celui-ci coûte trop cher. Supprimez la collection minéralogique, si cela empêche d'acheter le théodolite ; mais, en tous cas, achetez les livres, que je vous recommande de soigner.

Il me faut aussi une longue-vue, ou lunette d'état-major : à acheter en même temps, chez les mêmes fabricants, que le théodolite et le baromètre.

Décidément, supprimez complètement la collection minéralogique, pour l'instant. Prochainement, je vous enverrai un millier de francs : je vous serai donc obligé d'acheter avant tout le théodolite.

Voici comme vous pourriez distribuer votre argent :

Longue-vue, 100 francs ; baromètre, 100 francs, cordeau, compas, 40 francs ; livres, 200 francs ; et le reste, au théodolite et aux frais jusqu'à Aden.

Mon appareil photographique m'arrivera de Lyon dans quelques semaines : j'ai expédié les fonds, payé d'avance.

Je vous conjure d'exécuter mes commandes et de ne pas me faire manquer de ce que je vous demande, si vous voyez que vous pouvez réellement me procurer les choses dans de bonnes conditions ; car il est bien entendu que tous ces instruments ne peuvent être achetés que par quelqu'un de compétent. Sinon, gardez l'argent, — qu'il est trop pénible d'amasser pour l'employer à l'acquisition de camelote !

Prière d'envoyer la lettre ci-incluse à monsieur Devisme, armurier, à Paris. C'est une demande de renseignements, au sujet d'une arme spéciale pour la chasse à l'éléphant. Vous me transmettrez sa réponse de suite, et je verrai si je dois vous envoyer des fonds.

J'écris que l'on vous solde le restant de la dite somme. Il vous reste dû 219 francs 80 c. qui, je suppose, vont vous être envoyés sur ma recommandation.

Tout à vous,

Rimbaud.

— Et faites acheter le théodolite, le baromètre, le cordeau et le télescope, à tout prix par quelqu'un qui soit connaisseur et chez de bons fabricants. Sinon, il vaudrait beaucoup mieux garder l'argent et se contenter d'acheter les livres.

— N'avez-vous pas reçu de l'argent, sur mon ordre, une fois en novembre 1880, et une seconde fois en février 1881 ? On me l'écrit de Lyon. Faites-moi mon compte au juste, que je sache ce que j'ai ou ce que je n'ai pas.

À M. DEVISME

Aden, le 22 janvier 1882.

Monsieur,

Je voyage dans les pays Gallas (Afrique orientale), et, m'occupant en ce moment de la formation d'une troupe de chasseurs d'éléphants, je vous serais très réellement reconnaissant de vouloir bien me faire renseigner, aussi prochainement que possible, au sujet suivant :

Y a-t-il une arme spéciale pour la chasse à l'éléphant ?

Sa description ?

Ses recommandations ?

Où se trouve-t-elle ? Son prix ?

La composition des munitions, empoisonnées, explosibles ?

Il s'agit pour moi de l'achat de deux armes d'essai telles, — et, possiblement, après épreuve, d'une demi-douzaine.

Vous remerciant d'avance de la réponse, je suis, monsieur, votre serviteur,

Rimbaud.

Aden (colonies anglaises).

AUX SIENS

Aden, le 12 février 1882.

Chers amis,

J'ai reçu votre lettre du 21 janvier, et je compte que vous aurez reçu mes deux lettres avec des commandes de livres et d'instruments, et aussi le télégramme, à la date du 24, qui les annulait.

Quant au reçu de l'argent : vos lettres étaient arrivées au Harar le lendemain de mon départ, de sorte qu'elles n'ont pu me rejoindre à Aden avant la fin de janvier. En tout cas, il se trouve qu'on m'a supprimé une certaine somme sur le change. Mais tenez-vous tranquilles, et ne faites pas de réclamations. Je toucherai cela ici, ou je vous le ferai envoyer en France.

Vous avez placé cet argent en terrain, et vous avez bien fait. Aussitôt que je l'ai su, je vous ai télégraphié de ne pas acheter ce que j'avais commandé, et j'espère que vous aurez compris.

Quand je vous enverrai une nouvelle somme, elle pourra être employée comme je vous l'avais expliqué ; car j'ai réellement besoin des instruments que je vous ai dits. Seulement, l'achat en sera pour plus tard.

Je ne compte pas rester longtemps à Aden, où il faudrait avoir des intérêts plus intelligents que ceux que j'y ai. Si je pars, et je compte partir prochainement, ce sera pour retourner au Harar, ou descendre à Zanzibar, où j'aurai de très bonnes recommandations ; en tous cas, si je n'y trouve rien, je pourrai toujours rentrer ici, où je dénicherai bien des travaux meilleurs que ceux que j'ai.

Il y a près d'un mois que je vous ai envoyé les certificats demandés, du moins que je les ai envoyés au ministère de la guerre, par la voie du Consul de France à Aden.

Le Consul veut absolument voir mon livret. Je n'ai pas dit qu'il est perdu. S'il est possible d'en avoir un double, prière de me l'envoyer.

Bonne chance et bonne santé. À bientôt d'autres nouvelles.

Rimbaud.

À SA MÈRE

Aden, le 15 avril 1882.

Chère mère,

Ta lettre du 30 mars m'arrive le 12 avril.

Je vois avec plaisir que tu t'es remise, et il faut te rassurer de ce côté. Inutile de se noircir les idées tant qu'on existe.

Quant à mes intérêts, dont tu parles, ils sont minces et je ne me tourmente nullement à leur sujet. Qui pourrait me faire du tort, à moi qui n'ai rien que mon individu ? Un capitaliste de mon espèce n'a rien à craindre de ses spéculations, ni de celles des autres.

Merci pour l'hospitalité que vous m'offrez, mes chers amis. Ça, c'est entendu, d'un côté comme de l'autre.

Excusez-moi d'avoir passé un mois sans vous écrire. J'ai été harassé par toutes sortes de travaux. Je suis toujours dans la même maison, aux mêmes conditions ; seulement, je travaille bien plus et je dépense presque tout, et je suis décidé à ne pas séjourner à Aden. Dans un mois je serai ou de retour à Harar, ou en route pour Zanzibar.

À l'avenir, je n'oublierai plus de vous écrire par chaque poste.

Beau temps et bonne santé.

Tout à vous,

Rimbaud.

AUX SIENS

Aden, 10 mai 1882.

Chers amis,

J'ai écrit deux fois dans le courant d'avril, et mes lettres ont dû parvenir. Je reçois la vôtre du 23 avril. Rassurez-vous sur mon compte : ma situation n'a rien d'extraordinaire. Je suis toujours employé à la même boîte, et je trime comme un âne dans un pays pour lequel j'ai une horreur invincible. Je fais des pieds et des mains pour tâcher de sortir d'ici et d'obtenir un emploi plus récréatif. J'espère bien que cette existence-là finira avant que j'aie eu le temps de devenir complètement idiot. En outre, je dépense beaucoup à Aden, et ça me donne l'avantage de me fatiguer bien plus qu'ailleurs. Prochainement, je vous enverrai quelques centaines de francs pour des achats. En tout cas, si je pars d'ici, je vous préviendrai. Si je n'écris pas plus, c'est que je suis très fatigué et que, d'ailleurs, chez moi, comme chez vous, il n'y a rien de nouveau.

Avant tout, bonne santé.

Rimbaud.

AUX SIENS

Aden, 10 juillet 1882.

Chers amis,

J'ai reçu vos lettres du 19 juin et je vous remercie de vos bons conseils.

J'espère bien aussi voir arriver mon repos avant ma mort. Mais d'ailleurs à présent je suis fort habitué à toute espèce d'ennuis ; et si je me plains, c'est une espèce de façon de chanter.

Il est probable que je vais repartir dans un mois ou deux au Harar[1] si les affaires d'Égypte[2] s'arrangent. Et cette fois j'y ferai un travail sérieux.

C'est dans la prévision de ce prochain voyage que je vous prie d'envoyer à sa destination la lettre ci-jointe, dans laquelle je demande une bonne carte du Harar. Mettez cette lettre sous enveloppe à l'adresse y indiquée, affranchissez et joignez un timbre pour la réponse.

On vous dira le prix et vous enverrez le montant une dizaine de francs en un mandat-poste, et sitôt arrivée, envoyez-moi la carte.

Je ne puis pas m'en passer, et personne ne l'a ici. Je compte donc sur vous.

Nouvelles prochainement.

À vous,

Rimbaud.

---

1. Rimbaud écrit ici « Harrar », et plus bas « Harar ». Nous avons cru devoir unifier.
2. Il s'agit du soulèvement d'Arabi pacha, à la suite du contrôle financier que la France et l'Angleterre avaient instauré sur les affaires de l'Égypte. L'Angleterre va devoir bombarder Alexandrie et occuper l'Égypte.

AUX SIENS

Aden, 31 juillet 1882.

Chers amis,

J'ai reçu votre lettre du 10 juillet.

Vous allez bien, je vais bien aussi.

Vous avez dû recevoir une lettre de moi, où je vous priais de me faire revenir une carte de l'Abyssinie et du Harar, la carte de l'Institut géographique de Péterman. Je compte qu'on vous l'aura trouvée, et que je la recevrai. Surtout, ne m'envoyez pas une carte autre que celle-là.

Mon travail ici est toujours le même ; et je ne sais si je permuterai, ou si on me laissera à la même place.

Les désordres en Égypte ont pour effet de gêner toutes les affaires de ce côté ; et je me tiens tranquille dans mon coin, pour le moment, car je ne trouverais rien ailleurs. Si l'occupation anglaise est permanente en Égypte cela vaudra mieux. De même, si les Anglais descendent au Harar, il y aura un bon temps à passer.

Enfin, espérons de l'avenir.

Tout à vous,

Rimbaud.

AUX SIENS

Aden, le 10 septembre 1882.

Chers amis,

J'ai reçu votre lettre de juillet avec la carte ; je vous remercie.

Rien de neuf dans ma situation, qui est toujours la même. Je n'ai plus que treize mois [1] à rester dans la maison ; je ne sais si je les finirai. L'agent actuel d'Aden part dans six mois ; il est possible que je le remplace. Les appointements seraient d'une dizaine de mille francs par an. C'est tou-

1. En réalité quatorze, le contrat ayant été signé le 10 novembre 1880.

jours mieux que d'être employé ; et à ce compte, je resterai encore bien cinq ou six ans ici.

Enfin, nous verrons comment tourneront ces balançoires.

Je vous souhaite toute prospérité.

Parlez correctement dans vos lettres, car ici on cherche à scruter ma correspondance.

Tout à vous,

Rimbaud.

AUX SIENS

Aden, 28 septembre 1882.

Mes chers amis,

Je suis toujours au même lieu ; mais je compte partir, à la fin de l'année, pour le continent africain, non plus pour le Harar, mais pour le Choa (Abyssinie).

Je viens d'écrire à l'ancien agent de la maison à Aden, monsieur le colonel Dubar, Lyon, qu'il me fasse envoyer ici un appareil photographique complet, dans le but de le transporter au Choa, où c'est inconnu et où ça me rapportera une petite fortune, en peu de temps.

Ce monsieur Dubar est un homme très sérieux, et il m'enverra ce qui me convient. Il doit s'informer ; et aussitôt qu'il aura rassemblé ce qu'il faut, il vous demandera les fonds nécessaires, que je vous fais expédier et que vous lui enverrez immédiatement sans détails.

Je vous fais envoyer une somme de 1 000 francs par la maison de Lyon. Cette somme est destinée exclusivement au but ci-dessus indiqué : — ne l'employez pas autrement sans avis de moi. En outre, s'il faut davantage, 500 ou 1 000 francs, trouvez-les chez vous, et envoyez tout ce qu'on vous demande. Vous m'écrirez ensuite ce que je vous dois, cela sera aussitôt envoyé : j'ai à moi, ici, une somme de 1 000 francs.

La dépense ci-dessus me sera très utile ; si même des circonstances contraires me retenaient ici, j'y vendrais toujours le tout avec bénéfice.

À la fin d'octobre, vous recevrez les 1 000 francs de Lyon. Comme je l'ai dit, ils sont exclusivement destinés à cet achat. Je n'ai pas le temps d'en dire plus aujourd'hui. J'aime à vous croire en bonne santé et prospérité.

Tout à vous,

Rimbaud.

— Ci-inclus, chèque de 1 000 francs sur la maison de Lyon.

AUX SIENS

Aden, 3 novembre 1882.

Chers amis,

Une lettre de Lyon, du 20 octobre, m'annonce que mon bagage photographique est acheté. Il doit être en route à présent. On a donc dû s'adresser à vous pour le remboursement des frais. Je compte que vous avez reçu, il y a longtemps, mon chèque de 1 000 francs sur la maison de Lyon, et que l'on vous en aura renvoyé le montant, d'où vous aurez payé les achats.

J'attends nouvelles de cela, et je compte que tout se sera passé sans accrocs.

Quand je saurai cette affaire en règle, je vous enverrai de nouvelles commissions, s'il reste de l'argent.

Je pars en janvier 1883 au Harar, pour le compte de la maison.

Bonne santé. Tout à vous,

Rimbaud.

AUX SIENS

Aden, le 16 novembre 1882.

Chers amis,

Je reçois votre lettre du 24 octobre. Je pense qu'à présent, on aura payé le chèque, et que mon affaire est en route.

Si je pars d'Aden, ce sera probablement au compte de la Compagnie.

Tout cela ne se décidera que dans un mois ou deux ; jusqu'à présent, on ne me laisse rien voir de précis. Quant à revenir en France, qu'irais-je chercher là, à présent ? Il vaut beaucoup mieux que je tâche d'amasser quelque chose par ici ; ensuite, je verrai. L'important et le plus pressé pour moi, c'est d'être indépendant n'importe où.

Le calendrier me dit que le soleil se lève en France à 7 h. 1/4 et se couche à 4 h. 15, en ce mois de novembre ; ici, c'est toujours à peu près de 6 à 6. Je vous souhaite un hiver à votre mesure, — et, d'avance (car qui sait où je serai dans quinze jours ou un mois), une bonne année, ce qui peut s'appeler une bonne année, et tout à votre souhait, pour 1883 !

Quand je serai reparti en Afrique, avec mon bagage photographique, je vous enverrai des choses intéressantes. Ici, à Aden, il n'y a rien, pas même une seule feuille (à moins qu'on ne l'apporte), et c'est un endroit où l'on ne séjourne que par nécessité.

Pour le cas où les 1 000 francs ne seraient pas entièrement employés, je vous donne encore commission de m'envoyer les livres suivants, qui me sont indispensables là où je vais et où je n'ai rien pour me renseigner.

Vous donnez la liste ci-jointe à la librairie d'Attigny [1], avec commission de faire revenir le tout le plus promptement possible (car si cela n'arrive pas à Aden, on me le retardera beaucoup).

S'il ne reste pas d'argent, envoyez néanmoins de suite la commande, et prévenez-moi : j'enverrai le manquant. La valeur du tout peut être 200 francs. Enfermez dans une caisse, avec la déclaration « *Livres* » à l'extérieur ; expédiez à M. Dubar, avec un mot lui expliquant de remettre le colis, adressé à mon nom à Aden, à l'agence des Messageries maritimes. Car si vous faites passer cela par la maison de Lyon, ça ne m'arrivera jamais.

Forcé de vous quitter. Je vous remercie d'avance.

Tout à vous,

Rimbaud.

À SA MÈRE

Aden, le 18 novembre 1882.

Chère maman,

Je reçois ta lettre du 27 octobre, où tu dis avoir reçu les 1 000 francs de Lyon.

1. Liste perdue, ce qui prouve qu'elle fut effectivement remise à la librairie d'Attigny.

L'appareil coûte, dites-vous, 1 850 francs. Je vous télégraphie à la date d'aujourd'hui : « Payez-le de mon argent de l'année passée. » C'est-à-dire le surplus des 1 000 francs, fournissez-le des 2 500 que j'ai envoyés l'an passé.

J'ai bien 4 000 francs ici ; mais ils sont placés au Trésor anglais, et je ne puis les déplacer sans frais. D'ailleurs, j'en aurai besoin prochainement.

Ainsi donc, retirez 1 000 francs de ce que je vous ai envoyé en 1881 : je ne puis m'arranger autrement. Car ce que j'ai à présent, quand je serai en Afrique, je pourrai faire avec des affaires qui me rapporteront le triple. Si je vous dérange, je m'excuse mille fois. Mais je ne puis pas me dépouiller à présent.

Quant à l'appareil, s'il est bien conditionné, il me rapportera certainement ses frais. De cela je ne doute pas. En tous cas, je trouverai toujours à le revendre avec bénéfice. L'affaire est envoyée, laissons-la aboutir.

Je vous ai écrit hier, en joignant une commande de livres de la valeur d'environ 200 francs. Prière de me les expédier, comme je vous l'ai indiqué, sans faute.

Je vais retourner au Harar, comme agent de la maison, et je vais travailler sérieusement. J'espère avoir une quinzaine de mille francs à la fin de l'année prochaine.

Encore une fois, excusez-moi du tracas. Je ne vous le renouvellerai plus. Seulement, n'oubliez pas les livres.

Tout à vous,

Rimbaud.

À SA MÈRE

Aden, 8 décembre 1882.

Chère maman,

Je reçois ta lettre du 24 novembre m'apprenant que la somme a été versée et que l'expédition est en train. Naturellement, on n'a pas acheté sans savoir s'il y aurait des fonds pour couvrir l'achat. C'est pour cette raison que la chose ne s'est décidée qu'au reçu des 1 850 francs.

Tu dis qu'on me vole. Je sais très bien ce que coûte un appareil seul : quelques centaines de francs. Mais ce sont les produits chimiques, très nombreux et chers et parmi lesquels se trouvent des composés d'or et d'argent valant jusqu'à 250 francs le kilog., ce sont les glaces, les cartes, les cuvettes, les flacons, les emballages très chers, qui grossissent la somme. J'ai demandé de tous les ingrédients pour une campagne de deux ans. Pour moi, je trouve que je suis servi à bon marché. Je n'ai qu'une crainte, celle que ces choses se brisent en route, en mer. Si cela m'arrive intact, j'en tirerai un large profit, et je vous enverrai des choses curieuses.

Au lieu donc de te fâcher, tu n'as qu'à te réjouir avec moi. Je sais le prix de l'argent ; et, si je hasarde quelque chose, c'est à bon escient.

Je vous prierai de vouloir bien ajouter ce qu'on pourrait vous demander en outre pour les frais de port et d'emballage.

Vous avez de moi une somme de 2 500 francs, d'il y a deux ans. Prenez à votre compte les terres que vous avez achetées avec cela, en concurrence des sommes que vous débourserez pour moi. L'affaire est bien simple, et il n'y a pas de dérangements.

Ce qui est surtout attristant, c'est que tu termines ta lettre en déclarant que vous ne vous mêlerez plus de mes affaires. Ce n'est pas une bonne manière d'aider un homme à des mille lieues de chez lui, voyageant parmi des peuplades sauvages et n'ayant pas un seul correspondant dans son pays ! J'aime à espérer que vous modifierez cette intention peu charitable. Si je ne puis même plus m'adresser à ma famille pour mes commissions, où diable m'adresserai-je ?

Je vous ai dernièrement envoyé une liste de livres à m'expédier ici. Je vous en prie, ne jetez pas ma commission au diable ! Je vais repartir au continent africain, pour plusieurs années ; et, sans ces livres, je manquerais d'une foule de renseignements qui me sont indispensables. Je serais comme un aveugle ; et le défaut de ces choses me préjudicierait beaucoup. Faites donc revenir promptement tous ces ouvrages, sans en excepter un ; mettez-les en une caisse avec la suscription « *Livres* », et envoyez-moi ici, en payant le port, par l'entremise de M. Dubar.

Joignez-y ces deux ouvrages :

Traité complet des chemins de fer, par Couche (chez Dunod, quai des Augustins, à Paris).

Traité de Mécanique de l'École de Châlons.

Tous ces ouvrages coûteront 400 francs. Déboursez cet argent pour moi, et couvrez-vous comme je l'ai dit ; et je ne vous ferai plus rien débourser, car je pars dans un mois pour l'Afrique. Pressez-vous donc.

À vous,

Rimbaud.

À SA MÈRE ET À SA SŒUR

Aden, le 6 janvier 1883.

Ma chère maman
Ma chère sœur
J'ai reçu il y a déjà huit jours la lettre où vous me souhaitiez la bonne année. Je vous rends mille fois vos souhaits, et j'espère qu'ils seront réalisés pour nous tous. Je pense toujours à Isabelle [;] c'est à elle que j'écris chaque fois, et je lui souhaite particulièrement tout à son souhait.

Je repars à la fin du mois de mars pour le Harar. Le dit bagage photographique m'arrive ici dans 15 jours, et je verrai vite à l'utiliser et à en repayer les frais, ce qui sera peu difficile, les reproductions de ces contrées ignorées et des types singuliers qu'elles renferment devant se vendre en France, et d'ailleurs je retirerai là-bas même un bénéfice immédiat de toute la balançoire.

J'aime à compter que les frais sont terminés pour cette affaire, si cependant l'expédition nécessitait quelques nouvelles dépenses, faites-les encore, je vous prie, et terminez-en au plus tôt.

Envoyez-moi les livres également.

M. Dubar doit aussi m'envoyer un instrument scientifique nommé graphomètre [1].

Je compte faire quelques bénéfices à Harar cette année-ci, et je vous renverrai la balance de ce que je vous ai fait débourser. Pour longtemps non plus je ne vous troublerai avec mes commissions. Je vous demande bien pardon, si je vous ai dérangé[es]. C'est que la Poste est si longue aller et retour du Harar, que j'ai mieux aimé me pourvoir de suite pour longtemps.

Tout au mieux.

Rimbaud.

1. Pour le graphomètre, voir les lettres du 14 et du 19 mars.

AUX SIENS

Aden, le 15 janvier 1883.

Chers amis,

J'ai reçu votre dernière lettre, avec vos souhaits de bonne année. Merci de tout cœur, et croyez-moi toujours votre dévoué.

J'ai reçu la liste des livres achetés. Justement, comme vous le dites, ceux qui manquent sont les plus nécessaires. L'un est un traité de topographie (non de photographie, j'ai un traité de photographie dans mon bagage). La topographie est l'art de lever des plans en campagne : il faut que je l'aie. Vous communiquerez donc la lettre ci-jointe au libraire, et il trouvera facilement un traité d'un auteur quelconque. L'autre est un traité de géologie et minéralogie pratiques. Pour le trouver, il s'adressera comme je le lui explique.

Ces deux détails faisaient partie d'une commission passée ; c'est pour cela que j'insiste pour les avoir. Ils me sont d'ailleurs très utiles.

Je ne vous enverrai plus de nouvelles commissions, sans argent. Excusez-moi du trouble.

....

Isabelle a tort de désirer me voir dans ce pays-ci. C'est un fond de volcan, sans une herbe. Tout l'avantage est que le climat est très sain et qu'on y fait des affaires assez actives. Mais, de mars à octobre, la chaleur est excessive. À présent, nous sommes en hiver, le thermomètre est à 30° seulement, à l'ombre ; il ne pleut jamais. Voici un an que je couche continuellement à ciel ouvert. Personnellement, j'aime beaucoup ce climat ; car j'ai toujours horreur de la pluie, de la boue et du froid. Cependant, fin mars, il est probable que je repartirai pour le Harar. Là, c'est montagneux et très élevé ; de mars en octobre, il pleut sans cesse et le thermomètre est à 10 degrés. Il y a une végétation magnifique, et des fièvres. Si je repars, j'y resterai probablement une année encore. Tout ceci se décidera prochainement. Du Harar, je vous enverrai des vues, des paysages et des types.

Quant au Trésor anglais dont je parlais, c'est simplement une caisse d'épargne spéciale à Aden ; et cela rapporte environ 4 1/2 pour cent. Mais la somme des dépôts est limitée. Ce n'est pas très pratique.

À une prochaine occasion.

A. Rimbaud.

S'enquérir à la librairie de l'État-Major ou une autre librairie de la même spécialité, du plus récent et plus pratique *Traité de Topographie et de Géodésie*, (comme ceux qu'ont les élèves de Saint-Cyr, etc.), et le faire revenir.

Librairie Lacroix :

Beudant : *Minéralogie et Géologie*, 1 vol. in-18, frs. 6.

À M. DE GASPARY, VICE-CONSUL DE FRANCE À ADEN

Aden, le 28 janvier 1883.

Monsieur,

Excusez-moi de soumettre à votre jugement la circonstance présente.

Ce jour, à 11 h. du matin, le nommé Ali Chemmak, magasinier à la maison où je suis employé, s'étant montré très insolent envers moi, je m'étais permis de lui donner un soufflet sans violence.

Les coolies de service et divers témoins arabes m'ayant ensuite saisi pour le laisser libre de riposter, ledit Ali Chemmak me frappa à la figure, me déchira mes vêtements, et par la suite se saisit d'un bâton et m'en menaçait.

Les gens présents ayant intervenu, Ali se retira, et peu après sortit porter contre moi à la police municipale plainte en coups et blessures et aposta plusieurs faux témoins pour déclarer que je l'avais menacé de le frapper d'un poignard, etc., etc., et autres mensonges destinés à envenimer l'affaire à mes dépens et à exciter contre moi la haine des indigènes.

Comparaissant à ce sujet à la police municipale à Aden, je me suis permis de prévenir M. le Consul de France au sujet des violences et des menaces dont j'ai été l'objet de la part des indigènes, demandant sa protection dans le cas où l'issue de l'affaire semblerait le lui conseiller.

J'ai l'honneur d'être, Monsieur le Consul,

Votre serviteur,

Rimbaud.

Employé de la Maison Mazeran,
Viannay et Bardey, à Aden.

À SA MÈRE ET À SA SŒUR

Aden, 8 février 1883.

Chère maman, chère sœur,

Je reçois une lettre de M. Dubar[1], fin janvier, m'annonçant le départ du dit bagage et que la facture se trouve augmentée de 600 francs. Payez ces 600 francs de mon compte, et qu'il en soit fini de cette histoire. J'ai dépensé une forte somme ; mais la chose me la rendra, j'en suis sûr, et je ne gémis donc pas des frais.

À présent, nous fermons la liste des frais, commandes, etc.

Envoyez-moi seulement les livres que je vous ai demandés ; ne les oubliez pas.

Je partirai sûrement d'Aden dans six semaines, et je vous écrirai avant.

Tout à vous,

Rimbaud.

AUX SIENS

Aden, le 14 mars 1883.

Chers amis,

Je pars le 18 pour le Harar, au compte de la maison.

J'ai reçu tous les bagages qui vous ont tant troublés. Je n'attends plus que les derniers trois livres.

On vous demandera, peut-être prochainement, de Lyon, une somme de 100 francs, plus ou moins, pour paiement d'un graphomètre (instrument à lever les plans) que j'ai commandé. Payez-les ; et, désormais, je ne vous commanderai plus rien, sans envoyer d'argent.

Je compte faire quelques bénéfices au Harar et pouvoir recevoir, dans un an, des fonds de la Société de Géographie.

Je vous écrirai le jour de mon départ.

Bonne chance et santé.

Tout à vous,

Rimbaud.

---

1. Sur Dubar, voir la lettre du 28 septembre 1882.

AUX SIENS

Mes chers amis,

J'ai reçu votre dernière lettre et la caisse de livres m'est arrivée hier au soir. Je vous remercie.

L'appareil photographique, et tout le reste, est en excellent état, quoiqu'il ait été se promener à Maurice[1], et je tirerai bon parti de tout cela.

Quant aux livres, ils me seront très utiles dans un pays où il n'y a pas de renseignements, et où l'on devient bête comme un âne, si on ne repasse pas un peu ses études. Les jours et les nuits, surtout, sont bien longues au Harar, et ces bouquins me feront agréablement passer le temps. Car il faut dire qu'il n'y a aucun lieu de réunion public au Harar ; on est forcé de rester chez soi continuellement. Je compte, d'ailleurs, faire un curieux album de tout cela.

Je vous envoie un chèque de cent francs, que vous toucherez, et achetez-moi les livres dont la liste suit. La dépense des livres est utile.

Vous dites qu'il reste quelques cents francs de mon ancien argent. Quand on vous demandera le prix du graphomètre (instrument de nivellement) que j'ai commandé à Lyon, payez-le donc de ce qui reste. J'ai sacrifié toute cette somme. J'ai ici cinq mille francs, qui portent à la maison même 5 % d'intérêt : je ne suis donc pas encore ruiné. Mon contrat avec la maison finit en novembre ; c'est donc encore huit mois à 330 francs que j'ai devant moi, soit 2 500 fr[anc]s environ, soit qu'à la fin de l'année j'aurai toujours au moins 7 000 francs en caisse, sans compter ce que je puis bricoler en vendant et achetant quelque peu pour mon compte. Après novembre, si l'on ne me rengage pas, je pourrai toujours faire un petit commerce, qui me rapportera 60 % en un an. Je voudrais faire rapidement, en 4 ou 5 ans, une cinquantaine de mille francs ; et je me marierais ensuite.

Je pars demain pour Zeilah. Vous n'aurez plus de nouvelles de moi avant deux mois. Je vous souhaite beau temps, santé, prospérité.

Tout à vous,

Rimbaud.

— Toujours adresser à Aden.

---

1. Sans doute l'île Maurice. 2. *Sic*.

Aden, 19 mars 83.

Dunod, 49, quai des Gr[an]ds-Augustins, Paris :

Debauve, *Exécution des travaux*, 1 vol. .... F. 30 »
Lalanne-Sganzin, *Calculs abrégés des terrassements* .... 2 »
Debauve, *Géodésie*[1], 1 v. .... 7, 50 »
Debauve, *Hydraulique,* 1 v. .... 6 »
Jacquet, *Tracé des courbes*, 1 v. .... 6 »

Libr[airie] Masson :

Delaunay, *Cours élémentaire de Mécanique* .... 8 »
Liais, *Traité d'astronomie appliquée* .... 10 »
Total.................. F. 69, 50

AUX SIENS

Aden, le 20 mars 83.

Mes chers amis,

Je vous préviens par la présente que j'ai renouvelé mon contrat avec la maison jusqu'à fin X^{bre}[2] 1885. Mes appointements sont à présent de 160 Roupies par mois et un certain bénéfice par cent, le tout équivalent à 5 000 francs *net* par an, en plus du logement et de tous les frais, qui me sont toujours accordés gratuits.

Je pars après-demain[3] pour Zeilah.

J'ai oublié de vous dire que le chèque de 100 francs est payable à la maison de Marseille (Mazeran Viannay Bardey, à Marseille), et non à Lyon.

Joignez à la liste des livres :

Librairie Dunod :

Salin. *Manuel pratique des poseurs de voies des Chemins de fer* .... 1 vol. F. 2.50

---

1. Rayé : « Richard, *Manuel du conducteur de locomotives*, 1 v. ». **2.** = décembre.
3. Rimbaud a écrit « à près demain ».

et :

Nordling. *Marchés de terrassement*.......... 1 vol. 5
Debauve. *Tunnels et souterrains*............... 1 v. 10

Envoyez-moi le tout ensemble si possible.

Tout à vous,

Rimbaud.

[Sixième lot]

[LETTRES DE HARAR
(deuxième série, 1883-1884)]

AUX SIENS

Mazeran, Viannay et Bardey.
Lyon-Marseille-Aden.

Harar, le 6 mai 1883.

Mes chers amis

Le 30 avril, j'ai reçu au Harar votre lettre du 26 mars. Vous dites m'avoir envoyé deux caisses de livres. J'ai reçu une seule caisse à Aden, celle pour laquelle Dubar disait avoir épargné 25 francs. L'autre est probablement arrivée à Aden, à présent, avec le graphomètre. Car je vous avais envoyé, avant de partir d'Aden, un chèque de 100 francs avec une autre liste de livres. Vous devez avoir touché ce chèque et les livres vous les avez probab[leme]nt achetés. Enfin à présent je ne suis plus au courant des dates. Prochainement, je vous enverrai un autre chèque de 200 francs, car il faudra que je fasse revenir des glaces pour la photographie.

Cette commission a été bien faite ; et si je veux je regagnerai vite les 2 000 francs que ça m'a coûté. Tout le monde veut se faire photographier ici, même on offre une guinée par photographie. Je ne suis pas encore bien installé ni au courant, mais je le serai vite, et je vous enverrai des choses curieuses.

Ci-inclus 2 photographies de moi-même par moi-même[1]. Je suis toujours mieux ici qu'à Aden. Il y a moins de travail et bien plus d'air, de

1. Voir ces photographies dans le *Rimbaud* d'Enid Starkie, trad. Alain Borer, Flammarion, 1982, pp. 478-479, et dans *Œuvre-vie*, pp. 550-551.

verdure, etc. J'ai renouvelé mon contrat pour 3 ans ici, mais je crois que l'établissement fermera bientôt, les bénéfices ne couvrent pas les frais. Enfin, il est conclu que le jour qu'on me renverra, on me donnera trois mois d'appointements d'indemnité. À la fin de cette année-ci, j'aurai trois ans complets dans cette boîte.

Isabelle a bien tort de ne pas se marier si quelqu'un de sérieux et d'instruit se présente, quelqu'un avec un avenir. La vie est comme cela, et la solitude est une mauvaise chose ici-bas. Pour moi je regrette de ne pas être marié et avoir une famille. Mais à présent je suis condamné à errer, attaché à une entreprise lointaine, et tous les jours je perds le goût pour le climat et les manières de vivre, et même la langue de l'Europe. Hélas ! à quoi servent ces allées et venues, et ces fatigues, et ces aventures chez des races étranges, et ces langues dont on se remplit la mémoire, et ces peines sans nom si je ne dois pas un jour, après quelques années, pouvoir me reposer dans un endroit qui me plaise à peu près et trouver une famille, et avoir au moins un fils que je passe le reste de ma vie à élever à mon idée, à orner et à armer de l'instruction la plus complète qu'on puisse atteindre à cette époque, et que je voie devenir un ingénieur renommé, un homme puissant et riche par la science ? Mais qui sait combien peuvent durer mes jours dans ces montagnes-ci ? Et je puis disparaître, au milieu de ces peuplades, sans que la nouvelle en ressorte jamais.

Vous me parlez des nouvelles politiques. Si vous saviez comme ça m'est indifférent ! Plus de 2 ans que je n'ai pas touché un journal. Tous ces débats me sont incompréhensibles, à présent. Comme les Musulmans, je sais que ce qui arrive arrive, et c'est tout.

La seule chose qui m'intéresse, sont les nouvelles de la maison et je suis toujours heureux à me reposer sur le tableau de votre travail pastoral. C'est dommage qu'il fasse si froid et lugubre chez vous en hiver. Mais vous êtes au printemps à présent, et votre climat à ce temps-ci correspond avec celui que j'ai ici au Harar à présent.

Ces photographies me représentent, l'une, debout sur une terrasse de la maison... l'autre, debout dans un jardin de café, une autre, les bras croisés dans un jardin de bananes. Tout cela est devenu blanc à cause des mauvaises eaux qui me servent à laver. Mais je vais faire de meilleur travail dans la suite. Ceci est seulement pour rappeler ma figure, et vous donner une idée des paysages d'ici.

Au revoir,

Rimbaud.
Maison Mazeran Viannay et Bardey
Aden.

AUX SIENS

Harar, le 20 mai 1883.

Mes chers amis,

Je compte que vous aurez reçu ma première lettre du Harar[1].

Ma dernière commission de livres doit être en chemin ; vous l'aurez payée, comme je vous en avais priés, ainsi que le graphomètre, que vous devez m'avoir envoyé en même temps.

La photographie marche bien. C'est une bonne idée que j'aie eue. Je vous enverrai bientôt des choses réussies.

Par la première poste, je vous ferai envoyer un chèque pour quelques petites commissions nouvelles.

Je vais bien, mes affaires vont bien ; et j'aime à penser que vous êtes en santé et prospérité.

Rimbaud.

AUX SIENS

Chers amis,

Je vous envoie, ci-joint, l'exemplaire de mes pouvoirs d'agent au Harar. Il est visé au consulat de France à Aden.

Je suppose que la présentation de cette pièce suffira.

Seulement il faut absolument que vous me la renvoyiez ici, où je me trouverais impuissant en cas de contestation de mes pouvoirs. Ce papier m'est indispensable dans mon commerce.

Voyez donc à me le renvoyer après en avoir fait l'usage nécessaire.

Il y a un nouveau consul à Aden et il se trouve en voyage à Bombay à présent.

Si on vous dit que la date de ces pouvoirs est ancienne (20 mars), vous n'avez qu'à faire observer que, si je n'étais plus au même poste, les dits pouvoirs auraient été rendus à la maison et abolis.

---

1. C'est-à-dire la lettre précédente.

Je crois donc que ça suffit, et que c'est la dernière fois.

— Il est vrai que j'ai reçu tous les livres, excepté la dernière caisse, que j'attends toujours.

Tout à vous,

Rimbaud.
Harar le 12 août 1883.

À MM. MAZERAN, VIANNAY ET BARDEY

Harar, le 25 août 1883.

Marché Harar n'a jamais été plus nul qu'en cette saison de cette année, de l'avis de tous ici.

— Pas de café. Ce que ramasse par 1/4 de frasleh [1] l'agent de Bewin et Moussaya [2] est une ordure grattée des sols des maisons Hararies : ils paient ça 5 thalaris [3] 1/2.

— Peaux inabordables pour nous pour les raisons déjà données ; d'ailleurs n'arrivent pas. 2 600 cuirs au gouvernement ont atteint 70 paras [4] aux enchères ; nous comptons à peu près pouvoir les racheter ensuite à P. 1,50 [5] et en former une caravane. Elles sont de la qualité des dernières.

— Peaux chèvres. En avons 3 000 en magasin. Les frais de leur achat et les transports de tous les cuirs de la province les mettent à un prix moyen de D. 4 [6]. Mais nous avons organisé leur achat, et chaque mois nous pouvons en ramasser 2 500 à 3 000 sans qu'elles dépassent ce prix.

— Ivoire. Cherchons à organiser quelque chose, nous manquons d'hommes spéciaux et des marchandises spéciales.

M. Sacconi [7], qui avait poussé dans l'Ogadine [8] une expédition parallèle à la nôtre, a été tué avec trois serviteurs dans la tribu des Hammaden voisine de Wabi à environ 250 kilomètres de Harar, à la date du 11 août.

---

1. Le frasleh est une unité de poids valant 17 kilos. **2.** Une entreprise de commerce concurrente. **3.** Le thalaris (ou thalari, ou thaler) : pièce d'argent à l'effigie de l'impératrice Marie-Thérèse d'Autriche. C'était la monnaie alors la plus répandue en Abyssinie. Elle valait alors 4,50 F. **4.** Monnaie turque. **5.** 1,50 para. **6.** 4 dollars. **7.** Pietro Sacconi, négociant. Il en est question dans les *Souvenirs* de Pierre Bardey. Il avait été tué à Carnagott, à 250 km de Harar, et Rimbaud a joint à cette lettre un faire-part du service funèbre célébré à la mission catholique de Harar le 24 août à 7 h du matin. **8.** Sur l'Ogadine, voir plus bas le rapport.

La nouvelle nous en est parvenue au Harar le 23. Les causes de ce malheur ont été la mauvaise composition du personnel de l'expédition, l'ignorance des guides qui l'ont aussi malement poussée, dans des routes exceptionnellement dangereuses, à braver des peuplades belligérantes. Enfin la mauvaise tenue de M. Sacconi lui-même, contrariant (par ignorance) les manières, les coutumes religieuses, les droits des indigènes.

L'origine du massacre a été une querelle d'abbans [1] : M. Sacconi soutenait un guide à lui et voulait l'imposer, à son passage, contre les abbans indigènes qui s'offraient. Enfin, M. Sacconi marchait en costume européen, habillait même ses Sébianes [2] en hostranis [3], se nourrissait de jambons, vidait des petits verres dans les conciles des scheiks, faisant manger lui-même, et poussait ses séances géodésiques suspectes et tortillait des sextants, etc. à tout bout de route.

Les indigènes échappés au massacre sont trois Sébianes somalis et le cuisinier indien Hadj-Sheiti, lesquels se sont réfugiés chez M. Sotiro [4] à deux jours de là, vers l'est.

M. Sacconi n'achetait rien et n'avait que le but d'atteindre le Wabi [5], pour s'en glorifier géographiquement. M. Sotiro s'est arrêté au premier point où il a cru pouvoir écouler les marchandises contre d'autres. D'ailleurs, il a suivi une bonne route, fort différente de celle de M. Sacconi. Il a trouvé un bon abban, et s'est arrêté dans un bon endroit. Il voyage d'ailleurs sous un costume musulman, et avec le nom d'Adji-Abdallah et accepte toutes les formalités politiques et religieuses des indigènes. Au lieu où il s'est arrêté, il est devenu un but de pèlerinage comme wodad [6] et schérif. Les nouvelles nous arrivent assez fréquemment, et nous l'attendons de retour à la fin du mois.

Nous organisons d'autres expéditions prochainement. Nous vous retournons vos fonds par M. Sotiro, retour de l'Ogadine. La poste, qui devait d'abord nous transporter nos fonds par fractions de 3 000 thalaris, s'y refuse à présent. Nous regrettons de faire faire ces tournées improductives à nos employés, quand nous en avons si besoin ici pour le travail de l'extérieur.

Importation Marseille a perdu nos ordres.

Nous sommes maintenant dégoûtés de protester contre la situation

---

1. Un abban est le guide d'une caravane. **2.** Porteurs. **3.** Chrétiens. **4.** Constantin Sotiro, un Grec employé par les Bardey à Harar. Rimbaud lui a demandé de prospecter le territoire de l'Ogadine. Voir sa photographie dans *Passion Rimbaud*, p. 162. **5.** Sacconi comptait s'attribuer la découverte de cette région du fleuve Wabi. **6.** « Un de ces hommes qui, dans chaque tribu, improvisent des poèmes, savent écrire et commentent le Coran » (Jean-Luc Steinmetz, *op. cit.*, p. 315).

qu'on nous fait. Nous déclarons seulement n'être nullement responsables des préjudices causés. Cependant nous recommandons encore une fois, la dernière, tous nos ordres de marchandises à fabriquer dans les quantités et qualités demandées. Nous les recommandons tous un à un et en réclamons l'exécution. Mais si personne ne veut s'en mêler, ça ne se fera guère. De même pour toutes les marchandises indigènes d'Aden : à l'avenir nous irons les acheter nous-mêmes. Tout ce qui nous arrive est très différent de toute manière de ce que nous avons demandé et ne nous convient pas. Notre vente de ce mois n'atteindra pas 200 thalaris, et par conséquent nos frais vont commencer à nous déborder. Si l'on nous pouvait faire, et c'est trop facile, comme nous avons demandé, nous couvririons, et bien au delà, ces frais, en attendant de meilleurs moments. D'autres que nous en sont responsables, ainsi que du préjudice *personnel* à nous causé.

Nous attendons notre nouveau gouverneur, qui, paraît-il, a quelque éducation européenne. Le chasseur d'éléphants que vous nous avez envoyé d'Aden, caracole indéfiniment dans les gorges de Darimont, et il débouchera par ici quand il aura séché ses votris Kys de porc et de preserved milk parmi les Guerris et Bartris.

Ci-joint caisse juillet oubliée dans le contenu du dernier courrier et étude sur les marchandises pour la contrée de Harar.

Rimbaud.

7e ÉTUDE DE MARCHANDISES

Pour la contrée du *Harar Sirwal Habeschi*. Trouver ou faire fabriquer un tissu coton (serré chaud et grossier) de la force de la toile à voile légère, le rayer longitudinalement de bandes rouges ou bleues de 5 centimètres de largeur espacées de 20 centimètres.

Faire fabriquer 500 sirwall de la coupe de l'échantillon ci-joint (non du tissu). Aura vogue dans les tribus gallas et abyssines, où il existe déjà des types curieux de ce genre.

Kamis. Du même tissu, une simple blouse fermée à la poitrine, descendant aux hanches, par la manche arrêtée aux coudes. En fabriquer 500.

Sperraba. 50 glands de laine rouge ou verte tressée, s'accrochant aux brides et aux selles, chez les Gallas et Somalis, et 20 mètres franges longues, de même couleur et de même laine, pour devant le poitrail, de chez les tapissiers.

Nous avons envoyé au dehors une compagnie de chasseurs de tigres, léopards et lions, à qui nous avons donné des recommandations pour l'écorchage.

À 4 ou 5 heures du Harar, il y a une forêt (Bisédimo) abondante en bêtes féroces, et nous avons prévenu les gens des villages environnants et faisons chasser pour nous.

Nous croyons qu'il existe en France des pièges d'acier spéciaux pour la capture des loups, qui pourraient très bien servir pour les léopards. On peut s'en assurer à la société de louveterie, et après examen nous envoyer deux de ces pièges.

Rimbaud.

À ALFRED BARDEY

Maison Viannay et Bardey,
Lyon-Marseille-Aden.

Harar 26 août 1883.

J'ai reçu la lettre où vous m'accusez réception des photographies. Je vous remercie. Celles-là n'avaient rien d'intéressant. J'avais lâché ce travail à cause des pluies, le soleil n'a pas paru depuis 3 mois. Je vais le reprendre avec le beau temps, et je pourrais v[ou]s envoyer des choses vraiment curieuses.

Si j'ai quelque chose à vous demander, c'est seulement de faire surveiller les articles que j'ai commandés à fabriquer pour le Harar. Je compte dessus pour distinguer et établir l'agence ici d[an]s les Gallas. Je recommande tous ces ordres-là un à un ; surtout les zâbouns, la bijouterie cuivre. Mais tout le reste est bein compris aussi. Même les robes hararis (les chères, à th. 15) pourquoi ne pourrait-on pas les faire ? Ici il n'y a que par ces détails qu'on se distinguera.

Je suppose que l'on s'occupe de tout cela. —

— M. Sacconi est mort près du Wabi, le 11 août, massacré par sa faute et inutilement.

Voulez-vous d'autres curiosités du Harar ? L'histoire du Guirane Ahmed a un second volume, me dit-on, beaucoup plus intéressant que le premier géographiq[ue]m[en]t.

— À propos, je reçois un billet de M. Pierre Mazeran m'annonçant son retour au Harar en octobre.

J'espère qu'on ne nous mettra pas ces nouveaux frais sur le dos, et qu'on s'abstiendra d'aggraver notre situation par l'envoi d'un individu incapable d'autre chose que de dissiper nos mises et nous contrarier, ridiculiser, et ruiner ici de toutes manières. — Enfin personnellement nous supportons toutes les privations sans crainte, et tous les ennuis sans impatience, mais nous ne pouvons souffrir la société d'un [...[1]].

Bien à vous.
Rimbaud.

Monsieur Alfred Bardey,
Marseille.

À MM. MAZERAN, VIANNAY ET BARDEY
À ADEN

Mazeran, Viannay et Bardey.
Lyon-Marseille-Aden.

Télégrammes { Mazeran-Lyon.
Maviba-Marseille.

Harar, 23 septembre 1883.

Reçu votre lettre du 9 septembre. Confirmons celle du 9 septembre. Nous expédions, ce 23 septembre, avec la caravane 46[2] : 42 chameaux cuirs bœufs. Nous vous préparons, avec la caravane 48, 5 000 peaux de

1. La lecture du mot est douteuse. 2. Les caravanes qui montaient de la côte à l'intérieur portaient un numéro impair ; celles qui redescendaient sur la côte portaient un numéro pair.

chèvres pour le 20 octobre. La même caravane vous portera probablement les plumes et l'ivoire de l'Ogadine, d'où votre expédition retournera définitivement fin septembre. Nous avons essayé une petite expédition chez les Itous[1] Djardjar ; elle porte des cadeaux à des chefs importants et quelques marchandises ; d'après les renseignements qu'on nous rapportera, nous verrons à établir quelque chose chez ces tribus sur une base sérieuse. Nous augurons bien de ce côté.

Nos hommes pour les expéditions de Dankali et de l'Hawache arrivent de Zeilah, et nous allons également mettre en train cette campagne intéressante.

Deux autres expéditions au Wabi, l'une par l'Ogadine, l'autre par l'Ennya, sont aussi en préparation. Les rivières baissent à présent et nous allons être renseignés définitivement sur tout ce qu'il y a à faire dans le grand cercle de Harar. Un rapport commercial et géographique suivra toutes ces recherches et nous vous l'adresserons à Marseille.

D'après nos renseignements particuliers, nous croyons que l'Itou sera de nouveau envahi et définitivement annexé à l'empire de Ménélik au commencement de 1884[2]. Une résidence y serait même fondée. Les frontières de l'établissement égyptien et de l'Abyssinie seraient ainsi déterminées régulièrement. Et l'accès, des Gallas, Itous et Arroussis serait peut-être plus facile. Pour la cité de Harar, elle est hors de plan de l'Abyssinie.

Nous voyons avec plaisir arriver vos ordres peu à peu. Nous n'avons jamais entendu dire qu'il y avait de la faute de l'agence d'Aden et de leurs retards. Nous n'avons donc que faire des documents justificatifs que vous préparez. En d'autres occasions, nous nous y prendrons autrement. Recommandons simplement à votre obligeance les quelques petits ordres laissés en retard, Guéset, Kéhas, Kasdir, Kahrab, Abbayas[3].

Perles entre autres ; et joignons les suivants : 100 pièces Massachussetts Shirting A (30 yard[4]) première qualité (celle du dernier envoi). Tâchez d'avoir la pièce quelques anas[5] meilleur marché. — 100 pièces Vilayeti Abou Raïa[6] (Colabaland Smill et Co) en outre des 50 en route.

Portez à 12 maunds[7] les petites perles de dernière poste et à 12 maunds également les grosses blanches.

---

1. Les Itous, grands producteurs de café, occupaient un plateau situé entre l'Hawasche et le Harar. **2.** En réalité, l'Itou (une partie du Choa) appartenait déjà à Ménélik. **3.** Objets à fabriquer sur des modèles indigènes (fers de hachette, pieux, pics, étoffes, etc.) (note de J.-P. Vaillant). **4.** Le yard, mesure de longueur anglaise, équivaut à 0,914 m. **5.** L'anas est une monnaie des Indes (1/16 de la roupie) **6.** Cotonnade écrue de Colaba, aux Indes anglaises (note de J.-P. Vaillant). **7.** Mesure de poids qui équivaut à 28 livres anglaises.

2 nouveaux maunds Assa fœtida[1] (actite).

2 corja[2] aïtabanes des plus grands (le *tobe*[3] à raies bleues et rouges de notre ordre du 20 mai).

Enfin, quelques munitions que nous avons deux fois demandées et la dite grammaire Somali.

Nous vous saluons sincèrement.

Rimbaud.

AUX SIENS

Harar, 4 octobre 1883.

Chers amis,

Je reçois votre lettre effrayée.

Pour moi, je ne passe guère une poste sans vous écrire ; mais les deux dernières fois, j'ai laissé les lettres à votre adresse partir par la poste égyptienne. Désormais, je les enfermerai toujours dans le courrier.

Je suis en très bonne santé, et tout à mon travail. Je vous souhaite même santé, et prospérité. Cette poste est très pressée, la prochaine vous donnera une longue lettre.

Tout à vous,

Rimbaud.

AUX SIENS

Harar, le 7 octobre 1883.

Mes chers amis,

Je n'ai pas de nouvelles de votre dernier envoi de livres, lequel a dû s'égarer.

---

1. Rogue. **2.** Un corja est un paquet de vingt. **3.** Le tobe est une pièce de coton écrue qui constitue l'unique vêtement de certaines peuplades de l'Afrique orientale.

Je vous serai bien obligé d'envoyer la note qui suit à la librairie Hachette, boulevard Saint-Germain, 79, à Paris ; et, selon qu'on vous enverra ledit ouvrage, vous le paierez et me l'enverrez promptement par la poste, de façon à ce qu'il ne se perde pas.

Je vous souhaite bonne santé et bon temps.

Tout à vous,

Rimbaud.

À M. HACHETTE

Je vous serais très obligé de m'envoyer aussitôt que possible, à l'adresse ci-dessous, contre remboursement, la meilleure traduction française du *Coran* (avec le texte arabe en regard, s'il en existe ainsi), et même sans le texte.

Agréez mes salutations,

Rimbaud.
à Roche, par Attigny (Ardennes).
7 octobre 1883.

RAPPORT SUR L'OGADINE

PAR M. ARTHUR RIMBAUD,
AGENT DE MM. MAZERAN, VIANNAY ET BARDEY,
À HARAR (AFRIQUE ORIENTALE). (COMMUNIQUÉ PAR M. BARDEY.)

Harar, 10 décembre 1883.

Voici les renseignements rapportés par notre première expédition dans l'Ogadine.

Ogadine est le nom d'une réunion de tribus somalies d'origine et de la contrée qu'elles occupent et qui se trouve délimitée généralement sur les cartes entre les tribus somalies des Habr-Gerhadjis, Doulbohantes, Midjertines et Hawïa au nord, à l'est et au sud. À l'ouest, l'Ogadine confine aux Gallas, pasteurs Ennyas, jusqu'au Wabi, et ensuite la rivière Wabi la sépare de la grande tribu Oromo des Oroussis.

Il y a deux routes du Harar à l'Ogadine : l'une, par l'est de la ville vers le Boursouque et au sud du mont Condoudo par le War-Ali, comporte trois stations jusqu'aux frontières de l'Ogadine.

C'est la route qu'a prise notre agent, M. Sotiro ; et la distance du Harar au point où il s'est arrêté dans le Rère-Hersi égale la distance du Harar à Biocabouba sur la route de Zeilah, soit environ 140 kilomètres. Cette route est la moins dangereuse et elle a de l'eau.

L'autre route se dirige au sud-est du Harar par le gué de la rivière du Hérer, le marché de Babili, les Wara-Heban, et ensuite les tribus pillardes somali-gallas de l'Hawïa.

Le nom de Hawïa semble désigner spécialement des tribus formées d'un mélange de Gallas et de Somalis, et il en existe une fraction au nord-ouest, en dessous du plateau du Harar, une deuxième au sud du Harar sur la route de l'Ogadine, et enfin une troisième très considérable au sud-est de l'Ogadine, vers le Sahel, les trois fractions étant donc absolument séparées et apparemment sans parenté.

Comme toutes les tribus somalies qui les environnent, les Ogadines sont entièrement nomades et leur contrée manque complètement de routes ou de marchés. Même de l'extérieur, il n'y a pas spécialement de routes y aboutissant, et les routes tracées sur les cartes, de l'Ogadine à Berberah, Mogdischo (Magadoxo) ou Braoua, doivent indiquer simplement la direction générale du trafic.

L'Ogadine est un plateau de steppes presque sans ondulations, incliné généralement au sud-est. Sa hauteur doit être à peine la moitié de celle (1 800 m) du massif du Harar.

Son climat est donc plus chaud que celui du Harar. Elle aurait, paraît-il, deux saisons de pluies ; l'une en octobre, et l'autre en mars. Les pluies sont alors fréquentes, mais assez légères.

Les cours d'eau de l'Ogadine sont sans importance. On en compte quatre, descendant tous du massif de Harar ; l'un, le Fafan, prend sa source dans le Condoudo, descend par le Boursouque (ou Barsoub), fait un coude dans toute l'Ogadine, et vient se jeter dans le Wabi au point nommé Faf, à mi-chemin de Mogdischo ; c'est le cours d'eau le plus apparent de l'Ogadine. Deux autres petites rivières sont : le Hérer, sortant également du Garo Condoudo, contournant le Babili et recevant, à quatre jours sud du Harar dans les Ennyas, le Gobeiley et le Moyo descendus des Alas, puis se jetant dans le Wabi en Ogadine, au pays de Nokob ; et la Dokhta, naissant dans le Wara Heban (Babili) et descendant au Wabi, probablement dans la direction du Hérer.

Les fortes pluies du massif Harar et du Boursouque doivent occasionner dans l'Ogadine supérieure des descentes torrentielles passagères et de légères inondations qui, à leur apparition, appellent les goums[1] pasteurs dans cette direction. Au temps de la sécheresse, il y a, au contraire, un mouvement général de retour des tribus vers le Wabi.

L'aspect général de l'Ogadine est donc la steppe d'herbes hautes, avec des lacunes pierreuses ; ses arbres, du moins dans la partie explorée par nos voyageurs, sont tous ceux des déserts somalis : mimosas, gommiers, etc. Cependant, aux approches du Wabi, la population est sédentaire et agricole. Elle cultive d'ailleurs presque uniquement le *dourah*[2] et emploie même des esclaves originaires des Aroussis et autres Gallas d'au delà du fleuve. Une fraction de la tribu des Malingours, dans l'Ogadine supérieure, plante aussi accidentellement du dourah, et il y a également de ci de là quelques villages des Cheikhaches cultivateurs.

Comme tous les pasteurs de ces contrées, les Ogadines sont toujours en guerre avec leurs voisins et entre eux-mêmes.

Les Ogadines ont des traditions assez longues de leur origine. Nous avons seulement retenu qu'ils descendent tous primitivement de Rère Abdallah et Rère Ishay (*Rère* signifie : enfants, famille, maison ; en galla, on dit *Warra*). Rère Abdallah eut la postérité de Rère Hersi et Rère Hammadèn : ce sont les deux principales familles de l'Ogadine supérieure.

Rère Ishay engendra Rère Ali et Rère Aroun. Ces *rères* se subdivisent ensuite en innombrables familles secondaires. L'ensemble des tribus visitées par M. Sotiro est de la descendance Rère Hersi, et se nomment Malingours, Aïal, Oughas, Sementar, Magan.

Les différentes divisions des Ogadines ont à leur tête des chefs nommés *oughaz*. L'oughaz de Malingour, notre ami Amar Hussein, est le plus puissant de l'Ogadine supérieure et il paraît avoir autorité sur toutes les tribus entre l'Habr Gerhadji et le Wabi. Son père vint au Harar du temps de Raouf Pacha qui lui fit cadeau d'armes et de vêtements. Quant à Amar Hussein, il n'est jamais sorti de ses tribus où il est renommé comme guerrier, et il se contente de respecter l'autorité égyptienne à distance.

D'ailleurs, les Égyptiens semblent regarder les Ogadines, ainsi du reste que tous les Somalis et Dankalis, comme leurs sujets ou plutôt leurs alliés naturels, en qualité de musulmans, et n'ont aucune idée d'invasion sur leurs territoires.

1. *Goums* : familles, tribus. **2.** Le sorgho.

Les Ogadines, du moins ceux que nous avons vus, sont de haute taille, plus généralement rouges que noirs ; ils gardent la tête nue et les cheveux courts, se drapent de robes assez propres, portent à l'épaule la *sigada*, à la hanche le sabre et la gourde des ablutions, à la main la canne, la grande et la petite lance, et marchent en sandales.

Leur occupation journalière est d'aller s'accroupir en groupes sous les arbres, à quelque distance du camp, et, les armes en main, de délibérer indéfiniment sur leurs divers intérêts de pasteurs. Hors de ces séances, et aussi de la patrouille à cheval pendant les abreuvages et des razzias chez leurs voisins, ils sont complètement inactifs. Aux enfants et aux femmes est laissé le soin des bestiaux, de la confection des ustensiles de ménage, du dressage des huttes, de la mise en route des caravanes. Ces ustensiles sont les vases à lait connus du Somal, et les nattes des chameaux qui, montées sur des bâtons, forment les maisons des *gacias* (villages) passagères.

Quelques forgerons errent par les tribus et fabriquent les fers de lances et poignards.

Les Ogadines ne connaissent aucun minerai chez eux.

Ils sont musulmans fanatiques. Chaque camp a son iman qui chante la prière aux heures dues. Des *wodads* (lettrés) se trouvent dans chaque tribu ; ils connaissent le Coran et l'écriture arabe et sont poètes improvisateurs.

Les familles ogadines sont fort nombreuses. L'*abbam* de M. Sotiro comptait soixante fils et petits-fils. Quand l'épouse d'un Ogadine enfante, celui-ci s'abstient de tout commerce avec elle jusqu'à ce que l'enfant soit capable de marcher seul. Naturellement, il en épouse une ou plusieurs autres dans l'intervalle, mais toujours avec les mêmes réserves.

Leurs troupeaux consistent en bœufs à bosse, moutons à poils ras, chèvres, chevaux de race inférieure, chamelles laitières, et enfin en autruches dont l'élevage est une coutume de tous les Ogadines. Chaque village possède quelques douzaines d'autruches qui paissent à part, sous la garde des enfants, se couchent même au coin du feu dans les huttes, et, mâles et femelles, les cuisses entravées, cheminent en caravanes à la suite des chameaux dont elles atteignent presque la hauteur.

On les plume trois ou quatre fois par an, et chaque fois on en retire environ une demi-livre de plumes noires et une soixantaine de plumes blanches. Ces possesseurs d'autruches les tiennent en grand prix.

Les autruches sauvages sont nombreuses. Le chasseur couvert d'une dépouille d'autruche femelle, perce de flèches le mâle qui s'approche.

Les plumes mortes ont moins de valeur que les plumes vivantes. Les autruches apprivoisées ont été capturées en bas âge, les Ogadines ne laissant pas les autruches se reproduire en domesticité.

Les éléphants ne sont ni fort nombreux, ni de forte taille, dans le centre de l'Ogadine. On les chasse cependant sur le Fafan, et leur vrai rendez-vous, l'endroit où ils vont mourir, est toute la rive du Wabi. Là, ils sont chassés par les Dônes, peuplade somalie mêlée de Gallas et de Souahelis agriculteurs et établis sur le fleuve. Ils chassent à pied et tuent avec leurs énormes lances. Les Ogadines chassent à cheval : tandis qu'une quinzaine de cavaliers occupent l'animal en front et sur les flancs, un chasseur éprouvé tranche, à coups de sabre, les jarrets de derrière de l'animal [1].

Ils se servent également de flèches empoisonnées. Ce poison, nommé *ouabay*, et employé dans tout le Somal, est formé de racines d'un arbuste pilées et bouillies. Nous vous en envoyons un fragment. Au dire des Somalis, le sol des alentours de cet arbuste est toujours couvert de dépouilles de serpents, et tous les autres arbres se dessèchent autour de lui. Ce poison n'agit d'ailleurs qu'assez lentement, puisque les indigènes blessés par ces flèches (elles sont aussi armes de guerre) tranchent la partie atteinte et restent saufs.

Les bêtes féroces sont assez rares en Ogadine. Les indigènes parlent cependant de serpents, dont une espèce à cornes, et dont le souffle même est mortel. Les bêtes sauvages les plus communes sont les gazelles, les antilopes, les girafes, les rhinocéros, dont la peau sert à la confection des boucliers. Le Wabi a tous les animaux des grands fleuves : éléphants, hippopotames, crocodiles, etc.

Il existe chez les Ogadines une race d'hommes regardée comme inférieure et assez nombreuse, les Mitganes (Tsiganes) ; ils semblent tout à fait appartenir à la race somalie dont ils parlent la langue. Ils ne se marient qu'entre eux. Ce sont eux surtout qui s'occupent de la chasse des éléphants, des autruches, etc. Ils sont répartis entre les tribus et, en temps de guerre, réquisitionnés comme espions et alliés. L'Ogadine mange l'éléphant, le chameau et l'autruche, et le Mitgane mange l'âne et les animaux morts, ce qui est un péché.

Les Mitganes existent et ont même des villages fort peuplés chez les Dankalis de l'Hawache, où ils sont renommés chasseurs.

Une coutume politique et une fête des Ogadines est la convocation des tribus d'un certain centre, chaque année, à jour fixe.

---

1. Rimbaud s'attarde sur cette mort des éléphants, inséparable de sa rêverie sur l'ivoire, dont on trouvera la trace jusque dans sa toute dernière lettre. Voir plus bas l'espoir de ramasser « une tonne d'ivoire ».

La justice est rendue en famille par les vieillards et en général par les oughaz.

De mémoire d'homme, on n'avait vu en Ogadine une quantité de marchandises aussi considérable que les quelques centaines de dollars que nous y expédiâmes. Il est vrai que le peu que nous avons rapporté de là nous revient fort cher, parce que la moitié de nos marchandises a dû nécessairement s'écouler en cadeaux à nos guides, abbans, hôtes de tous côtés et sur toute route, et l'Oughaz personnellement a reçu de nous quelque cent dollars d'abbayas dorés, immahs [1] et cadeaux de toute sorte qui nous l'ont d'ailleurs sincèrement attaché, et c'est là le bon résultat de l'expédition. M. Sotiro est réellement à féliciter de la sagesse et de la diplomatie qu'il a montrées en ce cas. Tandis que nos concurrents ont été pourchassés, maudits, pillés et assassinés, et ont encore été par leur désastre même la cause de guerres terribles entre les tribus, nous nous sommes établis dans l'alliance de l'Oughaz et nous nous sommes fait connaître dans tout le Rère Hersi.

Omar Hussein nous a écrit au Harar et nous attend pour descendre avec lui et tous ses goums jusqu'au Wabi, éloigné de quelques jours seulement de notre première station.

Là en effet est notre but. Un de nous, ou quelque indigène énergique de notre part, ramasserait en quelques semaines une tonne d'ivoire qu'on pourrait exporter directement par Berbera en franchise. Des Habr-Awal, partis au Wabi avec quelques sodas ou tobs wilayetis à leur épaule, rapportent à Boulhar des centaines de dollars de plumes. Quelques ânes chargés en tout d'une dizaine de pièces sheeting ont rapporté quinze fraslehs d'ivoire.

Nous sommes donc décidés à créer un poste sur le Wabi, et ce poste sera environ au point nommé Eimeh, grand village permanent situé sur la rive Ogadine du fleuve, à huit jours de distance du Harar par caravanes.

1. Objets divers, fabriqués à partir de modèles indigènes.

AUX SIENS

Harar, 21 décembre 1883.

Je vais toujours bien, et j'espère que vous allez de même.
Par l'occasion, je vous souhaite une heureuse année 1884.
Rien de nouveau ici.
Tout à vous,

Rimbaud.

AUX SIENS

Harar, 14 janvier 1884.

Chers amis,

Je n'ai que le temps de vous saluer, en vous annonçant que la maison, se trouvant gênée (et les troubles de la guerre se répercutant par ici), est en train de me faire liquider cette agence du Harar. Il est probable que je partirai d'ici, pour Aden, dans quelques mois. Pour mon compte, je n'ai rien à craindre des affaires de la maison.

Je me porte bien, et vous souhaite santé et prospérité pour tout 1884.

Rimbaud.

[Septième lot]

[LETTRES D'ADEN (troisième série, 1884-1885)]

AUX SIENS

Aden, le 24 avril 1884.

Chers amis,

Je suis arrivé à Aden, après six semaines de voyage dans les déserts ; et c'est pour cela que je n'ai pas écrit.

Le Harar, pour le moment, est inhabitable, à cause des troubles de la guerre. Notre maison est liquidée à Harar, comme à Aden, et, à la fin du mois, je me trouve hors d'emploi. Cependant, mes appointements sont réglés jusqu'à fin juillet, et, d'ici là, je trouverai toujours quelque chose à faire.

Je pense d'ailleurs, et j'espère, que nos messieurs vont pouvoir remonter une affaire ici.

J'espère que vous vous portez bien, et je vous souhaite prospérité.

Mon adresse actuelle :

Arthur Rimbaud.
Maison Bardey, Aden.

AUX SIENS

Aden le 5 mai 1884

Mes chers amis

Comme vous le savez notre société est entièrement liquidée et l'agence du Harar que je dirigeais est supprimée, l'agence d'Aden aussi est fermée. Les pertes de la Cie en France sont me dit-on de près d'un million, pertes faites cependant dans des affaires distinctes de celles-ci, qui travaillaient assez satisfaisamment. Enfin, je me suis trouvé remercié fin Avril, et, selon les termes de mon contrat, j'ai reçu une indemnité de trois mois d'appointements, jusque fin juillet. Je suis donc actuellemnt sans emploi, quoique je sois toujours logé dans l'ancien immeuble de la Cie, lequel est loué jusqu'à fin juin. Mr Bardey [1] est reparti pour Marseille il y a une dizaine de jours pour rechercher de nouveaux fonds pour continuer les affaires d'ici. Je lui souhaite de réussir, mais je crains fort le contraire. Il m'a dit de l'attendre ici mais à la fin de ce mois-ci si les nouvelles ne sont pas satisfaisantes, je verrai à m'employer ailleurs et autrement.

Il n'y a pas de travail ici à présent, les grandes maisons fournissant les agences d'ici ayant toutes sauté à Marseille. D'un autre côté, pour qui n'est pas employé, la vie est hors de prix ici, et l'existence est intolérablement ennuyeuse, surtout l'été commencé, et vous savez qu'on a ici l'été le plus chaud du monde entier !

Je ne sais pas du tout où je pourrai me trouver dans un mois. J'ai de 12 à 13 mille francs [2] avec moi, et, comme on ne peut rien confier à personne ici, on est obligé de traîner son pécule avec soi et de le surveiller perpétuellement. Et cet argent qui pourrait me donner une petite rente suffisante pour me faire vivre hors d'emploi, il ne me rapporte rien que des embêtements continuels !

Quelle existence désolante je traîne sous ces climats absurdes et dans ces conditions insensées ! J'aurais avec ces économies un petit revenu assuré, je pourrais me reposer un peu après de longues années de souffrances, et non seulement je ne puis rester un jour sans travail, mais je ne puis jouir de mon gain. Le Trésor ici ne prend que des dépôts sans intérêts ; et les maisons de commerce ne sont pas solides du tout !

Je ne puis pas vous donner une adresse en réponse à ceci, car j'ignore

---

1. Alfred Bardey. **2.** Paterne Berrichon avait cru devoir corriger : « J'ai une quarantaine de milliers de francs ».

personnellement où je me serai trouvé entraîné prochainement, et par quelles routes, et pour où, et pour quoi, et comment !

Il est possible que les Anglais occupent prochainement le Harar [1], et il se peut que j'y retourne. On pourrait faire là un petit commerce ; je pourrais peut-être y acheter des jardins et q[uel]ques plantations et essayer d'y vivre ainsi. Car les climats du Harar et de l'Abyssinie sont excellents, meilleurs que ceux de l'Europe dont ils n'ont pas les hivers rigoureux, et la vie y est pour rien, la nourriture bonne et l'air délicieux ; tandis que le séjour sur les côtes de la mer rouge énerve les gens les plus robustes, et une année là vieillit les gens comme quatre ans ailleurs.

Ma vie ici est donc un réel cauchemar. Ne vous figurez pas que je la passe belle. Loin de là : j'ai même toujours vu qu'il est impossible de vivre plus péniblement que moi. Si le travail peut reprendre ici à bref délai, cela va encore bien, je ne mangerai pas mon malheureux fonds en courant les aventures. Dans ce cas je resterais encore le plus possible dans cet affreux trou d'Aden car les entreprises personnelles sont trop dangereuses en Afrique, de l'autre côté.

Excusez-moi de vous détailler mes ennuis. Mais je vois que je vais atteindre les 30 ans (la moitié de la vie !) et je me suis fort fatigué à rouler le monde sans résultat.

Pour vous vous n'avez pas de ces mauvais rêves et j'aime à me représenter votre vie tranquille et vos opérations paisibles. Qu'elles durent ainsi !

Quant à moi : je suis condamné à vivre longtemps encore, toujours peut-être, dans ces environs-ci, où je suis connu à présent et où je trouverai toujours du travail, tandis qu'en France je serais un étranger et je ne trouverais rien. Enfin espérons au mieux.

Salut prospère
Arthur Rimbaud
Poste restante
Aden-Camp.
Arabie

---

1. Espoir déjà exprimé dans la lettre du 31 juillet 1882.

AUX SIENS

Aden, le 20 mai 1884.

Mes chers amis

D'après les dernières nouvelles, il paraît certain que le commerce va reprendre ; et je resterai employé aux mêmes conditions, probablement à Aden.

Je compte que les affaires recommenceront vers la 1re quinzaine de juin.

Dites-moi si je puis vous envoyer quatre groupes de 10 000 francs[1], que vous placeriez sur l'État à mon nom ; car ici je suis très embarrassé de cet argent.

Bien à vous,

Rimbaud.

AUX SIENS

Aden, le 29 mai 1884.

Mes chers amis

Je ne sais encore si le travail va reprendre. On m'a télégraphié de rester, mais je commence à trouver que ça tarde. Il y a six semaines que je suis ici sans travail ; et, par les chaleurs qu'il fait ici, c'est absolument intolérable. Mais enfin, il est évident que je ne suis pas venu ici pour être heureux. Et pourtant je ne puis quitter ces régions, à présent que j'y suis connu et que j'y puis trouver à vivre, — tandis qu'ailleurs je trouverais à crever de faim exclusivement.

Si donc le travail reprend ici, je serai probablement réengagé, pour quelques années, deux ou trois ans, jusqu'à juillet 86 ou 87. J'aurai 32 ou

---

1. Tel est du moins le chiffre indiqué par Paterne Berrichon. Il semble difficile de le conserver puisque le manuscrit de la lettre précédente portait « 12 à 13 mille francs » et non 40 000 comme le voulait Berrichon. Malheureusement, pour cette lettre-ci le manuscrit manque et l'on peut difficilement procéder à une correction d'office.

33 ans à ces dates. Je commencerai à vieillir. Ce sera peut-être alors le moment de ramasser les quelque vingt mille francs que j'aurai pu épargner par ici, et d'aller épouser au pays, où on me regardera seulement comme un vieux, et il n'y aura plus que des veuves pour m'accepter !

Enfin qu'il arrive seulement un jour où je pourrai sortir de l'esclavage et avoir des rentes assez pour ne travailler qu'autant qu'il me plaira !

Mais qui sait ce qui arrivera demain et ce qui arrivera dans la suite !

Des sommes que je vous avais envoyées les années passées, et dont le total formait 3 600, ne reste-t-il rien ? S'il reste quelque chose, avertissez-m'en.

Je n'ai jamais reçu votre dernière caisse de livres. Comment a-t-elle pu s'égarer ?

Je vous enverrais bien l'argent que j'ai ; mais, si le travail ne reprend pas, je serai forcé de faire ici un petit commerce et j'aurai besoin de mes fonds, lesquels disparaîtront peut-être entièrement à bref délai. Telle est la marche des choses partout, et surtout ici.

Est-ce que j'ai encore un service militaire à faire, après l'âge de 30 ans, et si je rentre en France est-ce que j'ai toujours à faire le service que je n'ai pas fait ? D'après les termes de la loi, il me semble qu'en cas d'absence motivée, le service est *sursis*, et reste toujours à faire, en cas de retour.

Je vous souhaite bonne santé et prospérité.

Rimbaud.
Maison Bardey, Aden.

AUX SIENS

Aden, le 16 juin 1884.

Chers amis,

Je suis toujours en bonne santé, et je compte reprendre le travail prochainement.

Bien à vous,

Rimbaud.
Maison Bardey, Aden.

— N'écrivez plus sur l'adresse : Mazeran et Viannay, parce que la raison sociale est Bardey (seul) à présent.

AUX SIENS

Aden, le 19 juin 1884.

Chers amis,

Ceci pour vous avertir que je me trouve rengagé à Aden pour 6 mois, du 1er juillet au 31 décembre 1884, aux mêmes conditions. Les affaires vont reprendre, et, pour le moment, je me trouve domicilié à la même adresse, à Aden.

Pour la caisse de livres qui ne m'est pas parvenue l'an passé, elle doit être restée à l'agence des Messageries [1] à Marseille, d'où, naturellement, on ne me l'a pas expédiée si je n'avais pas de correspondant là pour prendre un connaissement [2] et payer le fret. Si c'est donc à l'agence des Messageries qu'elle a été expédiée, réclamez-la et tâchez de me la réexpédier, en paquets séparés, par la poste. Je ne comprends pas comment elle a pu être perdue.

Bien à vous,

Rimbaud.

AUX SIENS

Aden, 10 juillet 1884.

Mes chers amis,

Il y a dix jours que je suis rentré dans mon nouvel emploi, pour lequel je suis engagé jusqu'à fin décembre 1884.

Je vous suis reconnaissant de vos offres. Mais, tant que je trouve du travail et que je puis à peu près le supporter, il vaut mieux que je reste au travail et que je ramasse quelques sous.

---

1. Les Messageries maritimes, la compagnie qui assurait les liaisons avec l'Orient. Il en a été déjà plusieurs fois question dans ces lettres. **2.** Le *connaissement* est « l'acte, entre le capitaine et l'armateur, qui constate le chargement des marchandises sur le navire et les conditions du transport » (Littré).

Je voulais bien vous envoyer au moins dix mille francs [1] ; mais, comme nos affaires ne marchent guère à présent, il serait possible que je sois forcé de sortir d'emploi et de me remettre à mon compte prochainement. Comme c'est d'ailleurs en sûreté ici, j'attendrai encore quelques mois.

Je vous souhaite une bonne récolte et un été plus frais que celui d'ici (45° centigrades en chambre).

Rimbaud.
Maison Bardey, Aden.

AUX SIENS

Aden, le 31 juillet 1884.

Mes chers amis,

Voici un mois de passé dans mon nouvel emploi ; et j'espère passer encore les cinq autres assez bien. Je compte même réengager ensuite.

L'été va finir dans deux mois, c'est-à-dire fin septembre. L'hiver ici compte six mois, d'octobre à fin mars : on appelle hiver la saison où le thermomètre descend quelquefois à 25 degrés (au-dessus de zéro). L'hiver est donc aussi chaud que votre été. Il ne pleut presque jamais dans le cours du dit hiver.

Quant à l'été, on y a toujours 40 degrés. C'est très énervant [2] et très affaiblissant. Aussi, je cherche toutes les occasions de pouvoir être employé ailleurs.

Je vous souhaite bonne récolte, et que le choléra se tienne loin de vous.

Bien à vous,

Rimbaud.

1. Une fois de plus, Berrichon a substitué à ce chiffre celui de quarante mille. **2.** « Énerver » est employé au sens 3 de Littré : enlever la force physique et morale. Cf. la lettre du 5 mai 1884 : « le séjour sur les côtes de la mer rouge énerve les gens les plus robustes. »

AUX SIENS

Aden, le 10 septembre 1884.

Mes chers amis,

Il y a longtemps que je n'ai reçu de vos nouvelles. J'aime cependant à croire que tout va bien chez vous, et je vous souhaite bonnes récoltes et long automne. Je vous crois en bonne santé et en paix, comme d'ordinaire.

Voici le troisième mois de mon nouveau contrat de six mois qui va être passé. Les affaires vont mal ; et je crois que, fin décembre, j'aurai à chercher un autre emploi, que je trouverai d'ailleurs facilement, je l'espère. Je ne vous ai pas envoyé mon argent parce que je ne sais pas où aller ; je ne sais pas où je me trouverai prochainement, et si je n'aurai pas à employer ces fonds dans quelque trafic lucratif.

Il se pourrait que dans le cas où je devrais quitter Aden, j'allasse à Bombay, où je trouverais à placer l'argent que j'ai à de forts intérêts sur des banques solides, ce qui me permettrait presque de vivre de mes rentes : 24 000 roupies à 6 % donneraient 1 440 roupies par an, soit 8 francs par jour. Et je pourrais vivre avec cela, en attendant les emplois [1].

Celui qui n'est pas un grand négociant pourvu de fonds ou de crédits considérables, celui qui n'a que de petits capitaux, ici risque bien plus de les perdre que de les voir fructifier ; car on est entouré de mille dangers, et la vie, si on veut vivre un peu confortablement, vous coûte plus que vous ne gagnez. Car les employés, en Orient, sont à présent aussi mal payés qu'en Europe ; leur sort y est même bien plus précaire, à cause des climats funestes et de l'existence énervante [2] qu'on mène.

Moi, je suis à peu près fait à tous ces climats froids ou chauds, frais ou secs, et je ne risque plus d'attraper les fièvres ou autres maladies d'acclimatation, mais je sens que je me fais très vieux, très vite, dans ces métiers idiots et ces compagnies de sauvages ou d'imbéciles.

Enfin, vous le penserez comme moi, je crois, du moment que je gagne ma vie ici, et puisque chaque homme est esclave de cette fatalité misérable, autant à Aden qu'ailleurs ; mieux vaut même à Aden qu'ailleurs, où je suis inconnu, où l'on m'a oublié complètement et où j'aurais à recom-

1. Jules Mouquet, puis Antoine Adam ont cru devoir supprimer ce paragraphe qui, selon eux, « contient de telles invraisemblances qu'on est contraint de conclure à une falsification ». De plus, il rappelle étrangement l'avant-dernier paragraphe de la lettre du 26 mai 1885. Nous avons préféré le maintenir. **2.** Voir la note 2 de la lettre précédente.

mencer ! Tant, donc, que je trouverai mon pain ici, ne dois-je pas y rester ? Ne dois-je pas y rester, tant que je n'aurai pas de quoi vivre tranquille ? Or, il est plus que probable que je n'aurai jamais de quoi, et que je ne vivrai ni ne mourrai tranquille. Enfin, comme disent les musulmans : C'est écrit[1] ! C'est la vie : elle n'est pas drôle !

L'été finit ici fin septembre ; et, dès lors, nous n'aurons plus que 25 à 30° centigrades dans le jour, et 20 à 25 la nuit. C'est ce qu'on appelle l'hiver, à Aden.

Tout le littoral de cette sale Mer Rouge est ainsi torturé par les chaleurs. Il y a un bateau de guerre français à Obock, où, sur 70 hommes composant tout l'équipage, 65 sont malades des fièvres tropicales ; et le commandant est mort hier. Encore, à Obock, qui est à 4 heures de vapeur d'ici, fait-il plus frais qu'à Aden, où c'est très sain et seulement énervant par l'excès des chaleurs.

Bien à vous,

Rimbaud.

AUX SIENS

Aden, le 2 octobre 1884.

Chers amis,

Il y a longtemps que je n'ai reçu de vos nouvelles.

Pour moi, mon affaire va toujours de même. Je ne suis ni mieux ni pire qu'avant ni qu'ensuite ; et je n'ai rien d'intéressant à vous annoncer pour cette fois.

Je vous souhaite seulement bonne santé et prospérité.

Bien à vous,

Rimbaud.
Maison Bardey, Aden.

---

1. C'est le *mektoub* des musulmans.

AUX SIENS

Aden, le 7 octobre 1884.

Mes chers amis,

Je reçois votre lettre du 23 7bre [1], vos nouvelles m'attristent, ce que vous me racontez de Frédéric est très ennuyeux et peut nous porter grand préjudice à nous autres. Ça me gênerait assez, par exemple, que l'on sache que j'ai un pareil oiseau pour frère. Ça ne m'étonne d'ailleurs pas de ce Frédéric : c'est un parfait idiot, nous l'avons toujours su, et nous admirions toujours la dureté de sa caboche.

Vous n'avez pas besoin de me dire de ne pas engager de correspondance avec lui. Quant à lui donner q[uel]que chose, ce que je gagne est trop péniblement amassé pour que j'en fasse cadeau à un Bédouin de ce genre qui matériellement est moins fatigué que moi, j'en suis sûr. Enfin, j'espère cependant pour vous et pour moi qu'il finira par cesser cette comédie.

Quant à exercer sa langue sur mon compte, ma conduite est connue ici comme ailleurs. Je puis vous envoyer le témoignage de satisfaction exceptionnel que la Compagnie Mazeran liquidée m'a accordé pour quatre années de services de 1880 à 84 et j'ai une très bonne réputation ici, qui me permettra de gagner ma vie convenablement. Si j'ai eu des moments malheureux auparavant, je n'ai jamais cherché à vivre aux dépens des gens ni au moyen du mal.

Nous sommes ici en hiver à présent : la température moyenne est 25 au-dessus de zéro. Tout va bien. Mon contrat finissant fin décembre sera, je l'espère, renouvelé à mon avantage. Je trouverai toujours à vivre honorablement ici.

Il y a ici près la triste colonie française d'Obock [2], où on essaie à présent de faire un établissement ; mais je crois qu'on n'y fera jamais rien. C'est une plage déserte, brûlée, sans vivres, sans commerce, bonne seulement pour faire des dépôts de charbon, pour les vaisseaux de guerre pour la Chine et Madagascar.

---

1. Septembre. **2.** Voir Enid Starkie, *Rimbaud en Abyssinie*, p. 66-67 : « [...] la concession d'Obock marchait fort mal et était de plus en plus délaissée. Le rapport du ministre anglais à Aden, du mois de juin 1883, décrit son état de délabrement. Il ne restait, çà et là, que quelques huttes tombant en ruine. » Depuis 1882, nul ne contestait plus à la France cette concession, mais on ne la lui laissait que pour l'empêcher d'empiéter plus loin sur la côte.

La côte du Somali et le Harar sont en train de passer des mains de la pauvre Égypte dans celles des Anglais, qui n'ont d'ailleurs pas assez de forces pour maintenir toutes ces colonies. L'occupation anglaise ruine tout le commerce des côtes, de Suez à Gardafui. L'Angleterre s'est terriblement embarrassée avec les affaires d'Égypte, et il est fort probable qu'elles lui tourneront très mal.

Bien à vous.

Rimbaud.

AUX SIENS

Mazeran, Viannay et Bardey,
Adresse télégraphique :
MAVIBA-MARSEILLE

Aden, le 30 décembre 1884.

Mes chers amis

J'ai reçu votre lettre du 12 décembre, et je vous remercie des souhaits de prospérité et bonne santé, que je vous rends semblablement pour chaque jour de la prochaine année.

Comme vous le dites, ma vocation ne sera jamais dans le labourage, et je n'ai pas d'objections à voir ces terres louées : j'espère pour vous qu'elles se loueront bientôt et bien. Garder la maison est toujours une bonne chose. Quant à venir m'y reposer auprès de vous, ce me serait fort agréable : je serais bien heureux, en effet, de me reposer ; mais je ne vois guère se dessiner l'occasion du repos. Jusqu'à présent, je trouve à vivre ici : si je quitte, que rencontrerai-je en échange ? Comment puis-je aller m'enfouir dans une campagne où personne ne me connaît, où je ne puis trouver aucune occasion de gagner quelque chose ? Comme vous le dites, je ne puis aller là que pour me reposer ; et, pour se reposer, il faut des rentes ; pour se marier, il faut des rentes ; et ces rentes-là, je n'en ai rien. Pour longtemps encore, je suis donc condamné à suivre les pistes où je puis trouver à vivre, jusqu'à ce que je puisse racler, à force de fatigues, de quoi me reposer momentanément.

J'ai à présent en main treize mille francs [1]. Que voulez-vous que je fasse

1. 43 000 selon Paterne Berrichon.

de cela en France ? Quel mariage voulez-vous que ça me procure ? Pour des femmes pauvres et honnêtes, on en trouve par tout le monde ! Puis-je aller me marier là-bas, et néanmoins je serai toujours forcé de voyager pour vivre ?

Enfin j'ai trente ans passés à m'embêter considérablement et je ne vois pas que ça va finir, loin de là, ou du moins que ça va finir par un mieux.

Enfin, si vous pouvez me donner un bon plan, ça me fera bien plaisir.

Les affaires vont très mal ici, à présent. Je ne sais pas si je vais être rengagé, ou, du moins, à quelles conditions on me rengagera. J'ai quatre ans et demi ici ; je ne voudrais pas être diminué, et cependant les affaires vont très mal.

L'été aussi va revenir dans trois ou quatre mois, et le séjour ici redeviendra atroce.

C'est justement les Anglais, avec leur absurde politique, qui ruinent à présent le commerce de toutes ces côtes. Ils ont voulu tout remanier, et ils sont arrivés à faire pire que les Égyptiens et les Turcs qu'ils ont ruinés. Leur Gordon [1] est un idiot, leur Wolseley [2] un âne, et toutes leurs entreprises une suite insensée d'absurdités et de déprédations. Pour les nouvelles du Soudan, nous n'en savons pas plus qu'en France, il ne vient plus personne de l'Afrique, tout est désorganisé, et l'administration anglaise d'Aden n'a intérêt qu'à annoncer des mensonges ; mais il est fort probable que l'expédition du Soudan ne réussira pas.

La France aussi vient faire des bêtises de ce côté-ci : on a occupé, il y a un mois, toute la baie de Tadjoura, pour occuper ainsi les têtes de routes du Harar et de l'Abyssinie. Mais ces côtes sont absolument désolées, les frais qu'on fait là sont tout à fait inutiles, si on ne peut pas s'avancer prochainement vers les plateaux de l'intérieur (Harar), qui sont alors de beaux pays, très sains et productifs.

Nous voyons aussi que Madagascar, qui est une bonne colonie, n'est pas près de tomber en notre pouvoir ; et on dépense des centaines de millions pour le Tonkin, qui, selon tous ceux qui en reviennent, est une contrée misérable et impossible à défendre des invasions.

Je crois qu'aucune nation n'a une politique coloniale aussi inepte que

---

1. Charles Gordon, dit Gordon Pacha (1833-1885), passait pour l'homme fort de l'Angleterre dans la région. Le gouvernement britannique l'avait récemment chargé d'aller pacifier les « provinces équatoriales ». Enfermé dans Khartoum par les troupes du Mahdi, il sera tué lors de la prise de la ville. **2.** Sir Joseph Garnet, vicomte Wolseley (1833-1913), commandant en chef en Égypte. Il avait réprimé en 1882 la révolte d'Arabi pacha, permettant ainsi à l'Angleterre de prendre le contrôle de l'Égypte et de s'infiltrer dans toutes les anciennes colonies égyptiennes. Wolseley est parti pour le Soudan afin de porter secours à Gordon. Il arrivera trop tard.

la France. — Si l'Angleterre comment des fautes et fait des frais, elle a au moins des intérêts sérieux et des perspectives importantes. Mais nul pouvoir ne sait gâcher son argent, en pure perte, dans des endroits impossibles, comme le fait la France.

Dans huit jours, je vous ferai savoir si je suis rengagé, ou ce que je dois faire.

Tout à vous,

Rimbaud.
Aden-Camp.

AUX SIENS

Aden, le 15 janvier 1885.

Mes chers amis,

J'ai reçu votre lettre du 26 X^bre [1] [18]84. Merci de vos bons souhaits. Que l'hiver vous soit court et l'année heureuse !

Je me porte toujours bien, dans ce sale pays.

J'ai rengagé pour un an, c'est-à-dire jusqu'à fin [18]85 ; mais il est possible que, cette fois encore, les affaires soient suspendues avant ce terme. Ces pays-ci sont devenus très mauvais, depuis les affaires d'Égypte. Je reste aux mêmes conditions. J'ai 300 francs net par mois, sans compter mes autres frais qui sont payés et qui représentent encore 300 autres francs par mois. Cet emploi est donc d'environ 7 000 francs par an, dont il me reste net environ 3 500 à 4 000 francs à la fin de l'année. Ne me croyez pas capitaliste : tout mon capital à présent est de 13 000 francs, et sera d'environ 17 000 f[ran]cs à la fin de l'année. J'aurai travaillé cinq ans pour ramasser cette somme. Mais quoi faire ailleurs ? J'ai mieux fait de patienter là où je pouvais vivre en travaillant ; car quelles sont mes perspectives ailleurs ? Mais, c'est égal, les années se passent, et je n'amasse rien, je n'arriverai jamais à vivre de mes rentes dans ces pays.

Mon travail ici consiste à faire des achats de cafés. J'achète environ deux cent mille francs par mois. En 1883, j'avais acheté plus de 3 millions

---

1. Décembre.

dans l'année, et mon bénéfice là-dessus n'est rien de plus que mes malheureux appointements, soit trois, quatre mille francs par an : vous voyez que les emplois sont mal payés partout. Il est vrai que l'ancienne maison a fait une faillite de neuf cent mille francs, mais non attribuable aux affaires d'Aden, qui, si elles ne laissaient pas de bénéfice, ne perdaient au moins rien. J'achète aussi beaucoup d'autres choses : des gommes, encens, plumes d'autruche, ivoire, cuirs secs, girofles, etc., etc.

Je ne vous envoie pas ma photographie ; j'évite avec soin tous les frais inutiles. Je suis d'ailleurs toujours mal habillé ; on ne peut se vêtir ici que de cotonnades très légères ; les gens qui ont passé quelques années ici ne peuvent plus passer l'hiver en Europe, ils crèveraient de suite par quelque fluxion de poitrine. Si je reviens, ce ne sera donc jamais qu'en été ; et je serai forcé de redescendre, en hiver au moins, vers la Méditerranée. En tous cas, ne comptez pas que mon humeur deviendrait moins vagabonde, au contraire, si j'avais le moyen de voyager sans être forcé de séjourner pour travailler et gagner l'existence, on ne me verrait pas deux mois à la même place. Le monde est très grand et plein de contrées magnifiques que l'existence de mille hommes ne suffirait pas à visiter. Mais, d'un autre côté, je ne voudrais pas vagabonder dans la misère, je voudrais avoir quelques milliers de francs de rentes et pouvoir passer l'année dans deux ou trois contrées différentes, en vivant modestement et en faisant quelques petits trafics pour payer mes frais. Mais pour vivre toujours au même lieu, je trouverai toujours cela très malheureux. Enfin, le plus probable, c'est qu'on va plutôt où l'on ne veut pas, et que l'on fait plutôt ce qu'on ne voudrait pas faire, et qu'on vit et décède tout autrement qu'on ne le voudrait jamais, sans espoir d'aucune espèce de compensation.

Pour les Corans [1], je les ai reçus il y a longtemps, il y a juste un an, au Harar même. Quant aux autres livres, ils ont en effet dû être vendus. Je voudrais bien vous faire envoyer quelques livres, mais j'ai déjà perdu de l'argent à cela. Pourtant, je n'ai aucune distraction, ici, où il n'y a ni journaux, ni bibliothèques, et où l'on vit comme des sauvages.

Écrivez cependant à la librairie Hachette, je crois, et demandez quelle est *la plus récente édition* du *Dictionnaire de Commerce et de Navigation* de Guillaumin. — S'il y a une édition récente, d'après 1880, vous pouvez me l'envoyer : il y a deux gros volumes, ça coûte cent francs, mais

1. Voir la lettre à Hachette du 7 octobre 1883 où Rimbaud demandait « la meilleure traduction française du *Coran* ».

on peut avoir cela au rabais chez Sauton. Mais s'il n'y a que de vieilles éditions, je n'en veux pas. — Attendez ma prochaine lettre pour cela.

Bien à vous.

Rimbaud.

AUX SIENS

Aden le 14 Avril 1885

Mes chers amis

Je reçois votre lettre du 17 mars et je vois que vos affaires vont aussi bien que possible.

Si vous vous plaignez du froid, je me plains de la chaleur qui vient de recommencer ici. On étouffe déjà, et il y en a encore pour jusqu'à fin septembre. Je souffre d'une fièvre gastrique, je ne puis rien digérer, mon estomac est devenu très faible ici et me rend très malheureux tout l'été ; je ne sais pas comment je vais passer cet été-ci, je crains fort d'être forcé de quitter l'endroit, ma santé est fort délabrée, une année ici en vaut cinq ailleurs. En Afrique au contraire, (au Harar, et en Abyssinie), il fait très bon, et je m'y plairais beaucoup mieux qu'en Europe. Mais depuis que les Anglais sont sur la côte, le commerce de tous ces côtés est ruiné entièrement.

J'ai toujours les mêmes appointements, je n'en dépense *pas un sou*. Les 3 600 f^cs^ que je touche, je les ai intacts à la fin de l'année, ou a peu près, puisqu'en 4 ans et 4 mois, j'ai encore en main 14 500 f^cs^. L'appareil photographique, à mon grand regret, je l'ai vendu, mais sans perte. Quand je vous disais que mon emploi vaut 6 000 francs, j'évalue les frais de nourriture et de logement qu'on paie pour moi. Car tout est très cher ici. Je ne bois que de l'eau absolument, et il m'en faut pour *quinze francs* par mois ! Je ne fume jamais, je m'habille en toile de coton, mes frais de toilette ne font pas 50 f^cs^ par an. On vit horriblement mal ici pour très cher. Toutes les nuits de l'année on dort en plein air, et cependant mon logement coûte 40 francs par mois ! Ainsi de suite. Enfin on mène ici la vie la plus atroce du monde, et certainement je ne reste plus ici l'an prochain. Vous ne voudriez pour rien au monde vivre de la vie que je mène ici : on vient ici en croyant gagner quelque chose, mais un franc ailleurs en vaudrait 5 ici.

On ne reçoit aucuns journaux, il n'y a point de bibliothèques, en fait d'Européens il n'y a que quelques employés de commerce idiots qui mangent leurs appointements sur le billard, et quittent ensuite l'endroit en le maudissant.

Le commerce de ces pays était très bon il n'y a encore que quelques années. Le principal commerce est le café dit Mokha, tout le Mokha sort d'ici, depuis que Mokha est désert. Il y a ensuite une foule d'articles, cuirs secs, ivoires, plumes, gommes, encens, etc, etc, etc et l'importation est aussi très variée. Nous ici nous ne faisons guère que le café, et je suis chargé des achats et expéditions. J'ai acheté pour 800 mille francs en six mois, mais les Mokhas sont morts en France, ce commerce tombe tous les jours, les bénéfices couvrent à peine les frais, toujours fort élevés.

Les affaires sont devenues très difficiles ici, et je vis aussi pauvrement que possible pour tâcher de sortir d'ici avec quelque chose. Tous les jours, je suis occupé de 7 h. à 5 h. et je n'ai jamais un jour de congé. Quand cette vie finira-t-elle ?

Qui sait ? On nous bombardera peut-être prochainement. Les Anglais se sont mis toute l'Europe à dos [1].

La guerre est commencée en Afghanistan, et les Anglais ne finiront qu'en cédant provisoirement à la Russie, et la Russie, après quelques années, reviendra à la charge sur eux.

Au Soudan, l'expédition de Khartoum a battu en retraite [2] ; et, comme je connais ces climats, elle doit être fondue aux deux tiers. Du côté de Souakim, je crois que les Anglais ne s'avanceront pas pour le moment, avant de savoir comment tourneront les affaires de l'Inde. D'ailleurs ces déserts sont infranchissables, de mai à septembre, pour des armées à grand train.

À Obock, la petite administration française s'occupe à banqueter et à licher les fonds du gouvernement, qui ne feront jamais rendre un sou à

---

1. La volonté des Anglais de s'assurer l'exclusivité sur les pays de la mer Rouge les rendaient alors très impopulaires. Voir Enid Starkie, *Rimbaud en Abyssinie*, p. 70 : « Tout ce que la Grande-Bretagne consentait à faire, c'était de prendre des mesures pour s'assurer qu'aucune des puissances ne fît des démarches qui pourraient porter atteinte à ses intérêts. » **2.** Sur cet échec, voir *ibid.*, p. 68-69. L'Angleterre a dû céder au Soudan devant l'avance des Derviches, qui avaient mis le siège devant Khartoum, s'étaient emparés de la ville et avaient massacré Gordon.

cette affreuse colonie, colonisée jusqu'ici par une dizaine de flibustiers seulement[1].

Les Italiens sont venus se fourrer à Massaouah[2], personne ne sait comment. Il est probable qu'ils auront à évacuer, l'Angleterre ne pouvant plus rien faire pour eux.

À Aden, en prévision de guerres, on refait tout le système des fortifications. Ça me ferait plaisir de voir réduire cet endroit en poudre, — mais pas quand j'y suis !

D'ailleurs, j'espère bien n'avoir plus guère de mon existence à dépenser dans ce sale lieu.

Bien à vous
Rimbaud

À ERNEST DELAHAYE

Aden, 3/17 [mai] 1885.

Cher Delahuppe[3],

Ci-joint mon portrait et celui de mon patron après notre naturalisation[4].

te la serre.

ton

A. Rimbaud.

1. La France, accordant plus d'importance qu'auparavant à Obock, y avait envoyé un haut fonctionnaire, Léonce Lagarde, qui devait favoriser le rapprochement avec Ménélik. Voir Enid Starkie, *op. cit.*, p. 78. **2.** Enid Starkie, *op. cit.*, p. 79 : « Pour neutraliser les activités françaises à Tadjourah, et aussi pour empêcher la France de l'annexer, l'Angleterre permit à l'Italie d'occuper Massaouah, ou tout au moins ne fit aucune protestation contre cette occupation. » **3.** « Le sobriquet Delahuppe reprend l'un de ceux que les amis (Delahaye, Verlaine, Nouveau, Rimbaud) se donnaient du temps de leurs franches lippées » (J.-L. Steinmetz, *op. cit.*, p. 327). **4.** Ce terme, selon J.-L. Steinmetz, « commente la retouche animalisée des personnages de la carte et nargue leur caractère d'empaillés ». Et il ajoute : « Rimbaud et Bardey, naturels d'Aden ! Ce billet a de quoi surprendre. »

AUX SIENS

Aden, 26 mai 1885.

Chers amis,

Je vais bien tout de même, et je vous souhaite beaucoup mieux.

Nous sommes dans nos étuves printanières ; les peaux ruissellent, les estomacs s'aigrissent, les cervelles se troublent, les affaires sont infectes, les nouvelles sont mauvaises.

Quoi qu'on en ait dit dernièrement, on craint toujours fort que la guerre russo-anglaise se déclare prochainement. D'ailleurs les Anglais continuent d'armer dans l'Inde, et, en Europe, ils cherchent à se réconcilier les Turcs.

La guerre du Soudan s'est terminée honteusement pour nos Anglais. Ils abandonnent tout, pour concentrer leurs efforts sur l'Égypte propre : il y aura probablement ensuite des histoires au sujet du Canal.

La pauvre France est dans une situation tout aussi ridicule au Tonkin, où il est fort possible que, malgré les promesses de paix, les Chinois flanquent à la mer le restant des troupes. Et la guerre de Madagascar semble aussi abandonnée.

J'ai un nouvel engagement ici pour jusqu'à fin 1885. Il est fort possible que je ne le finisse pas : les affaires sont devenues tellement mesquines ici, qu'il vaudrait mieux les abandonner. Mon capital arrive juste à quinze mille francs à présent ; cela me donnerait à Bombay à 6 % sur n'importe quelle banque, une rente de 900 francs qui me permettrait de vivre en attendant un bon emploi. Mais nous verrons jusqu'à la fin de l'année.

En attendant de vos nouvelles.

Rimbaud.
Maison Bardey, Aden.

À MONSIEUR FRANZOJ

Cher Monsieur Franzoj,

Excusez-moi, mais j'ai renvoyé cette femme [1] sans rémission.

Je lui donnerai quelques thalers et elle partira s'embarquer par le boutre qui se trouve à Rasali pour Obock, où elle ira où elle veut.

J'ai eu assez longtemps cette mascarade devant moi.

Je n'aurais pas été assez bête pour l'apporter du Choa, je ne le serai pas assez pour me charger de l'y remporter.

Bien à vous.

Rimbaud.

AUX SIENS

Aden, le 28 septembre 1885.

Mes chers amis,

Je reçois votre lettre de fin août.

Je n'écrivais pas, parce que je ne savais si j'allais rester ici. Cela va se décider à la fin de ce mois, comme vous le voyez par le contrat ci-joint, trois mois avant l'expiration duquel je dois prévenir. Je vous envoie ce contrat, pour que vous puissiez le présenter en cas de réclamations mili-

---

1. Sur cette femme, voir Enid Starkie, *Rimbaud en Abyssinie*, p. 74-76. Il l'aurait ramenée du Harar à Aden. « Pendant toute l'année qu'il fut obligé de passer à Aden, l'année 1885, il vécut avec elle dans une maison qu'il loua pour y vivre avec sa compagne, bien qu'il pût être logé et nourri sans frais chez Bardey. L'union, paraît-il, fut intime et heureuse. » Il lui aurait même fait apprendre le français chez les Pères, puis ils se seraient séparés, soit parce qu'elle ne lui donnait pas d'enfant, soit qu'elle eût le mal du pays, soit qu'il fût trop préoccupé par sa prochaine expédition pour le Choa. « Elle fut rapatriée convenablement », assure Alfred Bardey dans une lettre qu'il adressa à Paterne Berrichon le 7 juillet 1897 (publiée dans le *Mercure de France*, 1er avril 1930). Sur cette question embrouillée, Jean-Luc Steinmetz se montre beaucoup plus prudent dans *Arthur Rimbaud — Une question de présence*, pp. 328-329. Il demeure cependant troublé par la photographie d'une *Dama abissina*, publiée en 1913 dans le livre de Rosa, *L'Impero del Leone di Guida*, signalant que ladite personne vivait en 1882 à Aden avec le génial poète Arthur Rimbaud... Mais la date indiquée rend le renseignement encore plus suspect.

taires. Si je reste ici, mon nouveau contrat prendra du 1er octobre[1]. Je ferai peut-être encore ce contrat de six mois ; mais l'été prochain, je ne le passerai plus ici, je l'espère. L'été finit ici vers le 15 octobre. Vous ne vous figurez pas du tout l'endroit. Il n'y a aucun arbre ici, même desséché, aucun brin d'herbe, aucune parcelle de terre, pas une goutte d'eau douce. Aden est un cratère de volcan éteint et comblé au fond par le sable de la mer. On n'y voit et on n'y touche donc absolument que des laves et du sable qui ne peuvent produire le plus mince végétal. Les environs sont un désert de sable absolument aride. Mais ici, les parois du cratère empêchent l'air d'entrer, et nous rôtissons au fond de ce trou comme dans un four à chaux. Il faut être bien forcé de travailler pour son pain, pour s'employer dans des enfers pareils ! On n'a aucune société, que les Bédouins du lieu, et on devient donc un imbécile total en peu d'années. Enfin, il me suffirait de ramasser ici une somme qui, placée ailleurs, me donnerait un intérêt sûr à peu près suffisant pour vivre.

Malheureusement, le change de la roupie en francs à Bombay baisse tous les jours ; l'*argent* se déprécie partout ; le petit capital que j'ai (16 000 francs) perd de [sa] valeur, car il est en roupies ; tout cela est abominable : des pays affreux et des affaires déplorables, ça empoisonne l'existence.

La roupie se comptait autrefois 2 frs 10 cent. dans le commerce ; elle n'a plus à présent que 1,90 de valeur ! Elle est tombée ainsi en trois mois. Si la convention monétaire est resignée, la roupie remontera peut-être jusqu'à 2 francs. J'ai à présent 8 000 roupies. Cette somme donnerait dans l'Inde, à 6 %, 480 roupies par an, avec laquelle on peut vivre.

L'Inde est plus agréable que l'Arabie. Je pourrais aussi aller au Tonkin[2] ; il doit bien y avoir quelques emplois là, à présent. Et s'il n'y a rien là, on peut pousser jusqu'au canal de Panama[3], qui est encore loin de finir.

Je voudrais bien envoyer en France cette somme, mais cela rapporte si peu ; si on achète du 4 %, on perd l'intérêt de deux ans ; et du 3 %, ça n'en vaut pas la peine. D'ailleurs, au change actuel des roupies, il faudrait toujours que j'attende ; à présent, on ne me donnerait pas plus de 1,90

---

1. « Prendra [effet à partir] du 1er octobre ». **2.** Rimbaud a pourtant parlé du Tonkin comme d'« une contrée misérable et impossible à défendre des invasions » dans sa lettre du 30 décembre 1884. **3.** Un projet ancien de Rimbaud : voir ses lettres du 15 février et du 4 mai 1881. En 1879, Ferdinand de Lesseps (1805-1894), après avoir creusé le canal de Suez, s'était intéressé au projet d'un canal de Panama. Une Compagnie, constituée en mars 1881, ne put venir à bout de la tâche. Elle sera dissoute en 1889. Le canal ne sera ouvert que le 15 août 1914 à la navigation internationale.

pour paiement comptant en France. 10 % de perte, comme c'est agréable après cinq ans de travail !

Si je fais un nouveau contrat, je vous l'enverrai. Renvoyez-moi celui-ci, quand vous n'en aurez plus besoin.

Bien à vous,

Rimbaud.

AUX SIENS

Aden, le 22 octobre 1885.

Chers amis,

Quand vous recevrez ceci, je me trouverai probablement à Tadjourah [1], sur la côte du Dankali annexée à la colonie d'Obock.

J'ai quitté mon emploi d'Aden, après une violente discussion avec ces ignobles pignoufs qui prétendaient m'abrutir à perpétuité. J'ai rendu beaucoup de services à ces gens ; et ils s'imaginaient que j'allais, pour leur plaire, rester avec eux toute ma vie. Ils ont tout fait pour me retenir ; mais je les ai envoyés au diable, avec leurs avantages, et leur commerce, et leur affreuse maison, et leur sale ville ! Sans compter qu'ils m'ont toujours suscité des ennuis et qu'ils ont toujours cherché à me faire perdre quelque chose. Enfin, qu'ils aillent au diable !... Ils m'ont donné d'excellents certificats pour les cinq années.

Il me vient quelques milliers de fusils d'Europe. Je vais former une caravane, et porter cette marchandise à Ménélik, roi du Choa.

La route pour le Choa est très longue : deux mois de marche presque jusqu'à Ankober, la capitale, et les pays qu'on traverse jusque-là sont d'affreux déserts. Mais, là-haut, en Abyssinie, le climat est délicieux, la population est chrétienne et hospitalière, la vie est presque pour rien. Il n'y a là que quelques Européens, une dizaine en tout, et leur occupation est le

1. Tadjourah, ou Tadjoura, était un port sur lequel la France revendiquait le protectorat. Cela n'allait pas sans contestation de la part de l'Angleterre, et on pouvait même parler d'une « affaire de Tadjourah » (voir Enid Starkie, *Rimbaud en Abyssinie*, p. 85-86). En août 1885, l'Angleterre avait toutefois dû renoncer à imposer les marchandises passant par Tadjourah. Le livre de Jean-François Deniau, *Tadjoura* (1999), a de nouveau attiré l'attention sur cet endroit du monde.

commerce des armes, que le roi achète à bon prix. S'il ne m'arrive pas d'accidents, je compte y arriver, être payé de suite et redescendre avec un bénéfice de 25 à 30 mille francs réalisé en moins d'un an.

L'affaire réussissant, vous me verriez en France, vers l'automne de 1886, où j'achèterais moi-même de nouvelles marchandises. J'espère que ça tournera bien. Espérez-le aussi pour moi ; j'en ai bien besoin.

Si je pouvais, après trois ou quatre ans, ajouter une centaine de mille francs à ce que j'ai déjà, je quitterais avec bonheur ces malheureux pays.

Je vous ai envoyé mon contrat, par l'avant-dernière malle, pour en exciper par devers l'autorité militaire. J'espère que désormais ce sera en règle. Avec tout cela, vous n'avez jamais pu m'apprendre quelle sorte de service j'ai à faire ; de sorte que, si je me présente à un consul pour quelque certificat, je suis incapable de le renseigner sur ma situation, ne la connaissant pas moi-même ! C'est ridicule !

Ne m'écrivez plus à la boîte Bardey ; ces animaux couperaient ma correspondance. Pendant encore trois mois, ou au moins deux et demi, après la date de cette lettre, c'est-à-dire jusqu'à la fin 1885 (y compris les quinze jours de Marseille ici), vous pouvez m'écrire à l'adresse ci-dessous :

Monsieur Arthur Rimbaud,
à Tadjourah
Colonie française d'Obock.

Bonne santé, bonne année, repos et prospérité.

Bien à vous,

Rimbaud.

AUX SIENS

Aden, le 18 novembre 1885.

Mes chers amis,

J'ai bien reçu votre dernière lettre datée du 22 octobre.

Je vous ai déjà annoncé que je partais d'Aden pour le royaume du Choa. Mes affaires se trouvent retardées ici d'une façon inattendue, je crois que je ne pourrai encore partir d'Aden qu'à la fin de ce mois-ci. Je crains donc que vous ne m'ayez déjà écrit à Tadjourah. Je change donc d'avis à ce sujet : écrivez-moi seulement à l'adresse suivante : Monsieur Arthur Rimbaud, Hôtel de l'Univers, à Aden. De là on me fera suivre en tout cas, et cela vaudra mieux, car je crois que le service postal d'Obock à Tadjourah n'est pas bien organisé.

Je suis heureux de quitter cet affreux trou d'Aden où j'ai tant peiné. Il est vrai aussi que je vais faire une route terrible : d'ici au Choa (c'est-à-dire de Tadjourah au Choa), il y a une cinquantaine de jours de marche à cheval, par des déserts brûlants. Mais en Abyssinie le climat est délicieux, il ne fait ni chaud ni froid, la population est chrétienne et hospitalière ; on mène une vie facile, c'est un lieu de repos très agréable pour ceux qui se sont abrutis quelques années sur les rivages incandescents de la mer Rouge.

Maintenant que cette affaire est en train, je ne puis reculer. Je ne me dissimule pas les dangers, je n'ignore pas les fatigues de ces expéditions ; mais, par mes séjours au Harar, je connais déjà les manières et les mœurs de ces contrées. Quoi qu'il en soit, j'espère bien que cette affaire réussira. Je compte à peu près que ma caravane pourra se lever à Tadjourah vers le 15 janvier 1886 ; et j'arriverais vers le 15 mars au Choa. C'est alors la fête de Pâques chez les Abyssins.

Si le roi me paie sans retard, je descendrai aussitôt vers la côte avec environ vingt-cinq mille francs de bénéfice.

Alors, je rentrerai en France pour faire des achats de marchandises moi-même, — si je vois que ces affaires sont bonnes. De sorte que vous pourriez bien recevoir ma visite vers la fin de l'été 1886. Je souhaite fort que ça tourne comme cela ; souhaitez-le-moi de même.

À présent, il faut que vous me cherchiez quelque chose dont je ne puis me passer, et que je ne trouverais jamais ici.

Écrivez à M. le Directeur de la Librairie des Langues orientales, à Paris :

« Monsieur,

Je vous prie d'expédier contre remboursement, à l'adresse ci-dessous, le *Dictionnaire de la langue ambara* [1] (avec la prononciation en caractères latins), par M. d'Abbadie, de l'Institut.

Agréez, monsieur, mes salutations empressées.

RIMBAUD, à Roche, canton d'Attigny, Ardennes. »

Payez pour moi ce que cela coûtera, une vingtaine de francs, plus ou moins. Je ne puis me passer de l'ouvrage pour apprendre la langue du pays où je vais et où personne ne sait une langue européenne, car il n'y a là, jusqu'à présent, presque point d'Européens.

---

1. Une langue d'Abyssinie.

Expédiez-moi l'ouvrage dit à l'adresse suivante :

M. Arthur Rimbaud, hôtel de l'Univers, à Aden.

Achetez-moi cela le plus tôt possible, car j'ai besoin d'étudier cette langue avant d'être en route. D'Aden on me réexpédiera à Tadjoura, où j'aurai toujours à séjourner un mois ou deux pour trouver des chameaux, mulets, guides, etc., etc.

Je ne compte guère pouvoir me mettre en route avant le 15 janvier 1886.

Faites ce qui est nécessaire, au sujet de cette affaire du service militaire. Je voudrais être en règle pour quand je rentrerai en France, l'an prochain.

Je vous écrirai encore plusieurs fois, avant d'être en route, comme je vous l'explique.

Donc, au revoir, et tout à vous,

Rimbaud.

[Huitième lot]

[LETTRES DE TADJOURAH (1885-1886)]

AUX SIENS

Tadjourah le 3 décembre 1885

Mes chers amis.

Je suis ici en train de former ma caravane pour le Choa. Ça ne va pas vite, comme c'est l'habitude, mais enfin je compte me lever d'ici vers la fin de janvier 1886.

Je vais bien. — Envoyez moi le dictionnaire demandé [1], à l'adresse donnée. À cette même adresse par la suite toutes les communications pour moi. De là on me fera suivre.

Ce Tadjourah-ci est annexé depuis un an à la colonie française d'Obock. C'est un petit village Dankali avec q[uel]ques mosquées et q[uel]ques palmiers. Il y a un fort construit jadis par les Égyptiens, et où dorment à présent six soldats français sous les ordres d'un sergent, commandant le poste. On a laissé au pays son petit sultan et son administration indigène. C'est un protectorat. Le commerce du lieu est le trafic des esclaves [2].

D'ici partent les caravanes des Européens pour le Choa, très peu de chose, et on ne passe qu'avec de grandes difficultés, les indigènes de toutes ces côtes étant devenus ennemis des Européens depuis que l'Amiral anglais Hewett a fait signer à l'Empereur Jean du Tigré un traité abolissant la traite

1. Le dictionnaire de langue amhara. 2. « Le seul commerce du village était celui des esclaves et l'administration anglaise à Aden faisait de son mieux pour interdire ce trafic » (Enid Starkie, *Rimbaud en Abyssinie*, p. 104).

des esclaves, le seul commerce indigène un peu florissant. Cependant sous le protectorat français on ne cherche pas à gêner la traite, et cela vaut mieux.

N'allez pas croire que je sois devenu marchand d'esclaves. Les m^{ises} [1] que nous importons sont des fusils (vieux fusils à piston réformés depuis 40 ans, qui valent chez les marchands de vieilles armes à Liège ou en France 7 ou 8 francs la pièce), au roi du Choa, Ménélik II, on les vend une quarantaine de francs. Mais il y a dessus des frais énormes, sans parler des dangers de la route aller et retour ; les gens de la route sont les Dankalis, pasteurs bedouins musulmans fanatiques, ils sont à craindre. Il est vrai que nous marchons avec des armes à feu, et les bedouins n'ont que des lances : mais toutes les caravanes sont attaquées.

Une fois la rivière Hawache passée, on entre dans les domaines du puissant roi Ménélik, là ce sont des agriculteurs chrétiens, le pays est très élevé, jusqu'à 3 000 mètres au dessus de la mer, le climat est excellent, la vie est absolument pour rien, tous les produits de l'Europe poussent, on est bien vu de la population. Il pleut là six mois de l'année, comme au Harar, qui est un des contreforts de ce grand massif Éthiopien.

Je vous souhaite bonne santé et prospérité pour l'an 1886.

Bien à vous
A. Rimbaud
Hôtel de l'Univers
Aden

AUX SIENS

Tadjourah, le 10 décembre 1885.

Mes chers amis,

Je me trouve retardé ici jusqu'à fin janvier 1886 ; et même, probablement, j'y passerai la moitié du mois de février.

Je vous rappelle le *Dictionnaire ambara* par M. d'Abbadie, que vous avez dû déjà demander. Je ne puis m'en passer pour l'étude de la langue.

1. Les marchandises.

Je crains seulement, en y pensant, que le poids de ce volume n'excède le maximum des colis postaux. S'il en était ainsi, adressez-le comme suit :

MM. Ulysse Pila et Cie, à Marseille [1]

avec une lettre priant ces messieurs de faire parvenir ledit colis, par les Messageries maritimes, à

MM. Bardey, négociants à Aden.

Ces derniers, avec lesquels je me suis remis en partant, me feront parvenir le colis à Tadjourah. Dans la lettre, vous prierez MM. Ulysse Pila et Cie de vous dire le fret et les frais payés par eux à Marseille pour la transmission dudit colis à Aden, et vous les leur rembourserez par la poste.

Ne me faites pas égarer ce colis, comme l'autre fois la caisse de livres. Si vous l'avez envoyé par la poste il me parviendra toujours ; s'il était trop volumineux pour la poste, je suppose que vous ne l'aurez pas envoyé par le chemin de fer à Marseille sans destinataire. Il faut quelqu'un pour embarquer ladite marchandise à Marseille et en payer le fret sur le vapeur des Messageries maritimes, ou bien elle reste en souffrance.

J'espère, toutefois, que vous aurez pu l'envoyer par la poste. Dans le cas contraire, je vous indique ce qu'il y a à faire. Je désirerais bien cependant ne pas me mettre en route, fin janvier, sans ce livre ; car, sans lui, je ne pourrais étudier la langue.

On est en hiver, c'est-à-dire on n'a pas plus de 30 degrés ; et l'été reprend dans 3 mois.

Je ne vous répète pas ce que je vous expliquais de mes affaires dans mes dernières lettres. Comme je me suis arrangé, je compte, en tous cas, ne rien perdre ; et j'espère bien gagner quelque chose, et, comme je vous le disais, je compte vous voir en France l'automne prochain, avant l'hiver 1886-87, en bonne santé et prospérité.

Bien à vous.

Rimbaud.

— Les postes étant encore trop mal organisées dans la colonie française d'Obock pour me faire adresser les lettres ici, envoyez-les toujours à Aden à l'adresse ci-dessus.

---

1. La firme qui a renfloué les Bardey.

AUX SIENS

Tadjourah, 2 janvier 1886.

Chers amis,

J'ai reçu votre lettre du 2 décembre.

Je suis toujours à Tadjourah et y serai certes encore plusieurs mois ; mes affaires vont bien doucement, mais j'espère que cela marchera bien tout de même. Il faut une patience surhumaine dans ces contrées.

Je n'ai pas reçu la lettre que vous dites m'avoir adressée à Tadjourah, via Obock. Le service est encore très mal organisé dans cette sale colonie.

J'attends toujours le livre demandé. Je vous souhaite une bonne année, exempte des soucis qui me tourmentent.

Voici que mon départ se trouve encore passablement retardé ; tellement, que je doute pouvoir arriver en France pour cet automne, et il me serait dangereux d'y rentrer tout d'un coup en hiver.

Bien à vous,

Rimbaud.

AUX SIENS

Tadjourah, 6 janvier 1886.

Chers amis

Je reçois aujourd'hui votre lettre du 12 décembre 1885.

Écrivez-moi tout le temps comme cela : on me fera toujours suivre ma correspondance, où que je sois. Du reste, ça va très mal : la route de l'intérieur semble devenir impraticable. Il est bien vrai que je m'expose à beaucoup de dangers et, surtout, à des désagréments indescriptibles. Mais il s'agit de gagner une dizaine de mille francs, d'ici à la fin de l'année, et, autrement, je ne les gagnerais pas en trois ans. D'ailleurs, je me suis ménagé la possibilité de rentrer dans mon capital, à n'importe quel moment ; et, si les épreuves surpassent ma patience, je me ferai rembourser ce capital et je retournerai chercher un travail à Aden ou ailleurs. À Aden, je trouverai toujours quelque chose à faire.

Ceux qui répètent à chaque instant que la vie est dure devraient venir passer quelque temps par ici, pour apprendre la philosophie !

À Tadjourah, on n'entretient qu'un poste de six soldats et un sergent français. On les relève tous les trois mois, pour les expédier en congé de convalescence vers la France. Aucun poste n'a pu passer trois mois sans être entièrement pris par les fièvres. Or, c'est la saison des fièvres dans un mois ou deux, et je compte bien y passer.

Enfin, l'homme compte passer les trois quarts de sa vie à souffrir pour se reposer le quatrième quart ; et, le plus souvent, il crève de misère sans plus savoir où il en est de son plan !

Vous m'embarrassez en vous embarrassant [1]. Le reçu de ce livre va être à présent fort retardé ! C'est bien ce qui est indiqué :

« D'Abbadie, *Dictionnaire de la langue amariñña*, 1 vol. in-8°. »

Envoyez-le, sans plus de retard, à mon adresse ordinaire : hôtel de l'Univers, à Aden, si la poste veut bien le prendre ; et, dans le cas contraire, s'il faut l'envoyer par chemin de fer, expédiez, comme je vous l'ai indiqué, à :

MM. Ulysse Pila et Cie, à Marseille,
pour
MM. Bardey frères, à Aden.

Ceux-ci feront suivre à Tadjourah.

Je ne trouve pas un timbre dans cet horrible pays ; je vous envoie ceci non affranchi, excusez-moi.

Rimbaud.

AUX SIENS

Tadjourah, 31 janvier 1886.

Chers amis,

Je n'ai rien reçu de vous depuis la lettre où vous m'envoyiez le titre de l'ouvrage que je réclamais, en me demandant si c'était cela. Je vous ai répondu affirmativement, dans les premiers jours de janvier, et je répète, dans le cas où cela ne vous serait pas parvenu :

---

1. La formule est elle-même fort embarrassée. Sur la cause de cet embarras, voir la lettre suivante.

« *Dictionnaire de la langue amariñña*, par d'Abbadie. »

Mais je suppose que l'ouvrage est déjà en route, et il me parviendra, car, du train que les choses marchent, je vois que je serai ici encore fin mars. Mes marchandises sont arrivées ; mais les chameaux ne se trouvent pas pour ma caravane, et il faudra attendre longtemps encore, peut-être même jusqu'à mai, avant de me lever de la côte.

Ensuite, le voyage aller durera deux mois, soit l'arrivée au Choa fin juin environ ; même dans les conditions les plus avantageuses, je ne serai pas de retour à Aden avant tout à fait la fin de 1886 ou le commencement de 87 ; de sorte que, si j'ai à aller en Europe, ce ne sera qu'au printemps de ce 1887. La moindre entreprise en Afrique est sujette à des contretemps insensés et requiert une patience extraordinaire.

Bien à vous,

Rimbaud.

AUX SIENS

Tadjourah, 28 février 1886.

Mes chers amis,

Cette fois, il y a deux mois presque que je suis sans vos nouvelles.

Je suis toujours ici, avec la perspective d'y rester encore trois mois. C'est fort désagréable ; mais cela finira cependant par finir, et je me mettrai en route pour arriver, je l'espère, sans encombre.

Toute ma marchandise est débarquée, et j'attends le départ d'une grande caravane pour m'y joindre.

Je crains que vous n'ayez pas rempli les formalités pour l'envoi du *Dictionnaire ambara* : il ne m'est rien arrivé jusqu'à présent. Mais, peut-être, est-ce à Aden ; car il y a six mois [1] que je vous ai écrit à propos de ce livre, pour la première fois, et vous voyez comme vous avez le talent de me faire parvenir avec précision les choses dont j'ai besoin : six mois pour recevoir un livre !

Dans un mois, ou six semaines, l'été va recommencer sur ces côtes

---

1. Le 18 novembre de l'année précédente.

maudites. J'espère ne pas en passer une grande partie ici et me réfugier, dans quelques mois, parmi les monts de l'Abyssinie, qui est la Suisse africaine, sans hivers et sans étés : printemps et verdure perpétuelle, et l'existence gratuite et libre !

Je compte toujours redescendre fin 1886, commencement 1887.

Bien à vous,

Rimbaud.

AUX SIENS

Tadjourah, 8 mars 1886.

Chers amis,

J'attends toujours ledit volume, je trouve que le retard s'accentue. Je ne pars pas d'ici d'ailleurs avant *mai*.

Écrivez-moi toujours à l'adresse ci-dessous.

Voici 2 mois sans nouvelles de vous.

Arthur Rimbaud.
Hôtel de l'Univers[1], à Aden.

AU MINISTRE DES AFFAIRES ÉTRANGÈRES À PARIS

Monsieur le Ministre,

Nous sommes négociants français établis depuis une dizaine d'années au Choa, à la cour du roi Ménélik[2].

Au mois d'août 1885, le roi du Choa, le Ras Govanal et plusieurs de nos relations en Abyssinie nous firent une commande d'armes et de munitions, d'outils et de marchandises variées ; ils nous avancèrent certaines sommes, et, rassemblant en outre tous nos capitaux disponibles au Choa, nous descendîmes à la Côte d'Obock. Là, ayant demandé et obtenu de M. le gouverneur d'Obock l'autorisation de débarquer à Tadjourah et d'expédier en

1. « Hôtel Suel », biffé sur le manuscrit. **2.** Cela ne vaut que pour Labatut.

caravane la quantité précise d'armes et de munitions que nous désirions acheter, ayant aussi obtenu du gouverneur d'Aden, par l'entremise de M. le Consul de France, l'autorisation de faire transiter lesdites armes à Aden pour Tadjourah, nous fîmes faire nos achats en France par nos correspondants, l'un de nous restant à Aden pour le transit, l'autre à Tadjourah, pour la préparation de la caravane sous la protection française.

Vers la fin de janvier 1886, nos marchandises ayant transité à Aden furent débarquées à Tadjourah et nous organisâmes notre caravane, d'ailleurs avec les difficultés ordinaires à Tadjourah. Enfin, notre départ devait avoir lieu vers la fin de ce mois d'avril.

Le 12 avril, M. le gouverneur d'Obock venait nous annoncer qu'une dépêche du Gouvernement ordonnait sommairement d'arrêter toute importation d'armes au Choa ! Ordre était donné au sultan de Tadjourah d'arrêter la formation de notre caravane ! Ainsi, avec nos marchandises en séquestre, nos capitaux dispersés en frais de caravane, notre personnel subsistant indéfiniment à nos frais, et notre matériel se détériorant, nous attendons à Tadjourah les motifs et les suites d'une mesure aussi arbitraire. Cependant nous sommes bien en règle avec tous les règlements, les autorités de la colonie peuvent en témoigner. Nous n'avons apporté d'armes qu'à l'ordre du gouvernement du Choa, et, pourvus de l'autorisation nécessaire, nous procédons à les expédier à leur destination aussi promptement que possible ; nous pouvons prouver que nous n'avons jamais vendu, donné ou même confié une seule arme aux indigènes en aucuns temps ni lieux. Nos armes doivent être livrées à Ménélik dans leur emballage au départ de France, et il ne peut jamais en être rien distrait, soit à la côte, soit à l'intérieur.

Quelles que doivent être par la suite les décisions du Ministère, nous demandons à établir d'avance qu'il nous serait tout à fait impossible de liquider légalement ou normalement notre affaire, 1° parce que ces armes et munitions sont à l'ordre du gouvernement du Choa, et 2° parce qu'il nous est impossible de rentrer dans les frais faits.

Nulle part ces armes ne réaliseraient leur valeur *revient Tadjourah*. Les gens au courant de ces opérations savent qu'un capital triple de la valeur réelle des armes est immédiatement consommé à la côte par le débarquement, les vivres et salaires de toute une population de servants abyssins et de chameliers assemblés pour la caravane, les bakchichs considérables en argent et en cadeaux aux notables, les extorsions des Bédouins du voisinage, les avances perdues, le paiement du loyer des chameaux, les droits de racolage et les taxes de passage, les frais d'habitation et de nourriture des Européens, l'achat et l'entretien d'une masse de matériel, de vivres, d'animaux de transport par une route de cinquante jours dans le plus aride des déserts ! À la formation d'une caravane à Tadjourah, la population en subsiste tout entière pendant les trois, six et même dix mois que l'on se trouve inévitablement retardé dans ce lieu.

Nous devrions d'ailleurs mettre en première ligne de compte les années écoulées au Choa à attendre ces commandes, les frais de descente à la côte, les salaires des gens engagés au Choa à notre service depuis des années dans la perspective de cette opération. Nous sommes engagés dans cette unique affaire pour tous nos capitaux, tout notre matériel et notre personnel, tout notre temps et notre existence même.

Il se comprend que l'on n'entreprend des affaires aussi lentes, dangereuses et fastidieuses que dans la perspective assurée de gros bénéfices. Les prix payés de ces armes au Choa, où elles sont d'ailleurs peu nombreuses jusqu'ici, sont en effet extraordinairement élevés, d'autant plus que les paiements se font en marchandises cédées par le Roi au prix du Choa et laissant au retour un bénéfice d'environ 50 pour cent sur la place d'Aden. Cela explique que des négociants français opèrent au Choa avec des fonds empruntés à 50, 75 et 100 pour cent d'intérêt annuel.

C'est donc leur valeur définitive au Choa que nous devons logiquement donner dès à présent aux armes de notre caravane organisée à Tadjourah, puisque, les frais faits et les fatigues subies, il ne nous reste plus qu'à franchir la route pour faire la livraison et toucher le paiement.

Voici en détail la valeur de l'opération que l'autorité française nous a permis de former, puis défendu d'exécuter :

2 040 fusils à capsules, tarifés au Choa quinze dollars Marie-Thérèse l'un, total dollars,	30 600
60 000 cartouches Remington à 60 dollars le mille,	3 600
Report : dollars,	34 200

Aux armes et munitions est annexée une commande d'outils pour le roi qu'il est impossible d'expédier isolément. Valeur dollars 5 800

La valeur totale de la caravane à la livraison est donc de dollars 40 000.

Ajoutant 50 pour cent au retour, c'est-à-dire le bénéfice de la vente à Aden des marchandises (ivoire, musc, or) données en paiement au Choa par le roi, nous établissons que cette opération doit nous produire une somme nette de 60 000 dollars dans un délai d'un an à 18 mois. 60 000 dollars, au change moyen d'Aden (francs 4,30), égalent 258 000 francs.

Nous considérons le Gouvernement comme notre débiteur de cette somme tant que durera l'interdiction présente, et, si elle est maintenue, tel sera le chiffre de l'indemnité que nous réclamerons du gouvernement... D'ailleurs le fait de l'interdiction de l'importation des armes à destination du Choa aura pour résultat unique, certain et immédiat, de supprimer radicalement les rapports commerciaux de la colonie d'Obock et de l'Abyssinie.

Pendant que la route d'Assab restera spécialement ouverte à l'importation des armes sous protection italienne, que l'excellente route de Zeylah accaparera l'importation des étoffes et marchandises indigènes sous protection anglaise, aucun Français n'osera plus s'aventurer dans le traquenard Obock-Tadjourah, et il n'y aura plus aucune raison pour continuer à stipendier les chefs de Tadjourah et de la sinistre route qui le relie au Choa.

Nous ne pouvons nous empêcher de faire les réflexions suivantes sur quelques raisons politiques qui pourraient avoir motivé la mesure qui nous frappe :

1° Il serait absurde de supposer que les Dankalis puissent s'armer par l'occasion de ce trafic. Le fait extraordinaire, et qui ne se reproduirait plus, de quelques centaines d'armes pillées au loin lors de l'attaque de la caravane Barral[1], réparties entre un million de Bédouins, ne constitue aucun danger. D'ailleurs, les Dankalis, comme les autres peuplades de la côte, ont si peu de goût pour les armes à feu, qu'on ne leur en trouverait jamais le moindre débris sur la côte ;

2° On ne peut dire qu'il y ait corrélation entre l'importation des armes et l'exportation des esclaves. Ce dernier trafic existe entre l'Abyssinie et la côte, depuis la plus haute antiquité, dans des proportions invariables. Mais nos affaires sont tout à fait indépendantes des trafics obscurs des Bédouins. Personne n'oserait avancer qu'un Européen ait jamais vendu ou acheté, transporté ou aidé à transporter un seul esclave, à la côte ni dans l'intérieur.

Espérant mieux du gouvernement de la nation française que nous avons honorablement et courageusement représentée dans ces contrées,

Nous vous prions d'accepter, Monsieur le Ministre, l'hommage de nos respects très dévoués.

Labatut et Rimbaud.

Tadjourah, le 15 avril 1886

---

1. Le 25 février, Léon Barral, avec sa femme et toute son expédition, avait été assassiné par les Danakils en rentrant d'Ankober.

AUX SIENS

Aden, le 21 mai 1886.

Chers amis,

Je trouve à Aden, où je suis venu passer quelques jours, le livre que vous m'avez envoyé.

Je crois que, définitivement, je partirai fin juillet.

Je vais toujours bien. Les affaires ne vont ni mieux ni plus mal.

Envoyez vos lettres dans de grandes enveloppes.

Bien à vous,

Rimbaud.

REÇU

1er juin 1886.

Nous soussignés déclarons devoir à Monsieur J. Suel, la somme de (Rs 11 518, 8) onze mille, cinq cent dix-huit Roupies, huit annas, montant des sommes diverses qu'il nous a remises et de tout compte détaillé jusqu'à fin mai 1886.

La dite somme portera intérêts à partir du 1er juin 1887 à raison de 12 p[ou]r % l'an.

Aden, le 1er juin 1886.
P(ie)r(re) Labatut
A. Rimbaud.

11 518, 8
115, 3
11 633, 11

REÇU À A. DESCHAMPS

Je soussigné A. Rimbaud paierai à présen^tion^ contre la présente reconnaissance à M. Deschamps ou à son ordre la somme de cent cinquante thalers pour solde de dix fusils à moi livrés.

Bon pour cent cinquante thalers.
A. Rimbaud.

Tadjourah
le 27 juin 1886.
Payable au Choa.

Payé à Aden 150 th.

Payer à l'o[rdre] de M. Audon
Tadjourah le 27 juin 1886
A. Deschamps
M. Audon

AUX SIENS

Tadjourah, 9 juillet 1886.

Mes chers amis

Je reçois seulement à présent votre lettre du 28 mai.

Je ne comprends rien du tout au service postal de cette maudite colonie. J'écris régulièrement.

Il y a eu des incidents désagréables ici, mais pas de massacres sur la côte : une caravane a été attaquée en route, mais c'est parce qu'elle était mal gardée[1].

Mes affaires sur la côte ne sont pas encore réglées, mais je compte que je serai en route en septembre sans rémission.

Le dictionnaire m'est arrivé depuis longtemps.

---

1. Il s'agit toujours de la caravane Barral.

Je me porte bien, aussi bien qu'on peut se porter ici en été, avec cinquante et cinquante-cinq centigrades à l'ombre.

Bien à vous,

A. Rimbaud.
Hôtel de l'Univers,
Aden.

AUX SIENS

Tadjourah, 15 septembre 1886.

Mes chers amis,

Il y a très longtemps que je ne reçois rien de vous.

Je compte définitivement partir pour le Choa, fin septembre.

J'ai été retardé très longtemps ici, parce que mon associé est tombé malade et est rentré en France d'où on m'écrit qu'il est près de mourir [1].

J'ai une procuration pour toutes ses marchandises ; de sorte que je suis obligé de partir quand même ; et je partirai seul, Soleillet (l'autre caravane à laquelle je devais me joindre) étant mort également [2].

Mon voyage durera au moins un an.

Je vous écrirai au dernier moment. Je me porte très bien.

Bonne santé et bon temps.

Adresse : Arthur Rimbaud,
Hôtel de l'Univers,
Aden.

1. Suel vient d'avertir Rimbaud que son associé Labatut connaît une rémission temporaire de son mal, le cancer de la gorge. **2.** « Également » est cocasse, puisque Labatut est encore en vie. Soleillet est mort d'une crise cardiaque en pleine rue, à Aden, le 9 septembre.

[Neuvième lot]

[DU CHOA ET DU CAIRE (1887)]

AUX SIENS

Abyssinie du Sud.
Entotto (Choa), le 7 avril 1887.

Mes chers amis,

Je me trouve en bonne santé ; mes affaires d'ici ne finiront pas avant la fin de l'année. Si vous avez à m'écrire, adressez ainsi :

Monsieur Arthur Rimbaud,
Hôtel de l'Univers, à Aden.

De là, les choses me parviendront comme elles pourront. J'espère être de retour à Aden vers le mois d'octobre ; mais, les choses sont très longues dans ces sales pays, qui sait ?

Bien à vous,

Rimbaud.

À M. DE GASPARY

Aden, le 30 juillet 1887.

Monsieur le Consul,

J'ai l'honneur de vous rendre compte de la liquidation de la caravane de feu Labatut, opération dans laquelle j'étais associé selon une convention faite au consulat en mai 1886.

Je ne sus le décès de Labatut qu'à la fin de 86[1] ; au moment où, tous les premiers frais payés, la caravane commençait à se mettre en marche et ne pouvait plus être arrêtée, et ainsi je ne pus m'arranger à nouveau avec les créanciers de l'opération.

Au Choa, la négociation de cette caravane se fit dans des conditions désastreuses : Ménélik s'empara de toutes les marchandises et me força de les lui vendre à prix réduit, m'interdisant la vente au détail et me menaçant de les renvoyer à la côte à mes frais ! Il me donna en bloc 14 000 thalers de toute la caravane, retranchant de ce total une somme de 2 500 thalers pour paiement de la 2e moitié du loyer des chameaux et autres frais de caravane soldés par l'Azzaze[2], et une autre somme de 3 000 thalers, solde de compte au débit de Labatut chez lui, me dit-il, tandis que tous m'assurèrent que le roi restait plutôt débiteur de Labatut.

Traqué par la bande des prétendus créanciers de Labatut, auxquels le roi donnait toujours raison, tandis que je ne pouvais jamais rien recouvrer de ses débiteurs, tourmenté par sa famille abyssine[3] qui réclamait avec acharnement sa succession et refusait de reconnaître ma procuration, je craignis d'être bientôt dépouillé complètement et je pris le parti de quitter le Choa, et je pus obtenir du roi un bon sur le gouverneur du Harar, Dedjazmatch Makonnen, pour le paiement d'environ 9 000 thalers, qui me restaient redus seulement, après le vol de 3 000 thalers opéré par Ménélik sur mon compte, et selon les prix dérisoires qu'il m'avait payés.

Le paiement du bon de Ménélik ne se termina pas au Harar sans frais et difficultés considérables, quelques-uns des créanciers étant venus me

1. Ce qui ne signifie donc pas que Labatut soit mort à la fin de l'année 1886, comme l'écrit Jean-Luc Steinmetz, *op. cit.*, p. 337. **2.** Intendant du roi Ménélik. L'azzaze, ou hazage, est le chef des domestiques d'une maison. **3.** Labatut avait épousé une femme abyssine.

relancer jusque-là. En somme, je rentrai à Aden, le 25 juillet 1887 avec 8 000 thalers de traites et environ 600 thalers en caisse.

Dans notre convention avec Labatut, je me chargeais de payer, outre tous les frais de la caravane :

1° au Choa, 3 000 thalers par la livraison de 300 fusils à ras[1] Govanna, affaire réglée par le roi lui-même ;

2° à Aden, une créance à M. Suel, acquittée actuellement avec une réduction réglée entre les parties[2] ;

3° un billet de Labatut à M. Audon[3], au Choa, créance dont j'ai déjà versé, au Choa et au Harar, plus de 50 % suivant documents entre mes mains.

Tout ce qui pouvait être, d'ailleurs, au débit de l'opération a été réglé par moi. La balance étant une encaisse d'environ 2 500 thalers, et Labatut me restant débiteur, par obligations faites au consulat, d'une somme de 5 800 thalers, je sors de l'opération avec une perte de 60 % sur mon capital, sans compter vingt et un mois de fatigues atroces passés à la liquidation de cette misérable affaire.

Tous les Européens au Choa ont été témoins de la marche de cette affaire, et j'en tiens les documents à la disposition de M. le Consul.

Agréez, Monsieur le Consul, l'assurance de mon dévouement respectueux.

A. Rimbaud.

LETTRE AU DIRECTEUR DU *BOSPHORE ÉGYPTIEN*

Le Caire, août 1887.

Monsieur,

De retour d'un voyage en Abyssinie et au Harar, je me suis permis de vous adresser les quelques notes suivantes, sur l'état actuel des choses dans cette région. Je pense qu'elles contiennent quelques renseigne-

1. Seigneur. **2.** Le reçu de Suel, daté d'Aden, 27 juillet 1887, a été conservé : la somme était de 4 000 thalaris. **3.** Agent d'A. Deschamps au Choa.

ments inédits ; et, quant aux opinions y énoncées, elles me sont suggérées par une expérience de sept années de séjour là-bas.

Comme il s'agit d'un voyage circulaire entre Obock, le Choa, Harar et Zeilah, permettez-moi d'expliquer que je descendis à Tadjourah au commencement de l'an passé dans le but d'y former une caravane à destination du Choa.

Ma caravane se composait de quelques milliers de fusils à capsules et d'une commande d'outils et fournitures diverses pour le roi Ménélik. Elle fut retenue une année entière à Tadjourah par les Dankalis, qui procèdent de la même manière avec tous les voyageurs, ne leur ouvrant leur route qu'après les avoir dépouillés de tout le possible. Une autre caravane, dont les marchandises débarquèrent à Tadjourah avec les miennes, n'a réussi à se mettre en marche qu'au bout de quinze mois et les mille Remington apportés par feu Soleillet à la même date gisent encore après dix-neuf mois sous l'unique bosquet de palmiers du village.

À six courtes étapes de Tadjourah, soit environ 60 kilomètres, les caravanes descendent au Lac salé par des routes horribles rappelant l'horreur présumée des paysages lunaires. Il paraît qu'il se forme actuellement une société française, pour l'exploitation de ce sel.

Certes, le sel existe, en surfaces très étendues, et peut-être assez profondes, quoiqu'on n'ait pas fait de sondages. L'analyse l'aurait déclaré chimiquement pur, quoiqu'il se trouve déposé sans filtrations aux bords du lac. Mais il est fort à douter que la vente couvre les frais du percement d'une voie pour l'établissement d'un Decauville[1], entre la plage du lac et celle du golfe de Goubbet-Kérab, les frais de personnel et de main-d'œuvre, qui seraient excessivement élevés, tous les travailleurs devant être importés, parce que les Bédouins Dankalis ne travaillent pas, et l'entretien d'une troupe armée pour protéger les travaux.

Pour en revenir à la question des débouchés, il est à observer que l'importante saline de Cheik-Othman, faite près d'Aden, par une société italienne, dans des conditions exceptionnellement avantageuses, ne paraît pas encore avoir trouvé de débouché pour les montagnes de sel qu'elle a en stock.

Le Ministère de la Marine a accordé cette concession aux pétitionnaires, personnes trafiquant autrefois au Choa, à condition qu'elles se procurent l'acquiescement des chefs intéressés de la côte et de l'intérieur. Le gouvernement s'est d'ailleurs réservé un droit par tonne, et a fixé une quotité

1. Chemin de fer léger, facile à démonter et à remonter. Il porte le nom de son inventeur, né en 1846, mort en 1922.

pour l'exploitation libre par les indigènes. Les chefs intéressés sont : le sultan de Tadjourah, qui serait propriétaire héréditaire de quelques massifs de roches dans les environs du lac (il est très disposé à vendre ses droits) ; le chef de la tribu des Debné, qui occupe notre route, du lac jusqu'à Hérer, le sultan Loïta, lequel touche du gouvernement français une paie mensuelle de cent cinquante thalers pour ennuyer le moins possible les voyageurs ; le sultan Hanfaré de l'Aoussa, qui peut trouver du sel ailleurs, mais qui prétend avoir le droit partout chez les Dankalis ; et enfin Ménélik, chez qui la tribu des Debné, et d'autres, apportent annuellement quelques milliers de chameaux de ce sel, peut-être moins d'un millier de tonnes. Ménélik a réclamé au Gouvernement quand il a été averti des agissements de la société et du don de la concession. Mais la part réservée dans la concession suffit au trafic de la tribu des Debné et aux besoins culinaires du Choa, le sel en grains ne passant pas comme monnaie en Abyssinie.

Notre route est dite route Gobât, du nom de sa quinzième station, où paissent ordinairement les troupeaux des Debné, nos alliés. Elle compte environ vingt-trois étapes, jusqu'à Hérer, par les paysages les plus affreux de ce côté de l'Afrique. Elle est fort dangereuse par le fait que les Debné, tribus d'ailleurs des plus misérables, qui font les transports, sont éternellement en guerre, à droite, avec les tribus Moudeïtos et Assa-Imara, et, à gauche, avec les Issas Somali.

Au Hérer, pâturages à une altitude d'environ 800 mètres, à environ 60 kilomètres du pied du plateau des Itous Gallas, les Dankalis et les Issas paissent leurs troupeaux en état de neutralité généralement.

De Hérer, on parvient à l'Hawasch en huit ou neuf jours. Ménélik a décidé d'établir un poste armé dans les plaines du Hérer pour la protection des caravanes ; ce poste se relierait avec ceux des Abyssins dans les monts Itous.

L'agent du roi au Harar, le Dedjazmatche Mékounène[1], a expédié du Harar au Choa, par la voie de Hérer, les trois millions de cartouches Remington et autres munitions que les commissaires anglais avaient fait

---

1. Ou Makonnen. C'est le neveu de Ménélik, qui en a fait son représentant au Harar. Enid Starkie en propose le portrait suivant (*Rimbaud en Abyssinie*, p. 136-137) : « Il était petit et noir comme la suie, avec des mains délicates de femme et des yeux doux et expressifs. [...] Le Ras Makonnen était très aimé de tous les étrangers qui venaient en Éthiopie et plus tard, quand Rimbaud s'installa de nouveau au Harar, une certaine amitié unit les deux hommes. » « Amitié » est sans doute trop dire, et on verra que, plus tard, Rimbaud s'est montré critique à l'égard de Makonnen.

abandonner au profit de l'Émir Abdoullahi lors de l'évacuation égyptienne.

Toute cette route a été relevée astronomiquement, pour la première fois, par M. Jules Borelli, en mai 1886, et ce travail est relié géodésiquement par la topographie, en sens parallèle des monts Itous, qu'il a faite dans son récent voyage au Harar.

En arrivant à l'Hawasch, on est stupéfait en se remémorant les projets de canalisation de certains voyageurs. Le pauvre Soleillet avait une embarcation spéciale en construction à Nantes dans ce but ! L'Hawasch est une rigole tortueuse et obstruée à chaque pas par les arbres et les roches. Je l'ai passé à plusieurs points, à plusieurs centaines de kilomètres, et il est évident qu'il est impossible de le descendre, même pendant les crues. D'ailleurs, il est partout bordé de forêts et de déserts, éloigné des centres commerciaux et ne s'embranchant avec aucune route. Ménélik a fait faire deux ponts sur l'Hawasch, l'un sur la route d'Entotto au Gouragné, l'autre sur celle d'Ankober au Harar par les Itous. Ce sont de simples passerelles en troncs d'arbres, destinées au passage des troupes pendant les pluies et les crues, et néanmoins ce sont des travaux remarquables pour le Choa.

— Tous frais réglés, à l'arrivée au Choa, le transport de mes marchandises, cent charges de chameau, se trouvait me coûter huit mille thalers, soit quatre-vingts thalers par chameau, sur une longueur de 500 kilomètres seulement. Cette proportion n'est égalée sur aucune des routes de caravanes africaines ; cependant je marchais avec toute l'économie possible et une très longue expérience de ces contrées. Sous tous les rapports, cette route est désastreuse, et est heureusement remplacée par la route de Zeilah au Harar et du Harar au Choa par les Itous.

— Ménélik se trouvait encore en campagne au Harar quand je parvins à Farré, point d'arrivée et de départ des caravanes et limite de la race Dankalie. Bientôt arriva à Ankober la nouvelle de la victoire du roi, de son entrée au Harar, et l'annonce de son retour, lequel s'effectua en une vingtaine de jours. Il entra à Entotto précédé de musiciens sonnant à tue-tête des trompettes égyptiennes trouvées au Harar, et suivi de sa troupe et de son butin, parmi lequel deux canons Krupp transportés chacun par quatre-vingts hommes.

Ménélik avait depuis longtemps l'intention de s'emparer du Harar, où il croyait trouver un arsenal formidable, et en avait prévenu les agents politiques français et anglais sur la côte. Dans les dernières années, les troupes abyssines rançonnaient régulièrement les Itous ; elles finirent par s'y établir. D'un autre côté, l'émir Abdullaï, depuis le départ de Radouan-Pacha avec les troupes égyptiennes, s'organisait une petite armée et rêvait de devenir le Mahdi des tribus musulmanes du centre du Harar. Il écrivit à Ménélik revendiquant la frontière de l'Hawasch et lui intimant de se convertir à l'Islam. Un poste abyssin s'étant avancé jusqu'à quelques jours du Harar, l'émir envoya pour les disperser quelques canons et quelques Turcs restés à son service : les Abyssins furent battus, mais Ménélik irrité se mit en marche lui-même, d'Entotto, avec une trentaine de mille guerriers. La rencontre eut lieu à Shalanko, à 60 kilomètres ouest de Harar, là où Nadi Pacha avait, quatre années auparavant, battu les tribus Gallas des Méta et des Oborra.

L'engagement dura à peine un quart d'heure, l'émir n'avait que quelques centaines de Remington, le reste de sa troupe combattant à l'arme blanche. Ses trois mille guerriers furent sabrés et écrasés en un clin d'œil par ceux du roi du Choa. Environ deux cents Soudanais, Égyptiens, et Turcs, restés auprès d'Abdullaï après l'évacuation égyptienne, périrent avec les guerriers Gallas et Somalis. Et c'est ce qui fit dire à leur retour aux soldats choanais, qui n'avaient jamais tué de blancs, qu'ils rapportaient les testicules de tous les Franguis du Harar.

L'émir put s'enfuir au Harar, d'où il partit la même nuit pour aller se réfugier chez le chef de la tribu des Guerrys, à l'est du Harar, dans la direction de Berbera. Ménélik entra quelques jours ensuite au Harar sans résistance, et ayant consigné ses troupes hors de la ville, aucun pillage n'eut lieu. Le monarque se borna à frapper une imposition de soixante-quinze mille thalers sur la ville et la contrée, à confisquer, selon le droit de guerre abyssin, les biens meubles et immeubles des vaincus morts dans la bataille et à aller emporter lui-même des maisons des européens et des autres tous les objets qui lui plurent. Il se fit remettre toutes les armes et munitions en dépôt en ville, ci-devant propriété du gouvernement égyptien, et s'en retourna pour le Choa, laissant trois mille de ses fusiliers campés sur une hauteur voisine de la ville et confiant l'administration de la ville à l'oncle de l'émir Abdullaï, Ali Abou Béker, que les Anglais avaient, lors de l'évacuation, emmené prisonnier à Aden, pour le lâcher ensuite, et que son neveu tenait en esclavage dans sa maison.

Il advint, par la suite, que la gestion d'Ali Abou Béker ne fut pas du goût de Mékounène, le général agent de Ménélik, lequel descendit dans la ville avec ses troupes, les logea dans les maisons et les mosquées, emprisonna Ali et l'expédia enchaîné à Ménélik.

Les Abyssins, entrés en ville, la réduisirent en un cloaque horrible, démolirent les habitations, ravagèrent les plantations, tyrannisèrent la population comme les nègres savent procéder entre eux, et, Ménélik continuant à envoyer du Choa des troupes de renfort suivies de masses d'esclaves, le nombre des Abyssins actuellement au Harar peut être de douze mille, dont quatre mille fusiliers armés de fusils de tous genres, du Rémington au fusil à silex.

La rentrée des impôts de la contrée Galla environnante ne se fait plus que par razzias, où les villages sont incendiés, les bestiaux volés et la population emportée en esclavage. Tandis que le gouvernement égyptien tirait sans efforts de Harar quatre-vingt mille livres, la caisse abyssine est constamment vide. Les revenus des Gallas, de la douane, des postes, du marché, et les autres recettes sont pillés par quiconque se met à les toucher. Les gens de la ville émigrent, les Gallas ne cultivent plus. Les Abyssins ont dévoré en quelques mois la provision de dourah laissée par les Égyptiens et qui pouvait suffire pour plusieurs années. La famine et la peste sont imminentes.

Le mouvement de ce marché, dont la position est très importante, comme débouché des Gallas le plus rapproché de la côte, est devenu nul. Les Abyssins ont interdit le cours des anciennes piastres égyptiennes qui étaient restées dans le pays comme monnaie divisionnaire des thalaris Marie-Thérèse, au privilège exclusif d'une certaine monnaie de cuivre qui n'a aucune valeur. Toutefois, j'ai vu à Entotto quelques piastres d'argent que Ménélik a fait frapper à son effigie et qu'il se propose de mettre en circulation au Harar, pour trancher la question des monnaies.

Ménélik aimerait à garder le Harar en sa possession, mais il comprend qu'il est incapable d'administrer le pays de façon à en tirer un revenu sérieux, et il sait que les Anglais ont vu d'un mauvais œil l'occupation abyssine. On dit, en effet, que le gouverneur d'Aden, qui a toujours travaillé avec la plus grande activité au développement de l'influence britannique sur la côte Somalie, ferait tout son possible pour décider son gouvernement à faire occuper le Harar au cas où les Abyssins l'évacueraient, ce qui pourrait se produire par suite d'une famine ou des complications de la guerre du Tigré.

De leur côté, les Abyssins au Harar croient chaque matin voir apparaître les troupes anglaises au détour des montagnes. Mékounène a écrit aux agents politiques anglais à Zeilah et à Berbera de ne plus envoyer de leurs soldats au Harar ; ces agents faisaient escorter chaque caravane de quelques soldats indigènes.

Le gouvernement anglais, en retour, a frappé d'un droit de cinq pour cent l'importation des thalaris à Zeilah, Boulhar et Berbera. Cette mesure contribuera à faire disparaître le numéraire, déjà très rare, au Choa et au Harar, et il est à douter qu'elle favorise l'importation des roupies, qui n'ont jamais pu s'introduire dans ces régions et que les Anglais ont aussi, on ne sait pourquoi, frappées d'un droit d'un pour cent à l'importation par cette côte.

Ménélik a été fort vexé de l'interdiction de l'importation des armes sur les côtes d'Obock et de Zeilah. Comme Joannès [1] rêvait d'avoir son port de mer à Massaouah, Ménélik, quoique relégué fort loin dans l'intérieur, se flatte de posséder prochainement une échelle sur le golfe d'Aden. Il avait écrit au Sultan de Tadjourah, malheureusement, après l'avènement du protectorat français, en lui proposant de lui acheter son territoire. À son entrée au Harar, il s'est déclaré souverain de toutes les tribus jusqu'à la côte, et a donné commission à son général, Mékounène, de ne pas manquer l'occasion de s'emparer de Zeilah ; seulement les Européens lui ayant parlé d'artillerie et de navires de guerre, ses vues sur Zeilah se sont modifiées, et il a écrit dernièrement au gouvernement français pour lui demander la cession d'Ambado.

On sait que la côte, du fond du golfe de Tadjourah jusqu'au-delà de Berbera, a été partagée entre la France et l'Angleterre de la façon suivante : la France garde tout le littoral de Goubbet Kératb à Djibouti, un cap à une douzaine de milles au nord-ouest de Zeilah, et une bande de territoire de je ne sais combien de kilomètres de profondeur à l'intérieur, dont la limite du côté du territoire anglais est formée par une ligne tirée de Djibouti à Ensa, troisième station sur la route de Zeilah au Harar. Nous avons donc un débouché sur la route du Harar et de l'Abyssinie. L'Ambado, dont Ménélik ambitionne la possession, est une anse près de Djibouti, où le gouverneur d'Obock avait depuis longtemps fait planter une planche tricolore que l'agent anglais de Zeilah faisait obstinément déplanter, jusqu'à ce que les négociations fussent terminées. Ambado est sans eau, mais Djibouti a de bonnes sources ; et des trois étapes rejoignant notre route à Ensa, deux ont de l'eau.

En somme, la formation des caravanes peut s'effectuer à Djibouti [2], dès qu'il y aura quelque établissement pourvu des marchandises indigènes et quelque troupe armée. L'endroit jusqu'à présent est complètement désert. Il va sans dire qu'il doit y être laissé port franc si l'on veut faire concurrence à Zeilah.

Zeilah, Berbera et Bulhar restent aux Anglais, ainsi que la baie de Samawanak, sur la côte Gadiboursi, entre Zeilah et Bulhar, point où le dernier agent consulaire français à Zeilah, M. Henry, avait fait planter le drapeau

1. Jean, l'empereur du Tigré. Il est à la fois le suzerain et le rival gênant de Ménélik.
2. Comme le note Enid Starkie (*op. cit.*, p. 139), Rimbaud a deviné « le rôle important que Djibouti était destiné à jouer dans l'avenir de la France sur la côte somalie ».

tricolore, la tribu Gadiboursi ayant elle-même demandé notre protection, dont elle jouit toujours. Toutes ces histoires d'annexions ou de protections avaient fort excité les esprits sur cette côte pendant ces deux dernières années.

Le successeur de l'agent français fut M. Labosse, consul de France à Suez, envoyé par intérim à Zeilah où il apaisa tous les différends. On compte à présent environ cinq mille Somalis protégés français à Zeilah.

L'avantage de la route du Harar pour l'Abyssinie est très considérable [1]. Tandis qu'on n'arrive au Choa par la route Dankalie qu'après un voyage de cinquante à soixante jours par un affreux désert, et au milieu de mille dangers, le Harar, contrefort très avancé du massif éthiopien méridional, n'est séparé de la côte que par une distance franchie aisément en une quinzaine de jours par les caravanes.

La route est fort bonne, la tribu Issa, habituée à faire les transports, est fort conciliante, et on n'est pas chez elle en danger des tribus voisines.

Du Harar à Entotto, résidence actuelle de Ménélik, il y a une vingtaine de jours de marche sur le plateau des Itous Gallas, à une altitude moyenne de 2 500 mètres, vivres, moyens de transport et de sécurité assurés. Cela met en tout un mois entre notre côte et le centre du Choa, mais la distance au Harar n'est que de douze jours, et ce dernier point, en dépit des invasions, est certainement destiné à devenir le débouché commercial exclusif du Choa lui-même et de tous les Gallas. Ménélik lui-même fut tellement frappé de l'avantage de la situation du Harar, qu'à son retour, se remémorant les idées des chemins de fer que des Européens ont souvent cherché à lui faire adopter, il cherchait quelqu'un à qui donner la commission ou concession des voies ferrées du Harar à la mer ; il se ravisa ensuite, se rappelant la présence des Anglais à la côte ! Il va sans dire que, dans le cas où cela se ferait (et cela se fera d'ailleurs dans un avenir plus ou moins rapproché), le gouvernement du Choa ne contribuerait en rien aux frais d'exécution.

Ménélik manque complètement de fonds, restant toujours dans la plus complète ignorance (ou insouciance) de l'exploitation des ressources des régions qu'il a soumises et continue à soumettre. Il ne songe qu'à ramasser des fusils lui permettant d'envoyer ses troupes réquisitionner les Gallas. Les quelques négociants européens montés au Choa ont apporté à Ménélik, en tout, dix mille fusils à cartouches et quinze mille fusils à

1. C'est l'acquis le plus considérable du document que remet Rimbaud. Il prouve, d'après son expérience personnelle, que la nouvelle voie reliant la côte à Harar et Entotto est plus avantageuse que l'ancienne route d'Obock-Tadjourah au Choa, qu'il a empruntée à l'aller.

capsules, dans l'espace de cinq ou six années. Cela a suffi aux Amharas pour soumettre tous les Gallas environnants, et le Dedjatch Mékounène, au Harar, se propose de descendre à la conquête des Gallas jusqu'à leur limite sud, vers la côte de Zanzibar. Il a pour cela l'ordre de Ménélik même, à qui on a fait croire qu'il pourrait s'ouvrir une route dans cette direction pour l'importation des armes. Et ils peuvent au moins s'étendre très loin de ces côtes, les tribus Gallas n'étant pas armées.

Ce qui pousse surtout Ménélik à une invasion vers le Sud, c'est le voisinage gênant et la suzeraineté vexante de Joannès. Ménélik a déjà quitté Ankober pour Entotto. On dit qu'il veut descendre au Djimma Abba-Djifar, le plus florissant des pays Gallas, pour y établir sa résidence, et il parlait aussi d'aller se fixer au Harar. Ménélik rêve une extension continue de ses domaines au sud, au-delà de l'Hawasch, et pense peut-être émigrer lui-même des pays Amhara au milieu des pays Gallas neufs, avec ses fusils, ses guerriers, ses richesses, pour établir loin de l'empereur un empire méridional comme l'ancien royaume d'Ali Alaba.

On se demande quelle est et quelle sera l'attitude de Ménélik pendant la guerre italo-abyssine[1]. Il est clair que son attitude sera déterminée par la volonté de Joannès, qui est son voisin immédiat, et non par les menées diplomatiques de gouvernements qui sont à une distance de lui infranchissable, menées qu'il ne comprend d'ailleurs pas et dont il se méfie toujours. Ménélik est dans l'impossibilité de désobéir à Joannès, et celui-ci, très bien informé des intrigues diplomatiques où l'on mêle Ménélik, saura bien s'en garer dans tous les cas. Il lui a déjà ordonné de lui choisir ses meilleurs soldats, et Ménélik a dû les envoyer au camp de l'empereur à l'Asmara. Dans le cas même d'un désastre, ce serait sur Ménélik que Joannès opèrerait sa retraite. Le Choa, le seul pays Amhara possédé par Ménélik, ne vaut pas la quinzième partie du Tigré. Ses autres domaines sont tous pays Gallas précairement soumis et il aurait grand-peine à éviter une rébellion générale dans le cas où il se compromettrait dans une direction ou une autre. Il ne faut pas oublier non plus que le sentiment patriotique existe au Choa et chez Ménélik, tout ambitieux qu'il soit, et il est impossible qu'il voie un honneur ni un avantage à écouter les conseils des étrangers.

---

1. La guerre entre l'Italie et l'Abyssinie a éclaté en janvier 1887, au moment où Rimbaud était en route pour le Choa. « L'Italie espérait à ce moment utiliser au mieux de ses projets la haine bien connue de Ménélik pour son empereur. Mais Rimbaud était seul à comprendre quel serait le jeu du roi du Choa entre son empereur Jean et ses soi-disant alliés les Italiens : écouter avec complaisance les diplomates, empocher tout ce qu'il pourrait soutirer » (Enid Starkie, *op. cit.*, p. 139).

Il se conduira donc de manière à ne pas compromettre sa situation, déjà très embarrassée, et, comme chez ces peuples on ne comprend et on n'accepte rien que ce qui est visible et palpable, il n'agira personnellement que comme le plus voisin le fera agir, et personne n'est son voisin que Joannès, qui saura lui éviter les tentations. Cela ne veut pas dire qu'il n'écoute avec complaisance les diplomates ; il empochera ce qu'il pourra gagner d'eux, et, au moment donné, Joannès, averti, partagera avec Ménélik. Et, encore une fois, le sentiment patriotique général et l'opinion du peuple de Ménélik sont bien pour quelque chose dans la question. Or, on ne veut pas des étrangers, ni de leur ingérence, ni de leur influence, ni de leur présence, sous aucun prétexte, pas plus au Choa qu'au Tigré, ni chez les Gallas.

— Ayant promptement réglé mes comptes avec Ménélik, je lui demandai un bon de paiement au Harar, désireux que j'étais de faire la route nouvelle ouverte par le roi à travers les Itous, route jusqu'alors inexplorée, et où j'avais vainement tenté de m'avancer du temps de l'occupation égyptienne du Harar. À cette occasion, M. Jules Borelli [1] demanda au roi la permission de faire un voyage dans cette direction, et j'eus ainsi l'honneur de voyager en compagnie de notre aimable et courageux compatriote, de qui je fis parvenir ensuite à Aden les travaux géodésiques, entièrement inédits, sur cette région.

Cette route compte sept étapes au-delà de l'Hawasch et douze de l'Hawasch au Harar sur le plateau Itou, région de magnifiques pâturages et de splendides forêts à une altitude moyenne de 2 500 mètres, jouissant d'un climat délicieux. Les cultures y sont peu étendues, la population y étant assez claire, ou peut-être s'étant écartée de la route par crainte des déprédations des troupes du roi. Il y a cependant des plantations de café, les Itous fournissant la plus grande partie des quelques milliers de tonnes de café qui se vendent annuellement au Harar. Ces contrées, très salubres et très fertiles, sont les seules de l'Afrique orientale adaptées à la colonisation européenne.

Quant aux affaires au Choa, à présent, il n'y a rien à y importer, depuis l'interdiction du commerce des armes sur la côte. Mais qui monterait avec une centaine de mille thalaris pourrait les employer dans l'année en

1. Jules Borelli (1852-1941) était natif de Marseille. Il s'était embarqué très jeune pour voyager. En 1885, il fut chargé d'une mission officielle d'exploration et débarqua à Aden. Il explora l'Éthiopie entre octobre 1885 et octobre 1888. Son journal de voyage, *L'Éthiopie méridionale*, devait paraître à Paris, chez l'éditeur Quantin, en 1890. Le récit qu'il y fait du trajet Entotto-Harar est intéressant, mais il s'y donne le beau rôle, au détriment de Rimbaud (voir la mise au point par Enid Starkie, *op. cit.*, p. 133).

achats d'ivoire et autres marchandises, les exportateurs ayant manqué ces dernières années et le numéraire devenant excessivement rare. C'est une occasion. La nouvelle route est excellente, et l'état politique du Choa ne sera pas troublé pendant la guerre, Ménélik tenant, avant tout, à maintenir l'ordre en sa demeure.

Agréez, Monsieur, mes civilités empressées.

Rimbaud.

AUX SIENS

Le Caire, 23 août 1887.

Mes chers amis,

Mon voyage en Abyssinie s'est terminé. Je vous ai déjà expliqué comme quoi, mon associé étant mort, j'ai eu de grandes difficultés au Choa, à propos de sa succession, on m'a fait payer deux fois ses dettes, et j'ai eu une peine terrible à sauver ce que j'avais mis dans l'affaire ; si mon associé n'était pas mort j'aurais gagné une trentaine de mille francs ; tandis que je me retrouve avec les 15 mille que j'avais, après m'être fatigué d'une manière horrible pendant près de deux ans. Je n'ai pas de chance !

Je suis venu ici parce que les chaleurs étaient épouvantables cette année dans la mer Rouge, tout le temps 50 à 60 degrés ; et, me trouvant très affaibli après sept années de fatigues qu'on ne peut s'imaginer, et des privations les plus abominables, j'ai pensé que 2 ou 3 mois ici me remettraient, mais c'est encore des frais car je ne trouve rien à faire ici, et la vie est à l'européenne et assez chère.

Je me trouve tourmenté ces jours-ci par un rhumatisme dans les reins qui me fait damner ; j'en ai un autre dans la cuisse gauche qui me paralyse de temps à autre, une douleur articulaire dans le genou gauche, un rhumatisme (déjà ancien) dans l'épaule droite, j'ai les cheveux absolument gris, je me figure que mon existence périclite.

Figurez-vous comment on doit se porter après des exploits du genre des suivants : traversées de mer et voyages de terre à cheval, en barque, sans vêtements, sans vivres, sans eau, etc., etc.

Je suis excessivement fatigué, je n'ai pas d'emploi à présent, j'ai peur de perdre le peu que j'ai, figurez-vous que je porte continuellement dans ma ceinture seize mille et quelques cents[1] francs d'or, ça pèse une huitaine de kilos, et ça me flanque la dysenterie.

Pourtant, je ne puis aller en Europe, pour bien des raisons, d'abord, je mourrais en hiver, ensuite, je suis trop habitué à la vie errante et gratuite, enfin, je n'ai pas de position.

Je dois donc passer le reste de mes jours errant, dans les fatigues et les privations, avec l'unique perspective de mourir à la peine.

Je ne resterai pas longtemps ici : je n'ai pas d'emploi et tout est trop cher, par force, je devrai m'en retourner du côté du Soudan, de l'Abyssinie ou de l'Arabie. Peut-être irai-je à Zanzibar, d'où on peut faire de longs voyages en Afrique, et peut-être en Chine, au Japon, qui sait où ?

Enfin, envoyez-moi de vos nouvelles. Je vous souhaite paix et bonheur.

Bien à vous.

Adresse : Arthur Rimbaud,
poste restante, au Caire (Égypte).

À SA MÈRE

Le Caire, 24 août 1887.

Ma che[2],

Je suis obligé de te demander un service, que j'espère d'ailleurs pouvoir rembourser prochainement.

J'ai placé l'argent que j'avais sur moi au Crédit Lyonnais en dépôt à six mois donnant un intérêt de 4 %.

Or il arrive que je dois prendre à Suez le bateau de Zanzibar vers le 15 septembre, car on me donne des recommandations pour là-bas, et ici, quoique je puisse trouver quelque chose, on dépense trop, et on reste trop sédentaire, tandis qu'à Zanzibar on fait des voyages à l'intérieur où l'on vit pour rien, et on arrive à la fin de l'année avec ses appointements intacts, tandis qu'ici le logement, la pension et le vêtement (dans les déserts on ne s'habille pas) vous mangent tout.

---

1. Quelques centaines. **2.** Le mot reste inachevé, et on ne peut aller jusqu'au bout de l'affirmation de Claude Jeancolas : « [...] il écrit à sa mère, sa *chère mère*, appellation qu'il n'utilise que lorsqu'il veut la charmer » (*Lettres manuscrites*, p. 447).

Je vais donc m'en retourner à Zanzibar et là j'aurai beaucoup d'occasions, sans compter les recommandations que l'on veut me donner pour Zanzibar.

Je laisserai mon argent ici à la banque, et comme il y a à Zanzibar des négociants faisant avec le Crédit d° [1], je toucherai toujours les intérêts.

Si je retire le dépôt à présent, je perds les intérêts, et en outre je ne puis plus transporter continuell[eme]nt cet argent sur mon dos, c'est trop bête, trop fatigant, et trop dangereux.

Je te demande donc, comme il ne me reste que quelques centaines de francs, de vouloir bien me prêter une somme de *cinq cents francs*, en me l'envoyant ici aussitôt le reçu de cette lettre, ou bien je manquerais le vapeur, qui ne part qu'une fois par mois, du 15 au 18. Et un mois de plus ici coûte cher.

Je ne t'ai rien demandé depuis sept ans, sois assez bonne pour m'accorder ceci, et ne me le refuse pas, cela me gênerait fort.

Dans tous les cas, je suis forcé d'attendre jusqu'au 15 7bre ici, il ne faudrait pas que cela m'arrive en retard.

Cette lettre t'arrivera dans huit jours, et huit jours pour la réponse.

Envoie-moi cela en une lettre chargée, adressée ainsi :

MONSIEUR RIMBAUD,
au Consulat de France,
Caire (Égypte).

À SA MÈRE

Le Caire, 25 août 1887.

Ma chère maman [2],

J'écris encore une fois pour te prier de ne pas refuser de m'envoyer les cinq cents francs que je t'ai demandés dans ma lettre d'hier. Je crois qu'il doit vous rester encore quelque chose de l'argent que je vous ai une fois envoyé. Mais, que cela soit ou non, tu me mettrais dans l'embarras

---

1. Sans doute abréviation pour *dito* = *idem*. 2. Cette fois, on ne peut que suivre Claude Jeancolas : « *Ma chère maman* est très rare, il veut vraiment qu'elle cède par affection » (*Lettres manuscrites*, p. 448).

de ne pas m'envoyer ladite somme de cinq cents francs, j'en ai fort besoin ; j'espère vous la rendre avant la fin de l'année.

Mais mon argent est engagé, et pour le moment je suis sans emploi, vivant à mes frais, et j'ai un voyage à faire, vers le 20 septembre.

Envoyez-moi cela par lettre chargée adressée ainsi :

Rimbaud, au Consulat de France,
au Caire.

Je n'ai que quelques centaines de francs pour le moment à ma disposition, et cela ne me suffit pas. D'un autre côté, je suis appelé à Zanzibar, où il y a des emplois, en Afrique et à Madagascar où l'on peut épargner de l'argent.

Ne crains rien, je ne perds pas ce que j'ai, mais je ne puis y toucher avant 6 mois ; et d'un autre côté, je ne puis rester ici plus d'un mois, la vie d'ici m'ennuie et coûte trop. Je pense donc recevoir cette somme vers le 15 septembre au Consulat, et en tout cas je l'attendrai.

Bien à vous,

A. Rimbaud.

Pour la lettre chargée :

Au Consulat de France,
au Caire, Égypte.

À ALFRED BARDEY

Le Caire, 26 août 1887.

Mon cher Monsieur Bardey,

Sachant que vous vous intéressez toujours aux choses de l'Afrique, je me permets de vous envoyer les quelques notes suivantes sur les choses du Choa et du Harar à présent.

D'Entotto à Tadjourah, la route Dankalie est tout à fait impraticable ; les fusils Soleillet, arrivés à Tadjourah en février 86, sont encore là. — Le sel du lac Assal, qu'une société devait exploiter, est inaccessible et serait d'ailleurs invendable : c'est une flibusterie.

Mon affaire a très mal tourné, et j'ai craint quelque temps de redescendre sans un thaler ; je me suis trouvé assailli là-haut par une bande de faux créanciers de Labatut, et en tête Ménélik, qui m'a volé, en son nom, 3 000 thalaris. Pour éviter d'être intégralement dévalisé, je demandai à Ménélik de me faire passer par le Harar, qu'il venait d'annexer : il me donna une traite genre Choa, sur son *oukil*[1] au Harar, le dedjatch Makonnen.

Ce n'est que quand j'eus demandé à Ménélik de passer par cette route que M. Borelli eut l'idée de se joindre à moi.

Voici l'itinéraire :

1° D'Entotto à la rivière Akaki plateau cultivé, 25 kilomètres.

2° Village galla des Abitchou, 30 kilomètres. Suite du plateau : hauteur, environ 2 500 mètres. On marche, avec le mont Hérer au sud.

3° Suite du plateau. On descend à la plaine du Mindjar par le Chankora. Le Mindjar a un sol riche soigneusement cultivé. L'altitude doit être 1 800 mètres. (Je juge de l'altitude par le genre de végétation ; il est impossible de s'y tromper, pour peu qu'on ait voyagé dans les pays éthiopiens.) Longueur de cette étape : 25 kilomètres.

4° Suite du Mindjar : 25 kilomètres. Mêmes cultures. Le Mindjar manque d'eau. On conserve dans des trous l'eau des pluies.

5° Fin du Mindjar. La plaine cesse, le pays s'accidente ; le sol est moins bon. Cultures nombreuses de coton. — 30 kilomètres.

6° Descente au Cassam. Plus de cultures. Bois de mimosas traversés par la route frayée par Ménélik et déblayée sur une largeur de dix mètres. — 25 kilomètres.

7° On est en pays bédouin, en Konella, ou terre chaude. Broussailles et bois de mimosas peuplés d'éléphants et de bêtes féroces. La route du Roi se dirige vers une source d'eau chaude, nommée Fil-Ouaha, et l'Hawasch. Nous campons dans cette direction, à 30 kilomètres du Cassam ;

8° De là à l'Hawasch, très encaissé à ce passage, 20 kilomètres. Toute la région des deux côtés de l'Hawasch à deux jours et demi se nomme Cateyon. Tribus Gallas bédouines, propriétaires de chameaux et autres bestiaux ; en guerre avec les Aroussis. Hauteur du passage de l'Hawasch : environ 800 mètres. 80 centimètres d'eau ;

9° Au delà de l'Hawasch, 30 kilomètres de brousse. On[2] marche par les sentiers des éléphants ;

10° Nous remontons rapidement à l'Itou par des sentiers ombragés.

---

1. *Oukil* : chargé d'affaires. **2.** *Ou* fautif sur le manuscrit.

Beau pays boisé, peu cultivé. Nous nous retrouvons vite à 2 000 mètres d'altitude. Halte à Galamso, poste abyssin de trois à quatre cents soldats au dedjatch Woldé Guibril. — 35 kilomètres ;

11° De Galamso à Boroma, poste de mille soldats au ras Dargué. — 30 kilomètres. Très beau pays cultivé. Quelques plantations de café. Les cultures de l'Abyssinie sont remplacées par le dourah[1]. Altitude : 2 200 mètres ;

12° Suite du Tchertcher, magnifiques forêts. Un lac, nommé Arro. On marche sur la crête d'une chaîne de collines. L'Aroussi, à droite, parallèle à notre route, plus élevé que l'Itou ; ses grandes forêts et ses belles montagnes sont ouvertes en panorama. Halte à un lieu nommé Wotcho. — 30 kilomètres ;

13° 15 kilomètres jusqu'à la maison du cheik Jahia, à Goro. Nombreux villages. C'est le centre des Itous où se rendent les marchands du Harar et ceux de l'Abyssinie qui viennent vendre des *channuas*[2]. Il y a là beaucoup de familles abyssines musulmanes ;

14° 20 kilomètres, Herna. Splendides vallées couronnées de forêts à l'ombre desquelles on marche. Caféiers. C'est là qu'Abdullahi, l'émir de Harar, avait envoyé quelques Turcs déloger un poste abyssin, fait qui causa la mise en marche de Ménélik[3] ;

15° Bourka : vallée nommée ainsi d'une rivière ou torrent à fort débit, qui descend à l'Ennya. Forêts étendues. — 30 kilomètres.

16° Obona, pays boisé, accidenté, calcaire, pauvre. — 30 kilomètres.

17° Chalanko, champ de bataille de l'Émir. Meta, forêts de pins. Warabelly-Meta doit être le point le plus haut de toute la route, peut-être 2 600 mètres. Longueur de l'étape : 30 kilomètres ;

18° Lac de Yabatha, lacs de Harramoïa. Harar. — 40 kilomètres.

La direction générale : entre N.-N.-E. et S.-S.-E., il m'a paru.

C'est la route avec un convoi de mules chargées ; mais les courriers la font en dix jours à pied.

Au Harar, les Amara procèdent, comme on sait, par confiscation, extorsions, razzias ; c'est la ruine du pays. La ville est devenue un cloaque. Les Européens étaient consignés en ville jusqu'à notre arrivée ! Tout cela de la peur que les Abyssins ont des Anglais. — La route Issa est très bonne, et la route de Gueldessey au Hérer aussi.

Il y a deux affaires à faire au Choa à présent :

---

1. *Dourah* : sorgho. **2.** *Channuas* : bougies. **3.** À la suite de cette expédition, Ménélik avait conquis le Harar sur cet émir, en mars 1887.

1° Apporter soixante mille thalaris et acheter de l'ivoire, du musc et de l'or. — Vous savez que tous les négociants, sauf Brémond, sont descendus, et même les Suisses. — On ne trouve plus un thaler au Choa. J'ai laissé l'ivoire, au détail à cinquante thalaris ; chez le roi, à soixante thalaris.

Le ras Govana seul a pour plus de quarante mille thalaris d'ivoire et veut vendre : pas d'acheteurs, pas de fonds ! Il a aussi dix mille okiètes musc. — Personne n'en veut à deux thalaris les trois okiètes. — Il y a aussi beaucoup d'autres détenteurs d'ivoire de qui on peut acheter, sans compter les particuliers qui vendent en cachette. Brémond a essayé de se faire donner l'ivoire du ras, mais celui-ci veut être payé comptant. — Soixante mille thalaris peuvent être employés en achats tels pendant six mois, sans frais aucuns, par la route Zeilah, Harar, Itou, et laisser un bénéfice de vingt mille thalaris ; mais il faudrait faire vite, je crois que Brémond va descendre chercher des fonds.

2° Amener du Harar à Ambado deux cents chameaux avec cent hommes armés (tout cela le dedjatch le donne pour rien), et, au même moment, débarquer avec un bateau quelconque huit mille remingtons (sans cartouches, le roi demande sans cartouches : il en a trouvé trois millions au Harar) et charger instantanément pour le Harar. La France a, à présent, Djibouti avec sortie à Ambos. Il y a trois stations de Djibouti à Ambos. — Ici on a vendu et on vend encore des remingtons à huit francs. — La seule question est celle du bateau ; mais on trouverait facilement à louer à Suez.

Comme cadeaux au roi : machine à fondre des cartouches Remington. — Plaques et produits chimiques et matériel pour fabriquer des capsules de guerre.

Je suis venu ici pour voir si quelque chose pouvait se monter dans cet ordre d'idées. Mais, ici, on trouve ça trop loin ; et, à Aden, on est dégoûté parce que ces affaires, moitié par malconduite, moitié par malchance, n'ont jamais réussi. — Et pourtant il y a à faire, et ceux qui se pressent et vont économiquement feront.

Mon affaire a très mal réussi parce que j'étais associé avec cet idiot de Labatut qui, pour comble de malheur, est mort, ce qui m'a mis à dos sa famille au Choa et tous ses créanciers ; de sorte que je sors de l'affaire avec très peu de chose, moins que ce que j'avais apporté. Je ne puis rien entreprendre moi-même, je n'ai pas de fonds.

Ici même, il n'y avait pas un seul négociant français pour le Soudan ! En passant à Souakim on m'a dit que les caravanes passent et vont jusqu'à Berbera. La gomme commence à arriver. Quand le Soudan se rouvrira, et peu à peu il se rouvre, il y aura beaucoup à faire.

Je ne resterai pas ici, et redescendrai aussitôt que la chaleur, qui était excessive cet été, diminuera dans la Mer Rouge. Je suis à votre service dans tous les cas où vous auriez quelque entreprise où je pourrais servir. — Je ne puis plus rester ici, parce que je suis habitué à la vie libre. Ayez la bonté de penser à moi.

Rimbaud.
Poste-restante, Caire.
Jusqu'à fin septembre.

[Dixième lot]

[LETTRES D'ADEN (quatrième série, 1887-1888)]

AUX SIENS

Aden, le 8 octobre 1887.

Chers amis,

Je vous remercie bien. Je vois que je ne suis pas oublié. Soyez tranquilles. Si mes affaires ne sont pas brillantes pour le moment, du moins je ne perds rien ; et j'espère bien qu'une période moins néfaste va s'ouvrir pour moi.

Donc, depuis deux ans, mes affaires vont très mal, je me fatigue inutilement, j'ai beaucoup de peine à garder le peu que j'ai. Je voudrais bien en finir avec tous ces satanés pays ; mais on a toujours l'espoir que les choses tourneront mieux, et l'on reste à perdre son temps au milieu des privations et des souffrances que vous autres ne pouvez vous imaginer.

Et puis, quoi faire en France ? Il est bien certain que je ne puis plus vivre sédentairement ; et, surtout, j'ai grand'peur du froid, — puis, enfin, je n'ai ni revenus suffisants, ni emploi, ni soutiens, ni connaissances, ni profession, ni ressources d'aucune sorte. Ce serait m'enterrer que de revenir.

Le dernier voyage que j'ai fait en Abyssinie, et qui avait mis ma santé fort bas, aurait pu me rapporter une somme de trente mille francs ; mais par la mort de mon associé et pour d'autres raisons, l'affaire a très mal tourné et j'en suis sorti plus pauvre qu'avant.

Je resterai un mois ici, avant de partir pour Zanzibar. Je ne me décide pas gaîment pour cette direction, je n'en vois revenir les gens que dans un état déplorable, quoiqu'on me dise qu'on y trouve des choses à entreprendre.

Avant de partir, ou même si je ne pars pas, je me déciderai peut-être à vous envoyer les fonds que j'ai laissés en dépôt en Égypte ; car, en définitive, avec les embarras de l'Égypte, le blocus du Soudan, le blocus de l'Abyssinie, et aussi pour d'autres raisons, je vois qu'il n'y a plus qu'à perdre en détenant des fonds, peu ou fort considérables, dans ces régions désespérées.

Vous pouvez donc m'écrire à Aden, à l'adresse suivante :

Monsieur Arthur Rimbaud, poste restante.

Si je pars, je dirai là qu'on fasse suivre.

Vous devez me considérer comme un nouveau Jérémie, avec mes lamentations perpétuelles ; mais ma situation n'est vraiment pas gaie.

Je vous souhaite le contraire, et suis votre affectionné,

Rimbaud.

AU CONSUL DE FRANCE À BEYROUTH

Aden, 12 octobre 1887.

Monsieur,

Excusez-moi d'avoir à vous demander le renseignement suivant : à qui peut-on s'adresser à Beyrouth ou ailleurs sur la côte de Syrie pour l'achat de quatre baudets étalons, en pleine vigueur, de la meilleure race employée pour la procréation des plus grands et plus forts mulets de selle en Syrie ? Quel pourrait en être le prix, et aussi le fret par les Messageries et l'assurance, de Beyrouth à Aden ?

Il s'agit d'une commande du Roi Ménélik du Choa (Abyssinie méridionale) où il n'y a que des ânes de petite race et où l'on voudrait créer une race supérieure de mulets, vu la grande quantité et le très bas prix des juments.

Dans l'attente de votre réponse, je suis, Monsieur le Consul,

Votre obligé

A. Rimbaud.
au Consulat de France,
Aden,
Possessions anglaises.

À M. DE GASPARY

Aden, le 3 novembre 1887

Monsieur le Consul,

J'ai l'honneur de déposer entre vos mains, selon votre demande, le détail de la liquidation de la caravane de feu Labatut ; il comprend :

1° un inventaire des mises, entrées et sorties ;

2° la caisse de la liquidation, et balance ;

3° l'exposé (que vous connaissez) de mes droits sur cette caravane.

Je vous serais obligé de m'accuser réception de ces documents.

Il vous est loisible de faire contrôler le tout par les Européens venant du Choa, et spécialement par M. Ilg, qui m'a aidé bienveillamment chez le roi Ménélik.

Vous pouvez constater que j'ai consenti à abandonner aux divers créanciers les deux tiers de mes propres droits.

Je suis, Monsieur, votre serviteur.

Rimbaud
Poste restante
Aden (Camp)
Monsieur de Gaspary
Consul de France
à Aden.

Caravane Labatut (inventaire)

Doit :	Avoir :	
1 750 fusils à capsules,	Fusils à capsules achetés par Ménélik	1 440
14 fusils à éléphants,	Vendus d'avance à Tadjourah	
	pr frais de Car^{ne}.	29
" "	Livrés au Ras Govana en paiement	
" "	de 3 000 Th. avancés à Labatut antér^{nt}	300
Total : 1 764 fusils à capsules.	Sortie. Total	1 769

(Q.ques fusils ont été comptés en trop à Ménélik.)

Doit :	Avoir :
20 fusils Remington.	2 donnés à des Dankalis.
" "	2 volés en route ;
" "	11 vendus en dehors de la caravane au Choa ;

“ “	5 donnés en paiement de diverses créances.
Total : 20 fusils Remington.	Sortie : Total : 20.
Doit :	Avoir :
450 000 capsules de guerre ; 300 000 capsules de chasse ;	Le tout acheté en bloc par le roi Ménélik.
Doit :	Avoir :
Commande d'outils et fournitures diverses. Environ 16 charges de chameaux.	Quelques articles vendus à Tadjourah pour les frais de caravane. — Le reste acheté en bloc par Ménélik.
Doit :	Avoir :
Créances : 35 th. sur M. Ilg ;	Recouvré Th. 35.
60 th. sur M. Savouré ;	Recouvré Th. 60.
Environ 800 th. sur des indigènes.	Abandonné.

Rimbaud.

Liquidation caravane Labatut

Doit :

Achat de la caravane par le roi Ménélik, négocié par M. Ilg.	
1 440 fusils à Th. 7	10 080
300 000 capsules à Th. 1 le mille	300
450 000 — à Th. 2 le mille	900
Outils et fournitures en bloc	2 720
Par achats du Roi.	
Total :	Th. 14 000
Vendu en dehors du Roi.	
11 fusils Remington à moyenne Th. 28	Th. 308
Recouvré créance Ilg	Th. 35
Recouvré créance Savouré	Th. 60
Quelques effets et animaux provenant d'une saisie aux maisons de feu Labatut au Choa environ	Th. 97

Avoir :

Paiement par l'Azzaze de la 2e moitié du loyer des chameaux.	Th. 1 830
34 Abyssins à Th. 15 pour la route, et deux mois de gages arriérés à Th. 3, dont le paiement leur était promis à l'arrivée	34 x 21 Th. 714
Remboursés à l'Azzaze 5 okiètes d'ivoire avancés à Labatut : 5 x 60	Th. 300
Diverses dettes aux indigènes payées par moi pour Labatut (ainsi qu'aux Européens) environ	Th. 120
Le chef des domestiques, gages arriérés	Th. 180
Mon interprète arabe-amharagalla	Th. 130

Doit	Total	Th 14 500	Versé à M. Audon pour dette Labatut	Th. 1 088
			Versé à M. Sue à Aden, dette Labatut	Th. 5 165
			Retranché de mon compte par Ménélik (le Roi réclamait, je crois, Th. 3 500 en plus, dus par Labatut, disait-il ; M. Ilg m'obtint un rabais, et le Roi prit définitivement)	Th. 2 100
			Mes frais de route du Harar au Choa, de séjour au Harar, et du Harar à Zeïlah et à Aden, jusqu'à la liquidation, environ	Th. 400
			Avoir. Total Th.	12 027
			Balance Th.	2 473
			Th.	14 500

A. Rimbaud

Mes droits sur la dite caravane se composaient de :

De Labatut, une obligation de Th. 5 000 faite au consulat de France à Aden — Th. 5 000

— Ladite obligation échue en octobre 1886, et la liquid^{on} ne se terminant que fin juillet 1887, 9 % intérêts sur Th. 5 000 — Th. 450

— Une obligation du même Labatut, sans int — Th. 800

— Somme dépensée personn^{nt} par moi pour la caravane — Th. 60

— Tout le matériel de la caravane m'appartenant et valant environ — Th. 140

— Mon paiement par Labatut devait s'exécuter dans le délai d'un an.

— Je me suis employé 9 mois de plus à la liquid^{on} de ses affaires, j'estime la valeur de l'emploi de ce temps, frais d'entretien décomptés, à Th. 900

— J'étais donc créancier de la caravane pour environ — Th. 7 350

Quoique possesseur de créances privilégiées, je n'en ai touché que *33 pour cent*, comme il ressort du cp^{te} de liq^{on}, soit — Th. 2 473

J'ai donc l'honneur de déclarer à Monsieur le Consul que désormais je refuse de répondre en aucune manière à aucune réclamation au sujet de ladite affaire, et je prie Monsieur le Consul de me donner, s'il le juge convenable, une attestation énonçant que les affaires de feu Labatut ont été réglées à Aden, à la côte et en Abyssinie, et prévenant tous débats ultérieurs à ce sujet.

Agréez, Monsieur le Consul, l'assurance de mon respectueux dévouement.

Aden, 3 novembre 1887.

A. Rimbaud.

À MONSEIGNEUR TAURIN-CAHAGNE

Aden, le 4 novembre 1887.

Monseigneur,

Que la présente vous trouve en paix et en bonne santé. Ensuite, excusez-moi de venir demander votre intercession dans la question suivante.

Vous savez que le roi Ménélik m'avait envoyé au Harar avec un bon de paiement de Th. 9 866. Or un M. Audon, à Ankober, avait en mains un billet de Th. 1 810, souscrit par feu Labatut à M. Deschamps d'Aden et payable à M. Audon, correspondant de M. Audon [1] au Choa. Au Choa, n'ayant pas d'argent, je ne pus rien verser sur ce billet. Par la suite, après mon départ du Choa, ledit Audon engagea l'azzaje Waldé-Thadik à écrire à Mékonnène au Harar pour faire arrêter mon paiement pour les sommes que je lui devais. Pour me délivrer de cet arrêt, je dis à Mékonnène de garder par devers lui 866 thalers, et je lui répétai qu'il devait faire parvenir cette somme aussitôt que possible à cet Audon, à lui personnellement, et non pas à ses créanciers européens ni abyssins. Mékonnène me donna reçu desdits 866 thalers au nom de M. Audon, et écrivit même au Consul à Aden concernant l'affaire, accusant encore une fois réception de ladite somme pour ledit individu au Choa.

Mais à présent M. Deschamps refuse de me donner décharge du compte Labatut (que j'ai réglé avec une réduction) avant qu'il ne reçoive la nouvelle que lesdits 866 thalers ont été payés à M. Audon, et il écrit même à

1. Lapsus pour M. Deschamps.

MM. Moussaya [1] au Harar, leur donnant délégation de toucher eux-mêmes ladite somme de Th. 866 chez le Dedjatch [2] au Harar, et de la lui renvoyer à Aden, dans le cas où le Dedjatch n'aurait pas envoyé la somme à M. Audon.

Je crains que le Dedjatch n'ait eu l'idée de créditer de cette somme un des créanciers abyssins de M. Audon ; dans ce cas mon versement deviendrait nul, et cela m'empêcherait de régler mon compte ici. Mais le plus probable est que le Mékonnène a laissé dormir l'affaire, et ne pense plus aux Th. 866, d'autant plus que, ayant reçu de lui un reçu desdits Th. 866, à faire parvenir à M. Audon, je lui ai natur^{lmt} donné une décharge totale de la somme de Th. 9 866 que le Roi m'avait envoyé toucher au Harar et, s'il était de mauvaise foi, ce qui est toujours le cas avec eux, je n'aurais de recours contre lui auprès du Roi que par l'envoi du reçu de Th. 866 signé de lui, que je tiens ici, — car il présenterait au Roi ma décharge totale de Th. 9 866 et dirait ne rien connaître du reste.

Comme il est probable qu'il vous consultera dans cette affaire, vous nous obligerez tous en réveillant sa conscience, en lui rappelant qu'il a reçu de moi cette somme, ou du moins que je lui ai abandonné cette somme de mon compte, pour qu'il la fasse parvenir personnellement à M. Audon au Choa.

S'il s'est avisé de créditer de cette somme un des créanciers plus ou moins réguliers (je parle des Abyssins) de M. Audon, je me considère comme *volé* par le Dedjatch de la somme de Th. 866, et il aura de même *volé* M. Audon, car je lui ai bien recommandé de faire parvenir la somme à M. Audon seul.

Dans ce cas, le règlement de mon compte avec M. Deschamps serait arrêté, et je n'aurais de recours contre le Dedjatch que la saisie de ses marchandises à la côte par voie consulaire, ce qui n'est guère possible.

Je désirerais que vous lui fissiez comprendre cependant qu'il s'est rendu responsable de ladite somme vis-à-vis du consulat, puisqu'il a écrit au Consul ici, en reconnaissant avoir reçu cette somme à l'effet indiqué. — Si la somme est restée auprès de lui au Harar, qu'il fasse comme M. Deschamps le demande, qu'il la remettre à MM. Moussaya. Pour moi, il est presque certain qu'il n'a rien envoyé. En tout cas, il n'avait pas le droit de l'envoyer à d'autre qu'à Audon.

---

1. Les frères Moussaya et non Moussaye (Dimitris, Christo et Ephtimio) étaient des négociants grecs installés au Harar avant 1880. Rimbaud les détestait, comme la suite le prouvera (voir les lettres du 12 avril 1888 et du 17 juillet 1890). **2.** C'est-à-dire Mékonnène. C'est lui que Rimbaud charge dans cette lettre.

— M. Savouré nous a écrit hier qu'il a acheté la caravane Soleillet, et il sera de retour à Aden dans un mois.

— M. Tian rentre à Aden fin novembre.

— On dit que les troupes se sont embarquées de Naples, mais l'Angleterre cherche encore à arranger l'affaire Italo-Abyssine, et il semble que l'expédition se décide de moins en moins, ou du moins qu'elle n'aura pas les proportions premièrement projetées, cela manque tout à fait d'entrain. Les correspondants des journaux italiens sont cependant à Massaouah. Ici, ils font acheter quelques mulets et chevaux, mais, de ce train, il faudra trois ans pour les apprêts, puisque les Italiens dans la mer Rouge ne se tiennent sur leurs jambes que pendant les hivers !

— Quant à la mission religieuse russe, elle ne vient plus.

— Il y a ici Monseigneur Touvier, évêque de Massaouah, partant pour France jusqu'à la conclusion des événements.

— Pour moi, je cherche une occasion de remonter en Éthiopie, mais pas à mes frais, et il est possible que je revienne avec la caravane de M. Savouré.

— Je n'ai pas besoin de vous dire que j'ai touché de suite chez M. Riès [1] votre billet de Th. 500.

— Saluez, s'il vous plaît, M. Sacconi [2] de ma part. Ici on l'a dit gravement malade. Je compte qu'il s'est rétabli.

— On me demande aussi de représenter au Dedjatch que Bénin [3] ici est fort mécontent du retard apporté au paiement de son agent au Harar. Mais ces affaires commerciales ne sont point vôtres. — J'ai seulement demandé votre intercession dans mon affaire avec M. Audon parce qu'il s'agit là de réveiller la conscience du Dedjatch, et de l'empêcher de commettre un vol s'il ne l'a déjà fait. Pour moi aussi, je suis pressé de voir se dénouer cette affaire, et j'obtiendrai ainsi la décharge du dernier compte se rattachant à l'affaire Labatut.

Je suis, Monseigneur, votre serviteur.

Rimbaud,
Poste restante,
Aden-Camp.

Monseigneur Taurin,
Vicaire apostolique des Gallas
au Harar.

---

1. Maurice Riès, le comptable employé par César Tian. Il était originaire de Marseille, où il était né en 1858. **2.** Gaetano Sacconi, frère de feu Pietro Sacconi, et comme lui membre d'une agence italienne installée au Harar. **3.** Négociant d'Aden, sur lequel nous sommes mal renseignés.

AUX SIENS

Aden, 5 novembre 1887.

Mes chers amis,

Je suis toujours dans l'expectative. J'attends des réponses de différents points, pour savoir où je devrai me porter.

Il va peut-être y avoir quelque chose à faire à Massaouah, avec la guerre abyssine. Enfin, je ne serai pas longtemps à prendre une décision ou à trouver l'emploi que j'espère ; et, peut-être ne partirai-je ni pour Zanzibar, ni pour ailleurs.

C'est l'hiver à présent, c'est-à-dire qu'on n'a guère plus de 30 degrés au-dessus de zéro, le jour, et, la nuit, 25.

Écrivez-moi de vos nouvelles. Que faites-vous ? Comment vous portez-vous ? Voilà longtemps que je n'ai rien reçu de vous. Ce n'est pas agréable d'être ainsi abandonné.

Rassurez-vous sur mon compte : je me porte mieux, et je compte me relever de mes pertes ; mes pertes, oui ! puisque je viens de passer deux années sans rien gagner et que c'est perdre son argent que de perdre son temps.

Dites-moi quel est le journal le plus important des Ardennes ?

Bien à vous,

Rimbaud.

À M. DE GASPARY

Aden, le 9 novembre 1887.

Monsieur,

Je reçois votre lettre du 8 et je prends note de vos observations.

Je vous envoie la copie du compte des frais de la caravane Labatut, devant garder par devers moi l'original, parce que le chef de la caravane qui l'a signé a volé par la suite une partie des fonds que l'Azzaze lui avait comptés pour le paiement des chameaux. L'Azzaze s'entête, en effet, à ne jamais verser les frais de caravane aux Européens eux-mêmes, qui régleraient ainsi sans difficultés : les Dankalis trouvent là une belle occasion d'embrouiller l'Azzaze et le Frangui à la fois, et chacun des Européens s'est vu ainsi arracher par les Bédouins 75 % en plus de ses frais de caravane, l'Azzaze et Ménélik lui-même ayant l'habitude, avant l'ouverture de la route du Harar, de donner invariablement raison au Bédouin contre le Frangui.

C'est prévenu de tout cela que j'eus l'idée de faire signer un compte de caravane à mon chef. Cela ne l'empêcha pas, au moment de mon départ, de me porter devant le roi en réclamant quelque 400 thalers en plus du compte approuvé par lui ! Il avait en cette occasion pour avocat *le redoutable bandit Mohammed Abou-Beker*[1], l'ennemi des négociants et voyageurs européens au Choa.

Mais le roi, sans considérer la signature du Bédouin (car les papiers ne sont rien du tout au Choa), comprit qu'il mentait, insulta par occasion Mohammed, qui se démenait contre moi en furieux, et me condamna seulement à payer une somme de 30 thalers et un fusil Remington : mais je ne payai rien du tout. J'appris par la suite que le chef de caravane avait prélevé ces 400 thalers sur le fond versé par l'Azzaze entre ses mains pour le paiement des Bédouins, et qu'il les avait employés en achat d'esclaves, qu'il envoya avec la caravane de MM. Savouré, Dimitri[2], Brémond, et qui moururent tous en route, et lui-même alla se cacher au Djimma Abba-Djifar, où l'on dit qu'il est mort de la dysenterie. L'Azzaze eut donc, un mois après mon départ, à rembourser ces 400 thalers aux Bédouins ; mais, si j'avais été présent, il me les aurait certainement fait payer.

Les ennemis les plus dangereux des Européens en toutes ces occasions sont les Abou-Beker[3], par la facilité qu'ils ont d'approcher l'Azzaze et le roi, pour nous calomnier, dénigrer nos manières, pervertir nos intentions. Aux Bédouins dankalis ils donnent effrontément l'exemple du vol, les conseils d'assassinat et de pillage. L'impunité leur est assurée en tout par l'autorité abyssine et par l'autorité européenne sur les côtes, qu'ils dupent grossièrement l'une et l'autre. Il y a même des Français au Choa qui, pillés en route par Mohammed, et à présent encore en butte à toutes ses intrigues, vous disent néanmoins : « Mohammed, c'est un bon garçon ! » Mais les quelques Européens au Choa et au Harar qui connaissent la politique et les mœurs de ces gens, exécrés par toutes les tribus Issa Dankali, par les Gallas et les Amharas, fuient leur approche comme la peste.

Les trente-quatre Abyssins de mon escorte m'avaient bien, à Sajale,

---

1. Frère d'Ibrahim Abou-Beker (1815-1885), qui avait été pacha de Zeilah, et qui avait vendu à la France la rade d'Obock en 1881, ce Mohammed Abou-Beker était un trafiquant particulièrement redoutable. **2.** Sans doute Dimitris Righas, qui a travaillé pour les Bardey. Il devait mourir trois jours après Rimbaud. **3.** Ils constituent une famille.

avant le départ, fait signer une obligation de leur payer à chacun 15 thalers pour la route et deux mois de paye arriérée, mais à Ankober, irrité de leurs insolentes réclamations, je leur saisis le bon et le déchirai devant eux ; il y eut par suite plainte à l'Azzaze, etc. Jamais, d'ailleurs, on ne prend de reçus des gages payés aux domestiques au Choa : ils trouveraient cet acte étrange, et se croiraient très en danger d'on ne sait quoi.

Je n'aurais pas payé à l'Azzaze les 300 thalers pour Labatut, si je n'avais découvert moi-même, dans un vieux calepin trouvé à la baraque de Mme Labatut, une annotation de l'écriture de Labatut portant reçu de l'Azzaze de cinq okiètes d'ivoire moins quelques rotolis. Labatut rédigeait en effet ses *Mémoires* : j'en ramassai trente-quatre volumes, soit trente-quatre calepins, au domicile de sa veuve, et, malgré les imprécations de cette dernière, je les livrai aux flammes, — ce qui fut, m'expliqua-t-on, un grand malheur, quelques titres de propriété se trouvant intercalés parmi ces confessions qui, parcourues à la légère, m'avaient paru indignes d'un examen sérieux.

D'ailleurs ce sycophante d'Azzaze débouchant à Farré avec ses bourriques, au moment où je débouchais avec mes chameaux, m'avait immédiatement insinué, après les salutations, que le Frangui, au nom de qui j'arrivais, avait avec lui un compte immense, et il avait l'air de me demander la caravane entière en gage. Je calmai ses ardeurs, provisoirement, par l'offre d'une lunette à moi, de quelques flacons de dragées Morton[1] ; et je lui expédiai par la suite, à distance, ce qui me semblait réellement son dû. Il fut amèrement désillusionné, et agit toujours très hostilement avec moi ; entre autres, il empêcha l'autre sycophante, l'aboune[2], de me payer une charge de raisins secs que je lui apportais pour la fabrication du petit vin des messes.

Quant aux diverses créances que j'ai payées sur Labatut, cela s'opérait de la manière suivante :

Arrivait par exemple chez moi un Dedjatch[3], et s'asseyait à boire mon tedj[4], en vantant les nobles qualités de l'ami (feu Labatut) et en manifestant l'espoir de découvrir en moi les mêmes vertus. À la vue d'un mulet broutant la pelouse, on s'écriait : « C'est ça le mulet que j'ai donné à Labatut ! » (On ne disait pas que le burnous qu'on avait sur le dos, c'était Labatut qui l'avait donné.) « D'ailleurs, ajoutait-on, il est resté mon débiteur pour 70 thalers (ou 50, ou 60, etc. !). » Et on insistait sur cette réclamation, si bien que je congédiais le noble malandrin en lui disant : « Allez

1. Des pilules laxatives. 2. Chef du clergé copte orthodoxe. 3. Chef. 4. Une sorte d'hydromel.

au roi ! » (Ça veut à peu près dire : allez au diable !) — Mais le roi me faisait payer une partie de la réclamation, ajoutant hypocritement qu'il paierait le reste !

Mais j'ai payé aussi sur des réclamations fondées, par exemple à leurs femmes, les gages des domestiques morts en route à la descente de Labatut ; ou bien c'était le remboursement de quelque 30, 15, 12 thalers que Labatut avait pris de quelques paysans en leur promettant au retour quelques fusils, quelques étoffes, etc. Ces pauvres gens étant toujours de bonne foi, je me laissais toucher et je payais. Il me fut aussi réclamé une somme de 20 thalers par un M. Dubois : je vis qu'il y avait droit, et je payai, en ajoutant, pour les intérêts, une paire de mes souliers, ce pauvre diable se plaignant d'aller nu-pieds.

Mais la nouvelle de mes vertueux procédés se répandant au loin, il se leva, de-ci de-là, toute une série, toute une bande, toute une horde de créanciers à Labatut, avec des boniments à faire pâlir, et cela modifia mes dispositions bienveillantes ; et je pris la détermination de descendre du Choa au pas accéléré. Je me rappelle qu'au matin de mon départ, trottant déjà vers le N.-N.-E., je vis surgir d'un buisson un délégué d'une femme d'un ami de Labatut, me réclamant au nom de la Vierge Marie une somme de 19 thalers ; et, plus loin, se précipitait du haut d'un promontoire un être avec une pèlerine en peau de mouton, me demandant si j'avais payé 12 thalers à son frère, empruntés par Labatut, etc. À ceux-là je criai qu'il n'était plus temps !

La veuve Labatut m'avait, à ma montée à Ankober, intenté auprès de l'Azzaze un procès épineux tendant à la revendication de la succession. M. Hénon[1], voyageur français, s'était constitué son avocat dans cette noble tâche ; et c'était lui qui me faisait citer et qui dictait à la veuve l'énoncé de ses prétentions, avec l'aide de deux vieilles avocates amhara. Après d'odieux débats où j'avais tantôt le dessus, tantôt le dessous, l'Azzaze me donna un ordre de saisie aux maisons du défunt. Mais la veuve avait déjà caché au loin les quelques centaines de thalers de marchandises, d'effets et de curiosités laissés par lui, et, à la saisie que j'opérai non sans résistance, je ne trouvai que quelques vieux caleçons dont s'empara la veuve avec des larmes de feu, quelques moules à balles et une douzaine d'esclaves enceintes que je laissai.

M. Hénon intenta au nom de la veuve une action en appel, et l'Azzaze, ahuri, abandonna la chose au jugement des Franguis présents alors à

1. Ancien officier de cavalerie, chargé d'une mission d'exploration.

Ankober. M. Brémond[1] décida alors que mon affaire, paraissant déjà désastreuse, je n'aurais à céder à cette mégère que les terrains, jardins et bestiaux du défunt, et que, à mon départ, les Européens se cotiseraient pour une somme de cent thalaris à donner à la femme. M. Hénon, procureur de la plaignante, se chargea de l'opération et resta lui-même à Ankober.

La veille de mon départ d'Entotto, montant avec M. Ilg chez le monarque pour prendre le bon sur le Dedjatch du Harar, j'aperçus derrière moi dans la montagne le casque de M. Hénon qui, apprenant mon départ, avait franchi avec rapidité les 120 kilomètres d'Ankober à Entotto, et, derrière lui, le burnous de la frénétique veuve, serpentant au long des précipices. Chez le roi, je dus faire antichambre quelques heures, et *ils* tentèrent auprès de lui une démarche désespérée. Mais, quand je fus introduit, M. Ilg me dit en quelques mots qu'*ils* n'avaient pas réussi. Le monarque déclara qu'il avait été l'ami de ce Labatut, et qu'il avait l'intention de perpétuer son amitié sur sa descendance : et comme preuve, il retira de suite à la veuve la jouissance des terres qu'il avait données à Labatut !

Le but de M. Hénon était de me faire payer les cent thalers qu'il devait, *lui*, réunir pour la veuve chez les Européens. J'appris qu'après mon départ la souscription n'eut pas lieu !

M. Ilg, qui en raison de sa connaissance des langues et de son honnêteté, est généralement employé par le roi au règlement des affaires de la cour avec les Européens, me faisait comprendre que Ménélik se prétendait de fortes créances sur Labatut. En effet, le jour où l'on fit le prix de mes mises, Ménélik dit qu'il lui était dû beaucoup ; ce à quoi je ripostai en demandant des preuves. C'était un samedi, et le roi reprit qu'on consulterait les comptes. Le lundi, le roi déclara que, ayant fait dérouler les cornets qui servent d'archives, il avait retrouvé une somme d'environ 3 500 thalaris, et qu'il la soustrayait de mon compte, et que d'ailleurs, en vérité, tout le bien de Labatut devait lui revenir ; tout cela d'un ton qui n'admettait plus de contestation. J'alléguai les créanciers européens, produisant ma créance en dernier lieu, et, sur les remontrances de M. Ilg, le roi consentit hypocritement à abandonner les trois huitièmes de sa réclamation.

Pour moi, je suis convaincu que le Négous[2] m'a volé, et, ses marchandi-

---

1. Déjà nommé plus haut. Louis-Auguste Brémond, négociant français installé à Ankober, et plus tard à Djibouti. C'était le doyen des commerçants européens d'Éthiopie. **2.** C'est-à-dire Ménélik.

ses circulant sur des routes que je suis encore condamné à parcourir, j'espère pouvoir les saisir un jour, pour la valeur de ce qu'il me doit ; de même que j'ai à saisir le Ras Govana[1] pour une somme de 600 thalaris dans le cas où il persisterait dans ses réclamations, après que le roi lui a fait dire de se taire, — ce que le roi fait toujours dire aux autres, quand il s'est payé lui-même.

Telle est, Monsieur le Consul, la relation de mon paiement des créances sur la caravane Labatut aux indigènes. Excusez-moi de vous l'avoir faite en ce style, pour faire diversion à la nature des souvenirs que me laissa cette affaire, et qui sont, en somme, très désagréables.

Agréez, Monsieur le Consul, l'assurance de mon respectueux dévouement.

Rimbaud.

COMPTE DES FRAIS DE LA CARAVANE LABATUT

Pierre Labatut
Ankober
par
Obock
(Côte orientale d'Afrique).

NOMS	NOMBRE DE CHAMEAUX :
Saïd Massa	5
Abd El Kader Daoud	12
Moussa et Sanzogoda	19 1/2
Hassan Abou Beker	1 1/2
Djabeur	1
Ali Abey	10 1/2
Divers de Tadjourah	12 1/2
Saddik Hoummedau	5
Omar Boûda	3 1/2

1. Govana Dache (1819-1889), allié de Ménélik, était le gouverneur de la province de Wallaga.

Mohamed Kassem et Abou Beker Balla		4 1/2
Boguis		1 1/2
Bouha		1
Hoummedou et les Adaîel		13
		90 1/2
à Thalers 17 1/2	Th.	1 584
Habib, chef de caravane. Solde	Th.	50
Moussa Dirio, chef. Gratification	Th.	60
Saïd Massa, chef	Th.	40
Abd El Kader Daoud, chef. —	Th.	30
Mohammed Chaîm, chef de caravane, Bakchich	Th.	46
Total	Th.	1 810
Ajouté pour divers		24
Total	Th.	1 834

Compte signé et approuvé à Ankober par le chef de caravane Mohammed Chaîm.

AUX SIENS

Aden, 22 novembre 1887.

Mes chers amis

J'espère que vous êtes en bonne santé et en paix, et je suis en bonne santé aussi, mais pas précisément en paix, car je n'ai encore rien trouvé à faire, quoique je pense accrocher prochainement quelque chose.

Je ne reçois plus de vos nouvelles, mais je suis rassuré à votre égard. Répondez-moi, s'il vous plaît[,] aux questions suivantes : Quel est le nom et l'adresse des députés des Ardennes, particulièrement celui de votre arrondissement ? Il se pourrait que j'aie à faire prochainement une demande à un ministère, pour quelque concession dans la colonie d'Obock, ou pour la permission d'importer des armes à feu pour l'Abyssinie par la dite côte, et je ferais appuyer ma demande par votre député.

— Enfin où se placent les fonds pour rentes viagères ? Est-ce au gouvernement ? Puis-je avoir une rente viagère à mon âge ? Quel intérêt aurais-je ?

Bien à vous,

Rimbaud.
Poste restante, Aden Cantonnement.
British Colonies.

AUX SIENS

Aden, 15 décembre 1887.

Mes chers amis

J'ai reçu votre lettre du 20 novembre. Je vous remercie de penser à moi.

Je vais assez bien ; mais je n'ai encore rien trouvé de bon à mettre en train.

Je vous charge de me rendre un petit service qui ne vous compromettra en rien. C'est un essai que je voudrais faire, si je puis obtenir l'autorisation ministérielle et trouver ensuite des capitaux.

Adressez la lettre ci-jointe au député de l'arrondissement de Vouziers, en ajoutant son nom et le nom de l'arrondissement dans l'en-tête intérieur de la lettre. Cette lettre au député doit contenir la lettre au Ministre. À la fin de la lettre au Ministre, aux places laissées en blanc, ayez seulement le soin d'écrire le nom du député que je charge des démarches. Cela fait, vous expédiez le tout à l'adresse du député, ayant eu le soin de laisser ouverte l'enveloppe de la lettre au Ministre.

Si c'était actuellement M. Corneau, marchand de fers, le député de Charleville, il vaudrait mieux peut-être que cela lui fût envoyé, s'agissant d'une entreprise métallurgique ; et, alors, ce serait son nom qui devrait figurer aux blancs de la lettre et à la fin de la demande au Ministère. Sinon, et comme je ne suis pas du tout au courant des cuisines politiques actuelles, adressez-vous au plus tôt au député de votre arrondissement. Vous n'avez rien à faire que ce que je viens de vous dire ; et, par la suite, rien ne vous sera adressé, car vous voyez que je demande au Ministre de me répondre au député, et au député de me répondre ici, au Consulat.

Je doute que cette démarche réussisse, à cause des conditions politiques actuelles sur cette côte d'Afrique ; mais enfin, cela, pour commencer, ne coûte que du papier.

Ayez donc la bonté d'adresser au plus tôt, et sans aucune annotation, cette lettre à ce député (contenant la demande au Ministère). L'affaire avancera toute seule si elle doit avancer.

J'adresse cela par votre entremise, parce que je ne connais pas l'adresse du député, et que je ne veux pas écrire au Ministère sans joindre à ma requête une recommandation. J'espère que ce député fera quelque chose.

Enfin, il n'y a qu'à attendre. Je vous dirai, par la suite, ce qu'on m'aura répondu, si l'on me répond : ce que j'espère.

J'ai écrit la relation de mon voyage en Abyssinie, pour la Société de géographie. J'ai envoyé des articles au *Temps*, au *Figaro*, etc... J'ai l'intention d'envoyer aussi au *Courrier des Ardennes*, quelques récits intéressants de mes voyages dans l'Afrique orientale. Je crois que cela ne peut pas me faire de tort.

Bien à vous.

Répondez-moi à l'adresse suivante, exclusivement :

A. Rimbaud,
Poste restante, à Aden-Camp, Arabie.

AU DÉPUTÉ DE VOUZIERS

Aden, le 15 décembre 1887.

Monsieur,

Je suis natif de Charleville (Ardennes), et j'ai l'honneur de vous demander par la présente de vouloir bien transmettre, en mon nom, en l'appuyant de votre bienveillant concours, la demande ci-jointe au ministre de la Marine et des Colonies.

Je voyage depuis huit années environ sur la côte orientale d'Afrique, dans les pays d'Abyssinie, du Harar, des Dankalis et du Somal, au service d'entreprises commerciales françaises, et M. le Consul de France à Aden, où j'élis domicile ordinairement, peut vous renseigner sur mon honorabilité et mes actes en général.

Je suis un des très peu nombreux négociants français en affaires avec le roi Ménélik, roi du Choa (Abyssinie méridionale), ami de tous les pouvoirs européens et chrétiens, — et c'est dans son pays, distant d'environ 700 kilomètres de la côte d'Obock, que j'ai l'intention d'essayer de créer l'industrie mentionnée dans ma demande au Ministère.

Mais, comme le commerce des armes et munitions est interdit sur la côte orientale de l'Afrique possédée et protégée par la France (c'est-à-dire dans la colonie d'Obock et les côtes dépendantes d'elle), je demande par la présente au Ministère de me donner une autorisation de *faire transiter* le matériel et l'outillage décrits par la dite côte d'Obock, sans m'y arrêter, que le temps nécessaire à la formation de ma caravane, car tout ce chargement doit traverser les déserts à dos de chameaux.

Comme rien de ce matériel ni de cet outillage ne doit rester en retard sur les côtes que vise la prohibition, comme rien de tout le dit chargement n'en sera distrait, ni en route, ni à la côte, et que l'importation dudit matériel et outillage est exclusivement destiné au Choa, pays chrétien et ami des Européens ; et comme je dois m'engager à m'adresser, pour la dite commande, à des capitaux français et à l'industrie française exclusivement, j'espère que le ministre voudra bien favoriser ma demande et m'envoyer l'autorisation dans les termes requis, c'est-à-dire : laisser passer sur toute la côte d'Obock et les côtes dankalies et somalies adjacentes, protégées ou administrées par la France, la totalité de ladite commande à destination du Choa.

Permettez-moi, Monsieur, de vous prier encore une fois d'appuyer ma demande auprès du Ministère, dont je vous serai obligé de me faire parvenir la réponse.

Agréez, Monsieur, l'assurance de ma considération très distinguée.

Arthur Rimbaud.
Adresse : au Consulat de France,
Aden (Colonies anglaises).

AU MINISTRE DE LA MARINE ET DES COLONIES

Aden, décembre 1887.

Monsieur le Ministre,

J'ai l'honneur de vous demander par la présente une autorisation officielle de débarquer sur les territoires français de la côte orientale d'Afrique, comprenant la colonie d'Obock, le protectorat de Tadjourah et toute l'étendue de la côte Somalie protégée ou possédée par la France, les marchandises suivantes, à destination du roi Ménélik, roi du Choa, où elles doivent être rendues par caravanes devant se former à ladite côte française.

1° Toutes les matières, l'outillage et le matériel requis pour la fabrication des fusils à percussion centrale, système Gras ou Remington.

2° Toutes les matières, l'outillage et le matériel requis pour la fabrication des cartouches aux dits fusils, des amorces de cartouches, et les capsules de guerre en général.

Je m'adresse pour le tout à des capitaux français et à l'industrie française et l'établissement de cette industrie au Choa devra être confié à un personnel français. Il s'agit de l'essai d'une entreprise industrielle française à 700 kilomètres des côtes au profit d'une puissance chrétienne intéressante, amie des Européens et des Français en particulier ; et l'autorisation demandée doit simplement accorder et protéger le transit de la dite caravane à la côte, où le commerce des armes et des munitions est d'ailleurs défendu.

Agent de commerce français, voyageant depuis environ huit années sur la côte orientale d'Afrique, honorablement connu de tous les Européens, aimé des indigènes, j'espère, monsieur le Ministre, que vous voudrez bien m'accorder ma demande, que j'ai l'honneur de faire aussi au nom du roi Ménélik, et j'attendrai la réponse du Ministère par les soins de M. Fagot, député de l'arrondissement de Vouziers, département des Ardennes, d'où je suis originaire.

Agréez, monsieur le Ministre, l'assurance de mes respects très dévoués.

Arthur Rimbaud.

Adresse : Au Consulat de France, Aden, Arabie.

AUX SIENS

Aden, 25 janvier 1888.

Mes chers amis,

J'ai reçu la lettre où vous m'annoncez l'expédition de mes tartines à l'adresse du Ministre. Je vous remercie. Nous allons voir ce qu'on répondra. Je compte peu sur le succès ; mais enfin il se peut qu'on accorde cette autorisation, au moins après la guerre Italo-Abyssine — qui n'a pas l'air de clore.

D'ailleurs, l'autorisation accordée, les capitaux resteraient à trouver ; et cela ne se trouve pas dans le pas d'un cheval, ni même d'un âne. Vous pensez bien que ce ne sont pas mes quarante mille et quelques francs [1] qui suffiraient à l'entreprise ; mais je pourrais avoir l'occasion de faire monnaie avec l'autorisation elle-même, si elle était accordée, et accordée en termes précis. Je suis déjà sûr du concours de quelques capitalistes, que ces affaires peuvent tenter.

Enfin, ayez la bonté de m'avertir, s'il vous revenait quelque chose du fait de cette demande ; quoique j'aie dit au député de me répondre à mon nom, ici au consulat de France. — Ne vous mêlez de l'affaire aucunement. Ça marchera tout seul ; ou ça ne marchera pas, ce qui est plus vraisemblable.

Je ne me suis accroché encore à rien à Aden ; et l'été approche rapidement, me mettant dans la nécessité de rechercher un climat plus frais, car celui-ci m'épuise absolument, et j'en ai plus que mon compte.

Les affaires de cette mer Rouge sont bien changées, elles ne sont plus ce qu'elles étaient il y a six ou sept ans.

C'est l'invasion des Européens, de tous les côtés, qui a fait cela : les Anglais en Égypte, les Italiens à Massaouah, les Français à Obock, les Anglais à Berbéra, etc. Et on dit que les Espagnols aussi vont occuper quelque port aux environs du détroit ! Tous les gouvernements sont venus engloutir des millions (et même en somme quelques milliards) sur toutes ces côtes maudites, désolées, où les indigènes errent des mois sans vivres et sans eau, sous le climat le plus effroyable du globe ; et tous ces millions qu'on a jetés dans le ventre des bédouins n'ont rien rapporté, que les guerres, les désastres de tous genres ! Tout de même, j'y trouverai peut-être quelque chose à faire.

Je vous souhaite bonne 88, dans tous ses détails.

Bien à vous,

Rimbaud.

---

1. Le chiffre a probablement été falsifié par P. Berrichon. J. Mouquet a proposé « seize mille », ce qui est plus vraisemblable. Mais l'original manque.

À ALFRED ILG
Aden 1er février 1888

Voir notice p. 997

À ALFRED ILG
Aden 29 mars 1888

Voir notice p. 998

À UGO FERRANDI

Monsieur Ugo Ferrandi

Steamer Point
Aden

Mon cher monsieur

J'ai tout préparé pour partir par le « Tuna », qui arrivera Samedi. Vous pouvez faire de même, en évitant les colis inutiles. J'accepte avec plaisir de faire la route ensemble, et je compte que nous arriverons rapidement et facilement.

Bien à vous

Aden le 2 avril 1888. — Rimbaud

AUX SIENS

Aden, 4 avril 1888.

Mes chers amis,

Je reçois votre lettre du 19 mars.

Je suis de retour d'un voyage au Harar[1] : six cents kilomètres, que j'ai faits en 11 jours de cheval.

Je repars, dans trois ou quatre jours, pour Zeilah et Harar où je vais définitivement me fixer. Je vais pour le compte des négociants d'Aden[2].

Il y a longtemps que la réponse du Ministre m'est arrivée, réponse négative, comme je le prévoyais. Rien à faire de ce côté, et d'ailleurs, à présent, j'ai trouvé autre chose.

Je vais donc habiter l'Afrique de nouveau, et on ne me verra pas de longtemps. Espérons que les affaires s'arrangeront au moins mal.

À partir d'à présent, écrivez-moi chez mon correspondant à Aden, en évitant dans vos lettres les choses compromettantes.

Bien à vous,

Monsieur Rimbaud
Chez Monsieur César Tian,
Aden,
Possessions anglaises,
Arabie.

Vous pouvez aussi, et même préférablement, m'écrire directement à Zeilah, ce point faisant partie de l'Union postale. (Renseignez-vous pour l'affranchissement.)

Monsieur Arthur Rimbaud,
à Zeilah, Mer Rouge, via Aden,
Possessions anglaises.

---

1. Sur ce voyage, on est renseigné par la lettre à Ilg du 29 mars. **2.** Bardey et Tian, comme le prouve la lettre à Ilg du 29 mars.

À UGO FERRANDI

Aden 10 avril 88

Mon cher Monsieur Hugo

On dit que le « Toona »[1] ne part que jeudi après-midi[2].

Quoi qu'il en soit, je compte que vous êtes prêt.

Comme je m'embarque à Mallah, ayez la bonté de prendre avec vos bagages *les deux caisses de Mr Rondani*[3] qui sont sous la verandah chez Suel, et de les embarquer. Je vous paierai les frais à son compte.

Sinon je crains que ces caisses ne restent là quelques années de plus.

Bien à vous

Rimbaud

À ALFRED ILG
Aden 12 avril 1888

Voir notice p. 999

1. Variante orthographique par rapport à la lettre précédente. Le *Toona* était un vapeur anglais de 200 tonneaux. **2.** Il partira en réalité le vendredi 13 avril, et atteindra Zeilah le 15. **3.** Armando Rondani était explorateur et marchand d'armes.

[Onzième lot]

[LETTRES DE HARAR (troisième série, 1888-1891)]

À ALFRED BARDEY, 3 mai 1888 (*extrait*)

Je viens d'arriver au Harar. Les pluies sont extraordinairement fortes, cette année, et j'ai fait mon voyage par une succession de cyclones, mais les pluies des pays bas vont cesser dans deux mois.

AUX SIENS

Harar, le 15 mai 1888.

Mes chers amis,

Je me trouve réinstallé ici, pour longtemps.

J'établis un comptoir commercial français, sur le modèle de l'agence que je tenais dans le temps, avec, cependant, quelques améliorations et innovations. Je fais des affaires assez importantes, qui me laissent quelques bénéfices.

Pourriez-vous me donner le nom des plus grands fabricants de drap de Sedan ou du département ? Je voudrais leur demander de légères consignations de leurs étoffes : elles seraient de placement au Harar et en Abyssinie.

Je me porte bien. J'ai beaucoup à faire, et je suis tout seul. Je suis au frais et content de me reposer, ou plutôt de me rafraîchir, après trois étés passés sur la côte.

Portez-vous bien et prospérez.

Rimbaud.

À ALFRED ILG

Harar 25 juin 1888

Voir notice p. 1003

AUX SIENS

Harar 4 juillet 1888.

Mes chers amis

Je me suis réinstallé ici pour longtemps, et j'y fais le commerce. Mon correspondant à Aden est Monsieur Tian, installé là depuis 20 ans.

Je vous ai déjà écrit d'ici une fois sans recevoir de réponse. Ayez la bonté de m'envoyer de vos nouvelles. J'espère que vous êtes en bonne santé et que vos affaires vont aussi bien que possible.

Je ne reçois plus rien de vous. Vous avez tort de m'oublier ainsi.

Je suis très occupé, très ennuyé, mais en bonne santé actuellement depuis que j'ai quitté la Mer Rouge où j'espère ne pas descendre de longtemps.

Ce pays-ci est à présent gouverné par l'Abyssinie. On est en paix pour le moment. À la côte, à Zeilah, c'est l'Angleterre qui gouverne.

Écrivez-moi donc, et croyez-moi votre dévoué,

Rimbaud,

Adresse : chez Monsieur César Tian, négociant
à Aden.

AUX SIENS

Harar, 4 août 1888.

Mes chers amis,

Je reçois votre lettre du 27 juin. Il ne faut pas vous étonner du retard des correspondances, ce point étant séparé de la côte par des déserts que les courriers mettent huit jours à franchir ; puis, le service qui relie Zeilah à Aden est très irrégulier, la poste ne part d'Aden pour l'Europe qu'une fois par semaine et elle n'arrive à Marseille qu'en quinze jours. Pour écrire en Europe et recevoir réponse, cela prend au moins trois mois. Il est impossible d'écrire directement d'Europe au Harar, puisqu'au-delà de Zeilah, qui est sous la protection anglaise, c'est le désert habité par des tribus errantes. Ici, c'est la montagne, la suite des plateaux abyssins : la température ne s'y élève jamais à plus de 25 degrés au-dessus de zéro, et elle ne descend jamais à moins de 5 degrés au-dessus de zéro. Donc pas de gelées, ni de sueurs.

Nous sommes maintenant dans la saison des pluies. C'est assez triste. Le gouvernement est le gouvernement abyssin du roi Ménélik, c'est-à-dire un gouvernement négro-chrétien ; mais, somme toute, on est en paix et sûreté relatives, et, pour les affaires, elles vont tantôt bien, tantôt mal. On vit sans espoir de devenir tôt millionnaire. Enfin ! puisque c'est mon sort de vivre dans ces pays ainsi...

Il y a à peine une vingtaine d'Européens dans toute l'Abyssinie, y compris ces pays-ci. Or, vous voyez sur quels immenses espaces ils sont disséminés. À Harar, c'est encore l'endroit où il y en a le plus : environ une dizaine. J'y suis le seul de nationalité française. Il y a aussi une mission catholique avec trois pères, dont l'un Français comme moi [1], qui éduquent des négrillons.

Je m'ennuie beaucoup, toujours ; je n'ai même jamais connu personne qui s'ennuyât autant que moi. Et puis, n'est-ce pas misérable, cette existence sans famille, sans occupation intellectuelle, perdu au milieu des nègres dont on voudrait améliorer le sort et qui, eux, cherchent à vous exploiter et vous mettent dans l'impossibilité de liquider des affaires à bref délai ? Obligé de parler leurs baragouins, de manger de leurs sales mets, de subir mille ennuis provenant de leur paresse, de leur trahison, de leur stupidité !

---

1. Le père Joachim.

Le plus triste n'est pas encore là. Il est dans la crainte de devenir peu à peu abruti soi-même, isolé qu'on est et éloigné de toute société intelligente.

On importe des soieries, des cotonnades, des thalaris et quelques autres objets : on exporte du café, des gommes, des parfums, de l'ivoire, de l'or qui vient de très loin, etc., etc. Les affaires, quoique importantes, ne suffisent pas à mon activité et se répartissent, d'ailleurs, entre les quelques Européens égarés dans ces vastes contrées.

Je vous salue sincèrement. Écrivez-moi.

Rimbaud.

AUX SIENS

Harar, 10 novembre 1888.

Chers amis,

Je reçois aujourd'hui votre lettre du 1er octobre. J'aurais bien voulu retourner en France pour vous voir, mais il m'est tout à fait impossible de sortir de ce trou d'Afrique avant longtemps.

Enfin, ma chère maman, repose-toi, soigne-toi. Il suffit des fatigues passées. Épargne au moins ta santé et reste en repos.

....

Si je pouvais faire quelque chose pour vous, je n'hésiterais pas à le faire.

....

Croyez bien que ma conduite est irréprochable. Dans tout ce que j'ai fait, c'est plutôt les autres qui m'ont exploité.

Mon existence dans ces pays, je l'ai dit souvent, mais je ne le dis pas assez et je n'ai guère autre chose à dire, mon existence est pénible, abrégée par un ennui fatal et par des fatigues de tout genre. Mais peu importe ! — Je désirerais seulement vous savoir heureux et en bonne santé. Pour moi, je suis habitué de longtemps à la vie actuelle. Je travaille. Je voyage. Je voudrais faire quelque chose de bon, d'utile. Quels seront les résultats ? Je ne sais encore.

Enfin, je me porte mieux depuis que je suis à l'intérieur, et c'est toujours cela de gagné.

Écrivez-moi plus souvent. N'oubliez pas votre fils et votre frère.

Rimbaud.

AUX SIENS

Harar 10 janvier 1889.

Ma chère maman, ma chère sœur

J'ai bien reçu ici votre lettre datée du dix décembre 1888. Merci de vos conseils et bons souhaits. Je vous souhaite bonne santé et prospérité pour l'année 1889.

Pourquoi parlez-vous toujours de maladies, de mort, de toutes sortes de choses désagréables ? Laissons toutes ces idées loin de nous, et tâchons de vivre le plus confortablement possible, dans la mesure de nos moyens.

Je vais bien, je vais mieux que mes affaires, qui me donnent beaucoup de tracas pour peu de bénéfice. Avec les complications où je suis engagé, il est peu probable que je sorte avant longtemps de ces pays. Pourtant mon capital ne s'augmente guère. Je crois que je recule au lieu d'avancer.

C'est bien mon intention de faire la donation dont vous parlez. Il ne me plaît pas en effet de penser que le peu que j'aurais péniblement amassé serve à faire ripailler ceux qui ne m'ont jamais même écrit une seule lettre ! Si je me trouvais un jour sérieusement malade, je le ferais, et il y a dans ce pays-ci une mission chrétienne à laquelle je confierais mon testament qui viendrait ainsi transmis au Consulat de France à Aden en quelques semaines. Mais ce que j'ai ne ressortirait qu'après la liquidation des affaires que je fais pour la maison César Tian d'Aden. D'ailleurs si j'étais fort malade, je liquiderais plutôt moi-même l'agence d'ici ; et je descendrais à Aden, qui est un pays civilisé, et où on peut régler ses affaires immédiatement.

Envoyez-moi de vos nouvelles, et croyez-moi

Votre dévoué,

Rimbaud,
Chez Monsieur César Tian
à Aden.

AUX SIENS

Harar, 25 février 1889.

Ma chère maman, ma chère sœur,

Ceci tout simplement pour vous demander de vos nouvelles, que je n'ai eues depuis longtemps.

Je me porte très bien à présent ; et, pour les affaires, elles ne marchent pas mal.

J'aime à me figurer que tout va chez vous aussi bien que possible.

Croyez-moi votre tout dévoué et écrivez-moi.

Rimbaud.

À JULES BORELLI

Harar, 25 février 1889.

Mon cher Monsieur Borelli,

Comment vous portez-vous ?

— Je reçois avec plaisir votre lettre du Caire [1], 12 janvier.

Merci mille fois de ce que vous avez pu dire et faire pour moi dans notre colonie. Malheureusement, il y a toujours je ne sais quoi qui détourne complètement les Issas [2] de notre Djibouti : la difficulté de la route de Biokaboba à Djibouti (car on ne peut aller d'ici à Ambos, trop voisin de Zeilah, pour côtoyer ensuite jusqu'à Djibouti !), le manque d'installation commerciale à Djibouti et même d'organisation politique, le défaut de communications maritimes de Djibouti avec Aden et, surtout, la question suivante : comment les produits arrivant à Djibouti seront-ils traités à Aden ? (car il n'y a pas à Obock d'installation pour la manutention de nos marchandises.)

De Djibouti pour le Harar on trouve assez facilement des chameaux, et la franchise des marchandises compense, et au delà, l'excédent des frais

1. Jules Borelli se trouvait chez son frère Octave. **2.** Population somalie, dans la région qui s'étend de Djibouti à Zeilah.

en loyers de ces animaux. Ainsi nous avons reçu par Djibouti les 250 chameaux de M. Savouré, de qui l'entreprise a finalement réussi : il est entré ici quelques semaines après vous, avec le Monsieur son associé. Le dedjatch Makonnen est reparti d'ici pour le Choa le 9 novembre 1888, et M. Savouré est monté à Ankober par le Hérer huit jours après le départ de Makonnen par les Itous. M. Savouré logeait ici chez moi ; il m'avait même laissé en dépôt une vingtaine de chameaux de marchandises, que je lui ai adressés au Choa, il y a une quinzaine, par la route de Hérer. J'ai procuration de toucher pour lui à la caisse du Harar une cinquantaine de mille thalaris pour le compte de ses fusils, car il paraît qu'il n'a pas reçu grand'chose du roi Ménélik. En tout cas, son associé descend de Farré pour Zeilah fin mars, avec leur première caravane de retour. M. Pino [1] se rend à la côte par cette occasion.

Vous devez savoir que M. Brémond est arrivé à Obock-Djibouti. Je ne sais ce qu'il veut entreprendre. Enfin il a un associé voyageant avec lui. Je n'ai pas reçu de lettres de lui depuis son départ de Marseille ; mais j'attends personnellement un courrier de Djibouti.

M. Ilg est arrivé ici, de Zeilah, fin décembre 1888, avec une quarantaine de chameaux d'engins destinés au roi. Il est resté chez moi un mois et demi environ : on ne lui trouvait point de chameaux, notre administration actuelle est fort débile et les Gallas n'obéissent guère. Enfin, il a pu charger sa caravane et est parti le 5 février pour le Choa, via Hérer. Il doit être à l'Hawache à présent. — Les deux autres Suisses sont à l'attendre.

Nos choums [2] sont Ato Tesamma, Ato Mikael et le gragnazmatche [3] Banti. Le mouslénié [4], qui fait rentrer l'impôt, est l'émir Abd-Ullahi [5]. Nous n'avons jamais été aussi tranquilles, et nous ne sommes nullement touchés des soi-disant convulsions politiques de l'Abyssinie. — Notre garnison est d'environ mille remingtons.

Naturellement, depuis la retraite de Makonnen, qui a été suivie de celle du dedjatch Bécha de Boroma et même de celle de Waldé Gabriel [6] du Tchertcher, cette route nous est complètement fermée. — Nous ne recevons plus de maggadies depuis longtemps.

Nous ne recevons d'ailleurs guère de courriers que ceux de M. Savouré, quoique le roi envoie quelques ordres aux choums d'ici et que Makonnen

---

1. Éloi Pino, ancien capitaine au long cours, a pris part au commerce des armes. **2.** *Choums* : chefs indigènes. **3.** Titre militaire. Il commande l'aile gauche d'une armée en campagne. **4.** Administrateur chargé de collecter les impôts. **5.** Celui qui avait été chassé de Harar en 1887 au profit du ras Makonnen. **6.** Qui avait exercé son autorité sur le pays des Itous.

continue à adresser aussi ses ordres aux dits choums, comme s'il était présent, quoiqu'il ne soit pas sûr qu'il sera renommé gouverneur ici, où il a laissé de fortes dettes.

Enfin, par le dernier courrier on nous annonçait que, la situation semblant calmée au Choa, le dedjatch Waldé Gabriel retournait réoccuper le Tchertcher [1] : ce serait pour nous la réouverture des relations commerciales avec le Choa.

Quant à ce qui s'est passé au Choa, vous devez le savoir. L'empereur avait détrôné Tékla Haïmanante du Godjam pour mettre à sa place Ras Mikael, je crois. L'ancien roi du Godjam se révolta, chassa son remplaçant, battit les gens de l'empereur ; d'où mise en marche d'Ato Joannès, son entrée au Godjam, qu'il ravagea terriblement et où il est toujours. On ne sait encore si la paix est faite avec Tékla Haïmanante.

Ato Joannès avait de nombreux griefs contre Ménélik. Celui-ci refusait de livrer un certain nombre de déserteurs qui avaient cherché asile chez lui. On dit même qu'il avait prêté un millier de fusils au roi du Godjam. L'empereur était aussi très mécontent des intrigues, sincères ou non, de Ménélik avec les Italiens. Enfin les relations des deux souverains s'étaient fort envenimées, et on a craint, et on craint toujours que Johannès ne passe l'Abbaï [2] pour tomber sur le roi du Choa.

C'est dans l'appréhension de cette invasion que Ménélik a fait abandonner tous les commandements extérieurs pour concentrer toutes les troupes au Choa, et particulièrement sur la route de Godjam. Le Ras Govana, le Ras Darghi gardent encore à présent le passage de l'Abbaï ; on dit même qu'ils ont déjà eu à repousser une tentative de passage des troupes de l'empereur. Quant à Makonnen, il était allé jusqu'au Djimma, dont le malheureux roi avait déjà payé le guibeur [3] à un détachement de troupes de Joannès passé par l'ouest. L'abba Cori a payé un deuxième guibeur à Ménélik.

L'aboune [4] Mathios, un tas d'autres personnages, intercèdent pour la paix entre les deux rois. On dit que Ménélik, très vexé, refuse de se concilier. Mais peu à peu le différend, croit-on, s'apaisera. La crainte des Derviches retient l'empereur ; et quant à Ménélik, qui a caché au diable toutes ses richesses, vous savez qu'il est trop prudent pour jouer un coup si dangereux. Il est toujours à Entotto. On nous le représente bien tranquille.

Le 25 janvier 1889 est entré à Ankober Antonelli avec ses 5 000 fusils et quelques millions de cartouches Vetterli, qu'il devait livrer, je crois, il y a longtemps. Il paraît qu'il a rapporté une quantité de thalaris. — On

---

1. Ou Itou-Tchertcher, pays de vallées en Éthiopie méridionale. **2.** Le Nil bleu. **3.** Impôt de vivres. **4.** Chef du clergé amhara.

dit que tout cela est un cadeau ! Je crois bien plutôt à une simple affaire commerciale.

Les assistants du comte, Traversi, Ragazzi, etc., sont toujours dans la même position au Choa.

On nous annonce encore que le sieur Viscardi est débarqué à Assab avec une nouvelle cargaison de tuyaux[1] remingtons.

Le gouvernement italien a aussi envoyé ici le docteur Nerazzini (que de docteurs diplomatiques !) en séjour, comme relais de poste d'Antonelli.

Nous avons eu, il y a quelques jours, la visite du comte Téléki[2], qui a fait un important voyage dans les régions inexplorées au N.-O. du Kénia : il dit avoir pénétré jusqu'à dix jours sud du Kaffa. Il nous répète ce que vous dites du cours de Djibié, c'est-à-dire que ce fleuve, au lieu d'aller à l'Océan Indien, se jette dans un grand lac vers le S.-O. Selon lui, le Sambourou des cartes n'existe pas.

Le comte Téléki repart pour Zeilah. Le deuil du prince Rodolphe le rappelle en Autriche.

Je dis bonjour à Bidault de votre part. Il vous salue avec empressement. Il n'a pas encore pu placer sa collection de photographies du pays, qui est à présent complète. On ne l'a pas rappelé au Choa, ni ailleurs, et il vit toujours dans la contemplation.

Disposez de moi pour ce dont vous pourriez avoir besoin dans ces parages, et croyez-moi votre dévoué,

Rimbaud.

Aux soins de Monsieur Tian, Aden.

À UGO FERRANDI

Harar, le 30 avril 1889.

Cher Monsieur Ferrandi,

J'ai bien reçu votre billet de Geldessey, et ai communiqué votre note à Naufragio[3], qui vous salue.

Vous devez savoir comment les Abyssins ont occupé votre maison aussitôt votre sortie. C'est un procédé qui ne doit pas vous surprendre.

---

1. Fusils. **2.** Explorateur hongrois. **3.** Ancien officier de marine italien, devenu explorateur.

Le soldat vous rejoindra probablement à Biokaboba[1]. Ici rien de neuf : les orgies de la Semaine de Pâques sont finies : c'est aujourd'hui encore Sm Joyés.

Les Abyssins font partir demain ou après une caravane pour le Choa, avec laquelle partent le Khaouaga Élias et l'imposant Mossieu Moskoff[2]. — Pas de nouvelles du Choa depuis un mois. Les Grecs venus de Zeilah racontent que Joannès est mort, probablement sur les télégrammes Corazzini[3], mais ici les indigènes n'en savent rien.

Bien le bonjour à v[otre] compagnon, dites-lui que personne jusqu'à présent ne s'occupe de lui (4ème jour). J'ai écrit à Zeilah à l'agent de Tian de le laisser loger chez lui.

Voici même un billet pour lui.

Bien à vous.

Rimbaud.

AUX SIENS

Harar 18 mai 1889.

Ma chère maman, ma chère sœur,

J'ai bien reçu votre lettre du 2 avril. Je vois avec plaisir que, de votre côté, tout va bien.

Je suis toujours fort occupé dans ce satané pays, ce que je gagne n'est pas en proportion des tracas que j'ai, car nous menons une triste existence au milieu de ces nègres.

Tout ce qu'il y a de bon dans ce pays, c'est qu'il n'y gèle jamais ; nous n'avons jamais moins de 10 au-dessus de zéro, et jamais plus de 30. Mais il y pleut à torrents dans la saison actuelle, et comme vous, ça nous empêche de travailler, c'est-à-dire de recevoir et d'envoyer des caravanes.

Celui qui vient par ici ne risque jamais de devenir millionnaire, — à moins que de poux, s'il fréquente de trop près les indigènes.

Vous devez lire dans les journaux que l'empereur (quel empereur !)

1. Le nom signifie « eau excellente » ; c'est une station sur la route de Zeilah au Harar, à égale distance des deux points. **2.** Vassili Moskoff, chargé de mission par le tsar auprès de Ménélik. **3.** Le consul d'Italie à Zeilah.

Jean est mort, tué par les Mahdistes[1]. Nous aussi ici, nous dépendions indirectement de cet empereur. Seulement nous dépendons directement du roi Ménélik du Choa, lequel payait lui-même tribut à l'empereur Jean. Notre Ménélik s'était révolté l'an passé contre cet affreux Jean, et ils s'apprêtaient à se manger le nez, quand le susdit empereur eut l'idée d'aller d'abord flanquer une raclée aux Mahdistes, du côté de Matama. Il y est resté, que le Diable l'emporte.

Ici, nous sommes très tranquilles. Nous dépendons de l'Abyssinie, mais nous en sommes séparés par la rivière de l'Hawash.

Nous correspondons toujours facilement avec Zeilah et Aden.

Je regrette de ne pouvoir faire un tour à l'exposition[2] cette année, mais mes bénéfices sont loin de me le permettre, et d'ailleurs je suis absolument seul ici, et moi partant, mon établissement disparaîtrait entièrement.

Ce sera donc pour la prochaine, et à la prochaine je pourrai exposer peut-être les produits de ce pays, et peut-être m'exposer moi-même, car je crois qu'on doit avoir l'air excessivement baroque après un long séjour dans des pays comme ceux-ci.

En attendant de vos nouvelles, je vous souhaite beau temps et bon temps.

Rimbaud.

Adresse : chez Monsieur César Tian,
Négociant.
Aden.

À ALFRED ILG

Harar 1er juillet 89

Voir notice p. 1005

---

1. Ceux qui ont été fanatisés par le prophète Mohammed Ahmed ibn Sayyid qui, au Soudan, s'est proclamé prophète, *mahdi*, en 1881, c'est-à-dire « celui qui doit venir rétablir la foi et la justice sur terre ». **2.** L'Exposition Universelle de 1889 à Paris, qui fut un événement considérable. Occupant une superficie de 958 572 m², elle réunit un très grand nombre d'attractions, et l'on estime qu'elle fut visitée par 33 millions de personnes.

À ALFRED ILG

Harar 20 juillet 89

Voir notice p. 1005

À ALFRED ILG

Harar 24 août 89

Voir notice p. 1005

À ALFRED ILG

Harar 26 août 1889

Voir notice p. 1006

À ALFRED ILG

Harar 7 [septembre] 1889

Voir notice p. 1006

À ALFRED ILG

Harar 12 septembre 89

Voir notice p. 1006

À ALFRED ILG
Harar 13 septembre 89

Voir notice p. 1006

À ALFRED ILG
Harar le 18 septembre 89

Voir notice p. 1007

À ALFRED ILG
Harar le 7 octobre 1889

Voir notice p. 1007

À ALFRED ILG
Harar 16 novembre 1889

Voir notice p. 1007

À ALFRED ILG
Harar le 11 décembre 89

Voir notice p. 1008

À ALFRED ILG

Harar le 20 décembre 89

Voir notice p. 1008

AUX SIENS

Harar, 20 décembre 1889.

Ma chère maman, ma chère sœur,

En m'excusant de ne pas vous écrire plus souvent, je viens vous souhaiter, pour 1890, une année heureuse (autant qu'on l'est) et une bonne santé.

Je suis toujours fort occupé, et me porte aussi bien qu'on le peut en s'ennuyant beaucoup, beaucoup.

De votre part aussi, je reçois peu de nouvelles. Faites-vous moins rares, et croyez-moi,

Votre dévoué,
Rimbaud.

AUX SIENS

Harar le 3 janvier 1890.

Ma chère mère

Ma chère sœur

J'ai reçu votre lettre du 19 novembre 1889.

Vous me dites n'avoir rien reçu de moi depuis une lettre du 18 mai ! C'est trop fort ; je vous écris presque tous les mois, je vous ai encore écrit en décembre, vous souhaitant prospérité et santé pour 1890, ce que j'ai d'ailleurs plaisir à vous répéter.

Quant à vos lettres de chaque quinzaine, croyez bien que je n'en laisserais pas passer une sans y répondre, mais rien ne m'est parvenu, j'en suis très fâché, et je vais demander des explications à Aden, où je suis pourtant étonné que cela se soit égaré.

Bien à vous, votre fils votre frère,

Rimbaud.
chez Monsieur Tian,
Aden (Arabie)
Colonies anglaises.

À A. DESCHAMPS

Harar, 27 janvier 1890.

Monsieur Deschamps,

M. Chefneux de passage ici, me reparle de votre part du billet de feu Labatut à votre crédit.

Vous savez très bien que je n'avais jamais endossé ce billet dont je ne devais m'occuper, comme des autres dettes de la succession, qu'après le règlement de mes propres intérêts que j'ai eu ensuite le tort de subordonner, — contrairement aux conditions de mon arrangement avec Labatut.

Je m'étonne que vous ayez oublié comment après mes explications vous acceptâtes le règlement dudit compte au crédit duquel il a été versé environ Th. 1 100 en tout, — et vous promîtes à M. le Consul d'acquitter ledit billet et de me le livrer, et le lendemain vous refusâtes sans autres raisons.

Portez donc de nouveau vos réclamations au Consulat à Aden, où sont déposés tous comptes et témoignages relatifs à l'affaire.

Agréez mes salutations empressées.

Rimbaud.

RELEVÉ POUR ARMAND SAVOURÉ

Au compte des cartouches Remington de Mr Savouré, (160 caisses de 1 000 *calculées provisoirement à Th 30 la caisse*) j'ai reçu de la caisse de la douane du Harar :

23 janvier 1890. De la caisse (en piastre à 17 par thaler) Th 500
10 février 1890 De la caisse (en piastre à 17) — Th 600
11 février 1890 De la Douane :
Café 446,1 à Th 6 Th 2 676,4
70 daboulas et cordes à d° Th 28 Th 2 704.4
Total Val Th = 3 804.4

Je dis trois mille huit cent quatre thalers et quatre piastres seule. La balance de TH 4 800 (160 x 30 = 4 800) est la somme de Th = 995.13 représentant les droits de douane demandés pour l'entrée et la sortie de 75 fralehs ivoire à Mr Savouré à leur passage l'an passé, la dite somme restant arriérée qu'à production d'un laissez-passer par ordre Supérieur. Harar le 11 février 1890

Pour Mr Savouré
Rimbaud

À ALFRED ILG
Harar 24 février 1890

Voir notice p. 1009

AUX SIENS

Harar, 25 février 1890.

Chères mère et sœur,

Je reçois votre lettre du 21 janvier 1890.

Ne vous étonnez pas que je n'écrive guère : le principal motif serait que je ne trouve jamais rien d'intéressant à dire. Car, lorsqu'on est dans des pays comme ceux-ci, on a plus à demander qu'à dire ! Des déserts peuplés de nègres stupides, sans routes, sans courriers, sans voyageurs : que voulez-vous qu'on vous écrive de là ? Qu'on s'ennuie, qu'on s'embête, qu'on s'abrutit, qu'on en a assez, mais qu'on ne peut pas en finir, etc., etc. ! Voilà tout, tout ce qu'on peut dire, par conséquent ; et, comme ça n'amuse pas non plus les autres, il faut se taire.

On massacre, en effet, et l'on pille pas mal dans ces parages. Heureusement que je ne me suis pas encore trouvé à ces occasions-là, et je compte bien ne pas laisser ma peau par ici, — ce serait bête ! Je jouis du reste, dans le pays et sur la route, d'une certaine considération due à mes procédés humains, je n'ai jamais fait de mal à personne. Au contraire, je fais un peu de bien quand j'en trouve l'occasion, et c'est mon seul plaisir.

Je fais des affaires avec ce monsieur Tian qui vous a écrit pour vous rassurer sur mon compte. Ces affaires, au fond, ne seraient pas mauvaises si, comme vous le lisez, les routes n'étaient pas à chaque instant fermées par des guerres, des révoltes, qui mettent nos caravanes en péril. Ce monsieur Tian est un grand négociant de la ville d'Aden, et il ne voyage jamais dans ces pays-ci.

Les gens du Harar ne sont ni plus bêtes, ni plus canailles que les nègres blancs des pays dits civilisés [1] ; ce n'est pas du même ordre, voilà tout. Ils sont même moins méchants, et peuvent, dans certains cas, manifester de la reconnaissance et de la fidélité. Il s'agit d'être humain avec eux.

Le ras Makonnen, dont vous avez dû lire le nom dans les journaux et qui a conduit en Italie une ambassade abyssine, laquelle fit tant de bruit l'an passé, est le gouverneur de la ville du Harar.

À l'occasion de vous revoir. Bien à vous,

Rimbaud.

À ALFRED ILG
Harar 1er mars 90

Voir notice p. 1010

À ALFRED ILG
Harar 16 mars 90

Voir notice p. 1010

---

1. Voir « Mauvais sang », dans *Une saison en enfer*.

À ALFRED ILG

Harar 18 mars 1890

Voir notice p. 1010

À ALFRED ILG

Harar le 7 avril 1890

Voir notice p. 1010

AU ROI MÉNÉLIK

Lettre de Monsieur Rimbaud,
négociant au Harar, à Sa Majesté,
Sa Majesté le Roi Ménélik.

Majesté,

Comment vous portez-vous ? Veuillez agréer mes saluts dévoués et mes souhaits sincères.

Les choums, ou plutôt les chouftas, du Hararghé [1], refusent de me rendre les Quatre mille thalaris qu'ils ont arraché de mes caisses en votre nom, sous prétexte de prêt, il y a sept mois déjà.

Je vous ai déjà écrit trois fois à ce sujet.

Cet argent est la propriété de marchands français à la côte, ils me l'avaient envoyé pour commercer ici à leur compte, et à présent, ils m'ont pour cela saisi tout ce que j'ai à la côte, et ils veulent me retirer leur agence ici.

J'estime à deux mille thalaris la perte *personnelle* que me cause cette affaire. — Que voulez-vous me rendre de cette perte ?

En outre chaque mois je paie un pour cent d'intérêt sur cet argent,

1. Le Harar.

cela fait déjà 280 thalaris que j'ai payés de ma poche pour cette somme que vous me retenez, et chaque mois l'intérêt court.

Au nom de la justice, je vous prie de me faire rendre ces Quatre mille thalaris au plus tôt, en bons thalaris comme j'ai prêté, et aussi tous les intérêts à 1 % par mois, du jour du prêt au jour du remboursement.

Je fais un rapport de l'affaire à nos choums à Obock et à notre consul à Aden, afin qu'ils sachent comme nous sommes traités au Harar.

Prière de me répondre au plus tôt.

Harar le 7 avril 1890.

Rimbaud
négociant français au Harar

À ARMAND SAVOURÉ

[...]

Je n'avais nullement besoin de vos ignobles cafés, achetés au prix de tant d'ennuis avec les Abyssins ; je ne les ai pris que pour terminer votre paiement, pressé comme vous l'étiez. Et d'ailleurs, je vous le répète, si je n'avais procédé ainsi, vous n'auriez *jamais rien eu, absolument rien, rien de rien*, et tout le monde le sait et vous le dira ! Vous le savez vous-mêmes, mais l'air de Djibouti égare les sens, je le vois !

Donc, après avoir transporté *à mes risques et périls des ordures* sans aucun bénéfice, j'aurais été assez crétin, assez idiot, pour importer ici, pour le compte de blancs, des thalaris à 2 % de transport, 2 ou 3 % de perte au change, pour rembourser du café que je n'ai jamais demandé, qui ne me rapporte rien, etc., etc. Seriez-vous capable de le croire ?

Mais les gens qui sortent du Choa ont vraiment des raisonnements d'Abyssins !

Examinez donc mes comptes, cher Monsieur, représentez-vous les choses justement, et vous verrez que j'ai parfaitement droit — et vous grand'chance d'avoir pu en finir ainsi !

Veuillez donc m'envoyer au plus tôt un reçu de *th*[*alaris*] *8 833 pour solde de tout compte*, sans plus de plaisanteries ; — car, pour ma part, je vous établirais facilement un compte de quelques milliers de thalaris de pertes que m'ont occasionné[es] vos affaires, desquelles je n'aurais jamais dû me mêler.

Dans l'attente de votre reçu, agréez mes sincères salutations.

Rimbaud.

À SA MÈRE

Harar, le 21 avril 1890.

Ma chère mère,

Je reçois ta lettre du 26 février.

....

Pour moi, hélas ! je n'ai ni le temps de me marier, ni de regarder se marier. Il m'est tout à fait impossible de quitter mes affaires, avant un délai indéfini. Quand on est engagé dans les affaires de ces satanés pays, on n'en sort plus.

Je me porte bien, mais il me blanchit un cheveu par minute. Depuis le temps que ça dure, je crains d'avoir bientôt une tête comme une houppe poudrée. C'est désolant, cette trahison du cuir chevelu ; mais qu'y faire ?

Tout à vous,

Rimbaud

À ILG ET ZIMMERMANN

Harar 25 avril 1890

Voir notice p. 1011

À ILG ET ZIMMERMANN

30 avril 1890

Voir notice p. 1011

À ILG ET ZIMMERMANN

Harar le 15 mai 1890

Voir notice p. 1011

À ALFRED ILG

Harar le 6 juin 90

Voir notice p. 1012

À SA MÈRE

Harar, 10 août 1890.

Il y a longtemps que je n'ai reçu de vos nouvelles.

J'aime à vous croire en bonne santé, comme je le suis moi-même.

....

Pourrais-je venir me marier chez vous, au printemps prochain ? Mais je ne pourrai consentir à me fixer chez vous, ni à abandonner mes affaires ici. Croyez-vous que je puisse trouver quelqu'un qui consente à me suivre en voyage ?

Je voudrais bien avoir une réponse à cette question, aussitôt que possible.

Tous mes souhaits.

Rimbaud.

À ALFRED ILG

Harar 20 septembre 90

Voir notice p. 1012

À SA MÈRE

Harar, le 10 novembre 1890.

Ma chère maman,

J'ai bien reçu ta lettre du 29 septembre 1890.

En parlant de mariage, j'ai toujours voulu dire que j'entendais rester libre de voyager, de vivre à l'étranger et même de continuer à vivre en Afrique. Je suis tellement déshabitué du climat d'Europe, que je m'y remettrais difficilement. Il me faudrait même probablement passer deux hivers dehors, en admettant que je rentre un jour en France. Et puis comment me referais-je des relations, quels emplois trouverais-je ? C'est encore une question. D'ailleurs, il y a une chose qui m'est impossible, c'est la vie sédentaire.

Il faudrait que je trouve quelqu'un qui me suive dans mes pérégrinations.

Quant à mon capital, je l'ai en mains, il est libre quand je voudrai.

Monsieur Tian est un commerçant très honorable, établi depuis 30 ans à Aden, et je suis son associé dans cette partie de l'Afrique. Mon association avec lui date de deux années et demie. Je travaille aussi à mon compte, seul ; et je suis libre, d'ailleurs, de liquider mes affaires dès qu'il me conviendra.

J'envoie à la côte des caravanes de produits de ces pays : or, musc, ivoire, café, etc., etc. Pour ce que je fais avec M. Tian, la moitié des bénéfices est à moi.

Du reste, pour les renseignements, on n'a qu'à s'adresser à Monsieur de Gaspary, consul de France à Aden, ou à son successeur.

Personne à Aden ne peut dire du mal de moi. Au contraire. Je suis connu en bien de tous, dans ce pays, depuis dix années.

Avis aux amateurs !

Quant au Harar, il n'y a aucun consul, aucune poste, aucune route ; on y va à chameau, et on y vit avec des nègres exclusivement. Mais enfin on y est libre, et le climat est bon.

Telle est la situation.

Au revoir.

A. Rimbaud.

À ALFRED ILG

Harar le 18 novembre 1890

Voir notice p. 1013

À ALFRED ILG

Harar le 18 novembre 1890

Voir notice p. 1013

À ALFRED ILG

Harar le 20 novembre [18]90

Voir notice p. 1013

À ALFRED ILG

Harar 26 novembre [18]90

Voir notice p. 1013

À ALFRED ILG

Harar le 1er février 1891

Voir notice p. 1013

À ALFRED ILG

Harar le 5 février [18]91

Voir notice p. 1014

À ALFRED ILG

Harar 20 février [18]91

Voir notice p. 1014

À SA MÈRE

Harar, le 20 février 1891.

Ma chère maman,

J'ai bien reçu ta lettre du 5 janvier.

Je vois que tout va bien chez vous, sauf le froid qui, d'après ce que je lis dans les journaux, est excessif par toute l'Europe.

Je vais mal à présent. Du moins, j'ai à la jambe droite des varices qui me font souffrir beaucoup. Voilà ce qu'on gagne à peiner dans ces tristes pays ! Et ces varices sont compliquées de rhumatisme. Il ne fait pourtant pas froid ici ; mais c'est le climat qui cause cela. Il y a aujourd'hui quinze nuits que je n'ai pas fermé l'œil une minute, à cause de ces douleurs dans cette maudite jambe. Je m'en irais bien, et je crois que la grande chaleur d'Aden me ferait du bien, mais on me doit beaucoup d'argent et je ne puis m'en aller, parce que je le perdrais. J'ai demandé à Aden un bas pour varices, mais je doute que cela se trouve.

Fais-moi donc ce plaisir : achète-moi un bas pour varices, pour une jambe longue et sèche — (le pied est n° 41 pour la chaussure). Il faut que ce bas monte par-dessus le genou, car il y a une varice au-dessus du jarret. Les bas pour varices sont en coton, ou en soie tissée avec des fils d'élastique qui maintiennent les veines gonflées. Ceux en soie sont les meilleurs, les plus solides. Cela ne coûte pas cher, je crois. D'ailleurs, je te rembourserai.

En attendant, je tiens la jambe bandée.

Adresser cela bien empaqueté, par la poste, à Monsieur Tian, à Aden, qui me fera parvenir à la première occasion.

Ces bas pour varices se trouvent peut-être à Vouziers. En tout cas, le médecin de la maison peut en faire venir un bon, de n'importe où.

Cette infirmité m'a été causée par de trop grands efforts à cheval, et aussi par des marches fatigantes. Car nous avons dans ces pays un dédale de montagnes abruptes, où l'on ne peut même se tenir à cheval. Tout cela sans routes et même sans sentiers.

Les varices n'ont rien de dangereux pour la santé, mais elles interdisent tout exercice violent. C'est un grand ennui, parce que les varices produisent des plaies, si l'on ne porte pas le bas pour varices ; et encore ! les jambes nerveuses ne supportent pas volontiers ce bas, surtout la nuit. Avec cela, j'ai une douleur rhumatismale dans ce maudit genou droit, qui me torture, me prenant seulement la nuit ! Et il faut se figurer qu'en cette saison, qui est l'hiver de ce pays, nous n'avons jamais moins de 10 degrés au-dessus de zéro (non pas en dessous). Mais il règne des vents secs, qui sont très insalubres pour les blancs en général. Même des Européens, jeunes, de 25 à 30 ans, sont atteints de rhumatismes, après 2 ou 3 ans de séjour !

La mauvaise nourriture, le logement malsain, le vêtement trop léger, les soucis de toutes sortes, l'ennui, la rage continuelle au milieu de nègres aussi bêtes que canailles, tout cela agit très profondément sur le moral et la santé, en très peu de temps. Une année ici en vaut cinq ailleurs. On vieillit très vite, ici, comme dans tout le Soudan.

Par votre réponse, fixez-moi donc sur ma situation par rapport au service militaire. Ai-je à faire quelque service ? Assurez-vous-en, et répondez-moi.

Rimbaud.

[Douzième lot]

[LE RETOUR (1891)]

[CARNET DE ROUTE]

1

Mardi 7 avril.

Départ du Harar à 6 h. du matin. — Arrivée à Degadallal à 9 heures 1/2 du matin. — Marécage à Égon. Haut-Égon, 12 h. — Égon à Ballaoua-fort, 3 h. Descente d'Égon à Ballaoua très pénible pour les porteurs qui chavirent [1] à chaque caillou, et pour moi, qui manque de chavirer à chaque minute. La civière est déjà moitié disloquée, et les gens complètement rendus. J'essaie de monter à mulet, la jambe malade attachée au cou [2] — je suis obligé de descendre au bout de quelques minutes et de me remettre en civière qui était déjà restée un kilomètre en arrière. Nuit passé[e] sous la lune.

Arrivée à Ballaoua. Il pleut — vent furieux toute la nuit —

2

Mercredi 8 [3].

Attaché la [*illisible*] pour avoir des [*illisible*] et parti en guerre avec tout le corps...

— Levé de Ballaoua 6 1/2. Entré à Gueldessey à 10 1/2. Les porteurs se

1. Texte conjectural. 2. Texte conjectural. 3. Après cette date deux lignes illisibles.

mettent au courant, et il n'y a plus à souffrir qu'à la descente de Ballaoua. — Orage à 4 heures à Gueldessey. La nuit, rosée très abondante, et froid.

3

Jeudi 9.

Parti à 7 h. matin. Arrivée à Glasley à 9 1/2. Resté à attendre l'abban[1] et les chameaux en arrière.

Déjeuné. Levé à 1 h. Arrivée à Boussa à 5 1/2. Impossible passer la rivière. Campé avec M. Donald, — sa femme et 2 enfants.

4

Vendredi 10. Pluie. Impossible de se lever avant 11 heures. Les chameaux refusent de charger. La civière part quand même et arrive à Wordji par la pluie, à 2 h. Toute la soirée et toute la nuit n[ou]s attendons les chameaux, qui ne viennent pas. Il pleut 16 heures de suite, et n[ou]s n'avons ni vivres ni tente. Je passe ce temps sous un[e] peau abyssin[e].

5

Le samedi 11 à 6 h., j'envoie 8 hommes à la recherche des chameaux et reste avec le reste à attendre à Wordji. Les ch[ameau]x arrivent à 4 h. après-midi, et n[ou]s mangeons après trente heures d'abstinence complète, dont 16 heures de découvert à la pluie.

6

Dimanche 12. Parti Wordji à 6 h. Passé à Cotto à 8 1/2. Nous faisons halte à la rivière de Dalahmaley, 10 h. 40. Relevés à 2 h. Campé à Dalahmaley à 4 1/2. [...] glacial. Les chameaux n'arrivent qu'à 6 h. du soir.

---

1. Chef de caravane

7

Lundi 13. Levés à 5 1/2. Arrivé à Biokabosba à 9 h. Campé.

8

Mardi 14

Levés à 5 1/2. Les porteurs marchent très mal. À 9 1/2, halte à Arrouina. On me jette par terre à l'arrivée. J'impose th. 4 d'amende[1]. Levé à 2 heures[2]. Arrivée à Samodo à 5 1/2[3].

9

Mercredi 15

Levés à 6 h. Arrivés à Lasman à 10 h. Relevés à 2 1/2. Arrivés à Kombavoren à 6 1/2.

10

Jeudi 16.

Levé 5 1/2. Passé Ensa. Halte à Doudouhassa à 9 h. [*illisible*]. Levé 2 h. Dadap, 6 1/4. Trouvé 5 1/2 ch[ameau]x 22 dans 11 peaux : Adaouel.

11

Vendredi 17.

Levé Dadap 9 1/2. Arrivée à Warambot à 4 1/2.

---

1. Texte conjectural. **2.** À gauche de la feuille, on trouve le détail des amendes :

« Mouned-Souya th. 1
Abdullahi th. 1
Abdullah th. 1
Baker th. 1 »

3. Ici une opération, d'ailleurs fausse : 247,9
72,5
=319,14.

À SA MÈRE

Aden, le 30 avril 1891.

Ma chère maman

J'ai bien reçu vos deux bas et votre lettre, et je les ai reçus dans de tristes circonstances. Voyant toujours augmenter l'enflure de mon genou droit et la douleur dans l'articulation, sans trouver aucun remède ni aucun avis, puisqu'au Harar nous sommes au milieu des nègres et qu'il n'y a point là d'Européens, je me décidai à descendre. Il fallait abandonner les affaires : ce qui n'était pas très facile, car j'avais de l'argent dispersé de tous les côtés ; mais enfin je réussis à liquider à peu près totalement. Depuis déjà une vingtaine de jours, j'étais couché au Harar et dans l'impossibilité de faire un seul mouvement, souffrant des douleurs atroces et ne dormant jamais. Je louai seize nègres porteurs, à raison de 15 thalaris l'un, du Harar à Zeilah ; je fis fabriquer une civière recouverte d'une toile, et c'est là dessus que je viens de faire, en douze jours, les 300 kilomètres de désert qui séparent les monts du Harar du port de Zeilah. Inutile de vous dire quelles horribles souffrances j'ai subies en route. Je n'ai jamais pu faire un pas hors de ma civière ; mon genou gonflait à vue d'œil, et la douleur augmentait continuellement.

Arrivé ici, je suis entré à l'hôpital européen. Il y a une seule chambre pour les malades payants : je l'occupe. Le docteur anglais, dès que je lui ai montré mon genou, a crié que c'est une *synovite arrivée à un point très dangereux*, par suite du manque de soins et des fatigues. Il parlait tout de suite de couper la jambe ; ensuite, il a décidé d'attendre quelques jours pour voir si le gonflement diminuerait un peu après les soins médicaux. Il y a six jours de cela, mais aucune amélioration, sinon que, comme je suis au repos, la douleur a beaucoup diminué. Vous savez que la synovite est une maladie des liquides de l'articulation du genou, cela peut provenir d'hérédité [1], ou d'accidents, ou de bien des causes. Pour moi, cela a été certainement causé par les fatigues des marches à pied et à cheval au Harar. Enfin, à l'état où je suis arrivé, il ne faut pas espérer que je guérisse avant au moins trois mois, sous les circonstances les plus favorables. Et je suis étendu, la jambe bandée, liée, reliée, enchaînée, de façon à ne pouvoir la mouvoir. Je suis devenu un squelette : je fais peur. Mon dos est tout écorché du lit ; je ne dors pas une minute. Et ici la chaleur est devenue très forte. La nourriture de l'hôpital, que je paie

1. Sa petite sœur Vitalie était morte d'une maladie de ce genre.

pourtant assez cher, est très mauvaise. Je ne sais quoi faire. D'un autre côté, je n'ai pas encore terminé mes comptes avec mon associé, m[onsieu]r Tian. Cela ne finira pas avant la huitaine. Je sortirai de cette affaire avec 35 mille francs environ. J'aurais eu plus ; mais, à cause de mon malheureux départ, je perds quelques milliers de francs. J'ai envie de me faire porter à un vapeur, et de venir me faire traiter en France, le voyage me ferait encore passer le temps. Et, en France, les soins médicaux et les remèdes sont bon marché, et l'air bon. Il est donc fort probable que je vais venir. Les vapeurs pour la France à présent sont malheureusement toujours combles, parce que tout le monde rentre des colonies à ce temps de l'année. Et je suis un pauvre infirme qu'il faut *transporter* très doucement ! Enfin, je vais prendre mon parti dans la huitaine.

Ne vous effrayez pas de tout cela, cependant. De meilleurs jours viendront. Mais c'est une triste récompense de tant de travail, de privations et de peines ! Hélas ! que notre vie est misérable !

Je vous salue de cœur.

Rimbaud.

P.S. — Quant aux bas, ils sont inutiles. Je les revendrai quelque part.

À CÉSAR TIAN

Aden (Saint-Point), le 6 mai 1891.

Monsieur,

Je vous accuse réception de votre lettre de ce jour me remettant les comptes définitifs de l'affaire participation au Harar que je passe de conformité.

J'ai également reçu votre traite à mon ordre sur le Comptoir National d'Escompte de Paris et vous crédite de son montant de Fr. 37.450, — ou Rs. 20.805, 90.

Il demeure entendu que le solde de mon compte chez vous ne me sera réglé qu'après la liquidation des affaires en suspens au Harar dont le résultat sera à partager par moitié.

Recevez, Monsieur, mes empressées salutations.

A. Rimbaud.

[Treizième lot]

[LETTRES DE MARSEILLE (1891)]

AUX SIENS

Marseille

Ma chère maman, ma chère sœur,

Après des souffrances terribles, ne pouvant me faire soigner à Aden, j'ai pris le bateau des Messageries pour rentrer en France.

Je suis arrivé hier, après treize jours de douleurs. Me trouvant par trop faible à l'arrivée ici, et saisi par le froid, j'ai dû entrer ici à *l'hôpital de la Conception*, où je paie dix fcs par jour, docteur compris.

Je suis très mal, très mal, je suis réduit à l'état de squelette par cette maladie de ma jambe gauche qui est devenue à présent énorme et ressemble à une énorme citrouille. C'est une synovite, une hydarthrose, etc., une maladie de l'articulation et des os.

Cela doit durer très longtemps, si des complications n'obligent pas à couper la jambe. En tout cas, j'en resterai estropié. Mais je doute que j'attende. La vie m'est devenue impossible. Que je suis donc malheureux ! Que je suis donc devenu malheureux !

J'ai à toucher ici une traite de fcs 36 800 sur le Comptoir national d'Escompte de Paris[1]. Mais je n'ai personne pour s'occuper de placer cet argent. Pour moi, je ne puis faire un seul pas hors du lit. Je n'ai pas encore pu toucher l'argent. Que faire. Quelle triste vie ! Ne pouvez-vous m'aider en rien ?

Rimbaud.

Hôpital de la Conception.

Marseille.

---

1. Sans doute la traite de César Tian (37 450 F, dans la lettre du 6 mai).

TÉLÉGRAMME À SA MÈRE

Marseille, 22 mai 1891.

Aujourd'hui, toi ou Isabelle, venez Marseille par train express. Lundi matin, on ampute ma jambe. Danger de mort. Affaires sérieuses à régler.

Arthur.

Répondez : Rimbaud, Hôpital Conception.

AU RAS MAKONNEN

Marseille, 30 mai 1891.

Excellence,

Comment vous portez-vous ? Je vous souhaite bonne santé et complète prospérité. Que Dieu vous accorde tout ce que vous désirez. Que votre existence coule en paix.

Je vous écris ceci de Marseille, en France. Je suis à l'hôpital. On m'a coupé la jambe il y a six jours. Je vais bien à présent et dans une vingtaine de jours je serai guéri.

Dans quelques mois, je compte revenir au Harar, pour y faire du commerce comme avant, et j'ai pensé à vous envoyer mes salutations.

Agréez les respects de votre dévoué serviteur.

Rimbaud.

À SA SŒUR ISABELLE

Marseille, le 17 juin 1891.

Isabelle, ma chère sœur,

Je reçois ton billet avec mes deux lettres retour du Harar. Dans l'une de ces lettres on me dit m'avoir précédemment renvoyé une lettre à Roches. N'avez-vous reçu rien d'autre ?

Je n'ai encore écrit à personne, je ne suis pas encore descendu de mon lit. Le médecin dit que j'en aurai pour un mois, et même ensuite je ne pourrai commencer à marcher que très lentement. J'ai toujours une forte névralgie à la place de la jambe coupée, c'est-à-dire au morceau qui reste. Je ne sais pas comment cela finira. Enfin je suis résigné à tout, je n'ai pas de chance !

Mais que veux-tu dire avec tes histoires d'enterrement ? Ne t'effraie pas tant, prends patience aussi, soigne-toi, prends courage. Hélas ! je voudrais bien te voir, que peux-tu donc avoir ? Quelle maladie ? Toutes les maladies se guérissent avec du temps et des soins. En tout cas, il faut se résigner et ne pas se désespérer.

J'étais très fâché quand maman m'a quitté, je n'en comprenais pas la cause. Mais à présent il vaut mieux qu'elle soit avec toi pour te faire soigner. Demande-lui excuse et souhaite-lui bonjour de ma part.

Au revoir donc, mais qui sait quand ?

Rimbaud.
Hôpital de la Conception.
Marseille.

À ISABELLE

Marseille, 23 juin 1891.

Ma chère sœur,

Tu ne m'as pas écrit ; que s'est-il passé ? Ta lettre m'avait fait peur, j'aimerais avoir de tes nouvelles. Pourvu qu'il ne s'agisse pas de nouveaux ennuis, car, hélas, nous sommes trop éprouvés à la fois !

Pour moi, je ne fais que pleurer jour et nuit, je suis un homme mort, je suis estropié pour toute ma vie. Dans la quinzaine, je serai guéri, je pense ; mais je ne pourrai marcher qu'avec des béquilles. Quant à une jambe artificielle, le médecin dit qu'il faudra attendre très longtemps, au moins six mois ! Pendant ce temps que ferais-je, où resterai-je ? Si j'allais chez vous, le froid me chasserait dans 3 mois, et même en moins de temps ; car, d'ici, je ne serai capable de me mouvoir que dans six semaines, le temps de m'exercer à béquiller ! Je ne serais donc chez vous que fin juillet. Et il me faudrait repartir fin septembre.

Je ne sais pas du tout quoi faire. Tous ces soucis me rendent fou : je ne dors jamais une minute.

Enfin, notre vie est une misère, une misère sans fin ! Pourquoi donc existons-nous ?

Envoyez-moi de vos nouvelles.

Mes meilleurs souhaits.

Rimbaud.
Hôpital de la Conception.
Marseille.

À ISABELLE

Marseille, le 24 juin 1891.

Ma chère sœur,

Je reçois ta lettre du 21 juin. Je t'ai écrit hier. Je n'ai rien reçu de toi le 10 juin, ni lettre de toi, ni lettre du Harar. Je n'ai reçu que les deux lettres du 14. Je m'étonne fort où sera passée la lettre du 10.

Quelle nouvelle horreur me racontez-vous ? Quelle est encore cette histoire de service militaire ? Depuis que j'ai eu l'âge de 26 ans, ne vous ai-je pas envoyé, d'Aden, un certificat prouvant que j'étais employé dans une maison française, ce qui est une dispense, — et par la suite quand j'interrogeais maman elle me répondait toujours que tout était réglé, que je n'avais rien à craindre. Il y a à peine quatre mois, je vous ai demandé dans une de mes lettres, si l'on n'avait rien à me réclamer à ce sujet, parce que j'avais l'envie de rentrer en France. Et je n'ai pas reçu de réponse. Moi, je croyais tout arrangé par vous. À présent vous me faites entendre que je suis noté insoumis, que l'on me poursuit, etc., etc. Ne vous informez de cela que si vous êtes sûres de ne pas attirer l'attention sur moi. Quant à moi, il n'y a pas de danger, dans ces conditions, que je revienne ! La prison après ce que je viens de souffrir. Il vaudrait mieux la mort !

Oui, depuis longtemps d'ailleurs, il aurait mieux valu la mort ! Que peut faire au monde un homme estropié ? Et à présent encore réduit à s'expatrier définitivement ! Car je ne reviendrai certes plus avec ces histoires, — heureux encore si je puis sortir d'ici par mer ou par terre et gagner l'étranger.

Aujourd'hui j'ai essayé de marcher avec des béquilles, mais je n'ai pu faire que quelques pas. Ma jambe est coupée très haut, et il m'est difficile de garder l'équilibre. Je ne serai tranquille que quand je pourrai mettre une jambe artificielle, mais l'amputation cause des *névralgies dans le restant du membre*, et il est impossible de mettre une jambe mécanique avant que ces névralgies soient absolument passées, et il y a des amputés auxquels cela dure quatre, six, huit, douze mois ! On me dit que cela ne dure jamais guère moins de deux mois. Si cela ne me dure que deux mois je serai heureux ! Je passerais ce temps-là à l'hôpital et j'aurais le bonheur de sortir avec deux jambes. Quant à sortir avec des béquilles, je ne vois pas à quoi cela peut servir. On ne peut monter ni descendre, c'est une affaire terrible. On s'expose à tomber et à s'estropier encore plus. J'avais pensé pouvoir aller chez vous passer quelques mois en attendant d'avoir la force de supporter la jambe artificielle, mais à présent je vois que c'est impossible.

Eh bien je me résignerai à mon sort. Je mourrai où me jettera le destin. J'espère pouvoir retourner là où j'étais, j'y ai des amis de dix ans, qui auront pitié de moi, je trouverai chez eux du travail, je vivrai comme je pourrai. Je vivrai toujours là-bas, tandis qu'en France, hors de vous, je n'ai ni amis, ni connaissances, ni personne. Et si je ne puis vous voir, je retournerai là-bas. En tout cas, il faut que j'y retourne.

Si vous vous informez à mon sujet, ne faites jamais savoir où je suis. *Je crains même qu'on ne prenne mon adresse à la poste. N'allez pas me trahir*.

Tous mes souhaits.

Rimbaud.

À ISABELLE

Marseille, le 29 juin 1891.

Ma chère sœur,

Je reçois ta lettre du 26 juin. J'ai déjà reçu avant-hier la lettre du Harar seule. Quant à la lettre du 10 juin, point de nouvelles : cela a disparu, soit à Attigny, soit ici à l'administration, mais je suppose plutôt à Attigny. L'enveloppe que tu m'envoies me fait bien comprendre de qui c'était. Ça devait être signé Dimitri Righas [1]. C'est un Grec résidant au Harar et que j'avais chargé de quelques affaires. J'attends des nouvelles de votre enquête au sujet du service militaire : mais, quoi qu'il en soit, *je crains les pièges*, et je n'ai nullement envie de rentrer chez vous à présent, malgré les assurances qu'on pourrait vous donner.

D'ailleurs, je suis tout à fait immobile et je ne sais pas faire un pas. Ma jambe est guérie, c'est-à-dire qu'elle est cicatrisée, ce qui d'ailleurs s'est fait assez vite, et me donne à penser que cette amputation pouvait être évitée. Pour les médecins je suis guéri, et, si je veux, on me signe demain ma feuille de sortie de l'hôpital. Mais quoi faire ? Impossible de faire un pas ! Je suis tout le jour à l'air, sur une chaise, mais je ne puis me mouvoir. Je m'exerce sur des béquilles ; mais elles sont mauvaises, d'ailleurs je suis long, ma jambe est coupée haut, l'équilibre est très difficile à garder. Je fais quelques pas et je m'arrête, crainte de tomber et de m'estropier de nouveau !

Je vais me faire faire une jambe de bois pour commencer, on y fourre le moignon (le reste de la jambe) rembourré avec du coton, et on s'avance avec une canne. Avec qque temps d'exercice de la jambe de bois, on peut, si le moignon s'est bien renforcé, commander une jambe articulée qui serre bien et avec laquelle on peut marcher à peu près. Quand arrivera ce moment ? D'ici là peut-être m'arrivera-t-il un nouveau malheur. Mais, cette fois-là, je saurais vite me débarrasser de cette misérable existence.

Il n'est pas bon que v^{s} m'écriviez souvent et que mon nom soit remarqué *aux postes de Roche et d'Attigny*. C'est de là que vient le danger. Ici personne ne s'occuperait de moi. Écrivez-moi le moins possible, — quand cela sera indispensable. Ne mettez pas Arthur, écrivez Rimbaud tout seul. Et dites-moi au plus tôt et *au plus net* ce que me veut l'autorité militaire,

1. Un employé des Bardey, qui avait collaboré avec Rimbaud dans l'agence de Harar.

et, en cas de poursuite, quelle est la pénalité encourue. — Mais alors j'aurais vite fait ici de prendre le bateau.

Je v[s] souhaite bonne santé et prospérité.

RBD.

À ISABELLE

Marseille, le 2 juillet 1891.

Ma chère sœur,

J'ai bien reçu tes lettres des 24 et 26 juin, et je reçois celle du 30. Il ne s'est jamais perdu que la lettre du 10 juin, et j'ai tout lieu de croire qu'elle a été détournée au bureau de poste d'Attigny. Ici on n'a pas l'air du tout de s'occuper de mes affaires. C'est une bonne idée de mettre vos lettres à la poste ailleurs qu'à Roches, et de façon à ce qu'elles ne passent pas par le bureau de poste d'Attigny. De cette façon vous pouvez m'écrire tant que v[ou]s voudrez. Quant à cette question du service, il faut absolument savoir à quoi s'en tenir, faites donc le nécessaire et donnez-moi une réponse décisive. Pour moi je crains fort un piège et j'hésiterais fort à rentrer, dans n'importe quel cas. Je crois que v[ou]s n'aurez jamais de réponse certaine, et alors il me sera toujours impossible d'aller chez vous, où je pourrais être pris au piège.

Je suis cicatrisé depuis longtemps, quoique les névralgies dans le moignon soient toujours aussi fortes, et je suis toujours levé, mais voilà que mon autre jambe se trouve très faible. Est-ce à cause du long séjour au lit, ou du manque d'équilibre, mais je ne puis béquiller plus de quelques minutes sans avoir l'autre jambe congestionnée. Aurais-je une maladie des os, et devrais-je perdre l'autre jambe ? J'ai très peur, je crains de me fatiguer et j'abandonne les béquilles. J'ai commandé une jambe de bois ; ça ne pèse que 2 kilos, ça sera prêt dans huit jours. J'essaierai de marcher tout doucement avec cela, il me faudra au moins un mois pour m'y habituer peu à peu, et peut-être que le médecin, vu les névralgies, ne me permettra pas encore de marcher avec cela. Quant à une jambe élastique, c'est beaucoup trop lourd pour moi à présent — le moignon ne pourrait jamais la supporter. Ce n'est que pour plus tard. Et d'ailleurs une jambe de bois fait le même profit : ça coûte une cinquantaine de francs. Avec tout cela, fin juillet je serai encore à l'hôpital. Je paie 6 francs de pension par jour à présent et je m'ennuie pour soixante francs à l'heure.

Je ne dors jamais plus de 2 heures par nuit. C'est cette insomnie qui me fait craindre que je n'aie encore q[uel]que maladie à subir. Je pense avec terreur à mon autre jambe : c'est mon unique soutien au monde, à présent ! Quand cet abcès dans le genou m'a commencé au Harar, cela a débuté ainsi, par quelque 15 jours d'insomnie. Enfin, c'est peut-être mon destin de devenir cul-de-jatte ! À ce moment, je suppose que l'administration militaire me laisserait tranquille ! — Espérons mieux.

Je vous souhaite bonne santé, bon temps et tout à vos souhaits. Au revoir.

Rimbaud.

À ISABELLE

Marseille, le 10 juillet 1891.

Ma chère sœur,

J'ai bien reçu tes lettres des 4 et 8 juillet. Je suis heureux que ma situation soit enfin déclarée nette. Quant au livret[1], je l'ai en effet perdu dans mes voyages. Quand je pourrai circuler je verrai si je dois prendre mon congé ici ou ailleurs. Mais si c'est à Marseille, je crois qu'il me faudrait en mains la réponse autographe de l'intendance[2]. Il vaut donc mieux que j'aie en mains cette déclaration, *envoyez-la-moi*. Avec cela personne

---

1. Voici le post-scriptum de la lettre d'Isabelle, le 8 juillet : « As-tu ton livret militaire ? Si non, dis, si on te le demandait, que tu t'es trouvé si malade en Arabie que tu as oublié de le prendre et qu'il est perdu maintenant. En somme, il vaut mieux, si tu es pour revenir, comme je l'espère, régulariser ta situation militaire plutôt ici qu'à Marseille. » **2.** Isabelle l'avait recopiée dans cette même lettre : « Nous sommes enfin parvenus à arranger ton affaire militaire ; je t'envoie la copie de la lettre que nous recevons aujourd'hui même de l'Intendance de Mézières : "Le nommé Rimbaud, J.-N. Arthur, est en Arabie depuis le 10 janvier 1882 ; en conséquence, sa situation militaire est légale ; il n'a pas à se préoccuper de sa période d'instruction, il est en sursis renouvelable jusqu'à sa rentrée en France.

Mézières, le 7 juillet 1891.
Signé du Commandant de Recrutement." »

ne m'approchera. Je garde aussi le certificat de l'hôpital et *avec ces deux pièces* je pourrai obtenir mon congé [1] ici.

Je suis toujours levé, mais je ne vais pas bien. Jusqu'ici je n'ai encore appris à marcher qu'avec des béquilles, et encore il m'est impossible de monter ou descendre une seule marche. Dans ce cas on est obligé de me descendre ou monter à bras le corps. Je me suis fait faire une jambe de bois très légère, vernie et rembourrée, fort bien faite (prix 50 francs). Je l'ai mise il y a quelques jours et ai essayé de me traîner en me soulevant encore sur des béquilles, mais je me suis enflammé le moignon et ai laissé l'instrument maudit de côté. Je ne pourrai guère m'en servir avant quinze ou vingt jours, et encore avec des béquilles pendant au moins un mois, et pas plus d'une heure ou deux par jour. Le seul avantage est d'avoir trois points d'appui au lieu de deux.

Je recommence donc à béquiller. Quel ennui, quelle fatigue, quelle tristesse en pensant à tous mes anciens voyages, et comme j'étais actif il y a seulement cinq mois ! Où sont les courses à travers monts, les cavalcades, les promenades, les déserts, les rivières et les mers ? Et à présent l'existence de *cul-de-jatte !* Car je commence à comprendre que les béquilles, jambes de bois et jambes mécaniques sont un tas de blagues et qu'on n'arrive avec tout cela qu'à se traîner misérablement sans pouvoir jamais rien faire. Et moi qui justement avais décidé de rentrer en France cet été pour me marier ! Adieu mariage, adieu famille, adieu avenir ! Ma vie est passée, je ne suis qu'un tronçon immobile.

Je suis loin encore de pouvoir circuler même dans la jambe de bois, qui est cependant ce qu'il y a de plus léger. Je compte au moins encore quatre mois pour pouvoir faire seulement qques marches dans la jambe de bois avec le seul soutien d'un bâton. Ce qui est très difficile, c'est de monter ou de descendre. Dans six mois seulement je pourrai essayer une jambe mécanique et avec beaucoup de peine sans utilité. La grande difficulté est d'être amputé haut. D'abord les névralgies ultérieures à l'amputation sont d'autant plus violentes et persistantes qu'un membre a été amputé haut. Ainsi, les désarticulés du genou supportent beaucoup plus vite un appareil. Mais peu importe à présent tout cela ; peu importe la vie même !

Il ne fait guère plus frais ici qu'en Égypte. Nous avons à midi de 30 à 35, et la nuit de 25 à 30. — La température du Harar est donc plus agréable, surtout la nuit, qui ne dépasse pas 10 à 15.

Je ne puis vous dire ce que je ferai, je suis encore *trop bas* pour le

1. Le congé définitif comme réformé.

savoir moi-même. Ça ne va pas bien, je le répète. Je crains fort quelque accident. J'ai mon bout de jambe beaucoup plus épais que l'autre, et plein de névralgies. Le médecin naturellement ne me voit plus ; parce que, pour le médecin, il suffit que la plaie soit cicatrisée pour qu'il vous lâche. Il vous dit que vous êtes guéri. Il ne se préoccupe de vous que lorsqu'il vous sort des abcès, etc., etc., ou qu'il se produit d'autres complications nécessitant qques coups de couteau. Ils ne considèrent les malades que comme des sujets d'expériences. On le sait bien. Surtout dans les hôpitaux, car le médecin n'y est pas payé. Il ne recherche ce poste que pour s'attirer une réputation et une clientèle.

Je voudrais bien rentrer chez vous, parce qu'il y fait frais, mais je pense qu'il n'y a guère là de terrains propres à mes exercices acrobatiques. Ensuite j'ai peur que de frais il n'y fasse froid. Mais la première raison est *que je ne puis me mouvoir* ; je ne le puis, je ne le pourrai avant longtemps, — et, pour dire la vérité, je ne me crois même pas guéri intérieurement et je m'attends à qque explosion... Il faudrait me porter en wagon, me descendre, etc., etc., c'est trop d'ennuis, de frais et de fatigue. J'ai ma chambre payée jusqu'à fin juillet ; je réfléchirai et *verrai ce que je puis faire* dans l'intervalle.

Jusque-là j'aime mieux croire que cela ira mieux comme vous voulez bien me le faire croire ; — si stupide que soit son existence, l'homme s'y rattache toujours.

Envoyez-moi la lettre de l'intendance. Il y a justement à table avec moi un inspecteur de police malade qui m'embêtait toujours avec ces histoires de service et s'apprêtait à me jouer quelque tour.

Excusez-moi du dérangement, je vous remercie, je vous souhaite bonne chance et bonne santé.

Écrivez-moi.

Bien à vous.

Rimbaud.

Mademoiselle Isabelle Rimbaud,
à Roche, canton d'Attigny
Ardennes (France).

À ISABELLE

Marseille, le 15 juillet 1891.

Ma chère Isabelle,

Je reçois ta lettre du 13 et trouve occasion d'y répondre de suite. Je vais voir quelles démarches je puis faire avec cette note de l'intendance et le certificat de l'hôpital. Certes, il me plairait d'avoir cette question réglée, mais, hélas ! je ne trouve pas moyen de le faire, moi qui suis à peine capable de mettre mon soulier à mon unique jambe. Enfin, je me débrouillerai comme je pourrai. Au moins, avec ces deux documents, je ne risque plus d'aller en prison ; car l'adm^{on} militaire est capable d'emprisonner un estropié, ne fût-ce que dans un hôpital. Quant à la déclaration de rentrée en France, à qui et où la faire ? Il n'y a personne autour de moi pour me renseigner ; et le jour est loin où je pourrai aller dans des bureaux, avec mes jambes de bois, pour aller m'informer.

Je passe la nuit et le jour à réfléchir à des moyens de circulation : c'est un vrai supplice ! Je voudrais faire ceci et cela, aller ici et là, voir, vivre, partir : impossible, impossible au moins pour longtemps, sinon pour toujours ! Je ne vois à côté de moi que ces maudites béquilles : sans ces bâtons, je ne puis faire un pas, je ne puis exister. Sans la plus atroce gymnastique, je ne puis même m'habiller. Je suis arrivé à courir presque avec mes béquilles, mais je ne puis monter ou descendre des escaliers, et, si le terrain est accidenté, le ressaut d'une épaule à l'autre fatigue beaucoup. J'ai une douleur névralgique très forte dans le bras et l'épaule droite, et avec cela la béquille qui scie l'aisselle, — une névralgie encore dans la jambe gauche, et avec tout cela il faut faire l'acrobate tout le jour pour avoir l'air d'exister.

Voici ce que j'ai considéré, en dernier lieu, comme cause de ma maladie. Le climat du Harar est froid de novembre à mars. Moi, par habitude, je ne me vêtais presque pas : un simple pantalon de toile et une chemise de coton. Avec cela des courses à pied de 15 à 40 kilomètres par jour, des cavalcades insensées à travers les abruptes montagnes du pays. Je crois qu'il a dû se développer dans le genou une douleur arthritique causée par la fatigue, et les chaud et froid. En effet, cela a débuté par un coup de marteau (pour ainsi dire) sous la rotule, léger coup qui me frappait à chaque minute ; grande sécheresse de l'articulation et rétraction du nerf de la cuisse. Vint ensuite le gonflement des veines tout autour du genou qui faisait croire à des varices. Je marchais et travaillais toujours beaucoup, plus que jamais, croyant à un simple coup d'air. Puis la douleur dans l'intérieur du genou a augmenté. C'était, à chaque pas, comme un clou enfoncé de côté. — Je marchais toujours, quoique avec plus de peine ; je montais surtout à cheval et descendais chaque fois presque estropié. — Puis le dessus du genou a gonflé, la rotule s'est empâtée, le jarret aussi s'est trouvé pris, la circulation devenait pénible, et la douleur secouait les nerfs jusqu'à la cheville et jusqu'aux reins. — Je ne marchais plus qu'en boitant fortement et me trouvais toujours plus mal, mais j'avais toujours beaucoup à travailler, forcément. — J'ai commencé alors à tenir ma jambe bandée du haut en bas, à frictionner, baigner, etc., sans résultat. Cependant, l'appétit se perdait. Une insomnie opiniâtre commençait. Je faiblissais et maigrissais beaucoup. — Vers le 15 mars, je me décidai à me coucher, au moins à garder la position horizontale. Je disposai un lit entre ma caisse, mes écritures et une fenêtre d'où je pouvais surveiller mes balances au fond de la cour, et je payai du monde de plus pour faire marcher le travail, restant moi-même étendu, au moins de la jambe malade. Mais, jour par jour, le gonflement du genou le faisait ressembler à une boule, j'observai que la face interne de la tête du tibia était beaucoup plus grosse qu'à l'autre jambe : la rotule devenait immobile, noyée dans l'excrétion qui produisait le gonflement du genou, et que je vis avec terreur devenir en quelques jours dure comme de l'os : à ce moment, toute la jambe devint raide, complètement raide, en huit jours, je ne pouvais plus aller aux lieux qu'en me traînant. Cependant la jambe et le haut de la cuisse maigrissaient toujours, le genou et le jarret gonflant, se pétrifiant, ou plutôt *s'ossifiant*, et l'affaiblissement physique et moral empirant.

Fin mars, je résolus de partir. En quelques jours, je liquidai tout à perte. Et, comme la raideur et la douleur m'interdisaient l'usage du mulet ou même du chameau, je me fis faire une civière couverte d'un rideau, que seize hommes transportèrent à Zeilah en une quinzaine de jours. Le second jour du voyage, m'étant avancé loin de la caravane, je fus surpris dans un endroit désert par une pluie sous laquelle je restai étendu seize heures sous l'eau, sans abri et sans possibilité de me mouvoir. Cela me fit beaucoup de mal. En route, je ne pus jamais me lever de ma civière, on étendait la tente au-dessus de moi à l'endroit même où on me déposait et, creusant un trou de mes mains près du bord de la civière, j'arrivais difficilement à me mettre un peu de côté pour aller à la selle sur ce trou que je comblais de terre. Le matin, on enlevait la tente au-dessus de moi, et on m'enlevait. J'arrivai à Zeilah, éreinté, paralysé. Je ne m'y reposai que quatre heures, un vapeur partait pour Aden. Jeté sur le pont sur mon matelas (il a fallu me hisser à bord dans ma civière !) il me fallut souffrir trois jours de mer sans manger. À Aden, nouvelle descente en civière. Je passai ensuite quelques jours chez M. Tian pour régler nos affaires et partis à l'hôpital où le médecin anglais, après quinze jours, me conseilla de filer en Europe.

Ma conviction est que cette douleur dans l'articulation, si elle avait été soignée dès les premiers jours, se serait calmée facilement et n'aurait pas eu de suites. Mais j'étais dans l'ignorance de cela. C'est moi qui ai tout gâté par mon entêtement à marcher et travailler excessivement. Pourquoi au collège n'apprend-on pas de la médecine au moins le peu qu'il faudrait à chacun pour ne pas faire de pareilles bêtises ?

Si quelqu'un dans ce cas me consultait, je lui dirais : vous en êtes arrivé à ce point : mais ne vous laissez jamais amputer. Faites-vous charcuter, déchirer, mettre en pièces, mais ne souffrez pas qu'on vous ampute. Si la mort vient, ce sera toujours mieux que la vie avec des membres de moins. Et cela, beaucoup l'ont fait ; et, si c'était à recommencer, je le ferais. Plutôt souffrir un an comme un damné, que d'être amputé.

Voilà le beau résultat : je suis assis, et de temps en temps, je me lève et sautille une centaine de pas sur mes béquilles et je me rassois. Mes mains ne peuvent rien tenir. Je ne puis, en marchant, détourner la tête de mon seul pied et du bout des béquilles. La tête et les épaules s'inclinent en avant, et vous bombez comme un bossu. Vous tremblez à voir les objets et les gens se mouvoir autour de vous, crainte qu'on ne vous renverse, pour vous casser la seconde patte. On ricane à vous voir sautiller. Rassis, vous avez les mains énervées et l'aisselle sciée, et la figure d'un idiot. Le désespoir vous reprend et vous restez assis comme un impotent complet, pleurnichant et attendant la nuit, qui rapportera l'insomnie perpétuelle et la matinée encore plus triste que la veille, etc., etc. La suite au prochain numéro.

Avec tous mes souhaits.

RBD.

AU COMMANDANT DE RECRUTEMENT À MARSEILLE

Monsieur le Commandant de recrutement à Marseille,

Je suis conscrit de la classe de 1875. J'ai tiré au sort à Charleville, département des Ardennes ; j'ai été exempté du service militaire, ayant un frère sous les drapeaux. En 1882, le 16 janvier, à l'époque de mes 28 jours d'instruction, je me trouvais en Arabie, employé comme négociant dans une maison française : j'ai fait ma déclaration de séjour à l'étranger, et envoyé un certificat à M. le Commandant de place à Mézières, le dit certificat constatant ma présence à Aden. Je fus mis en sursis renouvelable jusqu'à ma rentrée en France.

Le 22 mai dernier, je suis rentré en France avec l'intention d'accomplir mon service militaire ; mais en débarquant à Marseille, je fus obligé d'entrer à l'hôpital de la Conception, et le 25 suivant, on m'amputait de la jambe droite. Je tiens à la disposition de monsieur le Commandant de recrutement les certificats du directeur de l'hôpital où je suis encore, ainsi que celui du médecin qui m'a soigné.

Je prie monsieur le Commandant de recrutement de régulariser ma position quant au service militaire, et de me faire donner mon congé définitif, si toutefois je ne suis plus propre à aucun service.

Hôpital de la Conception. Marseille.
[Juillet 1891.]

À ISABELLE

Marseille, le 20 juillet 189[1].

Ma chère sœur,

Je v^{s} écris ceci sous l'influence d'une violente douleur dans l'épaule droite, cela m'empêche presque d'écrire, comme vous voyez.

Tout cela provient d'une constitution devenue arthritique par suite de mauvais soins. Mais j'en ai assez de l'hôpital, où je suis exposé aussi à attraper tous les jours la variole, le typhus, et autres pestes qui y habitent.

Je pars, le médecin m'ayant dit que je puis partir et qu'il est préférable que je ne reste point à l'hôpital.

Dans deux ou trois jours je sortirai donc et verrai à me traîner jusque chez vous comme je pourrai ; car, [s]ans ma jambe de bois, je ne puis marcher, et même avec les béquilles je ne puis pour le moment faire que quelques pas, pour ne point faire empirer l'état de mon épaule. Comme vous l'avez dit, je descendrai à la gare de Voncq. Pour l'habitation, je préférerais habiter en haut ; donc inutile de m'écrire ici, je serai très prochainement en route.

Au revoir.

Rimbaud.

AU DIRECTEUR DES MESSAGERIES MARITIMES

Marseille, 9 novembre 1891.

UN LOT : UNE DENT SEULE.

UN LOT : DEUX DENTS.

UN LOT : TROIS DENTS.

UN LOT : QUATRE DENTS.

UN LOT : DEUX DENTS.

Monsieur le Directeur,

Je viens vous demander si je n'ai rien laissé à votre compte. Je désire changer aujourd'hui de ce service-ci, dont je ne connais même pas le nom, mais en tout cas que ce soit le service d'Aphinar. Tous ces services sont là partout, et moi, impotent, malheureux, je ne peux rien trouver, le premier chien dans la rue vous dira cela.

Envoyez-moi donc le prix des services d'Aphinar à Suez. Je suis complètement paralysé : donc je désire me trouver de bonne heure à bord. Dites-moi à quelle heure je dois être transporté à bord...

BIBLIOGRAPHIE

ÉDITIONS

ŒUVRES COMPLÈTES

Œuvres complètes, texte établi et annoté par André Rolland de Renéville et Jules Mouquet, Gallimard, Bibliothèque de la Pléiade, 1946 (la « première Pléiade »).

Œuvres complètes, édition établie, présentée et annotée par Antoine Adam, Gallimard, Bibliothèque de la Pléiade, 1972 (la « seconde Pléiade »).

Œuvre-vie, édition du Centenaire établie par Alain Borer *et alii*, Arléa, 1991.

Œuvres complètes. — Correspondance, édition présentée et établie par Louis Forestier, Robert Laffont, coll. Bouquins, 1992.

Opere complete, a cura di A. ADAM, introduzione, revisione e aggiornamento di Mario RICHTER, Einaudi-Gallimard, 1992.

Œuvres complètes, Cederom Champion Électronique, 1999.

Éditions en fac-similé

L'Œuvre intégrale manuscrite, éd. et avec les transcriptions de Claude Jeancolas, Textuel, 1996, trois fascicules.

Les Lettres manuscrites de Rimbaud, rassemblées et transcrites par Claude Jeancolas, Textuel, 1997, quatre volumes.

Poésies, notice de Paterne Berrichon, Messein, coll. Les Manuscrits des maîtres, 1919.

Album zutique, fac-similé du manuscrit original, présentation, transcription typographique et commentaires de Pascal Pia, deux volumes, Cercle du Livre précieux, 1961 ; reprint Genève, Slatkine, un seul volume, 1981.

Fac-similé de l'édition originale d'*Une saison en enfer* (Poot, 1873) et des *Illuminations* (La Vogue, 1886), Slatkine, coll. Ressources, 1979.

L'Œuvre manuscrite, *Illuminations*, Bibliothèque de l'image, 1998.

Éditions des œuvres proprement dites

Œuvres (*Vers et Prose*), éd. Paterne Berrichon, préface de Paul Claudel, Mercure de France, 1912.

Œuvres, édition présentée par Antoine Adam, texte révisé par Paul Hartmann, Le Club du meilleur livre, 1957.

Œuvres, édition de Suzanne Bernard, Garnier, 1960 ; nouvelle édition revue par André Guyaux, 1981, 1983, 1987, 1991.

Œuvres poétiques, textes présentés et commentés par Cecil A. Hackett, Imprimerie nationale, coll. Lettres françaises, 1986.

Œuvres, tome I, *Poésies* ; tome II, *Vers nouveaux, Une saison en enfer* ; tome III, *Illuminations*, préfaces et notes de Jean-Luc Steinmetz, Flammarion, coll. G.F., 1989.

Poésies complètes (*1870-1872*), éd. Pierre Brunel, Le Livre de Poche classique, 1998.

Une saison en enfer, *Illuminations et autres textes* (*1873-1875*), éd. Pierre Brunel, Le Livre de Poche classique, 1998.

LES « POÉSIES »

Éditions « historiques »

Reliquaire : poésies, préface de Rodolphe Darzens, L. Genonceaux, 1891.

Poésies complètes, préface de Paul Verlaine, Vanier, 1895.

Éditions critiques

Poésies, édition critique, introduction et notes par Henry de Bouillane de Lacoste, Mercure de France, 1939.

Poésies, édition critique, introduction, classement chronologique et notes par Marcel A. Ruff, Nizet, 1978.

Poésies, édition établie par Frédéric Eigeldinger et Gérald Schaeffer, Neuchâtel, À la Baconnière, coll. Langages, 1981.

Un cœur sous une soutane

Un cœur sous une soutane, intimités d'un séminariste, Ronald Davies, 1924.

Un cœur sous une soutane, édition critique et commentaire par Steve Murphy, avec le fac-similé du manuscrit, Charleville-Mézières, Musée-Bibliothèque Arthur Rimbaud, coll. Bibliothèque sauvage, 1991.

Une saison en enfer

Édition originale : *Une saison en enfer*, Bruxelles, Alliance Typographique Jacques Poot et Cie, 1873 ; reprint, Genève, Slatkine, coll. Ressources, 1979 (avec les *Illuminations*).

Réédition : dans *La Vogue*, trois livraisons de septembre 1886 ; reprint, Slatkine, 1971.

Éditions critiques : par Henry de Bouillane de Lacoste, Mercure de France, 1941 ; par Pierre Brunel, José Corti, 1987 (avec les avant-textes).

Illuminations

Préoriginale et originale : livraisons de *La Vogue*, mai-juin 1886 ; reprint, Slatkine, 1971 ; Publications de *La Vogue*, avec une notice de Paul Verlaine, 1886 ; reprint, Slatkine, 1979 ; à compléter avec l'éd. Vanier des *Poésies complètes*, 1895 (cinq textes ajoutés).

Éditions critiques : par Henry de Bouillane de Lacoste, Mercure de France, 1949 ; par Albert Py, Genève-Paris, Droz-Minard, coll. Textes littéraires français, 1967, édition revue 1969 ; par André Guyaux, Neuchâtel, À la Baconnière, coll. Langages, 1985.

LETTRES

Lettres de Jean-Arthur Rimbaud : *Égypte*, *Arabie*, *Éthiopie*, éd. Paterne Berrichon, Mercure de France, 1899.

Lettres de la vie littéraire d'Arthur Rimbaud (1870-1875), réunies et annotées par Jean-Marie Carré, Gallimard, 1931, rééd. coll. L'Imaginaire, 1990.

Lettres du voyant (13 et 15 mai 1871), éditées et commentées par Gérald Schaeffer, Genève-Paris, Droz-Minard, 1975, coll. Textes littéraires français, 1975.

Correspondance [avec Alfred Ilg], 1888-1891, Préface et notes de Jean Voellmy, Gallimard, 1965, rééd. collection L'Imaginaire, 1995.

SUR LA QUESTION DES FAUX RIMBAUDS

Bruce Morrissette, *The Great Rimbaud Forgery*, Saint-Louis, Washington University, 1956 ; trad. *La Bataille Rimbaud*, Nizet, 1959.

TÉMOIGNAGES ET BIOGRAPHIES

Paul Verlaine, « Arthur Rimbaud », dans *Lutèce*, 5-12 octobre, 10-17 novembre 1883, puis dans la première série des *Poètes maudits*, Vanier, printemps 1884.

Jean Bourguignon et Charles Houin, « Poètes ardennais. Arthur Rimbaud », dans la *Revue d'Ardenne et d'Argonne*, novembre-décembre 1896, janvier-février 1897, septembre-octobre 1898, mai 1899, janvier-février 1901, juillet 1901 ; rééd. en un volume par Michel Drouin, Payot, 1991.

Ernest Delahaye, *Rimbaud, l'artiste et l'être moral*, Messein, 1923 ; *Souvenirs familiers à propos de Rimbaud*, Messein, 1925 (groupement des témoignages de Delahaye dans le volume *Delahaye témoin de Rimbaud*, avec des notes de Frédéric Eigeldinger et André Gendre, Neuchâtel, À la Baconnière, 1974).

Georges Izambard, *Rimbaud tel que je l'ai connu*, Mercure de France, 1946.

Enid Starkie, *Arthur Rimbaud*, London, Faber and Faber, 1938 ; new and revised edition, London, Hamish Hamilton, 1947, puis Faber, 1961 ; trad. Alain Borer, Flammarion, 1982, rééd. en 1989 et 1991.

Henri Matarasso et Pierre Petitfils, *Album Rimbaud*, Gallimard, Bibliothèque de la Pléiade, 1971.

Pierre Petitfils, *Rimbaud*, Julliard, 1989.

Jean-Luc Steinmetz, *Arthur Rimbaud — Une question de présence*, Tallandier, coll. Figures de proue, 1991.

Alain Borer, *Rimbaud, l'heure de la fuite*, Gallimard, Découvertes, 1991.

Claude Jeancolas, *Passion Rimbaud, L'Album d'une vie*, Textuel, 1998.

Pierre Brunel, *« Ce sans-cœur de Rimbaud », essai de biographie intérieure*, L'Herne, 1999.

SUR LE DERNIER RIMBAUD

Mario Matucci, *Le Dernier Visage de Rimbaud en Afrique*, Sansoni-Didier, 1962.

Alain Borer, *Rimbaud en Abyssinie*, éd. du Seuil, 1984 ; *Un sieur Rimbaud se disant négociant*, Lachenal et Ritter, 1984 ; *Rimbaud d'Arabie*, éd. du Seuil, 1995.

Claude Jeancolas, *Les Voyages de Rimbaud*, Balland, 1991.

INSTRUMENTS DE TRAVAIL

Pierre PETITFILS, *L'Œuvre et le Visage d'Arthur Rimbaud. — Essai de bibliographie et d'iconographie*, Nizet, 1949 ; « Les Manuscrits de Rimbaud : leur découverte, leur publication », dans *Études rimbaldiennes* 2, Minard, 1970, pp. 41-144.

André BANDELIER, Frédéric EIGELDINGER, Pierre-Eric MONNIN, Eric WEHRLI, *Table de concordances rythmiques et syntaxiques des Poésies d'Arthur Rimbaud*, Neuchâtel, À la Baconnière, coll. Langages, 1981.

Frédéric EIGELDINGER, *Table de concordances rythmiques et syntaxiques de* Une saison en enfer, Neuchâtel, À la Baconnière, 1984.

Frédéric EIGELDINGER, *Table de concordances rythmiques et syntaxiques des* Illuminations, Neuchâtel, À la Baconnière, 1986.

Olivier BIVORT et André GUYAUX, *Bibliographie des* Illuminations *(1878-1990)*, Paris-Genève, Champion-Slatkine, 1990.

Arthur Rimbaud. — Portraits, dessins, manuscrits, catalogue établi par Hélène Dufour et André Guyaux, Les Dossiers du Musée d'Orsay, 1991.

Claude JEANCOLAS, *Dictionnaire Rimbaud*, Balland, 1991.

ORIENTATION CRITIQUE GÉNÉRALE

Yves BONNEFOY, *Rimbaud par lui-même*, éd. du Seuil, coll. Écrivains de toujours, 1961 ; nouvelle édition, *Rimbaud*, 1979, puis 1994.

Pierre BRUNEL, *Arthur Rimbaud ou l'éclatant désastre*, Champ Vallon, 1983 ; *Rimbaud, projets et réalisations*, Champion, 1983.

Charles CHADWICK, *Études sur Rimbaud*, Nizet, 1960 ; *Rimbaud*, London, The Athlone Press, 1979.

Alan Rowland CHISHOLM, *The Art of Arthur Rimbaud*, Melbourne University Press, 1930.

ÉTIEMBLE, *Le Mythe de Rimbaud*, Gallimard, 1954 à 1967.

ÉTIEMBLE et Yassu GAUCLÈRE, *Rimbaud*, Gallimard, 1936 ; nouvelles éd. 1950, puis 1966.

Jacques GENGOUX, *La Pensée poétique de Rimbaud*, Nizet, 1950.

Jean-Pierre GIUSTO, *Rimbaud créateur*, Presses Universitaires de France, 1980.

Jean-Marie GLEIZE, *Arthur Rimbaud*, Hachette, 1993.

André GUYAUX, *Duplicités de Rimbaud*, Paris-Genève, Champion-Slatkine, 1991.

Cecil A. HACKETT, *Rimbaud l'enfant*, José Corti, 1948.

Atle KITTANG, *Discours et jeu : essai d'analyse des textes d'Arthur Rimbaud*, Bergen-Oslo-Tromsø et Grenoble, Universitets Forlaget et Presses Universitaires de Grenoble, 1975.

Paule LAPEYRE, *Le Vertige de Rimbaud*, Neuchâtel, À la Baconnière, 1981.

James LAWLER, *Rimbaud. — Theatre of the Self*, Cambridge, Mass., Harvard University Press, 1991.

Roger MUNIER, *L'Ardente Patience de Rimbaud*, José Corti, 1993.

Steve MURPHY, *Le Premier Rimbaud ou l'Apprentissage de la subversion*, C.N.R.S. et Presses Universitaires de Lyon, 1990 ; *Rimbaud et la ménagerie impériale*, mêmes éditeurs, 1991.

Jacques PLESSEN, *Promenade et poésie : l'expérience de la marche et du mouvement dans l'œuvre de Rimbaud*, La Haye-Paris, Mouton, 1967.

Jean-Pierre RICHARD, *Poésie et profondeur*, éd. du Seuil, 1955.

Jacques RIVIÈRE, *Rimbaud*, Kra, 1930 ; les textes de Rivière sont repris dans *Rimbaud : dossier 1905-1925*, présenté et annoté par Roger Lefèvre, Gallimard, 1977.

François RUCHON, *Jean-Arthur Rimbaud, sa vie, son œuvre, son influence*, Champion, 1929 ; reprint, Slatkine, 1970.

Marcel A. RUFF, *Rimbaud, l'homme et l'œuvre*, Hatier, 1968.

André THISSE, *Rimbaud devant Dieu*, José Corti, 1975.

Vernon Ph. UNDERWOOD, *Rimbaud et l'Angleterre*, Nizet, 1976.

REVUES ET PÉRIODIQUES

Bulletin des Amis de Rimbaud (7 numéros de 1931 à 1939).

Le Bateau ivre (20 numéros de 1949 à 1966).

La Revue des Lettres modernes, série Arthur Rimbaud, dirigée par Louis Forestier (depuis 1968).

Rimbaud vivant (depuis 1973).

Parade sauvage (depuis 1984), revue dirigée par Steve Murphy.

POSTÉRITÉ DE RIMBAUD

Rimbaud, Cahier de l'Herne dirigé par André Guyaux, textes d'écrivains et de critiques, de Paul Verlaine à aujourd'hui, republiés et commentés, suivis d'une chronologie de Rimbaud et du rimbaldisme, éd. de l'Herne, 1993.

NOTICES

AVERTISSEMENT

Ce mot, « avertissement », Arthur Rimbaud l'a inscrit après le titre, *Les Déserts de l'amour*, au recto du premier des deux feuillets auxquels se réduit ce récit de deux rêves. Il n'est pas là pour mettre en garde le lecteur. Il prépare seulement une révélation qui peut être reprise pour présenter son œuvre : « Ces écritures-ci sont d'un jeune, tout jeune *homme* ».

Tout mérite d'être commenté, dans cette proposition liminaire. La jeunesse conduit du « tout jeune homme », de l'adolescent même qui a moins de seize ans quand il écrit ses premiers poèmes au « poète mort jeune », comme l'écrivait Verlaine (« à dix-huit ans, précisait-il, puisque, né à Charleville le 20 octobre 1854, nous n'avons pas de vers de lui postérieurs à 1872 »[1]), à l'homme mort jeune, à l'âge de trente-sept ans, le 10 novembre 1891. Rimbaud a souligné lui-même le mot *homme*, un être « plein de sang », même « n'ayant pas aimé de femmes »[2].

Quant à « ces écritures-ci », elles ne se distinguent pas seulement d'autres écritures dont il est l'auteur, elles s'opposent aux Écritures, contenues dans « le livre du devoir » tendu puis fermé par la Mère, la « Bible à la tranche vert-chou » que lisait le poète de sept ans et dont il s'est inspiré librement et dans *Une saison en enfer* et dans les *Illuminations*.

Constituent-elles une œuvre, « ces écritures-ci » ? *Les Déserts de l'amour* ne sont même pas un fragment, ou des fragments. Il s'agit, selon Ernest Delahaye, l'ancien camarade de collège qui s'est pris un peu trop facilement pour un confident, du « commencement d'une série »[3]. Et

---

1. Préface de Verlaine pour l'édition des *Poésies complètes* de Rimbaud publiée par Vanier en 1895. On trouvera ce texte, parmi tous ceux que Verlaine a écrits sur Rimbaud, dans le livre d'Henri Peyre, *Rimbaud vu par Verlaine*, Nizet, 1975, p. 106. **2.** *Les Déserts de l'amour*, p. 299. **3.** Ernest Delahaye, *Rimbaud, l'artiste et l'être moral*, Meissein, 1923, repris, avec les autres textes de Delahaye sur Rimbaud, dans le livre de Frédéric Eigeldinger et André Gendre, *Delahaye témoin de Rimbaud*, Neuchâtel, À la Baconnière, 1974, p. 38. Delahaye, qui a fait publier pour la première fois *Les Déserts de l'amour* en 1906 dans la *Revue littéraire de Paris et de Champagne*, en rapprochait l'Avertissement des *Confessions* de Jean-Jacques Rousseau (voir *ibid.*, p. 182).

pourtant ce texte apparaît aussi comme fini, comme clos, alors que s'ouvre « la ville sans fin » et que, comme si souvent chez Rimbaud, s'enfuit le bonheur. C'est toute l'ambiguïté du fragment rimbaldien, ce « prétendu fragment », selon André Guyaux, « morceau de jour d'une nuit des mots et des choses »[1]. Il n'est pas erratique, comme ceux que nous ont laissés certains Romantiques allemands, mais parfait en lui-même, telles, dans les *Illuminations*, les « Phrases », « titre formel », sans doute, comme l'écrit André Guyaux[2], mais suggestif tout aussi bien d'une « unité fondamentale »[3].

Presque rien n'est fini, dans ce que Rimbaud nous a laissé. Les poésies de l'année 1870 tendent vers un recueil qu'il a déposé à Douai, chez un poète un peu plus mûr que lui, et déjà publié, Paul Demeny (d'où le titre de « Recueil Demeny » qu'on lui donne quelquefois). Celles de l'année 1871 restent dispersées dans des lettres ou dans des dons. Les prétendus « derniers vers » de 1872 correspondent, si l'on en croit Verlaine, à un projet d'*Études néantes* qui n'a jamais abouti. Par le même Verlaine, nous connaissons des titres, ou sous-titres, *Illuminations, Coloured plates*, pour un ensemble de textes que ne suffit même pas à réunir le genre du poème en prose.

Une saison en enfer est la seule œuvre véritable de Rimbaud. Il a lui-même remis à une officine bruxelloise, l'Alliance typographique de l'imprimerie Jacques Poot, le texte de cette plaquette de 53 pages. Elle sortit des presses en octobre 1873, mais, comme le rappelle Verlaine, elle « sombra corps et bien dans un oubli monstrueux, l'auteur ne l'ayant pas "lancée" du tout. Il avait bien autre chose à faire[4]. »

Avec trois poèmes en vers parus isolément, « Les Étrennes des orphelins », « Première soirée », et « Les Corbeaux », *Une saison en enfer* fait figure d'exception, — de publication voulue par l'auteur et connue de lui, même s'il s'en est très vite désintéressé. Le reste est à mettre au compte de ce que Milan Kundera a appelé les « Testaments trahis ». Max Brod a sauvé l'œuvre de Kafka, que l'écrivain aurait voulu détruire[5]. Dès le 10 juin 1871, Rimbaud suppliait Paul Demeny, par lettre, de brûler tous les vers qu'il lui avait remis à Douai, donc ce qui devrait être son premier recueil. *Les Veilleurs, La Chasse spirituelle, L'Histoire magnifique* ont

---

1. André Guyaux, *Poétique du fragment. — Essai sur les* Illuminations *de Rimbaud*, Neuchâtel, À la Baconnière, 1985, p. 8. **2.** *Poétique du fragment*, p. 107. **3.** *Illuminations*, texte établi et commenté par André Guyaux, Neuchâtel, À la Baconnière, 1985, p. 169. **4.** « Arthur Rimbaud », dans la revue *Lutèce*, numéros des 5-12 octobre, 10-17 novembre 1883, repris dans la première série des *Poètes maudits*, Vanier, 1884. Henri Peyre, *Rimbaud vu par Verlaine*, p. 77. **5.** Milan Kundera, *Les Testaments trahis*, essai, Gallimard, 1993, Folio n° 2703, p. 305.

disparu, s'ils ont jamais existé. Le manuscrit de ce que nous connaissons sous le titre d'*Illuminations* constituait une sorte de liasse que Rimbaud a peut-être confiée à Verlaine lors du passage mouvementé de l'ancien détenu à Stuttgart en février ou mars 1875. Félix Fénéon et Gustave Kahn ont joué à l'avance les Max Brod quand ils ont révélé ces textes dans la revue *La Vogue* en mai-juin 1886.

Le temps des exécuteurs testamentaires était venu avant la mort même de Rimbaud. Le *Reliquaire* contenant ses poésies parut en novembre 1891, toujours à son insu, à peu près au moment où on inhumait ses restes. Aurait-il parlé de ses « œuvres » ? Il les considérait comme des « rinçures » : il avait renoncé à la littérature ou, pis, il l'avait oubliée.

Plutôt que des *Œuvres complètes*, sans doute faudrait-il rassembler les *Écrits* de Rimbaud, l'ensemble des traces graphiques qu'il a laissées : un nouveau *Reliquaire*, plus complet que celui que Rodolphe Darzens avait préfacé pour l'éditeur Genonceaux. « Complet » ne signifie pas « plus que complet ». On ne trouvera dans ce volume ni les faux rimbauds que Bruce Morrissette a dits issus de *The Great Rimbaud Forgery* [1], ni les bribes présentées plaisamment par Louis Forestier comme autant de « Tessons et casseaux » [2], ni la *Lettre au baron de Petdechèvre*, définitivement rendue à son auteur, Jean Marcel, journaliste du *Nord-Est* ardennais [3]. Une ferveur ancienne, soutenant l'« ardente patience », doit l'emporter sur le souci maniaque de tout déterrer et de tout niveler. C'est la seule chance de retrouver l'éternité de ce qui est bien une œuvre.

P. B.

---

1. Bruce Morrissette, *The Great Rimbaud Forgery, The Affair of* La Chasse spirituelle, *with unpublished Documents and an Anthology of Rimbaldian Pastiches*, Saint Louis, Washington University Studies, 1956. **2.** Rimbaud, *Œuvres complètes — Correspondance*, Robert Laffont, coll. Bouquins, 1992. **3.** Voir l'« adieu au baron de Petdechèvre », par Marc Ascione, dans l'édition du centenaire, *Œuvre-vie*, Arléa, 1991, p. 1273-1274.

PRINCIPES GÉNÉRAUX DE CETTE ÉDITION

Rimbaud est donc l'auteur d'un seul livre : *Une saison en enfer*. Tout le reste n'est que fragments épars. Des poèmes qu'il parvint très rarement à faire publier et qui sont loin d'être les meilleurs : « Les Etrennes des orphelins », pour cœurs sensibles, dans *La Revue pour tous* du 2 janvier 1870 (l'auteur avait quinze ans) ; « Trois baisers », une scène « maline », dans *La Charge* du 13 août 1870 ; « Les Corbeaux[1] », qu'on pouvait prendre pour une vision d'après-guerre, dans *La Renaissance littéraire et artistique* du 14 septembre 1872. Bilan décevant, désolant même et qui, à lui seul, suffirait à expliquer que cet adolescent ambitieux, après avoir rêvé de se faire « une petite place entre les Parnassiens[2] », se soit détourné de la littérature au moment où il entrait dans l'âge d'homme.

Il avait alors derrière lui une œuvre considérable, mais inédite, qui fut publiée massivement et sans son aveu dans les cinq dernières années de sa vie. En cette année 1886 où les poètes se lancent à la tête l'épithète de « décadent » et où ils se cherchent de nouvelles idoles, une revue, *La Vogue*, révèle tour à tour une pièce de vers, « Les Premières Communions » (numéro du 11 avril), un ensemble de poèmes en prose et en vers intitulé *Les Illuminations* (mai-juin, numéros 5, 6, 7, 8, 9 du tome 1) et immédiatement repris dans une plaquette préfacée par Verlaine, enfin le texte imprimé mais inconnu d'*Une saison en enfer* (septembre, numéros 8, 9, 10 du tome II). Les premiers poèmes en vers étaient peu à peu sortis de l'ombre, mais ils restaient dispersés dans diverses revues quand le 20 novembre 1891 l'éditeur Genonceaux les publia dans un recueil préparé et préfacé par l'un des premiers fanatiques du poète, Rodolphe Darzens. Ce *Reliquaire* était à la fois incomplet et trop complet puisque parmi les cinquante-six pièces qu'il comprenait s'étaient glissés des apocryphes :

---

1. Ce poème, déjà publié à son insu, comme le précise Verlaine dans ce même article.
2. Lettre à Banville du 24 mai 1870.

« Le Limaçon », « Doctrine », « Les Cornues » et ce « Poison perdu » que nous n'hésitons pas à rendre à Germain Nouveau[1]. Rimbaud était mort dix jours avant, le 10 novembre 1891. À dire vrai, *La Vogue* le donnait déjà comme défunt dans son numéro du 5 juillet 1886.

Nous ne voulons pas entrer ici dans le détail des éditions qui suivirent, des *Poésies complètes* de 1895 (chez Vanier) aux éditions les plus récentes des *Œuvres complètes*. Rarement plus de libertés furent prises avec une œuvre : il fallait la gauchir, ou l'expurger, ou la grossir, ou la classer. Les travaux les plus érudits n'ont pu empêcher le maintien d'une tradition tenace, qui repose sur les dogmes suivants :

1. Rimbaud a écrit les *Poésies*, *Une saison en enfer* et les *Illuminations* (ou les *Illuminations* et *Une saison en enfer*).

2. Les pièces en vers doivent être regroupées : pour cela, il convient de les détacher des lettres où elles sont parfois insérées, d'« Alchimie du verbe », où Rimbaud se cite lui-même, du groupe des *Illuminations* où certaines d'entre elles se trouvaient mêlées quand l'ensemble fut découvert. Dans ce dernier cas, on les intitulera « Vers nouveaux et chansons » (Paterne Berrichon, Antoine Adam), « Derniers vers » (Jules Mouquet, Suzanne Bernard), « Vers nouveaux » (Louis Forestier).

3. Quand il existe plusieurs versions d'un même texte, une seule (la meilleure ?) doit être retenue[2].

Le respect des normes de l'édition et le souci que nous gardions d'offrir au lecteur un volume d'utilisation commode nous a contraint à quelques concessions. Dans la mesure du possible, nous avons pourtant tenté d'appliquer des principes plus sûrs. Proposés dès 1983 dans notre livre *Rimbaud, projets et réalisations*, ils ont trouvé une première application dans l'édition collective conçue par Alain Borer, *Œuvre-vie*, publiée par Arléa en 1991. Nous les rappelons ici et nous essayons de nous y tenir.

1. Considérer que Rimbaud n'a jamais préparé un recueil de ses vers intitulé *Poésies* et que pour les *Illuminations* rien n'est sûr : ni le titre, ni le contenu, ni le classement.

---

1. Le manuscrit dont le fac-similé est reproduit dans l'*Album Rimbaud* de la Pléiade et qui est donné p. 184 comme « recopié » par Rimbaud n'est manifestement pas de son écriture. Il se trouve à la Bibliothèque littéraire Jacques-Doucet. Sur « Poison perdu » voir l'édition des œuvres de Germain Nouveau dans la Pléiade par P.O. Walzer (pp. 789-794). Sur le problème des « faux Rimbaud », voir l'ouvrage cité de Bruce Morrissette *The Great Rimbaud Forgery*. **2.** C'est le principe de Bouillane de Lacoste (édition critique des *Poésies*, Mercure de France, 1939, pp. 253-254) : « Lorsqu'il existe plusieurs manuscrits pour un même poème, nous donnons le texte du plus récent ». C'est bien malaisé pour un poète dont les textes sont souvent si difficiles à dater !

Verlaine emploie le mot *fragments* dans sa lettre du 18 mai 1873, et Rimbaud parle de « fraguemants » dans sa lettre à Delahaye du même mois. La situation de l'éditeur de Rimbaud n'est pas si différente de celle de l'éditeur de Pascal : d'autres avant nous l'ont dit (Bouillane de Lacoste, Albert Py, André Guyaux) ; ils n'en ont pas toujours tiré les conclusions qui s'imposent.

2. En effet, de ces fragments, il est possible de dégager des « liasses ». Il n'est pas juste de dire que « l'inspiration de Rimbaud, explosive et chaotique, était peu apte à des compositions soutenues[1] » : comme Chopin, comme Schumann, il aspire à la composition soutenue, qui ne peut (comme dans les *Préludes* op. 28 ou le *Carnaval* op. 9) naître que d'une juxtaposition de fragments. *Une saison en enfer* est caractéristique à cet égard : même la section la plus longue, « Mauvais Sang », est constituée de huit morceaux. Sans parler des œuvres perdues (*L'Histoire magnifique*, *La Chasse spirituelle*), Rimbaud s'est essayé au genre long à trois reprises au moins : en septembre-octobre 1870 pour ce qu'il est convenu d'appeler le « Recueil Demeny » ; d'avril à août 1873 pour ce « Livre païen » ou « Livre nègre » qui devait devenir *Une saison en enfer* ; à une date inconnue pour ses poèmes en prose en une liasse cohérente de vingt-cinq pièces recopiées sur des feuillets de même format et correspondant à peu près au premier cahier de la collection Lucien-Graux[2]. Encore s'agit-il là d'ensembles considérables. Mais Rimbaud aime aussi les séries plus brèves, comme la « Comédie de la Soif » (cinq poèmes), les « Fêtes de la patience » (quatre poèmes dont les titres sont regroupés en un sommaire de sa main), *Les Déserts de l'amour* (deux rêves précédés d'un avertissement) et les suites (« Enfance », « Vies », « Jeunesse », etc.) que fera apparaître le dossier des *Illuminations*.

3. Éviter de détacher les morceaux « isolés » des textes où ils peuvent se trouver intégrés. « *Le loup criait sous les feuilles* » ne sera pas repris en dehors d'« Alchimie du verbe », puisqu'il n'apparaît que dans cette composition[3]. Imaginerait-on d'ailleurs « Alchimie du verbe » amputée des textes poétiques qui y sont cités ? Tronquer la lettre à Banville du

1. Albert Py, *Illuminations*, éd. critique, Droz, 1967, p. XVI. **2.** Conservé à la Bibliothèque Nationale. Il convient de rejeter de cette liasse « Après le Déluge », « Nocturne vulgaire », « Marine » et « Fête d'hiver ». En revanche, « Veillées » I et II et les cinq derniers fragments regroupés jusqu'à l'édition S. Bernard-A. Guyaux sous le titre de « Phrases » ne constituent pas, comme on l'a cru, des exceptions. **3.** Louis Forestier en use de même dans l'édition Poésie-Gallimard, 1973, et le volume de la collection Bouquins en 1992.

24 mai 1870, les deux « lettres du Voyant »[1], la lettre à Demeny du 10 juin 1871 ou encore la lettre à Banville du 15 août 1871 nous semblerait une mutilation aussi grave, — pour le document épistolaire, mais aussi pour le poème qui se trouve coupé de son contexte. Comment se fait-il d'ailleurs que les éditeurs qui en usent ainsi (presque tous) n'étendent pas leur système à la lettre à Delahaye du 14 octobre 1875, classant parmi les « Derniers vers » cette ritournelle de chambrée, « Rêve », que Breton considérait bizarrement comme le chef-d'œuvre de Rimbaud ? La subjectivité est vraiment un critère fragile...

4. Renoncer à établir un classement chronologique strict. Pour adopter cet ordre, il eût fallu que toutes les pièces fussent datées par Rimbaud ou qu'elles pussent être datées avec certitude. Or Rimbaud ne date pas toujours ses poèmes, ne leur affecte pas toujours la même date (quand il y a plusieurs versions) et peut user, à la manière de Victor Hugo, de dates fictives. Enfin, dans certains cas (« *Qu'est-ce pour nous mon cœur...* », par exemple), on se perd en conjectures. En laissant les poèmes dans les lettres et en refusant de publier ces lettres à part, nous fournissons déjà des points de repère indiscutables pour une chronologie. Mais ce que Jean-Marie Carré appelait les *Lettres de la vie littéraire d'Arthur Rimbaud* (Gallimard, 1931), c'est-à-dire celles des années 1870-1875, constitue un ensemble réduit. Manquent en particulier les lettres de Rimbaud à Verlaine, à l'exception des envois de juillet 1873 conservés dans le dossier du procès de Bruxelles. Nous n'avons plus celles de 1871 où se trouvaient insérés des poèmes souvent recopiés par Delahaye. Nous n'avons pas ces documents inestimables que Verlaine dit avoir laissés rue Nicolet, chez ses beaux-parents, et qu'il réclame à son ami Edmond Lepelletier dans sa lettre du 8 novembre 1872 : « un manuscrit sous pli cacheté, intitulé *La Chasse spirituelle*, par Arthur Rimbaud. Une dizaine de lettres du précédent, contenant des vers et des poèmes en prose ». Pour combler un tel vide on peut tout au plus tenter de réunir empiriquement un dossier. Pour l'année 1871, la chose est facilitée dans la mesure où Verlaine a lui-même pris soin de recopier des poèmes de Rimbaud (à la demande de Rimbaud, selon Bouillane de Lacoste ; par précaution, selon Pierre Petitfils) : nous avons ainsi ce qu'il est convenu d'appeler le « Cahier Verlaine[2]. »

---

1. La lettre à Izambard du 13 mai 1871, la lettre à Demeny du 15 mai 1871, que Gérald Schaeffer a enfin présentées réunies et dans leur intégralité dans son édition critique des *Lettres du Voyant*, Droz, 1975. **2.** « Son cahier — disons plutôt son dossier, car les feuilles étaient libres mais paginées », écrit Pierre Petitfils dans son étude indispensable sur « Les Manuscrits de Rimbaud », *Études rimbaldiennes* n° 2, Lettres Modernes, 1970, p. 113.

On pourrait aller plus loin en ce sens pour procéder à de nouveaux regroupements. Rimbaud, ce grand solitaire, eut besoin comme nul autre d'un public d'intimes. Le témoignage de Delahaye est à cet égard très précieux :

« [...] étant élève, il ne pouvait aligner une douzaine de vers sans les déposer sur la chaire d'un professeur et la tyrannie de cette habitude, par un bien mystérieux phénomène, le tenait encore, malgré tant de révoltes, malgré tant de fugues, malgré tant de tout [1]. »

Rimbaud a écrit, ou réuni des écrits pour Izambard, pour Demeny, pour Verlaine, mais aussi en 1872 pour son ami le dessinateur Jean-Louis Forain (plusieurs poèmes du mois de mai dont la série intitulée « Comédie de la Soif »), pour Jean Richepin (les « Fêtes de la patience »). Il n'est pas déraisonnable de penser que Germain Nouveau, qu'il avait connu à Paris et qui séjourna avec lui à Londres de mars à juin 1874, a été le dernier de ces interlocuteurs privilégiés, pour le dernier grand projet littéraire de Rimbaud. Secrétaire, c'est trop dire. Auditeur, témoin, c'est probable. Protecteur, c'est sûr, puisque de Stuttgart, Rimbaud oriente vers lui — par l'intermédiaire de Verlaine libéré de prison — le manuscrit des *Illuminations* en mars 1875. Qu'on le veuille ou non — et sans accorder à ce fait plus d'importance qu'il n'en a —, le dossier des *Illuminations* (car ce n'est qu'un dossier) est bien aussi le « dossier Germain Nouveau ». Celui sur lequel, hélas, nous sommes le moins éclairés.

Il n'est pas déraisonnable non plus de penser que le Rimbaud qui court le monde, le Rimbaud de Chypre, le Rimbaud d'Aden, le Rimbaud du Harar n'a plus personne pour qui écrire. Quel public, en Afrique, que des indigènes abrutis par la misère et quelques rares Blancs abrutis par l'alcool ! Ce serait une autre raison de son silence. En revanche, il a encore à qui écrire : d'où cette correspondance assez volumineuse qui, paradoxalement, a été mieux conservée que son œuvre littéraire et qui occupe plus de place que celle-ci dans l'édition des *Œuvres complètes*...

Pour rendre aussi lisible que possible cette Correspondance d'Orient, nous avons, comme dans *Œuvre-vie*, dégagé des séries. C'était rester fidèle au principe du dossier. C'était aussi retrouver le rythme des événements de l'histoire et de la biographie, redonner vie à une masse qui passe pour stagnante et qui est en réalité passionnante.

Ce rythme, il est présent dans l'ensemble du volume, qui serre la chronologie, dégage des périodes auxquelles correspondent des ensembles.

1. *Souvenirs familiers à propos de Rimbaud*, dans la réédition de Frédéric Eigeldinger et André Gendre, *Delahaye témoin de Rimbaud*, p. 114.

Rimbaud le funambule, celui qui danse sur des chaînes d'or tendues d'étoile à étoile, y perd sans doute en légèreté. Il retrouve son poids, sinon de « paysan », du moins d'« homme de constitution ordinaire » promis à un destin et à une œuvre de créateur qui, eux, n'avaient rien d'ordinaire.

P. B.

DU TEMPS QU'IL ÉTAIT ÉCOLIER

C'est l'édition supervisée par Alain Borer, Arthur Rimbaud, *Œuvre-vie*, Arléa, 1991, qui rassemble le plus grand nombre des pièces que nous avons tenté de réunir et de présenter à notre tour. Même si nous regrettons, comme lui, de ne pouvoir ajouter à ces *Œuvres complètes*, et nécessairement incomplètes, ce qui semble perdu (les vers latins envoyés au petit Prince impérial, une satire imitée du *Lutrin*, la lettre d'accompagnement pour la *Revue pour tous*, etc.), nous nous en tenons au connu. « La Bête ou la Bête nouvelle » ne peut être considérée comme perdue : c'est l'expression qu'utilisait Rimbaud pour présenter à Izambard *Un cœur sous une soutane* [1].

Sans avoir l'illusion ni la prétention de suivre la chronologie pure, nous avons adopté le classement suivant :

1. Ce qui reste du cahier d'écolier.

2. L'ensemble des compositions latines, de « *Ver erat* » à la traduction de l'Invocation à Vénus de Lucrèce. Ces deux morceaux conduisent à « *Credo in unam* ».

3. Le premier poème français publié, « Les Étrennes des orphelins ».

4. La première lettre à Izambard — un simple billet éclairant la « Lettre de Charles d'Orléans » écrite pour la classe.

5. La première lettre à Banville, message particulièrement important. Conformément au principe de notre édition et à la vérité des textes, nous respectons le manuscrit en laissant les poèmes à leur place dans la lettre où ils sont insérés.

6. *Un cœur sous une soutane* qui, à cette place, prend toute sa signification. La « bête nouvelle » est l'une des pièces du « Dossier Izambard », contenant ce que Rimbaud avait confié à son jeune professeur.

Le reste est constitué par des poèmes que nous plaçons à la suite. L'un de ces poèmes, dans une version mise au point, « Trois baisers », est le

---

1. La bourde des pages 54, 992, 1319 doit donc être corrigée dans *Œuvre-vie*.

deuxième poème publié de Rimbaud, le 13 août 1870, dans *La Charge*. Il l'avait adressé à cette revue satirique avant la sortie des classes.

D'un cahier d'écolier (pp. 57-83)

Première publication, très partielle (le « Prologue »), par Paterne Berrichon, dans *La Vie de Jean-Arthur Rimbaud*, 1897, p. 32, puis dans *Jean-Arthur Rimbaud le Poète*, 1912, p. 27. Première publication intégrale par Suzanne Briet, avec un commentaire, dans *La Grive*, numéro d'avril 1956. L'autographe a figuré à l'exposition du centenaire de Rimbaud à la Bibliothèque Nationale en 1954. Ce n'est pas véritablement un cahier, mais un ensemble de feuillets non réglés, liés par un fil. Il n'y a pas de couverture. Le texte se dispose presque toujours sur deux colonnes à la page.

Comme dans l'édition *Œuvre-vie*, nous avons respecté l'orthographe de l'enfant et signalé les taches d'encre.

On éprouvera les plus grands doutes au sujet d'un autre cahier, qui a fait partie de la collection Jacques-Guérin, et qui contient des considérations générales sur la littérature. Son attribution est, comme le dit Louis Forestier, « plus que problématique » (éd. Robert Laffont, « Bouquins », p. 430). Sur cette question, voir *Parade sauvage*, n° 6, juin 1989, p. 10.

ORIENTATION BIBLIOGRAPHIQUE

Suzanne Briet, *Rimbaud notre prochain*, Paris, Nouvelles Éditions latines, 1956, pp. 41-48.

Depuis ce que François Ruchon présentait comme les *Œuvres complètes* de Rimbaud dans un volume publié à Genève par Albert Skira en 1943, on a pris l'habitude de placer en tête des éditions intégrales (Pléiade 1 et 2, volume de la collection « Bouquins ») et autres (éd. Garnier de Suzanne Bernard, revue ou non par André Guyaux) un « Prologue », parfois improprement intitulé « Narration » ou « Rêve de l'enfant ». On date ce texte le plus souvent de l'année 1864. Alain Borer a eu raison de placer un point d'interrogation après cette date et de faire observer qu'« en réalité, ce "prologue" est précédé d'une dizaine de pages [*sic*] » (*Œuvre-vie*, p. XXXVII). Est-ce à dire qu'il publiait ces pages, comme il l'affirme, « pour la première fois » ? Non, et il faut rendre à Suzanne Briet — comme d'ailleurs il ne manque pas de le faire — le mérite d'avoir publié intégralement, et vraiment pour la première fois, ce qu'elle a appelé le « Cahier des dix ans ». C'est revenir, abusivement, à la date de 1864. Sans doute dans ce cahier d'écolier l'orthographe incertaine est-elle celle d'un enfant

— peut-être surtout celle d'un enfant impatient, qui souvent saute des lettres, même dans son propre prénom usuel. Mais la place faite au latin, au grec même, l'effort de réflexion, le désir d'écrire sont, malgré la précocité d'Arthur, caractéristiques d'un élève qui a déjà dépassé l'âge de la sixième. 1864 est l'année où, en cours de scolarité, il est passé de l'Institution Rossat au collège municipal de Charleville. Il est très vraisemblable que c'est le collégien, dans les petites classes il est vrai, qui a tenu ce cahier d'écolier.

Prologue (pp. 87-89)

Quand il a publié ce texte en 1897 dans *La Vie de Jean-Arthur Rimbaud*, Paterne Berrichon l'a intitulé « Narration » et a prétendu qu'il était extrait d'« un de ses cahiers d'écolier datant de 1862 », où on le trouvait « parmi des versions latines ». La situation est exacte, mais on ne peut accepter ni le titre (« Prologue » est clairement indiqué par Rimbaud) ni la datation. Comme Marcel A. Ruff, nous pensons que les traces scolaires conservées dans le cahier sont plutôt du niveau d'un élève de quatrième. Le cahier des dix ans serait donc un cahier des douze ans.

En revanche, nous ne pouvons suivre Ruff quand il émet l'hypothèse que ce « Prologue » serait « un canevas plus ou moins dicté par le maître » (*Rimbaud*, p. 8). Il nous semble au contraire que Rimbaud écrit ici pour son plaisir ou parce qu'il a besoin d'écrire. Ce rêve permet à la fois la révélation de l'« autre » Rimbaud (celui qui a horreur du travail) et l'accès à un monde métamorphosé (un père présent, une mère douce) : c'est toute la justification déjà de l'écriture rimbaldienne.

Compositions latines (pp. 91-125)

Première publication des textes en vers par Jules Mouquet dans Arthur Rimbaud, *Vers de collège*, Mercure de France, 1932. Il les avait retrouvés dans *Le Moniteur de l'Enseignement secondaire, spécial et classique, Bulletin officiel de l'Académie de Douai*, qui publiait, sur la recommandation des professeurs et des chefs d'établissement, les meilleurs devoirs des élèves et les copies des lauréats du concours régional. Ce périodique devait disparaître à la fin de l'année de 1870, victime de la guerre franco-prussienne comme l'élève Arthur Rimbaud.

Si l'on se fie au témoignage d'Izambard, un texte serait perdu, celui d'un concours de 1870 pour lequel Rimbaud aurait obtenu un prix ou un accessit sur le thème « Allocution de Sancho Pança à son âne ». En revanche l'éloge de Cicéron, tournant à l'éloge de la rhétorique, établit la continuité avec le cahier d'écolier.

ORIENTATION BIBLIOGRAPHIQUE

Outre l'édition de Jules Mouquet indiquée ci-dessus, voir *Œuvre-vie*, avec des traductions nouvelles de Claudia Moatti, de Marc Ascione, et une annotation intéressante d'Alain Borer et de Marc Ascione.

Georges IZAMBARD, *Rimbaud tel que je l'ai connu*, Mercure de France, 1946, nouvelle édition, 1963.

Marc ASCIONE, « Le poète latin », dans *Le Magazine littéraire*, nº 289, juin 1991.

Alain BORER, « *De Arturi Rimbaldi latinis Carminibus* », dans *Europe*, numéro spécial Arthur Rimbaud, juin-juillet 1991, pp. 18-26.

CHRONOLOGIE

Les compositions latines ont été publiées dans l'ordre suivant par *Le Moniteur* :

1. 15 janvier 1869 : « *Ver erat* »
2. 1er juin 1869 : « *Jamque novus* »
3. 15 novembre 1869 : « *Nascitur Arabiis* »
4. 15 avril 1870 : Traduction de l'Invocation à Vénus
« *Olim inflatus* »
« *Tempus erat* »
« *Verba Apollonii* »

« *Ver erat* » (pp. 91-95)

Le Moniteur de l'Enseignement secondaire, spécial et classique, Bulletin officiel de l'Académie de Douai, numéro du 15 janvier 1869.

• Le contraste entre ce poème et la narration précédente est saisissant. Arthur Rimbaud, qui s'en prenait à l'étude du latin, écrit avec une aisance singulière des hexamètres pour une composition qui eut lieu le 6 novembre 1868 en classe de seconde. Il s'agissait de développer le sujet contenu dans quelques vers d'Horace (*Odes*, III, 4 : « dans mon enfance [...] de merveilleuses colombes me couvrirent d'un feuillage nouveau [...]. J'étais enseveli sous un amas de laurier sacré et de myrte, non sans qu'un dieu fût intervenu »). Rimbaud témoigne d'une culture latine étendue (il connaît les *Épîtres* d'Horace, le *De Natura rerum* de Lucrèce auquel il emprunte le détail de l'aimant). Le cortège des colombes de Vénus rappelle les « *Sapphics* » de Swinburne, parus en 1866, mais qu'Arthur ne connaissait probablement pas. Ce rapprochement indique pourtant que ce poème latin présente des liens certains avec la poésie de l'époque ; des liens certains aussi avec les premiers poèmes français de Rimbaud, « *Credo in unam* » et même « Ma Bohême ». Dans le cadre de cet exercice aride, le jeune garçon parvient à s'exprimer. Son « Orbilius », M. Duprez, fut assez sensible à son talent pour faire publier ces vers dans le deuxième numéro du *Bulletin officiel de l'Académie de Douai*.

« *Jamque novus* » (pp. 96-99)

Le Moniteur, numéro du 1er juin 1869.

• Il s'agit d'une composition en vers latins. Le professeur de la classe de seconde, M. Duprez, a proposé comme prétexte un poème de Jean Reboul (1796-1864), poète originaire de Nîmes. « L'Ange et l'enfant » avait été accueilli en 1828 par un concert d'éloges (voir la note de Marc Ascione dans *Œuvre-vie*, p. 986). Selon Alain Borer, Rimbaud aurait voulu faire mieux que son modèle. Marc Ascione, conscient de la distance qui va séparer Rimbaud du poète-boulanger de Nîmes, réactionnaire acharné, anticlérical et antisocialiste, le voit déjà prêt à « déconstruire sa "perle" » dans « Les Étrennes des orphelins » ; pour lui « la composition latine est probablement la clé du premier poème français de Rimbaud ». Peut-être ne faut-il pas surinterpréter ce qui reste un exercice scolaire supérieurement réussi.

« *Nascitur Arabiis* » (pp. 100-105)

Le Moniteur, 15 novembre 1869.

• Ce travail a été réalisé aussi dans la classe de M. Duprez (classe de seconde), le 2 juillet 1869, de six heures à midi. Il avait valu à Arthur Rimbaud le premier prix de vers latins au concours de l'Académie de Douai. Le sujet imposé était « Jugurtha » roi des Numides au IIe siècle av. J.-C.

Une erreur s'est propagée de Berrichon à Delahaye, au colonel Godchot, et à de nombreux biographes, jusqu'à ce que Pierre Petitfils rétablisse la vérité. La composition ne portait pas sur Abd el-Kader, comme l'avait indiqué un ancien condisciple de Rimbaud, devenu l'abbé Morigny, mais sur le personnage historique de Salluste. Mais en prêtant cette prosopopée au fantôme de Jugurtha apparaissant à Abd el-Kader, Arthur ne pouvait pas ne pas penser — du moins à ce moment-là — à son propre père, qui avait été militaire en Algérie.

Marc Ascione a proposé de ces vers une interprétation franchement hostile à Napoléon III.

« *Olim inflatus* » (pp. 106-111)

Le Moniteur, 15 avril 1870.

• M. Duprez avait proposé comme sujet de vers latins des vers de l'abbé Delille décrivant, d'après Ovide (*Les Métamorphoses*, IX), le combat d'Hercule et du fleuve Acheloüs.

Ce poème est absent de l'édition *Œuvre-vie*.

« *Tempus erat* » (pp. 112-115)

Le Moniteur, 15 avril 1870.

• Cette fois le devoir a été fait sous la direction de Georges Izambard en classe de rhétorique. Le professeur avait proposé un poème en vers français non identifié.

« *Verba Apollonii* » (pp. 116-123)

Le Moniteur, 15 avril 1870.

• Le sujet donné était le suivant :

Matière : *Verba Apollonii Graeci de M. Cicerone.*

1° *Ordietur laudando Ciceronis orationem, qui, licet in aliena lingua, et pro vana re disserens, mire locutus est.*

2° *Se gloriari, quod talis orator e schola sua evadat : discipuli, autem illum laudent imitenturque, quocum studium gloriosum erit.*

3° *Sed in tanta lœtitia jam nescio quis mœror subit. Cicero Romanus est ; Græcia Romanorum armis jam victa est ; mox etiam litteris vincetur ; ut Romani quondam opes, sic gloriam eripient. Nobis ipsis victores instituentibus, si dii jusserunt, jam de Græcis litteris actum erit.*

4° *Non aliter accidere potuisset ; sine libertate eloquentia non floret, imô perit. Olim Roma quoque Tullium desiderabit.*

5° *Tamen hoc vos a studiis ne deterreat. Si nobis non gloriæ, tamen litterarum solatium est.*

Traduction : Paroles du Grec Apollonius sur M. Cicéron.

1° Apollonius commencera par louer le discours de Cicéron, qui, bien qu'en langue étrangère et sur un sujet non réel, a parlé de façon admirable.

2° Il est fier qu'un tel orateur soit sorti de son école. Quant à ses élèves, qu'ils louent Cicéron et qu'ils imitent un homme avec lequel il sera glorieux de rivaliser.

3° Mais dans une si grande joie se glisse je ne sais quelle tristesse. Cicéron est un Romain. Déjà la Grèce a été vaincue par les armes romaines. Bientôt elle le sera aussi dans le domaine des belles-lettres. Les Romains nous ont pris nos richesses : ils nous prendront notre gloire. Puisque nous nous faisons les éducateurs de nos vainqueurs, bientôt c'en sera fait des lettres grecques, si du moins les dieux le permettent.

4° Il ne pouvait en être autrement. Sans liberté, l'éloquence ne fleurit pas, elle meurt. Un jour Rome aussi regrettera Cicéron.

5° Mais que cette considération ne vous détourne pas de vos études. Si nous n'avons plus la consolation de la gloire, la consolation des belles-lettres nous demeure.

Invocation à Vénus (pp. 124-125)

Le Moniteur, 15 avril 1870.

• Il s'agit d'une traduction des vingt-six premiers vers du *De Natura rerum* de Lucrèce. Jules Mouquet a signalé que Rimbaud avait trompé son professeur, M. Duprez, car sa traduction n'est qu'un démarquage de celle que venait de donner Sully Prudhomme en mai 1869. Il a juxtaposé les deux textes dans son édition des *Vers de collège*, Mercure de France, 1922, pp. 68-69. Peu importe la supercherie ; en revanche le fragment retient l'attention, car Rimbaud se souviendra de cette Invocation à Vénus pour son « *Credo in unam* ».

Voici la traduction de Sully Prudhomme :

> Mère des fils d'Énée, ô volupté des dieux
> Et des hommes, Vénus, sous les astres des cieux
> Qui vont, tu peuples tout : l'onde où court le navire,
> Le sol fécond ; par toi tout être qui respire
> Germe, se dresse et voit le soleil radieux !
> Tu parais, les vents fuient et les sombres nuages ;
> Le champ des mers te rit ; fertile en beaux ouvrages,
> La terre épand les fleurs suaves sous tes pieds,
> Le jour immense éclate aux cieux pacifiés !
> Dès qu'avril apparaît, et qu'enflé de jeunesse
> Le fécondant Zéphir a forcé sa prison,
> Ta vertu frappe au cœur les oiseaux, ô Déesse,
> Leur bande aérienne annonce ta saison ;
> Le sauvage troupeau bondit dans l'herbe épaisse
> Et fend l'onde à la nage, et tout être vivant,

À ta grâce enchaîné, brûle en te poursuivant.
C'est toi qui par les mers, les torrents, les montagnes,
Les bois peuplés de nids et les vertes campagnes,
Plantant au cœur de tous l'amour cher et puissant,
Les pousses d'âge en âge à propager leur sang !
Le monde ne connaît, Vénus, que ton empire ;
Rien sans toi, rien n'éclôt aux régions du jour.
Nul n'inspire sans toi, ni ne ressent d'amour !
À ton divin concours dans mon œuvre j'aspire !

Bien que le poème de Lucrèce se propose de détruire en l'homme la croyance en l'existence des dieux, il s'ouvre sur cette invocation à Vénus, ou plutôt à la vie. Il ne s'agit point ici de la déesse de l'Olympe, mais de la Force prodigieuse qui anime la nature *(rerum naturam sola gubernas)*. On peut rapprocher ce tableau, qui peint la vie immense de l'univers, de certaines visions hugoliennes, par exemple dans le *Sacre de la Femme (La Légende des siècles)* :

La terre avait, parmi ses hymnes d'innocence,
Un étourdissement de sève et de croissance ;
L'instinct fécond faisait rêver l'instinct vivant ;
Et, répandu partout, sur les eaux, dans le vent,
L'amour épars flottait comme un parfum s'exhale ;
La nature riait, naïve et colossale ;
L'espace vagissait ainsi qu'un nouveau-né.
L'aube était le regard du soleil étonné.

Les Étrennes des orphelins (pp. 126-129)

Il n'existe pas de manuscrit de ce poème, publié le 2 janvier 1870 dans *La Revue pour tous*. Rimbaud l'avait envoyé à cette revue bien-pensante, qui avait publié « Les Pauvres Gens » de Victor Hugo, le 5 septembre 1869, et « La Maison de ma mère », de Marceline Desbordes-Valmore, le 7 novembre. Le 26 décembre, la rubrique « Correspondance » contenait un message à l'adresse du jeune poète : « La pièce de vers que vous nous adressez n'est pas sans mérite et nous nous déciderions sans doute à l'imprimer, si par d'habiles coupures elle était réduite d'un tiers. — Et puis revoyez donc ce vers qui vous a échappé : le cinquième du paragraphe III. »

• On découvrirait dans ces vers maintes réminiscences de Coppée, de Banville, de Baudelaire, de Victor Hugo surtout, et peut-être même de ce Jean Reboul dont « L'Ange et l'enfant » avait servi de prétexte à une composition de l'élève Rimbaud en vers latins. On pourrait reprocher à l'ensemble d'être banal, facile et d'un sentimentalisme un peu mièvre. Mais mieux vaut souligner, avec M.-A. Ruff (*Rimbaud*, p. 22), le « grinçant pastiche » final, dont Coppée fait les frais, ou avancer, comme Yves Bonnefoy (*Rimbaud par lui-même*, éd. du Seuil, 1961, p. 25), que « ce n'est pas un hasard » si ces vers évoquent des « enfants *sans mère*, abandonnés dans la nuit de fête ».

Voir Steve Murphy, « La douleur du foyer : *Les Étrennes des orphelins* », dans *Rimbaud ou l'apprentissage de la subversion*, 1990, pp. 25-50. Le commentateur se demande si « le sel du poème » ne résiderait pas « dans [la] technique même de récupération intertextuelle » (p. 28).

Lettre à Georges Izambard (sans date) (p. 130)

Manuscrit de la collection Lucien-Graux. Mise en vente en 1957. Collection actuelle inconnue. Fac-similé dans *Les Lettres manuscrites de Rimbaud*, éd. Claude Jeancolas, Textuel, 1997, p. 7.

• Cette première lettre connue de Rimbaud peut être datée du début de l'année 1870. Le collégien prépare le devoir donné par son professeur de français, Georges Izambard : rédiger une lettre adressée par Charles d'Orléans à Louis XI. Il a besoin de la documentation qu'il demande ici.

On a conservé une lettre de Mme Rimbaud à Izambard, où elle proteste contre le fait qu'il donne Hugot [*sic*] à lire à Arthur.

à Monsieur Izambard
Professeur de Rhétorique
Charleville.

Monsieur,

Je vous suis on ne peut plus reconnaissante de tout ce que vous faites pour Arthur : vous lui prodiguez vos conseils, vous lui faites faire des devoirs en dehors de la classe ; c'est autant de soins auxquels nous n'avons aucun droit.

Mais il est une chose que je ne saurais approuver, par exemple la lecture du livre comme celui que vous lui avez donné il y a quelques jours, *les Misérables*, [de] V. Hugot. Vous devez savoir mieux que moi, Monsieur le Professeur, qu'il faut beaucoup de soin dans le choix des livres qu'on veut mettre sous les yeux des enfants. Aussi, j'ai pensé qu'Arthur s'est procuré celui-ci à votre insu ; il serait certainement dangereux de lui permettre de pareilles lectures.

J'ai l'honneur de vous présenter mes respects.

V. RIMBAUD.
4 mai 1870.

« *Sire, le temps a laissé...* » (pp. 130-132)

Le manuscrit autographe de cette imaginaire lettre de Charles d'Orléans à Louis XI, qui est sans titre, a appartenu à la collection Henri-Saffray. Le texte a été publié la première fois en novembre 1891, le mois même de la mort de Rimbaud, dans la *Revue de l'Évolution sociale, scientifique et littéraire*. Le texte en a été revu.

• C'est à Izambard qu'on doit de connaître ce texte. Il l'avait donné à Rodolphe Darzens, qui le publia. C'est le fruit d'un travail effectué pour Izambard, ce qu'on appelait à l'époque un devoir de discours français. La lettre précédente était un appel de renseignements et de livres pour s'y préparer.

Le *Petit Testament* et le *Grand Testament* de François Villon ont été particulièrement sollicités. Rimbaud y avait eu accès dans l'édition P.-L. Jacob, 1854. Les références et imitations sont beaucoup trop nombreuses pour qu'on puisse alourdir abusivement un texte qui ne peut être là qu'à titre de document, même s'il ouvre sur « Bal des pendus », s'il prépare Rimbaud à l'art du pastiche, dans lequel il passa maître, et si curieusement il anticipe l'emprisonnement de Rimbaud lui-même à la prison de Mazas.

Lettre à Théodore de Banville du 24 mai 1870 (p. 133)

Première publication dans *Les Nouvelles littéraires*, le 10 octobre 1925. Manuscrit conservé à la Bibliothèque littéraire Jacques-Doucet. Retrouvé dans les papiers de Banville en 1920, trente ans après sa mort, le manuscrit autographe a été dans la collection de Louis Barthou, puis dans celle du couturier Jacques Doucet. Fac-similé dans *Les Lettres d'Europe*, pp. 8-22.

• En décembre 1869, le collégien Arthur Rimbaud a envoyé à *La Revue pour tous* un poème, « Les Étrennes des orphelins », et il a eu l'heureuse surprise de le voir publié, le 2 janvier 1870. C'est le même exploit qu'il veut réaliser en envoyant trois pièces à Théodore de Banville, membre du comité de lecture qui présidait aux destinées du second *Parnasse contemporain*. Rimbaud connaissait le poète et la première livraison (1866) par Izambard. La réponse de Banville est perdue : elle contenait assurément un refus que la surabondante copie reçue par l'éditeur suffisait à expliquer. Rimbaud y fait allusion dans sa seconde lettre à Banville du 15 août 1871.

Le dossier Izambard (pp. 143-172)

On ne saurait trop souligner le rôle joué par Georges Izambard dans la conservation des reliques de son ancien élève qui, dans sa lettre du 25 août, souhaitera visiblement qu'il ne soit plus seulement un professeur. Ayant rencontré Verlaine après la publication des *Poètes maudits* en 1883, Izambard lui confia des « vers jeunes » de Rimbaud. Verlaine en avertit l'éditeur Vanier, le 1er octobre 1885, et lui remet le dossier, non sans beaucoup d'imprudence : Vanier va mettre du temps à le rendre, et Izambard s'est plaint de certaines disparitions.

Une lettre de Verlaine à Vanier, datée du 20 janvier 1888, détaille le contenu du dossier :

1. « Le Forgeron » (incomplet)
2. « Ophélie » (autre version)
3. « Comédie en trois baisers »
4. « À la Musique »
5. « Ce qui retient Nina »
6. « Vénus anadyomène »
7. La bête nouvelle : *Un cœur sous une soutane*.

La perte dont se plaint Izambard concerne sans doute surtout cette nouvelle bête, que Vanier semble avoir vendue à Rodolphe Darzens et dont la révélation sera tardive.

Nous avons choisi de donner ici, de manière nouvelle, le contenu intégral de cet important dossier.

Nous adoptons l'ordre suivant :

1. La « bête nouvelle », *Un cœur sous une soutane*, qui concerne indirectement la vie des élèves, mêlés aux séminaristes, à l'intérieur du collège municipal de Charleville.

2. Les poèmes que Rimbaud, encore son élève, a confiés à Georges Izambard. Contrairement à ce que nous avons fait dans l'édition du Livre de Poche classique, nous les classerons différemment de Verlaine, en respectant quand il le faut l'ordre des dates indiquées. Nous mettons à la place finale « Comédie en trois baisers ».

3. Cela permet d'enchaîner avec le second poème publié de Rimbaud, « Trois baisers ». Au moment où il paraît dans une feuille subversive, *La Charge*, livraison du 13 août 1870, le collège municipal de Charleville vient de fermer ses portes, après la distribution des prix du 6 août.

Un cœur sous une soutane (pp. 143-156)

Le manuscrit d'*Un cœur sous une soutane* a appartenu à Izambard, puis à Rodolphe Darzens, Henry Saffrey, et à son fils Alfred Saffrey. Il est aujourd'hui dans la collection de M. Jean Hugues. Le texte a d'abord été connu par des fragments publiés en juin 1924 dans *Littérature* par Breton et Aragon chez l'éditeur Ronald Davies, d'après une copie fautive de Paterne Berrichon. Il a fallu attendre Jules Mouquet et la première édition de la Pléiade (1946) pour disposer d'un texte plus correct, établi à partir du manuscrit autographe.

En 1991, pour l'année du centenaire, Steve Murphy a publié à Charleville (Bibliothèque sauvage du Musée-Bibliothèque Arthur Rimbaud) une précieuse édition accompagnée d'un commentaire. Le fac-similé contenu dans le volume permet de faire encore quelques menues corrections à la transcription minutieuse qu'il en fait. La transcription ne peut d'ailleurs jamais être parfaite, en raison de quelques flottements orthographiques (Timothina ou Thimotina) et d'une ponctuation caractérisée en particulier par l'inflation des points de suspension.

• Le récit (sous-titré « roman », puis « nouvelle ») conduit du 1er mai 18[69] — voir l'allusion à la mort de Lamartine, survenue cette année-là, p. 154 — au 30 juin 18[69] et, au-delà, au 1er août 18[70] : ces dates fictives, pourquoi ne pas les considérer comme des dates réelles, et ces souvenirs d'un séminariste comme ceux d'un collégien dont la plume se divertit ? Izambard l'a rappelé : « Le collège de Charleville, sous l'Empire, était soumis à un régime hybride et bizarre : le séminaire voisin daignait y envoyer ses élèves à titre d'externes. En rhétorique, sur vingt-cinq élèves, il y en avait onze ou douze représentant l'élément laïque, c'est-à-dire le collège ; les autres étaient fournis par le séminaire et venaient en classe en soutane. » D'où des oppositions, dignes de celles qui séparaient les Guelfes des Gibelins. Rimbaud était le porte-parole des collégiens en veston ou en blouse, et détestait cordialement les séminaristes, qui « se croya[ient] investis d'une mission sacrée de surveillance et d'épluchage à l'encontre des professeurs pris dans le profane ».

Un cœur sous une soutane peut apparaître comme un acte de vengeance contre les mouchards du séminaire (J***, en particulier), le Supérieur — ou le Sup*** —, l'abbé Fleury, et l'hypocrisie gardienne des vices. Mais le séminariste Léonard est aussi Rimbaud, qui exprime en grimaçant ses émois amoureux et ses déconvenues : « Trois baisers » le dit sur un autre mode, à une date que nous supposons très voisine. Il ne s'agit donc pas d'une œuvre capitale, mais d'une œuvre ambiguë, et en cela intéressante.

Ophélie (pp. 157-158)

C'était l'un des trois poèmes envoyés à Banville le 24 mai 1870. Izambard détenait cette autre version. Rimbaud avait sans doute déjà montré ce premier essai poétique à son professeur qui nous a laissé le souvenir suivant : « La classe finie, il lui arrivait souvent de m'attendre à la sortie pour me reconduire jusqu'à ma porte [...]. Souvent il me remettait des vers tout frais pondus, mais toujours recopiés et calligraphiés avec amour, que, sur ma demande, nous épluchions ensemble : cela commença avec la pièce d'*Ophélie*, sujet de vers latins qu'il avait traité aussi en vers français. » Le manuscrit appartenant à Izambard ne fait apparaître que des variantes peu importantes par rapport au manuscrit remis à Banville. Il est donc douteux que, même dans cette autre version, le poème ait fait partie des vers adressés à Izambard le 25 août 1870. Très certainement, il le possédait déjà.

Le Forgeron (pp. 159-164)

Manuscrit autographe, qui a fait partie de la collection Lucien-Graux. Il a appartenu à Izambard jusqu'à la fin septembre 1928. Il s'arrête au vers 156 du poème, qui en contiendra 178 dans le recueil Demeny, et semble incomplet, encore qu'il forme un tout cohérent.

• On ignore à quelle date Rimbaud remit ce texte à son professeur : très probablement avant le séjour à Douai, et même avant la lettre du 25 août 1870. Delahaye affirme que le poème était écrit avant la distribution des prix du 6 août (*Rimbaud, L'Artiste et l'être moral*, p. 23), et nous serions tenté de le croire. C'est encore à beaucoup d'égards un travail d'écolier, qui prend pour point de départ des lectures faites pour la classe (Mignet, Michelet, Thiers : Bouillane de Lacoste a signalé qu'une gravure illustrant l'*Histoire de la Révolution française* de ce dernier avait probablement amené Rimbaud à remplacer par un forgeron symbolique le boucher Legendre ; mais peut-être aussi se souvient-il du poème de Coppée « La Grève des forgerons » dans les *Poèmes modernes*, 1867-1869). L'exercice, une fois de plus, est parfaitement réussi. Mais « Le Forgeron » est mieux que cela : Rimbaud retrouve le souffle des grandes invectives hugoliennes parce qu'il partage la révolte de son forgeron, un « ignoble », un « manant », de « race inférieure », une victime du « mauvais sang », un « damné » (le mot figure dans le texte). « Le Forgeron » n'est pas sans annoncer *Une saison en enfer*.

Vénus anadyomène (p. 164)

Texte de l'édition Vanier (1895) d'après un manuscrit ayant appartenu à Izambard. Il faisait partie de la collection Jacques-Guérin, vendue le 17 novembre 1998. Fac-similé dans le catalogue de cette vente, pp. 14-15.
• La date est importante : elle prouve qu'on ne peut classer « Vénus anadyomène » parmi les poèmes du printemps 1870 comme le fait Yves Bonnefoy (*Rimbaud par lui-même*, p. 30). Il s'agit au contraire, pour Marcel Ruff, d'« une réplique rageuse à ces poèmes de printemps », à « *Credo in unam* » en particulier, d'« une véritable palinodie » (*op. cit.*, p. 39) : « comme la secousse de la guerre a produit une poussée antireligieuse, elle entraîne aussi le piétinement de cette autre idole qu'est l'amour, — c'est-à-dire la Femme ». Cette vue nous paraît toutefois exagérée : cette opposition entre la « beauté » moderne et la Beauté antique renforce le sentiment d'une décadence qui avait également donné naissance à « *Credo in unam* ». D'ailleurs les érudits découvrent pour ce poème comme pour l'autre des sources parnassiennes : un dizain de Coppée paru dans la seconde série du *Parnasse contemporain* et commençant par « Les dieux sont morts. Pourquoi faut-il qu'on les insulte ? » ; un poème de Glatigny, « Les Antres malsains », faisant partie du recueil *Les Vignes folles* (1860). Et nous rappellerons que la *Vénus à la fourrure* (première version, 1862 ; version définitive, 1870) de Sacher-Masoch apparaît elle aussi à Séverin dans sa salle de bains...

À la Musique (pp. 164-166)

Manuscrit autographe ayant appartenu à Izambard ; il a fait partie de la collection Lucien-Graux, puis de la collection Jacques-Guérin. Fac-similé dans le catalogue de la vente du 17 novembre 1998, pp. 10-13.
• Le texte de ce poème ayant été confié à Izambard, on a pu penser qu'il était antérieur, mais de peu, aux vacances de l'été 1870. Il n'est pourtant pas impossible qu'il date du mois d'août et que Rimbaud l'ait joint à la lettre qu'il adressait à son professeur le 25 août 1870. En tout cas, les termes en sont proches. La version définitive figurera dans le premier cahier du recueil Demeny (voir p. 204).

La source d'« À la Musique » serait, selon Jacques Gengoux (*La Pensée poétique de Rimbaud*, Nizet, 1950, p. 17), un poème de Glatigny, « Promenades d'hiver ». Il se trouve dans *Les Flèches d'or* (Lemerre, 1864), recueil que Rimbaud venait de lire, si l'on en croit Delahaye :

> « [...] sur la place, écoutant les accords
> D'un orchestre guerrier, leurs beaux habits dehors,
> Mille bourgeois joyeux flânent avec leurs femmes,
> Dont les vastes chapeaux ont des couleurs infâmes,
>
> ....
>
> Tout grouille, tout babille, et les mains dans les poches,
> Moi, je suis doucement les filles aux yeux doux,
> À qui le rire met de jolis petits trous
> Au visage et qui vont, alertes et discrètes
> Cueillir furtivement la fleur des amourettes ».

Mais Marcel A. Ruff (*op. cit.*, p. 27) souligne justement la différence : « Si le thème est le même, ou peu s'en faut, il n'en est pas moins assuré que dans ce poème [...] le jeune Arthur exploite des expériences personnelles. Il leur communique la fraîcheur, la charmante gaucherie de l'adolescent en pleine croissance [...]. Déjà aussi son style se resserre par moments jusqu'aux raccourcis les plus audacieux. »

Ce qui retient Nina (pp. 166-170)

Manuscrit ayant appartenu à Izambard, puis à la collection Lucien-Graux, et à celle de Jacques-Guérin. Fac-similé dans le catalogue de la vente du 17 novembre 1998, pp. 20-27.

• Cette pièce est datée sur le manuscrit du 15 août 1870 et nous pensons, avec M.-A. Ruff (*op. cit.*, p. 38), qu'il n'y a pas lieu de contester cette date. Ces vers sont très probablement de ceux que Rimbaud a envoyés à son cher professeur le 25 août (voir la lettre précédente) : vers pleins de « soleil » et où les gestes d'amour ne sont si francs que parce qu'ils sont, comme le soulignent justement Etiemble et Yassu Gauclère, « au conditionnel » (*Rimbaud*, Gallimard, 1936, rééd. 1966, p. 115) ; vers d'été aussi, où transparaissent ces « désespoirs d'été » dont Rimbaud parlera plus tard, et qui constituent une chute après le cri d'espoir printanier de « *Credo in unam* ». Nina a-t-elle existé ? Peu importe... On a l'impression que le même rêve d'amour se continue, mais il est brisé, *retenu* lui aussi, à la pensée du prosaïsme inévitable d'une partenaire petite-bourgeoise.

Comédie en trois baisers (pp. 170-171)

L'autographe a appartenu à la collection Lucien-Graux. Il a été vendu lors de la dispersion de la collection Jacques-Guérin le 17 novembre 1998. Fac-similé dans le catalogue de cette vente, pp. 16-19.
• Ce manuscrit appartenait à Georges Izambard. Le tout premier titre aurait été « Comédie en trois actes ». Il serait étonnant que Rimbaud, avant d'envoyer son poème à *La Charge*, n'ait pas consulté son professeur. C'est probablement à ce moment qu'il lui a donné cette autre version de son poème.

Trois baisers (pp. 171-172)

• Texte publié dans le journal satirique *La Charge* le 13 août 1870. Le rédacteur en chef de cette publication était le caricaturiste Alfred Le Petit, et sur la page 1 qui précède celle où figuraient ces vers se trouve une composition patriotique représentant la France, drapeau tricolore en mains, appelant à la Vengeance. Ces préoccupations n'étaient assurément pas celles de Rimbaud quand il a écrit ce poème, ponctué par trois baisers — poème de printemps plus que d'été, de réussite plus que d'échec. Comme l'a souligné Jean-Pierre Giusto (*Rimbaud créateur*, p. 116), les caricatures de *La Charge*, journal satirique hebdomadaire, ont vivement intéressé Rimbaud. Mais l'art de la caricature est plus sensible dans « À la Musique » que dans « Trois baisers ».

*
* *

LES GRANDES VACANCES

Lettre à Georges Izambard du 25 août 1870 (pp. 183-185)

Lettre ayant appartenu à Henri Guillemin. Fac-similé du manuscrit autographe dans le Catalogue de l'exposition Arthur Rimbaud à la Bibliothèque Nationale, 1954, et dans *Les Lettres d'Europe*, Textuel, pp. 23-26.
• Cette lettre est adressée avec la mention « Très pressé » à Monsieur Georges Izambard / 29, rue de l'Abbaye-des-Prés /. Douai (Nord). Le professeur de Rimbaud était rentré dans sa famille pour y passer les vacances. Avant de partir, il avait prêté à Arthur la clef de sa chambre afin qu'il pût

lui emprunter des livres, et les lire à l'insu de sa mère qui ne partageait guère les goûts d'Izambard en ce domaine. Excellent moyen, aussi, d'oublier un peu l'atmosphère surchauffée par la guerre, que les Français ont déclarée aux Prussiens le 19 juillet, et le « patrouillotisme » exaspéré par les récentes défaites de Wissembourg et de Reichshoffen. Le 25 août, les Prussiens sont déjà parvenus à Boulzicourt, à dix kilomètres au sud de Charleville.

Voir un commentaire de cette lettre dans Steve MURPHY, *Rimbaud et la ménagerie impériale*, 1991, pp. 179-183.

Lettre à Georges Izambard du 5 septembre 1870 (p. 186)

Manuscrit autographe dans la collection Matarasso. Légué par le collectionneur à la Bibliothèque-Musée Rimbaud de Charleville, il a été dérobé. Fac-similé dans *Les Lettres d'Europe*, p. 27.

• Rimbaud n'a pu attendre. Quatre jours après avoir écrit la précédente lettre à Izambard, il a pris la fuite, mû par l'exemple de son frère, mais surtout craignant d'être coupé de Paris et enfermé dans Charleville. Il était temps ! La ligne directe était déjà interdite, et il dut faire un détour par la Belgique. C'est pourquoi l'argent lui manqua : il ne put prendre qu'un billet pour Saint-Quentin, mais n'en descendit pas moins à Paris. À la sortie de la gare du Nord, il fut arrêté par un employé qui rédigea le rapport suivant :

« 31 août. Gare de Paris. J'ai envoyé au dépôt de la Préfecture de Police le sieur Rimbaud, âgé de 17 ans 1/2, venu de Charleroi à Paris, avec un billet pour Saint-Quentin, et sans domicile ni moyen d'existence. »

Après avoir déconcerté et mécontenté le juge d'instruction par de hautaines réponses — si du moins l'on en croit Delahaye (*Rimbaud*, Albert Messein, 1923, rééd. 1947, p. 26), il fut transféré à la prison de Mazas, dans le quartier de la Bastille.

LE « RECUEIL DEMENY » (pp. 187-222)

Manuscrit autographe ayant appartenu à la collection Stefan-Zweig, aujourd'hui conservé à la British Library (Bibliothèque du British Museum, à Londres). Fac-similé complet Messein (1919) et Textuel (1996).

ÉLÉMENTS DE BIBLIOGRAPHIE

Éditions

Reliquaire, Préface de Rodolphe Darzens, Paris, Genonceaux, 1891.

Rimbaud, *Poésies*, « Les Manuscrits des maîtres », Paris, Messein, 1919 (première édition en fac-similé).

Œuvre intégrale manuscrite, éd. Claude Jeancolas, Paris, Textuel, 1996 (deuxième édition en fac-similé, avec les transcriptions).

Problèmes de transmission et d'édition

Steve Murphy, « Autour des "Cahiers Demeny" de Rimbaud, dans *Studi francesi*, nº 103, Anno XXXV, fasc. I, 1996 ; *id.*, « Le *Dossier Rimbaud* de Rodolphe Darzens, hors commerce, 1998.

Problèmes d'interprétation

Émilie Noulet, *Le Premier Visage de Rimbaud : huit poèmes de jeunesse*, choix et commentaires, Bruxelles, Académie royale, 1953, rééd. 1973.

Steve Murphy, *Le Premier Rimbaud ou l'apprentissage de la subversion*, 1990 ; *Rimbaud et la ménagerie impériale*, 1991, — ces deux volumes ont été publiés conjointement par les Presses du C.N.R.S. et les Presses Universitaires de Lyon.

• Le fait nouveau, en septembre et en octobre 1870, est que Rimbaud ne se contente pas d'égrener des rimes et des poèmes. Il veut constituer un recueil comme le font, disait-il, « tous les poètes, tous les bons Parnassiens ». Sur l'histoire et la constitution de ce recueil, on peut consulter Pierre Brunel, *Rimbaud. — Projets et réalisations*, Champion, 1983.

L'étude des difficiles questions qui se posent à propos du « Recueil Demeny » a été renouvelée par un article important et décisif de Steve Murphy dans *Studi francesi* en 1996. Tout en rendant hommage à la qualité des fac-similés Messein, rendus plus accessibles aujourd'hui par l'édition Textuel, Steve Murphy conteste à juste titre l'ordre dans lequel les pièces ont été classées, et il y reconnaît la main de Paterne Berrichon. Se fondant sur le document le plus authentique, le manuscrit complet conservé à la British Library de Londres (« Students' Room » du Département des manuscrits), il précise que les poèmes ne se présentent pas matériellement sous la forme de deux cahiers, bien qu'il soit aisé et conforme à la chronologie de les distinguer. L'ordre, dans le volume tel qu'il avait été relié par le collectionneur Pierre Dauze avant 1914, est exactement le même que celui donné par Darzens dans le *Reliquaire* de 1891.

Murphy invite donc à revenir à cet ordre, et nous l'avons suivi sur ce point.

Premier cahier : « Les reparties de Nina », « Vénus anadyomène », « *Morts de Quatre-vingt-douze...* », « Première soirée », « Sensation », « Bal des pendus », « Les Effarés », « Roman », « Rages de Césars », « Le Mal », « Ophélie », « Le Châtiment de Tartufe », « À la Musique », « Le Forgeron », « Soleil et Chair ».

Deuxième cahier : « Le Dormeur du Val », « Au Cabaret-Vert », « La Maline », « L'éclatante victoire de Sarrebrück », « Rêvé pour l'hiver », « Le buffet », « Ma Bohême ».

Pour la datation du billet (voir p. 223 et 791), Steve Murphy reviendrait plutôt à l'hypothèse d'Antoine Adam (la fin septembre). Nous le maintenons à la place finale sans vouloir cacher ni le problème ni le fait que c'est bien après « Soleil et Chair » qu'il a été inscrit, donc à la fin de ce qu'on considère comme le premier cahier.

Au total, il est indéniable que le « Recueil Demeny » forme une *œuvre*, complète à l'exception du titre et d'une table des matières qui nous aurait fortement aidés. C'est, comme l'écrit Steve Murphy, le premier des « deux ensembles poétiques dont on peut dire avec certitude que Rimbaud les a "terminés" ». Le second sera très différent et ne se présentera pas exactement comme un ensemble poétique, puisqu'il s'agit d'*Une saison en enfer*.

Le premier cahier — le plus abondant — regroupe des pièces plus ou moins anciennes, que Rimbaud a recopiées ou remaniées à Douai.

Le second cahier est constitué de pièces entièrement nouvelles, que le « Petit Poucet rêveur » a semées sur son chemin lors de sa traversée de la Belgique, en octobre : « Rêvé pour l'hiver » porte l'indication « en wagon, le 7 octobre » ; « Le Dormeur du Val » est également daté d'octobre ; il en va de même pour « Au Cabaret-vert », « La Maline », « L'éclatante victoire de Sarrebrück » et « Le buffet », scènes vécues et choses vues à Charleroi. La « fantaisie » finale, « Ma Bohême », fait le bilan de ces vagabondages poétiques dont la tentation s'exercera encore sur Arthur tristement rentré au bercail (voir la lettre du 2 novembre).

Les deux cahiers sont sensiblement différents. Le premier, plus composite, fait entendre les notes différentes de la lyre : des poèmes d'été, de longues tirades, des croquis humoristiques et parfois vengeurs, plus rarement attendris, des poèmes politiques pleins de rancœur et de rancune. Le second est au contraire d'une étonnante unité, et d'une qualité plus rare : il permet de revivre l'aventure de l'Orphée bohémien qui, « comme des lyres, [...] tirai[t] les élastiques / De (s)es souliers blessés ».

Les reparties de Nina (pp. 187-191)

Manuscrit autographe du recueil Demeny. Fac-similé, Textuel, pp. 5-8.
• Il s'agit d'une nouvelle version de « Ce qui retient Nina » (pp. 166-170), avec de nombreuses variantes de détail et des modifications plus importantes : deux strophes sont supprimées, une strophe nouvelle est ajoutée ; surtout, après une ligne de points, le futur l'emporte sur le conditionnel. Tout se passe, cette fois, comme si « Lui » s'était laissé prendre au piège du rêve d'amour ou de ses déclarations enflammées. La retombée n'en sera que plus brutale.

Voir Yves BONNEFOY, « Rimbaud : Les reparties de Nina », dans *Le Lieu et la formule*, Hommage à Marc Eigeldinger, Neuchâtel, La Baconnière, 1978. Jean-Pierre GIUSTO, *Rimbaud créateur*, PUF, 1980, pp. 54-55. — Jean-François LAURENT, « Reparties en pointillés. D'un manuscrit à l'autre ou les implications d'un pluriel », dans *Parade sauvage*, n° 3, 1986. Frappé par le fait qu'il n'existe dans le texte qu'une repartie de Nina (le dernier vers), l'auteur de cet article montre que les points de suspension et les lignes de pointillés laissent deviner une Nina moins stupide qu'elle n'en a l'air. Une évolution se serait produite depuis la première version.

Vénus anadyomène (p. 191)

Manuscrit autographe, non daté, du recueil Demeny. Fac-similé, Textuel, p. 9. Rappelons que la première version (p. 164) était datée du 27 juillet 1870.
• « Vénus anadyomène », c'est la déesse de l'amour sortant de l'écume marine dont elle est née. Praxitèle en a fixé le type dans une statue illustre. Les modernes ont substitué à ce symbole de la beauté antique une Vénus dérisoire, une femme hideuse dont le corps n'atteste que les outrages de la maladie et des ans. Navrante résurrection...

Voir Steve MURPHY, « Exposition universelle : *Vénus anadyomène* », dans *Rimbaud ou l'apprentissage de la subversion*, 1990, pp. 189-218. — Pierre BRUNEL, « Le motif mythologique de Vénus dans l'œuvre de Rimbaud », *Parade sauvage*, Colloque n° 3, 1991-1992.

« *Morts de Quatre-vingt-douze...* » (pp. 192-193)

Manuscrit autographe et daté du recueil Demeny. Fac-similé, Textuel, p. 10.
• La date inscrite par Rimbaud vient contredire le témoignage de Georges Izambard. La guerre avait été déclarée le 15 juillet 1870. Le 16, dans le

journal bonapartiste *Le Pays*, Paul de Cassagnac (le fils) publiait un tonitruant appel au combat contre les Prussiens menaçants. C'est à cet article que Rimbaud emprunte le texte qu'il place en épigraphe. Selon Izambard, il aurait composé ces vers immédiatement après la lecture du journal, le 17 : « le lundi 18 », rapporte-t-il, « Rimbaud me remit, après la première classe, le sonnet *Aux Morts de Valmy* qu'il avait perpétré la veille. "Ça, c'est pour vous, monsieur." Je ris et je lus. "Merci", lui dis-je » (« Lettres retrouvées d'Arthur Rimbaud », dans *Vers et prose*, janvier-février-mars 1912). Ce témoignage si précis est-il suspect ? Rimbaud a-t-il remanié, récrit, ou tout simplement recopié le poème à Mazas le 3 septembre ? Il est difficile de le dire. Il se pourrait bien qu'au moment où il insère ces vers dans le recueil Demeny il choisisse une date symbolique (la veille de la chute de l'Empire) et un lieu symbolique (Mazas, où il avait été emprisonné par la police impériale.)

Voir Benoît de Cornulier (sous le pseudonyme de L. Licorne et R. Reboudin), « *Morts de Quatre-vingt-douze* et *La Marseillaise* », dans *Parade sauvage* n° 5, 1988, pp. 109-110. Steve Murphy, « Les prodromes de la guerre : *Morts de Quatre-vingt-douze...* », dans *Rimbaud et la ménagerie impériale*, 1991, pp. 47-56.

Première soirée (pp. 193-194)

Manuscrit autographe, non daté, du recueil Demeny. Fac-similé, Textuel, pp. 11-12.

• C'est le dernier état du poème, après « Trois baisers » (pp. 171-172) et « Comédie en trois baisers » (pp. 170-171). Le travail de correction n'a pas éliminé toutes les maladresses. Du moins ces vers constituent-ils un premier exemple de jeu sur les mots (« buissonnier ») qui deviendra bientôt systématique chez Rimbaud, mais ne sert ici qu'une inspiration frivole, peut-être volontairement frivole pour se moquer de la mièvrerie des amourettes.

Voir Jean-Pierre Chambon, « À propos de deux variantes de *Première soirée* », dans le numéro de *Berenice* consacré à Rimbaud, juillet 1991, pp. 34-36. — Jean-Paul Corsetti, « Victor Hugo et Arthur Rimbaud : mimétisme et parodie », dans *Parade sauvage*, n° 3, 1986.

Sensation (p. 194)

Manuscrit autographe du recueil Demeny. Fac-similé, Textuel, p. 12.

• Publié pour la première fois par Rodolphe Darzens dans *La Revue indé-*

pendante (janvier-février 1889), ce court poème a été daté par Rimbaud soit de mars soit du 20 avril 1870. Une autre version faisait partie de l'envoi à Banville du 24 mai 1870 (voir p. 134) et l'on ne saurait imaginer meilleur commentaire que celui du poète dans la lettre accompagnant cet envoi : « [...] voici que je me suis mis, enfant touché par le doigt de la muse [...] à dire mes bonnes croyances, mes espérances, mes *sensations*, toutes ces choses des poètes, — moi j'appelle cela du printemps ». Pourquoi donc y voir « un pastiche », comme Etiemble (*Pages choisies* de Rimbaud, Larousse, coll. « Petits classiques », p. 20) ? Émilie Noulet note plus justement que « ces huit vers prestes, frais et libres, sortent d'un cœur ni contraint ni furieux, et du seul plaisir de dire un plaisir simple. De peu de poids, ils semblent venus sans peine et sans but, d'un mouvement naturel » (*Le Premier Visage de Rimbaud*, Bruxelles, 1968, p. 42).

Sur la réussite que constitue ce poème, on pourra consulter Pierre Brunel, *Arthur Rimbaud ou l'éclatant désastre*, Champ Vallon, 1983, pp. 10 *sqq.* et Marc Eigeldinger, « *Sensation*, poème inaugural », dans la revue *Berenice*, mars 1981, pp. 53-58.

Bal des pendus (pp. 195-196)

Manuscrit autographe, non daté, du recueil Demeny. Fac-similé, Textuel, pp. 13-14.

• Dans un poème des *Émaux et Camées* intitulé « Bûchers et tombeaux », Théophile Gautier avait regretté que le christianisme eût substitué à la beauté des nus antiques l'évocation des squelettes hideux. Est-ce avec une intention de dérision que Rimbaud reprend dans « Bal des pendus » le thème de la danse macabre ? Comme chez Aloysius Bertrand, entre-t-il chez lui un peu de complaisance pour les gibets et les pendus ? Il faut surtout rappeler — Izambard le confirme — qu'il avait lu la « Ballade des pendus » de François Villon, le *Gringoire* de Banville et qu'il s'amuse à son tour (comme dans la lettre de Charles d'Orléans à Louis XI) à un pastiche sans conséquence.

Sur ce poème, voir Pierre Brunel, *Arthur Rimbaud ou l'éclatant désastre*, 1983. — Steve Murphy, « *Bal des pendus* au-delà de l'exercice », dans le numéro de *Berenice* consacré à Rimbaud, juillet 1991, pp. 23-33.

Les Effarés (pp. 196-198)

Texte autographe et daté du manuscrit (recueil Demeny). Fac-similé, Textuel, pp. 15-16.

• La date interdit de retrouver dans ces tercets un souvenir de la fugue en Belgique, comme le veulent certains commentateurs (entre autres Yves Bonnefoy dans son *Rimbaud par lui-même*, p. 36). Il paraît également abusif de reporter la composition des « Effarés » à l'hiver 1869-1870 sous prétexte qu'on y trouve un décor de neige et de givre (hypothèse de M.-A. Ruff, *op. cit.*, p. 29). On peut être sensible à la tendresse de Rimbaud pour ces enfants, mais telle touche ironique (au v. 33) ne va pas sans quelque amertume. C.A. Hackett cherche l'origine de cette amertume dans la frustration d'amour maternel chez les enfants Rimbaud : son commentaire à tendance psychanalytique, paru dans *Rimbaud l'enfant*, José Corti, 1948 (pp. 73-95), ne va pas sans beaucoup d'exagérations. Du moins a-t-il le mérite de rappeler que ce poème, singulier sans doute, n'est pas isolé dans l'œuvre de Rimbaud.

Roman (pp. 198-199)

Manuscrit autographe et daté du recueil Demeny. Fac-similé, Textuel, pp. 17-18.

• La date, incontestable, est importante : elle correspond à peu près au retour de Rimbaud à Charleville (il a quitté Douai le 26 septembre). Il retrouve les cafés, la promenade, ses souvenirs d'été, et compose, non sans un sourire, une manière de bilan. Les réminiscences livresques qui affleurent (le « Monsieur Prudhomme » de Verlaine, le *Mardoche* de Musset, ce « roman contre les romans » qui, comme le suggère J. Gengoux, a pu inciter Rimbaud à choisir ce titre) ont moins d'importance. La pièce est inséparable de « Première soirée » et des « Reparties de Nina ».

Rages de Césars (p. 200)

Manuscrit autographe du recueil Demeny. Fac-similé, Textuel, p. 19.

• Napoléon III a été battu et fait prisonnier à Sedan le 2 septembre 1870. Cette nouvelle entraîne la chute de l'Empire et la proclamation de la République (« La Liberté revit ! »), le 4. Double rage à laquelle s'ajoute la fureur contre Émile Ollivier, considéré comme le fauteur de la guerre. Mais ces mouvements sont passagers, et l'Empereur retombe dans son apathie ordinaire. Ainsi en va-t-il de tous les Césars...

Sur ce poème, voir Steve Murphy, « Portrait d'un Empereur : *Rages de Césars* », dans *Rimbaud et la ménagerie impériale*, pp. 105-126. Et la longue note de Marc Ascione, dans *Œuvre-vie*, pp. 1021-1026.

Le Mal (pp. 200-201)

Manuscrit autographe du recueil Demeny. Fac-similé, Textuel, p. 20.
• Inspiré par la guerre, ce poème a pu être composé durant l'été. Nous n'en connaissons en tout cas que le manuscrit d'octobre, inséré dans le recueil Demeny. En dépit de sa simplicité, il a suscité des commentaires délirants (à cet égard on peut attribuer la palme à celui qu'a proposé J. Gengoux dans sa *Pensée de Rimbaud* pp. 156-157, et l'on s'étonne qu'à sa suite S. Bernard ait tenté de découvrir un « double sens » à ces vers). À ces contresens justement condamnés par M.-A. Ruff (*op. cit.*, p. 38) on opposera l'exégèse de bon sens proposée par cet auteur : « Rimbaud a buté sur le problème le plus grave que pose aux âmes généreuses la croyance en Dieu : le problème du Mal. [...] Le poème tout entier est fait d'une seule phrase qui oppose l'horreur du massacre [...] à l'indifférence d'un Dieu sensible seulement au luxe dont on l'entoure et aux offrandes qu'il reçoit. » Etiemble et Y. Gauclère ont noté de leur côté que l'aspect humain de la divinité « écœure » Rimbaud et que « Dieu fait [ici] figure de bourgeois satisfait, somnolent [...] et ne se réveillant, cupide, que pour recevoir les gros sous (que les mères) lui donnent avec leurs prières » (*Rimbaud*, p. 45).

Sur ce poème, voir Steve Murphy, « Rendez donc à César : *Le Mal* », dans *Rimbaud et la ménagerie impériale*, 1991, pp. 95-104.

Ophélie (pp. 201-203)

Manuscrit autographe du recueil Demeny. C'est le troisième et dernier état du texte, le meilleur aussi, même si l'on y trouve quelques maladresses (la répétition « pauvre fou », « pauvre folle », par exemple). Fac-similé, Textuel, pp. 21-22.
• Les érudits ont cherché diverses sources à ces vers : le tableau préraphaélite de Millais, un poème de Banville, « La Voie lactée », dans *Les Cariatides*, où était évoquée la « douce folie » d'Ophélie, ainsi que « Les nénuphars penchés sur les pâles roseaux / Qui disent leur chant sombre au murmure des eaux ». Aucune n'est plus évidente que la pièce même de Shakespeare, *Hamlet*, qui nous présente la malheureuse fille de Polonius conduite à la folie par la fausse folie de celui qu'elle aime, le prince Hamlet. Les « refrains » qu'elle chante au cours de la scène 5 de l'acte IV ont dû retenir l'attention de Rimbaud et, bien avant les lettres du voyant, donc avant l'expérience dont il établira le bilan dans « Alchimie du verbe », il fait d'Ophélie une voyante, une figure prophétique de lui-même.

Voir Julien Eymard, *Le Thème d'Ophélie*, Minard, 1970. — Pierre Brunel, « L'imagerie shakespearienne de Rimbaud », dans les Mélanges offerts à Charles Dédéyan, Presses de l'Université de Paris-Sorbonne, 1979.

Le Châtiment de Tartufe (pp. 203-204)

Manuscrit autographe du recueil Demeny, non daté. Fac-similé, Textuel, p. 23.

• Marcel Ruff veut charger ce texte de tout l'anticléricalisme nouveau qu'ont fait naître en Rimbaud les événements de l'été 1870. Le souvenir assez précis (à l'orthographe près) du *Tartuffe* de Molière étudié en classe, le lien évident entre ce sonnet et *Un cœur dans une soutane* nous ramènent pourtant plutôt aux années de collège.

Sur ce poème, voir Steve Murphy, « L'habit ne fait pas le moine : *Le Châtiment de Tartufe* », dans *Rimbaud et la ménagerie impériale*, 1991, pp. 159-178.

À la Musique (pp. 204-205)

Manuscrit autographe du recueil Demeny. Fac-similé, Textuel, pp. 24-25.

• Une première version avait été donnée à Izambard au cours de l'été (voir p. 164). Les corrections sont heureuses dans l'ensemble. Les commentateurs soulignent le caractère « burlesque ou sinistre » de ces vers (Y. Bonnefoy, *Rimbaud par lui-même*, p. 31). Mais les trois dernières strophes sont les plus importantes et relient aisément ce poème, dans le recueil Demeny, au triptyque de la comédie de l'amour.

Le Forgeron (pp. 205-211)

Manuscrit autographe du recueil Demeny. Fac-similé, Textuel, pp. 26-32.

• Cette version est plus soignée que celle dont nous avons donné le texte pp. 159-164. Une comparaison ferait apparaître de très nombreuses variantes de détail. Plus complet — ou complété à Douai par un ajout de 22 vers —, le texte conduit la révolte du Forgeron jusqu'à son paroxysme. Comme l'écrit François Ruchon (*J.A. Rimbaud*, Champion, 1929, p. 61), le symbole se trouve « crânement dégagé ». La révolte contre Louis XVI — un Louis XVI qui n'est pas sans analogie avec Badinguet — se double d'une révolte contre le Dieu des chrétiens et le ciel trop petit pour accueillir la crapule.

Sur ce poème, voir Steve Murphy, « Fictions révolutionnaires : *Le Forgeron* », dans *Rimbaud et la ménagerie impériale*, 1991, pp. 209-230.

Soleil et Chair (pp. 211-216)

Manuscrit autographe du recueil Demeny. Il est daté de mai 1870 ; la première version, « *Credo in unam* », était datée du 29 avril (voir la lettre à Banville du 24 mai 1870, pp. 136-140). Fac-similé, Textuel, pp. 33-38.

• Des trois poèmes qu'il avait adressés au « Maître » (et qu'on retrouve tous les trois dans le premier cahier du recueil Demeny) « *Credo in unam* » était celui auquel, à ce moment-là du moins, Rimbaud tenait le plus. Il avait voulu écrire un poème à la manière des Parnassiens, même si le point de départ se trouve dans le *Rolla* de Musset et dans *La Légende des siècles*. L'œuvre avait l'ambition de présenter le « Credo des poètes », l'espoir de retrouver les temps bénis du paganisme. Quand il recopie le poème en septembre, Rimbaud ne se contente pas de lui donner un titre nouveau ; il supprime 36 vers de la troisième partie et introduit de nombreuses variantes, parfois fort importantes. Comme le note Marcel Ruff (*op. cit.*, p. 33), il atténue « le vague déisme épars » que sa révolte grandissante lui fait apparaître comme anachronique. Car il ne s'agit pas seulement, comme on l'a cru, d'un exercice d'école : la lecture faite par Gilles Deleuze de l'œuvre de Sacher Masoch (un contemporain exact de Rimbaud), celle qu'on pourrait faire des *Poems and Ballads* de Swinburne (un autre contemporain) suffiraient à prouver que cette quête de la Vénus de marbre et de chair, de la femme hétaïre, n'est pas un thème académique...

Voir Pierre Brunel, *Arthur Rimbaud ou l'éclatant désastre*, 1983, pp. 152 *sqq.*

Le Dormeur du Val (p. 217)

Manuscrit autographe et daté du recueil Demeny. Fac-similé, Textuel, p. 41.

• « Le Dormeur du Val » est un étonnant chef-d'œuvre de prétérition (le mot « mort » n'apparaît pas une seule fois dans ces quatorze vers). Partant d'une comparaison avec des poèmes parnassiens comme « La Fontaine aux lianes » de Leconte de Lisle ou « *Dolorosa mater* » de Léon Dierx, Émilie Noulet a dégagé l'originalité de l'esthétique impressionniste que le jeune poète ici inaugure (*Le Premier Visage de Rimbaud*, pp. 67-68).

L'émotion vient du sentiment de fraternité qui unit à ce jeune soldat mort le vagabond d'octobre, Rimbaud lui-même.

Sur ce poème, voir Jean-François LAURENT, « *Le Dormeur du Val* ou la chair meurtrie qui se fait verbe poétique », dans *Parade sauvage*, Colloque de Cambridge, « Rimbaud "à la loupe" », 1990, pp. 21-26. — Steve MURPHY, « Le Soldat inconnu. *Le Dormeur du Val* », dans *Rimbaud et la ménagerie impériale*, 1991, pp. 187-204.

Au Cabaret-Vert, cinq heures du soir (p. 218)

Manuscrit autographe daté du recueil Demeny. Fac-similé, Textuel, p. 42.

• Le cabaret est un thème parnassien, et même un thème pour « vieux Coppée » (voir « Le Cabaret », dans *Reliquaire*). Banville avait chanté la servante de cabaret, Jules Forni la chope de bière. Mais ici il s'agit de tout autre chose : d'une chose vue, sans doute (Robert Goffin a découvert qu'il y avait à Charleroi une « Maison-Verte », à défaut de « Cabaret-Vert »), d'un moment de plénitude et d'un texte où les rejets prennent valeur de soupirs d'aise.

Voir Robert GOFFIN, *Rimbaud vivant*, Corréa, 1937.

La Maline (pp. 218-219)

Manuscrit autographe du recueil Demeny. Fac-similé, Textuel, p. 43.

• Le poème est inséparable du précédent, même si le brun a remplacé le vert et la « maline » la servante aux tétons énormes. Mais la malignité est d'abord celle de Rimbaud, qui prend des airs et des aises de pacha oriental ; à moins qu'il ne convienne de souligner plutôt la malice avec laquelle il note que la servante sort de la cuisine chaude et se plaint d'avoir « pris une froid sur la joue ».

L'éclatante victoire de Sarrebrück (pp. 219-220)

Manuscrit autographe et daté, dans le recueil Demeny. Fac-similé, Textuel, p. 44.

• Rimbaud décrit ici une gravure qu'il a vue à Charleroi lors de sa récente fugue. André Guyaux a cru pouvoir l'identifier. Ce serait une image d'Épinal, *Prise de Sarrebruck*, Imprimerie lithographique Peniot et Sagavie, « Nouvelle imagerie d'Épinal », n° 31, rehaussée de cinq couleurs, vert, jaune, bleu clair, bleu foncé, rouge. Elle rappelle un événement déjà vieux de deux mois, la première victoire remportée par les Français à Sarrebrück, le 2 août. Il s'agissait en fait, comme l'écrivent deux historiens du temps (le comte de Laguéronnière et le comte de Nogent dans leur *Histoire de la guerre de 1870-1871*, Charleville, Colle-Louis, 1871, pp. 44-45), d'une « démonstration sans but ». Tout au plus avait-il semblé « opportun » de « sortir de l'inaction, et de donner quelques satisfactions aux impatiences dont l'écho venait de Paris jusqu'à l'état-major général ». Victoire négligeable donc (l'ennemi avait perdu 2 officiers et 70 soldats), que l'Empereur avait tenté de rendre « éclatante » dans un télégramme adressé de Metz à la France : « L'empereur assistait aux opérations, et le prince impérial qui l'accompagnait partout a reçu le baptême du feu. Louis a conservé une balle qui est tombée près de lui. Il y a des soldats qui pleuraient en le voyant si calme. » Il n'est pas sûr pour autant que le schako qui surgit comme un « soleil noir » soit celui du Prince impérial, comme le veut J. Gengoux. Il nous semble plus naturel d'y voir celui du soldat Boquillon[1] qui se dresse pour faire un geste irrévérencieux à l'adresse de l'Empereur-dieu : ce « soleil noir » s'opposerait alors à l'apothéose de Napoléon III « sur son dada flamboyant »...

Sur ce poème, voir André Guyaux, « Rimbaud et le Prince impérial », dans la revue *Berenice*, mars 1981, pp. 89-97 ; Steve Murphy, « Au-delà de l'image d'Épinal », dans *Rimbaud et la ménagerie impériale*, 1990, pp. 77-94.

Rêvé Pour l'hiver (pp. 220-221)

Poème autographe et daté, le premier du second cahier du recueil Demeny. Rimbaud a quitté Charleville le 2 octobre, et il se trouve vraisemblablement en Belgique le 7. Fac-similé, Textuel, p. 45.

• Avec son « bleu » et son « rose », le petit wagon où se niche un rêve d'amours adolescentes pourrait faire penser à « La Mort des amants » de Baudelaire (plus qu'aux premiers poèmes ferroviaires de l'époque, plus même qu'au poème de Banville « À une Muse folle » dont J. Gengoux l'a rapproché). On y retrouve la sensualité « maline » de maint poème de l'année 1870 fortement accentuée par Steve Murphy dans le commentaire qu'il a fait de ce texte ; mais le deuxième quatrain évoque des visions plus inquiétantes qu'on retrouvera dans le carrosse-corbillard des *Illuminations* (« Nocturne vulgaire »).

---

1. Sur Boquillon, Voir François Caradec, « Rimbaud, lecteur de *Boquillon* », dans *Parade sauvage*, n° 1, octobre 1984, pp. 16-17, et n° 6, juin 1989, pp. 67-73.

Voir Steve MURPHY, « Le Loup et l'araignée : *Rêvé Pour l'hiver* », dans *Rimbaud ou l'apprentissage de la subversion*, 1990, pp. 125-148.

Le buffet (pp. 211-222)

Manuscrit autographe daté du recueil Demeny. Fac-similé, Textuel, p. 46.

• Ce buffet est-il une « chose vue », dans une auberge, en Belgique ? un meuble des demoiselles Gindre, à Douai ? un souvenir plus lointain ? On trouvait déjà, dans « Les Étrennes des orphelins », la grande armoire à la « porte brune et noire », et pleine de « mystères dormant entre ses flancs de bois ». Rimbaud, même ici, ne se laisse placer ni du côté du Nerval de *Sylvie* ni du côté de l'intimisme de Coppée. Il se montre apparemment sensible à un reliquaire familial, mais à un moment où, déjà, il est en rupture de bon. C'est comme un regard, à un moment de bien-être, tout plein de nostalgies futures.

Voir Pierre BRUNEL, *Arthur Rimbaud ou l'éclatant désastre*, 1983, pp. 24 *sqq.*

Ma Bohême (p. 222)

Manuscrit autographe du recueil Demeny. Fac-similé, Textuel, p. 47.

• C'est le dernier poème du recueil, et il prend valeur d'épilogue : d'où l'emploi de l'imparfait pour l'évocation de ce qui est déjà du passé, même si ce passé est inaccompli. Malgré l'allusion à « septembre », le poème a très certainement été écrit en octobre 1870, peut-être après le retour à Douai. Il reprend et développe en images ce qui n'était qu'une comparaison dans « Sensation » : « comme un bohémien ». Mais il va bien au-delà en créant la figure mi-plaisante mi-poignante d'un Orphée bohémien. L'accent sur « Boheme » reste douteux dans le manuscrit. Nous choisissons le circonflexe.

Instruction laissée à Paul Demeny (p. 223)

Ce n'est pas une lettre, pas même un billet, mais neuf lignes écrites au crayon de papier, dans le sens vertical, sur la dernière page de « Soleil et Chair » dans le manuscrit de la British Library correspondant au « Recueil Demeny ». Fac-similé, Textuel, *Poésies et Lettres d'Europe*, p. 31.

• Antoine Adam a affecté d'autorité une date, 26 septembre 1870, à un document qui n'en a pas. Claude Jeancolas l'a suivi sans raison philologique. Ce qui est troublant, c'est que ce message figure, non après « Ma Bohême », mais à la suite de « Soleil et Chair », un poème de la première série. Mais « Roman », dans cette première série, est daté du 29 septembre. Il paraît pourtant plus que probable que ce dépôt et ce billet datent de la fin d'octobre, quand Izambard, d'une manière cette fois un peu brutale, renvoie l'adolescent fugueur à Charleville (d'où la différence que Rimbaud établit, dans son billet, entre Demeny et d'autres). On voit mal comment il pourrait en être autrement puisque les poèmes du second cahier figurent dans le dossier confié à Demeny, et qu'ils sont tous, à une exception près, datés d'octobre.

Lettre à Georges Izambard du 2 novembre 1870 (pp. 223-224)

Première publication dans *Vers et prose*, février-mars 1911.

Manuscrit autographe, collection Matarasso, puis Musée-Bibliothèque de Charleville. Fac-similé, *Les Lettres manuscrites*, Textuel, pp. 32-33.

• Cette lettre a été publiée pour la première fois par Izambard dans *Vers et prose*, premier trimestre 1911 ; elle est reprise, avec les mêmes indications, dans *Rimbaud tel que je l'ai connu*, pp. 74-76. C'est une missive comminatoire de Mme Rimbaud[1] qui a obligé Izambard à assurer le rapatriement d'Arthur à Charleville, par les soins de la police, et sans frais. Voici le récit d'Izambard : « Je portai la lettre au commissaire qui, moraliste par état, eut cette réflexion goguenarde : "Une vraie maman-gâteau, la petite mère !... Enfin, amenez-le moi, je ferai le nécessaire"./ Je rentre. Rimbaud est prêt et m'attend, son petit baluchon sous le bras. Il a dit gentiment adieu aux tantes qui lui ont fait promettre « d'être sage »... Il a promis. En route, je lui parle avec mon cœur, mon souci de son avenir, de sa gloire, *de sa dignité aussi*... J'ai l'impression qu'il me comprend, qu'il est ému en dedans, qu'il a le cœur serré... Je me trompe peut-être !... Il est si impénétrable... Nous sommes arrivés : présentation au commissaire ; celui-ci m'a promis qu'il ne serait pas rudoyé. On se serre les mains avec force, et... adieu vat !... C'est la dernière fois que je l'ai vu./ Mais une lettre de lui ne tarde pas à m'arriver. » C'est cette fameuse lettre du « sans-cœur de Rimbaud[2] ».

Voici le texte de la lettre de Mme Rimbaud :

1. Cette lettre n'a pas été conservée. Nous avons en revanche celle de la fin septembre, qui avait été à l'origine du premier rapatriement à Charleville. 2. Voir Pierre Brunel, *Ce « sans cœur » de Rimbaud. — Essai de biographie intérieure*, L'Herne, 1999.

Charleville, 24 septembre 1870.

Monsieur,

Je suis très inquiète, et je ne comprends pas cette absence prolongée d'Arthur ; il a cependant dû comprendre par ma lettre du 17 qu'il ne devait pas rester un jour de plus à Douai ; d'un autre côté, la police fait des démarches pour savoir où il est passé, et je crains bien qu'avant le reçu de cette présente le petit drôle se fasse arrêter une seconde fois ; mais il n'aurait plus besoin de revenir car je jure bien que de ma vie je ne le recevrais plus. Est-il possible de comprendre la sottise de cet enfant, lui si sage et si tranquille ordinairement ? Comment une telle folie a-t-elle pu venir à son esprit ? Quelqu'un l'y aurait-il soufflée ? Mais non, je ne dois pas le croire. On est injuste aussi, quand on est malheureux. Soyez donc assez bon pour avancer dix francs à ce malheureux. Et chassez-le, qu'il revienne vite !

Je sors du bureau de poste où l'on m'a encore refusé un mandat, la ligne n'étant pas ouverte jusqu'à Douai. Que faire ? Je suis bien en peine. Que Dieu ne punisse pas la folie de ce malheureux enfant comme il le mérite.

J'ai l'honneur, Monsieur, de vous présenter mes respects.

V. RIMBAUD

ANNEXE

À Douai, Izambard et Rimbaud ont vécu aussi dans la fièvre qui a suivi la chute du Second Empire. Le professeur s'est engagé dans la garde nationale. Arthur l'accompagnait aux exercices et dans les réunions. Le maire de la ville, M. Maurice, s'étant déclaré incapable de fournir des armes aux gardes nationaux, Izambard fut chargé de rédiger une lettre de protestation qui parut dans *Le Journal de Douai* sous la signature de F. Petit. Il a lui-même raconté que Rimbaud l'avait devancé dans cette tâche (*Arthur Rimbaud à Douai et à Charleville*, Kra, 1927). Il serait donc l'auteur du texte ci-dessous, dont le manuscrit autographe est conservé au Musée-Bibliothèque de Charleville (fac-similé dans *Les Lettres manuscrites de Rimbaud*, pp. 28-30).

LETTRE DE PROTESTATION

Douai, 20 septembre 1870.

Nous soussignés, membres de la Légion de la Garde nationale sédentaire de Douai, protestons contre la lettre de Monsieur Maurice, maire de Douai, portée à l'ordre du jour du 18 septembre 1870.

Pour répondre aux nombreuses réclamations des gardes nationaux non armés, Monsieur le Maire nous renvoie aux consignes données par le ministre de la guerre ; dans cette lettre insinuante, il semble accuser de mauvaise volonté ou d'imprévoyance le ministre de la Guerre et celui de l'Intérieur. Sans nous ériger en défenseurs d'une cause gagnée, nous avons le droit de remarquer que l'insuffisance des armes en ce moment doit être imputée seulement à l'imprévoyance et à la mauvaise volonté du gouvernement déchu, dont nous subissons encore les conséquences.

Nous devons tous comprendre les motifs qui déterminent le Gouvernement de la Défense nationale à réserver les armes qui lui restent encore aux soldats de l'armée active, ainsi qu'aux gardes mobiles : ceux-là, évidemment, doivent être armés avant nous par le Gouvernement. Est-ce à dire que l'on ne pourra pas donner des armes aux trois-quarts des gardes nationaux, pourtant bien décidés à se défendre en cas d'attaque ? Non pas. Ils ne veulent pas rester inutiles : il faut à tout prix qu'on leur trouve des armes. C'est aux Conseils municipaux, élus par eux, qu'il appartient de leur en procurer. Le maire, en pareil cas, doit prendre l'initiative, et comme on l'a fait déjà dans mainte commune de France, il doit spontanément mettre en œuvre tous les moyens dont il dispose pour l'achat et la distribution des armes dans sa commune.

Nous aurons à voter dimanche prochain pour les élections municipales, et nous ne voulons accorder nos voix qu'à ceux qui, dans leurs paroles et dans leurs actes, se seront montrés dévoués à nos intérêts. Or, selon nous, la lettre du maire de Douai, lue publiquement, dimanche dernier, après la revue, tendait, volontairement ou non, à jeter le discrédit sur le Gouvernement de la Défense nationale, à semer le découragement dans nos rangs, comme s'il ne restait plus rien à faire à l'initiative municipale : c'est pourquoi nous avons cru devoir protester contre les intentions apparentes de cette lettre.

F. PETIT.

Izambard attribue encore à Rimbaud le compte rendu d'une réunion publique qui se tint rue d'Esquerchin, à Douai, le 23 septembre 1870. Ce texte parut anonymement dans *Le Libéral du Nord* du 25 septembre (voir *Rimbaud tel que je l'ai connu*, pp. 124-126). C'est, commente Jean-François Laurent (*Œuvre-vie*, p. 1005), « un petit chef-d'œuvre d'ironie implacable sur "le chapelet des conciliabules" qui occupe les candidats et l'auditoire — pour un piètre résultat ». Rimbaud trouvait en tout cas une autre façon de s'amuser pendant ses « grandes vacances ».

RÉUNION PUBLIQUE RUE D'ESQUERCHIN

[Douai,] Vendredi soir, 23 septembre [1870].

La séance est ouverte à 7 heures.

L'ordre du jour est la formation d'une liste électorale. Le citoyen-président donne lecture de deux listes électorales, puis de deux listes de conciliation.

Le citoyen Jeanin trouve charmante l'idée de cette liste de conciliation, qu'il appelle *liste des malins*. Il fait ressortir que certains candidats connus pour leurs opinions réactionnaires, ou pour leur nullité, ont l'immense avantage d'être portés sur deux, même sur trois listes ! Naturellement, les candidats sérieux et convaincus ne figurent que sur une liste.

Cette remarque, faite d'une façon vive et nette, obtient l'assentiment de l'auditoire.

Le citoyen-président propose, pour composer une nouvelle liste électorale, de voter, et d'accepter ou de rejeter chacun des candidats nommés sur les trois premières listes.

Un des citoyens-assesseurs égrène le chapelet des conciliabules : presque tous sont rejetés, avec un entrain splendide.

On propose des noms nouveaux. Les citoyens Jeanin, Petit et quelques autres déclinent l'honneur de figurer sur la liste.

Une petite *Lanterne*, assez agréablement bouffonne, est faite par le citoyen de Silva. Il dresse un jugement d'outre-tombe, à l'ancien conseil municipal et conte les aventures de certain carillon.

La séance se termine avec la composition de la nouvelle liste. Elle est intitulée : *Liste recommandée aux républicains démocrates*.

Un citoyen fait remarquer que tout Français, aujourd'hui, doit être républicain démocrate ; qu'en conséquence le titre de cette liste la recommande à tous les citoyens.

La réunion se dissout à dix heures.

*

* *

L'ANNÉE DE LA COMMUNE

LETTRES ET POÈMES INCLUS (pp. 235-268)

Très différentes par le ton des lettres de 1870, les lettres du printemps et de l'été 1871 sont moins abruptes qu'on n'a bien voulu le dire. Rimbaud, nuancé dans son jugement sur Lamartine, sur Hugo, sur Baudelaire, ménage Banville dans la lettre du 15 mai (il serait « très *voyant* », ce qui ne laisse pas de surprendre), même s'il le nargue dans le billet du 15 août qui accompagne l'envoi de « Ce qu'on dit au poète à propos de fleurs », contre-herbier poétique de Banville et des Parnassiens, et même sans doute des *Fleurs du Mal*, s'achevant sur le projet d'une version rimée du mal... des pommes de terre. Un poème plein de verve au demeurant, d'une sève singulièrement forte, qui n'hésite pas à prendre les libertés avec la grammaire (« les pampas printaniers »), à pratiquer les comparaisons gouailleuses (« Les lys, ces clystères d'extases »), les effets de cacophonie douteux (« L'Ode Açoka cadre »), les alliances de mots choquantes (« croquignoles végétales », « amygdales gemmeuses ») pour s'abandonner, là encore, aux surprises de l'écoulement de la rime, comparé à l'épanchement du caoutchouc, donc encore à la bave de « l'arbre tendronnier » qui était évoqué au début de « Mes Petites amoureuses ». Car la substitution d'Alcide Bava à Arthur Rimbaud déplace moins l'attention du « sans-cœur » vers le « triste cœur » qui « bave », qu'elle n'invite à s'étonner de cette sève nouvelle.

On ne peut lire ces lettres sans les poèmes, les poèmes sans ces lettres, et plus que jamais le principe de notre édition se trouve justifié.

Lettre à Paul Demeny du 17 avril 1871 (pp. 235-236)

Lettre publiée pour la première fois par Paterne Berrichon dans le *Mercure de France*, 16 décembre 1913.

Manuscrit autographe ayant appartenu à la collection Alfred-Saffrey ; la lettre est adressée à Monsieur Paul Demeny, rue Jean-de-Bologne, Douai.
• Plusieurs mois se sont écoulés depuis la lettre à Izambard du 2 novembre 1870. En décembre, Mézières a capitulé. Le 5 janvier 1870 a commencé le bombardement de Paris. La capitulation a eu lieu le 28 du même mois. Quand Rimbaud, pour la seconde fois, se rend dans la capi-

tale, il y est probablement attiré par les événements qui s'y préparent : les élections pour l'Assemblée Nationale et la constitution d'un Gouvernement provisoire. Il semble qu'il y soit arrivé le 25 février et qu'il en soit reparti le 10 mars. Déçu, il a dû à son retour écrire à Demeny (lettre perdue), peut-être pour lui demander de lui trouver un emploi. La réponse, si elle est arrivée, a été négative. Mais Rimbaud peut encore entretenir son correspondant de l'actualité littéraire — ou de la littérature d'actualité.

Lettre à Georges Izambard du 13 mai 1871 (pp. 236-238)

Manuscrit ayant appartenu à Alfred Saffrey, puis à la baronne de Rothschild ; aujourd'hui dans une collection inconnue. Fac-similé du manuscrit autographe au Musée-Bibliothèque Arthur Rimbaud de Charleville ; il a été reproduit dans *La Revue européenne*, octobre 1928, pour accompagner l'article de G. Izambard, « Arthur Rimbaud pendant la Commune. Une lettre inédite de lui — le voyant », pp. 985-1015. Édition critique par Gérald Schaeffer dans Arthur Rimbaud, *Lettres du voyant*, Droz, Minard, 1973. La lettre est adressée à Monsieur Georges Izambart (*sic*), professeur, 27, rue de l'Abbaye-des-Champs, à Douai, Nord. Cachets postaux : Charleville, 13 mai ; Douai, 15 mai. Fac-similé, *Lettres d'Europe*, Textuel, pp. 36-38.

• La nouvelle de l'insurrection de la Commune est arrivée à Charleville le 20 mars : l'événement a assurément bouleversé Rimbaud ; il a aussi bouleversé sa poétique comme le prouve, avec l'autre lettre du Voyant, « cette profession de foi littératuricide d'un rhétoricien émancipé » : ainsi la jugeait son destinataire, à qui nous laissons la responsabilité de son commentaire. Il convient de ne pas compliquer à plaisir ce texte vigoureux : il commence par une double interprétation du principe d'Izambard « On se doit à la Société » — l'interprétation d'Izambard lui-même, l'interprétation nouvelle de Rimbaud. La première est « subjective », c'est-à-dire qu'elle va dans le sens de la satisfaction du sujet ; la seconde se veut « objective », c'est-à-dire impliquant un dépassement vers autrui, ou plus largement vers l'autre. À partir de là, Rimbaud oppose deux conceptions de la poésie. « Le Cœur supplicié » constitue moins une illustration que le témoignage d'un échec préalable, la gêne de celui qui se trouve à l'arrière-garde — à « la poupe » —, qui hésite à agir, d'autant plus qu'il n'a guère été édifié pendant la guerre par les comportements pioupiesques.

Comme elle est dure, cette lettre ! C'est Rimbaud qui fait des reproches à celui qu'il appelle pourtant encore « Cher Monsieur ! », avec un point d'exclamation d'ailleurs presque suspect. Il lui en veut d'être redevenu professeur, alors que lui n'a pas voulu redevenir élève, de se donner à la Société en faisant partie d'un corps constitué, en roulant dans la bonne ornière. Il attaque son goût pour la « poésie subjective » : celle qu'Izambard lit par prédilection, celle qu'il compose à l'occasion, celle qui, plus largement, correspond à son mode d'existence. Et cette poésie subjective, qui prétend donc, comme celle de Musset, naître du cœur, Rimbaud la juge « horriblement fadasse ». Ce « cœur »-là, il le méprise, il le hait même. Et par dérision, entonnant un nouvel air, et en attendant de donner de la poésie non subjective, il lui livre un échantillon de sa nouvelle manière, « Le Cœur supplicié ». Le cœur, toujours — dans le titre (et dans les autres titres que portera ce poème, « Le Cœur du pitre », « Le Cœur volé »), dans les premiers vers, appelés à devenir refrain pour une composition en triolets,

> Mon triste cœur bave à la poupe...
> Mon cœur est plein de caporal !

Un cœur qui bave, un cœur qui chique, un cœur qui le dégoûte, comme Baudelaire craignait d'être dégoûté par le sien et par son corps à la fin d'« Un voyage à Cythère », un cœur qu'il est prêt à livrer aux « flots abracadabrantesques » : pour qu'il soit sauvé ? pour qu'il soit purifié ? pour qu'il reste décidément volé ? Un cœur qu'il renie, malgré la clausule de la lettre, « Bonjour de cœur », qui dans ces conditions paraît bien amère. Le retournement du « cœur » au « sans-cœur » de la lettre adressée le 2 novembre 1870 au même Izambard était préparé, on le voit, par le deuxième arrachement à Douai. Mais, à la date de mai 1871, il a quelque chose de plus brutal, et l'arrachement devient déchirement.

Lettre à Paul Demeny du 15 mai 1871 (pp. 239-250)

Première publication dans *La Nouvelle Revue Française*, octobre 1912. Manuscrit autographe ayant appartenu à la collection Alfred-Saffrey, acheté en 1998 par la Bibliothèque Nationale ; fac-similé joint à l'édition H. Matarasso, Messein, 1954. Édition critique par Gérald Schaeffer (*Lettres du voyant*, Droz, 1975) où subsistent quelques erreurs de lecture. Fac-similé, *Lettres d'Europe*, Textuel, pp. 39-49.

• Ce texte illustre a été si souvent commenté et en des termes si différents qu'on se sent comme paralysé devant lui. Du moins peut-on éviter deux écueils : celui de l'idolâtrie ; celui de la réduction à quelques banalités. Il est vrai que cette lettre est, comme le dit Henri Matarasso, « écrite en lettres de feu » : mais c'est parce qu'elle est d'un ton abrupt, avec des ellipses, des tours syntaxiques insolites, des affirmations péremptoires qui veulent pourtant être raisonnées. Il est vrai aussi que Rimbaud reprend, comme le dit Etiemble, « bon nombre de lieux communs romantiques » — le Progrès, l'émancipation de la femme, la voyance elle-même (un mot que, d'ailleurs, Rimbaud n'emploie jamais) : mais comme il prend ses distances à l'égard du romantisme ! Il le juge trop peu critique à l'égard de ses œuvres, voyant par accident quand il ne se contente pas, comme Musset, d'« élans de passion » tout juste bons pour des gamins de quinze ans. Il est abusif de considérer cette lettre comme une dissertation. Le cours de littérature étrange et inattendu que professe ici l'ex-collégien a pour but de situer le poète, le vrai, entre les antiquaires et les inconscients. Car être voyant, pour Rimbaud, c'est à la fois rapporter des visions de l'inconnu et exercer sur soi-même un regard critique. En cela, il est d'accord avec Baudelaire, et il n'est pas étonnant qu'il le salue comme « le premier voyant, roi des poètes, *un vrai Dieu* ». Il lui reproche une forme mesquine. Mais il sait bien qu'il n'est pas lui-même encore tout à fait débarrassé de la tyrannie du mètre et de la rime : d'où le commentaire marginal qui, à trois reprises, revient ironiquement à propos des trois poèmes nouveaux qu'il insère — « Quelles rimes ! ô ! quelles rimes ! ». Ces poèmes sont « d'actualité », comme la lettre elle-même : c'est-à-dire tout vibrants de l'émotion suscitée par la Commune. Le pouvoir de dérision qu'ils exercent à l'égard des dirigeants versaillais (« Chant de guerre Parisien »), des femmes (« Mes Petites amoureuses »), des accroupis (« Accroupissements »), ils l'exercent aussi à l'égard d'eux-mêmes. Aussi aurait-on tort de les considérer comme des illustrations exemplaires de la théorie de la voyance — si elle existe. Rimbaud lui-même le souligne à propos du second d'entre eux : ils sont « hors du texte » — même s'ils sont dans le texte.

Abondante, diluvienne même, et pourtant sœur jumelle de la précédente, c'est la lettre du Voyant, version longue, après la version courte, avec des formules qui reviennent de l'une sur l'autre : se rendre, ou se faire *voyant* ; « Je est un autre ». Avec Demeny, Rimbaud est le professeur, mais pour un cours de « littérature nouvelle » qui n'a rien d'académique, même s'il remonte aux *Origines*. Il donne un grand coup de balai sur la littérature passée et ses prolongements actuels ; oui, et il le dit sans mâcher ses mots, il veut « balayer ces millions de squelettes qui, depuis un temps infini, ont accumulé les produits de leur intelligence borgnesse ». Et presque tout et tous y passent, de Racine, « le Divin Sot », et La Fontaine, représentant avec Rabelais et Voltaire de l'odieux génie français, aux écrivains d'aujourd'hui, qui ne sont que des « fonctionnaires », comme l'autre professeur, Izambard. Semblable en cela à Lautréamont, Rimbaud rejette d'un « sursaut stomachique » le « quatorze fois exécrable » Musset, fadasse (l'épithète revient) comme le principe de la poésie subjective cher à Izambard. Car, on l'aura compris, écrire à Demeny le 15 mai, c'est écrire contre Izambard, indirectement cette fois, mais avec une violence éruptive inouïe.

Seuls échappent au massacre les annonciateurs du voyant, romantiques de la première génération, comme Hugo, ou de la seconde, comme Baudelaire.

À l'Inconnu dans lequel voulait plonger le poète des *Fleurs du Mal* à la fin du « Voyage », Rimbaud accède, d'une manière nouvelle, par le « *dérèglement* de *tous les sens* », et pas seulement par les paradis artificiels. En 1870, le Forgeron, porte-parole du peuple révolutionnaire devant le Roi, et le sien, se voulait le représentant de « la Crapule ». En mai 1871, au moment de cette seconde Révolution véritable qu'est la Commune, Rimbaud décide de « [s']encrapuler le plus possible ». Cela ne se réduit pas au rôle d'un nouveau Forgeron, à celui d'un représentant du peuple. Il ne lui suffit pas des bas-fonds de la société, il lui faut les bas-fonds de la conduite, peut-être aussi les bas-fonds de la poésie. Rimbaud ne recule ni devant le dégoût (« Mes Petites amoureuses »), ni devant la scatologie (« Accroupissements »). C'est encore une façon de gagner le fond, d'essayer peut-être de le toucher.

Mais parallèlement, et lors même qu'il pratique ce que Gérard Genette appellera le jeu du palimpseste, Rimbaud découvre ce qui avait échappé à Baudelaire, ce que, dans une tonalité toute différente, il avait aimé spontanément dans le Verlaine des *Fêtes galantes* : non pas la licence, mais les licences.

Une dernière notation, et d'importance, car elle doit éviter un fâcheux contresens : ce *dérèglement* est *raisonné*. Le principe est ainsi précisé, quand on passe de la première à la seconde lettre du Voyant et, à l'heure du bilan des « Délires », « Alchimie du verbe » viendra le confirmer dans *Une saison en enfer*, en 1873. L'erreur est de voir en Rimbaud un adepte de la folie ou des folies, un tenant de l'imagination pure, quand il conçoit l'imagination comme raisonnée. « À une Raison » : le mot reviendra encore, avec la majuscule, dans les *Illuminations*.

Lettre à Paul Demeny du 10 juin 1871 (pp. 251-256)

Première publication dans *La Nouvelle Revue Française*, octobre 1912. Manuscrit autographe ayant appartenu à la collection Alfred-Saffrey.

• Le rapprochement entre cette lettre et la lettre du Voyant adressée le 15 mai précédent au même Paul Demeny est saisissant. On ne retrouve plus le climat de la Commune, le bouleversement enthousiaste qu'elle avait suscité. C'est désormais du passé. Pourtant le souvenir en demeure présent (d'où l'insertion du troisième poème, « Le Cœur du pitre », simple reprise du « Cœur supplicié » qu'avaient inspiré à Rimbaud les événements de mai), la révolte est devenue une tradition, ainsi que la charité socialiste (les deux premiers poèmes) ; et la poétique a fait un bond décisif. Rimbaud renie ses œuvres de l'année précédente, et demande à son correspondant de brûler le recueil qu'il lui a laissé en octobre 1870 (Demeny, heureusement, n'en a rien fait).

Lettre à Jean Aicard, juin 1871 (pp. 257-259)

Première publication dans *Œuvre-vie*, 1991, pp. 195-196. Le manuscrit autographe, qui a appartenu à Henri Matarasso, se trouvait dans la collection Jacques-Guérin, vendue le 17 novembre 1998. Fac-similé dans le catalogue de cette vente et dans *Les Lettres manuscrites*, pp. 52 *sqq.*

• Jean Aicard (1848-1921) est surtout connu par son roman *Maurin des Maures* (1908), qui lui valut d'entrer à l'Académie française en 1909. À ses débuts, il s'était fait connaître comme le poète délicat de *Jeunes Croyances* (1867) et de *Rébellions et Apaisements*, recueil qui venait de paraître et que Rimbaud lui demande en simplifiant le titre. Aicard figure sur le tableau de Fantin-Latour, *Un coin de table*.

En échange du livre demandé, Rimbaud envoie une autre version des « Effarés ». Il est curieux qu'il ait adressé aussi à Verlaine une version de ce poème de l'année précédente. À la différence des autres, il ne le reniait pas.

Lettre à Georges Izambard du 12 juillet 1871 (pp. 258-259)

Manuscrit autographe ayant appartenu à la collection Clayeux, aujourd'hui dans une collection inconnue ; fac-similé dans *Le Grand Jeu*, n° 11, printemps 1929, repris dans *Les Lettres manuscrites*, pp. 56-57. La lettre a été détériorée par un flacon de colle qui s'est renversé. Le texte a été reconstitué par Izambard, dont nous suivons l'édition.

• Cette lettre mérite de retenir l'attention, car elle constitue le premier des « soldes » rimbaldiens. Solde spectaculaire puisque l'adolescent fou de littérature vend ici ses livres. Il est vrai que c'est — dit-il — pour payer une dette chez un libraire...

Lettre à Théodore de Banville du 15 août 1871 (pp. 259-267)

Fac-similé dans l'édition de luxe de l'ouvrage de Marcel Coulon, *Au cœur de Verlaine et de Rimbaud*, Amis du livre, 1925, reproduit dans *Les Lettres manuscrites*, pp. 58 *sqq*. Le manuscrit, qui faisait partie de la collection Barthou, appartient aujourd'hui à Bernard Zimmer.

• Rimbaud n'insère plus le poème dans le texte de la lettre, comme il le faisait dans son envoi à Banville du 24 mai 1870 (qu'il date ici de juin). Comme dans son envoi à Demeny du 10 juin, il place en tête un très long poème, qui vient pourtant après la suscription. Cette pièce, « Ce qu'on dit au poète à propos de fleurs », il l'a datée du 14 juillet 1871 et signée du nom d'Alcide Bava, puis A.R. Ce pseudonyme cocasse qui unit l'un des noms d'Héraklès, un écho déformé du nom de Banville, et l'image de la bave, souvent reprise par Rimbaud en 1871 (voir « Mes Petites amoureuses »), implique-t-il qu'il n'éprouve plus que dégoût pour la poésie ? ou du moins pour la poésie parnassienne dont, si l'on en croit de nombreux commentateurs, il se moquerait ici ? L'intention parodique nous semble indiscutable. Mais l'irrespect n'est pas nécessairement signe de mépris. Ces pages « génialement insolentes », comme le dit Yves Bonnefoy (*Rimbaud par lui-même*, p. 54), s'inscrivent dans la lignée des *Odes funambulesques* de leur dédicataire, tout en les englobant dans la raillerie qu'elles distillent. Rimbaud voudrait-il substituer à la poésie décorative de naguère une poésie scientifique qui serait celle de demain ? Non : « dégrader l'être en utile et le lyrisme en commerce a une valeur polémique, contre la stérile beauté [...]. Le sarcasme des *Fleurs*, leur anti-lyrisme panique, c'est le dérèglement de la vieille approche sensorielle, l'aménagement humain pris de court, et pour Rimbaud la dissolution heureuse (oui, il y a un bonheur véritable dans ce poème barbare, insaisissable, dansant) de la vieille haine de soi, éprouvée comme *vomissure*, dans l'épanchement de sèves universelles » (Bonnefoy, *op. cit.*, p. 55). Après la première lettre-solde, voici donc le premier poème-solde.

Le billet à Banville qui suit est ambigu, comme le poème lui-même. Moquerie ? Flagornerie ? L'important est la conscience chez Rimbaud d'un progrès, mieux, d'un bond de sa poétique.

Pour « Ce qu'on dit au poète à propos de fleurs », voir l'édition avec florilège d'auteurs de l'époque par Agnès Rosenstiehl, Gallimard, 1981.

Lettre à Paul Demeny du 28 août 1871 (pp. 267-268)

Première publication dans le *Mercure de France*, 16 décembre 1993. Manuscrit autographe ayant appartenu à la collection Alfred-Saffrey. La lettre est adressée à Monsieur Paul Demeny, 15, place S[aint]-Jacques, à Douai (Nord).

• Rimbaud revient à la charge auprès de Paul Demeny. Il lui demande de lui conseiller un « travail » peu absorbant qui lui permette de subsister à Paris tout en se consacrant à son « travail » nouveau. Cette lettre, « complainte » et requête à la fois, est fondée comme presque toutes les lettres de l'année 1871 sur le double sens de ce mot clef. Pourquoi, dans ces conditions, s'étonner, comme le font André Fontaine ou Antoine Adam, de la phrase finale ? Sans doute Rimbaud a-t-il laissé à Demeny en octobre 1870 un recueil tout entier ; mais ce recueil n'avait rien à voir avec son « travail » nouveau, dont la lettre du 15 mai a fixé l'orientation.

LE DOSSIER VERLAINE (pp. 269-298)

C'est qu'aux correspondants déjà nommés de Rimbaud, du moins ceux qui ont pu être retrouvés, il convient d'ajouter Verlaine, même si on dispose ici de bribes plus que de documents véritables. Rimbaud, de Charleville, a lancé vers lui des appels ; il lui avait adressé des lettres avec des poèmes inclus.

Si les documents avaient été conservés, le mode de présentation que nous avons adopté pour la première moitié de l'année 1871 devrait se continuer : Lettres à Verlaine et poèmes joints. Mais cette correspondance est perdue. Elle a peut-être été détruite par Mathilde, la jeune femme de Verlaine. Heureusement, ce dernier a pris soin de recopier les poèmes que lui avait envoyés ou remis Rimbaud. Ce recueil, qui passa ensuite dans les mains de Forain, de son ami Bertrand Millanvoye, puis de collectionneurs, constitue un dossier plus qu'un cahier : des feuillets paginés où l'on trouve « Les Assis » (pp. 1-2), la fin de « L'Homme juste » et « Tête de faune » (p. 7), « Le Cœur volé » (p. 8), « Les Effarés » (pp. 11-12), « Les Voyelles » (*sic*) et le quatrain sans titre « *L'étoile a pleuré rose* » (p. 15), « Les Douaniers » et « Oraison du soir » (p. 16), « Les Sœurs de charité » (pp. 17-18), « Les Premières Communions » (pp. 19 à 24). Manquent donc les pages 3 à 6, 9-10 et 13-14. Il est possible toutefois de combler l'une de ces lacunes : retrouvé plus tard, le manuscrit autographe des « Mains de Jeanne-Marie » (avec trois strophes ajoutées de la main de Verlaine), paginé 9 et 10, a sa place ici [1].

Ce précieux recueil a été reproduit en fac-similé dans le volume publié par Messein en 1919, *Les Manuscrits des maîtres, Arthur Rimbaud. — Poésies*, après les deux cahiers de Douai. Claude Jeancolas l'a repris dans *L'Œuvre intégrale manuscrite*, Textuel, 1996, premier fascicule, *Poésies*, 1870-1872. Nous avons suivi ce texte avec quelques modifications ou compléments qui nous ont paru s'imposer :

1. « L'Homme juste » est complété grâce à un manuscrit autographe connu par les soins de Marcel Coulon et publié en 1957 par Paul Hartmann.
2. Nous ajoutons, à la place qui convient, « Les Mains de Jeanne-Marie ».
3. Pour « Les Voyelles », nous avons préféré le texte du manuscrit autographe, intitulé « Voyelles », retrouvé dans les papiers d'Émile Blémont, le directeur de *La Renaissance littéraire et artistique*.
4. Pour « Oraison du soir », nous avons également préféré le texte du manuscrit autographe, qui a appartenu à Léon Valade.

Il demeure quelques morceaux, et non des moindres, qui ne font pas partie du « Dossier Verlaine ». Mais nous savons que « Les Chercheuses de poux » se trouvait dans les papiers de Verlaine, que « Paris se repeuple » faisait partie du second envoi adressé par Rimbaud à Verlaine. Et pour « Le Bateau ivre », ce morceau de bravoure que Rimbaud emportait avec lui à Paris, il existe une copie non paginée de la main de Verlaine.

Tout cela, on le voit, ne va pas sans quelque incertitude. On est surpris de voir dans ce « Dossier Verlaine » un poème de 1870, « Les Effarés » — pour lequel Verlaine eut toujours une prédilection. Et on est en droit de se demander si telle ou telle des autres pièces n'a pu être composée par Rimbaud après son arrivée à Paris. Car, il faut bien l'avouer, pour les quatre derniers mois de l'année 1871, le butin est mince. Il manque ce « grand poème » que Rimbaud projetait d'écrire et dont le texte est perdu ou détruit, s'il l'a jamais écrit.

---

1. Pour l'histoire du « Cahier Verlaine », on consultera l'édition critique des *Poésies* par Bouillane de Lacoste, pp. 29 *sqq*., et l'article de Pierre Petitfils sur « Les Manuscrits de Rimbaud », § VII. Nous avons abordé le problème à notre tour dans *Rimbaud, — Projets et réalisations*, Champion, 1983.

Les Assis (pp. 269-271)

Copie de Verlaine, pp. 1 et 2 du cahier. Fac-similé, Textuel, pp. 48-49. • Selon Delahaye, la pièce aurait été écrite dans la première moitié de 1871, ce qui est probable. Le même Delahaye l'aurait recopiée pour l'envoyer à Verlaine (avec « Les Effarés », « Accroupissements », « Les Douaniers », et « Le Cœur volé ») pour accompagner la première lettre adressée par Rimbaud à l'auteur des *Poèmes saturniens*. Plus suspect, le témoignage de Verlaine dans *Les Poètes maudits*, où il publie pour la première fois « Les Assis » : Rimbaud aurait écrit le poème alors qu'il était en seconde pour se venger du bibliothécaire en chef de Charleville, M. Hubert. Celui-ci a fort bien pu être sa tête de Turc à la fin de l'année 1870 et au début de l'année 1871. C'est alors en effet que Rimbaud semble avoir fréquenté le plus assidûment la bibliothèque municipale. Mais surtout ce n'est pas la première fois qu'il s'en prend au bureau et aux « bureaux » — c'est-à-dire aux bureaucrates. Il suffit de songer à la fin des « Reparties de Nina », ou à la pièce « À la Musique ». Son style a gagné en verve, en invention, en liberté.

L'Homme juste (pp. 271-273)

Nous reproduisons ici le texte, nécessairement approximatif, qui a été établi par Paul Hartmann (*Œuvres* de Rimbaud, Club du Meilleur livre, 1957), d'après un manuscrit autographe de l'ancienne collection Barthou. Fac-similé, Textuel, pp. 71-72. Le titre « L'Homme juste » n'y figure pas. On le trouve en revanche dans le dossier Verlaine (« L'Homme juste » [suite]) en haut de la page 7 avant cinq vers qui constituaient alors la dernière strophe d'un poème de 75 vers, daté de juillet 1871 :

> Et cependant silencieux sous les pilastres
> D'azur, allongeant les comètes et les nœuds
> D'univers, remuement énorme sans désastres
> L'Ordre, éternel veilleur, rame aux cieux lumineux
> Et de sa drague en feu laisse filer les astres
> (strophe biffée. Fac-similé, Textuel, p. 50).

La version autographe ne contient que 55 vers : est-elle incomplète, amputée du début ? ou bien Rimbaud a-t-il supprimé les premières strophes et ajouté deux strophes finales ? Cette version est-elle antérieure ou postérieure à celle qu'a recopiée Verlaine ? Autant de questions auxquelles il est impossible de répondre. Il est évidemment regrettable que les pages 3 à 6 du dossier Verlaine, qui contenaient le début de « L'Homme juste », aient été arrachées.

• Les incertitudes du texte rendent difficile l'interprétation de ce poème. De plus on ignore quel rapport il convient d'établir entre « L'Homme juste » et « Les Veilleurs », ce poème perdu qui était, selon Verlaine, la plus grande œuvre de Rimbaud. On peut faire observer à ce propos que le mot « veilleur » se trouve dans le texte conservé. De plus, Rimbaud se réfère à certains passages de l'Évangile où le mot a une importance très grande : l'exhortation à la vigilance suivant l'annonce des catastrophes cosmiques qui se produiront à la fin du monde (« Veillez donc, parce que vous ne savez pas quel jour votre Maître va venir », Matthieu, XXIV, 42), la solitude du Christ au mont des Oliviers (« Alors il vint vers les disciples et leur dit : "Vous dormez encore et vous vous reposez ! Voici qu'est toute proche l'heure où le Fils de l'homme va être livré aux mains de pécheurs. Levez-vous ! Partons ! Voici qu'est tout proche celui qui me livre" », Matthieu, XXVI, 45-46), la passion de Jésus (le corps, puis le sépulcre sont gardés par des veilleurs). Mais, comme il le fera dans ses proses dites évangéliques, le poète prend l'Évangile à rebours, et il nous présente à la fois un contre-évangile et une contre-apocalypse (les passages de l'Évangile qu'il reprend étant eux-mêmes fortement apocalyptiques). Le Maudit — l'Antéchrist — s'oppose au Juste (qui n'est d'ailleurs pas seulement le Christ) : il le traite avec dérision, avec mépris, et finit par l'injurier. Il n'est d'ailleurs pas sûr que « l'Ordre, éternel veilleur » en soit troublé pour autant. L'échec du Juste pourrait bien être redoublé par l'échec du Révolté. On a rapproché le poème du « Reniement de saint Pierre » de Baudelaire et du « Qaïn » de Leconte de Liste. Il s'en distingue au moins par une énergie plus grande et une liberté de langage qui va jusqu'à l'obscurité.

Voir Yves Reboul, « A propos de *L'Homme juste* », dans *Circeto* n° 2, février 1984. Avec beaucoup d'ingéniosité, le commentateur voit dans le poème une allusion à Victor Hugo et à son attitude platement conciliatrice au lendemain de la Commune.

Tête de faune (pp. 273-274)

Un seul manuscrit : la copie de Verlaine (p. 7 du cahier). Fac-similé, Textuel, p. 50. La première version imprimée (dans *La Vogue*, 7-14 juin 1886) comporte plusieurs variantes qui peuvent laisser supposer l'existence d'un autre manuscrit. Il était pour le moins incongru de placer ce poème parmi les *Illuminations*.

• On ignore quelle est la date exacte de la rédaction de ce poème. Y relevant l'inspiration des « bohémienneries » et des analogies dans la facture, M.-A. Ruff (*op. cit.*, p. 43) propose de le rattacher à la deuxième série du recueil Demeny. C'est peu probable : « Tête de faune » présente dans l'expression des verlainismes, qui pourraient bien avoir cherché à plaire à Verlaine. Le sujet d'ailleurs est verlainien, et rappelle les *Fêtes galantes*. Il est vrai qu'il est plus largement parnassien (on a fait des rapprochements avec « Le Faune » de Victor de Laprade, avec « À Victor Hugo » et « Une femme de Rubens » de Banville, avec *Les Glaneuses* de Demeny ; et rappelons que dès 1865 Mallarmé donnait une première version de *L'Après-Midi d'un faune*). On trouvait déjà les « faunes animaux » dans « *Credo in unam* », mais la manière de Rimbaud a changé : touches subtiles, impressionnisme incertain d'où surgit un sourire persistant.

Une étude très détaillée de ce poème, due à Marc Dominicy, « *Tête de faune* ou les règles d'une exception », a paru dans *Parade sauvage*, n° 15, novembre 1998, pp. 109-188.

Le Cœur volé (pp. 274-275)

Copie de Verlaine, p. 8 du cahier, avec la date et la mention « 24 vers ». C'est la troisième version du poème qu'adressait Rimbaud à Izambard le 13 mai et à Demeny le 10 juin. C'est en août que Delahaye a recopié, pour l'envoyer à Verlaine, cette ultime version qui figurait dans le premier envoi qui lui fut fait.

• Comme l'a noté Émilie Noulet (*Le Premier Visage de Rimbaud*, p. 256), le titre a été adouci. Peut-être parce que les événements de mai se sont éloignés encore davantage et que Rimbaud se sent de plus en plus frustré de toute possibilité d'action.

Les Mains de Jeanne-Marie (pp. 275-277)

Manuscrit retrouvé en 1919 et appartenant à la collection A. Bertaut. On en trouvera un fac-similé en tête de l'édition critique des *Poésies* de Rimbaud par Bouillane de Lacoste et dans Textuel, pp. 67-68. L'écriture est celle de Rimbaud, sauf pour la strophe 8 (ajoutée dans la marge) et les strophes 11 et 12 (ajoutées à la fin avec un renvoi) qui sont de la main de Verlaine. La pagination (9 et 10), de la main de Verlaine, semble bien indiquer que le texte avait été inséré à cette place dans le cahier (où manquent précisément les pages 9 et 10) ; d'autant plus que le compte de vers (64) figure en bas de la pièce comme pour les autres poèmes.

• Les femmes ont joué un rôle important lors du siège de Paris, décisif pendant la Commune. Au début de l'année 1871, organisées en comités de quartier, elles ont même le projet de constituer un bataillon, « les Amazones de la Seine ». Le 18 mars, elles paralysent la troupe en encombrant les rues. Le 2 avril, elles veulent marcher sur Versailles. Pendant la Semaine sanglante, elles tiennent divers lieux de Paris, en particulier la barricade de la place Blanche, où elles sont 120 — 120 femmes qui seront exterminées. Comme l'écrivait Jules Vallès, « quand les femmes s'en mêlent, quand la ménagère pousse son homme, quand elle arrache le drapeau noir qui flotte sur la marmite pour le planter entre deux pavés, c'est que le soleil se lèvera sur une ville en révolte ». Ces femmes de Paris, Rimbaud les a chantées sous le nom de Jeanne-Marie (peut-être en souvenir d'une Communarde, Anne-Marie Menand, dite « Jeanne-Marie », l'une des « pétroleuses »). Et l'on sait, par la lettre à Demeny du 15 mai 1871, quelle place nouvelle pour lui la poésie devait faire à la femme.

Comme il le fait à maintes reprises en 1871, Rimbaud reprend un thème et une forme chers à la poésie « artiste » : J. Gengoux a eu raison de montrer la parenté qui existe entre les « Études de mains » de Théophile Gautier, dans *Émaux et Camées*, et « Les Mains de Jeanne-Marie ». Mais il ne saurait s'agir que d'une reprise parodique. D'où le mouvement négatif, venant après un mouvement interrogatif, qui renvoie toutes les études de mains connues, et toutes les femmes ainsi célébrées d'ordinaire, pour ne laisser en place que les mains de Jeanne-Marie, leur énergie, la lumière d'espoir dont elles furent nimbées, leur sort douloureux en des temps de répression.

Voir Ross Chambers, « Réflexions sur l'inspiration communarde de Rimbaud », dans la série « Arthur Rimbaud » de la *Revue des Lettres Modernes*, n° 2, 1973.

Les Effarés (pp. 277-278)

Copie de Verlaine, pp. 11 et 12 du cahier. Compte : 36 vers.

• Le cas de ce poème est exceptionnel. Alors que, le 10 juin 1871, Rimbaud demande à Demeny de brûler tous les poèmes qu'il lui a laissés l'année précédente, il envoie « Les Effarés » à Jean Aicard, avec une dédicace, ce même mois de juin ; en août il fait recopier ce poème par Delahaye à l'intention de Verlaine (voir *Souvenirs familiers à propos de Rimbaud*, chapitre X). Or une première version figurait dans le recueil Demeny. Peut-être le sujet était-il redevenu, à la suite de la guerre et de la Commune, d'une actualité brûlante. Ajoutons qu'une étrange version du poème a été publiée par une revue anglaise, *The Gentleman's Magazine*, en janvier 1878, sous le titre « Les Petits Pauvres ».

Les Voyelles / Voyelles (pp. 279-280)

La copie de Verlaine, p. 15 du cahier (première version), n'est pas exactement semblable au texte autographe que Rimbaud, sans doute un peu plus tard, a donné à Émile Blémont (deuxième version, manuscrit de la Maison de la Poésie dont on trouvera un fac-similé dans l'*Album Rimbaud*, p. 115, et dans Textuel, p. 91). Le titre même est différent : « Les Voyelles ». Aucun des manuscrits n'est daté. Delahaye a lui-même hésité entre le début et la fin de l'année 1871 : cette seconde hypothèse est la plus fréquemment retenue.

• Nul poème de Rimbaud n'a été plus glosé que « Voyelles ». À tel point qu'un volume entier d'Etiemble a pu être consacré à ces gloses elles-mêmes (*Le Sonnet des « Voyelles »*, Gallimard, coll. « Les Essais », 1968). Cet excès nous invite à la sobriété. Renvoyant dos à dos les tenants de l'abécédaire illustré et ceux de l'occultisme, nous rappellerons que Rimbaud a été, dans « Alchimie du verbe », le premier et le plus sûr commentateur de son poème : l'expérience du Voyant l'a amené à « invent[er] la couleur des voyelles » dans un stade préparatoire qui pouvait avoir des aspects ludiques (sans qu'il s'agisse pour autant d'une « fumisterie », comme on l'a prétendu), mais surtout la valeur d'une recherche sur le son et la forme des lettres, et leur pouvoir d'évocation. Les images naissent et passent, jusqu'à la vision finale qui se fixe sur un point d'exclamation. « Images purement intuitives, personnelles » qui, comme l'écrit fort justement Louis Forestier, « sont, déjà, des illuminations ».

Voir Yves Bonnefoy, « Quelques remarques sur *Voyelles* », dans *Rimbaud. — Tradition et modernité*, textes recueillis par Bertrand Marchal, Éditions Interuniversitaires, 1992, pp. 11-15. Le grand poète rattache « Voyelles » aux « Correspondances » de Baudelaire, mais pour mieux marquer la différence : Rimbaud est « tout entier dans l'instant du désir violent : exclamatif ».

« L'étoile a pleuré rose... » (p. 280)

Copie de Verlaine, p. 15 du cahier, après « Les Voyelles ». Fac-similé, Textuel, p. 92. La mention « 4 vers » indique nettement qu'il s'agit là d'un poème complet et non d'un fragment, comme on l'a parfois supposé.

• Mystérieux, ce quatrain se présente comme un blason du corps féminin construit sur un tour stylistique obsédant (la conjonction du verbe et de l'adjectif employé comme adverbialement). Il n'est pas impossible que le dernier vers reprenne (librement) l'indication qui figure dans l'Évangile selon saint Jean (XIX, 33) : après la mort de Jésus, l'un des soldats « de sa lance, lui piqua le côté, et il sortit aussitôt du sang et de l'eau ».

Les Douaniers (pp. 280-281)

Copie de Verlaine, haut de la page 16 du cahier. Fac-similé, Textuel, p. 51. Date de rédaction inconnue. Elle est antérieure à août 1871 : ce mois-là, Delahaye recopie le poème, à la demande de Rimbaud, pour l'envoyer à Verlaine, et le joindre à la première lettre.

• C'est l'un de ces poèmes que, dans son article sur Rimbaud des *Poètes maudits*, Verlaine se plaint d'avoir perdus. On a pourtant une copie de sa main, publiée pour la première fois dans la *Revue littéraire de Paris et de Champagne*, en 1906. Contrairement à M.-A. Ruff, nous pensons que ces vers sont nettement postérieurs à octobre 1870 et qu'ils ont probablement été écrits après le traité de Francfort (10 mai 1871) mettant fin à la guerre avec la Prusse — avec quelle amputation du territoire français ! Contrairement à Antoine Adam, nous pensons qu'il convient d'identifier les « soldats des Traités » et les douaniers : sinon, le mouvement du sonnet devient incompréhensible.

Les *Souvenirs familiers* de Delahaye permettent d'éclairer en partie le texte : en juillet 1871, il franchissait souvent avec Rimbaud la frontière belge, ne passant que deux paquets de tabac déjà entamés. Mais « le douanier est méfiant, le devoir du douanier est de ne pas croire à la sincérité des paroles humaines. En sorte que, malgré nos figures honnêtes, on était tout de même... palpés. Un léger tapotement de la main ouverte sur l'épigastre, un autre, simultanément, dans le dos... ce n'est rien comme « passage à tabac » ; mais quand on est un nerveux tel que Rimbaud, cette auscultation manuelle a quelque chose, paraît-il, de fort désagréable, et il n'a pu s'empêcher de dire son agacement dans le petit poème qui se termine ainsi :

« Enfer aux Délinquants que sa paume a frôlés ! » (chapitre IX).

Oraison du soir (pp. 281-282)

Manuscrit autographe, donné par Rimbaud à Léon Valade, l'un des membres du Cercle zutique (Bibliothèque municipale de Bordeaux). Fac-similé, Textuel, p. 52. La copie faite par Verlaine (bas de la page 16 du

cahier) est légèrement différente ; elle est probablement postérieure (la répétition de « puis » a été corrigée).
• Cette « Oraison du soir » ne peut dater d'octobre 1870, comme le suggère M.-A. Ruff. Et ce n'est pas parce que Valade en avait une copie qu'on est obligé de supposer que le poème a été écrit lors du séjour de Rimbaud à Paris, à la fin 1871. Le ton est plutôt assorti au comportement que se donne Rimbaud au début de l'année de la Commune. Les « trente ou quarante chopes » invitent à penser aux mois chauds de l'été. « Poème stercoraire », dit Suzanne Bernard : disons que Rimbaud se découvre avec fureur du côté des « assis », des « accroupis » qu'il poursuit pourtant de ses sarcasmes ; et les excréments de l'âme — les rêves — se révèlent tout aussi méprisables que ceux du corps.

Les Sœurs de charité (pp. 282-284)

Copie de Verlaine (pp. 17 et 18 du cahier) avec le compte (40 vers) et la date (juin 1871). Fac-similé, Textuel, pp. 69-70.
• L'indication chronologique est précise et confirmée par Delahaye, qui nous apprend que le poème a été adressé quelque temps après à Verlaine. Pourtant M.-A. Ruff et à sa suite A. Adam la contestent, rappelant la lettre à Demeny du 17 avril 1871 : « Oui, vous êtes heureux, vous [Demeny venait de se marier]. Je vous dis cela. — et qu'il est des misérables qui, femme ou idée, ne trouveront pas la Sœur de charité ». Ce n'est pas une raison suffisante, à notre avis, pour dater « Les Sœurs de charité » de février-mars 1871, et y retrouver l'écho des désillusions parisiennes ou de quelque déception sentimentale. L'idée et le motif ont simplement fait leur chemin. Leur origine : Baudelaire surtout, qui invoque « mon enfant, ma sœur », mais évoque aussi « Les Deux Bonnes Sœurs », la Débauche et la Mort, ultime recours pour le poète des *Fleurs du mal*, dernière « sœur de charité » pour Rimbaud.

Les Premières Communions (pp. 284-290)

Copie de Verlaine, pp. 19 à 24 du cahier, sans compte de vers, mais avec indication de date. Fac-similé, Textuel, pp. 81-86.
• Verlaine reçut « Les Premières Communions », dans un texte transcrit par Delahaye, à la fin de l'été 1871. C'était le deuxième envoi (avec « Mes Petites amoureuses » et « Paris se repeuple ») accompagnant une nouvelle lettre. Il devait plus tard en citer un quatrain (de mémoire sans doute) dans *Les Poètes maudits*, avant de récupérer la copie qu'il avait laissée à

Coulommes et qui fut publiée dans *La Vogue* du 11 avril 1886. Une autre copie, meilleure, figure à la fin du cahier. La date indiquée est « juillet 1871 » : pourtant, selon Delahaye, le poème a été écrit pendant la première partie de l'année, et on a pu penser qu'il avait été inspiré à Arthur par la première communion de sa sœur Isabelle le 14 mai. On retrouve ici plusieurs thèmes déjà illustrés par les poèmes précédents : l'opposition des riches et des pauvres à l'église (« Les Pauvres à l'église »), la haine des Tartuffes (« Le Châtiment de Tartufe »), le trouble des premiers émois sexuels (« Les Poètes de sept ans »), l'impossible amour de l'homme et de la femme (« Les Sœurs de charité ») et la vision de la nature en rut, seule déesse véritable, qui nous ramène à « *Credo in unam* ». Mais c'est la satire vengeresse qui l'emporte. Comme l'écrit André Thisse (*Rimbaud devant Dieu*, Corti, 1975, p. 36), « il ne pouvait s'en prendre plus violemment au Christ [...]. Le Christ est présenté comme une sorte de vampire mâle transmettant ses maladies en faisant l'amour avec une fille malade qui “fait la victime et la petite épouse” et qui passera “sa nuit sainte dans les latrines”. C'est une nouvelle et plus terrible dérision du *Cantique des cantiques* ».

Voir Steve Murphy, « *Les Premières Communions* : “monstre hybride” né de “quelque cafouillage” ? », dans *Parade sauvage* n° 10, juillet 1994, pp. 7-28. Ces pages de polémique à propos de problèmes philologiques permettent une mise au point précise sur les états du texte.

Les Chercheuses de poux (p. 290)

Il n'existe de ce texte ni manuscrit autographe connu ni copie de Verlaine. Pourtant Mathilde Verlaine trouva en 1872 un manuscrit des « Chercheuses de poux » parmi les papiers de son mari et Louis Pierquin affirme en avoir eu un entre les mains. Félicien Champsaur, en 1882, avait déjà inséré les strophes 3 et 4 (selon une version fautive) dans son roman à clef *Dinah Samuel*. La pièce parut dans *Lutèce* (19-26 octobre 1883) et fut reprise dans *Les Poètes maudits* de Verlaine en 1888. Bref, elle est si liée au nom de Verlaine qu'on peut aisément la classer dans ce « dossier Verlaine » à la suite du cahier.

• Plusieurs clefs ont été proposées pour ce poème. Pour Paterne Berrichon, les « chercheuses de poux » étaient Mme Hugo et Mme de Banville, venues rendre visite à Rimbaud dans sa petite chambre parisienne ; le poème daterait alors de 1872. Mais c'est là pure légende. L'hypothèse de Pierre Petitfils est plus séduisante : Arthur se souviendrait de son séjour à Douai chez les demoiselles Gindre, qui l'auraient épouillé à sa sortie de

Mazas (« Rimbaud à Douai, ou "Les Chercheuses de poux" retrouvées », *Bulletin du bibliophile*, 1945, n°s 5 à 10, pp. 227-234). Il y avait un jardin devant la maison et — preuve supplémentaire aux yeux de Suzanne Bernard — Izambard avait indiqué, sur une chemise groupant des lettres à ses « tantes » : « CAROLINE. La chercheuse de poux ». Le poème daterait de septembre ou d'octobre 1870. Mais Rimbaud s'accorde des licences poétiques qu'il ne se serait pas accordées à cette date, et il semble au contraire qu'il soit arrivé à Douai propre et décemment vêtu. Malgré ces hypothèses, malgré le témoignage de Delahaye (qui date également le poème de 1872), il est certain que ces vers prennent place dans la production si caractéristique de l'année 1871. Pourquoi d'ailleurs recourir à la seule biographie ? Comme l'a noté justement M.-A. Ruff, « la scène est *vue* plutôt que *vécue* » (*op. cit.*, p. 86). Mieux encore : rêvée. Ce sont encore deux « sœurs de charité », et deux trompeuses, que ces « deux grandes sœurs charmantes » et féeriques, même si pour un instant elles ont essuyé le front de l'enfant. Et les sœurs Gindre étaient trois...

Paris se repeuple (pp. 291-293)

Il n'existe pas de manuscrit autographe de ce poème. Selon Delahaye le texte, recopié par ses soins, accompagnait la seconde lettre adressée par Rimbaud à Verlaine en août-septembre 1871 (avec « Mes Petites amoureuses » et « Les Premières Communions »). Verlaine l'a peut-être reconstitué de mémoire quand il l'a reproduit partiellement dans *Les Poètes maudits* (1883-1884). En 1888 il semble qu'il ait retrouvé une copie de sa main (deux des pages qui manquent au « cahier Verlaine » ?) : il la confia à Ernest Raynaud, pour une publication dans *La Plume* (numéro du 15 septembre 1890). Plusieurs variantes apparaissent encore dans le texte qu'il donne à l'éditeur Vanier en 1895. Faute de mieux, nous reprenons le texte habituellement adopté.

• *La Plume* et l'édition Vanier, puis les autres donnent comme date : mai 1871. Est-elle de Rimbaud ? A-t-elle été inventée par Verlaine ou par Raynaud ? Toujours est-il que d'emblée le poème a été compris comme une évocation de Paris après la Commune et le triomphe des Versaillais. D'autres éditeurs (Louis Forestier, Antoine Adam) ont pourtant été tentés de reprendre l'hypothèse formulée par Marcel A. Ruff : il s'agirait de la fin du siège de Paris par les Allemands. Certaines des raisons avancées méritent de retenir l'attention : la différence de style avec les autres poèmes inspirés par la Commune ; le témoignage direct de Rimbaud, certain dans le premier cas, douteux dans le second ; des rapprochements avec

« Le Sacre de Paris » de Leconte de Lisle ou la « Ballade parisienne » publiée le 6 mars 1871 par Eugène Vermersch dans *Le Cri du peuple*. Nous restons pour notre part fidèle à l'interprétation traditionnelle (allusion au printemps presque achevé, à l'incendie des palais, etc.) qui n'exclut pas, par moments, la superposition du souvenir des événements de février-mars (le défilé des Allemands dans Paris le 1er mars en particulier).

Les lâches à qui s'adresse d'abord Rimbaud, ce sont les « Ruraux » — ou ceux qui le sont devenus : ils peuvent entrer ou rentrer dans la capitale, y retrouver leurs intérêts, leurs plaisirs, fouiller le ventre de « la putain Paris », que ces bons apôtres font passer pour une cité martyre, une « Cité sainte ». Mais aussi vigoureuse que Jeanne-Marie et que toutes les femmes qui luttèrent sur les barricades, Paris saura dans l'avenir se venger. Après avoir feint d'épouser le point de vue des lâches, après les avoir menacés, le poète peut invoquer Paris et lui dire son espoir.

Voir l'excellente mise au point d'Yves Reboul dans la longue note qu'il consacre à ce poème dans l'édition *Œuvre-vie*, 1991, pp. 1083-1084. Il doute que soit de Rimbaud l'autre titre sous lequel sont connus ces vers, « L'Orgie parisienne ».

Le Bateau ivre (pp. 293-298)

Copie de Verlaine. Fac-similé dans *Le Manuscrit autographe*, Blaizot, novembre-décembre 1927. Cette copie ne fait pas partie du cahier. Fac-similé, Textuel, pp. 87-90.

• « Le Bateau ivre » est habituellement considéré comme le dernier des poèmes écrits par Rimbaud avant son « grand départ » pour Paris, donc en septembre 1871. Le texte ne figurait pas dans ses précédents envois à Verlaine (ce qui laisse supposer, comme le dit justement M.-A. Ruff, qu'il n'était pas encore écrit). « La veille de son départ », rapporte Delahaye, « il voulut faire une dernière promenade aux environs de Charleville. C'était en septembre, la lumière était glorieuse et douce, l'air léger d'une tiédeur charmante : tout invitait à l'espoir, tout s'associait à la joie de cette liberté conquise. Nous nous assîmes à la lisière d'un bois. "Voilà, dit-il, ce que j'ai fait pour *leur* présenter en arrivant." Et il me lut *Bateau ivre*. À l'audition d'une aussi éclatante merveille, je célébrai à l'avance l'entrée foudroyante qu'il ferait ainsi dans le monde littéraire : qui se refuserait à admirer tout de suite et sans réserve ? Le succès immédiat, la gloire prochaine étaient hors de doute... Rimbaud, après l'émotion passagère que lui avait donnée cette lecture, demeura triste et abattu. "Ah ! oui, reprit-il, on n'a rien écrit encore de semblable, je le sais bien. Et cependant ? Ce monde de lettrés, d'artistes ! Les salons ! Les élégances ! Je ne sais pas me tenir, je suis gauche, timide, je ne sais pas parler... Oh ! pour la pensée, je ne crains personne, mais... Ah ! qu'est-ce que je vais faire là-bas ?" » (« Histoire d'un cerveau français. Étude sur Arthur Rimbaud », dans *L'Arc-en-ciel*, juillet 1900).

Quel crédit faut-il accorder à ce récit ? On l'ignore. Mais on peut s'étonner que ce poème de l'échec devienne un chant de triomphe. Le texte de Rimbaud, à dire vrai, ne va pas sans contradictions — chef-d'œuvre qui sent la hâte, narration sur un sujet d'école (ingénieusement formulé par Robert Faurisson : « Un bateau, perdant son équipage, part à la dérive. Vous le ferez parler. Vous montrerez la joie qu'il éprouve d'abord à se sentir libre, puis son désarroi, enfin le désir qui lui vient de retrouver son port d'attache et ses maîtres), toute pleine de réminiscences livresques (les « sourciers » s'en sont donné à cœur joie...) aboutissant à une confession puissamment originale.

Les opinions divergent sur le contenu de cette confession. Un souvenir d'enfance, pour Delahaye ; Arthur et son frère se plaisaient, rapporte-t-il, à jouer aux navigateurs sur une barque retenue par une chaîne à la rive de la Meuse. L'aventure de la Commune, selon M.-A. Ruff. Plus probablement, l'histoire du Voyant, et la libération radicale de l'hiver 1870-1871 (« l'autre hiver »), « la libération totale de l'esprit » s'achevant sur une « défaite intellectuelle » (Émilie Noulet).

Pour lire aujourd'hui « Le Bateau ivre » comme il doit être lu, il faut laisser de côté la question des sources, le rapprochement avec « Le Vieux Solitaire » de Léon Dierx (qui se soucie encore de Léon Dierx ?), il faut éviter de le tirer du côté du *Parnasse* sans négliger le fait que Rimbaud avait quelque temps été sensible au mirage parnassien. Il faut bien plutôt retrouver l'étonnement de certains des premiers auditeurs devant un souffle, même s'il est porté par ce que Claudel a appelé à propos de Hugo un « patron dynamique » (la répétition de « J'ai vu », en particulier, degré encore élémentaire de l'expression du Voyant), même s'il retombe au moment du retour dans la flache ardennaise, quand le « bateau frêle comme un papillon de mai » que lâche un enfant rend le Bateau au terme de son ivresse aussi dérisoire que l'Invincible Armada auprès de la Rose de l'Infante. On ne peut qu'être sensible à ce que Verlaine a appelé « l'entrée dans la Force splendide », celle qui domine quelque temps « les clapotements furieux des marées », les délires des courants, l'assaut de la houle, avant un éclatement ruineux. De l'aventure, proprement *romanesque* encore, au sens rimbaldien du terme, demeureront des images vives, et elles sont bien, « nuit verte aux neiges éblouies », « incroyables

Florides / Mêlant aux fleurs des yeux de panthères à peaux / D'hommes », « péninsules démarrées », « serpents géants dévorés des punaises », « poissons chantants » ou « poissons d'or », de ces visions dont la seconde lettre du Voyant pouvait dire : « Il arrive à l'inconnu, et quand, affolé, il finirait par perdre l'intelligence de ses visions, il les a vues ! » Mais là encore, et plus que jamais, l'affolement va de pair avec le raisonnement, tout est contrôlé dans cette progression massive, cet élan audacieux qui est la forme marine, et superlative, de l'ancienne bohémiennerie.

Les Déserts de l'amour (pp. 299-302)

Ce texte était joint au « cahier Verlaine ». André Guyaux (art. cit., p. 55) le rattache à un éventuel « recueil Forain ». Manuscrit de l'ancienne collection Louis-Barthou, puis propriété de Mendel Mircea, qui le légua en 1985 à la Bibliothèque Nationale. Fac-similé, Textuel, pp. 108-110. Deux feuillets écrits recto verso : le premier feuillet comprend au recto le titre, au verso l'« Avertissement » ; le second feuillet comprend au recto le premier rêve (« C'est, certes, la même campagne »), au verso le second (« Cette fois, c'est la Femme que j'ai vue dans la Ville »), le titre étant répété sur les deux faces de ce feuillet. Le texte a été publié pour la première fois en septembre 1906 dans *La Revue littéraire de Paris et de Champagne*, grâce à Delahaye qui avait transmis à René Aubert, le directeur de cette publication, une copie prise par le journaliste Georges Maurevert d'un manuscrit joint au « cahier Verlaine », qui était tombé entre les mains du dessinateur Forain puis du chansonnier Millanvoye (c'est à ce dernier que Barthou devait l'acheter).
• La date est controversée. Delahaye a affirmé que, mû par l'exemple de Baudelaire, Rimbaud aurait écrit au printemps 1871 « le commencement d'une série ayant pour titre *Les Déserts de l'amour* » (*Rimbaud, l'artiste et l'être moral*, p. 36). Bouillane de Lacoste croit découvrir sur le manuscrit l'écriture de 1872 [1] ! On lira une discussion sur ce point dans le *Rimbaud* de M.-A. Ruff (p. 142) et le *Rimbaud par lui-même* d'Yves Bonnefoy (p. 74). L'un et l'autre penchent pour 1872, en raison du ton du texte. Il ne pourrait s'agir, à notre avis, que du début de l'année 1872. Mais l'histoire du manuscrit semble bien inviter à remonter jusqu'à 1871.

Les deux rêves, il est vrai, pourraient compléter la série des fantasmes

---

1. Sur cette question, voir l'article de Roger Pierrot, « Verlaine copiste de Rimbaud : les enseignements du manuscrit Barthou de la Bibliothèque Nationale », dans la *Revue d'Histoire Littéraire de la France*, mars-avril 1987, pp. 219-220.

que reprendra, pour en faire un bilan négatif, « Alchimie du verbe ». Les deux femmes aimées sont deux images du bonheur dont la fatalité est de s'enfuir ; et ces rêves sont bien de ces « rêves les plus tristes » qu'on fait couché ou debout (« dans un lit ou dans les rues ») et qui devaient conduire Rimbaud aux confins du monde et de la nuit.

Mais la forme reste timide, surtout dans le compte rendu du second rêve. Avec des audaces de syntaxe pourtant, et des éclairs. La prose n'a pas encore pris le relais du vers. Mais elle « commence à s'affirmer dans une fonction d'analyse, de connaissance et d'aveu. Plus patiente et sceptique que le vers, elle exprime mieux les forces réelles qui paralysent [le] cœur [de Rimbaud]. *Les Déserts de l'amour* ont la beauté augurale de la conscience » (Yves Bonnefoy, *op. cit.*, p. 75).

Voir Yves Reboul, « Sur la chronologie des *Déserts de l'amour* », dans *Parade sauvage* n° 8, septembre 1991, pp. 46-52, et André Guyaux, « *Les Déserts de l'amour* », dans *Rimbaud. — Strategie verbali e forme della visione*, éd. ETS [Pise] et Slatkine [Genève], 1993, pp. 53-64.

Ce dernier commentateur, qui tend à situer ce texte assez tard tout en le distinguant des *Illuminations*, y trouve « l'esprit des formes évanescentes, celles-là même du rêve, l'illusion d'éterniser l'émotion, de retenir la donnée subjective dans un récit qui en présente l'inconsistance, la fluidité et le mystère ».

DE L'*ALBUM ZUTIQUE* (pp. 303-315)

Longtemps ignoré, trop souvent sous-estimé, cet album est instructif et délectable à la fois. On ne saurait trop en recommander la lecture dans l'édition intégrale par Pascal Pia, deux volumes, l'un de fac-similés, l'autre de transcriptions, Cercle du Livre précieux, 1961.

Il n'était pas question de donner ici le texte complet. Nous nous en sommes tenu à la participation de Rimbaud, soit en collaboration avec Verlaine (n° 4, « L'Idole »), soit seul — si c'est être seul que de parodier (n° 5, « Lys » ; n° 6, « Les lèvres closes » ; n° 7, « Fête galante » ; n° 8, « *J'occupais un wagon de troisième...* » ; n° 9, « *Je préfère sans doute...* » ; n° 10, « *L'Humanité chaussait...* » ; n°s 28 et 28 *bis*, « Conneries » ; n° 38, « Conneries 2e série » ; n° 42, « Vieux de la vieille ! » ; n° 43, « État de siège ? » ; n° 45, « Le Balai » ; n° 57, « Exil » ; n° 58, « L'Angelot maudit » ; n° 60, « *Les soirs d'été...* » ; n° 63, « *Aux livres de chevet...* » ; n° 84, « Hypotyposes » ; n° 90, « Les Remembrances du vieillard idiot » ; n° 91, « Ressouvenir »).

Nous avons négligé deux textes endommagés, même si Alain Borer s'est plu, par jeu, à les reconstituer.

On trouvera le fac-similé de ces poèmes dans l'édition Textuel, pp. 94-103, avec des lettres ornées et des dessins qu'il n'était pas possible de reproduire ici, sauf ceux qui accompagnent « Ressouvenir ».

L'Idole (p. 303)

Pièce n° 4 de l'*Album zutique*. Elle est attribuée à Albert Mérat, poète parnassien qui avait publié en 1869 chez Lemerre une plaquette de sonnets intitulée *L'Idole*. C'était une série de blasons du corps féminin (les yeux, la bouche, les dents, etc.). Verlaine et Rimbaud ont conjugué leurs talents de parodiste pour y ajouter le « sonnet du Trou du Cul ». Germain Nouveau complétera le tout par « L'idole. / Sonnet de la langue », qui figure également dans l'*Album zutique*.

La pièce a paru en 1903 dans un recueil posthume de Verlaine, *Hombres*, un texte moins sûr, et avec les indications suivantes : en face des deux quatrains, « Paul Verlaine *fecit* » ; en face des deux tercets, « Rimbaud *invenit* ».

Dans l'*Album zutique*, l'écriture est celle de Rimbaud.

Ce sonnet a été longuement commenté, d'une manière précise, et en particulier dans le livre de Steve Murphy, *Le Premier Rimbaud ou l'Apprentissage de la subversion*, éd. du CNRS, Presses Universitaires de Lyon, 1990. Nous renvoyons une fois pour toutes à ce livre important pour les pièces de l'*Album zutique*.

ANNEXE

LES STUPRA

Nous plaçons ici, et non parmi les textes dont l'authenticité est assurée, deux sonnets qui figurent habituellement dans les éditions sous le titre *Les Stupra*. Ce titre, qui signifie « Les obscénités », est celui sous lequel en 1923 l'éditeur Messein réunit dans une plaquette les deux sonnets ci-dessous et le « sonnet du Trou du Cul », *alias* « L'Idole », venu de l'*Album zutique*.

Pour les deux sonnets nouveaux, nous ne disposons d'aucun manuscrit autographe. Ernest Delahaye les avait reconstitués de mémoire avant de les communiquer à Verlaine, qui les a copiés à l'intention de Charles Morice dans une lettre du 30 octobre 1883 (voir Verlaine, *Lettres inédites à Charles Morice*, éd. Georges Zayed, Genève, Droz, 1964, pp. 45, 49,

55). Les Surréalistes surévaluèrent ces *Stupra* : André Breton et Louis Aragon jugèrent bon de les publier dans leur revue, *Littérature*.

I

Les anciens animaux saillissaient, même en course,
Avec des glands bardés de sang et d'excrément.
Nos pères étalaient leur membre fièrement
Par le pli de la gaine et le grain de la bourse.

Au moyen âge pour la femelle, ange ou pource[1],
Il fallait un gaillard de solide grément ;
Même un Kléber, d'après la culotte qui ment
Peut-être un peu[2], n'a pas dû manquer de ressource.

D'ailleurs l'homme au plus fier mammifère est égal ;
L'énormité de leur membre à tort nous étonne ;
Mais une heure stérile a sonné : le cheval

Et le bœuf ont bridé leurs ardeurs, et personne
N'osera plus dresser son orgueil génital
Dans les bosquets où grouille une enfance bouffonne.

II

Nos fesses ne sont pas les leurs. Souvent j'ai vu
Des gens déboutonnés derrière quelque haie,
Et, dans ces bains sans gêne où l'enfance s'égaie,
J'observais le plan et l'effet de notre cul.

Plus ferme, blême en bien des cas, il est pourvu
De méplats évidents que tapisse la claie

---

1. *Pource* : néologisme, féminin de *pourceau*. Verlaine demanda à son éditeur, Vanier, de placer ce fragment de vers, « Ange ou pource », en épigraphe à la série « Filles », dans *Parallèlement*. Cela ne fut pas fait. **2.** Jean-Baptiste Kléber (1753-1800), promu général en 1793, est représenté avantageusement à cet égard, grâce à son pantalon serré d'officier, par la statue due à Philippe Grass qui orne la place Kléber à Strasbourg, inaugurée en 1838.

Des poils ; pour elles, c'est seulement dans la raie
Charmante que fleurit le long satin touffu.

Une innocuité[1] touchante et merveilleuse
Comme l'on ne voit qu'aux anges des saints tableaux
Imite la joue où le sourire se creuse.

Oh ! de même être nus, chercher joie et repos,
Le front tourné vers sa portion glorieuse,
Et libres tous les deux murmurer des sanglots ?

Les Stupra étaient complétés par cette autre version du « sonnet du Trou du Cul », toujours reconstituée par la mémoire incertaine de Delahaye.

III

Obscur et froncé comme un œillet violet,
Il respire, humblement tapi parmi la mousse
Humide encor d'amour qui suit la rampe douce
Des fesses blanches jusqu'au bord de son ourlet.

Des filaments pareils à des larmes de lait
Ont pleuré sous l'autan cruel qui les repousse
À travers de petits caillots de marne rousse,
Pour s'aller perdre où la pente les appelait.

Mon rêve s'aboucha souvent à sa ventouse ;
Mon âme, du coït matériel jalouse,
En fit son larmier fauve et son nid de sanglots.

C'est l'olive pâmée et la flûte câline,
Le tube d'où descend la céleste praline,
Chanaan féminin dans les moiteurs enclos.

---

1. Texte de la copie de Verlaine. Certains éditeurs ont cru pouvoir rétablir « ingéniosité ». Mais où peut être l'authenticité avec un document de ce genre ?

Lys (p. 304)

Pièce n° 5 de l'*Album zutique*. Elle est attribuée à Armand Silvestre (1837-1901), qui avait publié en 1866 chez Dentu un recueil préfacé par George Sand, *Rimes jeunes et vieilles*. Il y répandait à profusion les lys et les roses. Rimbaud, dont on reconnaît aisément l'écriture, s'en moque dans cette parodie.

Les lèvres closes (p. 304)

Pièce n° 6 de l'*Album zutique*. L'écriture est celle de Rimbaud. Le premier titre est celui du recueil publié en 1867 par Léon Dierx chez Lemerre : *Les Lèvres closes*.

Fête galante (p. 305)

Pièce n° 7 de l'*Album zutique*. L'écriture est celle de Rimbaud qui parodie son ami Verlaine, dont les *Fêtes galantes* avaient paru chez Lemerre en 1869, et plus particulièrement la pièce intitulée « Colombine ».

« J'occupais un wagon de troisième... » et *« Je préfère sans doute... »* (pp. 305 et 306)

Pièce double n° 8 de l'*Album zutique*. L'écriture est celle de Rimbaud, qui a peut-être aussi dessiné les trois illustrations marginales. Il parodie les dizains de *Promenades et intérieurs*, dont dix-huit avaient paru dans *Le Parnasse contemporain*, en 1866. On les trouvera dans le volume des *Œuvres complètes de François Coppée, Poésies 1864-1887*, Lemerre, s.d., pp. 151-160.

« L'humanité chaussait le vaste enfant... » (p. 306)

Pièce n° 9 de l'*Album zutique*. L'écriture est celle de Rimbaud. Il s'en prend ici à Louis-Xavier de Ricard (1843-1911), le poète des *Chants de l'aube* (1862), de *Ciel, rue, terre et foyer* (1866), l'un des fondateurs du *Parnasse contemporain* : Ricard avait dirigé en 1863-1864 la *Revue du Progrès moral*.

Voir la note de Marc Ascione dans *Parade sauvage*, n° 1, octobre 1984, pp. 84-85, qui fait apparaître un effet de contrepèterie phonétique (« L'Humanité sauvait le chaste enfant Progrès »).

Conneries (pp. 307-308)

Pièces 28 et 28 *bis* de l'*Album zutique*, dans la disposition parallèle que nous reprenons ici. Écriture de Rimbaud.

Conneries 2e série (p. 308)

Pièce n° 38 de l'*Album zutique*. La deuxième série se réduit à une pièce, de la main de Rimbaud. Il y a plusieurs sonnets monosyllabiques dans le recueil.

Vieux de la vieille ! (p. 309)

Pièce n° 42 de l'*Album zutique*. L'écriture est de Rimbaud et met en valeur la date du 18 mars. Le Prince impérial, Louis, était en fait né le 16 mars 1856. D'où le jeu de mots facile, propre à toucher les « vieux de la vieille », c'est-à-dire les vétérans de la garde impériale.

État de siège ? (p. 309)

Pièce n° 43 de l'*Album zutique*. Attribuée à François Coppée, elle est de la main et de la plume de Rimbaud. On y retrouve son goût pour les jeux de mots (le siège de Paris, le siège de l'omnibus, le siège du conducteur — son derrière en piteux état).

Le Balai (pp. 309-310)

Pièce n° 45 de l'*Album zutique*. Attribuée à F[rançois] C[oppée], elle n'est pas contresignée des initiales A.R., mais elle est bien de l'écriture de Rimbaud.

Exil (pp. 309-310)

Pièce n° 57 de l'*Album zutique*. Elle n'est pas signée, mais on reconnaît l'écriture de Rimbaud. C'est le fragment d'une épître supposée de Napoléon III, l'empereur déchu, à son fidèle ami et médecin, le docteur (devenu sénateur) Henri Conneau, dont le nom avait fait les délices des Français.

L'Angelot maudit (pp. 310-311)

Pièce n° 58 de l'*Album zutique*. Il faudrait pouvoir reproduire l'extraordinaire Torné (dû sans doute au docteur Antoine Cros, l'un des zutistes) qui commence la pièce. Attribuée à Louis Ratisbonne, le poète moralisant de *La Comédie enfantine* (1860) et des *Petits Hommes* (1869), elle est écrite et contresignée par Rimbaud.

« *Les soirs d'été...* » (p. 311)

Pièce n° 60 de l'*Album zutique*, c'est encore un « vieux Coppée » dont Rimbaud est l'auteur. Le L initial est orné. Immédiatement avant sur la même page Rimbaud avait inscrit un autre dizain (que nous numéroterons 59) dont le texte est malheureusement mutilé. Même chose pour la pièce suivante (n° 61 « Bouts-rimés »).

« *Aux livres de chevet...* » (pp. 311-312)

Pièce n° 63 de l'*Album zutique*. Lettre initiale ornée, écriture de Rimbaud qui parodie une fois de plus les dizains de Coppée. C'est l'évocation de lectures anciennes, la « littérature démodée » dont parlera Rimbaud dans « Alchimie du verbe ».

Hypotyposes saturniennes, ex Belmontet (p. 312)

Pièce n° 84 de l'*Album zutique*, de la main de Rimbaud. Louis Belmontet, son auteur supposé, a vécu de 1799 à 1879. C'était un bonapartiste enragé et l'auteur de maint poème à la gloire de l'Empire. Il avait été député de Castelsarrasin après le coup d'État du 2 décembre.

L'hypotypose est une figure de rhétorique, ainsi définie par Pierre Fontanier dans *Les Figures du discours* (1825) : « L'Hypotypose peint les choses d'une manière si vive et si énergique, qu'elle les met en quelque sorte sous les yeux, et fait d'un récit ou d'une description, une image, un tableau, ou même une scène vivante ».

Voir, pour cette série d'hypotyposes, le commentaire très riche de Steve Murphy, dans *Rimbaud et la ménagerie impériale*, chapitre X et la note de Marc Ascione dans *Parade sauvage* n° 1, octobre 1984, p. 85.

Les Remembrances du vieillard idiot (pp. 313-314)

Pièce nº 90 de l'*Album zutique*. La pièce 19 du recueil, attribuée à Coppée et écrite par Verlaine, s'intitulait « Remambrances » (c'est-à-dire Souvenirs) et avait déjà pour sujet la masturbation. Celle-ci est due à Rimbaud, dont on reconnaît l'écriture et les initiales.

On trouvera un commentaire très complet de ce texte dans le livre de Steve MURPHY, *Le Premier Rimbaud ou l'Apprentissage de la subversion*, chap. II.

Ressouvenir (p. 314)

Pièce nº 91 de l'*Album zutique*. Elle est attribuée à François Coppée et Rimbaud ne la contresigne pas ; mais il s'agit indiscutablement de son écriture. En marge, un dessin représente le couple impérial. En bas, le profil de Napoléon III.

EN MARGE DE L'ANNÉE 1871 (pp. 316-317)

« *Qu'est-ce pour nous, mon cœur...* » (pp. 316-317)

Première publication dans *La Vogue*, nº 7, parmi les *Illuminations*, 7 juin 1886. Le poème y était placé entre « Soir historique » et « Démocratie ». Manuscrit autographe, non daté, de la collection Pierre-Bérès. Berrichon a donné à ce poème un titre apocryphe, « Vertige » — dont il vaut mieux se passer.

• C'est le plus inclassable, peut-être, des poèmes de Rimbaud. L'inspiration, la forme métrique assez peu audacieuse, incitent à le rattacher aux poèmes de la Commune (voir sur ce point M.-A. Ruff, *op. cit.*, p. 130). Mais Delahaye le datait de 1872. Et l'outrance de la fureur destructrice dépasse chez Rimbaud la circonstance et l'événement. Elle est indissociable d'un fantasme sans cesse brisé et sans cesse renaissant décrit dans l'Avant-propos d'*Une saison en enfer* : « J'ai appelé les fléaux, pour m'étouffer avec le sable, le sang ». Ici une ligne de prose y met fin (ce qui ne se produit jamais dans les poèmes de l'année 1871).

Etiemble et Yassu Gauclère ont rapproché ces vers de la première des *Illuminations*, « Après le Déluge », considérant même qu'il serait aisé d'imbriquer dans cette prose des fragments du poème (*Rimbaud*, p. 103). Une chose est certaine : Rimbaud va ici plus loin dans la violence que dans les poèmes de 1871, plus loin même que dans « Michel et Christine ». On songe à « Barbare », à « Guerre », à « Démocratie ». Seul l'alexandrin reste debout...

*

* *

LES POÈMES DU PRINTEMPS ET DE L'ÉTÉ 1872

Nous renonçons délibérément aux appellations antérieures, « Derniers vers » ou « Vers nouveaux et chansons ». Il est vrai que la datation de ces poèmes n'est pas toujours certaine. Sur l'intégration de certains de ces poèmes aux *Illuminations* dans *La Vogue* en 1886, voir plus loin, la notice sur les *Illuminations*.

ORIENTATION BIBLIOGRAPHIQUE

Alain BADIOU, « L'interruption », dans *Le Millénaire Rimbaud*, volume collectif préfacé par Jacques Rancière, Belin, collection « L'Extrême contemporain », 1993, pp. 131-135.

Bernard MEYER, *Sur les* Derniers Vers. — *Douze lectures de Rimbaud*, L'Harmattan, coll. « Poétiques », 1996.

ANNEXE

LETTRES DE VERLAINE À RIMBAUD (printemps 1872)

—1—

Paris, le 2 avril [18]72.

Du café de la Closerie des Lilas.

Bon ami,

C'est charmant, l'*Ariette oubliée* [1], paroles et musique ! Je me la suis fait déchiffrer et chanter ! Merci de ce délicat envoi ! Quant aux envois dont tu

---

1. C'est l'ariette chantée par Ninette dans *Ninette à la cour ou le Caprice amoureux*, une comédie de Favart jouée pour la première fois le 12 mars 1756 : « Le vent dans la plaine / Suspend son haleine. » Verlaine en fera l'épigraphe d'une de ses *Romances sans paroles*, « C'est l'extase langoureuse ».

me parles, fais-les *par la poste*, toujours à Batignolles, r[ue] Lécluse[1]. Auparavant, informe-toi des prix de port, et si les sommes te manquent, préviens-moi, et je te les enverrai par timbres ou mandats (à Bretagne). Je m'occuperai très activement du bazardage et ferai de l'argent — envoi à toi, ou gardage pour toi à notre revoir — ce que tu voudras m'indiquer.

Et merci pour ta bonne lettre ! Le « *petit garçon* » accepte la juste fessée, l'« *ami des crapauds* » retire tout, — et n'ayant jamais abandonné ton martyre, y pense, si possible — avec plus de *ferveur* et de joie encore, sais-tu bien, Rimbe.

C'est ça, aime-moi, protège et donne confiance. Étant très faible, j'ai très besoin de bontés. Et de même que je ne t'emmiellerai plus avec mes petitgarçonnades, aussi n'emmerderai-je plus notre vénéré Prêtre de tout ça, — et promets-lui pour bientissimot une vraie lettre, avec dessins et autres belles goguenettes.

Tu as dû depuis d'ailleurs recevoir ma lettre sur pelure rose, et proba-b[lement] m'y répondre. Demain j'irai à ma *poste restante* habituelle chercher ta missive probable et y répondrai... Mais quand diable commencerons-nous ce *chemin de croix*, — hein ?

Gavroche[2] et moi nous sommes occupés aujourd'hui de ton déménagement. Tes frusques, gravures et moindres meubles sont en sécurité. En outre, tu es locataire rue Campe jusqu'au huit. Je me suis réservé, — jusqu'à ton retour, — 2 gougnottes à la sanguine que je destine à remplacer dans son cadre noir le *Camaïeu* du docteur. Enfin, on s'occupe de toi, on te désire. À bientôt, — pour nous, — soit ici, soit ailleurs.

Et l'on est tous tiens.

P. V.

Toujours même adresse.

Merde à Mérat — Chanal — Périn[3], Guérin[4] ! et Laure[5] ! Feu Carjat t'accolle[6] !

Parle-moi de Favart, en effet.

Gavroche va t'écrire *ex imo*.

---

1. Donc près du domicile de Mme Verlaine mère. **2.** Surnom du peintre et dessinateur Jean-Louis Forain. **3.** Henri Perrin (c'est la bonne orthographe) avait été professeur au Collège de Charleville. Il avait démissionné de cette fonction pour fonder un journal, *Le Nord-Est*. Édouard Chanal lui avait succédé au Collège. **4.** Inconnu par ailleurs. **5.** La sœur d'Edmond Lepelletier. **6.** Carjat ne mourra qu'en 1906. Mais Verlaine fait comme si le coup de canne-épée avait été mortel. On comprend aisément le sous-entendu obscène.

—2—

[Paris, avril 1872.]

Rimbaud,

Merci pour ta lettre et *hosannah* pour ta « *prière* ».

Certes, nous nous reverrons ! Quand ? — Attendre un peu ! Nécessités dures ! Opportunités roides ! — Soit ! Et merde pour les unes comme merde pour les autres. Et comme merde pour Moi ! — et pour Toi !

Mais m'envoyer tes vers « mauvais » (!!!!), tes prières (!!!), — enfin m'être simpiternellement[1] communicatif, — en attendant mieux, après mon *ménage retapé*. — Et m'écrire, *vite*, — par Bretagne, — soit de Charleville, soit de Nancy, *Meurthe. M. Auguste Bretagne, rue Ravinelle, n° 11, onze*.

Et ne jamais te croire lâché par moi. — Remember ! Memento !

Ton

P. V.

Et m'écrire bientôt ! Et m'envoyer tes vers anciens et tes prières[2] nouvelles. — N'est-ce pas Rimbaud ?

—3—

[Paris, mai 1872.]

Cher Rimbe bien gentil, je t'accuse réception du crédit sollicité et accordé, avec mille grâces, et (je suis follement heureux d'en être presque sûr) *sans remise* cette fois[3]. Donc à samedi, vers 7 heures toujours, n'est-ce pas ? — D'ailleurs, avoir marge, et moi envoyer sous en temps opportun.

En attendant, toutes lettres martyriques chez ma mère, toutes lettres touchant les revoir, prudences, etc..., chez *M. L. Forain, 17, Quai d'Anjou, Hôtel Lauzun, Paris, Seine (pr M. P. Verlaine)*.

Demain, j'espère pouvoir te dire qu'enfin j'ai l'Emploi (secrétaire d'assurances).

Pas vu Gavroche hier bien que rendez-vous. Je t'écris ceci au Cluny (3 heures), en l'attendant. Nous manigançons contre quelqu'un que tu sauras de

---

1. *Sic* pour « sempiternellement ». Rimbaud, de la même façon, transforme « innocence » en « innocince ». **2** On pourrait penser à « Dévotion », ou du moins à un projet lointain préparant cette « Illumination ». **3.** Cette phrase en dit long sur la manière dont Rimbaud dépendait financièrement de Verlaine, lequel dépendait aussi de sa mère.

badines vingínces [1]. Dès ton retour, pour peu que ça puisse t'amuser, auront lieu des choses *tigresques*. Il s'agit d'un monsieur qui n'a pas été sans influence dans tes 3 mois d'Ardennes et mes 6 mois de merde. Tu verras, quoi !

Chez Gavroche écris-moi et me renseigne sur mes devoirs, la vie que tu entends que nous menions, les joies, affres, hypocrisies, cynismes, qu'il va falloir : moi tout tien, tout toi, — le savoir ! — Ceci chez Gavroche.

Chez ma mère *tes lettres martyriques*, sans allusion aucune à aucun revoir.

Dernière recommandation : dès ton retour, m'empoigner de suite, de façon à ce qu'aucun secouïsme, — et tu le pourras si bien !

Prudence :

faire en sorte, au moins quelque temps, d'être moins terrible d'aspect qu'avant : *linge, cirage, peignage, petites mines :* ceci nécessaire si toi entrer dans projets tigresques : moi d'ailleurs lingère, brosseur, etc. (si tu veux).

(Lesquels projets d'ailleurs, toi y entrant, *nous* seront utiles, parce que *« quelqu'un de très grand à Madrid* [2] *» y intéressée*, — d'où *security very good !*).

Maintenant, salut, revoir, joie, attente de lettres, attente de Toi. — Moi avoir 2 fois cette nuit rêvé : *Toi, martyriseur d'enfant* [3], — *Toi tout goldez* *. Drôle, n'est-ce pas, Rimbe !

Avant de fermer ceci j'attends Gavroche. Viendra-t-il ? — ou lâcherait-il ? (— à dans quelques minutes ! —)

4 heures après-midi.

Gavroche venu, repar' d'hon' gîtes sûrs [4]. Il t'écrira.

Ton vieux,

P. V.

M'écrire tout le temps de tes Ardennes
t'écrire tout celui de ma merde.
Pourquoi pas merde à H. Regnault ?

---

1. Vengeances. Ce « quelqu'un » peut-être M. Mauté, le beau-père de Verlaine. On pourrait aussi penser à Carjat, qui a dû porter plainte à la suite de l'incident. **2.** Au Café de Madrid. **3.** Du petit Georges, selon Mathilde Verlaine, dont on devine l'ombre dans toute cette lettre. **4.** Cela signifie peut-être, comme l'a suggéré Antoine Adam : « reparlerons d'honnêtes gîtes sûrs ». Forain avait quitté le logement qu'il occupait rue Campagne-Première avec Rimbaud. Il habitait maintenant dans l'île Saint-Louis (c'est l'atelier dont il parle dans le billet qu'il adresse à Rimbaud vers la même date et qu'annonce Verlaine). On pourrait donc comprendre plutôt « repar[lant] d'hon[nêtes] gîtes sûrs ». Il serait prêt à reprendre Rimbaud avec lui.

---

* En anglais, *doré :* j'oubliais que tu ignorais cette langue autant que moi. (Note de Verlaine.)

PARIS, MAI-JUIN 1872 (pp. 329-355)

Larme (pp. 329-330)

Manuscrit autographe donné par Rimbaud à Forain (fac-similé dans l'éd. Messein des *Manuscrits des maîtres* et dans Textuel, p. 111). Il existe un autre manuscrit (collection Bérès) que reproduisait le texte publié dans *La Vogue* en juin 1886, parmi les *Illuminations*. C'est l'autre version donnée ici.

• Une troisième version du poème apparaîtra dans « Alchimie du verbe » avec ce commentaire : « J'écrivais des silences, des nuits, je notais l'inexprimable. Je fixais des vertiges. » On y trouvera pour la première fois le mot « pleurant » qui justifie le titre « Larme » (titre indiqué sur le manuscrit Forain uniquement). Il s'agit d'une expérience du voyant et de l'alchimiste du verbe : d'où la libre succession des images au fil d'une après-midi orageuse ; d'où aussi l'insistance sur le motif de l'or. Tout se transforme : la bière en divine « liqueur d'or », la grêle en déluge apocalyptique. On a l'impression que d'un monde désert, où toute vie tend à disparaître, tend à surgir un monde nouveau, qui n'exclut pas les constructions humaines (des colonnades, des gares). Un nouveau déluge vient tout ruiner : peut-être aurait-il fallu boire plus longuement la potion magique.

La Rivière de Cassis (pp. 330-332)

Manuscrit donné à Forain. Il a été reproduit dans les fac-similés du recueil Messein et dans le deuxième fascicule Textuel, p. 112 ; écriture et date de Rimbaud. Ce manuscrit appartient à la Bibliothèque Nationale depuis 1985. Il existe une copie, faite pour Verlaine (Textuel, p. 113), sans titre, sans date, qui appartient à Pierre Bérès. C'est l'autre version, qui fut publiée dans *La Vogue*, parmi les *Illuminations*, le 21 juin 1886. La ponctuation est absente et Rimbaud y renonce à la majuscule en tête de vers.

• En mai 1872, la guerre est trop lointaine pour qu'elle puisse servir de clef à qui veut interpréter ce texte. Il s'agit sans nul doute d'une rivière aux eaux couleur cassis — la Semoy, si l'on en croit Delahaye. L'atmosphère serait lourde, funèbre (*cf.* « Enfance », dans les *Illuminations*), mais tout semble devoir être balayé par le « vent salubre » et par la mort que représentent traditionnellement les corbeaux.

Comédie de la Soif (pp. 332-341)

La première version correspond au manuscrit autographe donné à Forain par Rimbaud (fac-similé dans *Les Manuscrits des maîtres* et dans Textuel, pp. 115-117). Ce manuscrit est conservé à la Bibliothèque Nationale de Paris. Il existe deux autres manuscrits, l'un, sans titre, appartenant à Pierre Bérès, l'autre à la collection Ronald-Davis, à compléter par le feuillet appartenant à la collection Martin-Bodmer, et venu de la collection Stefan-Zweig (« Enfer de la soif »). La deuxième version, correspondant au manuscrit Bérès, a été publiée dans *La Vogue*, le 7 juin 1886, parmi les *Illuminations*.

• Yves Bonnefoy voit dans ce poème un de ces « opéras fabuleux » dont il sera question dans « Alchimie du verbe », opéra « où des voix abyssales se font entendre, disant que l'avide besoin de vin, de cidre, de lait, de liqueur, de thé, de café [...] est un désir de se perdre dans la circulation des sèves et des courants de la nature, aussi près que possible des grands ancêtres, les contemporains du soleil » (*Rimbaud par lui-même*, p. 63). Le rapprochement avec « Alchimie du verbe » s'impose, comme pour les deux poèmes précédents ; plus largement avec *Une saison en enfer* (sur l'un des manuscrits, cette comédie devient un « Enfer de la soif »). Mais il n'est pas sûr que le poème en dise autant. Il exprime avant tout une soif inextinguible (qui semble bien avoir été une des caractéristiques tant physique que morale de Rimbaud) et les refus successifs qu'il oppose aux parents (leurs boissons fortes ou fades, mais aussi leurs habitudes, le culte qu'on leur voue et leur invitation à plonger dans les urnes funéraires), aux légendes et figures de la poésie traditionnelle (appelée ironiquement « l'esprit »), aux orgies auxquelles l'ont convié ses amis de Paris, aux vains songes de l'avenir et d'un impossible retour au passé. À dire vrai, la soif est universelle, et c'est vers l'univers que Rimbaud lance son cri final : puisse-t-il s'anéantir dans la fraîcheur du nuage qui se dissipe ou des couleurs de l'aurore sur les bois !

Bonne pensée du matin (pp. 341-343)

Manuscrit de la collection Louis-Barthou devenu la propriété d'un collectionneur inconnu. L'écriture est de Rimbaud, qui a indiqué la date : mai 1872. Fac-similé Messein. Il existe un autre manuscrit autographe (collection Bérès), sans titre, non ponctué (sauf le point d'exclamation du v. 15) et avec la majuscule seulement en début de strophe. Fac-similé du manuscrit de ces deux versions dans Textuel, pp. 118-119. Nous donnons les deux versions à la suite. Et le texte sera repris, avec des variantes plus considérables, dans « Alchimie du verbe ».

• Il n'est pas de meilleur commentaire, sans doute, que celui de Rimbaud lui-même : il a voulu écrire « des silences, des nuits ». On songe aussi à sa lettre à Delahaye de « Jumphe 72 », un peu postérieure à ce poème, mais évoquant ses nuits parisiennes du « mois passé », donc ses nuits de mai, comme celle-ci. Nuit de mai on ne peut plus différente de celle de Musset — au point qu'elle pourrait en être la contrepartie. On y sent la concurrence entre les « amants » et les « travailleurs », entre la nature et l'artifice : ainsi peut se fixer un étrange « vertige » poétique.

Fêtes de la patience (p. 343)

Ce plan figure au verso du manuscrit Richepin d'« Âge d'or » (fac-similé dans *Les Manuscrits des maîtres* et dans Textuel, p. 120). C'est dire qu'il a été élaboré après les quatre poèmes en question. On peut le dater de juin 1872.

Bannières de mai (pp. 343-345)

Manuscrit autographe donné par Rimbaud à Jean Richepin (fac-similé dans *Les Manuscrits des maîtres* et dans Textuel, p. 120). Il existe un autre manuscrit autographe, donné à Vanier par Charles Grolleau. Les variantes les plus importantes sont le titre (« Patience. — D'un été »), qui resserre encore le lien avec les *Fêtes de la patience*, et l'adjonction d'une remarque, au verso : « Prends-y garde, ô ma vie absente ! » Ce second manuscrit n'est pas daté. Il correspond au texte publié dans *La Vogue* parmi les *Illuminations*, le 7 juin 1886, puis dans l'édition Vanier, les *Poésies complètes*, 1895, pp. 109-110.

• « Bannières de mai » : Suzanne Bernard expliquait ce titre par les « *mais*, ces arbres auxquels on attache des rubans » (éd. cit., p. 435). Nous pensons aussi à ces rites des matins de mai que célèbrent les jeunes gens dans *Le Songe d'une nuit d'été* (une pièce que Rimbaud a connue ; cf. « *Bottom* »). Bannières de mai qui unissent les rameaux de la vigne, les chansons et les groseilles, l'azur et l'onde. Louis Forestier a fait observer que ce dernier mariage réalisait un rêve alchimique. Il faut y ajouter la correspondance entre le microcosme humain (le sang) et le macrocosme (la vigne, sang du monde). Dans ces conditions, le poète ne peut refuser de se laisser attacher à son tour à la nature, dût-il consentir à se laisser user par le cycle des saisons. On retrouvera ce don de soi au soleil dans

« Alchimie du verbe » (« je m'offrais au soleil, dieu de feu »). Mais avant même l'heure du bilan l'illusion se veut détruite.

Voir Albert Henry, « Bannières de mai », dans *Contributions à la lecture de Rimbaud*, Académie royale de Belgique, 1998, pp. 207-216. Le commentateur a dégagé « ce fondu d'émotion poétique sincère, irrésistiblement pure, et de dérision, tantôt plaisante, tantôt voluptueusement destructrice » (p. 212) et fait apparaître dans le texte des « strates », une distribution par couples, « chacun de ces couples constituant une strophe » (p. 213).

Chanson de la plus haute Tour (pp. 346-348)

Manuscrit autographe ayant appartenu à Jean Richepin (fac-similé dans *Les Manuscrits des maîtres* et dans Textuel, pp. 122-123). Il existe un autre manuscrit appartenant à Pierre Bérès (l'autre version) : la variante la plus importante est que la strophe 5 prend la place de la strophe 3. C'est l'autre version, celle qui fut publiée dans *La Vogue*, parmi les *Illuminations*, le 7 juin 1886. Une troisième version, sensiblement différente, sera insérée dans « Alchimie du verbe ».

• Il existe des points de repère sûrs pour l'interprétation de cette « Chanson ». La date (mai 1872) ; le fait qu'elle constitue la deuxième des *Fêtes de la patience* : le mot apparaît dans la troisième strophe, et Rimbaud se situe dans une manière d'au-delà de la patience ; enfin la reprise dans le texte-bilan, « Alchimie du verbe », avec le commentaire : « Je disais adieu au monde dans d'espèces de romances ». C'est dire qu'il faut replacer ce poème, non dans une biographie exacte comme a tenté de le faire M.-A. Ruff, mais dans une « biographie spirituelle » (Y. Bonnefoy, qui nous semble toutefois forcer la note d'espoir).

Voir Bernard Meyer, « Chanson de la plus haute Tour », dans *Parade sauvage*, n° 9, février 1994, pp. 32-58. Après s'être imposé de considérer cette chanson comme un poème anonyme, le commentateur la rapporte à Rimbaud et à sa biographie. Le titre pourrait venir de la chanson de Marlborough : « Madame à sa tour monte / Si haut qu'elle peut monter... » L'écriture de cet adieu à l'adolescence est essentiellement elliptique. On pourra aussi consulter l'étude très technique de Jean-Pierre Bobillot dans *Parade sauvage* n° 14, mai 1997, pp. 19-32.

L'Éternité (pp. 348-350)

Manuscrit autographe ayant appartenu à Jean Richepin (fac-similé dans *Les Manuscrits des maîtres* et dans Textuel, p. 124). Il existe un autre manuscrit autographe non daté appartenant à Pierre Bérès, correspondant à l'autre version, celle qui fut publiée dans *La Vogue*, le 7 juin 1886, parmi les *Illuminations*. Le titre déjà est différent (« Éternité »). Une troisième version, avec des modifications très sensibles, sera insérée dans « Alchimie du verbe ».

• C'est encore un poème de mai 1872, la troisième des *Fêtes de la patience*, et un moment de la biographie du Voyant, de l'alchimiste du verbe. Très exactement, la troisième phase (annoncée par « enfin » dans « Délires » II), celle qui précède immédiatement la catastrophe. C'est dire que le « bonheur » ne saurait être que celui d'un instant de délire, et que l'éternité retrouvée à la faveur d'une décision volontaire, « *raison*(nable) » (*cf.* « Bannières de mai ») — vivre, « étincelle d'or de la lumière *nature* —, sera bien vite brisée. Il en reste ce fragment, d'« une expression bouffonne et égarée au possible »...

Âge d'or (pp. 351-354)

Manuscrit autographe ayant appartenu à Richepin (fac-similé dans *Les Manuscrits des maîtres* et dans Textuel, pp. 125-126). Il existe un autre manuscrit, correspondant à l'autre version (collection Pierre-Bérès) : les strophes 4 et 5 n'y figurent pas. C'est l'autre version, publiée dans *La Vogue* le 7 juin 1886, parmi les *Illuminations*.

• « Âge d'or » date de juin 1872 : la date du manuscrit Richepin ne saurait être éludée. À cette date, Rimbaud est de retour à Paris. Yves Bonnefoy veut pourtant que la date indiquée soit celle de la copie, non de la rédaction. Pour lui, le poème « a été écrit très probablement à Charleville » et il « garde le souvenir de la maison familiale, puisqu'on y entend parler et chanter les petites sœurs de Rimbaud. On l'imagine volontiers enfermé, lui, dans sa chambre, les écoutant vaguement [...]. L'occasion de ce poème, ce qui le fait se former dans ces ombres et ces lumières, c'est que Rimbaud, grâce aux chansons de ses sœurs, s'est dans sa rêverie vu justement apparaître ces mots de la poésie naïve qui savent si bien dire les réalités absolues » (*Rimbaud par lui-même*, p. 70). Nous renoncerons à cette genèse imaginaire pour rappeler l'indication bien plus précieuse de Rimbaud lui-même : si « Âge d'or » n'est pas inséré dans « Alchimie du verbe », il aurait pu, il aurait dû l'être. Les brouillons d'*Une saison en enfer* en font foi : « Âge d'or » y vient après « Chanson de la plus haute Tour » et « Éternité » et illustre « De joie, je devins un opéra fabuleux ». C'est dire qu'il n'est pas d'autre voix ici que celle du poète : mais il est devenu à lui seul, au terme de son égarement, « un opéra fabuleux ». Il n'est pas d'autre « famille » que l'« onde » et la « flore » à partir du moment où, participant aux « fêtes de la patience » (« Âge d'or » est la quatrième et dernière), il a consenti à la nature. Après avoir cru retrouver l'éternité, il a cru retrouver l'âge d'or : mais ce ne sont que « nobles minutes »...

A consulter, Pierre Brunel, « *Âge d'or* ou l'opéra fabuleux », dans *Lectures de Rimbaud*, Revue de l'Université de Bruxelles, 1982.

Jeune ménage (pp. 354-355)

Première publication : dans les *Poésies complètes*, Vanier, 1895. Manuscrit autographe donné à Vanier par Charles Grolleau (fac-similé dans *Les Manuscrits des maîtres* et dans Textuel, p. 127). On trouve au verso un billet de Forain à Rimbaud.

« Réponds-moi au plus vite au sujet de cette lettre et dis-moi si tu t'amuses là-bas. Moi je compte avoir mon atelier à la fin de la semaine prochaine. Adieu, écris vite. Ton ami J.-L. Forain. »

• Le ménage Verlaine-Mathilde troublé par le « malin rat » Rimbaud ; le ménage Verlaine-Rimbaud troublé par Mathilde, la « princesse souris ». Ces explications par une biographie approximative ont l'inconvénient qu'elles obscurcissent plus qu'elles n'éclairent un texte qui se passe fort bien d'elles. C'est l'évocation de la chambre d'un jeune ménage, d'un intérieur laissé à l'abandon par deux jeunes gens qui, précisément, songent à tout autre chose qu'au ménage. Des présences familières ou fantastiques pénètrent chez ces absents (qui peuvent fort bien être ici) : voudrait-on leur voler leur sourire, leur bonheur ?

Voir Cecil.-A Hackett, « Les aristoloches de *Jeune ménage* », dans *Parade sauvage*, n° 1, 1984, p. 39.

Lettre à Ernest Delahaye de juin 1872 (pp. 355-357)

On trouvera seulement le fac-similé des premières lignes dans *Lettres d'Europe*, Textuel, p. 65. Manuscrit autographe ayant appartenu à la collection Alfred-Saffrey. Première publication par Paterne Berrichon dans la *Nouvelle Revue Française*, octobre 1912.

• Revenu à Paris en mai 1872, Rimbaud n'en repartira qu'en juillet. Cette lettre au camarade de Charleville, Ernest Delahaye, nous apporte des renseignements intéressants sur ses domiciles parisiens et sur son existence dans la capitale. Comme l'a noté justement Suzanne Bernard dans son édition, elle est étonnante par le « mélange d'un sentiment de pureté frissonnante devant l'aube et de tant de termes grossiers » — en particulier ces mots d'un argot que Verlaine et Rimbaud s'étaient créé à leur usage personnel. On ne peut lire cette lettre sans revenir aux poèmes de mai-juin 1872 : « Bonne pensée du matin », « Comédie de la Soif » surtout.

BRUXELLES, JUILLET-AOÛT 1872 (pp. 358-361)

« *Est-elle almée ?...* » (p. 358)

Première publication : *Poésies complètes*, Vanier, 1895. Manuscrit autographe, daté, de l'ancienne collection Lucien-Graux, passé dans la collection Jacques-Guérin. Fac-similé avec transcriptions dans le catalogue de la vente de cette collection, le 17 novembre 1998, pp. 38-39.

• En juillet 1872, Rimbaud est à Bruxelles et, s'il fallait identifier « la ville énormément florissante » du vers 4, c'est à celle-ci qu'il faudrait penser. D'autant plus que ce texte semble lié au poème suivant où l'exclamation du vers 5 « C'est trop beau » se trouve reprise. Mais la biographie rend ici de maigres services. C'est encore de l'entreprise alchimique qu'il s'agit, et de l'apprentissage de « l'hallucination simple » que « l'hallucination des mots » essaie tant bien que mal d'« expliqu[er] ». Les visions qui se succèdent sont toutes éphémères : une danseuse fragile, des fleurs trop tôt fanées, des fêtes de nuit. Mais il peut en rester quelque chose de plus durable dans une chanson (« la Pêcheuse et la chanson du Corsaire ») et l'illusion d'un souvenir (« crurent encore »). L'interrogation pourrait alors valoir pour la tentative du Voyant : elles étaient trop belles, ses fantasmagories, et par là vouées à une précoce disparition ; mais nécessaires, puisqu'elles fondent une nouvelle poésie et permettent de ruser avec le temps en mordant sur l'éternité.

Sur ce poème, voir Bernard Meyer, *Sur les* Derniers vers, 1996, pp. 219 *sqq.* et l'étude d'Albert Henry, dans *Parade sauvage*, n° 15, novembre 1998, pp. 40-44, ainsi que *Contributions à la lecture de Rimbaud*, 1998, pp. 235-244. Ce dernier commentateur, peut-être moins inspiré que d'habitude, traduit trop clairement « almées » par « lune » et « fleurs » par « étoiles ». « C'est », « puisque », lui apparaissent des « outils a-poétiques » et il y a pour lui quelque chose de « doctoral » dans le second quatrain. Mais il écrit très justement que, « comme si souvent chez Rimbaud, l'observation aiguë d'un état de la Nature » (il faudrait ajouter : de la ville)

« déclenche contemplation et rêverie gouvernée, pour aboutir à la construction d'un monde neuf ».

« *Plates-bandes d'amarantes...* » (pp. 358-360)

Première publication dans *La Vogue*, 14-20 juin 1886, parmi les *Illuminations*. Manuscrit autographe de la collection Jacques-Guérin, vendue le 17 novembre 1998. Fac-similé dans le catalogue de cette vente, pp. 40-42.

• Ce poème est d'ordinaire publié sous le titre « Bruxelles ». Mais, comme l'a fait observer P. Hartmann, « Bruxelles » semble constituer sur le manuscrit une indication plutôt qu'un titre. La date : juillet, est fort imprécise. Juillet 1872 ? Rimbaud et Verlaine passent par Bruxelles avant de gagner l'Angleterre. Juillet 1873 ? le mois des fameux coups de revolver. Si l'on était sûr de cette dernière date, on pourrait rapprocher « *Plates-bandes d'amarantes...* » de « Délires I » et découvrir des allusions à Verlaine. Mais l'emploi du vers — si souple soit-il —, la reprise de l'exclamation « C'est trop beau » qu'on trouvait dans le poème précédent (clairement daté, lui, de juillet 1872) nous font opter résolument pour la première hypothèse. D'ailleurs, le poème apparaît encore comme une suite d'évocations libres ayant pour point de départ le jeu du soleil de *juillet* sur le *Boulevard du Régent* : les indications liminaires de Rimbaud ne retenaient que l'essentiel. Mirages, emprisonnements, réminiscences littéraires, souvenirs, visions, c'est une foule de fantasmes qui se déploie dans la « stupeur extatique » d'une journée de juillet, et Rimbaud en rend grâces au lieu qui les a suscités, dans une strophe finale parfaitement claire. Car si le boulevard du Régent est « sans mouvement » et « muet », il est le point de départ d'une vision qu'on pourrait dire cinématographique — en tout cas, « tout drame et toute comédie » —, l'enchaînement étant fortement marqué par la succession des « puis » (v. 5, 19, 23).

Fêtes de la faim (pp. 360-361)

Première publication : *Poésies complètes*, Vanier, 1895. Manuscrit ayant appartenu à Charles de Sivry, et cédé à Vanier par Charles Grolleau. Il est conservé au Musée-Bibliothèque Arthur Rimbaud de Charleville. Fac-similé dans *Les Manuscrits des maîtres* avec des corrections dont Pierre Petitfils a montré qu'elles étaient douteuses. Nous les donnons donc seulement en note. Le fac-similé a été reproduit dans Textuel, p. 128. Autre manuscrit autographe dans la collection Bodmer à Cologny (Suisse).

• Un fragment remanié de ce poème sera inséré dans « Alchimie du verbe ». Son insertion était déjà prévue dans les brouillons d'*Une saison en enfer*. Il venait illustrer le don total de soi à la nature, au soleil, conduisant à son terme un mouvement amorcé dans « Bannières de mai ». Il se rattache donc aux *Fêtes de la patience* et à l'entreprise du Voyant. La date d'août 1872 ajoutée sur le manuscrit a pu paraître tardive. Elle n'a pas, selon nous, à être contestée.

Sur ce poème, on peut consulter Pierre BRUNEL, « Fêtes de la faim », dans *Parade sauvage*, nº 15, novembre 1998, pp. 13-18, et Steve MURPHY, « L'autographe et son double : *Fêtes de la faim* », dans *Le Manuscrit littéraire*, dir. Luc FRAISSE, Klincksieck, 1998, pp. 293-314. Le verso du manuscrit de Charleville comporte trois séries de chiffres, qui correspondraient à des comptes de vers. C'est l'une des révélations de cette étude très poussée, et impeccable, de S. Murphy.

POÈMES SANS DATE (pp. 362-370)

« *Ô saisons, ô châteaux...* » (pp. 362-363)

Fac-similé d'un brouillon très raturé dans un catalogue publié par Auguste Blaizot et Fils, *Vente des 24 et 25 mars 1931*, avec de nombreuses variantes relevées par Bouillane de Lacoste dans son édition critique des *Poésies* (pp. 223-224). Fac-similé de ce brouillon raturé, Textuel, p. 132. C'est à partir de ce brouillon que nous établissons, non sans difficultés, le premier texte. L'autre version, correspondant à un manuscrit de la collection Pierre-Bérès, a été publiée dans *La Vogue*, parmi les *Illuminations*, le 21 juin 1886. Voir aussi le texte à la fin d'« Alchimie du verbe », dans *Une saison en enfer*.

• L'histoire de ce texte est très compliquée. Plus compliqué encore, l'inextricable réseau des exégèses qu'il a inspirées. Etiemble a eu raison de faire passer dans la trappe « châteaux de l'âme » et « saisons » de cure spirituelle. Pour ne pas parler de tel qui confondit le « coq gaulois » et le sexe de Verlaine ! Le poème ne dit pas autre chose que cette fatale tentation du bonheur que Rimbaud viendra illustrer de nouveau, à l'heure du bilan, dans « Alchimie du verbe » (dans les brouillons, son insertion est prévue sous le titre « Bonheur ». Le bonheur : un « charme » tyrannique, mais essentiel à la parole poétique. Au fait, ne se confondrait-elle pas avec lui ? Sinon : le silence, et le trépas...

Mémoire (pp. 364-366)

Première publication complète : *Poésies complètes*, Vanier, 1895. Manuscrit autographe de l'ancienne collection Lucien-Graux, passé dans la collection Jacques-Guérin. Non daté. Fac-similé, Textuel, pp. 130-131, d'après celui qu'avait publié Steve Murphy dans *Parade sauvage* en décembre 1994. Le fac-similé le plus net est celui qui figure dans le catalogue de la vente Guérin du 17 novembre 1998, pp. 40-42, avec la transcription. On voit que le jeu des minuscules en tête de vers n'a pas été maintenu par Rimbaud jusqu'au bout.

• La date indiquée dans la revue *L'Ermitage* où parurent les parties 4 et 5 (numéro du 19 septembre 1892) — 1870 — est assurément fausse. Ce poème, comme les précédents, appartient au cycle de la tentative d'« alchimie du verbe ». La preuve en est fournie par les brouillons d'*Une saison en enfer* où le poème vient illustrer cette phase de la folie. Ce climat onirique permet un retour vers l'enfance pour une double évocation : celle d'une rivière qui perd progressivement sa pureté et sa lumière ; celle d'une femme, abandonnée par « l'homme » et vouée à la tristesse. La rivière, c'est la Meuse (avec l'allusion à Jeanne d'Arc au v. 4) plutôt que la Vence (malgré le témoignage de Delahaye : « Nous nous trouvions caressant les grosses têtes moussues des bons vieux saules qui accompagnent en sa promenade Madame la Vence, rivière adorable tellement de grâce onduleuse et menue, que nous ne pouvions que la suivre, en amoureux dociles, par tous ses prés clairs encadrés de peupliers d'Italie »). La femme, c'est Mme Rimbaud. L'explication psychanalytique tentée par Yves Bonnefoy (*op. cit.*, p. 73) n'est donc pas fausse ; mais elle est inévitablement réductrice. Plus attentive et fidèle au texte nous semble la lecture d'Etiemble et Yassu Gauclère : « Le thème est la course d'une rivière qui reflète successivement des lumières et des bords différents ; il se complique de deux séries d'images qui se mêlent si bien que l'esprit oscille entre elles, ne sait pas d'abord les distinguer l'une de l'autre, ni retrouver au-dessous d'elles le sujet central qui leur a servi de prétexte » (*op. cit.*, pp. 190-192). Cette dualité permet un jeu subtil et complexe de superpositions, d'identifications, d'échanges. Mais c'est peut-être la concurrence des deux motifs qui anime surtout le poème : la femme, la mère se substitue, pour peu de temps (v. 17-21) à la rivière personnifiée. N'ont-elles pas l'une et l'autre porté les enfances d'Arthur jusqu'à cette nappe morne où échouait déjà le « bateau ivre » et où de plus en plus s'enlise sa vie ?

Sur « Mémoire », voir Ross Chambers, « *Mémoire* de Rimbaud : essai de lecture », dans *Essays in French Literature*, n° 5, University of Western Australia Press, 1968 ; Jean-Pierre GIUSTO, « Explication de *Mémoire* », *Revue des Lettres modernes*, série Rimbaud, n° 3, 1972 ; Jean-Luc STEINMETZ, « Exercices de mémoire », dans *Le Champ d'écoute*, 1985, pp. 107-126.

Michel et Christine (pp. 366-368)

Première publication dans *La Vogue*, parmi les *Illuminations*, 13-20 juin 1886. Manuscrit autographe de la collection Pierre-Bérès, non daté.

• Ce poème passe pour l'un des plus impénétrables de Rimbaud. Il nous semble qu'il se relie d'une façon extrêmement naturelle à la série des poèmes de l'année 1872, et sa date ne fait pour nous aucun doute. Il faut lire ces vers avec « Les Corbeaux » et « La Rivière de Cassis » (visions guerrières), avec « Larme » (même atmosphère d'orage), avec « Mémoire » (même disparition du soleil poursuivi par la rivière). Mais plus encore que dans le poème précédent, joue le phénomène de surimposition : les images s'agglomèrent ou, mieux, un même phantasme est porteur de sens multiples. L'orage prend des proportions apocalyptiques, diluviennes ; il est vu aussi comme la gigantesque invasion de cent hordes barbares qui mettent en fuite les doux agneaux, les soldats blonds et font de l'Arcadie ardennaise une lande désolée. Orage désiré, comme pour René ; apocalypse attendue ; invasion salutaire comme dans « Les Corbeaux », comme dans « La Rivière de Cassis » et comme dans la lettre à Delahaye de « jumphe 72 ». La rêverie sur « l'Europe ancienne », sur la Gaule romaine livrée aux Barbares est aussi une rêverie sur « l'Europe aux anciens parapets » submergée, dans un avenir proche, par des flots destructeurs. Le monde sortirait lavé de ce double déluge si ne s'interposait le Christ, ce trouble-fête, qui met fin non plus à l'idylle ancienne, mais à l'Idylle rêvée — le nouveau paradis terrestre.

Le plus mystérieux reste le titre, qui reparaît dans le dernier vers. Etiemble et Yassu Gauclère (« À propos de *Michel et Christine* », dans *Les Cahiers du Sud*, décembre 1936, pp. 927-931 ; *Rimbaud*, pp. 185-186), Enid Starkie (*Life and Letters*, mars 1944) ont songé au vaudeville de Scribe *Michel et Christine*, dont le sujet était à peu près le suivant : le sergent polonais Stanislas, épris de Christine dont il a assuré la prospérité, s'efface devant son jeune rival Michel. Cette explication n'est pas négligeable : elle éclaire le choix des noms (mais Suzanne Bernard fait également observer que saint Michel est le protecteur des Francs) ; elle illustre surtout cette phrase d'« Alchimie du verbe » : « un titre de vaudeville dressait des épouvantes devant moi ». L'épouvante étant moins la vision apocalyptique que la « fin de l'Idylle » : la fantasmagorie est anéantie par « un rayon blanc » — le Christ —, mais surtout par son nom, surgi du titre même, « Michel et *Christ*ine ».

Sur ce poème on pourra consulter Pierre Brunel, « La fin de l'idylle », *Revue d'Histoire littéraire de la France*, mars-avril 1987, pp. 241 *sqq.* et Yves Reboul, « Lecture de *Michel et Christine* », dans *Parade sauvage*, colloque n° 2 [1987], 1990, pp. 52-59.

« *Entends comme brame...* » (pp. 368-369)

Première publication dans *Le Reliquaire*, en 1891.

Manuscrit autographe de l'ancienne collection Ronald-Davis, passé dans une collection privée inconnue. Fac-similé, Textuel, p. 129.

• Ce poème n'a pas de titre. Berrichon lui avait donné celui de « Silence ». S'il en fallait un, nous reprendrions plus volontiers l'expression qu'on trouve au v. 16 : « Nocturne effet ». C'est en effet d'une hallucination volontaire encore qu'il s'agit, avec pour point de départ un potager dans la nuit ; d'une de ces fantasmagories nées de la campagne qui défileront dans le troisième alinéa de « Métropolitain » : « les derniers potagers de Samarie ; [...] ces crânes lumineux dans les plans [*sic*] de pois ». Comme dans plusieurs autres poèmes de l'année 1872, la libre association des visions n'exclut pas les sarcasmes à l'égard de la superstition populaire (de ce saint, peut-être, que Mme Rimbaud vénérait à Roche et dont la niche se trouvait dans un mur broussailleux). Car il ne faut pas s'y tromper ! Rimbaud ne convoque les saints, comme ailleurs les anges, que négativement. La négation forte et redoublée des vers 13-14 est bien celle d'une étude néante, profane en tout cas, même s'il n'est pas facile de se dégager de la religion de l'enfance.

Honte (pp. 369-370)

Première publication dans *La Vogue*, parmi les *Illuminations*, 14-20 juin 1886.

Manuscrit autographe de la collection Pierre-Bérès.

• Pas de date connue pour ce poème. 1872 est probable ou le début de 1873. Parmi les diverses interprétations proposées (reproches de Mme Rimbaud à son fils, de Verlaine à Rimbaud, etc.), une seule semble satisfaisante : Rimbaud parle de lui-même ; il est « l'enfant/ Gêneur, la si sotte bête ». Mais il entend « rester hyène ». On veut lui faire honte ; mais il accepte cette situation honteuse qui est la sienne, et c'est d'elle que s'élève la demande finale. Prière ou non, humilité ou orgueil : on choisira.

LONDRES, SEPTEMBRE 1872 (pp. 371-373)

« *L'enfant qui ramassa les balles* » (pp. 371-372)

Manuscrit autographe ; fac-similé dans *Verlaine dessinateur* de Félix Régamey, 1896, et dans Textuel, p. 133.

• Ce dizain ne figure pas dans l'*Album zutique*, mais il est proche des autres « vieux coppées » qui y figurent, et aussi d'un texte plus ancien, « L'éclatante victoire de Sarrebrück » (dans le recueil Demeny). La victoire est d'ailleurs maintenant du passé, et ne se trouve comme telle évoquée que dans le premier vers. La réalité nouvelle, c'est l'exil et le renoncement à l'Empire. Cédant à la tentation masturbatoire, le Prince impérial n'assurera pas de descendance à l'Empereur déchu. Il y avait là de quoi satisfaire Félix Régamey (1844-1907), dessinateur républicain qui s'était réfugié à Londres après la Commune. Verlaine le connaissait par le cercle des Vilains Bonshommes.

Voir André GUYAUX, « Rimbaud et le Prince impérial : post-scriptum à la mémoire de François Coppée », dans *Berenice*, Rome, nº 5, avril-août 1982, pp. 143-146.

Les Corbeaux (pp. 372-373)

Pas de manuscrit connu. Le texte a été publié dans *La Renaissance littéraire et artistique*, numéro du 14 septembre 1872.

• En juin 1872, Rimbaud écrivait à Delahaye : « N'oublie pas de chier sur *La Renaissance*, journal littéraire et artistique, si tu le rencontres ». Est-ce parce que ce journal tardait à publier les poèmes qu'il avait confiés à son directeur, un ami de Verlaine, Émile Blémont (lequel, on s'en souvient, avait aussi entre les mains le manuscrit autographe de « Voyelles ») ? Il est probable que le poème qui paraissait enfin le 14 septembre 1872, « Les Corbeaux », avait attendu. Mais pendant combien de temps ? Il est difficile de le préciser. Nous serions tenté de le rattacher à « La Rivière de Cassis » (mai 1872), où l'on retrouve les corbeaux et le vœu d'une salubre destruction, vœu qui s'exprime plus brutalement dans la lettre à Delahaye déjà citée : « Je souhaite très fort que l'Ardenne soit occupée et pressurée de plus en plus immodérément. » L'allusion aux « morts d'avant-hier » devient alors plus claire : il faudrait une occupation plus vigoureuse, plus rigoureuse, plus mortelle que l'occupation allemande en 1870-1871.

*
* *

VERS *UNE SAISON EN ENFER*

LETTRES

Lettre à Ernest Delahaye de mai 1873 (pp. 381-383)

Manuscrit de la collection Saffrey. Fac-similé, *Les Lettres manuscrites d'Europe*, Textuel, pp. 71-73.

• Rimbaud est arrivé à Roche, où se trouvait sa famille, le vendredi saint 11 avril 1873. Verlaine est chez sa tante paternelle, à Jéhonville en Belgique. La lettre est d'une importance capitale par le témoignage qu'elle nous apporte sur l'horreur qu'inspire à Rimbaud la campagne française, le besoin qu'il a d'alcool, de livres, de vie ; et surtout parce qu'il y est question pour la première fois de ce *Livre païen* ou *Livre nègre* qui va devenir *Une saison en enfer*. Rimbaud a-t-il attendu Roche pour se mettre à ce travail ? Les fragments en prose détenus par Verlaine en faisaient-ils partie, ou étaient-ils déjà les *Illuminations*, ou n'étaient-ils que *Les Déserts de l'amour*, ou autre chose encore ? On l'ignore.

Voir Jean-Pierre CHAMBON, « Noms propres et construction du sens dans la "lettre de Laïtou" », dans *Parade sauvage*, colloque nº 2 [1987], 1990, pp. 121-135.

ANNEXE

LETTRE DE VERLAINE À RIMBAUD, Bouillon, 18 mai 1873

Boglione, le dimanche 18.

Cher ami, merci de ta leçon, sévère mais juste, d'anglais. Tu sais, je « *dors* ». C'est par somnambulisme, ces *thine*, ces *ours*, ces *theirs* ; c'est par engourdissement produit par l'Ennui, ce choix de sales verbes auxiliaires, *to do, to have*, au lieu d'analogues mieux expressifs. Par exemple je défendrai mon *How* initial. Le vers est :

Mais qu'est-ce qu'ils ont donc à dire que c'est laid...

Je ne trouve encore que *How !* (qui d'ailleurs a rang d'exclamation étonnée) pour rendre ça. *Laid* me semble rendu assez bien par *foul*. De plus, comment traduire :

Ne ruissellent-ils pas de tendresse et de lait ?

sinon par :

Do not stream by *fire and milk ?*

Au moins me semble-t-il, après ample contrition de mes saloperies de vieux Con au bois dormant (Delatrichine[1] n'aurait pas trouvé celle-là !)

Arrivé ici à midi, pluie battante, de pied. Trouvé nul Deléclanche. Vais repartir par la malle. — Ai dîné avec Français de Sedan et un grand potache du collège de Charleville. Sombre feste ! Pourtant Badingue traîné dans le caca, ce qui est un régal en ce pays charognardisant.

Frérot, j'ai bien des choses à te dire, mais voici qu'il est 2 h[eures], et la malle va chalter. Demain peut-être je t'écrirai tous les projets que j'ai, littéraires et autres. Tu seras content de ta vieille truie (battu, Delamorue !)

Pour l'instant je t'embrasse bien et compte sur une bien prochaine entrevue, dont tu me donnes l'espoir pour cette semaine. Dès que tu me feras signe, j'y serai.

Mon frère *(brother-plainly)*, j'espère bien. Ça va bien. Tu seras content.

À bientôt, n'est-ce pas ? Écris vite. *Envoie explanade*[2]. Tu auras bientôt tes fragments.

Je suis ton *old cunt*[3] *ever open* ou *opened*, je n'ai pas là *mes* verbes irréguliers.

P. V.

Reçu lettre de Lepelletier (affaires) ; il se charge des romances, — Claye et Lechevallier. Demain, je lui enverrai *manusse*.

Et te les resserre derechef.

P. V.

Pardon de cette stupide et *orde lette* [*sic*]. Un peu soûl. Puis j'écris avec une plume sans bec, en fumant une pipe barrée.

---

1. Verlaine fait une série de calembours sur le nom de Delahaye. **2.** C'est-à-dire : envoie explication. *Explanade* est un néologisme plaisant formé par Verlaine sur l'anglais, *to explain*. De là à lire « esplanade », à imaginer qu'un poème de Rimbaud portait ce titre, il n'y avait qu'un pas, imprudemment franchi par Yves Bonnefoy (*Rimbaud par lui-même*, p. 138, 183), et l'édition *Œuvre-vie* (avec, il est vrai, des points d'interrogation, p. 320, et une note judicieuse d'Alain Borer, p. 1153). **3.** Le mot, sous cette forme, est absent des dictionnaires. Il y a sans doute un sous-entendu grivois.

Lettre à Verlaine du 4 juillet 1873 (pp. 384-385)

Lettre publiée pour la première fois par Maurice Dullaert en novembre 1930 dans la revue *Nord*. Fac-similé du manuscrit autographe dans André Fontainas, *Verlaine. Rimbaud. Ce qu'on présume de leurs relations. Ce qu'on en sait*, 1933. Reproduit dans *Lettres d'Europe*, pp. 74-76.
• La veille, jeudi 3 juillet 1873, Verlaine, à la suite d'une dispute, a quitté Rimbaud. À l'embarcadère de Sainte-Catherine's Docks, il a trouvé un vapeur en partance pour Anvers et s'est embarqué, sous les yeux mêmes de Rimbaud qui le rappelait.

Lettre à Verlaine du 5 juillet 1873 (pp. 386-387)

Première publication, *Nord*, novembre 1930.

Fac-similé du manuscrit autographe dans Fontainas, *op. cit.* Reproduit dans *Lettres d'Europe*, pp. 77-78.
• Lettre écrite le lendemain et dont le ton, assurément, a changé. Le jugement qu'on peut porter sur elle (et qu'a porté par exemple Henri Guillemin) importe moins que le jugement porté par Rimbaud sur Verlaine : la lettre qu'il a reçue de son compagnon lui a inspiré du mépris pour sa faiblesse.

Lettre à Verlaine du 7 juillet 1873 (p. 387)

Première publication : *Nord*, novembre 1930.

Fac-similé du manuscrit autographe dans Fontainas, *op. cit.* Reproduit dans *Lettres d'Europe*, pp. 79-80.
• Rimbaud se déclare prêt à attendre. Jamais il n'a semblé aussi indécis. Verlaine aussi : après avoir décidé de rentrer à Paris (brouillon de lettre à sa logeuse, Mme Smith ; conservé), il décide de revenir à Londres (lettre perdue à laquelle Rimbaud fait ici allusion) et reste finalement à Bruxelles d'où il télégraphie à Rimbaud le 8 : « Volontaire Espagne viens ici Hôtel Liégeois blanchisseuse manuscrits si possible ». On connaît la suite...

ANNEXE

LETTRES CONCERNANT LA QUERELLE ENTRE VERLAINE ET RIMBAUD

Lettre de Verlaine à Rimbaud, 3 juillet 1873

En mer.

Mon ami,

Je ne sais si tu seras encore à Londres quand ceci t'arrivera. Je tiens pourtant à te dire que tu dois, *au fond*, comprendre, *enfin*, qu'il me fallait absolument partir, que cette vie violente et toute de *scènes* sans motif que ta fantaisie ne pouvait m'aller foutre plus !

Seulement, comme je t'aimais immensément (Honni soit qui mal y pense) je tiens aussi à te confirmer que, si d'ici à trois jours, je ne suis pas r' avec ma femme, dans des conditions parfaites, je me brûle la gueule. 3 jours d'hôtel, un *rivolvita*, ça coûte : de là ma « *pingrerie* » de tantôt. Tu devrais me pardonner. — Si, comme c'est trop probâbe, je dois faire cette dernière connerie, je la ferai du moins en brave con. — Ma dernière pensée, mon ami, sera pour toi, pour toi qui m'appelais du *pier* tantôt, et que je n'ai pas voulu rejoindre *parce qu'il fallait que je claquasse*, — ENFIN !

Veux-tu que je t'embrasse en crevant ?

Ton pauvre
P. Verlaine.

Nous ne nous reverrons plus en tous cas. Si ma femme vient, tu auras mon adresse, et j'espère que tu m'écriras. En attendant, d'ici à trois jours, *pas plus, pas moins*, Bruxelles poste restante, — à mon nom.

Redonne ses trois livres à Barrère [1].

ENGLAND

M. Arthur Rimbaud,
8 Great College Street,
Camden Town, N. W.
London.

---

1. Camille Barrère, réfugié à Londres après la Commune. Il deviendra ambassadeur de France.
2. Matuszewicz, autre ancien communard réfugié à Londres, y avait accueilli Verlaine et Rimbaud. Rentré en France peu de temps après, et prématurément, il échappera de peu à la peine de mort.

Very Urgent.

or, in case of a departure, Roche, *canton d'Attigny, Ardennes*, FRANCE (*chez Mme Rimbaud*)

Lettre de Verlaine à Matuszewicz[2], 5 juillet 1873

Bruxelles-Poste restante.

Mon cher ami, des causes aussi pénibles qu'imprévues m'ont forcé à quitter Londres à l'improviste. J'ai dû laisser Rimbaud un peu en plan, quelque horrible peine, là, franchement ! (et quoi qu'on die) que ça me fît, — en lui laissant toutefois mes livres et hardes en vue de les laver pour se rapatrier. Ma femme refusant de venir après une menace de suicide de moi — je l'attends jusqu'à demain midi mais ELLE NE VIENDRA PAS — je commence à trouver trop connard de me tuer comme ça et préfère, — car je suis si malheureux, là vraiment ! — m'engager dans les volontaires républicains Espagnols. Je vais demain, à cet effet, à l'ambassade d'Espagne d'ici, et je compte partir sous très peu de temps. Serez-vous assez aimable pour passer *de suite* 8 G[rea]t College S[tree]t Camden town, réclamer les vêtements et livres dont Rimbaud n'aurait pas eu besoin, — ainsi — foutre que pas mal de manuscrits, cahiers, etc., qu'il aura évidemment dû laisser. — Je vous en prie, *surtout pour les manuscrits*, faites vite, je vous serai le plus reconnaissant des bougres. — Allez-y, je vous conjure, *dès le reçu de ceci*, — et m'écrivez vite, vite poste pour poste surtout. Dites à mes propriétaires (déjà prévenus par moi) qu'ils recevront de moi — je le mets à la poste demain — un mandat de 7 shillings, prix de la 2e semaine que j'ai négligé de payer d'avance.

Enfin parlez-moi de Rimbaud. Vous a-t-il vu après mon départ ? Écrivez-moi là-dessus. Ça m'intéresse tant ! (toute bonne blague à part, hein ?) Le temps n'est plus à la blague, nom de Dieu !

Donc j'attends réponse poste p[our] poste, je vous enverrai d'avance le prix de l'expédition des hardes et manuscrits, ainsi que mon adresse d'alors, car je vais prendre pour q[uel]q[u]es jours un quartier ici dès demain.

Votre reconnaissant d'avance et ami toujours.

P. Verlaine.

Lettre de Mme Rimbaud à Verlaine

Roche, 6 juillet 1873.

Monsieur,

Au moment où je vous écris, j'espère que le calme et la réflexion sont revenus dans votre esprit. Vous tuer, malheureux ! Se tuer quand on est accablé par le malheur est une *lâcheté* ; se tuer quand on a une sainte et tendre mère qui donnerait sa vie pour vous, qui mourrait de votre mort, et quand on est père d'un petit être qui vous tend les bras aujourd'hui, qui vous sourira demain, et qui un jour aura besoin de votre appui, de vos conseils, se tuer dans de telles conditions est une *infamie :* le monde méprise celui qui meurt ainsi, et Dieu lui-même ne peut lui pardonner un si grand crime et le rejette de son sein.

Monsieur, j'ignore quelles sont vos disgrâces avec Arthur, mais j'ai toujours prévu que le dénouement de votre liaison ne devait pas être heureux. Pourquoi ? me demanderez-vous. Parce que ce qui n'est pas autorisé, approuvé par de bons et honnêtes parents, ne doit pas être heureux pour les enfants. Vous, jeunes gens, vous riez et vous vous moquez de tout, mais il n'est pas moins vrai que nous avons l'expérience pour nous, et chaque fois que vous ne suivrez pas nos conseils vous serez malheureux. Vous voyez que je ne vous flatte pas, je ne flatte jamais ceux que j'aime. Vous vous plaignez de votre vie malheureuse, pauvre enfant ! Savez-vous ce que sera demain ? Espérez donc ! Comment comprenez-vous le bonheur ici-bas ? Vous êtes trop raisonnable pour faire consister le bonheur dans la réussite d'un projet, ou dans la satisfaction d'un caprice, d'une fantaisie : non, une personne qui verrait ainsi tous ses souhaits exaucés, tous ses désirs satisfaits, ne serait certainement pas heureuse ; car, du moment que le cœur n'aurait plus d'aspirations, il n'y aurait plus d'émotion possible, et ainsi plus de bonheur. Il faut donc que le cœur batte, et qu'il batte à la pensée du bien ; du bien qu'on a fait, ou qu'on se propose de faire.

Et moi aussi j'ai été bien malheureuse. J'ai bien souffert, bien pleuré, et j'ai su faire tourner toutes mes afflictions à mon profit. Dieu m'a donné un cœur fort, rempli de courage et d'énergie, j'ai lutté contre toutes les adversités ; et puis j'ai réfléchi, j'ai regardé autour de moi, et je me suis convaincue, mais bien convaincue, que chacun de nous a au cœur une plaie plus ou moins profonde, ma plaie, à moi, me paraissait beaucoup plus profonde que celle des autres ; et c'est tout naturel : je sentais mon mal, et ne sentais pas celui des autres. C'est alors que je me suis dit (et je vois tous les jours que j'ai raison) : le vrai bonheur consiste dans l'accomplissement de tous ses devoirs, si pénibles qu'ils soient !

Faites comme moi, cher Monsieur : soyez fort et courageux contre toutes les afflictions ; chassez de votre cœur toutes les mauvaises pensées, luttez, luttez sans relâche contre ce qu'on appelle l'injustice du sort ; et vous verrez que le malheur se lassera de vous poursuivre, vous redeviendrez heureux. Il faut aussi travailler beaucoup, donner un but à votre vie ; vous aurez sans doute encore bien des jours mauvais ; mais quelle que soit la méchanceté des hommes, ne désespérez jamais de Dieu. Lui seul console et guérit, croyez-moi.

Madame votre mère me ferait grand plaisir en m'écrivant.

Je vous serre la main, et ne vous dis pas adieu, j'espère bien vous voir un jour.

V[italie] RIMBAUD.

Télégramme de Verlaine à Rimbaud

Office of origin Brussels 8.7
Handed in at 8.38
Sent out at 10.16
From Verlaine

To Rimbaud
8 gt. College St.
Camden town
Lon[don].

Volontaire Espagne viens ici Hôtel Liégeois blanchisseuse manuscrits si possible.

ANNEXE

LE DOSSIER DE BRUXELLES

DÉCLARATION DE RIMBAUD AU COMMISSAIRE DE POLICE [1]

10 juillet 1873 (vers 8 heures du soir).

Depuis un an, j'habite Londres avec le sieur Verlaine. Nous faisions des correspondances pour les journaux et donnions des leçons de français. Sa société était devenue impossible, et j'avais manifesté le désir de retourner à Paris.

Il y a quatre jours, il m'a quitté pour venir à Bruxelles et m'a envoyé un télégramme pour venir le rejoindre. Je suis arrivé depuis deux jours, et suis allé me loger avec lui et sa mère, rue des Brasseurs, n° 1. Je manifestais toujours le désir de retourner à Paris. Il me répondait :

« Oui, pars, et tu verras ! »

Ce matin, il est allé acheter un revolver au passage des Galeries Saint-Hubert, qu'il m'a montré à son retour, vers midi. Nous sommes allés ensuite à la Maison des Brasseurs, Grand'Place, où nous avons continué à causer de mon départ. Rentrés au logement vers deux heures, il a fermé la porte à clef, s'est assis devant ; puis, armant son revolver, il en a tiré deux coups en disant :

« Tiens ! Je t'apprendrai à vouloir partir ! »

Ces coups de feu ont été tirés à trois mètres de distance ; le premier m'a blessé au poignet gauche, le second ne m'a pas atteint. Sa mère était présente et m'a porté les premiers soins. Je me suis rendu ensuite à l'Hôpital Saint-Jean, où l'on m'a pansé. J'étais accompagné par Verlaine et sa mère. Le pansement fini, nous sommes revenus tous trois à la maison.

---

1. Première publication, 1929. Cette déclaration était précédée du procès-verbal suivant : « Procès-verbal du Commissaire de police, transmis à M. le Procureur du Roi, le 11 juillet 1873. — Poursuite à charge du nommé VERLAINE Paul, homme de lettres, né à Metz, le 30 mars 1844, en logement rue des Brasseurs, 1, prévenu de blessures, au moyen d'un revolver, sur le nommé RIMBAUD Arthur, homme de lettres, né à Charleville (France), le 20 octobre 1854, en logement rue des Brasseurs, 1. « L'an mil huit cent septante trois, le dix du mois de juillet, vers huit heures du soir, devant nous, DELHALLE Joseph, commissaire adjoint..., comparaît l'agent MICHEL Auguste-Joseph, 38 ans, né à Ciney, demeurant rue des Tanneurs, 24, attaché à la 2e division de police, lequel nous amène le sieur VERLAINE Paul..., qu'il vient d'arrêter rue du Midi, sur la réquisition du sieur RIMBAUD Arthur ; lequel se plaint que, vers deux heures, il avait été blessé d'un coup de revolver au bras gauche, et qu'il le poursuivait de nouveau, armé de cette arme ; qu'en présence de cette déclaration, il l'avait invité à le suivre au bureau de police. « Nous entendons le sieur RIMBAUD, lequel déclare : "Depuis un an", *etc.* »

Verlaine me disait toujours de ne pas le quitter et de rester avec lui ; mais je n'ai pas voulu consentir et suis parti vers sept heures du soir, accompagné de Verlaine et de sa mère. Arrivé aux environs de la Place Rouppe, Verlaine m'a devancé de quelques pas, puis il est revenu vers moi : je l'ai vu mettre sa main en poche pour saisir son revolver ; j'ai fait demi-tour et suis revenu sur mes pas. J'ai rencontré l'agent de police à qui j'ai fait part de ce qui m'était arrivé et qui a invité Verlaine à le suivre au bureau de police.

Si ce dernier m'avait laissé partir librement, je n'aurais pas porté plainte à sa charge pour la blessure qu'il m'a faite.

A. Rimbaud.

DÉCLARATION DE MADAME VERLAINE
AU COMMISSAIRE DE POLICE

Depuis deux ans environ, le sieur Rimbaud vit aux dépens de mon fils, lequel a à se plaindre de son caractère acariâtre et méchant : il l'a connu à Paris, puis à Londres. Mon fils est venu à Bruxelles il y a quatre jours. À peine arrivé, il a reçu une lettre de Rimbaud, afin de pouvoir venir l'y rejoindre. Il y a répondu affirmativement par dépêche télégraphique, et Rimbaud est venu loger avec nous depuis deux jours. Ce matin, mon fils, qui a l'intention de voyager, a fait l'achat d'un revolver. Après la promenade, ils sont rentrés à la maison vers deux heures. Une discussion s'est élevée entre eux. Mon fils a saisi son revolver et en a tiré deux coups sur son ami Rimbaud : le premier l'a blessé au bras gauche, le second n'a pas été tiré sur lui. Néanmoins nous n'avons pas trouvé les balles. Après avoir été pansé à l'Hôpital Saint-Jean, Rimbaud témoignant le désir de retourner à Paris, je lui ai donné vingt francs, parce qu'il n'avait pas d'argent. Puis, nous sommes allés pour le reconduire à la gare du Midi, lorsqu'il s'est adressé à l'agent de police pour faire arrêter mon fils, qui n'avait pas de rancune contre lui et avait agi dans un moment d'égarement.

DÉCLARATION DE VERLAINE
AU COMMISSAIRE DE POLICE

10 juillet 1873.

Je suis arrivé à Bruxelles depuis quatre jours, malheureux et désespéré. Je connais Rimbaud depuis plus d'une année. J'ai vécu avec lui à Londres, que j'ai quitté depuis quatre jours pour venir habiter Bruxelles, afin d'être plus près de mes affaires, plaidant en séparation avec ma femme habitant Paris, laquelle prétend que j'ai des relations immorales avec Rimbaud.

J'ai écrit à ma femme que si elle ne venait pas me rejoindre dans les trois jours je me brûlerais la cervelle ; et c'est dans ce but que j'ai acheté le revolver ce matin au passage des Galeries Saint-Hubert, avec la gaine et une boîte de capsules, pour la somme de 23 francs.

Depuis mon arrivée à Bruxelles, j'ai reçu une lettre de Rimbaud qui me demandait de venir me rejoindre. Je lui ai envoyé un télégramme disant que je l'attendais ; et il est arrivé il y a deux jours. Aujourd'hui, me voyant malheureux, il a voulu me quitter. J'ai cédé à un moment de folie et j'ai tiré sur lui. Il n'a pas porté plainte à ce moment. Je me suis rendu avec lui et ma mère à l'hôpital Saint-Jean pour le faire panser et nous sommes revenus ensemble. Rimbaud voulait partir à toute force. Ma mère lui a donné vingt francs pour son voyage ; et c'est en le conduisant à la gare qu'il a prétendu que je voulais le tuer.

P. Verlaine.

INTERROGATOIRE DE VERLAINE PAR LE JUGE D'INSTRUCTION

DEMANDE : *N'avez-vous jamais été condamné ?*

RÉPONSE : Non.

Je ne sais pas au juste ce qui s'est passé dans la journée d'hier. J'avais écrit à ma femme qui habite Paris de venir me rejoindre, elle ne m'a pas répondu ; d'autre part, un ami auquel je tiens beaucoup était venu me rejoindre à Bruxelles depuis deux jours et voulait me quitter pour retourner en France ; tout cela m'a jeté dans le désespoir, j'ai acheté un revolver dans l'intention de me tuer. En rentrant à mon logement, j'ai eu une discussion avec cet ami : malgré mes instances, il voulait me quitter ; dans mon délire, je lui ai tiré un coup de pistolet qui l'a atteint à la main. J'ai alors laissé tomber le revolver, et le second coup est parti accidentellement. J'ai eu immédiatement le plus vif remords de ce que j'avais fait ; ma mère et moi nous avons conduit Rimbaud à l'Hôpital pour le faire panser ; la blessure était sans importance. Malgré mon insistance, il a persisté dans sa résolution de retourner en France. Hier soir, nous l'avons conduit à la gare du Midi. Chemin faisant, je renouvelai mes instances ; je me suis même placé devant lui, comme pour l'empêcher de continuer sa route, et je l'ai menacé de me brûler la cervelle ; il a compris peut-être que je le menaçais lui-même, mais ce n'était pas mon intention.

D. : *Quel est le motif de votre présence à Bruxelles ?*

R. : J'espérais que ma femme serait venue m'y rejoindre, comme elle était déjà venue précédemment depuis notre séparation.

D. : *Je ne comprends pas que le départ d'un ami ait pu vous jeter dans le désespoir. N'existe-t-il pas entre vous et Rimbaud d'autres relations que celles de l'amitié ?*

R. : Non ; c'est une calomnie qui a été inventée par ma femme et sa famille pour me nuire ; on m'accuse de cela dans la requête présentée au tribunal par ma femme à l'appui de sa demande de séparation.

Lecture faite, persiste et signe :

P. Verlaine, Th. T'Serstevens, C. Ligour.

DÉPOSITION DE RIMBAUD DEVANT LE JUGE D'INSTRUCTION [1]

12 juillet 1873.

J'ai fait, il y a deux ans environ, la connaissance de Verlaine à Paris. L'année dernière, à la suite de dissentiments avec sa femme et la famille de celle-ci, il me proposa d'aller avec lui à l'étranger ; nous devions gagner notre vie d'une manière ou d'une autre, car moi je n'ai aucune fortune personnelle, et Verlaine n'a que le produit de son travail et quelque argent que lui donne sa mère. Nous sommes venus ensemble à Bruxelles au mois de juillet de l'année dernière ; nous y avons séjourné pendant deux mois environ ; voyant qu'il n'y avait rien à faire pour nous dans cette ville, nous sommes allés à Londres. Nous y avons vécu ensemble jusque dans ces derniers temps, occupant le même logement et mettant tout en commun.

À la suite d'une discussion que nous avons eue au commencement de

1. Texte publié pour la première fois en 1907 par Edmond Lepelletier, dans *Paul Verlaine, sa vie, son œuvre*.

la semaine dernière, discussion née des reproches que je lui faisais sur son indolence et sa manière d'agir à l'égard des personnes de nos connaissances, Verlaine me quitta presque à l'improviste, sans même me faire connaître le lieu où il se rendait. Je supposai cependant qu'il se rendait à Bruxelles, ou qu'il y passerait, car il avait pris le bateau d'Anvers. Je reçus ensuite de lui une lettre datée « *En mer* », que je vous remettrai, dans laquelle il m'annonçait qu'il allait rappeler sa femme auprès de lui, et que si elle ne répondait pas à son appel dans trois jours, il se tuerait ; il me disait aussi de lui écrire poste restante à Bruxelles. Je lui écrivis ensuite deux lettres dans lesquelles je lui demandais de revenir à Londres ou de consentir à ce que j'allasse le rejoindre à Bruxelles. C'est alors qu'il m'envoya un télégramme pour venir ici, à Bruxelles. Je désirais nous réunir de nouveau, parce que nous n'avions aucun motif de nous séparer.

Je quittai donc Londres ; j'arrivai à Bruxelles mardi matin, et je rejoignis Verlaine. Sa mère était avec lui. Il n'avait aucun projet déterminé : il ne voulait pas rester à Bruxelles, parce qu'il craignait qu'il n'y eût rien à faire dans celle ville ; moi, de mon côté, je ne voulais pas consentir à retourner à Londres, comme il me le proposait, parce que notre départ devait avoir produit un trop fâcheux effet dans l'esprit de nos amis, et je résolus de retourner à Paris. Tantôt Verlaine manifestait l'intention de m'y accompagner, pour aller, comme il le disait, faire justice de sa femme et de ses beaux-parents ; tantôt il refusait de m'accompagner, parce que Paris lui rappelait de trop tristes souvenirs. Il était dans un état d'exaltation très grande. Cependant il insistait beaucoup auprès de moi pour que je restasse avec lui : tantôt il était désespéré, tantôt il entrait en fureur. Il n'y avait aucune suite dans ses idées. Mercredi soir, il but outre mesure et s'enivra. Jeudi matin, il sortit à six heures ; il ne rentra que vers midi ; il était de nouveau en état d'ivresse, il me montra un pistolet qu'il avait acheté, et quand je lui demandai ce qu'il comptait en faire, il répondit en plaisantant : « C'est pour vous, pour moi, pour tout le monde ! » Il était fort surexcité.

Pendant que nous étions ensemble dans notre chambre, il descendit encore plusieurs fois pour boire des liqueurs ; il voulait toujours m'empêcher d'exécuter mon projet de retourner à Paris. Je restai inébranlable. Je demandai même de l'argent à sa mère pour faire le voyage. Alors, à un moment donné, il ferma à clef la porte de la chambre donnant sur le palier et il s'assit sur une chaise contre cette porte. J'étais debout, adossé contre le mur d'en face. Il me dit alors : « Voilà pour toi, puisque tu pars ! » ou quelque chose dans ce sens ; il dirigea son pistolet sur moi et m'en lâcha un coup qui m'atteignit au poignet gauche ; le premier coup fut presque instantanément suivi d'un second, mais cette fois l'arme n'était plus dirigée vers moi, mais abaissée vers le plancher.

Verlaine exprima immédiatement le plus vif désespoir de ce qu'il avait fait ; il se précipita dans la chambre contiguë occupée par sa mère, et se jeta sur le lit. Il était comme fou : il me mit son pistolet entre les mains et m'engagea à le lui décharger sur la tempe. Son attitude était celle d'un profond regret de ce qui lui était arrivé.

Vers cinq heures du soir, sa mère et lui me conduisirent ici pour me faire panser. Revenus à l'hôtel, Verlaine et sa mère me proposèrent de rester avec eux pour me soigner, ou de retourner à l'hôpital jusqu'à guérison complète. La blessure me paraissant peu grave, je manifestai l'intention de me rendre le soir même en France, à Charleville, auprès de ma mère. Cette nouvelle jeta Verlaine de nouveau dans le désespoir. Sa mère me remit vingt francs pour faire le voyage, et ils sortirent avec moi pour m'accompagner à la gare du Midi. Verlaine était comme fou, il mit tout en œuvre pour me retenir ; d'autre part, il avait constamment la main dans la poche de son habit où était son pistolet. Arrivés à la place Rouppe, il nous devança de quelques pas et puis il revint sur moi ; son attitude me faisait craindre qu'il ne se livrât à de nouveaux excès ; je me retournai et je pris la fuite en courant. C'est alors que j'ai prié un agent de police de l'arrêter.

La balle dont j'ai été atteint à la main n'est pas encore extraite, le docteur d'ici m'a dit qu'elle ne pourrait l'être que dans deux ou trois jours.

DEMANDE : *De quoi viviez-vous à Londres ?*

RÉPONSE : Principalement de l'argent que Mad[ame] Verlaine envoyait à son fils. Nous avions aussi des leçons de français que nous donnions ensemble, mais ces leçons ne nous rapportaient pas grand'chose, une douzaine de francs par semaine, vers la fin.

D. : *Connaissez-vous le motif des dissentiments de Verlaine et de sa femme ?*

R. : Verlaine ne voulait pas que sa femme continuât d'habiter chez son père.

D. : *N'invoque-t-elle pas aussi comme grief votre intimité avec Verlaine ?*

R. : Oui, elle nous accuse même de relations immorales ; mais je ne veux pas me donner la peine de démentir de pareille calomnie.

Lecture faite, persiste et signe :

A. Rimbaud, Th. T'Serstevens, C. Ligour.

NOUVEL INTERROGATOIRE DE VERLAINE

18 juillet 1873.

Je ne peux pas vous en dire davantage que dans mon premier interrogatoire sur le mobile de l'attentat que j'ai commis sur Rimbaud. J'étais en ce moment en état d'ivresse complète, je n'avais plus ma raison à moi. Il est vrai que sur les conseils de mon ami Mourot [1], j'avais un instant renoncé à mon projet de suicide ; j'avais résolu de m'engager comme volontaire dans l'armée espagnole ; mais, une démarche que je fis à cet effet à l'ambassade espagnole n'ayant pas abouti, mes idées de suicide me reprirent. C'est dans cette disposition d'esprit que dans la matinée du jeudi j'ai acheté mon revolver. J'ai chargé mon arme dans un estaminet de la rue des Chartreux ; j'étais allé dans cette rue pour rendre visite à un ami.

Je ne me souviens pas d'avoir eu avec Rimbaud une discussion irritante qui pourrait expliquer l'acte qu'on me reproche. Ma mère que j'ai vue depuis mon arrestation m'a dit que j'avais songé à me rendre à Paris pour faire auprès de ma femme une dernière tentative de réconciliation, et que je désirais que Rimbaud ne m'accompagnât pas ; mais je n'ai personnellement aucun souvenir de cela. Du reste, pendant les jours qui ont précédé l'attentat, mes idées n'avaient pas de suite et manquaient complètement de logique.

Si j'ai rappelé Rimbaud par télégramme, ce n'était pas pour vivre de nouveau avec lui ; au moment d'envoyer ce télégramme, j'avais l'intention de m'engager dans l'armée espagnole ; c'était plutôt pour lui faire mes adieux.

Je me souviens que dans la soirée du jeudi, je me suis efforcé de retenir Rimbaud à Bruxelles ; mais, en le faisant, j'obéissais à des sentiments de regrets et au désir de lui témoigner par mon attitude à son égard qu'il n'y avait eu rien de volontaire dans l'acte que j'avais commis. Je tenais en outre à ce qu'il fût complètement guéri de sa blessure avant de retourner en France.

Lecture faite, persiste et signe :

P. Verlaine, Th. T'Serstevens, C. Ligour.

---

1. Auguste Mourot, artiste peintre résidant à Bruxelles.

NOUVELLE DÉPOSITION DE RIMBAUD[1]

18 juillet 1873.

Je persiste dans les déclarations que je vous ai faites précédemment, c'est-à-dire qu'avant de me tirer un coup de revolver, Verlaine avait fait toutes sortes d'instances auprès de moi pour me retenir avec lui. Il est vrai qu'à un certain moment il a manifesté l'intention de se rendre à Paris pour faire une tentative de réconciliation auprès de sa femme, et qu'il voulait m'empêcher de l'y accompagner ; mais il changeait d'idée à chaque instant, il ne s'arrêtait à aucun projet. Aussi, je ne puis trouver aucun mobile sérieux à l'attentat qu'il a commis sur moi. Du reste, sa raison était complètement égarée : il était en état d'ivresse, il avait bu dans la matinée, comme il a du reste l'habitude de le faire quand il est livré à lui-même.

On m'a extrait hier de la main la balle de revolver qui m'a blessé : le médecin m'a dit que dans trois ou quatre jours ma blessure serait guérie.

Je compte retourner en France, chez ma mère, qui habite Charleville.

Lecture faite, persiste et signe :

A. Rimbaud, Th. T'Serstevens, C. Ligour.

ACTE DE RENONCIATION DE RIMBAUD[2]

Je soussigné Arthur Rimbaud, 19 ans, homme de lettres, demeurant ordinairement à Charleville (Ardennes, France), déclare, pour rendre hommage à la vérité, que le jeudi 10 courant, vers 2 heures, au moment où M. Paul Verlaine, dans la chambre de sa mère, a tiré sur moi un coup de revolver qui m'a blessé légèrement au poignet gauche, M. Verlaine était dans un tel état d'ivresse qu'il n'avait point conscience de son action

Que je suis intimement persuadé qu'en achetant cette arme, M. Verlaine n'avait aucune intention hostile contre moi, et qu'il n'y avait point de préméditation criminelle dans l'acte de fermer la porte à clef sur nous

1. Publiée pour la première fois en 1907 par Edmond Lepelletier. **2.** Publié pour la première fois en 1912 par Paterne Berrichon, dans *Jean-Arthur Rimbaud le poète*. Fac-similé dans les *Lettres d'Europe*, p. 81.

Que la cause de l'ivresse de M. Verlaine tenait simplement à l'idée de ses contrariétés avec Madame Verlaine, sa femme.

Je déclare en outre lui offrir volontiers et consentir à ma renonciation pure et simple à toute action criminelle, correctionnelle et civile, et me désiste dès aujourd'hui des bénéfices de toute poursuite qui serait ou pourrait être intentée par le Ministère public contre M. Verlaine pour le fait dont il s'agit.

A. Rimbaud.
Samedi 19 juillet 1873 [1].

PROSES « CONTRE-ÉVANGÉLIQUES » (pp. 388-392)

Les deux premières des proses dites évangéliques furent révélées par Henri Matarasso (qui avait acquis le manuscrit) et par Henry de Bouillane de Lacoste dans le *Mercure de France* du 1er janvier 1948 : ils les considéraient comme des « ébauches », au même titre que le brouillon de « Mauvais sang », révélé dans le même article.

Le manuscrit mis en vente par Jacques Guérin a été acquis par la Bibliothèque Nationale en novembre 1998. Fac-similé du manuscrit dans le catalogue de la vente Guérin, pp. 48-51.

Sur ces textes on pourra consulter Pierre Brunel, « Rimbaud récrit l'Évangile », dans *Le Mythe d'Etiemble*, Didier Érudition, 1979, pp. 37-46 ; Jean-Luc Steinmetz ; « Les Proses évangéliques », dans *Le Champ d'écoute, essais critiques*, Neuchâtel, À la Baconnière, 1985, pp. 127-146 ; Mario Matucci, « Rimbaud et l'étrange évangile », *Parade sauvage*, colloque n° 2 [1987], 1990, pp. 142-148.

I « *À Samarie...* » (p. 388)

• Rimbaud reprend ici l'Évangile selon saint Jean, IV, 1-42. Allant de Judée en Galilée, Jésus traverse la Samarie, dont les habitants sont traditionnellement hostiles aux Juifs. Près d'une source, il rencontre une Samaritaine à qui il demande de l'eau. La femme s'étonne d'une telle demande émanant d'un Juif. Jésus lui répond que si elle lui avait demandé l'eau vive, celle qui jaillit en vie éternelle, il la lui aurait donnée. La Samaritaine étant prête à accepter, il lui dit d'aller chercher son mari. « Je n'ai pas de mari », répond-elle. Et Jésus lui montre qu'il sait tout : « Tu as bien dit : Je n'ai

1. On lit sur le manuscrit cette annotation marginale du juge d'instruction : « Cette pièce nous a été remise par M. Rimbaud dans notre cabinet le 19 juillet 1873. »

pas de mari, car tu as eu cinq maris, et maintenant celui que tu as n'est pas ton mari ; en cela tu as dit vrai. » Étonnée, la femme reconnaît en lui un prophète et appelle ses compatriotes les Samaritains pour leur demander s'il n'est pas le Messie qu'eux aussi ils attendent, et « Bon nombre de Samaritains de cette ville crurent en lui à cause de la parole de cette femme, qui témoignait ; "Il m'a dit tout ce que j'ai fait" ».

Contrairement à Bouillane de Lacoste, nous considérons que cette prose est complète. Rimbaud commence par la fin de l'épisode évangélique (IV, 39) pour immédiatement s'écarter du texte et prêter au Christ une attitude distante (« Il ne les a pas vus »), souligner le paradoxe d'une parole prophétique qui opère par retours en arrière et jugements sur le passé, et finalement contester que Jésus ait pu dire quoi que ce soit à Samarie. La lecture personnelle de l'Évangile va ici jusqu'à la négation.

II « *L'air léger et charmant...* » (pp. 389-390)

• Rimbaud continue, en suivant sa lecture du texte de l'Évangile de Jean. C'est l'arrivée de Jésus en Galilée, à Cana, et la prière que lui fait, dans cette ville, un officier (fonctionnaire royal) de Capharnaüm dont le fils est mourant. Rimbaud présente la scène avec beaucoup de désinvolture. Les détails qu'il imagine (le crâne à moitié chauve de l'officier, le mouvement des rues) tendent-ils à faire revivre la scène ? On peut en douter, car comme dans la prose précédente on sent une intention négatrice. Ce n'est pas seulement pour les gens de Capharnaüm que « Jésus n'avait point encore fait de miracles ». Le vin des noces de Cana ? Seuls des « bourgeois peut-être » y avaient cru. D'ailleurs Jésus ne s'en était-il pas lui-même défendu devant sa mère ?

Que penser alors du « second signe » que fit Jésus quand il vint de Judée en Galilée ? Il le fait, comme le précédent, à regret, parce que les gens ont absolument besoin de miracles pour croire. Et non sans quelque mépris. « Allez, votre fils se porte bien » : pharmacie bien légère que ces quelques paroles ; bien légère à côté de la force de la jeunesse qu'a manifestée Jésus quand il a chassé les marchands du Temple de Jérusalem (et qui a pu triompher dans le corps du fils malade) ; bien légère à côté de la puissance du jour devant laquelle s'incline la Nature entière et que Jésus regarde au loin.

III « *Bethsaïda...* » (pp. 390-392)

Manuscrit autographe de l'ancienne collection H. Matarasso. Il se trouve au verso du brouillon de « Fausse Conversion » (ébauche de « Nuit de l'enfer ») et suit les derniers mots de la prose précédente « demandent grâce au jour ». Publié pour la première fois, avec des fautes de lecture (« Cette saison » au lieu de « Beth-Saïda »), par Paterne Berrichon dans *La Revue blanche*, le 1er septembre 1897.

• Comme précédemment, Rimbaud poursuit sa lecture de l'Évangile selon saint Jean. Il passe du chapitre IV au chapitre V : après la Samarie, après la Galilée, voici le retour en Judée, et le troisième prétendu miracle de Jésus lors d'une fête des Juifs à Jérusalem. Les mendiants se sont assemblés plus nombreux qu'à l'habitude dans la piscine de Bethsaïda, attendant l'aumône. Les visiteurs viendront en foule puisque des guérisons miraculeuses ici, dit-on, se produisent. Il y a des infirmes vrais ou faux : car quand on les voit plaisanter sur leurs yeux bleus aveugles, sur les linges blancs et bleus dont s'entourent leurs moignons, un doute vient à l'esprit. Un doute qui pourrait bien se transformer en certitude quand le Paralytique, à la fin, se lève seul, frustrant Jésus du miracle qu'il devait accomplir.

Les mendiants rient et nient. À notre avis, Rimbaud aussi ; un Rimbaud qui est tout prêt à s'immiscer dans leur troupe et qui intervient une fois sur le mode du *je*. En ceci, cette troisième prose pousse à son terme l'entreprise de dérision et de destruction du texte évangélique qui avait été amorcée dans les deux précédents. Pour nous, c'est Etiemble qui a raison contre André Thisse (voir la polémique dans *Rimbaud devant Dieu*, pp. 123-124, p. 291), et nous allons plus loin que lui en suggérant l'idée d'une infirmité contrefaite.

Le texte n'est pas pourtant sans gravité. Bethsaïda, cette cour des miracles, est décrite aussi comme un lieu infernal : on y sent le soufre, on y voit le feu ; et « l'eau ensevelie », « l'eau noire » a des couleurs d'Érèbe. Si la puissance du Christ ne s'y exerce pas, celle du Démon en revanche s'y déploie. Les péchés y rôdent. Dans l'avant-dernière section d'*Une saison en enfer*, Rimbaud fera allusion à la descente du Christ aux Enfers, à « l'enfer, l'ancien, celui dont le fils de l'homme ouvrit les portes ». Dans ces conditions, et malgré ce que nous avons dit plus haut, le départ du Paralytique loin des damnés garde quelque chose d'ambigu. Échec, il peut être aussi une réussite. Et le témoin qui se profile à l'arrière-plan, Rimbaud, est au moment d'*Une saison en enfer* trop concerné par l'alternative pour qu'il s'agisse d'une simple plaisanterie.

BROUILLONS D'*UNE SAISON EN ENFER* (pp. 393-398)

Ces brouillons ont été acquis en 1998 par la Bibliothèque nationale. Le fac-similé le plus lisible est celui du catalogue de la vente Guérin, publié cette même année, pp. 52-59.

I « *Oui c'est un vice...* » (pp. 393-394)

Fragment publié pour la première fois par H. Matarasso et H. de Bouillane de Lacoste dans le *Mercure de France* du 1er janvier 1948 ; texte corrigé dans la première édition de la Pléiade et repris tel quel dans la seconde ; nous avons fait une lecture nouvelle à partir du fac-similé du manuscrit autographe.

Pas de titre, et pour cause : il s'agit d'une page seulement du brouillon de « Mauvais sang », correspondant aux parties IV et VIII du texte définitif qui a été, on le voit, considérablement développé.

II « *Fausse conversation* » (pp. 394-395)

Recopié par Cazals, révélé par Berrichon, dans la *Nouvelle Revue française* en août 1914, ce brouillon a été de nouveau lu et publié par Bouillane de Lacoste (édition critique d'*Une saison en enfer*). C'est le texte que reproduisent toutes les éditions ultérieures. Nous avons revu ce texte d'après le fac-similé du manuscrit autographe et corrigé plusieurs fautes de lecture.

« Fausse conversion » est l'ébauche de « Nuit de l'enfer ». Le brouillon qui a été conservé correspond à peu près à la moitié du texte définitif ; mais il est possible que la fin manque.

III « *Enfin mon esprit devin(t)...* » (pp. 395-398)

Copié par Cazals, publié par Berrichon dans la *Nouvelle Revue Française* du 1er août 1914, ce fragment est connu surtout dans la version qu'en a donnée Bouillane de Lacoste (éd. cit.) et qui a été reprise dans toutes les éditions ultérieures. Nous avons voulu présenter ici une nouvelle lecture, d'après le fac-similé du manuscrit autographe. Des trois brouillons, c'est le plus difficile à déchiffrer, en raison des lacunes (le feuillet a été endommagé), des surcharges très nombreuses et de la finesse de l'écriture. Nous avons là l'ébauche de la fin d'« Alchimie du verbe ». Les variantes sont très intéressantes, en particulier les changements qui sont intervenus dans le choix des poèmes cités. Nous n'avons pu identifier celui qui s'intitulait « Confins du monde » et dont le texte est probablement perdu. « Bonheur » n'est autre que « *Ô saisons, ô châteaux* ! ».

*
* *

UNE SAISON EN ENFER (p. 399)

Texte de l'édition originale, A. RIMBAUD, *UNE / SAISON EN ENFER*, prix : un franc, Bruxelles, Alliance typographique M.-J. Poot et Compagnie, 37 rue aux Choux, 1873. Certaines corrections s'imposent. Nous les avons indiquées dans les notes.

ORIENTATION BIBLIOGRAPHIQUE

1. *Éditions*

Reprint de l'édition de 1873, Genève, Slatkine, coll. Ressources, 1979, et dans *Œuvre-vie*, Arléa, 1991.

Réédition : dans *La Vogue*, trois livraisons de septembre 1886 ; reprint, Slatkine, 1971.

Éditions critiques : par Henry de Bouillane de Lacoste, Mercure de France, 1941 ; par Pierre Brunel, José Corti, 1987 (avec les avant-textes).

2. *Études*

Louis ARAGON, « Préface à *Une saison en enfer* », dans *Europe*, numéro spécial *Rimbaud*, juin-juillet 1991, pp. 33-39.

« Hommage anglo-saxon : *Une saison en enfer* », dans la *Revue des Lettres modernes*, n°s 370-373, 1973 (8), études réunies par Louis FORESTIER : Cecil A. HACKETT, « *Une saison en enfer* » : frénésie et structure » ; Margaret DAVIES, « *Une saison en enfer* ».

Margaret DAVIES « *Une saison en enfer* », *analyse du texte*, Minard, 1975.

Yoshikazu NAKAJI, *Combat spirituel ou immense dérision ? Essai d'analyse textuelle d'*Une saison en enfer, José Corti, 1987.

Danielle BANDELIER, *Se dire et se taire : l'écriture d'*Une saison en enfer *d'Arthur Rimbaud*, Neuchâtel, À la Baconnière, 1988.

3. *Instrument de travail*

Frédéric EIGELDINGER, *Table de concordances rythmiques et syntaxiques des* Illuminations, Neuchâtel, À la Baconnière, 1986.

• Les dates indiquées à la fin, — les seules de ce Journal —, avril-août 1873, ne doivent pas être suspectées. Elles permettent d'établir un lien plus fort entre un projet envisagé depuis le printemps et la réalisation définitive. Les « histoires atroces » du *Livre païen*, du *Livre nègre* dont Rimbaud entretenait Delahaye dès le mois de mai 1873 ont pu aboutir à ce qui n'est pas exactement cela, mais y ressemble, dans les huit sections de « Mauvais sang ». D'une « demi-douzaine » à huit, le passage se fait aisément. C'est d'ailleurs la seule partie de la *Saison* où le thème païen et le thème nègre apparaissent clairement. Le damné, qui ne sait « [s']expliquer sans paroles païennes », découvre qu'en lui « le sang païen revient », ce sang d'un être « de race inférieure » qui a été en quelque sorte mal christianisé ; mais il devrait être envoyé dans les Limbes, et non en enfer. Plus loin, le damné se définit comme « une bête, un nègre » et, « entr[ant] au vrai royaume des enfants de Cham », il revit l'existence d'un indigène que les Blancs essaient de soumettre et de coloniser. Mais ces Blancs ne sont-ils pas, eux, des « nègres blancs » ?

Peut-être Rimbaud a-t-il poursuivi la rédaction de son livre quand il s'est retrouvé à Londres avec Verlaine au mois de juin 1873. Un dessin de Verlaine le montrait écrivant dans un *pub*. Selon les premiers biographes de Rimbaud, Bourguignon et Houin, il portait en exergue : « Comment se fit la *Saison en enfer* »[1]. Mais ce mois de juin passé, selon Verlaine, dans un « quartier très gai », était-il propice à la rédaction d'une œuvre aussi sombre ? On peut en douter.

Après les deux coups de revolver tirés à Bruxelles par Verlaine sur Rimbaud, le 10 juillet 1873, Rimbaud regagna la ferme de Roche. À la fin de juillet et en août, les conditions se trouvaient rassemblées pour une remise sur le métier et un achèvement précipité. Il est plus que probable que le projet s'est alors modifié, et même qu'il a connu une mutation profonde. Le « dernier *couac* », évité de peu (et il s'agit sans doute moins du dernier *couic* que du dernier raté dans une inharmonie croissante), l'échec de sa liaison avec Verlaine ont conduit Rimbaud à se remettre complètement en question. L'enfer correspond à une crise, alors intensément vécue. Les « feuillets » deviennent plus brûlants que jamais, la chaleur de l'été et la fièvre créatrice aidant.

La rédaction achevée, Rimbaud s'empressa de porter son texte à l'imprimeur-éditeur bruxellois Jacques Poot. Imprimée à 500 exemplaires, et sans doute à compte d'auteur, Mme Rimbaud aidant, la plaquette sortit

---

1. Jean Bourguignon et Charles Houin, *Vie d'Arthur Rimbaud*, textes rédigés entre 1896 et 1901, rééd. Michel Drouin, Payot, 1991, p. 197. Le dessin est ainsi décrit : « *Croquis représentant Rimbaud en chapeau haut de forme*, avec un verre devant lui. Écrit sur le côté : "Comment se fit la *Saison en enfer*, Londres, 72-73." Dessin inédit qui appartient à Mme Vanier. »

des presses en octobre 1873. La présence de l'auteur est attestée à Bruxelles le 24 octobre. Il ne prit que quelques exemplaires. Le reste, sans doute impayé, resta dans les caves de l'éditeur. On retrouva le stock en 1901, à une date où, plusieurs fois rééditée à Paris, et dès 1886 dans *La Vogue* (nº 8, 6-13 septembre ; nº 9, 13-20 septembre ; nº 10, 20-27 septembre), *Une saison en enfer* avait acquis une sorte de célébrité.

On n'en aura jamais fini avec *Une saison en enfer*. « C'est oracle, ce que je dis. » Rimbaud nous présente sa parole comme une parole de certitude, comme la Parole, et pourtant le livre conduit à un « *Je ne sais plus parler* ». L'oracle, parole sacrée, est aussi un langage codé, la profération de ces énigmes, spécialité de la Sphinx, mais en même temps d'Apollon, le dieu de Delphes, et amères délices de la tragédie grecque.

Le collégien de Charleville a lu *Antigone* dans la classe de Georges Izambard. Il en a fait même une citation, en grec, dans une lettre adressée à son professeur. Au cœur d'*Une saison en enfer*, il reprend, pour décrire l'itinéraire de son damné, l'image mythique de la Cimmérie, le pays septentrional où, suivant les instructions de Circé, Ulysse est allé évoquer les morts et consulter l'ombre du devin Tirésias. Mais son enfer ne se confond pas avec les Enfers antiques, lieu de séjour pour les bienheureux comme pour les réprouvés, et surtout pour de pâles images de ceux qui furent des hommes et des femmes — Achille réduit à l'impuissance, et qui s'en plaint dans le chant XI de l'*Odyssée*, les « Palles Esprits », les « Umbres poudreuses » qu'invoque encore Joachim du Bellay dans le sonnet XV des *Antiquités de Rome*. « Hélas ! l'Évangile a passé ! l'Évangile ! l'Évangile. » L'Hadès s'efface, même pour celui qui a dit Merde ou Mort à Dieu, et s'y glisse l'enfer de la tradition judéo-chrétienne, la Géhenne, le ghetto des damnés. « C'était bien l'enfer », constate le narrateur. On serait tenté d'ajouter : le vrai.

À côté des références implicites à la littérature gréco-latine, on trouve dans *Une saison en enfer* des souvenirs de la Bible. Ils confirment que, pour Rimbaud, « l'Évangile a passé », qu'il est passé par là, et que le texte, par conséquent, passe par lui. Dès le Prologue sans titre, le passé est renvoyé à « un festin où s'ouvraient tous les cœurs, où tous les vins coulaient », rappel évident de la parabole du festin dans Matthieu, XXII, 2-13. « Nuit de l'enfer » fait place à la vision de Jésus marchant sur les eaux irritées, reprise libre de l'épisode du lac de Tibériade, dans le même Évangile (XIV, 22-27). La prétendue « croix consolatrice » se lève dans « Délires II. — Alchimie du verbe », et elle est peut-être encore l'« horrible arbrisseau » d'« Adieu », à moins qu'il ne s'agisse, cette fois, d'une reprise grinçante de l'Arbre du Bien et du Mal dans la Genèse.

***** (pp. 411-412)

Texte de l'édition Poot. Rimbaud ne reprend pas, comme dans *Les Déserts de l'amour*, le titre « Avertissement » ; mais le principe est le même.

• Cette page a souvent été exploitée comme document biographique. Confondant le « printemps » dont il est question dans le septième alinéa et le printemps 1873 au cours duquel Rimbaud a commencé à rédiger son *Livre païen*, son *Livre nègre*, certains commentateurs ont voulu considérer ces lignes comme les premières dans l'ordre de la rédaction. D'autres, faisant valoir l'allusion au « dernier *couac* » — pour eux, l'incident de Bruxelles —, les jugent nécessairement postérieures au 10 juillet. Il est fort probable, en effet, que ce texte est tardif. S'il assume, d'une manière un peu tendue, les fonctions du prologue, il contient maints éléments d'épilogue. Rimbaud dessine à l'avance le schéma d'une aventure qui sera encore celui de « l'histoire d'une de [s]es folies » dans « Alchimie du verbe » et qui est celui de son histoire de damné, donc de tout le livre. Une histoire qui revêt, dès l'abord, une couleur fortement mythique. La fable (« Jadis ») a des allures de parabole (le festin, le trésor, l'enfant prodigue) et le carnet de damné sera, comme les proses inspirées par la lecture de saint Jean, un évangile inverse, et inversé. Le texte liminaire dit déjà l'impossibilité du retour, le refus de l'espérance, l'illusion de la charité, la marche conjointe vers une mort et une damnation assurées, même si le héros de la *Saison*, après en avoir eu un avant-goût, bénéficie comme Faust d'un sursis.

Mauvais sang (pp. 412-419)

Texte de l'édition Poot.

• Cette section est celle qui donne le mieux l'idée du « Livre païen », du « Livre nègre » dont parle Rimbaud à Delahaye en mai 1873. Les termes qu'il employait à leur sujet dans sa lettre à Delahaye « C'est bête et innocent », la condamnation de « l'innocence », ce « fléau » consonnent avec les parties IV, VI et VII. Le brouillon qui a été conservé (mais dont le début manque peut-être) contient l'ébauche des parties IV et VIII : le texte s'est grossi d'épisodes, d'histoires (V : la vie revécue du forçat ; VI : le nègre converti). La dernière au moins mérite bien le nom d'« histoire atroce » qu'employait Rimbaud dans la lettre à Delahaye citée.

Peut-être commencé au printemps, « Mauvais sang » a été certainement refondu et augmenté après le mois de juillet. Non que l'incident de

Bruxelles éclaire le morceau : on a trop insisté sur un prétendu aveu d'homosexualité, facilement confondue avec le « vice » dont il est question dans ces pages. Point d'autre vice que l'infériorité native du descendant des Gaulois, du manant, — que ce « mauvais sang », le sang païen que Rimbaud tient d'ancêtres barbares et idolâtres et d'une famille roturière qu'on poussait à partir pour la croisade, mais qui participait tout aussi bien au sabbat. Une race non baptisée, ou plutôt une race mal baptisée, cela revient au même, d'autant plus qu'il est maintenant trop tard : « l'Évangile a passé », et la promotion du Tiers-État, après la Révolution, n'a rien changé à l'affaire. Il n'est donc plus de recours que l'acceptation de ce mauvais sang, dans une logique poussée à l'extrême. Partir au royaume des enfants de Cham, non plus comme colon ivre de brutalité, d'argent et de gloire (partie III), mais comme nègre, comme vrai nègre. Être innocent en face des Européens bourreaux, ces faux nègres. Mais le recours est illusoire. Ou il est inutile. Ou il tourne à la comédie. Car l'innocent naïf pourrait bien feindre l'innocence dans une conversion trop éclatante pour être vraie. De toute façon, les Blancs débarquent, cernant les nègres, baptisant les païens, les enrôlant surtout. Ne les baptisant que pour les enrôler.

Le déroulement du drame est implacable. Et pourtant, comme l'a justement observé Jean-Pierre Richard, le rythme est celui « d'un trépignement immobile, d'une frénésie ressassante et toujours en lutte contre elle-même » (*Poésie et profondeur*, p. 211). Le mouvement se trouve arrêté en particulier par la dérision qui vient corriger chaque élan, saper toute possibilité de salut : le véritable ver rongeur, le cannibale de l'histoire...

Nuit de l'enfer (pp. 419-423)

Texte de l'édition Poot ; la correction suggérée par Bouillane de Lacoste pour « dans l'attention dans la campagne » ne se justifie pas.

• Ce texte correspond encore au projet de *Livre païen*, de *Livre nègre*, mais il est aussi le moment le plus brûlant de la Saison en enfer que Satan a conseillé au « damné » de vivre par anticipation. En effet, malgré le retour des mots « innocence », « bêtise » et « païen », qui étaient les mots clefs de « Mauvais sang », la perspective s'est modifiée : Rimbaud ne tente plus guère de s'affirmer comme païen, de défendre son innocence ; il se sait « esclave de [s]on baptême » et damné par ceux qui le lui ont procuré. C'est pourquoi il « sen[t] le roussi », dès maintenant.

Prématurément plongé en enfer, il sait pourtant qu'il n'y est pas. « C'est encore la vie ! » Et c'est la première raison de son insatisfaction. S'y croit-il, les visions de la vie, les visions de l'enfance reparaissent. Il est vrai qu'il s'y redécouvre cerné par Satan dans les « hallucinations [...] innombrables » qu'il a connues : celles qu'on lui a imposées en l'abrutissant par les superstitions paysannes ; celles qu'il s'est imposées dans ses propres abrutissements.

La vision du paradis, celle de Jésus : des hallucinations aussi, des erreurs. En reprenant divers passages de l'Évangile et en les malmenant à sa façon, Rimbaud poursuit la tâche destructrice de ses proses contre-évangéliques. Dans un étrange passage il semble mêler son attitude et celle du Christ : ils sont l'un et l'autre des visionnaires jaloux de leurs trésors, des charlatans dont le boniment brasse des formules évangéliques (« Tous, venez, — même les petits enfants ») et des formules du contre-évangile païen (« Veut-on des chants nègres »). Mais celui qui prodigue les grimaces aux autres ne peut éluder le souci qu'il a de lui-même : le salut que la religion imposée lui promet tour à tour le tente — c'est sa faiblesse, ce sont ses lâchetés — et lui fait horreur. Ces mouvements contradictoires se bousculent dans une étonnante *strette* finale. Un appel à Dieu : mais le feu de Satan qui se relève avec son damné l'emporte — ou du moins emporte la vision dernière.

Voir Anthony ZIELONKA, « Lecture de *Nuit de l'enfer* », dans *Parade sauvage*, colloque n° 2 [1987], 1990, pp. 142-148.

Délires I (pp. 423-427)

Texte de l'édition Poot, avec la correction faite par Bouillane de Lacoste.

• « Délires » et « Souffrances » forment dans le texte même un couple indissociable. C'est dire que les deux « Délires » ont leur place dans ce compte rendu de la Saison en enfer. Le premier des deux textes prend place naturellement dans la continuité de l'ouvrage. Rimbaud reprend pour le recréer à sa manière un nouveau texte évangélique, la parabole des Vierges sages et des Vierges folles (Matthieu, XXV, 1-13). Nouvelle critique implicite : l'Époux divin abandonne bien volontiers sa « veuve » à l'Époux infernal. Comme à la fin du texte précédent, la créature damnée s'adresse au Seigneur, mais se découvre la proie du Démon. Et la scène se situe encore au fond de l'enfer où un Satan-Éros a entraîné une imprudente Psyché.

Tenant compte des incidents qui ont précédé la rédaction d'*Une saison en enfer* et du *Crimen amoris* de Verlaine, où se trouvait évoqué un autre Satan adolescent, les commentateurs ont très fréquemment identifié Verlaine à la Vierge folle et Rimbaud à l'Époux infernal, au « petit ami », au Démon qui « était presque un enfant ». On peut difficilement ne pas les suivre tant certaines allusions sont transparentes : les abandons de Verlaine, sa faiblesse ; l'« entreprise de charité » de Rimbaud, sa cruauté ; l'incompréhension qui a régné dans le « drôle de ménage ». À travers les paroles que Rimbaud prête à Verlaine, il compose en définitive son propre portrait et assortit d'un commentaire narquois leur vie à deux maintenant brisée.

Comme « Délires II », « Délires I » est un bilan du passé récent. Plus que Verlaine par Rimbaud ou que Rimbaud par Verlaine, c'est leur aventure elle-même qui se trouve jugée. Elle est un délire, le premier délire (inséparable du second puisque le dérèglement des sens entrait dans les préparatifs de l'aventure du Voyant), un délire où Rimbaud lui-même est impliqué, un délire raisonné mais où la raison et la folie ne s'associent que pour conduire à l'échec. Les disputes, l'infranchissable solitude en sont des signes moins graves et moins probants que l'inintelligence de la « Vierge folle » : Verlaine n'a pas compris le sens de l'entreprise de charité, il n'a pu admettre que Rimbaud se devait à tous, il s'est enfermé dans de niaises rêveries sentimentales qui lui ont tenu lieu de visions (la promenade des deux enfants dans le Paradis de tristesse), et finalement il sort abêti, attendant stupidement « l'assomption de [s]on petit ami ». Mais de cet échec Rimbaud se sait lui-même responsable. L'Époux infernal n'a fait que singer le Dieu de charité et « pour avoir voulu sauver, il ne fait que jeter dans le désespoir » (Yves Bonnefoy, *Rimbaud par lui-même*, p. 97).

Ce retour de Rimbaud à lui-même, sur lui-même, permet de concilier l'interprétation biographique traditionnelle (dont nous ne pouvons cacher les limites) et l'interprétation nouvelle que certains commentateurs ont voulu donner du passage par un dédoublement de Rimbaud. Pour Raymond Clauzel, « l'Époux infernal et la Vierge folle ne font qu'un personnage ». M.-A. Ruff, approuvé par Antoine Adam, fait de la Vierge folle « l'âme du premier Rimbaud, soumise et tournée vers Dieu, mais qui, comme dans la parabole, n'avait pas la réserve d'huile suffisante, et qui est maintenant entraînée par le Rimbaud libéré, devenu pour elle l'Époux infernal » (*op. cit.*, p. 175). Il ne convient pas toutefois, à notre avis, de substituer à une identification trop claire une autre identification aussi claire. Rimbaud a très probablement joué avec les divers sens possibles de sa parabole, comme plus haut dans la parabole du charlatan. Surtout, il continue à évoquer, dans la fournaise, les hésitations, les lâchetés du damné de la *Saison* qui ne sait s'il doit se féliciter de son expérience ou la regretter, qui ne peut s'empêcher d'appeler l'Époux divin tout en restant fasciné par l'Époux infernal et qui se demande si finalement il n'a pas conclu un marché de dupes...

Délires II (pp. 427-435)

Texte de l'édition Poot.

• Dans sa lettre à Paul Demeny du 15 mai 1871, Rimbaud appelait « toutes les formes d'amour, de souffrance, de folie ». C'est l'histoire d'une de ces folies qu'il raconte dans « Alchimie du verbe » : une folie qui est délire, donc souffrance, torture infernale. La continuité d'*Une saison en enfer* est assurée. Il n'y manque pas même quelques allusions à l'Évangile de saint Jean : le Cédron, dans l'une des « Faims » ; et surtout le Verbe lui-même (Jean, I, 1-5) que, dans une tentative véritablement sacrilège, l'alchimiste a entrepris de transformer. Parmi tant de dérèglements, note Yves Bonnefoy (*Rimbaud par lui-même*, p. 63), « le dérèglement majeur, celui qui pouvait prétendre à remplacer tous les autres, a[vait] pour objet la parole ». Rimbaud nous présente la relation de ce dérèglement.

Il faut souligner le caractère volontaire de ce dérèglement. La voyance ne se confond pas avec l'usage de la drogue. L'« hallucination simple » est un exercice d'imagination, une ascèse, une folie raisonnée. Rimbaud « s'entraîne à penser consciemment comme un fou » (Étiemble et Y. Gauclère, *Rimbaud*, p. 135). « Voyelles » en est l'illustration première et comme élémentaire. Puis tout va se compliquant : à l'« hallucination simple » s'ajoute sa transcription dans l'« hallucination des mots ». Rimbaud, dans l'histoire qu'il fait de sa tentative, souligne fortement, mais pas très clairement, les différentes étapes par la succession des adverbes (« d'abord »/ « Puis »/ « Enfin ») et le jeu des verbes (« J'inventai »/ « Je m'habituai »/ « Je finis »).

Le premier moment est celui de l'« étude » : étude du langage auquel l'alchimiste s'efforce d'arracher des visions ; étude du silence qui doit lui permettre de faire parler un spectacle muet, des « ormeaux sans voix » ou « l'heure indicible de l'aube » ; exercices d'« hallucination simple » et d'« alchimie du verbe ».

Puis vient le moment du « délire ». On assiste à une montée de la fièvre qui embrase le corps du poète, son esprit, mais aussi le monde qu'il s'est créé : dans un paysage ravagé par la sécheresse, Rimbaud le païen, le nègre, s'offre au « soleil, dieu de feu » afin d'être dissous, consumé, bouilli (cf. Villon : « Et un enfer où damnés sont boullus »). Il veut être réduit à l'état d'« étincelle d'or de la lumière *nature* ». L'exaltation est à son comble et s'exprime en des vers « égarés », en des « opéras fabuleux ».

Mais l'excès même de cette « joie » inquiète le chanteur, qui sent venir le moment de l'échec. Il voulait parvenir à la force et découvre la faiblesse des vœux de bonheur. Ce sont eux qui maintenant se trouvent à la source de ses visions (les vies multiples des individus qui l'entourent) et des sophismes de sa folie — paradoxes commodes pour rejeter le travail et la morale, affirmation des métempsycoses. La quête se fige en un « système » ambigu qui ramène le Voyant à la banalité des espérances humaines, à la « fatalité » du « bonheur ». Ou du « Bonheur », celui qui est promis aux chrétiens. Le dieu soleil fait place aux symboles résurgents de la religion chrétienne (la croix, l'arc-en-ciel, le chant du coq, le latin d'Église). Terrifié maintenant par la perspective d'une alchimie de lui-même en or solaire — dût-il passer par le feu de l'enfer —, Rimbaud revient aux catégories morales du christianisme, à la niaiserie des au-delà et des espérances en un « Bonheur » futur, *post mortem*. Un dernier poème, « *Ô saisons ô châteaux !* », illustre cet abêtissement suprême. Mais, en le reprenant, Rimbaud prend soin d'y ajouter une chute, le dernier distique qui rompt le « charme » du « Bonheur » auquel on a voulu le faire croire. « Cela » maintenant « s'est passé » : cette faiblesse, mais aussi ce dont elle constituait le terme, la folie du Voyant ; plus encore, le rêve de beauté où elle avait pris naissance. Car Rimbaud avait pris soin de brosser, avant l'histoire même de sa folie, le décor de ses goûts « décadents ». « L'art est une sottise », et il peut désormais « saluer la beauté ».

Peut-on situer exactement cette « histoire » dans la vie de Rimbaud ? Postérieure aux « lettres du Voyant » (13-15 mai 1871), antérieure à octobre 1873, elle semble renvoyer essentiellement au printemps et à l'été 1872 : les poèmes dont il émaille son récit datent de cette époque-là. Mais le brouillon en abrège la durée (« un mois de cet exercice »). Une fois de plus, le temps fictif de la « Saison » l'emporte sur le temps réel. Car cette histoire n'est pas seulement une relation ; elle est une fable qui, vers la fin, prend des allures de parabole — de parabole inverse, dérisoire —, comme les proses précédentes. Chargée de dire un écroulement et d'opérer une démythification, elle a curieusement contribué à implanter le mythe d'un Rimbaud alchimiste ramenant, non les métaux à la pureté de l'or, mais à l'unité du Verbe — de *son* verbe —, la richesse éclatée de la nature visible, sous la forme d'un « abrégé sonore du monde, toujours plus réduit » (Albert-Marie Schmidt).

Voir André GUYAUX, « Alchimie du verbe », dans *Duplicités de Rimbaud*, pp. 31-42. — John JACKSON, « L'autobiographie poétique de Rimbaud », dans *Rimbaud. — Tradition et modernité*, textes recueillis par Bertrand Marchal, Éditions Interuniversitaires, 1992, pp. 35-68.

L'Impossible (pp. 435-437)

Texte de l'édition Poot. La correction suggérée par Bouillane de Lacoste (« de la pensée de la sagesse de l'Orient » : deux variantes dont l'une devrait être biffée) ne s'impose pas.

• « Je m'évade », s'écrie le damné. Mais cette évasion est impossible. Comme était impossible la fuite qu'il a tentée dans son enfance. Comme était impossible le refuge chez les élus auquel il a eu la faiblesse et la sottise de songer encore récemment, au cours de sa « Nuit de l'enfer » (« C'était des millions de créatures charmantes »). Le projet nouveau consiste à partir pour l'Orient, ou plutôt à regagner la patrie primitive. Car cet Orient est moins un autre continent dans l'espace qu'un en-deçà de l'histoire occidentale, des marais infernaux de l'Europe. Et l'obstacle est moins l'objection des gens d'Église — qui veulent confondre cet Orient avec l'Éden dont parle la religion —, ou celle des philosophes — qui vous expliquent qu'on peut s'installer en Occident une manière d'Orient portatif —, que la résistance même de l'esprit : il est impossible de détruire les catégories occidentales qui l'ont marqué ; impossible de le réveiller ; impossible de le démêler de cet Esprit qui, selon l'Évangile, mène à Dieu. La « déchirante infortune », c'est de ne pouvoir échapper à ce cercle — véritablement infernal.

L'Éclair (pp. 438-439)

Texte de l'édition Poot.

• Ce pas impossible, le cri de ralliement du monde moderne, « En marche » (cf. « À une Raison » dans les *Illuminations*), lui permettra-t-il de le faire ? Telle est l'idée qui jaillit soudain, fugitive comme l'éclair. Fugitive, parce que Rimbaud s'obstine dans son refus du « travail humain ». Il préfère paresser, ruser, s'installer dans des vies de paria. L'étrange, c'est que la vision du travail et la vision de l'oisiveté l'amènent l'une et l'autre au seuil d'un paradis futur, à la récompense promise au terme d'une action (une œuvre) ou d'une passion (« martyr »). Une fois de plus, Rimbaud se découvre prisonnier de son enfance chrétienne. L'alternative reparaît : laisser aller la vie, ses vingt ans, ou se révolter contre la mort. Comme dans un nouvel éclair, cette révolte apparaît comme le véritable effort qui doit mobiliser toute son énergie : le travail humain, à côté, paraît trop léger. Mais l'éternité promise à l'« âme », au lieu d'être retrouvée, risque fort d'être perdue...

Matin (pp. 439-440)

Texte de l'édition Poot.

• Les commentateurs nous donnent de ce texte des images bien différentes. Pour Suzanne Bernard, pour Antoine Adam, il se termine sur une note relativement optimiste, une vision que Henry Miller rapproche de Nietzsche et qui, pour Etiemble et Yassu Gauclère, est, sinon déjà du marxisme, du moins du matérialisme et de la révolution. Pour Yves Bonnefoy, au contraire, « nous sommes [...] au point le plus noir du livre », à un « moment de ténèbre » que Rimbaud, par antiphrase, a choisi d'appeler « Matin ». Le sursaut d'énergie qui vient briser la lassitude, l'hymne qui semble devoir faire mentir le « Je ne sais plus parler » sont-ils également dérisoires ?

On ne saurait interpréter correctement cette page sans partir de constatations simples : ce « Matin » succède à la « Nuit de l'enfer », à un « sommeil » harcelé par les cauchemars, soulevé de « délires ». Ces délires ont laissé Rimbaud dans un état de « faiblesse » extrême (voir la fin d'« Alchimie du verbe »), comme sur un « lit d'hôpital » (« L'Éclair ») où la vision de la croix consolatrice et l'odeur de l'encens sont venus le visiter. La parole évangélique aussi et, comme d'habitude, mais d'une manière plus systématique peut-être que d'habitude, Rimbaud reprend l'Écriture pour lui substituer un contre-évangile : il s'agit cette fois des deux premiers chapitres de l'Évangile selon saint Matthieu (naissance et généalogie de Jésus ; visite des rois mages). Jésus devient « le fils de l'homme » ; les rois mages, « les Rois de la vie, les trois mages, le cœur, l'âme, l'esprit » ; l'étoile ne suscite aucun mouvement vers l'enfant divin. C'est un autre « Noël » qui est appelé, un « Noël sur la terre » qui effacera le souvenir du premier et mettra « fin [à] la superstition ». Mais tout semble repoussé dans un lointain avenir, et l'on voudrait pourtant que les « esclaves » ne « maudiss[ent] pas la vie » !

Adieu (pp. 440-442)

Texte de l'édition Poot. La correction « puiser » pour « puisser » s'impose.

• Adieu à l'enfer (la saison s'achève) ; adieu de Rimbaud à ses erreurs (la tentative du voyant ; l'entreprise de charité) ; adieu aux erreurs qu'on a infusées en lui et qui l'ont mis au supplice (la religion chrétienne). Le mouvement de ce dernier texte reprend en l'amplifiant celui qui animait « Matin ». Mais il s'achève sur un « pas singulièrement assuré », comme celui du Paralytique, à la fin de « Bethsaïda ». Le damné s'évade, sans le secours du Christ. C'est sa vengeance et la proclamation d'un évangile inverse : « être pour soi-même ce fils de l'homme qui a délivré l'homme de sa faute en lui donnant son amour » (Y. Bonnefoy, *Rimbaud par lui-même*, p. 132).

Ce sont surtout les allusions au texte de l'Apocalypse qui frappent ici : des visions auxquelles on a voulu le faire croire (la cité de l'abîme ; la gloire des nations) ; des châtiments (le feu, la pluie de sang, la peste, la misère) auxquels le damné parvient à échapper ; un Jugement dernier qu'il laisse au plaisir de Dieu seul. Il fait définitivement abolir tout cela, et les cantiques, et le souci du salut des chrétiens, et la séparation de l'âme et du corps. Et ne pas revenir en arrière, mais « tenir le pas gagné ». Telle sera la récompense paradoxale de la saison passée en enfer.

*
* *

ILLUMINATIONS (p. 443)

Pour *Une saison en enfer*, nous bénéficions du soutien et de la garantie de l'édition originale. Les *Illuminations*, dont le titre même est incertain et ne nous a été transmis que par Verlaine, se présentent plutôt comme un nouveau dossier. Le fait que les premiers éditeurs, ceux de *La Vogue*, en 1886, Félix Fénéon et Gustave Kahn, aient voulu mettre de l'ordre, complique les choses plus qu'il ne les éclaire. C'est un peu, toutes proportions gardées, comme s'il fallait publier, dans le même volume, les *Provinciales* et les *Pensées* de Pascal.

Pour les *Illuminations*, sans vouloir ni refaire le minutieux travail philologique d'André Guyaux ni aller dans le sens des hypothèses vertigineuses d'Emmanuel Martineau, nous avons adopté un moyen terme entre la tradition et l'invention. Nous nous en expliquons plus bas. L'important pour nous était d'aboutir à un « ou bien... ou bien » : ou bien la grande et nouvelle liquidation de « Solde », ou bien l'appel lancé au « Génie », l'espoir du « dégagement rêvé » et du « chant clair », fût-il celui « des malheurs nouveaux ». Pour sortir de l'alternative, nous avons choisi de faire de « Génie » la pièce finale.

1. ORIENTATION BIBLIOGRAPHIQUE

Éditions

Préoriginale et originale : livraisons de *La Vogue*, mai-juin 1886 ; reprint, Slatkine, 1971. Publications de *La Vogue*, avec une notice de Paul Verlaine, octobre 1886 ; reprint, Slatkine, 1979 ; à compléter avec l'éd. Vanier des *Poésies complètes*, 1895 (cinq textes ajoutés).

Éditions critiques : par Henry de Bouillane de Lacoste, Mercure de France, 1949 ; par Albert Py, Genève-Paris, Droz-Minard, coll. Textes littéraires français, 1967, édition revue, 1969 ; par André Guyaux, Neuchâtel, À la Baconnière, coll. Langages, 1985.

Témoignages des premiers éditeurs

Félix FÉNÉON, « Arthur Rimbaud, *Les Illuminations* », dans *Le Symboliste*, nº 1, 7-14 octobre 1887, repris dans les *Œuvres plus que complètes* de Fénéon, Genève, Droz, tome II, 1970, pp. 572-575.

Gustave KAHN, « Arthur Rimbaud », dans *La Revue blanche*, 15 août 1898, pp. 592-601, repris dans *Symbolistes et décadents*, Vanier, 1902, pp. 245-264.

Problèmes d'édition et d'interprétation

Henry de BOUILLANE DE LACOSTE, *Rimbaud et le problème des* Illuminations, Mercure de France, 1949.

André GUYAUX, *Poétique du fragment : essai sur les* Illuminations *de Rimbaud*, Neuchâtel, À la Baconnière, coll. Langages, 1985.

Études d'ensemble

Jean HARTWEG, « *Illuminations*, un texte en pleine activité », dans *Littérature*, nº 11, octobre 1973, pp. 78-84.

Collectif : *Rimbaud : Illuminations*, actes du colloque de Paris (7 mars 1986), *Revue d'Histoire Littéraire de la France*, mars-avril 1987.

Antoine RAYBAUD, *Fabrique d'*Illuminations, Éd. du Seuil, 1989.

Bruno CLAISSE, *Rimbaud et le dégagement rêvé : essai sur l'idéologie des* Illuminations, Charleville-Mézières, Musée-Bibliothèque Arthur Rimbaud, coll. Bibliothèque sauvage, 1990.

Jong-ho KIM, *Le Vide et le corps des « Illuminations »*, Charleville, Bibliothèque sauvage, 1993.

Interprétation de poèmes en prose

Robert FAURISSON, « A-t-on lu Rimbaud ? », dans *Bizarre*, n°s 21-22, 1961.

Yves DENIS, « Deux gloses de Rimbaud : *Après le Déluge* et *H* », dans *La Brèche*, nº 8, novembre 1965, pp. 57-66.

Margaret DAVIES, « Le thème de la voyance dans *Après le Déluge, Métropolitain* et *Barbare* », dans *Arthur Rimbaud I, Revue des Lettres Modernes*, n°s 323-326, 1972, pp. 19-39.

Philippe HAMON, « Narrativité et illisibilité : essai d'analyse d'un texte de Rimbaud » / *Conte* /, dans *Poétique*, nº 40, novembre 1979, pp. 453-464.

Albert HENRY, « Lecture de quelques *Illuminations* », *Contribution à la lecture de Rimbaud*, Bruxelles, Académie royale de Belgique, 1989. Repris dans un volume augmenté publié sous le même titre d'ensemble en 1998.

Instruments de travail

Frédéric EIGELDINGER, *Table de concordances rythmiques et syntaxiques des* Illuminations, Neuchâtel, À la Baconnière, 1986.

Olivier BIVORT et André GUYAUX, *Bibliographie des* Illuminations (*1878-1990*), Champion-Slatkines, 1990.

2. LES PROBLÈMES DES *ILLUMINATIONS*

On parle habituellement, depuis Henry de Bouillane de Lacoste, du problème des *Illuminations*. Il convient plutôt d'aborder les problèmes que pose cet ensemble de fragments en quête d'un recueil inabouti : la chronologie, l'ordre, le titre, l'intention du poète posent des questions auxquelles il est impossible de répondre d'une manière complète et satisfaisante.

Chronologie

On n'entrera pas ici dans le détail fastidieux de controverses bien souvent inutiles, puisque les éléments d'information sont insuffisants.

On a longtemps cru à l'antériorité des *Illuminations* par rapport à *Une saison en enfer*. Les éditions en ont été marquées (la première Pléiade, en 1946, et encore l'édition *Œuvre-vie* dirigée par Alain Borer, en 1991). Certains commentateurs, et non des moindres (Jacques Rivière, Étiemble et Yassu Gauclère, Jean-Pierre Richard, Jean-Pierre Giusto), ont fait crédit à cette thèse. Elle repose sur le témoignage d'Isabelle qui voulait, pour des raisons religieuses, qu'Arthur eût renoncé *in fine* à la poétique du Voyant. L'argument le plus fort est l'apparente présence, dans « Alchimie du verbe », d'allusions à certaines des *Illuminations*, « Nocturne vulgaire » et « Soir historique » en particulier.

Bouillane de Lacoste, dans son livre *Rimbaud et le problème des* Illuminations, Mercure de France, 1949, a conduit à renverser complètement l'ordre de cette succession. Le témoignage de Verlaine, variable il est vrai, allait dans ce sens. Loin de s'en contenter, l'érudit a voulu interroger le manuscrit et la graphie de Rimbaud. Renvoyant les derniers poèmes en vers à l'année 1872, il repoussait les poèmes en prose à la date de 1874. C'était passer d'une rigidité à une autre, c'était aussi ouvrir la voie à des commentaires imprudents (ceux d'Antoine Adam et, après lui, ceux de Michel Butor) qui, se fondant sur les voyages de Rimbaud, en venaient à dater « Aube » de 1875 parce qu'on y trouve un mot allemand, « *Bottom* » et « Démocratie » de 1876, à cause d'une prétendue veuve milanaise ou de Java. « Villes ». — « *L'acropole officielle* » serait même de 1877, et les canaux de Stockholm y seraient représentés !

L'idée d'une répartition des *Illuminations* avant et après *Une saison en enfer* était déjà celle, en 1898, de Gustave Kahn qui avait été l'un des artisans de la première édition dans *La Vogue* en 1886, avec Félix Fénéon. André Guyaux de nos jours l'a reprise dans *Poétique du fragment* (1985) et dans son édition critique des *Illuminations* (la même année). Procédant à l'examen du dossier, avec plus de soin encore que Bouillane de Lacoste, il a fait observer que les manuscrits sont presque toujours des copies et il retrouve dans deux textes, « Villes ». — « *L'acropole officielle* » et « Métropolitain », l'écriture de Germain Nouveau : cela imposerait pour ce travail la date de l'année 1874, et le séjour commun de Rimbaud et de Nouveau à Londres. Il est probable que, cette année-là, Rimbaud a véritablement envisagé la composition d'un recueil, qu'il n'a pas mené à son terme.

Ordre

Le sort du manuscrit des *Illuminations* est incertain et, en toute rigueur, il est difficile de parler d'*un* manuscrit, puisque les pièces en sont dispersées et puisque la première édition contient à la fois trop (des poèmes en vers, que nous avons renvoyés à l'année 1872, ou même à 1871) et pas assez (« *Fairy* », « Guerre », « Génie », « Solde » et « Jeunesse » n'apparaissent qu'en 1895 dans l'édition Vanier des *Poésies complètes*, préfacée par Verlaine).

Certains de ces poèmes en prose étaient-ils au nombre des « fraguemants en prose » dont parlait Rimbaud à Delahaye dans sa lettre de mai 1873 ? Rimbaud a-t-il remis l'ensemble du dossier à Verlaine quand ils se sont retrouvés à Stuttgart en février-mars 1875 ? Verlaine l'a-t-il envoyé à Germain Nouveau à la demande de Rimbaud, comme le laisse entendre la lettre adressée par Verlaine à Delahaye le 1er mai 1875 ? Pourquoi « le » manuscrit fut-il si longtemps entre les mains de Charles de Sivry, le demi-frère de Mathilde Verlaine ? Dans quelles conditions fut-il transmis à Kahn et à Fénéon, qui le publièrent dans la revue *La Vogue* au printemps de 1886 (nº 5, 13 mai ; nº 6, 29 mai-3 juin, nº 8, 13-20 juin, nº 9, 21-27 juin), puis en plaquette, en octobre, aux éditions de *La Vogue* ? Fallait-il compléter les proses par des vers, comme on l'a fait à ce moment-là, et le dossier était-il aussi composite ? On ne peut donner de réponse ferme à aucune de ces questions.

Il est probable que le dossier se présentait comme une liasse, un peu à la manière des *Pensées* de Pascal. Déjà de *La Vogue* revue à *La Vogue* plaquette, l'ordre varie. L'absence de manuscrit pour « Dévotion » et « Démocratie », la découverte tardive de cinq poèmes en prose supplémentaires compliquent encore les choses.

Au fil des éditions successives, un ordre plus ou moins stable a tendu à s'établir. Il conduit d'« Après le Déluge », saisissante remise en question du monde, à « Génie », message — d'ailleurs ambigu — d'un certain espoir. Cet ordre repose pour l'essentiel sur le premier classement de Fénéon, sur l'enchaînement des textes dans la partie du manuscrit aujourd'hui conservée à la Bibliothèque nationale, et aussi, il faut l'avouer, sur le charme qu'exerce cette disposition sur le lecteur.

Cet ordre paraît aujourd'hui suspect aux érudits. André Guyaux a proposé un autre type de présentation, plus philologique : Poèmes groupés, Poèmes consécutifs sur plusieurs feuillets, Poèmes consécutifs sur un seul feuillet, Poèmes isolés sur un seul feuillet. On constate, comme dans le cas des poèmes en vers de 1872, que plusieurs fois sont constituées des suites, les poèmes en prose se rassemblant alors sous un seul titre (« Enfance », « Vies », « Veillées », « Phrases »). « Villes » a peut-être constitué une série qui s'est rompue, avec un flottement dans la numérotation. « *Fairy* » a pu être une suite dont ne nous reste que le premier texte, numéroté I, « *Pour Hélène...* ». « Guerre » est peut-être le (II) d'une série dont le début nous manque. À la dispersion des fragments s'oppose en tout cas une volonté de regroupement : ce seraient là, suggère André Guyaux, « deux forces, l'une liante, l'autre déliante, dont le recueil des *Illuminations* [...] est le champ de bataille » (éd. critique, p. 9).

Après avoir hésité, nous avons adopté une solution prudente, respectueuse pour l'essentiel de la tradition et de l'état actuel du manuscrit. Un premier ensemble, le plus important, suit l'ordre du manuscrit de l'ancienne collection Lucien-Graux, conservé à la Bibliothèque nationale : premier cahier (feuillets 1 à 24) pour les poèmes en prose allant d'« Après le Déluge » à « Barbare » ; second cahier pour « *Fairy* » (feuillet 2), « Guerre » (feuillet 4), « Solde » (feuillet 1) et « Dimanche » (feuillet 3). De ce second cahier, nous avons modifié l'ordre, en particulier pour permettre l'enchaînement des trois autres textes de la suite « Jeunesse », c'est-à-dire « Sonnet », « Vingt ans » et « *Tu en es encore à la tentation d'Antoine* ». En effet la série s'est trouvée rompue ; alors que le premier texte figure dans la collection Lucien-Graux/B.N., les trois autres faisaient partie de la collection Stefan Zweig aujourd'hui conservée à la Fondation Martin Bodmer, près de Genève, à Cologny. « Promontoire », que nous avons placé ensuite, est la seule des *Illuminations* dont le manuscrit autographe, qui avait été vendu par l'éditeur Vanier au docteur Guelliot, se trouve à la Bibliothèque de Charleville. Viennent alors les deux poèmes en prose sans manuscrit connu, « Dévotion » et « Démocratie », puis les cinq dont l'autographe figure actuellement dans la collection de Pierre Bérès : « Scènes », « Soir historique », « *Bottom* », « H », « Mouvement » et « Génie ». Un point d'incertitude, et non des moindres, est que Bérès possède aussi le manuscrit de certains poèmes de 1872, dans la version figurant en 1886 dans *La Vogue* pour compléter les *Illuminations*.

Parmi nos options d'éditeur signalons encore celles-ci :

1. Le respect absolu de l'enchaînement des textes sur les feuillets manuscrits, même quand on a affaire à des variations dans l'écriture. C'est vrai aussi bien pour le manuscrit Bérès (« H » suit « *Bottom* » sur le même feuillet) que pour le manuscrit Lucien-Graux (« Barbare », par exemple, suit « Métropolitain »).

2. Cela nous interdisait de grouper les deux « Villes », comme l'a fait Louis Forestier dans le volume de la collection « Bouquins » (Robert Laffont, 1992, pp. 170-171), ou même d'intervertir l'ordre de ces deux « Villes », comme l'a fait André Guyaux, en tenant compte d'un « I » biffé pour « *L'acropole officielle* » et d'un « II » surchargé par le titre pour « *Ce sont des villes !* ».

3. Les textes précédés du signe*** sont considérés comme des poèmes à part entière, et présentés comme tels. Il n'est pourtant pas impossible qu'il existe une séquence « *Being Beauteous* », « *Ô la face cendrée...* », et une manière de série pour les cinq textes du feuillet 12 du manuscrit B.N. qui, sans porter ce titre, sont bien encore des « Phrases », comme les trois textes précédents du feuillet 11. L'interprétation pourra en tenir compte.

4. La rigueur philologique est une (bonne) chose, le souci du plaisir du lecteur aussi, surtout dans le cadre d'un Livre de Poche : il sera plus

satisfait si comme le premier éditeur, on place au début « Après le Déluge », dont l'état manuscrit est d'ailleurs singulier, et si on garde pour la fin, comme la plupart des éditeurs d'aujourd'hui, « Génie », salué par Yves Bonnefoy comme « un des plus beaux poèmes de notre langue », « un acte de bouleversante intuition, l'instant de vision sans ténèbre où une pensée s'accomplit » (*Rimbaud par lui-même*, p. 144).

Titre

Le manuscrit ne porte pas plus de titre que le ou les Cahiers de Douai. Faudrait-il parler d'un « recueil Nouveau » comme on parle d'un « recueil Demeny » ? Mais le destinataire est moins stable, dans ce cas, et surtout Verlaine a apporté des informations, elles-mêmes passablement flottantes, il est vrai. « Avoir relu Illuminations (*painted plates*) du sieur que tu sais », écrivait-il à Charles de Sivry, sans doute le 9 août 1878.

Avait-il lu ce titre sur un feuillet égaré, sur la « couverture du cahier » qu'a signalée Fénéon et qui est aujourd'hui absente ? En avait-il entendu parler par Rimbaud lui-même ? On ne sait. Il semble que pour le compagnon d'autrefois, le titre aujourd'hui retenu doive être prononcé à l'anglaise (il va jusqu'à écrire : « Illuminecheunes »). Pour le sous-titre, il a hésité entre deux variantes, « *painted plates* » (1878) et « *coloured plates* » (1886).

On a proposé, pour ces expressions prétendument anglaises, des traductions plus ou moins satisfaisantes. « *Illuminations* » signifie pour Delahaye « gravures coloriées » ; pour V. P. Underwood, « enluminures, peintures d'un manuscrit ». « *Painted plates* » désignerait des « assiettes peintes » (Underwood) ou des « gravures rehaussées » (Bruce Morrissette). « *Coloured plates* », traduit par Delahaye en « gravures en couleurs », satisfait les uns, moins les autres... Nous avons fait observer que l'expression « plat colorié » figure dès octobre 1870 dans un poème du recueil Demeny, « Au Cabaret-Vert ». Mais Rimbaud se trouve loin, désormais, de l'état d'« aise ».

Notre hypothèse interprétative est toute différente de celle d'Underwood. La coloration anglaise du titre est aussi superficielle que celle des prétendues descriptions de Londres ou de Scarborough dans le recueil. On ne saurait oublier derrière « Illuminations » l'*illuminatio* du psaume « *Deus illuminatio mea* », ou, mieux encore, le « *Fiat Lux* » ordonné par Dieu au début de la Genèse.

Intention

C'est là que se pose, en termes particulièrement pressants, le problème de l'intention qui a présidé à la constitution d'un ensemble cohérent malgré son inachèvement. Même si « illuminant » se trouve déjà dans « Le Bateau ivre », même si le mot anglais *illuminations* peut avoir le sens de « visions d'illuminés », comme l'indique encore Underwood, ces poèmes en prose ne se laissent enfermer ni dans les visions ni dans la tentative du voyant. « J'ai vu » ne passe pas du « Bateau ivre » à « Mouvement » où, dans une « lumière diluvienne », s'avance bien plutôt un « Vaisseau » qui est une nouvelle « Arche » emmenant pour un monde lui-même nouveau « l'éducation / Des races, des classes et des bêtes », et un « couple de jeunesse » qui pourrait le repeupler. « Matinée d'ivresse », trop exclusivement considéré comme un autre poème du haschisch à cause du mot final, d'ailleurs ambigu, *Assassins* / Haschichins [1], décrit une « méthode » — qui peut être, il est vrai, le « poison » — pour accéder à la « nouvelle harmonie ».

Toute tentative pour interpréter les *Illuminations* à partir de référents précis aboutit très vite, sinon à l'échec, du moins à l'incertitude : ni le référent historique (la Commune pour « Après le Déluge »), ni le référent géographique (les ponts de Londres pour « Les Ponts », le *Tube* pour « Métropolitain », Scarborough pour « Promontoire ») ne permettent d'épuiser le sens de textes où, précisément, des apports extrêmement divers ont été mêlés (« Villes »), modifiés (« Métamorphoses », premier titre de « *Bottom* », désigne, plus que les métamorphoses du personnage, celles du référent shakespearien) et finalement transcendés (« Jeunesse » IV : « [...] rien des apparences actuelles »).

Cela ne signifie pas que les *Illuminations* soient de purs exercices de langage, où la virtuosité verbale se déploie à partir d'un mot-thème tardivement révélé (« Métropolitain »), où l'échange métaphorique devient systématique (« Marine »), où un jeu de mots (parade / paradis), un jeu de possibles (« H ») sont volontairement exploités. Si « nous sommes, lecteurs des *Illuminations*, promis à une excitation faite de multiples interrogations sémantiques », comme l'écrit André Guyaux (éd. critique citée, p. 15), cette jouissance du détail ne doit pas nous faire perdre de vue un dessein d'ensemble, probablement voué à la chute. C'est l'« entreprise harmonique » décrite par Yves Bonnefoy, le « dégagement rêvé » de « Gé-

---

1. Voir sur ce point le beau texte de Salah Stétié, dans *Rimbaud, le huitième dormant*, Fata Morgana, 1993, pp. 87-94.

nie », sur lequel a insisté Jean-Pierre Richard — la tentative, en tout cas, pour refaire le monde et l'homme avec du langage.

3. AU SUJET DES ÉDITIONS DE 1886 : POÈMES EN VERS DE 1872 ET POÈMES EN PROSE DANS LES *ILLUMINATIONS*

Il convient de rappeler une vérité qu'on tend aujourd'hui à oublier : les *Illuminations*, telles qu'elles furent publiées à deux reprises en 1886, étaient un recueil mêlé de poèmes en prose et de poèmes en vers.

Il faut donc faire un effort d'imagination, lire, ou relire, les *Illuminations* avec le regard d'un lecteur de 1886. Paul Claudel était du nombre et on comprendrait beaucoup mieux les propos parfois surprenants de Claudel sur Rimbaud si l'on voulait bien tenir compte de ce fait. Il écrivait dans sa Préface de 1912, publiée d'abord isolément, sous le titre « Arthur Rimbaud », dans *La Nouvelle Revue française* d'octobre 1912 :

> « Le matin, quand l'homme et ses souvenirs ne se sont pas réveillés en même temps, ou bien encore au cours d'une longue journée de marche sur les routes, entre l'âme et le corps assujetti à un desport rythmique se produit une solution de continuité ; une espèce d'hypnose "ouverte" s'établit, un état de réceptivité pure fort singulier. Le langage en nous prend une valeur moins d'expression que de signe ; les mots fortuits qui montent à la surface de l'esprit, le refrain, l'obsession d'une phrase continuelle forment une espèce d'incantation qui finit par coaguler la conscience, cependant que notre miroir intime est laissé, par rapport aux choses du dehors, dans un état de sensibilité presque matérielle. Leur ombre se projette directement sur notre imagination et vire sur son iridescence. Nous sommes mis en communication. C'est ce double état du marcheur que traduisent *Les Illuminations* : d'une part les petits vers qui ressemblent à une ronde d'enfants et aux paroles d'un libretto, de l'autre les images désordonnées qui substituent à l'élaboration grammaticale, ainsi qu'à la logique extérieure, une espèce d'accouplement direct et métaphorique [1]. »

L'édition de 1912 regroupait encore sous le titre *Les Illuminations* des poèmes en prose et des poèmes en vers. Paterne Berrichon, qui en était le responsable, avait à l'intérieur du recueil ménagé deux sections, « Vers

---

1. *Œuvres en prose* de Paul Claudel, dans la Bibliothèque de la Pléiade, Gallimard, 1965, pp. 517-518. **2.** Lettre de Félix Fénéon à Henry de Bouillane de Lacoste, citée dans l'édition critique des *Illuminations* établie par ce dernier, Mercure de France, 1949, p. 138.

nouveaux et chansons » et « Poèmes en prose ». Mais Claudel, comme dédaigneux de l'édition qu'il préface, reste fidèle à celle qui parut pour la première fois l'année de ses dix-huit ans. Cette édition est celle que publia la revue *La Vogue*. Il importe de distinguer entre la préoriginale, dans la revue proprement dite, et l'édition originale, un recueil constitué très peu de temps après par les Publications de *La Vogue*. Claudel a découvert les textes dans la revue, du 13 mai au 21 juin 1886. Mais comment n'aurait-il pas ensuite acquis le recueil, qui lui permettait d'avoir sous forme portative le chef-d'œuvre immédiatement reconnu ?

La difficulté est que l'ordre des pièces n'est pas le même dans *La Vogue* revue et dans *La Vogue* plaquette. De la préoriginale à l'originale, il se trouve modifié. Si dans les deux cas la première pièce est la même, « Après le Déluge », ainsi que la dernière, « Démocratie », le parallèle est brisé dès la seconde (« Enfance » dans la revue, « Barbare » dans la plaquette) et il est très rarement rétabli (pour le nº 6, « *Being Beauteous* », pour le nº 30, « *Loin des oiseaux* »). Félix Fénéon, responsable de cet ordre dans l'un et l'autre cas, a dit lui-même qu'il était chaque fois arbitraire, puisque le manuscrit était constitué « de feuilles volantes et sans pagination — un jeu de cartes [2] ».

La plaquette vient mettre fin à ce qui, dans la revue, était inachevé. En effet le numéro 9 de *La Vogue* annonçait, après « Démocratie », que *Les Illuminations* seraient continuées. Or rien n'a paru dans le numéro 10, et le numéro 11 (5 juillet) apporte un rectificatif décevant : à la place de « seront continuées » il faut lire dans le numéro 9 « Fin — Ici est terminée, en effet et hélas, l'intégrale publication de l'œuvre de l'équivoque et glorieux défunt ». Nous savons maintenant que cette fin n'en était pas une, que les dirigeants de *La Vogue* n'avaient pu obtenir de Charles de Sivry, le détenteur du manuscrit, l'ensemble des textes. Il faudra attendre 1895 pour que l'édition Vanier exhume cinq *Illuminations* nouvelles : « *Fairy* », « Guerre », « Génie », « Jeunesse » et « Solde ».

On ne peut pas ne pas remarquer l'apparition tardive dans l'un et l'autre recueil des poèmes en vers. « Marine » arrive en vingt-quatrième position dans la préoriginale (mais ce texte, on le sait, sera toujours maintenu dans les *Illuminations*, et même dans les éditions les plus récentes), « Chanson de la plus haute Tour » en vingt-huitième position. Dans l'originale, « Marine » est la douzième pièce (et « Mouvement » la treizième), mais la première des chansons est seulement la trente et unième pièce, « *Nous sommes tes grands-parents* » (c'est-à-dire « Comédie de la Soif »). « Chanson de la plus haute Tour » n'est que la trente-deuxième.

On serait donc près de penser que c'est comme par épuisement que les poèmes en prose ont dû céder la place aux « Vers nouveaux et chansons » dans la revue et, par voie de conséquence, dans la plaquette. La livraison du numéro 7 de la revue était même entièrement constituée de poèmes (« Chanson de la plus haute Tour », « Âge d'or ». « *Nous sommes tes grands-parents* », « Éternité », « *Qu'est-ce pour nous, mon cœur* »). Mais comment expliquer alors le rebond du numéro 8 qui fait se succéder trois poèmes en prose (« Promontoire », « Scènes », « Soir historique ») et trois poèmes en vers (« Michel et Christine », « Bruxelles » [*sic*], « Honte ») ? Comment s'expliquer surtout que l'inépuisable fût, finalement, du côté des poèmes en prose, avec les cinq pièces retrouvées de l'édition Vanier, en 1895 ?

Il n'en reste pas moins que, pour le lecteur de 1886, le mélange des poèmes en prose et des poèmes en vers ne se place pas sous le signe de l'alternance, mais sous celui du prolongement. Et alors qu'un habitué des éditions modernes pourrait admettre, à la rigueur, que les poèmes en prose continuent les « Vers nouveaux et chansons », le lecteur de 1886 est bien obligé d'admettre que c'est l'inverse, et que les « Vers nouveaux et chansons » continuent les poèmes en prose.

Le témoignage de Verlaine vient ajouter à cette double incertitude. Alors qu'après le séjour à Stuttgart, le 1er mai 1875, il ne parlait dans une lettre à Ernest Delahaye que des « poèmes en prose » de Rimbaud, en 1886, dans sa Préface pour l'édition originale des *Illuminations*, il écrit que le « manuscrit [...] se compose de courtes pièces, prose exquise ou vers délicieusement faux exprès ». Et s'il laisse encore attendre une suite (qui n'est d'ailleurs pas nécessairement la suite des *Illuminations*, mais celle de la publication intégrale des œuvres de Rimbaud), elle sera et en prose et en vers : « Deux autres manuscrits en prose et quelque (*sic*) vers inédits seront publiés en leur temps. »

On remarquera, dans toutes ces notations de Verlaine, que les vers viennent toujours après la prose, comme dans le recueil même des *Illuminations* en 1886. On pourrait penser que la seule raison en est l'euphonie de la phrase, si la chronologie à laquelle les éditions et les commentaires récents nous ont habitués n'était tout à fait étrangère à Verlaine. C'est que, pour lui, la tentation du poème en prose s'est exercée sur Rimbaud bien avant le temps de l'après-*Saison*. Bien plus, elle s'est exercée sur Rimbaud au moment même où elle s'exerçait sur lui, Verlaine.

La tentation de la « prose exquise », comme celle des « vers délicieusement faux exprès », s'exerça parallèlement et conjointement sur Verlaine et Rimbaud en 1872. Dans une lettre à Edmond Lepelletier du 8 novembre 1872, Verlaine demande qu'on recherche parmi les objets laissés dans la chambre de la rue Nicolet, une douzaine de lettres de Rimbaud « contenant des vers et des poèmes en prose » (à cette date, les vers viennent avant, les poèmes en prose sont la nouveauté absolue). Or à cette même date — fin de 1871 ou début de 1872 — Verlaine « demanda à la prose, à une certaine prose, une ressource nouvelle[1] ». André Vial cite deux exemples de poèmes en prose de Verlaine, dont il reproduit le fac-similé : « *La mélancolie énervante* » et « *Pareil au galop d'un grand troupeau* ». Il imagine même à cet égard une influence de Rimbaud sur Verlaine quand il écrit qu'« à l'instigation de Rimbaud, entre deux "ribotes", il [Verlaine] s'exerce à ce que le réfugié de Roche [Rimbaud], dans une lettre de mai 1873, appelle des "fraguemants en prose" ». Il faudrait ajouter que, dans la lettre en question, Rimbaud dit ces fraguemants « de moi ou de lui ».

Il apparaît avec de plus en plus d'évidence que l'année 1872 fut celle, non seulement de la plus grande intimité de Verlaine et de Rimbaud, mais de leur plus grande complicité poétique. Il ne s'agit pas seulement de l'émulation qui a existé entre celui qui écrivait les *Romances sans paroles* et celui qui songeait à des « Études néantes » — lesquelles se retrouvent pour la plupart dans les « Vers nouveaux et chansons », donc dans *Les Illuminations* de 1886. Il a existé, à peu près au même moment, une rivalité analogue à propos du poème en prose. « Quelques fraguemants en prose *de moi ou de lui* » : il s'agirait, malgré l'avantageuse antéposition du *moi*, d'un projet commun. Le résultat de cet échange ne nous est pas clairement connu. Il semble ne devoir être confondu ni avec les *Illuminations* (nulle part la main de Verlaine n'intervient dans le manuscrit, et jamais il n'a parlé d'une telle collaboration en présentant le recueil), ni avec *Les Déserts de l'amour* (sans doute très nettement antérieurs), ni assurément avec les histoires atroces déjà rédigées pour le *Livre païen*, le *Livre nègre* auquel travaille Rimbaud quand il écrit la lettre à Delahaye de mai 1873. Mais on découvre une double filiation poétique et un mélange vécu dans la création poétique elle-même dont le recueil tel qu'il a été publié en 1886 est comme l'aboutissement naturel. Il n'y avait en tout cas rien que de très naturel pour Verlaine, qui a sa part de responsabilité dans la présentation des *Illuminations* en 1886.

Telles qu'elles ont été publiées en 1886, les *Illuminations* étaient un ouvrage imparfait. En août 1878, Verlaine, après avoir emprunté le manuscrit à Charles de Sivry, lui écrivait :

« (...) avoir relu ILLUMINATIONS (*Painted plates*) du sieur que tu sais,

---

1. André Vial, *Verlaine et les siens*, Nizet, 1975, p. 120.

ainsi que sa *Saison en enfer*, où je figure en qualité de Docteur Satanique (Ça, c'est pas vrai !). Te le reporterai vers octobre. Dangereux par les postes. Choses charmantes dedans, d'ailleurs, au milieu d'un tas de zolismes avant la lettre, par conséquent inavouables. »

Claudel, dans un texte tardif, daté de Brangues, 7 mai 1942, qualifie les *Illuminations* d'« encore trébuchantes [1] ».

Il reste à se demander en effet si ces éditions de 1886 ont aujourd'hui une valeur autre qu'archéologique. Roger Pierrot a eu l'heureuse idée de faire faire un *reprint* de l'originale dans un volume de la collection Ressources publié par Michel Slatkine en 1979. « Les lecteurs habitués aux éditions modernes seront peut-être surpris d'y trouver onze pièces de vers qu'ils ont l'habitude de lire sous les rubriques *Derniers vers* ou *Vers nouveaux et chansons* », écrit-il dans sa Préface, et il ajoute : « Ces textes ont en effet été exclus, non sans arbitraire, des *Illuminations* par les éditeurs de Rimbaud. »

La responsabilité de cette exclusion incombe à Henry de Bouillane de Lacoste, dont on connaît la thèse fondée sur un examen graphologique des manuscrits, *Rimbaud et le problème des* Illuminations (Mercure de France, 1949).

Dans son édition dite « critique » des *Poésies* de Rimbaud, publiée au Mercure de France en 1941, il a, pour la première fois, ajouté aux *Poésies*, sans constituer une série de « Vers nouveaux », les poèmes en vers les plus tardifs de Rimbaud, de « Larme » jusqu'à « *Le loup criait sous les feuilles* » (que nous ne connaissons que par *Une saison en enfer*). On y trouve même « Marine » et « Mouvement », que les éditeurs les plus récents maintiennent dans les *Illuminations*. Pourtant le même Bouillane de Lacoste dans son édition critique des *Illuminations* (Mercure de France, 1949) replace « Marine » et « Mouvement » dans ce recueil, sans reprendre les autres poèmes en vers.

Cette tradition est devenue celle des éditeurs des *Illuminations*, soit qu'ils reprennent un ordre devenu traditionnel (c'est le cas de Salvatore Piserchio dans son édition commentée des *Illuminations* en 1983), soit qu'ils le bouleversent pour donner une image plus juste des manuscrits (c'est le cas d'André Guyaux dans son édition critique des *Illuminations* publiée À la Baconnière en 1985). Elle est devenue aussi celle des traducteurs (Enid Rhodes Peschel, Mario Matucci, pour ne prendre que quelques exemples).

---

1. « Un dernier salut à Arthur Rimbaud », dans *Œuvres en prose*, éd. citée p. 524. Ce texte fut écrit pour l'édition des CI Bibliophiles.

Une étude décisive reste impossible tant que les manuscrits de la collection Bérès ne pourront pas être à nouveau librement consultés. Or dans cette collection se trouvent des poèmes en prose (« Scènes », « *Bottom* », « H », « Génie », « Soir historique ») et des poèmes en vers (« Mouvement », mais aussi certaines versions des prétendus « Vers nouveaux et chansons »). Jusqu'à plus ample informé, les *Illuminations* restent un impossible recueil. Ces multiples modifications, ces ajouts, ces soustractions, ces changements intervenus dans l'ordre des pièces dès 1886 le prouvent suffisamment. Ils peuvent nous inciter à lire chaque poème comme un « fragment » (c'est la thèse défendue par André Guyaux). Ils peuvent aussi donner à un lecteur plus sensible aux ensembles le délicieux sentiment de liberté de l'aléatoire. Rien de figé, dans un semblable recueil, et tout ordre correspond à une vaine tentative pour « fix[er] des vertiges ».

Comme elle est curieuse, c'est vrai, cette originale de 1886 ! « Mouvement » y est imprimé en italique, comme les « Vers nouveaux et chansons », mais « Marine » est en romain, comme les proses, et ceci sans doute parce que le texte de « Fête d'hiver », sans titre, y est inclus (p. 29). De même le texte des « Ponts » se trouve amalgamé à « Ouvriers ». On a l'impression qu'une pesanteur de la prose s'affirme pour que soit plus sensible le « dégagement rêvé » des vers, — terme idéal de l'itinéraire rimbaldien, même si le texte final est ici une prose, « Démocratie ».

Parce qu'on est plus sensible au vers, on s'aperçoit mieux aussi que des textes comme « Veillées » I, comme « Départ », en sont tout proches. Et en tout cas on découvre qu'il existe divers degrés entre la prose et le vers : vers réguliers (« *Loin des oiseaux* »), vers libres (« Mouvement »), prose mise en vers (« Marine »), quasi-vers (« Veillées » I), alinéas aérés (« Dévotion »), alinéas compacts (« Matinée d'ivresse »), un seul alinéa (« H »).

Il ne faut jamais perdre de vue que, comme Claudel, les écrivains et critiques du premier demi-siècle ont connu ce mélange. Jacques Rivière, quand il cite « *Qu'est-ce pour nous, mon cœur* », met en référence « Les *Illuminations* : « Vertige ». « Bruxelles » (c'est-à-dire « *Plates-bandes d'amarantes...* ») fait aussi partie pour lui des *Illuminations*[1]. De même « Mémoire ». Les *Illuminations* telles que les ont d'abord connues Etiemble et Jean-Pierre Richard étaient d'abord celles-là.

Peut-être ne faut-il pas trop céder à la raison de l'édition critique quand on lit les *Illuminations*. Jacques Rivière l'a fort bien compris :

« [...] ces poèmes sont complètement dépourvus d'égards, c'est-à-dire

1. *Rimbaud*, Émile-Paul, 1914 ; rééd. dans *Rimbaud. — Dossier 1905-1925*, présenté, établi et annoté par Roger Lefèvre, Gallimard, 1977, p. 85, 139, 142.

qu'en aucun point ils ne s'inclinent, ils ne se dérangent vers nous. Aucun effort pour faire passer dans notre esprit les spectacles qu'ils recèlent ; ils sont écrits au mépris de toute sociabilité ; ils sont le contraire même de la conversation. On y sent quelque chose de fidèle à on ne sait quoi. Ce sont des témoins. Ils sont disposés comme des bornes qui auraient servi à quelque repérage astronomique. Il faut prendre le petit livre des *Illuminations* comme un carnet échappé de la poche d'un savant et qu'on trouverait plein de notations mystérieuses sur un ordre de phénomènes inconnus. Nous n'étions pas là. Nous passons par hasard. Nous ramassons ces reliques inestimables qui ne nous étaient pas destinées [1] ».

Après le Déluge (pp. 455-456)

Manuscrit autographe de l'ancienne collection Lucien-Graux (Bibliothèque nationale de Paris). La numérotation du feuillet (1), à l'encre, n'est pas de la main de Rimbaud. L'encre est pâle, le format (11,5 x 11,2) unique dans le dossier des *Illuminations*. Plusieurs éditions en fac-similé, dont *L'Œuvre intégrale manuscrite*, Textuel, p. 142.

• L'« Adieu » d'*Une saison en enfer* se situe après un déluge de feu et de sang, celui de l'Apocalypse. Ici Rimbaud semble revenir au Déluge de la Genèse, et très exactement au moment de la décrue (VIII, 1-14). Mais il va bien au-delà du texte de la Bible : c'est aux Déluges qu'il songe et, comme l'écrit Margaret Davies dans son commentaire souvent bien inspiré, « l'idée, "l'absente de tous déluges", par laquelle les hommes ou le poète ou même Dieu ordonnent l'Univers selon leur guise » (dans *Images et témoins, Revue des Lettres Modernes,* série Arthur Rimbaud I, textes réunis par Louis Forestier, Minard, 1972, pp. 20-27). « Après le Déluge » (le titre même vient de la Genèse, IX, 28), la vie recommence comme avant et si vite que tout — êtres et choses — retrouve comme immédiatement sa place. Elle recommence pire qu'avant : constructions et superstitions prolifèrent, le sang coule, il n'est même plus de désert qui puisse servir de havre de paix. Est-ce là le printemps de la Création annoncé par la nymphe Eucharis ? Alors le Déluge est à recommencer et, puisque Dieu s'est interdit de le faire (c'est l'une des clauses de l'alliance qu'il a conclue avec ses créatures, Genèse, IX, 15 : « Les eaux ne deviendront plus un déluge pour détruire toute chair »), le poète lance un appel et convoque les eaux. C'est la seule manière de sauver le monde, ou plutôt d'en retrouver le secret.

1. *Ibid.*, p. 132.

Voir Albert Henry, « Lecture de quelques *Illuminations* », « Après le Déluge », dans *Contribution à la lecture de Rimbaud*, Bruxelles, Académie Royale de Belgique, 1989, et nouvelle édition, 1998, pp. 17-40. À compléter par *id.*, « Lecture (partielle) d'*Après le Déluge* », dans *Rimbaud. — Strategie verbali e forme della visione*, éd. ETS, Pise, et Slatkine, Genève, 1993, pp. 65-78.

Enfance (pp. 457-460)

Manuscrit autographe de l'ancienne collection Lucien-Graux, premier cahier (B.N.). Feuillets numérotés 2, 3, 5 et 6. Format 20 x 13. Encre très noire, écriture large. Les points sur les i ressemblent à plusieurs reprises à des accents circonflexes : il faut donc bien lire « sur la haute mer faite ». Fac-similé, Textuel, pp. 143-146.

Au verso du feuillet numéroté 24 (où se trouvent la fin de « Métropolitain » et « Barbare »), on lit le premier paragraphe, biffé, de ce qui sera « Enfance » I : sans titre, avec une variante (« de noms férocement grecs, celtiques, slaves ») ; l'écriture ne ressemble ni à celle de « Barbare », ni à ce que sera celle d'« Enfance », mais il s'agit bien de l'écriture de Rimbaud. On est en droit de supposer qu'après avoir écrit par mégarde au verso d'un feuillet, il a rayé ces quelques lignes dont le titre n'avait pas encore été fixé, et il a pris un autre feuillet.

• Avec son écriture large, comme majestueuse, la façon inhabituelle qu'a ici Rimbaud d'occuper l'espace de la feuille blanche, on serait tenté de faire d'« Enfance » le prélude des *Illuminations*. On comprend aussi que Fénéon et tous les éditeurs après lui aient placé cette série à la suite d'« Après le Déluge » : on peut découvrir d'une pièce à l'autre une continuité thématique, la catastrophe cosmique semble toujours menacer une vie naissante, et Rimbaud est en quête du même secret, — le feu. Mais la continuité est plus frappante encore avec cet autre poème du Déluge qu'est « Barbare ». On retrouvera en particulier le motif des « larmes blanches, bouillantes » avec « la haute mer faite d'une éternité de chaudes larmes ».

Il semble bien, en tout cas, qu'« Enfance » soit la première des suites. Comme « Vies », comme « Jeunesse », cette série de fragments donne une impression d'unité. Les avatars de l'idole féminine (I), les présences qui se dérobent (II), les surprises (III), les abandons (IV) conduisent à une solitude héroïque et au triomphe de la sécheresse et des ténèbres. Car les promesses de l'enfance ne conduisent qu'à des désillusions : l'ennui des amours (I), la vanité des vocations (IV). Bien plus, son vert paradis ne sort pas intact de ces proses : il apparaît comme un désert, et les visions merveilleuses ne parviennent pas à combler sa vacance ; une enfance mendiante ; une marche vers l'asphyxie plus que vers le grand air. Une entrée progressive dans le silence, qu'il faudra maintenir au prix d'un ensevelissement volontaire.

Voir Albert Henry, *op. cit.*, pp. 41-62.

Conte (pp. 460-461)

Manuscrit autographe de l'ancienne collection Lucien-Graux, premier cahier (B.N.). « Conte » suit la fin d'« Enfance » sur le feuillet numéroté 5. L'écriture est plus serrée et assez fine. Alors qu'« Enfance » s'achève sur un trait de 6 cm, il n'y a pas de trait à la fin de « Conte ». Il se peut que Rimbaud ait profité plus tard d'un vaste espace blanc sur le feuillet. Les deux proses ne sont donc pas nécessairement liées. Fac-similé, Textuel, p. 145.

• André Thisse (*Rimbaud devant Dieu*, p. 237) donne raison aux éditeurs qui mettent de plus en plus souvent, comme nous, « Génie » à la fin des *Illuminations*. Pourtant ce « Conte » qui met en scène un autre « Génie », une illusion de « Génie », apporte un singulier démenti à l'« Adoration » de celui qui devait aussi permettre la « jouissance de notre *santé* ». Peut-être convient-il de ne pas établir de lien d'une pièce à l'autre. Dans « Conte » en tout cas, la fable est claire : cette « histoire atroce » se présente comme un conte oriental, à la manière des contes des *Mille et Une Nuits* (A. Py l'a fort bien vu), même si l'on songe ici ou là à Barbe-Bleue ou à Néron. Et le Génie doit être analogue à ceux que l'on rencontre dans les contes arabes.

Mais tout ici se trouve frappé de nullité. Le Prince a beau tuer, détruire : tout recommence comme avant (c'est l'inutilité même du Déluge). Son anéantissement fabuleux est lui-même nié par une mort ordinaire, dans son palais ordinaire, « à un âge ordinaire ». Il avait eu le tort de se prendre pour le Génie.

De même l'artiste a tort de se prendre pour un génie. Rimbaud joue sur l'ambiguïté du terme, mais la « morale » de l'apologue est claire. Elle rejoint les constatations désabusées d'« Alchimie du verbe » ou d'« Adieu » : « J'ai cru acquérir des pouvoirs surnaturels. Eh bien ! je dois enterrer mon imagination et mes souvenirs ! Une belle gloire d'artiste et de conteur emportée ! » Le « Conte » ne peut plus dire que l'échec du conteur...

Voir Albert Henry, *op. cit.*, pp. 63-68.

Parade (pp. 461-462)

Manuscrit autographe de l'ancienne collection Lucien-Graux, premier cahier (B.N.). Feuillet numéroté 6 (20 x 13, papier blanc vergé). « Parade » l'occupant tout entier, ce feuillet pourrait être placé ici ou là dans la liasse. L'écriture du titre est la même que celle de « Conte » et de « Royauté » ; ensuite elle s'élargit. Fac-similé, Textuel, p. 147.

• C'est l'une des proses théâtrales qu'on trouve dans les *Illuminations*. L'interprétation la plus courante veut qu'il s'agisse d'une caricature de la civilisation occidentale — d'une cérémonie catholique (A. Adam), de parades militaires (Bouillane de Lacoste, S. Bernard). En même temps Rimbaud songerait à une troupe de saltimbanques (A. Py) qu'il a pu voir à Charleville (Delahaye) ou à Soho (V.P. Underwood). Il y a du vrai dans tout ceci, mais à condition de concevoir cette évocation foisonnante comme une « illumination » intérieure (la dernière phrase est là pour le préciser).

Dans *Une saison en enfer*, la grimace est une caractéristique de la société occidentale, mais elle est surtout une attitude que le damné se résout parfois à adopter : c'est la « farce continuelle » de « Mauvais sang », le boniment mi-charlatanesque mi-christique de « Nuit de l'enfer », et la décision prise un moment dans « L'Éclair » : « feignons, fainéantons », qui permettrait d'« exist[er] en [s']amusant » et en étant « saltimbanque, mendiant, artiste » (avec des équivalences significatives), « bandit, — prêtre [...] gardien des aromates sacrés, confesseur, martyr ». « Parade », c'est, pour reprendre une expression de « Nuit de l'enfer », la présentation de « toutes les grimaces imaginables ». L'important, dès lors, est moins le rapport entre le spectacle écrit et le spectacle décrit que le rapport entre la parade et celui qui en a la clef — la clef de ce « Paradis de la grimace » dont, autre saint Pierre, contre-saint Pierre, il est le détenteur.

Cette horde de « drôles très solides » est aussi inquiétante qu'amusante : des jongleurs, de possibles assassins. Leur « comédie magnétique », apparent divertissement, en réalité acte de vengeance et de possession, a pu séduire Antonin Artaud.

Voir Jean-Pierre Chambon, « On les envoie prendre du dos en ville » (*Parade*) : « du lexique à la syntaxe et vers l'exégèse », dans *Malédiction ou révolution poétique : Lautréamont/ Rimbaud*, *Lez Valenciennes*, Valenciennes, n° 13, 1990, pp. 177-185.

Antique (p. 462)

Manuscrit autographe de l'ancienne collection Lucien-Graux, premier cahier (B.N.), feuillet numéroté 7 (20 x 13, papier blanc), avant « *Being Beauteous* ». Même écriture que « Parade ». Fac-similé, Textuel, p. 148.

• Négligée par les commentateurs, cette prose s'éclaire à la lumière du mythe d'Hermaphrodite ou de l'androgyne, dont on sait l'importance dans la littérature du XIXe siècle (voir Mircea Eliade, *Méphistophélès et l'androgyne*, Gallimard, 1962, pp. 121 sq. ; Pierre Albouy, *Mythes et mythologies dans la littérature française*, Armand Colin, 1969, pp. 110-111, rééd. 1998, pp. 98 *sqq.*). L'imagination de Rimbaud a pu être sollicitée par des œuvres d'art (les chercheurs de choses vues en trouveront toujours au Louvre ou au British Museum...), par des lectures antiques (un passage d'Ovide, *Métamorphoses* IV, 393-397, proposé par Daniël de Graaf ; le discours d'Aristophane dans *Le Banquet* de Platon) ou des lectures modernes (« Hermaphroditus » dans les *Poems and Ballads*, first series, 1866, de Swinburne : on sait, d'après sa correspondance, que Verlaine lut le poète anglais à Londres lorsqu'il y séjournait en compagnie de Rimbaud). Mais l'important n'est pas là. Il s'agit d'une vision onirique volontaire, commandée (« Promène-toi, la nuit »), d'une autre tentative pour « exist[er] en [s']amusant, en rêvant amours monstres et univers fantastiques » (« L'Éclair »), pour « inventer [...] de nouvelles chairs » (« Adieu »).

L'évocation est d'une liberté étonnante. Elle procède par surimposition, comme si Rimbaud retrouvait spontanément différentes couches du mythe (chez Empédocle, l'androgyne — la créature première — pouvait être à la fois homme et animal : d'où les crocs) ou des détails caractéristiques (la démarche orbiculaire dont parle Aristophane dans *Le Banquet* et qu'il explique par la relation de l'androgyne à la lune). La multiplication finale des membres, apparemment déconcertante, s'explique mieux si l'on reconnaît dans ce « gracieux fils de Pan » une créature double, à quatre jambes.

À consulter : Daniël Adriaan de GRAAF, « L'influence de Swinburne sur Verlaine et Rimbaud », dans la *Revue des Sciences humaines*, Lille, fasc. 97, janvier-mars 1960, pp. 87-92 ; *id.*, « Les *Illuminations* et les *Métamorphoses* », dans la *Revue des langues vivantes*, Bruxelles, vol. 28, n° 3, mai-juin 1962, pp. 265-267.

André GUYAUX, « *Antique*, à la rencontre des symbolistes et des décadents », dans *Rimbaud : le poème en prose et la traduction poétique*, textes réunis par Sergio Sacchi, Tübingen, Gunter Narr, 1988, pp. 87-97.

Being Beauteous (p. 463)

Manuscrit autographe de l'ancienne collection Lucien-Graux, premier cahier (B.N.). Feuillet numéroté 7, à la suite d'« Antique ». Même écriture. Fac-similé, Textuel, p. 148.

• Cette prose mérite de suivre « Antique », car elle illustre le même projet, le même fantasme des « nouvelles chairs » et des « nouvelles amours ». Le mot *Vision* est central, mis en valeur par la majuscule, et appelle le rapprochement avec la tentative du Voyant dont *Une saison en enfer* a décrit les résultats et l'échec. Récidive ? impossible de le nier, impossible de l'affirmer. L'« Être de Beauté » (*Being Beauteous* : le titre anglais peut être emprunté, comme l'ont suggéré C.A. Hackett et V.P. Underwood, à un poème célèbre de Longfellow dont l'inspiration est par ailleurs bien différente) est, comme le fils de Pan, la nouvelle Créature dont Rimbaud le démiurge veut peupler son nouvel univers. Il reprend à son compte la traditionnelle vision de la résurrection des corps, telle qu'on la trouve dans la Bible (Ezéchiel XXXVII ; Matthieu, XXII, 23-32 ; Première Épître aux Corinthiens, XV), mais il la modifie comme il le fait d'habitude : il s'agit de revêtir les os « d'un nouveau corps amoureux ».

Voir Cecil A. HACKETT, « *Being Beauteous* : Rimbaud et Longfellow », dans la *Revue d'Histoire Littéraire de la France*, janvier-mars 1965, pp. 109-112, repris dans *Autour de Rimbaud*, Klincksieck, 1967, pp. 81-86.

« *Ô la face cendrée...* » (p. 463)

Manuscrit autographe de l'ancienne collection Lucien-Graux, premier cahier (B.N.). Bas du feuillet numéroté 7, à la suite de « *Being Beauteous* ». Même écriture. Fac-similé, Textuel, p. 148.

André Guyaux a montré de manière décisive que ce texte sans titre devait être disjoint du précédent et considéré comme un fragment à part. Il n'est pourtant pas interdit de l'interpréter comme une chute de la montée précédente.

• La tentative démiurgique a pour cadre un décor de mort, « une neige », comme s'il avait fallu faire un désert du monde. Et cette destruction préalable semble grever la construction nouvelle. « Tout se passe comme si le poète détruisait et créait dans un acte unique » (A. Py, *op. cit.*, p. 103, dont le commentaire est ici excellent). À cet égard, l'ambiguïté de l'accompagnement musical est frappante : les « cercles de musique sourde » d'où naît l'Être de Beauté sont inséparables des « sifflements de mort » et, bientôt, ils deviennent menaçants pour la créature même qu'ils ont suscitée. L'échec du nouveau Pygmalion est inévitable. L'Être de Beauté est promis à la destruction et à la mort, et le Voyant — ou son rêve — s'abat.

Voir André GUYAUX, édition critique citée des *Illuminations*, pp. 207-208.

Vies (pp. 464-466)

Manuscrit autographe de l'ancienne collection Lucien-Graux, premier cahier (B.N.). Feuillets numérotés 8 (parties I et II) et 9 (partie III, avant « Départ » et « Royauté »). Papier blanc vergé, format 20 x 13. L'écriture est sensiblement plus large et plus grasse que celle des poèmes précédents ; elle ressemble à celle d'« Enfance ». Fac-similé, Textuel, pp. 149-150.

• Il nous semble probable que, dans un premier état du manuscrit, « Enfance » et « Vies » se suivaient (dans un ordre ou dans l'autre). La ressemblance des écritures vient confirmer les liens que fait apparaître l'analyse structurelle (il s'agit de deux séries) et thématique. Si la première partie fait passer d'une vie antérieure (orientale) à une vie présente (occidentale), la seconde partie conduit à l'attente d'un *devenir* proche et la troisième s'achève (comme « Enfance » V) sur un « outre-tombe ». L'ensemble est étonnamment proche aussi d'*Une saison en enfer*, avec la tentation de « L'Impossible » (la sagesse de l'Orient), l'« atroce scepticisme » à l'égard des promesses de la religion chrétienne (I), de « l'entreprise de charité » (II), de l'« inventeur » (II) et de son « œuvre » (III). La métempsycose a également nourri la folie de l'alchimiste du Verbe (« Délires II » : « À chaque être, plusieurs *autres* vies me semblaient dues »). Ici elle sert de prétexte à un bilan négatif, — le bilan négatif d'*une* vie.

Voir André GUYAUX, *Poétique du fragment*, pp. 79-84, 215-216, 264-265 ; Antoine RAYBAUD, *Fabrique* d'Illuminations, pp. 167-175.

Départ (p. 466)

Manuscrit autographe de l'ancienne collection Lucien-Graux, premier cahier (B.N.). Sur le feuillet numéroté 9, entre « Vies » III et « Royauté ». Même écriture large sauf pour le titre qui a été visiblement ajouté. Fac-similé, Textuel, pp. 149-150.

• Le bilan négatif s'exprime ici en formules coupantes et anaphoriques. Mais elles servent de tremplin à des sursauts d'énergie pour un nouveau départ qui fait songer aux dernières lignes de l'« Adieu » d'*Une saison en enfer*. Adieu ici au Voyant, avec ses « hallucinations [...] innombrables » (« Nuit de l'enfer ») ; adieu aux rumeurs verlainiennes, lointaines et par trop indifférentes ; adieu à un itinéraire brisé. Tout cela est abandonné au profit de deux mots d'ordre nouveaux qu'on retrouve dans « Génie » : « l'affection » et le « bruit » (la « musique plus intense »). Le jeu des reprises et des chiasmes, des assonances et des allitérations fait de cette prose l'une des plus efficaces qui soient : et d'une manière exceptionnelle le projet n'est pas détruit aussitôt qu'exprimé.

Voir Pierre BRUNEL, *Arthur Rimbaud ou l'éclatant désastre*, pp. 11-14.

Royauté (p. 466)

Manuscrit autographe de l'ancienne collection Lucien-Graux, premier cahier (B.N.). Fin du feuillet numéroté 9, avec un trait de 5,5 cm sous le texte. L'écriture est plus fine et serrée que celle de « Vies » et de « Départ » ; c'est la même que celle de « Conte » et que celle du titre « Départ ». Rimbaud occupant l'espace de la page au maximum a visiblement complété le feuillet 9 par « Royauté » au moment où il complétait le feuillet 5 par « Conte ». Fac-similé, Textuel, p. 150.

• Voici un autre « Conte », toujours dans un décor oriental, mais Rimbaud ne tire pas cette fois la morale de son apologue, laissant ouvert le champ des interprétations. Elles sont trop nombreuses pour que nous les exposions ici et nous nous en tiendrons au sens littéral, qui est clair : un jour de royauté réclamé et obtenu au terme d'un temps d'épreuve par un homme et une femme. Le rapprochement s'impose avec ce « jour de succès » qui devrait, dans « Angoisse », compenser tant d'échecs passés. Mais c'est bien aussi sur une angoisse, sur une incertitude que nous laisse le récit, au « prétérit d'abolition » (A. Py), de cette royauté éphémère.

Voir André GUYAUX, *Poétique du fragment*, pp. 210-213.

À une Raison (p. 467)

Manuscrit autographe de l'ancienne collection Lucien-Graux, premier cahier (B.N.). Début du feuillet numéroté 10, format 20 x 13, papier blanc vergé. L'écriture est exactement la même que celle de « *Being Beauteous* ». Un reclassement serait peut-être ici souhaitable, différent de celui auquel a procédé André Guyaux, qui place « À une Raison » après « Fleurs ». En effet, « À une Raison » est précédé d'un trait (4,3 cm) et peut difficilement être placé après « Royauté », prose qui était elle-même suivie d'un trait. Fac-similé, Textuel, p. 151.

• Cette prose rappelle les dernières parties d'*Une saison en enfer* : « le chant des cieux » (« la nouvelle harmonie »), « la marche des peuples » (« leur en-marche »), « adorer [...] Noël sur la terre » (« le nouvel amour »). Aussi a-t-on cru pouvoir retrouver, ici et là, le même souvenir des illuminés progressistes du début du siècle, à commencer par Charles Fourier, l'auteur de *L'Harmonie universelle* (1804).

Le titre est déjà provocateur : parler d'une raison parmi d'autres ou d'une raison indéfinie dans une civilisation occidentale qui croit en *la R*aison ! La majuscule est maintenue ; elle paraît dérisoire après un article indéfini. Rimbaud est coutumier du fait, lui qui conquérait ses « deux sous de raison » sur « l'esprit » dans « L'Impossible ». De l'esprit, cette raison garde l'autorité toute militaire (le coup de tambour, la marche au pas, la levée des recrues, le mouvement de tête) ou toute divine (le signe de tête du *numen*). Exigeante (elle abolit tous les sons pour « commenc[er] la nouvelle harmonie »), saura-t-elle répondre aux exigences des « enfants » qui la supplient de changer les destins individuels, d'abolir le temps et de les élever au-dessus du monde ? La dernière phrase, au lieu d'exprimer une confiance absolue, comme le croit Jacques Plessen (*Promenade et poésie*, p. 273) pourrait bien exprimer un « atroce scepticisme » (« Vies » II)...

Voir Pierre Brunel, « La raison dans l'œuvre de Rimbaud », dans *L'Esprit nouveau dans tous ses états*, textes réunis en hommage à Michel Décaudin, Minard, 1986, pp. 85-94.

Matinée d'ivresse (pp. 467-468)

Manuscrit autographe de l'ancienne collection Lucien-Graux (B.N.), feuillets numérotés 10 (après « À une Raison », jusqu'à « débandade ») et 11 (avant les trois premières « Phrases »). Format 20 x 13, papier blanc vergé. Même écriture que pour la prose précédente, un peu plus large pour la dernière phrase dans son ensemble. Fac-similé, Textuel, pp. 151-152.

• L'interprétation de ce texte semble maintenant codifiée. L'« ivresse », pour la plupart des commentateurs, est celle que donne un « poison » (l'opium pour Jean-Pierre Richard, le haschisch pour tous ceux qui, avec Salah Stétié, suivent Enid Starkie dans le rapprochement *Assassins/Haschischins*). Nous aurions donc le compte rendu, à la manière de Thomas De Quincey, d'une séance de « paradis artificiel ». Le désaccord naît quand il s'agit de dater cette expérience : 1871, pour Antoine Adam ou Albert Py, forts d'un rapprochement avec la seconde lettre « du Voyant » (« il épuise en lui tous les poisons, pour n'en garder que les quintessences. Ineffable torture [...] » ; après l'abandon de la voyance, pour Yves Bonnefoy qui croit en une nouvelle expérience rimbaldienne de la drogue associée à la musique « dans des heures d'études attentives pour réveiller les puissances de son esprit ».

Si c'est une nouvelle expérience, elle ressemble vraiment beaucoup à la première ! Abandon de la morale, quête du Beau (à laquelle pourtant Rimbaud semblait renoncer à la fin d'« Alchimie du verbe » et dans le Prologue d'*Une saison en enfer*), foi au poison, choix volontaire de la torture, élaboration d'une *méthode*, d'un système fondé sur une folie raisonnée, tout ceci figure dans le bilan du damné. Il n'y manque même pas ces reprises de l'Évangile qui marquent d'ordinaire le contre-évangile rimbaldien : la promesse d'un corps glorieux, d'un nouvel amour, des visions angéliques, révélation réservée non pas aux « sages » et aux « intelligents », mais aux « enfants » (Matthieu, XI, 25). La « méthode » rimbaldienne dès lors pourrait bien être, plus que celle du poison auquel il a renoncé désormais, un art de pousser un précepte donné jusqu'au terme absurde d'une logique. « Voici le temps des *Assassins* » : c'est, résumé en une formule — dont le tour lui-même est évangélique —, l'Évangile qui promet le royaume de Dieu aux violents (Matthieu, XI, 12).

Pour nous, le rapprochement s'impose avec *Une saison en enfer* — les similitudes dans l'expression en sont un indice suffisant. « Matinée d'ivresse » contribue à ruiner la « méthode » du Voyant : elle n'est ici que faussement exaltée, ses contradictions sont soulignées, son échec est patent. La manière dont son souvenir est « sacré » ne laisse pas d'être ambiguë : il en reste un « masque » — cette simulation, cette « imitation de Jésus-Christ » qu'on a vue à l'œuvre dans les proses dites « évangéliques » et dans *Une saison en enfer*. Pas plus que dans « À une Raison » nous ne lisons ici de la « confiance » ; mais bien plutôt, comme dans le texte précédent auquel cette nouvelle prose est liée (et pas seulement sur le manuscrit), un « atroce scepticisme ».

Voir André Guyaux, « *Matinée d'ivresse* au miroir des *Paradis artificiels* », dans *Duplicités de Rimbaud*, Champion-Slatkine, 1991, pp. 43-56.

Phrases (p. 469)

Manuscrit autographe de l'ancienne collection Lucien-Graux, premier cahier (B.N.). Fin du feuillet numéroté 11 pour ces trois fragments, séparés par des lignes légèrement ondulées. Fac-similé, Textuel, p. 152.

• Le groupe constituerait, selon Antoine Adam, une sorte de parodie de Verlaine, avec les phrases « de l'amour conventionnel, ses bêlements puérils, son rêve de pureté et de solitude à deux, d'Éden enfantin et bucolique ». Cette exégèse nous semble s'imposer pour la première « Phrase » (nous ajoutons même une référence verlainienne) ; elle s'impose moins pour les deux suivantes, où Rimbaud semble bien plutôt se parodier lui-même, dans sa volonté de promouvoir un « nouvel amour ».

Voir Margaret DAVIES, « *Phrases* : une lecture », dans *Parade sauvage* nº 5, juillet 1988, pp. 63-71.

Deuxième série de Phrases, ou Fragments sans titre (pp. 470-471)

Feuillet 12 du manuscrit. Même papier blanc vergé que le feuillet 11. Le format est apparemment différent (11,5 x 13). En fait le feuillet a été simplement rogné en bas, sans doute pour supprimer une autre « phrase ». Il n'y a pas de véritable variation d'écriture quand on passe à ce feuillet 12. Les fragments sont cette fois séparés par trois croix. Fac-similé, Textuel, p. 153.

• Chacun de ces fragments pourrait être considéré à part. Les éditions anciennes en faisaient la suite des « Phrases ». Antoine Adam avait eu l'intuition qu'il fallait distinguer deux groupes. André Guyaux est allé plus loin en invitant à les disjoindre. L'appellation philologique « Textes du feuillet 12 » est toutefois peu suggestive. Nous avons préféré laisser cet ensemble sans titre.

Antoine Adam y a reconnu l'évocation d'une fête, ou de fêtes. À rappeler ses visions, Rimbaud nous livre l'une de ses plus pures créations verbales — la seconde.

Voir André GUYAUX, « Y a-t-il des textes sans titre dans les *Illuminations* ? », dans la *Revue d'Histoire Littéraire de la France*, septembre-octobre 1977, pp. 804-811.

Ouvriers (pp. 471-472)

Manuscrit autographe de l'ancienne collection Lucien-Graux, premier cahier (B.N.). Feuillet numéroté 13, papier blanc vergé, format 20 x 13. Premier titre « Les Ouvriers », puis l'article a été biffé. L'écriture n'est pas celle de « Royauté », comme le dit A. Adam ; elle est sensiblement plus large. C'est la même que pour « Phrases ». Fac-similé, Textuel, p. 154.

• Le couple mystérieux entrevu dans « Royauté » revient ici, mais c'est l'image de son indigence passée qui domine — une indigence qui semble bien demeurer, même si Henrika et son compagnon cherchent à lui échapper dans le temps (ils la renvoient « au siècle dernier ») et dans l'espace (« très loin dans les chemins »). C'est bien le monde ancien (*cf.* « Départ ») qui les poursuit avec le « vu » (la fumée), l'« eu » (les rumeurs des métiers à tisser), le « connu » (la misère, les incidents de l'enfance, les « désespoirs d'été »), les « lots » (*cf.* « À une Raison ») de faiblesse et d'ignorance qu'ils auraient voulu changer. Impuissante, la « charité » n'a fait que rappeler une « chère image »

Voir Jean-Luc Steinmetz, « Ici, maintenant, les *Illuminations* », dans *Littérature*, nº 11, octobre 1973, pp. 22-45, et plus particulièrement pp. 31-35 ; Sergio Sacchi, « Les *Ouvriers* subversifs de Rimbaud », dans *Il Confronto letterario*, Pavie, nº 14, novembre 1990, pp. 283-298.

Les Ponts (p. 472)

Manuscrit autographe de l'ancienne collection Lucien-Graux, premier cahier (B.N.). Fin du feuillet numéroté 13 (jusqu'à « hymnes », à la suite d'« Ouvriers ») et début du feuillet numéroté 14, papier et format habituels, (avant « Ville » et « Ornières »). Même écriture que pour « Ouvriers ». Fac-similé, Textuel, pp. 154-155.

• De la « banlieue » (« Ouvriers ») nous passons à la ville et à ses ponts, comme si une manière de cycle urbain commençait. Cycle londonien, pour de nombreux commentateurs : ils s'accordent à penser que les ponts ici évoqués sont ceux de la capitale britannique, ponts qui « n'en finissent pas », dira Germain Nouveau en 1874. Mais la ville réelle importe moins que la ville imaginaire. Pour qu'apparût ce « bizarre dessin de ponts », il a fallu « des ciels gris de cristal ». Mais qu'« un rayon blanc » « tomb[e] du ciel », et tout est anéanti. L'illumination — la « comédie » — ne dure qu'un instant sur la scène intérieure du voyant. La prose qui, elle, demeure, suggère surtout le travail de synthèse réalisé par les ponts : ils ne relient pas seulement des rives proches ou fort lointaines, mais les fragments épars de la vision. Sans eux, il n'y aurait pas de ville possible, pas de création possible : ils sont « les seuls possibles arcs-en-ciel du paysage humain » (Jean-Pierre Richard, *Poésie et profondeur*, p. 244). Après une suite de notations purement visuelles, Rimbaud enchaîne sur une métaphore musicale : « Des accords mineurs se croisent, et filent. » Ainsi naît une « nouvelle harmonie » du paysage : les ponts sont comme des accords ; mais, à l'inverse, ce sont encore des ponts que les accords musicaux, que les « bouts de concerts » qui flottaient dans l'air. La dernière phrase peut alors être interprétée comme un geste de lassitude du poète, après un effort pour réaliser la syntaxe du monde.

Voir Roger Little, « Quelques choses vues dans les *Illuminations* : retraverser *Les Ponts* », dans *Parade sauvage* n° 2, 1990, pp. 172-177.

Ville (pp. 472-473)

Manuscrit autographe de l'ancienne collection Lucien-Graux, premier cahier (B.N.). Suite du feuillet 14, entre la fin des « Ponts » et « Ornières ». Même écriture. Fac-similé, Textuel, p. 155.

• « Nous entrerons aux splendides villes », annonce Rimbaud à la fin de l'« Adieu » d'*Une saison en enfer. Splendide*, le terme conviendrait mal pour cette ville qu'on a voulu identifier avec Londres, sans y parvenir (ne fût-ce qu'en raison de l'absence des « monuments de superstition »). C'est une ville imaginaire que cette ville au singulier, que cette ville singulière où le « connu » a été « éludé » et qui se révèle pourtant si uniforme, si banale qu'elle finit par se perdre dans la fumée et dans une phrase qui va s'embrouillant et reste comme suspendue. Cette ville qu'on pourrait dire « enfante » (par opposition aux villes « géantes » qu'on trouvera plus loin) procède d'un rêve de réduction (du connu, de la superstition, de la morale, de la langue) qui va curieusement de pair avec un rêve de prolifération (« millions de gens »). Plus curieusement encore : cette prolifération ne fait qu'accentuer la réduction. L'uniformité de tant d'existences semblables donne l'impression d'une réduction du cours de la vie humaine. Un peu comme dans *Alice au pays des merveilles*, la réduction tend vers le zéro, vers la mort, et entraîne la rêverie dans un enfer qui, comme l'Hadès des Grecs, est l'image affaiblie et appauvrie du monde des humains.

Voir Margaret Davies, « Ville », dans *Autour de « Ville(s) » et de « Génie »*, *Revue des Lettres Modernes*, Série A. Rimbaud n° 4, 1980, pp. 7-14, et Pierre Brunel, « Mythocritique de *Ville* », *ibid.*, pp. 15-23.

Ornières (pp. 473-474)

Manuscrit autographe de l'ancienne collection Lucien-Graux (B.N.), fin du feuillet numéroté 14, après la fin des « Ponts » et « Ville ». Même écriture. Fac-similé, Textuel, p. 155.

• Au point de départ de ce poème en prose, Delahaye plaçait le passage d'un cirque américain « fourvoyé à Charleville ». C'est très exactement aller à rebours de l'imagination rimbaldienne, qui part d'un élément du paysage (les ornières) pour aboutir, — entre autres « féeries » —, à la vision d'un cirque ambulant paré d'une « élégance fabuleuse » (« Enfance » II). Les roulottes deviennent des « carrosses », les chevaux des « bêtes étonnantes » et les petits bohémiens se déguisent comme des enfants riches. Puis la vision se transforme, « tourne » et s'assombrit : elle devient un cortège de deuil. Comme dans « Ville », elle a conduit de la vie à la mort. De l'émerveillement à l'inquiétude. Dès le début, c'est à « l'aube d'été » qu'a été transféré le pouvoir démiurgique dans un monde encore tout humide de la nuit (motif du déluge). Il suffit de ces traces anciennes, les ornières, pour que se renouvelle un spectacle ordinaire, devenu « inouï », mais promis à l'« ombre violette » et aux ténèbres.

Voir Albert Henry, *op. cit.*, pp. 69-78.

Villes. — « *Ce sont des villes...* » (pp. 474-476)

Manuscrit autographe de l'ancienne collection Lucien-Graux, premier cahier (B.N.), feuillets numérotés 15 (jusqu'à « Bagdad où des ») et 16 (début, avant « Vagabonds » et le début de « Villes » II). Papier blanc vergé. Format 20 x 13. L'écriture n'est pas sensiblement différente de celle des proses immédiatement précédentes. Fac-similé, Textuel, pp. 156-157.

• « La confusion des rêves de Rimbaud » : l'impression dégagée par Antoine Adam (Pléiade, p. 994) est bien celle que laisse une première lecture de ce poème en prose ; et la phrase finale renvoie clairement au domaine des songes et des fantasmes cette étonnante rhapsodie où se mêlent l'Orient et l'Occident, l'ancien et le moderne, le mythique et le réel, le montueux et le plat, la terre et la mer, l'urbain et le pastoral, la lumière et l'ombre. Mais peut-on abandonner à l'incohérence un texte où se multiplient les alliances de mots, où se généralise l'usage de la polysémie, où « les légendes évoluent » et qui fait une large place à une série d'impossibles, d'absurdes *adunata* dont on retrouverait sans peine l'équivalent ou le modèle chez Lucrèce ou chez Virgile ? Tout n'est ici qu'hallucination volontaire, procédant par surimposition d'images (la première étant la ville/la montagne ; mais aussi les pentes/les canaux, les sommets/la mer), les images livresques pouvant fort bien s'unir aux images naturelles. Et l'« hallucination des mots » aboutit, comme dans « Alchimie du verbe », à un « système » (pluriels multipliés, transferts, inversions, annulations, etc.). Au fur et à mesure qu'on avance dans la lecture — dans la relecture —, on s'aperçoit que la vision progressivement s'assombrit, se pare d'« éclats mortels » et si, comme l'ont suggéré Etiemble et Yassu Gauclère, c'est bien l'espérance exprimée dans « Matin » qui reparaît à la fin (« Des groupes de beffrois chantent les idées des peuples », « la joie du travail nouveau »), elle reste désespérément liée au fantasme qui l'a suscitée et à ses ombres.

Voir le numéro 4 de la série A. Rimbaud de la *Revue des Lettres Modernes*, 1980, avec en particulier l'article de Marie-Claire Bancquart, « Une lecture des *Ville(s)* d'*Illuminations* », pp. 25-34.

Vagabonds (pp. 476-477)

Manuscrit autographe de l'ancienne collection Lucien-Graux, premier cahier (B.N.), suite du feuillet numéroté 16, entre les deux « Villes ». Même écriture que celle de la prose précédente. Fac-similé, Textuel, p. 157.

• « Nous errions » : cette évocation du couple de vagabonds, que Verlaine présente comme « *laeti et errabundi* » dans un poème de *Parallèlement*, n'est nullement une évocation joyeuse. Comme dans « Vierge folle », Rimbaud insiste sur l'incompréhension profonde qui demeurait entre son compagnon et lui. L'entreprise qu'il poursuivait était autre que celle dans laquelle prétendait le confiner son « pitoyable frère » : il voulait réinventer l'homme et le monde. Verlaine s'est reconnu dans ce portrait, refusant toutefois l'appellation de « satanique docteur » (lettre à Charles de Sivry, 9 août 1878).

Voir Albert Henry, *op. cit.*, pp. 79-88 ; André Guyaux, « Personnes et personnages, poèmes en prose et narration : une analyse de *Vagabonds* de Rimbaud », dans le *Bulletin de l'Académie royale* de Bruxelles, 1977, nº 1, pp. 108-125.

Villes. — « *L'acropole officielle...* » (pp. 477-479)

Manuscrit de l'ancienne collection Lucien-Graux, premier cahier (B.N.). Fin du feuillet numéroté 16 (jusqu'à « éternelle ») et feuillet 17. Papier blanc vergé. Format 20 x 13. Le titre est de la main de Rimbaud ; il est suivi du chiffre I, qui a été biffé : projet d'une série ; ou désir, immédiatement éteint, de numéroter (II) cette pièce pour la distinguer de celle qui porte le même titre. L'écriture du texte même change, encore que le passage soit comme insensible. Si cette écriture n'est pas celle de Rimbaud, elle lui ressemble : Bouillane de Lacoste, conscient du fait, a cherché à prouver que cette prose avait été copiée par Germain Nouveau (*Le Problème des* Illuminations, pp. 170-171). On peut avancer des arguments auxquels Bouillane de Lacoste n'a pas recours : sur le feuillet 17 on trouve souvent une minuscule en tête de phrase, ce qui n'est pas caractéristique de l'écriture de Rimbaud, ce qui est caractéristique, en revanche, de l'écriture de Germain Nouveau (voir le fac-similé reproduit dans l'*Album Rim-*

baud de la Pléiade, p. 213 ; Textuel, pp. 157-158) ; il y a des négligences dans la copie (« on évincé » ; « qu'elle peinture ») ; et le point d'interrogation entre parenthèses qui suit « les drames assez-sombres » pourrait correspondre à une réaction d'étonnement de la part du lecteur, du scribe... La question a été reprise par André Guyaux dans ses travaux à partir de son article de 1976, « L'écrivain et son scribe : Germain Nouveau copiant deux textes des *Illuminations* », dans *Rimbaud vivant*, nº 10, pp. 24-28, jusqu'à celui de 1986, « Germain Nouveau dans les *Illuminations* », dans *Le Point vélique*, Neuchâtel, À la Baconnière, 1986, pp. 79-89. Il affirme que, si le titre a été écrit par Rimbaud, « le texte est entièrement de la main de Germain Nouveau » (éd. critique, p. 38).

• Il ne s'agit ici ni de Paris ni de Londres (les deux mots se trouvent dans le texte) ni *a fortiori* de Stockholm. Mais des éléments connus, empruntés en particulier à la capitale britannique (V.P. Underwood en a fait un inventaire où il y a beaucoup à retenir), se retrouvent dans une vision onirique qui se présente encore comme une étonnante rhapsodie. Rhapsodie, cette fois, des architectures connues, des architectures passées pour une cité de l'avenir que décrit pourtant un témoin du temps présent. Le rapprochement s'impose avec l'un des rêves de Nerval dans *Aurélia* :

« Du point où j'étais alors, je descendis, suivant mon guide, dans une de ces hautes habitations dont les toits réunis présentaient cet aspect étrange. Il me semblait que mes pieds s'enfonçaient dans les couches successives des édifices des différents âges. Ces fantômes de constructions en découvraient toujours d'autres où se distinguait le goût particulier de chaque siècle, et cela me représentait l'aspect des fouilles que l'on fait dans les cités antiques, si ce n'est que c'était aéré, vivant, traversé de mille jeux de lumières. »

On est saisi de vertige aussi dans cette construction qui n'aboutit qu'à un chaos d'architectures. Tout est ici démesurément grandi, tout se trouve transplanté dans un décor polaire, au pays de la neige et de la nuit. Tout ceci pour une population rare, comme absente, comme asphyxiée par ces architectures fermées. Et l'ouverture finale sur le « Comté » est ouverture sur un futur qui ressemble encore au passé, et au plus poussiéreux, au plus mort : le passé des musées, des chroniques et des archives. « On dirait que [Rimbaud] surveille une réalité qui lui échappe », écrit Jean Hartweg ; on pourrait dire aussi qu'il condamne à la nullité, à la vanité, cette nouvelle vision urbaine.

Voir Jean HARTWEG, « *Illuminations* : un texte en pleine activité », dans *Littérature* nº 11, octobre 1973, pp. 78-84 ; *Autour de « Ville(s) »*, numéro cité de la *Revue des Lettres Modernes*, 1980, avec l'article de Marie-Joséphine WHITAKER, « Le problème de l'architecture dans les villes rimbaldiennes », pp. 35-43.

Veillées (pp. 479-481)

Manuscrit autographe de l'ancienne collection Lucien-Graux, premier cahier (B.N.). Les parties I et II occupent le feuillet numéroté 18 (format 15,2 x 10, papier blanc assez grossier, uni et rogné sur la droite) ; la partie III constitue le début du feuillet 19 (format habituel 20 x 13 ; papier blanc vergé habituel) : le titre initial de cette troisième partie, « Veillée », a été rayé et remplacé par le chiffre III. Elle est suivie d'un trait de séparation. L'écriture des deux premières parties est plus petite et moins soignée. Fac-similé, Textuel, pp. 159-160.

• Cas unique de rajout, dans cette liasse, avec un feuillet de format et de papier différent. Visiblement la prose originelle (« Veillée », la future partie III) s'est transformée en une série par adjonction de deux autres pièces. Il n'existe donc pas de continuité voulue pour ces trois proses. C'est une succession de rêves brisés, mais de rêves éveillés (d'où le titre), dirigés : pour reprendre un mot d'« Alchimie du verbe », des « études ». Études d'éclairage (dans les trois cas, c'est la notation initiale, « C'est le repos éclairé » (I), « L'éclairage revient » (II), « Les lampes » (III) ; la dernière vision naît au contraire de l'absence de lumière « La plaque du foyer noir »). Études de sons : jeu d'assonances et même de rimes (I), harmonies muettes (II), « bruit des vagues » (III). Études de langage : simples affirmations juxtaposées (I), alliances confuses (II), métaphores (III). On serait tenté de dire : études de rêves. Le fait que Rimbaud répète le terme est à cet égard un indice suffisant : « Et le rêve fraîchit » (I) ; « Rêve intense et rapide » (II).

La veillée est attente du trésor qui peut surgir du « puits des magies ». Mais à chaque fois cette attente semble déçue, qu'il s'agisse du rêve tout simple de la « vraie vie » (I), de la construction laborieuse d'un décor à partir d'une épure, ou au contraire de conjonctions subtiles, ou d'une prolifération visant à la totalité (II), ou bien encore des métamorphoses d'une chambre pour l'évasion ou pour l'amour (III). La dernière phrase, elliptique, pourrait renvoyer du foyer éteint (cf. « Nocturne vulgaire ») à de « réels soleils de grèves », et des trompeurs « puits des magies, » épuisés au cours des « veillées », à la seule « vue », celle d'« aurore ».

Voir André GUYAUX, « Les trois *Veillées* de Rimbaud », dans *Studi francesi*, mai-décembre 1978, pp. 311-321.

Mystique (p. 481)

Manuscrit autographe de l'ancienne collection Lucien-Graux, premier cahier (B.N.). Suite du feuillet 19 après la partie III de « Veillées », avant le début d'« Aube ». Comme pour ces deux textes, écriture assez large et apaisée. Fac-similé, Textuel, p. 160.

• La plus innocente, la plus charmeuse, en apparence, des *Illuminations*, et pourtant la plus audacieuse peut-être. Rimbaud reprend une vision traditionnelle du Jugement dernier, soit celle de *L'Agneau mystique*, le célèbre tableau de Van Eyck (voir l'article de J. Tielrooy, « Rimbaud et les frères Van Eyck », dans *Neophilologus*, XX, 1934-1935), soit beaucoup plus simplement le texte de l'Apocalypse (voir plus haut notre commentaire de l'« Adieu »). Mais, comme il l'a fait à plusieurs reprises, il corrige singulièrement l'« enluminure ». D'une part il substitue à la traditionnelle représentation des damnés et des élus le partage « moderne » des désastres et des progrès (nous sommes ici parfaitement d'accord avec le commentaire d'Antoine Adam, éd. cit., p. 998). D'autre part, et surtout, il inverse le ciel et l'enfer, la place de la lumière divine et des « nuits humaines ». Il ne s'agit pas d'un simple changement de perspective, mais bien de donner à l'homme, et même au damné dans l'« abîme », la douceur que Dieu voudrait réserver aux anges et aux élus.

Voir Sergio Sacchi, « Rimbaud, peintre "mystique" », dans *Parade sauvage*, Colloque n° 2, 1990, pp. 178-186.

Aube (p. 482)

Manuscrit autographe de l'ancienne collection Lucien-Graux, premier cahier (B.N.). Fin du feuillet numéroté 19 (jusqu'à « bruit ») et début du feuillet numéroté 20, avant « Fleurs » (20 x 13). Même écriture que pour « Mystique ». Fac-similé, Textuel, pp. 160-161.

• La prose la plus « innocente », cette fois, des *Illuminations*, ou celle qui va le plus loin dans la quête de l'innocence retrouvée. Elle est pourtant inséparable de « Mystique ». C'est une apocalypse nouvelle : comme l'écrit André Thisse, « l'aube est par nature apocalyptique, car elle est révélation d'un monde nouveau et du vrai nom de toutes choses » (*Rimbaud devant Dieu*, p. 149). Or cette révélation n'est pas spontanée : il faut, du moins le croit-il d'abord, que le poète marche pour que se réveillent « les haleines vives et tièdes », il faut qu'il rie au « *wasserfall* blond » pour qu'il « s'échevel[le] à travers les sapins » ; bref, il faut qu'il « lèv[e] un à un les voiles » — ce qui est la définition même d'une « entreprise » apocalyptique. Fuyant les « camps d'ombres » laissés par la nuit (cf. « Mystique » : la gauche, les homicides, les batailles, les bruits désastreux), il cherche à « embrass[er] l'aube », donc à rejoindre « la ligne des orients » (à droite, dans « Mystique »).

Cette poursuite ne va pas pourtant sans ambiguïté. Chaque pas, chaque geste, chaque rire du « promeneur démiurge » (J. Plessen, *Promenade et poésie*, p. 321) semblent avoir un pouvoir magique : mais ce pouvoir est-il bien le sien ? est-il celui de la seule « aube d'été » (voir le début d'« Ornières ») ? « Je la chassais », dit-il : pour la saisir ou au risque de l'éloigner ? Pour la « saisir » ne fût-ce qu'« un peu », il faut plus de délicatesse. Délicatesse qui est en tout cas celle de l'artiste : il a su dire comme nul autre « cette heure indicible, première du matin » (lettre à Delahaye, juin 1872).

Voir Albert Henry, *op. cit.*, pp. 89-102 ; André Guyaux, « *Aube* : la fugacité de l'ambigu », dans *Rimbaud vivant* n° 13, 1977, pp. 3-15 ; Sergio Sacchi, « Aube : temps et rythmes de l'illumination », dans *Arthur Rimbaud : poesia e avventura*, a cura di Mario Matucci, Pise, Pacini, 1987, pp. 93-108. Pierre Brunel, *Rimbaud. — Étude de l'œuvre*, Albin Michel, 1995, pp. 174-179.

Fleurs (p. 483)

Manuscrit autographe de l'ancienne collection Lucien-Graux, premier cahier (B.N.). Suite du feuillet numéroté 20. Même écriture. Fac-similé, Textuel, p. 161.

• Au moment où, dans l'Apocalypse, descend du ciel la Jérusalem céleste, cette ville « d'or pur, semblable à du verre pur » et dont les murailles sont de pierres précieuses, une voix se fait entendre : « Voici que je fais toutes choses nouvelles » (XXI, 5). Or, Rimbaud l'a dit lui-même dans l'« Adieu » d'*Une saison en enfer* : il a « essayé d'inventer de nouvelles fleurs, de nouveaux astres, de nouvelles chairs, de nouvelles langues ». Pour la première de ces « entreprises » nous avons au moins un témoignage éclatant : « Fleurs », dont la place se justifie aisément dans le manuscrit tel que l'avait préparé Rimbaud. Une « illumination », si l'on veut : l'invention, le temps d'un éclair, d'un monde floral où, selon Jean-Pierre Richard, « le triomphe des fleurs se développe en trois mouvements successifs : [...] la floralité tour à tour se découvre, se consolide, enfin se dépasse et se détruit elle-même » (*Poésie et profondeur*, p. 205). Pour cette création, Rimbaud emploie les moyens devenus habituels de l'alchimiste du verbe : la substitution de l'artificiel au naturel, du précieux au commun ; la superposition d'une vision florale et d'une vision architecturale qui est peut-être moins celle d'un théâtre, comme on l'a dit, que celle d'une église, d'une construction luxueuse en tout cas dont l'empire est rendu au « ciel » et à la « mer ». Car il n'est peut-être pas en définitive d'autre Dieu, — pas même le poète qui s'est cru démiurge...

Voir Bruno CLAISSE, *Rimbaud ou le dégagement rêvé*, Charleville, Bibliothèque sauvage, 1990, pp. 51-58.

Nocturne vulgaire (pp. 484-485)

Manuscrit autographe de l'ancienne collection Lucien-Graux, premier cahier (B.N.). Feuillet numéroté 21, en réalité autre face du feuillet qui porte « Marine » et « Fête d'hiver ». Nous avons choisi de le considérer plutôt comme le verso de ce feuillet. Encre roussâtre. Écriture petite, ronde, ferme, qui n'est ni exactement celle de « Marine » ni celle de « Fête d'hiver ». La disposition des alinéas est douteuse. Fac-similé, Textuel, p. 162.

• C'est « l'une des illuminations les moins rationnelles, les plus véritablement livrées aux fantaisies de l'onirique », et en particulier à « la logique aberrante d'un dynamisme de la courbure », écrit Jean-Pierre Richard qui nous a donné de ce poème en prose un commentaire suggestif (*Poésie et profondeur*, pp. 236-237). Sans qu'il soit besoin de supposer l'absorption de haschisch, un rêve se déroule. Au point de départ — au point d'arrivée aussi —, la « plaque du foyer noir » comme dans la dernière phrase des « Veillées ». Il arrive qu'on souffle sur des cendres pour essayer de ranimer la braise. Ici le souffle les disperse seulement et ce simple fait, la figure courbe qui se forme dans l'âtre suffisent pour susciter une rêverie d'évasion où tout devient rond, où tout vire, où tout tourne jusqu'au vertige du rêveur. Le titre même indique que Rimbaud déprécie ces visions, féeries niaises qui ramènent les pires terreurs, celle de la mort (*corbillard*), celle de l'Enfer, du Jugement dernier, des supplices, des batailles, de l'asphyxie (*cf.* la fin d'« Enfance » IV), du rejet. S'il en attendait un monde nouveau, le dénouement catastrophique et le retour de la cellule initiale disent suffisamment l'échec : tout est à recommencer. C'est encore le cercle...

Voir Albert HENRY, *op. cit.*, pp. 103-114 ; Antoine RAYBAUD, *Fabrique d'*Illuminations, pp. 56-62.

Marine (p. 485)

Manuscrit autographe de l'ancienne collection Lucien-Graux, premier cahier (B.N.). Début du feuillet numéroté 22, en réalité l'un des côtés, recto ou verso, du feuillet qui sur l'autre face est numéroté 21 et porte « Nocturne vulgaire ». Encre légèrement rousse, écriture assez lâche. Le format est inhabituel (16 x 9,5), le bas du feuillet ayant été rogné, ainsi que le côté. L'étroitesse de ce feuillet peut expliquer en partie la disposition adoptée par Rimbaud. Les débuts de « vers » ne sont pas strictement alignés ; un alinéa a été visiblement ménagé au « vers » 5. On est à mi-chemin du vers libre et de la prose. Fac-similé, Textuel, p. 163.

• La présentation du texte sur le manuscrit confirme l'impression laissée par la lecture de « Marine » : c'est une pièce singulière, que Bouillane de Lacoste a pu publier à la fois dans son édition critique des *Poésies* et dans son édition critique des *Illuminations*. Le fait qu'elle soit suivie d'un poème en prose, « Fête d'hiver », indique que la seconde solution est la bonne. Mais c'est bien d'une « étude » qu'il s'agit, et d'une œuvre de transition : étude du vers libre auquel une évolution comme naturelle conduisait Rimbaud ; étude de vision (la superposition de deux paysages, un paysage marin et un champ labouré) ; étude d'expression (l'échange des termes caractérisant l'un et l'autre de ces paysages) ; étude de syntaxe (le redoublement). Rimbaud, a-t-on dit, y fait preuve « de plus d'adresse que de génie » (A. Py, éd. cit., p. 165). C'est méconnaître l'audace d'un « impressionnisme » annonçant les toiles d'Elstir, le peintre d'*À la recherche du temps perdu* qui, pour représenter le port de Carquethuit, n'employait « pour la petite ville que des termes marins, et que des termes urbains pour la mer » (le rapprochement a été fait par Suzanne Bernard dans son article « Rimbaud, Proust et les impressionnistes », *Revue des Sciences humaines*, avril-juin 1955). C'est méconnaître aussi l'image d'un monde bouleversé, diluvien (d'où le titre ; la pièce n'aurait pas pu s'intituler tout aussi bien « Campagne », comme le prétend A. Py), neuf, où l'impossible semble devenir possible (les charrues labourent la mer), où les frontières de l'espace semblent abolies jusqu'au moment où elles sont brusquement rappelées, marquant la fin du « rêve rapide et intense » (« Veillées » II).

Voir Albert Henry, *op. cit.*, pp. 115-126 ; Jacques Plessen, « *Marine* de Rimbaud : une analyse », dans *Neophilologus,* Groningen, vol. 55, n° 1, janvier 1971, pp. 16-32.

Fête d'hiver (pp. 485-486)

Manuscrit autographe de l'ancienne collection Lucien-Graux (B.N.), à la suite de « Marine » sur le « feuillet » numéroté 22. Mais l'écriture est plus ferme. Fac-similé, Textuel, p. 163.

• Il était abusif de supprimer le titre et de faire de ce texte la suite de « Marine », comme l'avaient fait les éditeurs de *La Vogue*, même si les deux textes sont très serrés sur le manuscrit. « Fête d'hiver » est bien inséparable du poème précédent tout en restant autonome. C'est aussi une « étude », tout aussi systématique que « Marine », mais plus subtile. En faire l'évocation d'un paysage précis (la banlieue bruxelloise) ou la réduire à « une petite scène mondaine, mythologique et pittoresque, dans le goût de Boucher et des petits maîtres du XVIIIe siècle, à peindre sur un éventail ou une tabatière » (A. Py), c'est lui ôter toute sa signification. Rimbaud s'attache à superposer plusieurs paysages possibles : deux fêtes sonores (le bruit de la cascade, un opéra-comique) ; deux fêtes de couleurs (les girandoles d'un feu d'artifice ; les teintes du couchant) ; trois groupes de personnages. Ou, plus simplement encore : il superpose à des paysages d'hiver des fêtes d'été comme les feux d'artifice ; et de cette conjonction peuvent naître par exemple des « rondes Sibériennes ». Surtout, cette « Fête d'hiver » est une fête des mots : le poète joue avec les équivoques sonores (*buttes*), les appels de mots (*ver*gers, *verts*), les allitérations (*Ch*inoises de Bou*ch*er), les enchaînements d'images : celle du tournoiement devient rapidement la plus insistante (les *girandoles*, les courbes du *Méandre*, les *rondes*), créant peut-être comme dans « Nocturne vulgaire » cet état de vertige où succombe le rêve.

Voir Pierre Brunel, « Fête d'hiver », dans *Le Point vélique*, actes du colloque de Neuchâtel, 27-28 mai 1983, Neuchâtel, À la Baconnière, 1986, pp. 105-118 ; Bruno Claisse, « *Fête d'hiver* de l'artifice », dans *Littératures*, Toulouse, nº 18, 1988, pp. 81-90, puis dans son livre *Rimbaud ou le dégagement rêvé*, 1990, pp. 130-136. Ce commentateur insiste sur les effets d'ironie et les reproches que le poète adresse à la vie sociale : « son inauthenticité et son aliénation ».

Angoisse (pp. 486-487)

Manuscrit autographe de l'ancienne collection Lucien-Graux, premier cahier (B.N.). Papier blanc vergé, feuillet numéroté 23, format 20 x 13. Écriture plus proche de celle de « Fleurs » que de celle d'« Enfance », comme le dit A. Adam. Un trait de séparation avant et après cette prose. Fac-similé, Textuel, p. 164.

• Explosion d'espérance retombant en angoisse : c'était le mouvement même d'un morceau comme « Matin » dans *Une saison en enfer*. Ici l'attente est immédiatement présentée sur le mode dubitatif (« Se peut-il que... ») avant d'être dénoncée (« Mais la Vampire qui nous rend gentils »). Les images rappelant les chimères ont déjà été rencontrées maintes fois dans les *Illuminations* — vœux, rêves, exigences, visions, calculs —, et le sort réel auquel nous ramènent les deux derniers alinéas est celui-là même du « damné ». « Le rêve suscité ressemble au cauchemar », écrit André Guyaux (éd. crit., p. 186). Et que l'« agonie » finale soit imposée ou choisie revient au même...

Voir Albert Henry, *op. cit.*, pp. 127-142. « *Angoisse* », écrit-il, « est un débat ontologique : c'est le poème de l'inquiétude existentielle et de l'impuissance fondamentale, le poème du drame d'être ».

Métropolitain (pp. 487-489)

Manuscrit autographe de l'ancienne collection Lucien-Graux, premier cahier (B.N.). Suite du feuillet numéroté 23 (jusqu'à « enluminés sous »), après « Angoisse », et début du feuillet numéroté 24, avant « Barbare ». Bouillane de Lacoste et André Guyaux ont reconnu l'écriture de Rimbaud jusqu'à « ce pont de bois », puis celle de Germain Nouveau. L'écriture est, dans l'ensemble, différente de celle de la prose précédente et de celle de la prose suivante. Elle est plus serrée et, en haut du feuillet 24, même tendance que dans « Villes ». — « *L'acropole officielle...* » à escamoter les majuscules en tête de phrase. Fac-similé, Textuel, pp. 164-165.

• Malgré les variations d'écriture, « Métropolitain » est inséparable des deux poèmes en prose qui l'encadrent. « Elle », la Vampire d'« Angoisse », reparaît en effet ici, pour un affrontement terrible avec sa victime dans un décor polaire qui sera celui de « Barbare ». Mais cela ne signifie pas pour autant que la « force » tant désirée (cf. « Angoisse » : « Amour ! Force ! ») soit ici conquise, même si le texte s'achève sur ce mot. Cette place même serait plutôt l'indice du contraire, car les *Illuminations* s'achèvent le plus souvent sur une chute.

Les commentateurs ont gardé le regard fixé sur le titre. Persuadés par V.P. Underwood et forts d'un rapprochement avec le journal de Vitalie Rimbaud (14 juillet 1874, à Londres : « [...] nous nous amusons à regarder le chemin de fer souterrain. Quelle merveille ! Il passe sans cesse sous des tunnels, sous des ponts, et avec quelle rapidité ! »), ils ont cru souvent que ce « Métropolitain » était le *Metropolitan Railway* ou le *Metropolitan District Railway* (ouverts respectivement en 1863 et en 1868 ; le Métro parisien n'existait pas encore). Nous aurions donc une description, stylisée ou hallucinée, de Londres.

Aucune allusion pourtant à des wagons ou à des rails (à moins que les boulevards de cristal...) et, dans le premier alinéa, une « ville » qui rappelle bien plutôt les Villes oniriques du recueil. Avec, sans doute — comme dans « Villes ». — « *L'acropole officielle...* » — des touches londoniennes, mais pour une vision qui se situe au-delà de toute ville connue. La vision d'une métropole (d'où le titre qui a — Underwood sur ce point a raison — une consonance anglaise à l'époque : glorification de la capitale de l'Empire britannique).

Mais ce n'est pas de glorification qu'il s'agit ici. Au contraire : Rimbaud s'acharne à nous présenter sous un jour dérisoire ses visions successives à partir de la vision métropolitaine du début. Les jeux de mots de la première, la « déroute » de la seconde, les images « niaise[s] » et parfois sulpiciennes de la troisième, le sentiment d'exclusion qui règne dans la quatrième le prouvent suffisamment. « Était-ce donc ceci ? » : la question posée dans « Veillées » I trouve ici sa réponse, ses réponses, soigneusement indiquées par des tirets : « La ville ! » « La bataille ! » « la campagne » « le ciel » « ta force ». On pourrait développer : c'est à ces « fantasmagories » que se réduisaient, pour toi, la ville, la bataille, la campagne, le ciel, ta force. La lutte avec « Elle » se trouverait donc frappée de vanité, et le Voyant rendu à sa faiblesse.

Cette prose est l'une des plus difficiles du recueil, et l'on ne peut avancer qu'avec prudence une hypothèse pour une interprétation d'ensemble. Dans le détail, la nôtre rejoint plusieurs fois le commentaire de Margaret Davies (dans *Images et témoins*, *Revue des Lettres Modernes*, série A. Rimbaud, I, sous la direction de L. Forestier, Minard, 1972, pp. 27-34) ; parfois aussi elle s'en écarte. Mais on n'en finirait pas de suivre le jeu des visions superposées (la mer/ la ville par exemple dans la première vision qui est une autre « Marine »), des associations, des appels de mots et de sonorités dans un texte qui semble toujours près de se détruire lui-même et qui imposera pourtant l'image du chaos polaire, la senteur des « parfums pourpres du soleil des pôles ».

Voir André Guyaux, *Poétique du fragment*, pp. 109-121, 124-126, 130-134, 279-280 ; Antoine Raybaud, *Fabrique d'*Illuminations, pp. 18-25 ; Bruno Claisse, « *Métropolitain* à la lumière de Taine », dans *Rimbaud ou le dégagement rêvé*, pp. 96-103.

Barbare (p. 489-490)

Manuscrit autographe de l'ancienne collection Lucien-Graux, premier cahier (B.N.). Fin du feuillet numéroté 24, après « Métropolitain ». Écriture différente ; on revient à celle d'« Angoisse ». Fac-similé, Textuel, p. 165.

• On ne saura jamais sans doute quel était le poème intitulé « Confins du monde » que Rimbaud projetait d'insérer dans « Alchimie du verbe » pour illustrer le moment où sa « faiblesse » le « men[a] aux confins du monde et de la Cimmérie, patrie de l'ombre et des tourbillons ». Une pièce de vers sans doute, plutôt qu'une pièce de prose. Nous ne pouvons pourtant nous empêcher de penser à cette illumination où apparaît, dans un paysage « barbare », un « pavillon en viande saignante » et où le feu de l'abîme terrestre est *évoqué* au point de jaillir à la façon d'un prodigieux geyser. Ce n'est plus par la « violence », comme dans « Matinée d'ivresse », mais par une « douceur » plus violente encore que le poète-démiurge appelle un « monde » nouveau pour le faire surgir du chaos, du déluge de feu et de glace. Une arche, même pas : son pavillon, vogue sur le luxe futur (la soie des mers, le vent de diamants qui est également pluie). Comme l'écrit Jean-Pierre Richard, « tout [se] déroule *entre* deux mondes. [...]. Tout l'effort de l'imagination rimbaldienne consiste alors à refuser le passé et à se tendre vers l'imminence, à solliciter tous les présages, si obscurs soient-ils, de la Vigueur future ».

Car il s'agit bien, comme dans les deux proses précédentes, d'un combat pour la force, ou plutôt cette fois d'une incantation de la force : d'une force qui serait « musique ». Mais cette musique est-elle « douceurs » ou « virement des gouffres et choc des glaçons aux astres » — la nouvelle harmonie ou, perdurant, le nouveau chaos ? Les épaves sont-elles des signes de mort ou de renaissance ? La « voix féminine » est-elle celle de la Sorcière prête à livrer son secret ou celle de la Vampire qui fait disparaître le pavillon ? Prose ambiguë donc, où l'un peut lire le chiffre du succès et l'autre celui de l'échec, où ce qui est n'existe pas et où ce qui n'est plus existe encore. Comme le pavillon, « Barbare » s'enfonce dans le silence.

Voir Albert Henry, *op. cit.*, pp. 143-150 ; Bruno Claisse, « *Barbare* et le "nouveau corps amoureux" », dans *Rimbaud ou le dégagement rêvé*, pp. 107-115. Ce dernier commentateur a fait des rapprochements intéressants avec l'Épître aux Éphésiens de saint Paul et avec la liturgie. « On peut se demander », suggère-t-il, « si *Barbare* ne se veut pas la réplique provocatrice au sacrement chrétien de la communion du sang. »

Fairy (p. 491)

Manuscrit autographe de l'ancienne collection Lucien-Graux (B.N.), deuxième série, feuillet numéroté 2. Format 10,5 x 15,2. Papier gris-bleu. Écriture ronde. Encre pâle. Sous le titre, et de la même main, le chiffre romain I. Ce chiffre a pu être ajouté. Fac-similé, Textuel, p. 168.

• « *Fairy* » constituait une suite dont il ne reste que ce seul premier fragment. L'interprétation ne s'en trouve pas facilitée. C'est assurément une vision théâtrale : de la « féerie », comme dans « Scènes ». Mais les « oiseaux » ici sont « muets », le « décor » d'une froideur extrême, — qu'il s'agisse de « l'ardeur de l'été » ou des « frisson[s] » de l'hiver, également mortels. Car il semble bien que le surgissement d'Hélène — sa naissance, son « enfance » — ne puisse intervenir qu'au terme d'une destruction et d'un temps d'angoisse. Son regard (« ses yeux ») et « sa danse » en sont la récompense. On songe à « Elle », cette figure féminine mystérieuse qui est passée dans « Angoisse » et à la fin de « Métropolitain » (les « éclats de neige » n'auraient-ils rien à voir avec les « éclats précieux », les « influences froides » ?) et dont le nom se trouve ici comme complété (« Hélène »). Le motif de la danse renvoie à la fois au « Sonnet » de « Jeunesse » et à cette autre prose « opéradique » et glacée, « Fête d'hiver ».

Voir Albert Henry, *op. cit.*, pp. 167-178. Le commentateur note que, « parti d'un *tutti* d'airs, puis d'un *tutti* de rumeur sombre, le poème va vers le *forte* d'un instrument unique qui finit par se confondre avec le personnage même qui est l'objet de l'hommage ».

Guerre (pp. 491-492)

Manuscrit autographe de l'ancienne collection Lucien-Graux (B.N.), deuxième série, feuillet numéroté 4. Papier bleu. Format inhabituel (4,8 x 15). Au-dessus du titre une barre de séparation de 3 cm. À côté du titre, II en chiffres romains. Fac-similé, Textuel, p. 169.

La présentation du manuscrit indique clairement que « Guerre » n'est que la seconde partie d'une série. Selon toute vraisemblance, la première partie est perdue, et le titre d'ensemble nous échappe. Autre hypothèse : il s'agit de la deuxième partie initialement prévue pour « Jeunesse ». A. Py a fait observer que les titres I. Dimanche et II. Guerre sont graphiquement aussi importants et que cette bande de papier aurait pu être détachée du feuillet 3, où se trouve « Dimanche ».

• La présentation isolée de ce fragment n'en facilite pas l'interprétation.

Son sens pourtant n'est pas douteux. « Aussi simple qu'une phrase musicale », il a échappé aux commentateurs qui ont compliqué les choses à plaisir. C'est la « logique » d'une revanche qui oblige Rimbaud à songer à une « Guerre ». Dans le passé (« enfant ») et dans le présent (« à présent ») il a *subi* : l'influence des ciels, des caractères, des « Phénomènes » et, plus récemment, « tous les succès civils » (ceux d'autrui, des « faux nègres » ; et non les siens, comme on l'a prétendu). Cette *Passion* s'est même aggravée au fil des ans. D'où la nécessité d'une réaction, qui lui paraît juste (« de droit ») et qui devrait être brutale (« de force »). C'est ce revirement qui est « aussi simple qu'une phrase musicale », d'autant plus qu'il sera sans doute dû à la manifestation de la force étrange de sa voix.

Plus concis, le texte de « Guerre » se superpose sans peine à celui de « Sonnet » : distinction de deux moments, — les « journées enfantes », « à présent » —, apparition du même couple final (« de droit ou de force » / « la force et le droit »). Le rapprochement pourrait justifier l'hypothèse que nous présentons plus haut. C'est en tout cas une erreur que de placer « Guerre » après « *Fairy* » comme le font les autres éditeurs.

Voir Pierre Brunel, « *Guerre* et le cycle de la force dans les *Illuminations* », dans *Berenice*, Rome, nº 2, mars 1981, pp. 28-43 ; Antoine Raybaud, *Fabrique d'*Illuminations, pp. 187-190.

Solde (pp. 492-493)

Manuscrit autographe de l'ancienne collection Lucien-Graux (B.N.), deuxième série, feuillet numéroté 1. Fac-similé, Textuel, p. 167.

• Le 12 juillet 1871, Rimbaud solde ses livres ; le 7 juillet 1873, les vêtements et les sous-vêtements de Verlaine ; un mois plus tard, son passé d'« Alchimiste du verbe » ; en 1887, il devra liquider la caravane de feu Labatut... C'est dire que le « Solde » revient avec une régularité presque mécanique dans son existence d'homme et de poète. Celui-ci est le plus inquiétant de tous, car il pourrait bien liquider les trésors de ce qu'il est convenu d'appeler « la vie littéraire d'Arthur Rimbaud ».

Dans ces conditions, la tentation est grande d'en faire la dernière des *Illuminations*. Plus encore que « Génie », c'est un épilogue où reviennent les principaux motifs du recueil et des allusions suffisamment précises à telle ou telle autre prose. Pour les mettre en vente. Pour les disperser à tous les vents.

Des ambiguïtés demeurent. Rimbaud solde ses ambitions, mais aussi celles qu'il condamnait chez autrui, — en particulier ces « migrations, sports [...] et comforts » dont il semblait faire grief aux « voyageurs » de « Mouvement » : on pourrait même lier ces deux proses, ce stock (« l'immense opulence inquestionable ») et le « monstrueux [...] stock d'études » des voyageurs de « Mouvement » — un stock qui comprend et l'acquis et les projets. Si l'on songe à cet autre voyageur qu'il voulut être, désireux d'« arriv[er] à l'inconnu » (lettre à Paul Demeny du 15 mai 1871), on est en droit de considérer que « Solde » fait le bilan de l'entreprise du Voyant, bilan négatif pour les uns (Suzanne Bernard, Chadwick), positif pour les autres (Étiemble et Yassu Gauclère) : « Alchimie du verbe », ou le boniment de « Nuit de l'enfer » seraient alors redoublés. Resterait bien sûr à savoir si ce « Solde » se situe avant ou après *Une saison en enfer*. Reste une dernière hypothèse, celle qu'a retenue en particulier Yves Bonnefoy : ce dernier « solde » est celui d'une ultime tentative, la « tentative harmonique » qu'illustrent les plus tardives au moins des *Illuminations*. Le retour du motif des « Voix », par exemple, le prouverait. Mais n'était-il pas question déjà, dans « Alchimie du verbe », d'« opéra fabuleux » ? Celui qui solde ici « les trouvailles et les termes non soupçonnés, possession immédiate », n'était-il pas celui qui, dans l'« Adieu » d'*Une saison en enfer*, se reprochait d'avoir cru « inventer [...] de nouvelles langues » ?

Une fois de plus, on hésite à prendre parti. On en vient même à se demander si tout ici est sarcasme (Y. Bonnefoy) ou si l'orgueil y est présent autant que l'amertume (A. Py). Catalogue lyrique des grands thèmes de Rimbaud, « Solde » est aussi la somme de ses ambiguïtés.

Voir Albert Henry, *op. cit.*, pp. 151-166 ; Yoshikazu Nakaji, « L'ambiguïté de *Solde* », dans *Parade sauvage*, colloque n° 3 (Charleville-Mézières, 5-10 septembre 1991), pp. 239-247. Albert Henry a cherché à atténuer l'impression de liquidation, et le caractère péjoratif du mot « solde » : « Rimbaud ne liquide pas », écrit-il, « il met en vente ». Il voit donc moins là un « aveu d'échec », comme Yves Bonnefoy, qu'une insistance de Rimbaud « sur le fait qu'il n'y aura guère d'acheteurs, et qu'il n'y en aura pas, en tout cas, pour les produits les plus précieux » (p. 157).

Jeunesse (pp. 493-496)

Texte publié seulement par Vanier en 1895, parfois modifié par les éditeurs suivants, et dont le manuscrit est dispersé. C'est pourquoi nous présentons chaque prose isolément.

• Musicale, cette symphonie l'est dans sa composition même. Quatre mouvements. Le premier est de structure ternaire et bithématique comme un *allégro*. Le second, sonnet en prose étonnamment ciselé, est un *scherzo*, à la place qu'il occupe dans la IXe Symphonie de Beethoven. Le troisième est désigné par Rimbaud lui-même comme *adagio* et attente d'un *chœur*. Le quatrième vient combler cette attente et a toute la vigueur d'un *allégro* final. L'ensemble exprime, dans une très grande diversité, les volontés et les doutes du *travailleur* tel que veut se définir Rimbaud. Il se veut savant calculateur : or les « vieilles fanfares d'héroïsme » lui « attaqu[ent] encore le cœur et la tête » (« Barbare ») : les hallucinations, toujours prêtes à resurgir, l'orgueil. Ou bien le sentiment d'une impuissance, d'un vide. À chaque fois pourtant il se ressaisit. Il « reprend l'étude » au terme du « Dimanche ». Le « Sonnet » — dont c'est là peut-être la logique — montre qu'il y a quelque chose d'irréversible dans l'évolution amorcée, dans le « labeur » préparatoire. Au moment le plus sombre, celui des « Vingt ans », un « chœur » — la musique, la danse — est convoqué. Enfin la dernière prose écarte la « tentation d'Antoine » pour rappeler l'exigence d'une ascèse : car le nouveau monde désiré ne naîtra pas sans « travail ». Alors tout se reconstruira, mais autour d'un pivot, d'un « siège », et tout alors, passé et présent, imaginaire et réel, sera récupéré pour quelque fabuleuse métamorphose.

Dimanche (p. 493)

Manuscrit autographe de l'ancienne collection Lucien-Graux (B.N.), deuxième série, feuillet numéroté 3 (9,5 x 13). Papier bleu. Fac-similé, Textuel, p. 170.

• « L'être sérieux » (celui qui, à la suite de la décision prise un « soir historique », doit succéder au « touriste naïf », au « voyant ») s'accorde un répit : il n'en faut pas plus pour que les visions reviennent. Raison de plus pour rester ferme dans sa décision et « repren[dre] l'étude ».

Voir Albert Henry, *op. cit.*, pp. 179-186.

Sonnet (p. 494)

Manuscrit autographe dans la collection Bodmer. Fac-similé, Textuel, p. 171. Il est difficile de dire si le signe + qui précède le mot de lecture douteuse (« saison » ou « raison ») est de Rimbaud (qui, selon S. Bernard « se réservait peut-être de remanier la fin de phrase ») ou d'un des éditeurs désemparé. La seconde hypothèse nous paraît vraisemblable.

• André Guyaux (édition critique, 1985, pp. 107-111) a fait observer que « le simple compte arithmétique des lignes manuscrites est le prétexte et l'occasion de titre ». Aussi avons-nous respecté la disposition du manuscrit. Comme l'exige le genre du sonnet (et le fait qu'il soit en prose ne change en rien à l'affaire), ce texte est d'une extrême densité. Il est construit sur une opposition forte (« mais »), celle du passé (dans l'équivalent des quatrains), celle du présent (dans l'équivalent des tercets). Le passé était la somme des possibles pour un « homme de constitution ordinaire » : l'usage du corps, l'usage du monde, — pour son triomphe ou pour sa perte. Le présent, — une audacieuse anticipation du futur plutôt —, c'est, pour l'« être sérieux » qui a pris le parti de l'« étude », la récompense d'un succès : sa « danse » et sa « voix ».

Ce « sonnet » nous a paru s'éclairer à la lumière du fragment intitulé « Guerre » qui, comme nous le suggérons plus loin, pourrait en être une première version.

Vingt ans (p. 495)

Manuscrit autographe de la collection Bodmer. Fac-similé, Textuel, p. 171.

• Rimbaud a eu vingt ans le 20 octobre 1874. Parce que le troisième mouvement de « Jeunesse » s'intitule « Vingt ans », faut-il nécessairement supposer qu'il ait été écrit ce jour-là, ou vers ce moment-là et qu'il « résume poétiquement [l'] été de 1874 si lourd, si frustrant » (V.P. Underwood, *Rimbaud et l'Angleterre*, p. 173) ? Dès ses premiers essais poétiques, Rimbaud a tendance à se vieillir (voir la lettre à Banville du 24 mai 1870). Et, au mois d'août 1873, il pouvait écrire dans *Une saison en enfer* : « Aller mes vingt ans, si les autres vont vingt ans... » Cet âge marque en tout cas pour lui une échéance, un moment sinon d'arrêt, du moins de ralentissement, — *adagio*. Rimbaud jette un regard en arrière sur l'enfance et l'adolescence, non sans nostalgie. Il appelle autre chose, un quatrième mouvement, un « chœur », — un « Hymne à la joie » peut-être. Car il est à bout de nerfs...

IV (p. 495)

Manuscrit autographe de la collection Bodmer. Fac-similé, Textuel, p. 171.

• Pas de titre pour ce quatrième mouvement. Berrichon s'était doublement trompé en 1912 quand il l'avait rattaché à « Veillées » et l'avait remplacé par « Guerre ». C'est bien le complément attendu des trois proses précédentes : un reproche adressé à soi-même, un sursaut. Le reproche, c'est de céder encore à la tentation de la voyance. Le sursaut, c'est la reprise du « travail », des « expériences ». Pour l'abolition du monde ancien. Pour la naissance d'un monde nouveau. Mais pour les dire, peut-on se passer des images ?

Promontoire (pp. 496-497)

Manuscrit autographe, qui fut vendu par Vanier au docteur Guelliot. Il se trouve aujourd'hui à la Bibliothèque de Charleville. Papier blanc gris, non vergé, rogné en bas et aussi réduit au format 15 x 15,3. Fac-similé, Textuel, p. 171.

• « Mais, ô mon âme, vers quel promontoire étranger vas-tu égarer mon navire ? », demandait Pindare dans la *Troisième Néméenne*. Le *brick* de Rimbaud vient s'égarer en face d'un étrange promontoire, d'un « Palais-Promontoire »... Parce qu'il y a plusieurs mots anglais dans le texte (à commencer par celui du bateau), parce que les deux hôtels les plus imposants de la ville anglaise de Scarborough deviennent des composantes du « Palais-Promontoire », que leur forme circulaire est assez exactement décrite et que ladite station se trouve sur un promontoire, on veut à tout prix que Rimbaud y soit allé (avant juillet 1873 pour les uns, en 1874 pour les autres) et que sa description fourmille de détails réalistes. Les recherches minutieuses de V.P. Underwood l'ont amené à rassembler une riche collection de détails où il faudrait trier pour trouver des preuves (*Rimbaud et l'Angleterre*, pp. 174-193). Il en convient d'ailleurs lui-même : « Ni le séjour de Rimbaud à Scarborough, ni la date de ce séjour, ne sont des faits avérés. »

Il faudrait éviter, à notre avis, de transformer cette prose de « Promontoire » en « Scarborough » ou « Scarbro' ». Tel « Scarbo », le gnome qui, dans le *Gaspard de la nuit* d'Aloysius Bertrand, et dans le triptyque de Maurice Ravel, peut devenir monstrueusement grand, la vision rimbaldienne est ici, comme dans « Villes ». — « *L'acropole officielle...* », une vision géante : une construction (villa romaine, hôtel, palais) prend la taille d'une ville qui occuperait un promontoire tout entier ; et ce promontoire lui-même est « aussi étendu que l'Épire et le Péloponnèse, ou que la grande île du Japon, ou que l'Arabie ». Avouons-le : nous sommes bien loin de Scarborough et d'un hypothétique préceptorat que Rimbaud y aurait exercé à une date inconnue ! « Promontoire » complète la série des villes rimbaldiennes : c'est encore une rhapsodie où peuvent s'allier les volcans et les canaux, des arbres, des architectures venus de tous les points du globe, l'ancien et le moderne. Les images se superposent, conformément au « système », égarant ceux qui recherchent la fidélité et la cohérence d'une reproduction. D'ailleurs n'est-ce pas le vertige qui va emporter le spectateur (dans son brick) de cette construction colossale et chaotique : ce n'est pas seulement la courbe des façades circulaires qui menace de l'entraîner, mais le tourbillon des bacchanales sur les dunes, des tarentelles et même des *ritournelles* appelées à « décorer merveilleusement les façades du Palais-Promontoire ». On songe — en modifiant les proportions — à la fin de « Fête d'hiver ».

Voir Bruno Claisse, « *Promontoire* et la "haute classe de loisirs" », dans *Rimbaud ou le dégagement rêvé*, 1990, pp. 59-68.

Dévotion (pp. 497-498)

Le manuscrit a été perdu. Le texte a paru dans le n° 9 de *La Vogue* (21-27 juin 1886, p. 313). Il n'est donc pas très sûr. *Spunck*, après divers avatars (*Spunck, skunk*, etc.), a été heureusement corrigé en *spunk* par Bouillane de Lacoste.

• Robert Faurisson a voulu voir dans « Dévotion » une mystification de collégien, pleine d'énigmes subtiles et d'anagrammes obscènes (« A-t-on lu Rimbaud ? », dans *Bizarre*, n° 21-22, 1961, pp. 25-30). Nous ne le suivrons pas dans cette voie ; nous ne suivrons pas davantage les monomanes du haschisch. Biographes et sourciers ne nous aident guère plus, et l'on serait tenté de dire simplement, avec Etiemble et Yassu Gauclère, que « la forme de "Dévotion" est [...] empruntée aux prières populaires » (*Rimbaud*, p. 176). Mais les « rhythmes naïfs » sont repris dans une intention bien précise : un *départ* vers ce « soleil des pôles » et ce monde « barbare » qui attire la nef odysséenne, l'arche diluvienne de Rimbaud. Le début de ces litanies pourrait tromper : prières patelines pour des naufragés, des malades en danger de mort. Mais l'invocation à « Lulu » ne tarde pas à nous éclairer : ton sarcastique, et vœu, sans doute plus sérieux, d'une extinction de l'humanité. C'est à lui-même alors que Rimbaud s'adresse : à ce qu'il fut, à ce qu'il aurait pu être, et la prière monte jusqu'à cette étrange Circé polaire, « Circeto des hautes glaces », l'inquiétante magicienne plusieurs fois devinée dans les *Illuminations*. Prière unique qui pour nous se confond avec le vœu exprimé sauvagement à la fin de « Soir historique », extatiquement dans « Barbare ». Le temps de la dévotion est celui de la traversée du nouveau déluge (les naufragés), de la mort par la sécheresse et par le feu (la fièvre), du chaos polaire : dévotion superlative, pour laquelle seront convoquées toutes les invocations connues et inventées, — ce qu'il faut bien appeler un chaos de dévotion. Mais elle cessera une fois la prière exaucée.

Voir Albert Henry, *op. cit.*, pp. 187 *sqq.* ; Marc Ascione, « *Dévotion* ou "pour être dévot je n'en suis pas moins homme", dans *Parade sauvage*, n° 4, septembre 1986, pp. 78-89 ; Bruno Claisse, « Circeto et l'autoparodie », dans *Rimbaud ou le dégagement rêvé*, 1990, pp. 130-135. La question de « Baou » a longuement retenu l'attention de Roger Little (*French Studies Bulletin*, n° 10, printemps 1984, pp. 3-7 ; *Parade sauvage* n° 1, 1984, pp. 54-58, Bulletin n° 3, 1987, pp. 29-30, n° 4, 1988, pp. 79-80).

Démocratie (pp. 498-499)

Pas de manuscrit connu. Texte publié dans le numéro 9 de *La Vogue* (21-27 juin 1886), p. 314, à la suite d'une série comprenant « *Loin des oiseaux* » (version sans titre de « Larme »), « *Ô saisons, ô châteaux* », « La Rivière de Cassis », « Mouvement », « *Bottom* », « H », « Dévotion ».

• L'absence de manuscrit rend encore plus difficile la datation d'un texte qui rappelle le thème « nègre » de « Mauvais sang », la destruction rêvée de « *Qu'est-ce pour nous, mon cœur* », et appelle les aventures militaires et coloniales de Rimbaud à Java en 1876. Mais on sait qu'après coup l'œuvre de Rimbaud peut paraître prophétique et qu'il est impossible de prolonger autant que le voudrait Antoine Adam la genèse des *Illuminations*.

Cette collaboration aux « plus monstrueuses exploitations industrielles ou militaires » se présente comme une caricature féroce de la « Démocratie » : la démocratie des « faux nègres ». Est-ce à dire qu'il vaut mieux être du côté des bourreaux que du côté des victimes ? On sent plutôt ici, au rythme d'un chant du départ, le vœu d'une destruction du monde par les humains eux-mêmes, le déluge des prétendus civilisés, ces Barbares.

Voir Pierre Brunel, « Démocratie », dans *Rimbaud. — Strategie verbali e forme della visione*, ed. ETS, Pise, et Slatkine, Genève, 1993, pp. 39-52.

Scènes (pp. 499-500)

Manuscrit autographe de la collection Pierre Bérès. Fac-similé dans Bouillane de Lacoste, *Rimbaud et le problème des* Illuminations, p. 166, et dans Textuel, p. 173.

• « Scènes » est l'une des *Illuminations* les plus hermétiques. Ce mystère tient à l'utilisation d'un vocabulaire ambigu (« rocailleux » renvoie à « roc », mais aussi au décor « en rocaille » ; les « mystères » sont des cérémonies réservées aux initiés chez les Grecs, mais aussi des représentations théâtrales au Moyen Âge), à des constructions elliptiques ou inhabituelles, à la superposition de plusieurs registres d'images (le théâtre, la campagne, la mer près d'un port, l'intérieur d'une maison). D'où un jeu subtil d'alliances et d'échanges. De plus, peuvent se jouer sur ces scènes « les chefs-d'œuvre dramatiques de toutes les littératures » (« Vies » I), et le résultat est un condensé des temps et des lieux.

Parmi ces chefs-d'œuvre, il en est un qui pourtant nous a semblé solliciter davantage l'attention de Rimbaud et comme orienter sa composition si complexe : une « ancienne comédie », et même l'un des modèles de la comédie ancienne, — *Les Oiseaux* d'Aristophane. L'un de ses condisciples au collège de Charleville, Jules Mary, a rappelé un souvenir qui nous engagerait dans cette direction : « Il était externe et m'apportait de chez lui Lamartine, Musset, Hugo, sans compter *Daphnis et Chloé* et la traduction des comédies d'Aristophane où nous traduisions, à notre tour, non sans trouble, les commentaires latins qui accompagnent le texte français [1]. » La lecture était ancienne, mais elle avait été trop approfondie pour ne pas être marquante ; et l'évasion d'humains mécontents vers la cité des oiseaux n'allait-elle pas dans le sens même *du* « départ » rêvé par le poète ?

Des deux suggestions initiales, — fuite à l'infini, compartimentation —, c'est la seconde qui semble finalement l'emporter. On peut en conclure, comme le fait Jean-Pierre Richard, à un nouvel échec de la création rimbaldienne (« divisions, arêtes, intersections, cloisons dressées, la scène se trouve alors presque bouchée par la prolifération insolite du décor. L'effort de théâtralité a si bien occupé l'espace qu'il a réussi à l'anéantir. À la place du jaillissement, du chaos ou de la dérive, il installe un compartimentage absurde et infini : c'est-à-dire qu'il instaure finalement une nouvelle forme d'anarchie », *Poésie et profondeur*, p. 247).

Voir Antoine Raybaud, *Fabrique d'* Illuminations, pp. 25-29.

Soir historique (pp. 500-502)

Manuscrit autographe de la collection Pierre Bérès.

Texte de l'édition Paul Hartmann, *Œuvres*, Club du meilleur livre, 1957. Nous ne reprenons pas la correction « goûte » pour « goutte », suggérée par André Guyaux (éd. crit., p. 69).

• Ce « Soir historique » se présente comme un acte de renonciation ; d'où la négation forte qui lance le dernier alinéa. Il doit s'opposer aux soirs précédemment vécus, inaugurer une attitude nouvelle (celle de « l'être

1. « Arthur Rimbaud vu par Jules Mary », dans *Littérature*, octobre 1919.

sérieux » rompant avec celle du « touriste naïf »), et substituer aux visions complaisantes la préparation d'une apocalypse future, annoncée par la Bible et la mythologie scandinave, mais qui désormais entrera dans les faits.

Complaisante, l'évocation de l'époque du « touriste naïf » l'est pourtant encore (quatre paragraphes sur cinq). Rimbaud s'acharne à se déniaiser : les mirages aristocratiques, les terreurs et les hontes roturières, les « murs des siècles » et les ballets cosmiques sont dénoncés comme relevant de la même « magie bourgeoise », produit d'une « chimie sans valeur », ou plutôt d'un même manque fondamental — sa « faiblesse ». « Soir historique » est à cet égard proche de « Nocturne vulgaire ».

Mais Rimbaud ne saurait accepter ici de « rouler sur l'aboi des dogues » : il appelle une catastrophe cosmique qu'il entend « surveiller » comme s'il en était l'intendant fidèle. Celle qui est décrite dans « Barbare ».

La voyance naïve qui se trouve ainsi liquidée est celle-là même dont « Alchimie du verbe » fait le sombre bilan : par exemple le « salon au fond d'un lac ». Mais où situer la vision eschatologique que le dernier alinéa voudrait nous présenter comme une « entreprise » ? Le problème que pose ce texte est le problème même des *Illuminations*.

Voir Antoine Raybaud, *Fabrique d'*Illuminations, pp. 74-75.

Bottom (p. 502-503)

Manuscrit autographe de la collection Pierre Bérès. Sur le feuillet, « *Bottom* » précède « H ». Le premier titre, rayé, était « Métamorphoses ». Facsimilé, Textuel, p. 174.

• Bottom est ce clown de Shakespeare qui, dans *Le Songe d'une nuit d'été*, connaît une étrange aventure. Alors qu'il veut jouer la comédie, il est coiffé d'une tête d'âne et le voici aimé de Titania, la reine des fées amoureuse d'un âne. Jusqu'à ce qu'il soit délivré du sortilège, ou de son rêve... Rimbaud nous présente ici une série de métamorphoses dont la dernière est celle-là même de Bottom (ou tout aussi bien du Lucius d'Apulée). On pourra multiplier les sources, les rappels biographiques, les rapprochements avec d'autres textes (celui qu'a fait R. Faurisson avec *Les Déserts de l'amour* est judicieux). On ne rendra pas compte pour autant de l'humour du poète dans ce qui est encore un conte, et de cette métamorphose plus secrète (« Tout se fit ombre et aquarium ardent ») qui n'est plus seulement celle du héros de l'aventure, mais celle du milieu, de l'élément dans lequel il se meut. On ne rendra pas compte non plus de l'ambiguïté majeure du texte : cette « aube de juin » est-elle une libération (de l'oiseau captif, de l'ours chagrin, de l'amant de Madame) ou la perte d'un paradis perdu, suscitant un « grief » ? Et l'intervention des « Sabines de la banlieue » est-elle une consolation, un apaisement, ou le début d'une nouvelle captivité ? Plus qu'une revanche de l'imaginaire, « *Bottom* » pourrait bien être un poème de l'échec.

Robert FAURISSON, « *A-t-on lu Rimbaud ?* », 1961, pp. 1-48 ; Roger LITTLE, « Réflexions sur *Bottom* : Rimbaud, Apulée, Shakespeare et Cie », dans la *Revue de Littérature comparée*, janvier-mars 1990, pp. 223-233.

H (p. 503)

Manuscrit autographe de la collection Pierre Bérès ; à la suite de « *Bottom* » sur le même feuillet, mais l'écriture est toute différente. Simple changement de plume, comme le suggère Bouillane de Lacoste ? Fac-similé, Textuel, p. 174.

• « H » se rattache à une tradition littéraire fort ancienne, celle de la devinette. La littérature anglaise ancienne, la littérature germanique entre autres l'ont abondamment illustrée. « Forme simple », comme le dit André Jolles, correspondant à un pur dynamisme mental (voir *Einfache Formen*, 1930 ; *Formes simples*, éd. franç., Seuil, 1971). Ce dynamisme est recouvert ici par une « dynamique amoureuse ». Et c'est l'autre raison du mystère : « H » est ce que la pudeur interdit de nommer. L'*H*omosexualité (A. Adam) ? La masturbation (Etiemble-Yassu Gauclère), c'est-à-dire l'*Ha*bitude (R. Faurisson) ? ou plus largement l'instinct sexuel bridé par les monstruosités des impératifs sociaux (Yves Denis) ? Les hypothèses vont bon train, et Rimbaud a bien pris soin de ne pas nous guider vers la solution de l'énigme. Il nous a laissé le plaisir — qui selon lui conduit à la folie — de « penser sur une lettre » (lettre à Demeny du 15 mai 1871) et s'est réservé le privilège de « régler la forme et le mouvement d'[une] consonne » (« Alchimie du verbe ») — fût-elle muette !

Voir Yves DENIS, « Glose d'un texte de Rimbaud : *H* », dans *Les Temps Modernes* n° 263, avril 1968, pp. 78-87 ; André GUYAUX, « *H* comme hermétisme », et « *H* comme *Habitude* », dans *Duplicités de Rimbaud*, 1991, pp. 143-178 ; Pierre BRUNEL, *L'Imaginaire du secret*, Grenoble, ELLUG, 1998, pp. 127-152.

Mouvement (pp. 503-505)

Manuscrit autographe, qui fut conservé par Gustave Kahn et fait actuellement partie de la collection Pierre Bérès. Fac-similé, Textuel, p. 175.

• On a trop souvent cherché à isoler cette pièce de l'ensemble des *Illuminations* sous prétexte qu'elle est écrite, comme « Marine », en vers libres (avec un alexandrin, même, au vers 11). V.P. Underwood a pensé à une influence accidentelle de Whitman, ce qui lui permet un rapprochement heureux avec « Crossing Brooklyn Ferry » (*Rimbaud et l'Angleterre*, pp. 115-116). Mais c'est d'un voyage mythique qu'il s'agit ici. Si le poème ne s'intitulait pas « Mouvement », — reprise du mot qui le lance —, il pourrait s'intituler « Pendant le Déluge ». Un nouveau déluge dont on peut prévoir l'échec, comme celui d'« Après le Déluge ». Car les voyageurs qui ont pris place sur le vaisseau l'ont chargé de toutes les « horreurs économiques », de toute l'« éducation », de toutes les hiérarchies, de tous les projets habituels. Stupides « conquérants du monde » qui vont à la recherche d'un monde qu'ils ont déjà connu ! Prétendus aventuriers qui partent avec leur « stock d'études », plus monstrueux que le Déluge : une « digue » mobile qu'ils emportent avec eux, dont ils ont besoin pour ne pas se sentir perdus, mais qui pourrait bien constituer un obstacle. Des sportifs en chambre, des héros du confort... Ce vaisseau garde peut-être pourtant sa vocation d'« arche » : le mot n'apparaît que dans la dernière strophe, et avec lui un « couple de jeunesse » (on le voit paraître plusieurs fois dans les *Illuminations*). Il « se poste » (pour « surveiller », comme « l'être sérieux » de « Soir historique »). Il « s'isole » (refusant d'être confondu avec les hommes « de constitution ordinaire »). Il « chante » (motif de la « voix » ; *cf.* « Jeunesse »), comme Orphée à la proue du navire *Argo*.

Voir Michel MURAT, « À propos de *Mouvement* », dans *Parade sauvage* nº 4, septembre 1986, pp. 69-77.

Génie (pp. 505-506)

Manuscrit autographe de la collection Pierre Bérès. Papier bleu. Format 13 x 21, obtenu par découpage et collage. Écriture soignée.

• « Génie » dispute à « Solde » l'honneur de conclure les *Illuminations* dans les diverses éditions. La place qui lui est le plus souvent assignée s'explique par le caractère apparemment heureux de ce morceau. On se souvient sans doute du mouvement final d'*Une saison en enfer* et on essaie de retrouver la courbe ascendante qu'avait voulue Rimbaud.

Cette action de grâces commence par un éloge, continue par une série d'incantations et s'achève sur un appel. Ce « Génie » qu'elle célèbre n'est pas, comme le voulait Delahaye, l'esprit humain glorifié, considéré par Helvétius comme le seul créateur, le seul rédempteur ; il est encore moins le Christ. Il s'agit bien plutôt d'un contre-Christ (comme l'indique clairement la définition négative du quatrième alinéa), de « la divinité réinventée » (André Thisse, *Rimbaud devant Dieu*, p. 240). Pour le caractériser, pour le chanter se trouvent convoqués des mots clefs et des *leitmotive* rimbaldiens : « l'affection », « la force » et « l'amour », la « musique ». La dynamique lumineuse qui doit conduire d'un nouveau chaos à un monde nouveau devient celle-là même du poème et, avec elle, le paysage polaire tend à se recomposer tandis que repasse l'appel extatique lancé, murmuré plutôt dans « Barbare » : « Ô monde ! » C'est l'une des raisons pour lesquelles cette prose peut apparaître comme un épilogue.

Il demeure pourtant des difficultés sans nombre. Le rapport avec *Une saison en enfer* est difficile à préciser : pour Yves Bonnefoy, la supériorité de « l'orgueil bienveillant » sur « les charités perdues » implique que l'hymne se situe au-delà d'août 1873. Mais la « charité » ne se trouvait-elle pas liquidée dès ce moment-là ? Le rapport avec « Conte » est également mystérieux : le Prince n'avait-il pas eu le tort de croire au « Génie », à la promesse qu'il représentait à ses yeux ? Et, si l'on place « Solde » avant « Génie », n'est-on pas obligé de remarquer qu'y figurent bien des termes de ce nouvel évangile ? Cette « nuit d'hiver » est une nuit de « force », mais Rimbaud sait (et le dernier alinéa le rappelle) que les « sentiments las » peuvent toujours revenir.

Voir *Autour de « Ville(s) » et de « Génie »*, *Revue des Lettres Modernes*, série A. Rimbaud n° 4, 1980 : « Génie », par Margaret Davies, pp. 47-65 ; « Sur quelques traductions de *Génie* », par Etiemble, pp. 67-83.

*
* *

L'ADAGIO DES VINGT ANS (p. 509)

ANNEXE

LETTRE DE VITALIE RIMBAUD À SA SŒUR ISABELLE

[Londres] le [7] juillet 1874.

Ma bonne petite sœur

Hier à dix heures du matin, nous faisions notre entrée dans la capitale de l'Angleterre.

Arthur va beaucoup mieux, et la joie qu'il éprouve de nous revoir, hâtera, j'en suis sûr son complet rétablissement. Bien que nous ne l'ayons prévenu de notre arrivée que pour 10 h. 1/2, il nous attendait bien avant 10 h.

Nous voici installées pour quelques jours dans les chambres qu'Arthur nous a louées. J'aurais bien voulu t'écrire hier, mais maman s'y est opposée, parce que j'étais très fatiguée. Du reste, j'avais peu de choses à te dire, si ce n'est que nous avons voyagé avec une vitesse que je ne comprends vraiment pas. Si vite, si vite qu'à peine apercevions-nous les objets en passant et nous n'avions pas le temps de les distinguer.

La mer était très calme. La traversée a été bonne, cependant nous avons ressenti le mal de mer environ une demi-heure avant notre débarquement. De nous deux, maman, c'est moi qui ai été la plus forte et malgré tous ses efforts et tous ses encouragements, elle a été vaincue avant moi. Une heure après notre débarquement, nous n'étions pas encore complètement remises. Rien qu'à cause de cela, chère petite sœur, tu dois t'applaudir de ne pas être venue, car c'est un terrible mal que ce mal de mer : quelque chose que je ne puis m'expliquer. La ville de Londres est immense. Des trains où nous étions (car il faut te dire qu'ici les chemins de fer sont sur les maisons) nous pouvions découvrir une immensité telle de maisons que la vue, aussi loin qu'elle peut se porter, n'apercevait que des habitations.

Nous sommes descendues à la gare de Charing-Cross. C'est une gare qui est au moins douze fois plus grande que celle de Charleville, et, en nous rendant à notre appartement, nous avons pu voir une place magnifique, le square Trafalgar. Au milieu est un très grand jet d'eau entouré de quatre lions énormes.

Aux quatre coins de la place, on voit des statues en bronze représentant différents généraux, de grandeur naturelle.

Nous avons rencontré plusieurs temples protestants, que nous nous sommes promis de visiter plus tard. Nous avons vu aussi une église catholique, mais comme tu le penses bien, les églises catholiques ne sont pas nombreuses à Londres.

La prochaine fois que je t'écrirai, je te raconterai tout ce que j'aurai vu de beau. Je crois qu'il y a ici bien des choses à voir — qui exciteront ma curiosité au plus haut point. Ce qu'il y a surtout d'agréable à Londres, c'est que devant un très grand nombre de maisons, il s'y trouve un jardin : il n'est point de rues où les yeux ne trouve[nt] de la verdure pour se reposer. Ainsi, sous les fenêtres de notre appartement, il y croît une infinité de fleurs ombragée par des arbres énormes.

Tu ne peux te figurer, ma bonne petite Isabelle, tout le mouvement qui se fait dans cette grande ville, le bruit qu'on y entend, les voitures qui se croisent en tous sens et par lesquelles on est sans cesse menacé d'être écrasées si l'on [n']a une vigilance exacte sur soi.

Nous voyons aussi circuler des omnibus américains. Ce sont de très grands wagons qui roulent comme les chemins de fer sur des rails dans la rue. Je voudrais que tu sois avec nous pour voir toutes ces choses, mais je craindrais trop les incommodités et les fatigues du voyage.

Il est impossible de nous faire comprendre des marchands, et Arthur est toujours avec nous pour arranger toutes choses.

Enfin je suis obligée de m'arrêter ici, car nous sommes occupées de ranger toutes nos affaires. J'espère que tu ne t'ennuies pas trop et que tu te plais bien au St Sépulcre. On y est si bien. Je pense beaucoup à toi, et je n'oublie rien de ce que tu m'as recommandé.

C'est avec regret que je suis obligée de te dire au revoir. Je voudrais bien m'entretenir longtemps avec toi.

Je t'embrasse de tout mon cœur, ainsi que Maman qui parle à tous moments de toi. Arthur ne t'oublie pas non plus et il t'embrasse bien tendrement.

Ta sœur affectionnée

VITALIE

E[nfant] d[e] M[arie].

Je présente mes respects affectueux à Madame Ste Cécile, Madame Ste Mélanie et à toutes ces dames.

EXTRAITS DU JOURNAL DE VITALIE RIMBAUD

Désirant conserver les impressions de mon voyage d'Angleterre, je vais les transcrire sur ce cahier.

Le 5 juillet 1874 nous nous levâmes de très bonne heure ; l'omnibus devait venir nous chercher pour nous conduire au chemin de fer à six heures et demie.

....

Ma mère et moi avons conduit ma sœur Isabelle hier à huit heures du soir au Saint-Sépulcre où elle doit y rester pensionnaire jusqu'au retour de notre voyage. En quittant ma sœur bien-aimée, des larmes brûlantes s'échappèrent de mes yeux ; [...]

....

Une voiture s'arrête devant la porte ; c'est celle qui doit venir nous prendre pour nous conduire au train ; nous montons et, quelques minutes après, elle nous dépose à la gare où bientôt nous prenons place dans un compartiment.

....

Enfin nous descendons à Valenciennes.

Nous commencions à nous fatiguer, mais un peu d'exercice va nous dégourdir, nous avons quelques heures à nous pour visiter la ville.

....

Nous remontons en chemin de fer qui nous déposera à Calais, où nous devons prendre le bateau pour Douvres.

....

Enfin voilà Calais ; je cherche à travers les ombres à distinguer la mer, mais je ne puis la voir, il fait trop noir.

....

Nous ascendons[1] dans le bateau par une sorte d'échelle ; nous nous amusons à regarder les machines et les instruments de tout genre qui se trouvent par ci par là, puis nous [nous] rendons dans les cabines. Jolie petite chambrette où nous nous trouvons, éclairée par une lampe recouverte d'une boule de verre dépoli, qui produit une lumière terne. Nous sommes seules de dames ici ; il n'y a qu'un Hollandais et une dizaine d'Anglais. Nous remontons sur le pont, car il n'y a pas d'air dans ces cabines. En mettant le pied sur le pont je suis frappée de l'aspect de tout ce qui m'environne ; il est environ deux heures et demie du matin, le jour commence à poindre ; au ciel ne brillent plus que quelques étoiles perdues dans l'immensité des cieux. Jamais mes yeux ne rencontrèrent ce qu'ils considèrent à ce moment ; jamais spectacle pareil ne s'était offert à ma vue : rien et tout dans cette immensité solennelle de la mer ; la mer que j'avais toujours vue en imagination n'était pas aussi belle que celle-ci ; bien longtemps je restai à la regarder sans dire aucune parole, sans fixer aucune pensée.

....

Les côtes d'Angleterre s'offrent bientôt à notre vue ; elles sont couvertes de quelque chose d'un blanc jaune semblable à du soufre ; ce doit être la mer qui produit cet effet. Elles semblent approcher de nous tandis que c'est nous qui allons vers elles ; de minute en minute nous apercevons de plus en plus visibles des forts et des casernes sur les hauteurs qui se dressent devant nous. Enfin nous voici arrivées ; il est trois heures et demie du matin ; nous nous occupons pendant le temps qui nous reste jusqu'à six heures, moment du départ, à visiter un peu Douvres, la pre-

1. Nous montons.

mière ville anglaise que je vois. Les maisons sont de belle apparence, très propres et régulièrement bâties ; les rues larges et spacieuses.

Au moment de monter en wagon, quelle ne fut pas notre surprise en voyant tous les compartiments allumés ; bientôt nous sommes instruites : de Douvres à Londres nous avons à passer sous six tunnels ; [...]

....

Je regarde toujours au loin et l'horizon qui s'enfuit me laisse voir toujours de nouvelles villes, et je me disais toujours : Est-ce Londres, Londres le but de notre voyage, l'objet de nos étonnements et de nos surprises ? Le chemin de fer court depuis longtemps dans un endroit où l'on ne voit plus que des habitations, depuis longtemps nous nous étonnons de ne plus voir de champs et de prairies ; sans cesse des maisons ; enfin nous apprenons, ô surprise ! que nous voyageons dans Londres... Nous voici arrivées à la gare de Charing Cross, à dix heures dix minutes. Nous voici dans la capitale de l'Angleterre, cette ville la plus grande et la plus peuplée de l'Europe. Je ne raconterai point les émotions et les étonnements que j'éprouvai en arrivant à Londres, en voyant cette foule inconnue de gens de toute façon, en considérant ces énormes et immenses bâtiments dans lesquels nous nous trouvions : je n'y parviendrais jamais, car je ne sais même pas ce que j'éprouvai au juste quand mon frère Arthur, qui nous attendait à la gare et que nous reconnûmes avec grand plaisir, nous emmena dans quelques rues avoisinantes pour nous permettre de donner un léger coup d'œil tout autour de nous : c'était du saisissement et une sorte d'inquiétude en voyant un spectacle si nouveau et si étrange pour moi ; un bruit continuel, sans cesse des voitures se croisant mille fois, entre lesquelles il fallait passer à tous moments ; une infinité de personnes allant et venant très vivement, des maisons autrement faites qu'en France ; des magasins et des marchands de toute espèce de marchandises alors inconnues à moi jusqu'ici. Nous étions bien fatiguées, et cependant, après avoir déposé en un logement très convenable nos malles, nous ne pûmes résister au désir de voir le jour même de notre arrivée quelque petite chose, et en deux heures nous parcourûmes quelques rues et un parc dont je parlerai plus loin ; nous rentrâmes fort las et nous nous couchâmes de bonne heure afin de réparer le plus promptement possible notre fatigue, qui ne devait pas, dès le lendemain même, nous empêcher de commencer nos excursions.

7 juillet. — Allée au marché, écris à Isabelle. Arthur nous a conduit voir le Parlement. Quel chef-d'œuvre ! C'est un immense bâtiment, d'une architecture fine et découpée ; de chaque côté s'élève une tour carrée, dorée sur les sculptures. — Vu le palais du duc de Northumberland ; il est très ancien, tout était fermé. — Vu le royal théâtre de l'Alhambra sur une place magnifique au milieu de laquelle s'élève la statue de Shakespeare ; elle a pour piédestal un immense bloc de marbre blanc ; autour de la statue, sur ce marbre, existent six requins également en marbre blanc, de la tête desquels sortent plusieurs jets d'eau. Sur cette place se pressait un monde fou. Ce jour Arthur nous a conduites dans une maison où l'on parlait un peu français. — Visité les bords de la Tamise sillonnée par une multitude de bateaux remplis de promeneurs ; de ces bords, nous avons très bien vu l'hôpital de Saint-Martin, se composant de six beaux et grands bâtiments l'un comme l'autre et en briques. — Vu la caserne des gardes de la reine ; de très beaux hommes, vêtus d'une culotte blanche, des bottes à l'écuyère, une tunique en drap rouge, un shako[1] doré surmonté d'une aigrette blanche qui retombe en panache par derrière. Ce costume, très beau, fait encore ressortir la noblesse et la dignité de ceux qui le portent. Nous avons passé devant un bâtiment immense et pas encore tout à fait terminé, bâti en pierres de taille et colonnes en marbre. À neuf heures du soir nous nous décidons à rentrer en passant devant Charing Cross. A[rthur] nous engage à assister à un sermon qu'un prêtre protestant doit faire dans l'église Saint-Jean. Qu'irions-nous faire à un sermon anglais ?... Il était presque onze heures quand nous nous couchâmes.

Mercredi 8 juillet. — Je jette en esprit un regard de tristesse sur Charleville, de regret sur Isabelle, ma sœur. L'ennui qu'on trouve même au sein des plus grands plaisirs veut chercher à entrer aussi en moi-même.

....

On nous a prêté un livre (*La Vraie Religion chrétienne*, par Emmanuel Swedenborg) ; c'est un livre protestant. — Impossible de rien acheter sans A[rthur].

....

La chaleur est accablante l'après-midi. Nous sortîmes avec mon frère vers six heures. Après avoir longé une rue immense, nous nous trouvâmes dans la cité ; on ne rencontre plus comme de notre côté des maisons avec de petits jardins en avant. Le quartier est plus commerçant ; les monuments imposants. Nous nous amusâmes à regarder longtemps tous les beaux et grands magasins. J'étais émerveillée en examinant toutes ces étoffes si riches, si bien travaillées et si bon marché, car à Londres on a des habillements pour rien en comparaison de ceux qu'on vend en France, surtout dans les petites villes.

---

1. Coiffure militaire. Le mot est d'origine hongroise.

....

[...] on était à la prière du soir quand nous entrâmes à Saint-Paul ; on nous conduisit bien poliment après nous avoir donné des livres de prières en anglais... dans l'endroit affecté aux dames ; on récitait des psaumes ; un ministre en faisait la lecture d'une voix dolente et triste ; bientôt la lecture cessa, les dames qui étaient à côté de nous nous offrirent très gracieusement un nouveau livre que nous acceptâmes, refuser eût été une impolitesse... et sans orgue et sans accompagnement s'éleva dans ce froid et sévère sanctuaire un chant grave et pur ; hommes et femmes chantaient. Que j'ai aimé ces voix, ces sons, qui avaient quelque chose de doux et de triste, d'harmonieux et de sublime ! Je me laissai aller dans une rêverie si douce et si charmante que j'oubliai tout ce qui m'environnait pour écouter de toute [mon] âme cette mélodie si suave et si enchanteresse. Jamais pareil effet ne s'était produit en moi ; jamais je n'avais ressenti de si singulières impressions ; [...]

....

Pas un bruit, pas un murmure ne se faisait entendre ; un recueillement très pieux avait succédé aux chants ; hommes et femmes semblaient prier avec une véritable ferveur. Je contemplai assez longtemps cette assemblée composée uniquement de protestants et je m'étonnai profondément de leur excessive piété. Comment, me disais-je, est-il possible que des hommes qui ont tant de ferveur, de modestie et d'attachement pour leur culte, ne soient pas plutôt de la véritable église ; comme ils feraient de bons catholiques et quel exemple ils donneraient à tant d'autres qui sont indignes du beau titre de catholiques qu'ils portent aujourd'hui.

....

L'assemblée se dispersa en silence vers neuf heures du soir ; nous regagnâmes notre appartement préoccupées de pensées bien diverses.

Jeudi 9. — Levée à sept heures et demie ; nous avons mangé aujourd'hui des fraises de jardin très belles et très bonnes, puis des groseilles ; à 6 heures du soir, A[rthur] rentre du British Museum, bibliothèque et musée, et il nous conduit dans de nouvelles rues toutes admirables soit par leurs beaux édifices ou magasins, soit par leurs charmants petits jardins tout remplis [...]

....

Jeudi 9. — Pas dormi, la chaleur était insupportable. Nous avons cependant une chambre spacieuse, à deux lits, très confortable pour moi et maman. Celle d'Arthur est plus petite. [...]

Ce matin, mon frère, auquel nous avons narré notre mécompte d'hier au marché, nous déclare qu'il ne peut cependant être toujours avec nous comme les deux premiers jours afin d'arranger toutes choses, et qu'il lui faut, comme il le faisait avant notre arrivée, se rendre à ses occupations. Il tente de m'apprendre quelques mots anglais avec la prononciation. La façon dont je répète après lui le fait rire, puis l'impatiente. Cependant, fortes de ses enseignements, nous faisons, assez difficilement, notre marché. Nous avons des fraises délicieuses, des groseilles — mon désir depuis longtemps. — Le lait n'est pas cher : 3 pence (30 c. env.) le litre.

Le soir, Arthur rentre du British Museum. Il nous conduit dans de nouvelles rues, toutes belles et attrayantes. Les unes ont un air de fraîcheur avec leurs jolis jardins clos de grilles devant les maisons, et aussi les larges bandes plantées d'arbres, de fleurs et de gazons qui se trouvent sur les bords de la chaussée ; les autres sont longées d'admirables magasins. Nous ne nous lasserions jamais de les regarder. Mais il fait une chaleur très fatigante. Je nourrissais dans mon esprit le désir de me régaler d'une glace ou de limonade. Arthur, si gentil, devina mon vœu et obtint qu'il fût exaucé. Une glace à la crème, que c'est bon ! Nous regardâmes longtemps un ballon, etc. Nous rentrions à 10 heures et demie dans nos appartements où la chaleur était suffocante.

Vendredi 10. — Levée à huit heures et demie. Toujours chaud. Impossible de faire quelque chose. Je me trouve mal. Sans doute la fatigue et la chaleur. Je ne veux pas me plaindre cependant, afin d'accompagner maman au marché : je pense qu'à nous deux nous nous ferons mieux comprendre. Acheté beaux poissons, etc. La viande ou le poisson, et même les légumes, achetés au marché, sont portés chez le rôtisseur qui les fait cuire pour très peu de chose. Naturellement, c'est Arthur qui nous a dit comment il faut nous y prendre. Mon malaise augmente, m'envahit. Me voici en proie à de bien tristes pensées. Je m'ennuie, je pleure en moi-même. [...] Chère Isabelle, que le ciel t'inspire, prie pour moi, pour maman, pour trois expatriés, etc. Arthur ne rentre pas déjeuner. Je mange avec maman. Après, je me remets, je suis plus forte.

Sur le soir, Arthur me propose de m'accompagner jusqu'au parc. J'accepte avec joie. En chemin, maman a demandé à voir les plus beaux magasins du quartier. Mon frère s'y est prêté avec une bonté et une complaisance parfaites, moi je les ai suivis avec mauvaise humeur. À quoi bon s'emplir les yeux et la mémoire de toutes ces merveilles, de tous ces trésors, si on n'achète rien ? Quel dommage de ne pouvoir rien rapporter ! [...] Pourtant j'ai de l'espérance pour de beaux jupons brodés, etc. — Le parc est délicieux ; c'est un[e] oasis, un paradis. Du mal pour trouver un banc, car tous étaient occupés. Arthur me fait boire à une fontaine d'une eau fraîche, exquise.

Samedi 11 juillet. — Il ne fait pas si chaud. Il a plu un peu pendant la nuit. Je suis encore fatiguée. Arthur se rend chez des Anglais pour se préparer quelque chose. Il a été heureux hier, lui aussi, car en même temps que celle d'Isabelle, est arrivée une lettre dans laquelle on lui propose trois places différentes. J'en suis bien contente et pour lui et pour nous ; car plus vite il trouvera à se caser, plus vite nous rentrerons en France. Et j'ai beau trouver Londres magnifique, je m'ennuie, je n'aime que ma patrie. Isabelle a bien fait de rester, et l'idée que je pourrais par miracle être auprès d'elle m'opprime et m'étouffe, m'empêche de respirer.

Je suis sortie avec ma mère. Quelle patience, quelle abnégation elle a montrées ! Quelle fatigue je lui ai imposée ! J'en éprouve de la honte. — Nous avons eu besoin d'argent anglais et, longtemps, nous avons cherché à nous entendre avec un changeur. Mais, pas moyen. Quelle misère, quand il est impossible de s'expliquer ! Arthur, heureusement, revient, et il arrange tout en moins de temps qu'il ne faut pour le dire. Nous pouvons déjeuner à midi. L'après-midi, je me sens mieux qu'à l'ordinaire, je suis gaie. Arthur me sourit. Il me demande si je veux l'accompagner au British Museum. Là, nous avons vu une foule de choses remarquables : [...] La bibliothèque, où les dames sont admises aussi bien que les hommes, compte trois millions de livres. C'est là qu'Arthur vient si souvent.

....

Dimanche 12 juillet. — Voici donc le premier dimanche que je passe à Londres. Au contraire des autres jours, on n'entend pas le bruit des voitures. Il fait beau, il fait frais. Je ne sens pas l'accablement des autres jours. Arthur s'ennuie. Nous allons à un temple protestant. C'est à peu près comme dans les églises catholiques. De belles voûtes, des lustres, des bancs, etc. Je m'y suis tant ennuyée que je me sentais devenir malade. Nous en sortons à une heure après y être restés deux à trois heures. Nous rapportons de la viande de bœuf et de porc pour notre déjeuner. Arthur va nous chercher des fraises délicieuses. Oh ! que je les aime donc ! — L'après-midi, chaleur suffocante. Si nous sortons, ce ne sera que le soir. Je vais écrire à Isabelle. [...]

....

Lundi 13. — [...] Maman se trouve malade.

....

Mardi 14. — Maman me dit se sentir un peu mieux ; mais elle est affreusement défaite. Je suis souffrante aussi par découragement, par ennui, par tristesse...

....

[...] comment partir d'ici maintenant que nous sommes si loin de notre pays ? J'éprouve une sorte de désespoir. S'il allait falloir rester là ? Ne plus pouvoir s'en aller à Charleville... Mais non ; espère, me dit quelque chose en-dedans de moi. Maman ne m'a-t-elle pas, en effet, dit que la semaine prochaine, quoi qu'il arrive, nous partirions.

....

Nous sortons le soir. Je suis mieux portante. Arthur est bien tourné ; nous n'allons pas trop loin. Nous suivons des murs derrière lesquels les trains courent toujours. Des voies ferrées partout, des gares. En revenant, nous nous amusons à regarder le chemin de fer souterrain. Quelle merveille ! Il passe sans cesse sous des tunnels, sous des ponts, et avec quelle rapidité ! Les trains sont toujours pleins de voyageurs qui sont bien plus vifs que nous autres *agiles* Français. Et cette foule est calme, placide, silencieuse. Pas un cri, pas un geste inutile... etc.

....

Mercredi 15. — [...] Il fait plus frais. Maman est triste. Peut-être moins qu'hier l'après-midi, pourtant. — Quelle soif ! je bois goulûment du lait frais. On a de très bon lait à Londres.

Arthur part. Il va au British Museum. Il ne reviendra pas avant six heures du soir. J'en suis contente ; la contrainte qui m'étouffe en est levée ; je vais être un peu libre. Mais à quoi m'occuper ?

....

Je vais au marché avec maman. — Tout à l'heure nous irons au parc East.

C'est un bien-être indescriptible que j'éprouve dans ce parc. Assise sur un banc, je sommeille un peu [...] Il me semble être à Charleville, au square de la Gare[1]. Le gazouillis des oiseaux me rappelle le chant, mon cher cours de chant, le chant, moitié de ma vie, le seul plaisir que je goûte au monde.

....

Que de monde, de toutes manières, de toutes nationalités. Je ne distingue presque pas de Français. Je ne suis peut-être pas physionomiste ; mais sûrement, si je rencontrais des Français, j'aurais tant de plaisir que je les reconnaîtrais d'instinct. Ce n'est pas que je déteste les Anglais, je leur reconnais beaucoup de qualités : obligeance, probité, tact, politesse. Mais quelle froideur, quelle raideur ! Ces gens-là n'ont aucune tendresse, ils ne doivent jamais aimer personne ni rien.

---

1. Celui d'« À la Musique ».

Arthur sort le soir. Nous sortons de notre côté. Impossible de rester dans notre chambre, on y cuit à l'étuvée, malgré les deux fenêtres ouvertes. Je souffre.

Jeudi 16. — [...] Rien pour Arthur, pas de nouvelles. C'est peut-être encore plus fâcheux pour lui que pour moi. Probablement. Oh, si pourtant il allait être placé ! S'il ne trouve rien ce sera bien malheureux. Maman est si triste, si renfermée. [...]

Ce matin, Maman arrange sa belle robe en soie grise apportée, ainsi que sa mante en chantilly, sous l'indication d'Arthur, afin de pouvoir nous présenter avec lui bien habillées et comme référence d'honorabilité. Moi, j'écris. Arthur lit. Rien encore de France. Patience, ce sera sans doute pour samedi.

....

Vendredi 17. — [...] J'ai vu la Tour de Londres, celle où ont été pour ainsi dire ensevelis tout vivants les princes et les princesses de nobles familles d'Angleterre. Le monument a le sombre extérieur convenable aux souvenirs qu'il évoque. Sourd, triste, sinistre, il donne le frisson. J'aurais bien voulu y pénétrer, pour voir si l'intérieur répond à l'extérieur et conserve des vestiges des anciens prisonniers. Mais il paraît qu'on ne peut entrer et que c'est presque inhabité aujourd'hui.

....

Arthur nous fait voir les docks. [...] C'est intéressant de regarder charger et décharger les bateaux aux cargaisons variées.

....

Samedi 18. — [...] Arthur a été de nouveau commander des annonces et chercher un autre placeur. Peut-être trouvera-t-il dès aujourd'hui une place. Ou bien sera-ce pour lundi ? Que je voudrais y être ! Quel bonheur m'apportera lundi, ou quel malheur ? Ayez pitié de nous, mon Dieu, ne nous abandonnez point.

Le soir, reçu lettre d'Isabelle. C'est le bonheur retrouvé pour moi.

Dimanche, huit heures. — Je ne sais encore ce que nous ferons aujourd'hui. Je voudrais bien assister à la messe ; voilà deux dimanches que je n'entends pas d'offices catholiques. Si Arthur nous conduisait au quartier français, nous y trouverions sans doute une église.

Nous voici à dix heures et demie. Faute de mieux, j'ai relu une partie de ma grammaire. [...] Dieu ! que les dimanches sont tristes ici !

Enfin on décide d'aller au parc. [...]

À tous les carrefours, dans les rues, des prêches ; j'en ai vu sept aujourd'hui. La foule entoure les prêcheurs et les écoute avec recueillement et respect. On distribue des écrits pieux.

Vers le soir, Arthur a enfin trouvé une église catholique et française. Il nous y conduit. On était au salut. [...]

....

Mardi 21. — Arthur a reçu une lettre hier soir. Je suis contente et j'espère.

....

Mercredi 22. — Arthur vient d'emporter la fameuse boîte destinée aux dames du Saint-Sépulcre de New-Hall. Ne pouvant la leur porter, nous nous décidons à leur en faire l'expédition. Cela ne souffrira aucune difficulté, je pense. Je viens de leur écrire afin de leur annoncer l'envoi de ce dit carton...

....

Jeudi 23. — [...] J'ai cousu. — Arthur et nous sommes bien embarrassés, bien perplexes. Des places, il en a ! S'il avait voulu, il serait placé et nous serions parties. S'il avait voulu, nous serions parties aujourd'hui. Oh ! quand je pense que cette joie-là aurait pu être mienne en ce moment... Après tout, aurais-je pu trouver grand plaisir à partir, après avoir été témoin du chagrin et des supplications d'Arthur ? — Maman a dit : encore huit jours. Et voilà. J'étais dépitée et contente à la fois : contente pour Arthur. Bah ! pour lui, j'en prends mon parti tout de même.

Samedi 25. — Voici passée une journée bien remplie. Nous sommes allés au musée de peinture [...] J'ai vu l'un des palais de la reine. Il est entouré d'arbres. Il ne m'a pas semblé élégant ; je me figurais autrement une demeure royale. Les murs, noircis par le temps, sont sans sculptures. Les fenêtres ? elles sont comme toutes les fenêtres, mais très petites. Il y a de vastes écuries.

J'ai vu le monument élevé en l'honneur du prince Albert. Il est tout doré. C'est merveilleux.

....

Nous sommes allés dans deux parcs. Dans l'un d'eux, des soldats anglais s'exerçaient à la petite guerre. Ils sont habillés richement. Je me suis fort intéressée à leurs costumes et à leurs mouvements. Il y en avait à cheval, et ils étaient magnifiques de tenue et d'allure, eux et leurs montures.

Nous avons mangé au restaurant et nous avons pris du thé excellent avec des tartines de beurre.

Lundi 27. — J'ai terriblement dormi. Déception : point de lettre, rien. Je m'étonne vraiment qu'il ne vienne rien. Allons, patience ! Voilà que je m'habitue un peu à ce pays-ci. Il me semble plus supportable. Charleville me paraît un lieu de délices très lointain. Il me semble même que je l'oublie un peu. Oh ! non, cela ne se peut : je suis fidèle à mes affections et j'aurais honte d'oublier ma patrie.

....

Nous passons l'après-midi au British Museum. Je vais parler un peu du musée où je suis allée aujourd'hui. Ce qui m'a intéressée le plus, voici :

Les dépouilles du roi d'Abyssinie, *Théodoros*, et de sa femme : des tuniques dont l'une est garnie de sortes de petits grelots en argent ; sa couronne, avec de vrais diamants ; ses armes ; plusieurs coiffures ; des chaussures de la reine sa femme, en argent avec des pierres précieuses ; des peignes en bois ; des fourchettes et des cuillères grossières, en bois.

Mardi 28. — Point de lettre. C'est trop fort ! — J'espère pour le soir.

....

Mercredi 29. — Ce matin, vers neuf heures, je rangeais toutes mes affaires, quand Arthur, sombre et nerveux, a dit tout à coup qu'il sortait et qu'il ne rentrerait pas à midi. Mais à dix heures il revient et nous annonce qu'il partira demain. Quelle nouvelle ! J'en suis suffoquée. Suis-je contente au moins, moi qui ai tant désiré cet instant ? En conscience, je serais bien en peine de répondre franchement ; et je ne m'explique pas du tout cette épine qui me laboure le cœur au moment où je devrais être si joyeuse.

....

L'après-midi, nous allons acheter divers objets pour Isabelle et pour moi, entr'autres de beaux châles ; puis, différentes affaires pour Arthur.

Nous dînons du thé. — Je fais quelques arrangements au pantalon et au paletot d'Arthur ; après, il sort.

En ce moment, il est dix heures et demie. Je ne sais comment cela va aller. — Point de nouvelles de personne. Isabelle, tu n'es pas raisonnable. Je suis presque fâchée après toi. Je ne comprends rien à ton silence.

Jeudi 30. — Arthur n'a pu partir aujourd'hui, la blanchisseuse n'ayant pas rapporté ses chemises.

L'après-midi nous allons acheter du linge.

Vendredi 31. — Sept heures et demie du matin. Arthur est parti à quatre heures et demie. Il était triste.

....

Deux heures et demie. — Nous partons dans une heure. Quel effet cela me fait ! Ma nervosité a grandi, c'est de l'angoisse à présent. Se peut-il que je regrette Londres à ce point, que je me sois attachée à lui sans le savoir, en me figurant y souffrir ? [...] Je pense à Arthur, à sa tristesse ; à Maman, qui pleure, qui écrit. [...]

Nous partons. Jamais je ne verrai plus notre chambre, ni le paysage familier, ni Londres...

LETTRES DE STUTTGART (pp. 515-516)

Lettre à Delahaye du 5 mars 1875 (p. 515)

Première publication dans *La Nouvelle Revue Française*, juillet 1914.

Manuscrit autographe de la collection Alfred-Saffrey, puis de la collection Jean-Hugues. La date inscrite par Rimbaud, février 75, doit être corrigée en mars. Le cachet postal sur l'enveloppe indique 6 mars. Fac-similé dans *Les Lettres manuscrites*, Textuel, p. 85.

• Verlaine a été libéré le 16 janvier 1875. Se proposant, si l'on en croit Delahaye, de convertir Rimbaud (« Aimons-nous en Jésus », lui aurait-il écrit), il cherche à le retrouver. Delahaye sert d'intermédiaire. Rimbaud se trouve alors à Stuttgart, où il apprend l'allemand tout en donnant des leçons chez le docteur Lübner. Fort réticent à l'égard du « Loyola », il cède enfin, et écrit à Delahaye (lettre perdue) : « Ça m'est égal. Si tu veux, oui ; donne mon adresse au "Loyola". » Trois jours après, Verlaine est à Stuttgart. Ici se situe la rencontre, dont Rimbaud fait dans cette lettre un récit sobre — mais non sans sous-entendus —, qui ne rappelle guère l'ahurissante « bataille de Stuttgart » racontée par Delahaye dans son livre sur *Verlaine* (Messein, 1923, pp. 210-211) : beuveries dans les brasseries, bataille à coups de poings « dans la nuit, sous la clarté lunaire, au bord même de la Neckar dont les flots, qui roulent à deux pas, semblent offrir au fantasque roman de ces deux enragés un trop naturel épilogue » ; Verlaine retrouvé à demi mort le lendemain à l'aube par des paysans « sur le sol déchiré par de furieux piétinements ».

Lettre aux siens du 17 mars 1875 (p. 516)

Première publication par Paterne Berrichon, *Lettres de Jean-Arthur Rimbaud*, 1899.

Le manuscrit autographe figurait en 1996 dans le catalogue de la maison Charavay. Fac-similé, Textuel, p. 86. Dans l'angle en haut à gauche Isabelle Rimbaud a écrit : « 21,50 pour log., plus les frais d'annonces — combien lui restait-il pour manger pendant un mois ! »

• Comme il l'annonçait dans la lettre précédente, Rimbaud a changé de logement (ce qui laisse à supposer qu'il ne donne plus de leçons). Ses projets sont vagues : mais les « annonces » dont il parle rappellent celle qu'il avait insérée dans le *Times* le 7 et le 9 novembre 1874 (voir V.P. Underwood, *Rimbaud et l'Angleterre*, pp. 194-195).

ADIEU À LA POÉSIE (pp. 517-519)

Lettre à Delahaye du 14 octobre 1875 (pp. 517-518)

Première publication dans *La Nouvelle Revue Française*, juillet 1914.

Manuscrit autographe ayant appartenu à la collection Alfred-Saffrey, aujourd'hui dans la collection Jean-Hugues. Le fac-similé, révélé par Steve Murphy, a été reproduit dans Textuel, pp. 88-90 et dans le livre cité d'Albert Henry, pp. 247-249.

• Rimbaud se trouve à Charleville, Delahaye à Soissons. S'il repousse les leçons de morale de Verlaine, Rimbaud ne peut s'empêcher d'être intéressé par tout ce qui vient de lui ; il veut reprendre ses études (ès sciences...) ; il voit toujours planer sur lui la menace de l'armée. L'appel du deuxième contingent de la classe 74 est prévu pour le 3 novembre prochain. La vision de la chambrée future lui inspire deux couplets qui ont fait couler beaucoup d'encre. « Rêve », considéré comme le dernier poème de Rimbaud, a arraché des cris d'enthousiasme à André Breton, qui y a vu « le triomphe absolu du délire panthéistique, où le merveilleux épouse sans obstacle le trivial et qui demeure comme la quintessence des scènes les plus mystérieuses des drames de l'époque élisabéthaine et du second Faust » (*Situation matérialiste de l'objet*). Commentaire assurément excessif.

ORIENTATION BIBLIOGRAPHIQUE

Mario Richter, *Les Deux « Cimes » de Rimbaud : « Dévotion » et « Rêve »,* Genève-Paris, Slatkine, 1986.

Steve Murphy, « La faim des haricots : la lettre de Rimbaud du 14 octobre 1875 », dans *Parade sauvage*, n° 6, 1989, pp. 13-54.

Albert Henry, « Sur la lettre (14 octobre 1875) de Rimbaud à Delahaye », dans *Contributions à la lecture de Rimbaud*, Bruxelles, Académie Royale de Belgique, 1989, pp. 245-256.

ANNEXE

LA DERNIÈRE LETTRE CONNUE DE VERLAINE À RIMBAUD

Londres, dimanche 12 décembre [18]75.

Mon cher ami,

Je ne t'ai pas écrit, contrairement à ma promesse (si j'ai bonne mémoire), parce que j'attendais, je te l'avouerai, lettre de toi, enfin satisfaisante. Rien reçu, rien répondu. Aujourd'hui je romps ce long silence pour te confirmer tout ce que je t'écrivais il y a environ deux mois.

Le même, toujours. Religieux strictement, parce que c'est la seule chose intelligente et bonne. Tout le reste est duperie, méchanceté, sottise. L'Église a fait la civilisation moderne, la science, la littérature : elle a fait la France, particulièrement, et la France meurt d'avoir rompu avec elle. C'est assez clair. Et l'Église aussi fait les hommes, elle les *crée :* Je m'étonne que tu ne voies pas ça, c'est frappant. J'ai eu le temps en dix-huit mois d'y penser et d'y repenser, et je t'assure que j'y tiens comme à la seule planche.

Et sept mois passés chez des protestants m'ont confirmé dans mon catholicisme, dans mon légitimisme, dans mon courage résigné.

Résigné par l'excellente raison que je me sens, que je me vois *puni*, humilié justement et que plus sévère est la leçon, plus grande est la grâce et l'obligation d'y répondre.

Il est impossible que tu puisses témoigner que c'est de ma part pose ou prétexte. Et quant à ce que tu m'écrivais, — je ne me rappelle plus bien les termes, « modifications du même individu sensitif », « rubbish », « potarada », blague et fatras digne de Pelletan et autres sous-Vacquerie.

Donc le même toujours. La même affection (modifiée) pour toi. Je te voudrais tant éclairé, réfléchissant. Ce m'est un si grand chagrin de te voir en des voies idiotes, toi si intelligent, *si prêt* (bien que ça puisse t'étonner !) J'en appelle à ton dégoût lui-même de tout et de tous, à ta perpétuelle colère contre chaque chose, — juste au fond cette colère, bien qu'inconsciente *du pourquoi*.

Quant à la question d'argent, tu ne peux pas sérieusement ne pas reconnaître que je suis l'homme *généreux* en personne : c'est une de mes très rares qualités, — ou une de mes très nombreuses fautes, comme tu voudras. Mais, étant donné, et d'abord mon besoin de réparer un tant soit peu, à force de petites économies, les brèches énormes faites à mon menu avoir par *notre* vie absurde et honteuse d'il y a trois ans, — et la pensée de mon fils, et enfin mes nouvelles, mes fermes idées, tu dois comprendre à merveille que je ne puis t'entretenir. Où irait mon argent ? À des filles, à des cabaretiers ! Leçons de piano ? Quelle « colle » ! Est-ce que ta mère ne consentirait pas à t'en payer, voyons donc !

Tu m'as écrit en avril des lettres trop significatives de vils, de méchants desseins, pour que je me risque à te donner mon adresse (bien qu'au fond, toutes tentatives de me nuire soient ridicules et d'avance impuissantes, et qu'en outre il y serait, je t'en préviens, répliqué *légalement*, pièces en mains). Mais j'écarte cette odieuse hypothèse. C'est, j'en suis sûr, quelque « caprice » fugitif de toi, quelque malheureux accident cérébral qu'un peu de réflexion aura dissipé. — Encore prudence est mère de la sûreté et tu n'auras mon adresse que quand je serai sûr de toi.

C'est pourquoi j'ai prié Delahaye de ne te pas donner mon adresse et le charge, s'il veut bien, d'être assez bon pour me faire parvenir toutes lettres tiennes.

Allons, un bon mouvement, un peu de cœur, que diable ! de considération et d'affection pour un qui restera toujours — et tu le sais,

Ton bien cordial
P. V.

Je m'expliquerai sur mes plans — ô si simples, — et sur les conseils que je te voudrais voir suivre, religion même à part, bien que ce soit mon grand, grand, grand conseil, quand tu m'auras, via Delahaye, répondu « properly ».

P.-S. — Inutile d'écrire ici *till called for*. Je pars demain pour de gros voyages, très loin...

LETTRES, COMPTES RENDUS ET RAPPORTS DU VOYAGEUR (pp. 521-810)

« L'HOMME AUX SEMELLES DE VENT » (1876-1878) (pp. 543-547)

Le 16 juin 1887, Ernest Delahaye adressait une lettre à un autre camarade de Charleville, Ernest Millot, pour lui dire l'incertitude où l'on était sur les déplacements du « Voyageur toqué » (ce surnom vient de l'opérette d'Hervé, *Le Voyageur toqué*). Le 9 août, le même Delahaye, dans un dessin accompagnant une lettre à Verlaine, représente Rimbaud, vêtu d'un long manteau de fourrure et coiffé d'un chapeau haut de forme, trinquant avec un ours blanc sur le 70e parallèle. Voilà donc l'ex-poète de « Barbare » se dirigeant vers cette zone polaire dont il a rêvé. Aux alentours de Pâques 1877, il s'est rendu à Cologne, puis à Brême où il tente de nouveau sa chance en écrivant — inutilement — au consul des États-Unis d'Amérique. Selon le témoignage de Delahaye, il aurait été ensuite « signalé [...] à Stockholm, puis à Copenhague », ayant exercé peut-être les fonctions de receveur à la caisse dans le cirque itinérant Loisset. À l'automne 1877, il semble être de retour à Charleville : a-t-il cherché alors à partir de Marseille pour l'Orient, pour Alexandrie ? Delahaye est formel sur ce point, mais aucun document ne vient étayer ses dires. Peut-être a-t-il confondu avec le voyage de 1878, à moins que le voyage de 1877 n'ait préparé celui-ci. Toujours est-il que le 28 octobre 1878, Rimbaud reprend la route, traverse les Alpes pour gagner Gênes, où il arrive le 17 novembre, et de là s'embarque pour Alexandrie. Il est alors orienté vers Chypre, où il a trouvé du travail.

À aucun moment il n'est plus que dans ces trois années celui que Verlaine a appelé « l'homme aux semelles de vent ». Qui fuit-il ? Son ancien compagnon, mal remis des coups reçus à Stuttgart, — mais qui ne lui en tiendra pas rigueur quand il s'agira de faire connaître son œuvre ? Sa famille qui, définitivement installée dans la ferme de Roche, cherche à le faire travailler aux champs ? Lui-même, ouvert sur l'horizon mais appauvri par le renoncement à la littérature ? Il est curieux de voir le poète du dégagement chercher à s'engager, à s'enrôler même dans une troupe de mercenaires. Pour peu de temps, il est vrai. Jamais il n'a paru plus instable. Même son écriture a du mal à se fixer dans des lettres : trois en trois ans, c'est le plus bas de l'étiage rimbaldien.

Chronologie

1876

Printemps : Partant pour l'Orient, Rimbaud s'arrête à Vienne (on a retrouvé un plan de cette ville lui ayant appartenu). Il est dépouillé par un cocher de fiacre de son pardessus où se trouvaient ses papiers et son argent. On le ramène à la frontière et il regagne Charleville.

Mai : Ayant entendu parler des avantages offerts aux soldats volontaires recrutés par les Hollandais pour réprimer une révolte à Java, il part pour la Hollande en passant par Bruxelles. Le 17 mai, il est à Rotterdam.

19 mai : Il est à Harderwijk, sur le Zuyderzee, où il est inscrit au bureau de recrutement après avoir signé un engagement de six ans dans l'armée hollandaise.

10 juin : Il embarque sur le paquebot *Prins van Oranje*.

19-23 juillet : Arrivée à Sumatra, débarquement à Batavia, où Rimbaud est incorporé à la quatrième compagnie du premier bataillon. En caboteur il gagne Samarang d'où son unité est transportée, par chemin de fer, dans la région de Salitaga.

15 août : Rimbaud est déclaré déserteur. Il a empoché 300 florins. Il voyage sur le *Wandering Chief*, parti de Samarang le 30 août, arrivé le 6 décembre en Irlande. Il est de retour à Charleville, le 9 décembre selon Delahaye, le 31 selon sa sœur Isabelle.

1877

28 janvier : Delahaye affirme que Rimbaud vient de rentrer de Java par « le Cap, Sainte-Hélène, Ascension, Les Açores, Queenstown, Cork (en Irlande), Liverpool, Le Havre, Paris ».

Printemps : À Cologne, il aurait recruté des volontaires pour l'armée hollandaise d'Indonésie.

14 mai : Rimbaud se trouve à Brême. Il écrit au consul américain de cette ville pour demander son engagement dans la marine américaine.

À Hambourg, il aurait obtenu un emploi administratif dans le cirque Loisset qu'il aurait accompagné en Scandinavie.

Juin : Il figure deux fois sur le registre des étrangers présents à Stockholm.

Été : Le cirque Loisset quitte Stockholm. Rimbaud rentre à Charleville.

Début de l'hiver : Rimbaud s'est peut-être embarqué à Marseille à destination d'Alexandrie. Mais, pris de fièvre dès le début de la traversée, il aurait débarqué à Civitavecchia, puis serait rentré à Charleville, où il passe l'hiver.

1878

La famille Rimbaud s'installe définitivement à Roche.

Janvier : « Petits pauvres » (autre titre pour « Les Effarés ») paraît à Londres, sous la signature d'Alfred Rimbaud, dans *The Gentleman's Magazine*.

Printemps : On dit qu'il est allé à Hambourg, en Suisse, à Paris. Mais ces témoignages sont incertains.

Été : Il est à Roche.

28 octobre : Rimbaud quitte Charleville, se dirige vers la Suisse, puis vers l'Italie après avoir franchi le col du Saint-Gothard.

17 novembre : Arrivée le matin à Gênes — le même jour, son père meurt à Dijon à l'âge de 64 ans.

19 novembre : Départ, le soir, pour Alexandrie.

Fin novembre : Arrivée à Alexandrie. Rimbaud rencontre un ingénieur français qui lui propose plusieurs emplois.

16 décembre : Arrivée à Chypre.

Au consul des États-Unis à Brême, 14 mai 1877 (p. 543)

Document retrouvé par Henri Matarasso et publié par Pierre Petitfils dans *Le Figaro littéraire* du 20 mai 1961 avec des commentaires. Collection inconnue. Fac-similé dans l'*Album Rimbaud*, p. 227, et dans *Les Lettres manuscrites, Lettres d'Europe*, Textuel, p. 91.

• Arrivé à Brême au printemps de 1877, Rimbaud est visiblement aux abois et, comme le suggère Claude Jeancolas (*Lettres manuscrites*, p. 407), désireux de « tente[r] de nouveau le coup » de l'engagement militaire. Il remet alors ce que Jean-Luc Steinmetz appelle « une véritable fiche d'identité où il définit sa situation » (*Arthur Rimbaud — Une question de présence*, p. 259). Les renseignements fournis sont souvent truqués. Ce tissu de mensonges contient-il quelques vérités (en particulier sur les conditions dans lesquelles Rimbaud est revenu de Java) ? La rédaction en est singulière, ainsi que le fait qu'il n'y ait aucune indication de l'adresse où devrait être envoyée la réponse. S'agit-il seulement d'un projet de lettre, comme le pense André Rolland de Renéville (première Pléiade, p. 828) ?

Traduction

Brême le 14 mai 77

Le soussigné Arthur Rimbaud — né à Charleville (France) — âgé de 23 ans — taille : 5 pieds 6 — en bonne santé — précédemment professeur de sciences et de langues — ayant récemment déserté du 47e Régiment de l'armée française — actuellement à Brême sans ressources, le consul français lui refusant tout secours

Aimerait savoir à quelles conditions il pourrait conclure un engagement immédiat dans la marine américaine.

Parle et écrit l'anglais, l'allemand, le français, l'italien et l'espagnol.

A été pendant quatre mois marin sur un voilier écossais de Java à Queenstown, d'août à décembre 1876.

Serait très honoré et reconnaissant de recevoir une réponse.

Jean-Arthur Rimbaud

Aux siens, 17 novembre 1878 (p. 544)

Première publication par Ernest Delahaye dans la *Revue d'Ardenne et d'Argonne*, septembre-octobre 1897. Fac-similé du début (jusqu'à « des ouvriers ») dans *Lettres manuscrites*, p. 92, d'après un document photographique conservé au Musée-bibliothèque de Charleville.

• Rimbaud vient de traverser les Vosges, puis les Alpes, par le col du Saint-Gothard. Il arrive encore tout étonné à Gênes, le 17 novembre, ne sachant pas si c'est un samedi ou un dimanche. Il s'apprête à s'embarquer pour l'Égypte, le 19. « Rien que du blanc à songer » : le style a quelque chose de relâché, et pourtant l'évocation de « l'embêtement blanc » est personnelle, sinon vraiment poétique, comme l'écrit Claude Jeancolas (éd. cit., p. 407). Il est remarquable en tout cas que Rimbaud ait éprouvé le besoin d'écrire cette longue lettre, dont ne sont pas absentes ses « facultés descriptives ou instructives », comme il le disait dans le prologue d'*Une saison en enfer*. On retrouve ici, ainsi que le souligne Jean-Luc Steinmetz (*Rimbaud. — Une question de présence*, p. 265), « le sûr prosateur : sens de la composition, énergie du style, précision du regard, parfait dosage de l'humour. Mais on entend aussi celui qu'il veut devenir : le géographe, l'homme de science croyant plus aux mesures exactes qu'aux notations éphémères ».

Aux siens, (début décembre) 1878 (p. 546)

Première publication par Paterne Berrichon dans les *Lettres de Jean-Arthur Rimbaud*, 1899. Pas de manuscrit connu.

• La promesse faite à la fin de la lettre précédente est tenue, et on peut sans difficulté dater cette nouvelle lettre de décembre. À peine arrivé à Alexandrie, Rimbaud pense partir pour Chypre, à un moment, il est vrai, où il hésite entre plusieurs solutions. Il est curieux de voir celui qui a refusé la « main à charrue » et qui avait peu de goût pour les travaux agricoles de Roche avoir besoin d'une sorte de lettre de recommandation de sa mère à cet égard.

LETTRES DE CHYPRE (1879-1880)
(pp.548-553)

À consulter :

Roger Millex, « Sur les traces d'Arthur Rimbaud à Chypre », dans les *Cahiers du Sud* n° 583-584, 1965 ; *id.* ; « Le premier séjour d'Arthur Rimbaud à Chypre », dans les *Études chypriotes*, tome 29, Nicosie, 1929, repris dans *Nota bene*, printemps 1984.

Lidia Herling-Croce, « Rimbaud à Chypre, à Aden et au Harar », *Études rimbaldiennes*, Lettres modernes, n° 3, 1972.

Après avoir hésité entre plusieurs possibilités, Rimbaud a opté pour Chypre. Il y arrive, comme le dit Jean-Luc Steinmetz (*op. cit.*, p. 268), « au bon moment ». L'île vient de passer sous administration britannique. Des Français sont venus faire d'importantes constructions à Larnaca, la grande ville du sud du pays qui est également un port important. Le climat y est pénible, l'air insalubre. D'abord employé comme chef de chantier dans une compagnie qui exploite une carrière, Rimbaud échappe aux fièvres auxquelles tant d'autres succombent, jusqu'à ce qu'il soit atteint à son tour. Ses conditions de vie semblent devenues de plus en plus précaires, et des querelles entre ouvriers semblent l'avoir lui-même exposé. Aussi décide-t-il de regagner la France, après avoir obtenu un certificat de ses employeurs. Il retrouve sa famille en juin 1879, se remet lentement de sa maladie, sans doute la typhoïde. Dans la ferme de Roche, Delahaye rend visite à un Rimbaud qui met la main à la charrue et ne veut plus entendre parler de littérature. L'hiver 1879-1880, très rigoureux, lui laissera un pénible souvenir. Aussi dès le printemps annonce-t-il son départ. On le retrouve à Alexandrie, puis à Chypre, où il va surveiller le chantier du mont Troodos, où l'on construit le palais du gouverneur. Dès la mi-juin, il quitte les lieux, pour des raisons mal éclaircies.

Chronologie

1879

Janvier : Depuis le 16 décembre 1878, Rimbaud est à Chypre. Il a été engagé comme chef de carrière par l'entreprise Ernest Jean et Thial fils dont le siège est à Larnaca. Il surveille l'exploitation d'une carrière sur la côte déserte, à Potamos, près de Xylophagou, à 24 km de la ville.

24 avril : Rimbaud est à Larnaca pour retirer une procuration à la chancellerie.

28 mai : La maison Jean et Thial lui délivre un certificat de satisfaction. Souffrant de la fièvre typhoïde, il doit quitter son emploi et rentrer en France.

Été : Isabelle Rimbaud fait, sur son livre de dépenses, un croquis de son frère tenant une fourche.

Septembre : Dernière entrevue de Rimbaud et de Delahaye : « Mais la littérature ? [...] — Je ne pense plus à ça. »

Hiver : Alors qu'il est sur le point de repartir pour Alexandrie, Rimbaud est retenu à Roche par des suites de la typhoïde.

1880

Mars : Rimbaud revient en Égypte et il gagne de nouveau Chypre. Il a trouvé cette fois un emploi de surveillant à la construction du palais destiné au gouverneur anglais, sur le mont Troodos.

Vers le 20 juin : Il démissionne de cet emploi et part à la recherche d'un travail « dans tous les ports de la Mer Rouge ». Il franchit donc le canal de Suez, va d'escale en escale, tombe malade à Hodeidah. Là, un négociant français, M. Trébuchet, prend soin de lui et le recommande auprès de M. Dubar, à Aden.

7 août : Arrivée à Aden.

Aux siens, 15 février 1879 (p. 548)

Autographe dans la collection Dina-Vierny, mis en vente le 28 octobre 1996. L'enveloppe, avec en-tête de l'entreprise Jean, Thial et fils, est adressée à « Madame Rimbaud, propriétaire, à Roches [sic] (canton d'Attigny), Ardennes, France ». On trouvera le fac-similé de ce document et de la lettre elle-même, dans *Lettres manuscrites*, pp. 93-94. Première publication par Paterne Berrichon dans les *Lettres de Jean-Arthur Rimbaud* en 1899.

• C'est finalement la troisième des hypothèses évoquées dans la lettre précédente qui l'a emporté. Arthur n'est pas « interprète d'un corps de travailleurs », mais « surveillant d'une carrière » ; la lettre suivante précisera « chef de chantier ». C'est l'expression qui sera reprise dans le certificat que la maison Jean et Thial lui délivrera le 28 mai 1879 :

« Nous certifions que Monsieur [?] Arthur Rimbaud a été employé chez nous comme chef de chantier pendant six mois.

Nous avons toujours été très satisfait de ses services et il est libre de tout engagement vis-à-vis de la société » (fac-similé dans l'*Album Rimbaud*, p. 234).

Cette lettre nous précise la date d'arrivée de Rimbaud à Chypre : le 16 décembre 1878.

Aux siens, 24 avril 1879 (p. 550)

L'autographe a disparu. Première publication par Paterne Berrichon en 1899 dans les *Lettres de Jean-Arthur Rimbaud*.

Aux siens, sans date (p. 550)

Cette note peut être datée de mai 1879.

Fac-similé dans *Lettres manuscrites*, p. 95. L'original, venu de l'ancienne collection Matarasso, se trouve dans les archives du Centre de poésie de l'Université du Chili. Première publication, en fac-similé, par Marguerite Yerta-Méléra, dans son *Rimbaud*, Librairie de Paris, 1930, p. 204.

• Claude Jeancolas (éd. cit., p. 410) suppose que cette note était jointe à un courrier qui nous est inconnu, et que Rimbaud avait demandé un poignard pour assurer sa protection contre les ouvriers avec qui il avait eu des querelles (voir la lettre du 24 avril). Mais la tente laisse plutôt deviner la tentation permanente du nomadisme.

Aux siens, 23 mai 1880 (p. 551)

Première publication par Paterne Berrichon, *Lettres de Jean-Arthur Rimbaud*, en 1899. Le manuscrit autographe a figuré dans le fonds Lolliée.

• Rimbaud est sans doute reparti pour Alexandrie en mars 1880. N'y trouvant pas de travail, il a regagné Chypre (fin avril). Cette lettre nous indique les conditions nouvelles de ce second séjour. Comme l'explique Alain Blondy (*op. cit.*, pp. 108-109), le nouveau statut de Chypre s'est traduit par une installation plus importante du gouverneur britannique, qui a entrepris notamment de se faire construire une résidence au sommet du Troodos.

Ernest Delahaye nous a laissé une description presque idyllique de la vie de Rimbaud à Chypre : « Son rôle consiste à regarder plutôt qu'à diriger l'extraction des blocs, distribuer la poudre qui sert à les faire sauter, surveiller leur embarquement, payer les ouvriers d'origines différentes et dont sa connaissance de l'italien, d'un peu de grec, l'aidait à comprendre les langages. Il passe la plus grande partie du temps à rêver, couché sur le sable, ou à se baigner dans la mer » (*Rimbaud*, p. 71). Cette lettre nous donne une image bien différente de ce séjour.

Aux siens, 4 juin 1880 (p. 553)

Première publication dans *La Grive*, avril 1956.

• Dans cette lettre, la dernière que Rimbaud ait envoyée de Chypre à sa famille, il n'est nullement question des incidents dont fait état Lidia Herling-Croce dans son article « Rimbaud à Chypre, à Aden et au Harar » (*Études rimbaldiennes*, n° 3, 1972) : la perte de son emploi à la suite d'un accident qui aurait coûté la vie à un ouvrier et dont il aurait été jugé responsable. Pierre Petitfils, dans sa biographie (*Rimbaud*, Julliard, 1982, p. 283), a contesté le témoignage d'Ottorino Rosa sur lequel repose cette information. Ce Rosa, qui a travaillé à Harar de 1884 à 1896 comme agent de la maison de commerce Bienenfeld, a laissé des souvenirs, *L'Impero del leone di Guida. Note sull'Abissinia*, Brescia, Lenghi, 1913. D'après lui, Rimbaud « eut la maladresse, en lançant une pierre, de frapper à la tempe un ouvrier et d'en causer la mort. Épouvanté, il se réfugia à bord d'un navire en partance, et voilà comment la destinée le conduisit à Aden ».

LETTRES D'ADEN, première série, 1880 (pp. 554-560)

À consulter :

Alfred Bardey, *Barr-Adjam, souvenirs d'Afrique orientale, 1880-1887*, éditions du CNRS, Sophia Antipolis, 1980.

Alain Borer, *Rimbaud d'Arabie*, éd. du Seuil, 1995.

Claude Jeancolas, *Passion Rimbaud*, Textuel, 1998, p. 142 sqq.

Sans s'arrêter à Alexandrie, Rimbaud franchit en bateau le canal de Suez. Il a hâte d'arriver dans les ports de la mer Rouge, où on lui a dit qu'il pourrait trouver du travail. Mais dans les premières escales où il descend, il ne trouve rien, ni à Souakim, ni à Massaouah, en Abyssinie, ni à Hodeidah, en Arabie. Il tombe malade et, par chance, un commerçant français, Trébuchet, prend soin de lui. Il ne lui offre pas d'ouverture pour la maison qu'il représente, Morand et Fabre, fixée à Marseille. Mais il lui conseille d'aller à Aden, à quelque 700 kilomètres de là. Rimbaud s'y rend par bateau, descend au Grand Hôtel de l'Univers tenu par Jules Suel, bien connu de Trébuchet et ami de ses futurs employeurs, les frères Pierre et Alfred Bardey. Leur associé, le colonel Dubar, le reçoit et l'engage dans cette agence, qui recueille, traite et exporte des marchandises plus ou moins rares, en particulier le café.

La satisfaction d'avoir trouvé un emploi est corrigée par le sentiment que ce travail et le revenu correspondant sont bien modestes au regard de ce « grand caractère » qu'il croit être le sien et qu'il prêtait à Bottom, dans les *Illuminations*. D'Aden, où il se trouve, d'un Zanzibar plusieurs fois rêvé mais jamais atteint, de Harar qui se profile sur la hauteur à l'horizon, Rimbaud attend-il des métamorphoses de son être ? Pour l'instant il ne compte pas sur le mariage, mais voudrait travailler déjà à acquérir, en autodidacte, la science technique qu'il imaginera plus tard pour son fils éventuel. Quant à la « liberté libre », elle semble très difficile à reconquérir pour un prisonnier du travail et du désert.

Chronologie

1880

Août : Rimbaud est engagé par M. Dubar pour la firme lyonnaise Mazeran, Viannay, Bardey et Cie. Son travail consiste à faire trier et emballer le café.

Octobre : Déjà lassé, il projette de partir pour Zanzibar et d'y chercher du travail.

2 novembre : Il est affecté dans la succursale que ses employeurs d'Aden ont fondée à Harar, en Abyssinie.

10 novembre : Premier contrat signé avec la maison Mazeran, Viannay, Bardey. Rimbaud recevra un salaire de 150 roupies par mois, il touchera 1 % des bénéfices, sera nourri et logé.

Novembre : Il quitte Aden par bateau, à une date qu'il est impossible de préciser. Il débarque à Zeilah et profite d'une caravane pour parcourir les 400 kilomètres qui séparent Harar de la côte.

Début décembre : Après vingt jours de cheval, il arrive à Harar.

Aux siens, 17 août 1880 (p. 554)

Première publication par Paterne Berrichon dans les *Lettres de Jean-Arthur Rimbaud*, 1899. Pas d'autographe connu.

• Rimbaud a abouti à Aden, où l'Angleterre était établie depuis 1838 et qu'elle gardait jalousement. Y était-il déjà allé en 1878, engagé par le « père Suel », propriétaire de l'Hôtel de l'Univers, pour piller l'épave d'un bateau qui s'était jeté au cap Guardafui ? Sur cet épisode resté douteux, on ne possède que le témoignage d'Émile Deschamps recueilli par Jean-Marie Carré

(« Une première figure de Rimbaud en Arabie ? », dans *Lettres de la vie littéraire d'Arthur Rimbaud*, pp. 232-234). En août 1880 il a été engagé par la maison Mazeran, Viannay, Bardey et Cie, qui achetait le café en Abyssinie, le conditionnait à Aden, puis l'expédiait en France, à Lyon, où se trouvait le siège de la firme. L'expression « marchand de café » est singulièrement réductrice, et on conçoit qu'une telle activité lui ait vite semblé modeste.

Aux siens, 25 août 1880 (p. 555)

Lettre vendue en novembre 1987 à une collection inconnue. Première publication par Paterne Berrichon dans les *Lettres de Jean-Arthur Rimbaud* en 1899.

• Ce qui frappe dans cette lettre, c'est comme elle est d'abord d'une rédaction embarrassée, quand il s'agit pour Rimbaud de définir sa situation. Elle devient plus ferme en revanche quand il décrit Aden et fait état de son premier contact avec ce qu'il avait vécu en imagination dans *Une saison en enfer* : « Allons ! La marche, le fardeau, le désert, l'ennui et la colère » (« Mauvais sang »).

Aux siens, 22 septembre 1880 (p. 556)

Autographe dans la collection Jean-Loize. Première publication en 1899 par Paterne Berrichon dans les *Lettres de Jean-Arthur Rimbaud*. Le post-scriptum concernant Frédéric Rimbaud a été publié pour la première fois par Marguerite Yerta-Méléra (*Arthur Rimbaud*, *Ébauches*, Mercure de France, 1937, p. 221).

Claude Jeancolas l'affecte sans justification précise à la lettre précédente.

• Rimbaud prend confiance en lui. Pour un peu, il plastronnerait déjà. Mais son grand ennemi est l'ennui : il le redoute pour lui à Aden, comme il le redoute pour son frère à Roche. À partir de là se déploie une rêverie d'horizon associée au refus de la médiocrité.

Aux siens, 2 novembre 1880 (p. 557)

Première publication par Paterne Berrichon dans les *Lettres de Jean-Arthur Rimbaud*, 1899.

• Rimbaud ne pouvait rester longtemps à Aden sans être attiré par le Harar, « champ fertile et vierge attendant l'exploitation commerciale », « la clef de l'Afrique orientale » selon Enid Starkie (*Rimbaud en Abyssinie*, Payot, 1938, p. 19-20). Alfred Bardey venait d'y ouvrir, pour la première fois, une factorerie européenne : il voulait y ramasser directement les produits qu'il exporterait ensuite et y écouler une partie des marchandises importées. C'est vers cette agence qu'il va déléguer Rimbaud, recruté par la firme en son absence. Rimbaud est tenté par l'inconnu, certes, mais il caresse aussi l'espoir d'exercer tous les métiers dans cette ville où les Européens n'ont pas encore pénétré. C'est la raison de ces extravagantes commandes de manuels auxquelles on va assister dans ses lettres successives. Il est piquant de constater, avec Enid Starkie, que « Rimbaud, le poète des poètes, ne suivait pas une autre méthode que les deux illustres prototypes du Primaire et du Philistin, Bouvard et Pécuchet, c'est-à-dire la lecture massive et hâtive de tous les manuels et tomes traitant de telle et telle question » (*op. cit.*, p. 29).

La commande à l'éditeur Lacroix, rédigée par Rimbaud, devait être signée et envoyée par Mme Rimbaud. « On » désigne donc Arthur lui-même. Comme l'écrit Enid Starkie (*op. cit.*, p. 29), il « espérait, en tant que seul Français à Harar, exercer tous les métiers à la fois, et ainsi faire fortune plus vite. Avec le zèle enfantin qui lui était habituel et sa coutumière absence de mesure, il s'imagina qu'il pourrait apprendre tous ces métiers en peu de temps, au moyen de manuels ».

LETTRES DE HARAR, première série, 1880-1881 (pp. 561-579)

À consulter :

Enid Starkie, *Rimbaud en Abyssinie*, Payot, 1938.

Alain Borer, *Rimbaud en Abyssinie*, éd. du Seuil, coll. Fiction et Cie, 1984.

Jean-Luc Steinmetz, *Rimbaud. — Une question de présence*, Tallandier, 1991.

Claude Jeancolas, *Passion Rimbaud*, pp. 152 *sqq.*

Quand Rimbaud est arrivé à Aden, Alfred Bardey, qui allait devenir son patron, se trouvait à Harar, en Abyssinie, pour établir dans cette ville de montagne une factorerie qui serait la succursale de celle d'Aden. À son retour, il fait la connaissance du nouvel employé, Arthur Rimbaud. L'impression est bonne. Bardey décide d'en faire l'adjoint de Pinchard, son collaborateur, qu'il a laissé seul à Harar. Rimbaud est satisfait de cette proposition, car il supporte mal le climat d'Aden. Il signe un contrat. À la fin de novembre 1880, il s'embarque avec des marchandises sur un boutre à destination de Zeilah, point d'aboutissement des caravanes qui viennent de Harar. Il faut vingt jours de cheval à travers le désert pour atteindre ce que Jean-Luc Steinmetz appelle « la ville aux hyènes » (*op. cit.*, p. 290).

Harar était depuis 1875 sous domination égyptienne, avec à sa tête un émir, Raouf Pacha, dont le palais bordait la place centrale. La ville contenait 35 000 habitants et, chaque soir, on fermait les cinq portes. L'émir avait offert à Bardey une maison dont Rimbaud occupa l'étage supérieur. Là encore, il va se sentir enfermé, et il tente de faire des expéditions. Mais bien vite il désespère et rentre à Aden à la fin de l'année 1881.

Chronologie

1881

Janvier : Rimbaud qui, le 13 décembre, a annoncé aux siens son arrivée à Harar, s'y installe.

15 février : Il pense déjà à quitter Harar et il caresse le projet de se joindre aux équipes qui travaillent au percement du canal de Panama.

4 mai : Premier projet d'une expédition dans une région où l'on exploite l'ivoire.

10 juin : Il est malade, atteint peut-être par la syphilis. Après avoir été alité pendant une quinzaine de jours, il part pour une vente de peaux à Boubassa.

2 juillet : Nouveau voyage à l'intérieur du pays, « dans l'inconnu ».

22 septembre : Il donne sa démission de la maison Mazeran, Viannay, Bardey. Mais le contrat qu'il a antérieurement signé stipule qu'il ne pourra partir avant le 31 décembre 1883.

Décembre : Départ pour Aden.

Reçu, 12 novembre 1880

Reproduction de l'autographe dans le catalogue Lucien-Graux. Publication par Alain Borer dans *Œuvre-vie*, p. 489.

Aux siens, 13 décembre 1880 (p. 561)

Autographe à la Bibliothèque Jacques-Doucet. Fac-similé dans les *Lettres manuscrites*, p. 104-105. Première publication par Paterne Berrichon dans les *Lettres de Jean-Arthur Rimbaud* en 1899.

• Première lettre de Harar. L'agence Bardey se trouvait sur la place centrale de la ville (voir la photographie dans l'*Album Rimbaud*, p. 243). « Harar était le centre commercial de l'Afrique orientale, appelé par maint voyageur le Tombouctou de la région, sa ville la plus civilisée, si par civilisation nous entendons des agglomérations de maisons bâties en pierre, des boutiques et des buvettes, des usuriers et des maisons closes, de misérables quartiers sillonnés de ruelles puantes, à travers lesquelles grouille une humanité sournoise, vaquant à ses besognes mesquines, d'un air préoccupé et inquiet » (E. Starkie, *op. cit.*, pp. 19-20).

Aux siens, 15 janvier 1881 (p. 562)

L'original (4 pages) se trouve à la Bibliothèque Jacques-Doucet. Fac-similé dans les *Lettres manuscrites*, p. 106-109. Première publication : *Lettres de Jean-Arthur Rimbaud*, 1899.

• Cette curieuse imbrication de lettres, que nous avons choisi de respecter, enrichit notre connaissance de Rimbaud philomathe et boulimique.

Aux siens, 15 février 1881 (p. 565)

Pas de manuscrit connu. Première publication par Paterne Berrichon dans les *Lettres de Jean-Arthur Rimbaud*, 1899.

• Cette lettre est riche en informations de toute sorte : la philomathie toujours, mais aussi la maladie et, malgré elle, la volonté d'aller toujours plus loin.

Aux siens, 12 mars 1881 (p. 567)

Première publication par Paterne Berrichon, *Lettres de Jean-Arthur Rimbaud*, 1899.

Aux siens, 16 avril 1881 (p. 568)

Le manuscrit se trouve dans une collection privée inconnue après avoir été vendu par Pierre Bérès en 1988. Fac-similé dans le catalogue Pierre

Bérés (s.d.) et dans les *Lettres manuscrites*, p. 110. Première publication dans les *Lettres de Jean-Arthur Rimbaud*, 1899.

Aux siens, 4 mai 1881 (p. 569)

Pas de manuscrit connu. Première publication par Paterne Berrichon dans les *Lettres de Jean-Arthur Rimbaud*, 1899.

• C'est la première manifestation du rêve d'ivoire. Mais l'imagination de Rimbaud est aussi tournée du côté de Panama, où Ferdinand de Lesseps a obtenu du gouvernement une concession territoriale pour construire un canal reliant l'Atlantique au Pacifique. Une conférence internationale s'est réunie à Paris de 1879 à 1881.

Aux siens, 25 mai 1881 (p. 570)

Le manuscrit a appartenu à Claudel. Henri Guillemin, qui l'a vu, dit qu'il porte « Aden », et non « Harar », comme dans les *Lettres de Jean-Arthur Rimbaud* publiées par Paterne Berrichon en 1899. Cette lettre a été commentée par Jean Chauvel (*L'Aventure de Jean-Arthur Rimbaud*, Seghers, 1971, pp. 178-179) : « La lettre du 25 mai n'est pas datée de Harar, mais bien, vérification faite sur l'original, d'Aden. Elle apporte la seule indication que nous possédions d'un voyage d'Arthur au siège de la société en cours d'année. Elle est à citer tout entière. Importante pour apprécier l'état psychologique de son auteur à la date dite, elle est en outre un excellent exemple du style Cuif. »

Le fait a été discuté. Louis Forestier, Alain Borer maintiennent que cette lettre a été écrite à Harar. L'indication « Aden » serait due à une étourderie.

Aux siens, 10 juin 1881 (p. 571)

Publiée par Paterne Berrichon en 1899.

Aux siens, 2 juillet 1881 (p. 571)

Pas de manuscrit connu. Première publication par Paterne Berrichon, 1899.

Aux siens, 22 juillet 1881 (p. 572)

L'original de cette lettre (2 pages) se trouve à la Bibliothèque Jacques-Doucet. Fac-similé dans les *Lettres manuscrites*, p. 111-112. Première publication en 1899.
• Apparemment attentif aux travaux de Roche, mais déjà blasé sur les siens à Harar, Rimbaud finit par se contenter de grandes idées générales.

Aux siens, 5 août 1881 (p. 573)

L'original de cette lettre (1 page) se trouve à la Bibliothèque Jacques-Doucet. Fac-similé dans les *Lettres manuscrites*, p. 113. Première publication en 1899.

Aux siens, 2 septembre 1881 (p. 574)

Première publication par Paterne Berrichon dans les *Lettres de Jean-Arthur Rimbaud*, 1899.

Aux siens, 22 septembre 1881 (p. 575)

Lettres de Jean-Arthur Rimbaud, 1899.

Aux siens, 7 novembre 1881 (p. 576)

L'original de cette lettre (4 pages) se trouve à la Bibliothèque Jacques-Doucet. Elle a été publiée pour la première fois par Paterne Berrichon en 1899 dans les *Lettres de Jean-Arthur Rimbaud*. Fac-similé, Textuel, pp. 116-119.

Aux siens, 3 décembre 1881 (p. 578)

Première publication par Paterne Berrichon en 1899 dans les *Lettres de Jean-Arthur Rimbaud*.

À Alfred Bardey, 9 décembre 1881 (p. 579)

Manuscrit ayant appartenu à Alfred Bardey et publié dans ses « Souvenirs », *Études rimbaldiennes* I, Revue des Lettres Modernes, 1968.

• Ce billet laconique laisse à l'arrière-plan le problème de la réorganisation de la maison Mazeran, Viannay et Bardey. Des pourparlers sont à prévoir, auxquels Rimbaud, qui semble être revenu sur sa démission de septembre, est intéressé.

Aux siens, 9 décembre 1881 (p. 579)

Première publication par Paterne Berrichon dans les *Lettres de Jean-Arthur Rimbaud*, 1899.

• Rimbaud sait qu'il doit rentrer à Aden, et c'est Pierre Bardey qui prend la direction de la succursale de Harar. Il s'agira en fait, non pas exactement d'un autre travail, mais d'une promotion dans la maison, puisque Rimbaud va devenir le second d'Alfred Bardey.

LETTRES D'ADEN, deuxième série, 1882-1883 (pp. 580-601)

Une mutation importante s'est produite dans les projets de Rimbaud au moment de son retour à Aden. Lui, l'homme de la rupture, il se proposait de « rompre [s]on engagement avec la maison » Mazeran, Viannay et Bardey (lettre du 18 janvier 1882). Mais, malgré la hargne qui s'exprime contre cette maison dans la lettre du 22 janvier, malgré son désir violent de « sortir d'ici » (lettre du 10 mai), il reste ligoté par le contrat de trois ans qu'il a signé, et aussi par l'effet d'une habitude qui fait qu'en septembre il ne craint plus une prolongation. Il est plus lié à ces « ladres » et à ces « fripons » qu'il ne le croyait. Ils lui permettent de subsister, ils lui offrent à la fin de l'année de repartir pour le Harar.

À dire vrai, son intention était toute différente, et retrouver en mars 1883 le magasin de Harar n'est pas exactement ce dont il avait rêvé. Sans parler d'autres velléités de départ, il faut insister sur son projet de « faire un ouvrage pour la Société de Géographie, avec des cartes et des gravures sur le Harar et les pays Gallas ». Rimbaud se voit explorateur, géographe, et auteur — d'une tout autre manière qu'au temps où il voulait être écrivain. Ce ne serait pas le compte rendu personnel d'une saison vécue en enfer, mais le résultat d'un travail scientifique pour lequel il lui faut des livres et du matériel.

Or un tel projet serait impossible sans son « patron », Alfred Bardey, car ce « marchand de café » dont il était question dans la lettre du 17 août 1880 est depuis le 7 janvier 1881 membre correspondant de la Société de Géographie, dont le siège est à Paris. Il a rédigé lui-même plusieurs rapports, et c'est par lui que devrait passer la publication de l'ouvrage de Rimbaud.

Alfred Bardey s'est intéressé à Rimbaud, et il a laissé sur lui un précieux témoignage. Rimbaud n'a pu rester insensible à l'influence d'un homme qui lui ouvrait une telle porte et qui, de plus, avait à peu près le même âge que lui (Alfred Bardey est né à Besançon le 23 septembre 1854 ; il mourra à Vaux-les-Prés le 16 janvier 1934). Rimbaud rêvait de « repartir au continent africain » (lettre du 8 décembre 1882). Bardey l'a aidé à s'y fixer davantage et à mieux connaître un secteur.

Chronologie

1882

Mi-janvier : Rimbaud est à Aden. Mais il a surtout le projet de devenir explorateur et de proposer à la Société de Géographie un ouvrage sur le Harar et le pays des Gallas.

Avril : La firme Mazeran, Viannay, Bardey décide de réduire l'activité de l'agence de Harar en raison de la menace d'une guerre entre l'Égypte et la Turquie.

1883

28 janvier : Querelle entre Rimbaud et le magasinier Ali Chemmak, qui sera licencié par les Bardey.

Mars : Rimbaud signe un nouveau contrat de trois ans avec les Bardey. Le 22, il part pour le Harar.

Aux siens, 18 janvier 1882 (p. 580)

Lettre publiée pour la première fois par Paterne Berrichon, *Lettres de Jean-Arthur Rimbaud*, 1899.

• Rimbaud est de retour à Aden. Dès le 5 janvier il s'y trouve. Ses projets semblent un peu mystérieux. Mais l'attention doit être attirée par les mots « Société de Géographie ». Alfred Bardey était correspondant de cette Société. Comme le suggère A. Adam (éd. cit., p. 1109), Rimbaud voudrait l'imiter. En écrivant un ouvrage sur le Harar et les pays des Gallas, il pourrait attirer l'attention de la Société de Géographie, obtenir des subventions pour d'autres voyages, abandonner les servitudes du commerce pour la tâche plus stimulante de l'explorateur.

À Ernest Delahaye, 18 janvier 1882 (p. 581)

Lettre publiée pour la première fois en 1899 dans les *Lettres de Jean-Arthur Rimbaud.*

• Mme Rimbaud était chargée de transmettre cette lettre à Delahaye (voir la lettre précédente), mais négligea de le faire, sans doute à la suite du télégramme annulant les commandes (voir la lettre du 11 février). Curieusement, Rimbaud semble avoir oublié le prénom de son vieux complice, puisqu'il indique l'adresse suivante : « Monsieur Alfred [*sic*] Delahaye, 8, place Gerson, à Paris ». Il est surprenant de voir combien l'ancien camarade, le seul qui soit venu à Roche pour essayer de lui parler encore de littérature en 1879, est récupéré pour servir de commissionnaire, — sans commission.

Aux siens, 22 janvier 1882 (p. 583)

Lettre publiée par Paterne Berrichon, *Lettres de Jean-Arthur Rimbaud*, 1899.

• L'accusation de « filouterie » que Rimbaud lance contre ses employeurs ne vise sans doute pas Alfred Bardey, alors en France.

A M. Devisme, armurier à Paris (p. 585)

Lettre jointe à la précédente.

• Mme Rimbaud négligea encore de transmettre cette lettre, et sans doute toujours pour la même raison.

Aux siens, 12 février 1882 (p. 586)

Première publication par Paterne Berrichon dans les *Lettres de Jean-Arthur Rimbaud*.

• Cette lettre serait neutre, n'était l'instabilité fondamentale qui s'y exprime — dans le lieu, dans le travail. La famille, au loin, apparaît, elle, comme la garante de la stabilité.

À sa mère, 15 avril 1882 (p. 587)

Lettre publiée par Paterne Berrichon, *Lettres de Jean-Arthur Rimbaud*, 1899.

• La situation allait se détériorant dans cette partie de l'Afrique, et l'on craignait une guerre entre l'Égypte et la Turquie. D'où sans doute l'inquiétude de Mme Rimbaud à laquelle Arthur répond calmement : il n'a rien à perdre.

Aux siens, 10 mai 1882 (p. 587)

Lettre publiée par P. Berrichon, *Lettres de Jean-Arthur Rimbaud*, 1899.
• Le tableau s'assombrit : monotonie, servitude, menace de l'idiotie (cf. le prologue d'*Une saison en enfer*), hémorragie d'argent.

Aux siens, 10 juillet 1882 (p. 588)

Lettre publiée par P. Berrichon, *Lettres de Jean-Arthur Rimbaud*, 1899. L'original se trouve à la Bibliothèque Jacques-Doucet. Fac-similé dans les *Lettres manuscrites*, p. 121.
• Les « affaires d'Égypte » ne sont toujours pas arrangées. La firme Mazeran, Viannay, Bardey ayant décidé, pour cette raison, de réduire l'activité de l'agence du Harar, Rimbaud reste confiné à Aden, où l'oisiveté lui pèse. Mais sa plainte prend, pour lui-même, valeur d'incantation, comme celle de Joachim du Bellay dans *Les Regrets*.

Aux siens, 31 juillet 1882 (p. 589)

Lettre publiée par P. Berrichon, *Lettres de Jean-Arthur Rimbaud*, 1899.
• Cette lettre, malgré sa concision, pourrait passer pour une apologie de la colonisation. Rimbaud compte sur les Anglais pour ramener la paix en Égypte et la prospérité dans les affaires qu'on traite au Harar.

Aux siens, 10 septembre 1882 (p. 589)

Lettre publiée par P. Berrichon, *Lettres de Jean-Arthur Rimbaud*, 1899.

Aux siens, 28 septembre 1882 (p. 590)

Lettre publiée par P. Berrichon, *Lettres de Jean-Arthur Rimbaud*, 1899.
• On a souvent jugé extravagante l'idée, exposée dans cette lettre, de se faire envoyer un appareil photographique. Jean Voellmy signale pourtant que cela allait de soi : « d'autres voyageurs ont rapporté des vues de ces régions, M. Hénon, Jules Borelli, qui les a intercalées dans son *Journal* ; Alfred Ilg, dont il existe une iconographie complète. Il n'en est pas moins vrai que Rimbaud est loin d'avoir gagné la "petite fortune" qu'il escomp-

tait » (« Connaissance de Rimbaud », préface à la *Correspondance* 1888-1891, Gallimard, 1965, rééd. L'Imaginaire, 1995, p. 11).

Aux siens, 3 novembre 1882 (p. 591)

Lettre publiée par P. Berrichon, *Lettres de Jean-Arthur Rimbaud*, 1899.

Aux siens, 16 novembre 1882 (p. 591)

Lettre publiée par P. Berrichon, *Lettres de Jean-Arthur Rimbaud*, 1899.
• L'annonce n'est plus qu'un projet. La date prévue pour le départ est maintenant celle où la décision sera prise.

À sa mère, 18 novembre 1882 (p. 592)

Lettre publiée par P. Berrichon, *Lettres de Jean-Arthur Rimbaud*, 1899.

À sa mère, 8 décembre 1882 (p. 593)

Lettre publiée par P. Berrichon, *Lettres de Jean-Arthur Rimbaud*, 1899.

À sa mère et à sa sœur, 6 janvier 1883 (p. 595)

Lettre publiée par P. Berrichon, *Lettres de Jean-Arthur Rimbaud*, 1899. L'original se trouve à la Bibliothèque Jacques-Doucet. Papier à en-tête : Mazeran, Viannay et Bardey, adresse télégraphique : MAVIBA-MARSEILLE. Fac-similé dans les *Lettres manuscrites d'Afrique et d'Arabie*, p. 122-123.

Aux siens, 15 janvier 1883 (p. 596)

La lettre, qui se trouve maintenant dans une collection inconnue, a appartenu à Pierre Bérès. Fac-similé dans son catalogue *Littérature française. Auteurs des XIX*e *et XX*e *siècles*. Un fragment figure dans *Lettres manuscrites d'Afrique et d'Arabie*, p. 124. Publication approximative et incomplète en 1899.

À M. de Gaspary, vice-consul de France à Aden, 28 janvier 1883 (p. 597)

Cette lettre a été publiée pour la première fois par Jean-Marie Carré, dans la *Revue de France* du 1er juin 1935, d'après les archives du consulat français à Aden. Fac-similé dans *Lettres d'Afrique et d'Arabie*, p. 125-126.
• Alfred Bardey a donné, dans une lettre à P. Berrichon, des éclaircissements sur la rixe dont il est question ici. « Il existe », écrivait-il, « à la cour d'Aden, un papier dans lequel je me porte caution des actes à venir de Rimbaud, qu'on allait expulser ou condamner pour rixe un peu trop violente avec l'Arabe Ali Shemmak [*sic*]. J'ai fait preuve de solidarité en renvoyant celui-ci, qui était notre plus ancien magasinier et contremaître, qui nous était très utile. Il ne fait pas bon avoir contre soi ces gens-là, commercialement parlant, s'entend » (publié par Marguerite Yerta-Méléra, « Nouveaux documents sur Rimbaud », dans le *Mercure de France*, 1er avril 1930).

À sa mère et à sa sœur, 8 février 1883 (p. 598)

Cette lettre a été publiée pour la première fois par P. Berrichon dans *Lettres de Jean-Arthur Rimbaud*, 1899.

Aux siens, 14 mars 1883 (p. 598)

Cette lettre a été publiée pour la première fois par P. Berrichon dans les *Lettres de Jean-Arthur Rimbaud*, 1899.

Aux siens, 19 mars 1883 (p. 599)

Cette lettre a été publiée pour la première fois par P. Berrichon en 1899, dans les *Lettres de Jean-Arthur Rimbaud*. Le texte a été revu sur l'original (3 pages) qui se trouve à la Bibliothèque Jacques-Doucet. Fac-similé, *Lettres d'Afrique*, pp. 127-128.
• Annoncé pour le 18 dans la lettre précédente, le départ pour le Harar a été retardé. Les commandes de livres continuent. La définition du graphomètre elle-même change. Ce sont là, peut-être, les signes d'une grande nervosité de la part de Rimbaud dans l'attente inquiète du moment où il quittera Aden.

Aux siens, 20 mars 1883 (p. 600)

Cette lettre a été publiée pour la première fois par P. Berrichon (*Lettres de Jean-Arthur Rimbaud*, 1899). L'original se trouve à la Bibliothèque Jacques-Doucet. Fac-similé dans l'*Album Rimbaud* de la Bibliothèque de la Pléiade, p. 249, et dans *Lettres d'Afrique et d'Arabie*, p. 131.

LETTRES DE HARAR, deuxième série, 1883-1884 (pp. 602-618)

À consulter :

Marguerite YERTA-MÉLÉRA, « Nouveaux documents sur Rimbaud », dans *Le Mercure de France*, 1er avril 1930.

Alfred BARDEY, *Barr-Adjam, souvenirs d'Afrique orientale*, présentés par Joseph Tubiana, éd. du CNRS, 1980.

Alain BORER, *Rimbaud en Abyssinie*, Seuil, 1984 ; *Rimbaud d'Arabie*, Seuil, 1995.

Quand Rimbaud revient à Harar, en avril 1883, rien n'a changé en apparence dans la « ville aux hyènes ». Pourtant le paysage politique a connu des bouleversements, plus qu'en France où le ministère Ferry multiplie les expéditions coloniales. Lord Cromer, consul d'Angleterre en Égypte, exerce une autorité forte, qui est ressentie jusqu'à Harar. Les Britanniques s'accordent le droit d'intervenir dans tous les États dépendant du Khédive. Ils placent à Harar un gouverneur de leur choix, ce qui va conduire les Bardey à fermer leur succursale au début de 1884.

Rimbaud ne comprend sans doute pas tout à fait ces raisons politiques. Il constate cependant que les affaires vont mal. Il faudrait innover et, pour cela, s'enfoncer à l'intérieur du pays pour en explorer et en exploiter les richesses, en particulier l'ivoire dont il rêve. Dans cette période, il est plutôt explorateur par procuration, et il se repose surtout pour cela sur un agent de la maison Bardey, Constantin Sotiro. C'est celui-ci qui fournit les données du rapport sur l'Ogadine que Rimbaud met au point en décembre 1883 et qui sera publié à Paris en février 1884.

Les rêves de Rimbaud se déploient dans d'autres directions. Le mariage, — alors que, si l'on en croit le témoignage d'Ottorino Rosa, il aurait vécu quelque temps avec une femme abyssine. La paternité, un manque qu'à presque trente ans il ressent cruellement. De littérature il n'est plus question, et pourtant c'est en octobre-novembre 1883 que Verlaine le révèle dans la revue *Lutèce* où il lui consacre une présentation reprise en 1884 dans la première série des *Poètes maudits* publiée par l'éditeur Vanier. À Harar, au cours de ce deuxième séjour, Rimbaud ne fait figure ni de poète ni de maudit. Il reste un employé soumis, celui dont ses photographies conservent l'image, plus imaginatif pourtant, plus mobile que les autres.

Chronologie

1883

Janvier : Le départ de Rimbaud pour le Harar, prévu pour ce mois-là, est retardé.

Mars : Son contrat de travail avec la société Mazeran, Viannay et Bardey est renouvelé pour trois ans.

22 mars : Rimbaud quitte Aden par bateau, débarque à Zeilah, et de là rejoint Harar.

6 mai : Envoi de photographies à sa famille.

Août : Rimbaud organise des expéditions vers l'Ogadine.

10 décembre : Il achève le rapport sur l'Ogadine.

1884

14 janvier : Début de la liquidation de l'agence de Harar.

1er février : Le rapport sur l'Ogadine est présenté à la Société de Géographie.

Mars : Rimbaud quitte Harar pour Aden.

Aux siens, 6 mai 1883 (p.602)

Cette lettre a été publiée pour la première fois avec une coupure par P. Berrichon en 1899 dans les *Lettres de Jean-Arthur Rimbaud*. L'original se trouve à la Bibliothèque Jacques-Doucet. Fac-similé dans *Lettres d'Afrique et d'Arabie*, p. 133-136.

• Rimbaud semble être parti le 22 mars (voir la lettre du 20). La première lettre qu'il adresse de Harar à sa famille est pleine de confidences exceptionnelles : en particulier on voit reparaître, mais avec plus d'insistance, le désir de se marier déjà exprimé dans la lettre du 19 mars, celui d'avoir un fils et d'en faire un ingénieur puissant et renommé. Cette lettre, l'une des plus importantes, a retenu l'attention et stimulé l'imagination de Michel Butor dans *Avant-goût* II et dans ses *Improvisations sur Rimbaud*. Elle a été commentée avec émotion par Claude Jeancolas (« Un fils au moins à éduquer et à aimer ») dans *Passion Rimbaud*, p. 158, où l'on trouvera, en regard, la photographie de Rimbaud dans le « jardin de bananes », colonial qu'on dirait presque en habit de forçat et qui, les bras croisés, paraît sage, soumis, ou résigné, comme s'il avait en effet adopté le fatalisme des musulmans.

Aux siens, 20 mai 1883 (p. 604)

Cette lettre a été publiée pour la première fois par Paterne Berrichon en 1899 dans les *Lettres de Jean-Arthur Rimbaud*.

Aux siens, 12 août 1883 (p. 604)

Cette lettre a été publiée pour la première fois par Paterne Berrichon en 1899 (*Lettres de Jean-Arthur Rimbaud*). L'original (1 page) se trouve à la Bibliothèque Jacques-Doucet. Fac-similé dans les *Lettres d'Afrique et d'Arabie*, p. 137.
• Rimbaud semble tourmenté par des problèmes de papiers, en raison sans doute, une fois de plus, de sa situation militaire.

À MM. Mazeran, Viannay et Bardey, 25 août 1883 (p. 605)

Lettre publiée pour la première fois par Jean-Paul Vaillant dans le *Bulletin des Amis de Rimbaud*, supplément à *La Grive*, n° 2, juillet 1931 (« Rimbaud et la caravane »).
• Cette lettre prend l'allure d'un rapport fait aux employeurs pour un bilan plutôt décevant et une nécessaire remise en question. Comme le fait observer Claude Jeancolas dans son commentaire de cette lettre (*Passion Rimbaud*, p. 164), « le marché de Harar n'avait jamais été plus mauvais qu'en cette saison », et la situation politique était floue. De la mort de Sacconi, Rimbaud tire une leçon de conduite pour l'explorateur qu'il veut être lui-même. « Rimbaud, quant à lui, avait depuis longtemps adopté les mœurs indigènes », souligne Jean-Luc Steinmetz (*Rimbaud. — Une question de présence*, p. 315). « Il parlait leur langue, s'habillait en musulman quand il allait dans les contrées périphériques. »

[Complément] 7e étude de marchandises (p. 607)

Ce document est difficile à dater. Jean-Paul Vaillant l'a publié à la suite de la lettre précédente, mais on ne saurait affirmer qu'il l'accompagnait.

À Alfred Bardey, 26 août 1883 (p. 608)

Le manuscrit de cette lettre a appartenu à la petite-nièce d'Alfred Bardey. Fac-similé dans *Lettres d'Afrique et d'Arabie*, p. 138 (jusqu'à « le premier géographiquement »). Elle a été publiée pour la première fois en 1968 dans le numéro 1 d'*Études rimbaldiennes*.

À MM. Mazeran, Viannay et Bardey, 23 septembre 1883 (p. 609)

Cette lettre a été publiée pour la première fois par Jean-Paul Vaillant en 1930 dans son livre *Rimbaud tel qu'il fut*, éd. Le Rouge et le Noir, avec des annotations dont nous reprenons l'essentiel et qui avaient été rédigées d'après les explications d'Alfred Bardey.

• Voici Rimbaud se préparant pour une « campagne intéressante » dans les contrées environnant le Harar. Il se donne des allures de chef, et ses préoccupations ne sont pas seulement commerciales. Il pense aussi à un rapport géographique, qui ne peut qu'intéresser Alfred Bardey.

Aux siens, 4 octobre 1883 (p. 611)

Lettre publiée pour la première fois par Paterne Berrichon, *Lettres de Jean-Arthur Rimbaud*, 1899.

• La famille de Roche s'est habituée à un courrier régulier. Du retard est intervenu à cause d'un changement de circuit, qu'Arthur explique aux siens.

Aux siens, 7 octobre 1883 (p. 611)

Lettre publiée par Paterne Berrichon (*Lettres de Jean-Arthur Rimbaud*, 1899). Celle à M. Hachette s'y trouve insérée, et nous ne les séparons pas.

• C'est par une sorte d'atavisme que Rimbaud s'intéresse au Coran, comme jadis son père. Cela ne signifie évidemment pas qu'il soit sur le point de se convertir à l'islam. Mais il a besoin de connaître le contenu du livre sacré pour mieux comprendre la mentalité des indigènes musulmans et mieux traiter avec eux.

Rapport sur l'Ogadine (p. 612)

Louis Forestier (éd. Bouquins, p. 190 *sqq.*) a choisi de placer ce texte parmi les « Œuvres diverses » et les « Œuvres en collaboration », ce qui est deux fois justifié. En effet, il s'agit bien d'une sorte d'œuvre. Ce texte a été publié dans les *Comptes rendus des séances de la Société de Géographie*, en 1884, alors que les *Illuminations* et la plupart des poésies ne l'étaient pas encore. Il a été élaboré en collaboration avec Constantin Sotiro, même si Rimbaud, s'exprimant à la première personne du pluriel, le présente comme son « agent ». Les quatre derniers paragraphes, manquants en 1884, comme en 1898 dans *La Vie de Jean-Arthur Rimbaud*, par Paterne Berrichon, ont été publiés pour la première fois par Jean-Paul Vaillant dans le *Bulletin des Amis de Rimbaud*, en juillet 1931, puis dans *Textes africains d'Arthur Rimbaud*, « Brimborions n° 5 », Liège, éd. Dynamo, 1945.

• En août 1883, Rimbaud avait envoyé Constantin Sotiro, employé de son agence de Harar, en expédition dans l'Ogaden ou Ogadine, territoire situé aux confins des Somalis et encore fort mal connu. Plusieurs caravanes furent organisées, et Sotiro rapporta une foule de renseignements et de notes. Rimbaud les utilisa, les remania et transmit le tout à son patron, Alfred Bardey, qui était membre correspondant de la Société de Géographie, dont le siège était 184, boulevard Saint-Germain à Paris. C'était donc encore, d'une autre façon, travailler pour son employeur. Le rapport fut présenté lors de la séance du 1er février 1884, puis publié. Ce même 1er février 1884, le secrétaire général et l'archiviste-bibliothécaire de ladite Société de Géographie écrivaient à Rimbaud pour lui demander sa photographie et des renseignements sur lui-même, en vue de constituer des albums « des personnes qui se sont fait un nom dans les sciences géographiques et dans les voyages ».

Ce rapport est sans prétention littéraire, même si Rimbaud a contribué à sa rédaction dans un français clair et correct. Jean-Luc Steinmetz, qui fait valoir sa précision et sa sobriété, prend soin de ne pas le surévaluer. « Rien là, toutefois », écrit-il, « qui tranche sur le ton habituel des vulgarisateurs de l'époque. Ce rapport, si précieux pour ses remarques ethnographiques, se terminait d'ailleurs dans sa version originale par une conclusion fort prosaïque » concernant une prospection sur le marché. C'est dire qu'il reste lié aux lettres précédentes, et il nous a semblé naturel de ne pas l'en séparer.

Aux siens, 21 décembre 1883 (p. 618)

Lettre publiée par Paterne Berrichon, *Lettres de Jean-Arthur Rimbaud*, 1899.

• Pas une pensée pour Noël, fût-il « sur la terre ». Et ce n'est pas parce que Rimbaud lit le Coran. Mais son éducation chrétienne est loin.

Aux siens, 14 janvier 1884 (p. 618)

Lettre publiée par Paterne Berrichon, *Lettres de Jean-Arthur Rimbaud*, 1899.

• Les souvenirs d'Alfred Bardey nous renseignent sur les difficultés rencontrées par la firme. Des affaires importantes traitées à Marseille, aux Indes, en Grèce et en Algérie rendaient nécessaire la liquidation des comptoirs d'Aden, de Harar et de Zeilah. Envoyé à Harar en janvier 1884 pour procéder à cette liquidation, Alfred Bardey donna l'ordre à Rimbaud de préparer la dernière caravane.

LETTRES D'ADEN, troisième série, 1884-1885 (pp. 619-642)

La firme d'Aden est entrée en liquidation en avril 1884. Rimbaud reçoit son congé et un certificat lui est délivré [1] :

Cher monsieur Rimbaud,

Les événements qui nous ont obligés d'entrer en liquidation nous mettent dans la nécessité de nous priver de vos excellents services.

Par la présente nous vous rendons hommage pour le travail, l'intelligence, la probité et le dévouement que vous avez toujours montrés à la défense de nos intérêts dans les différents postes que vous avez occupés chez nous, pendant quatre années, et principalement dans celui de directeur de notre agence du Harar.

Avec nos remerciements, recevez l'assurance de nos meilleurs sentiments.

Mazeran, Viannay et Bardey
Aden, 23 avril 1884.

Il se trouve « hors d'emploi » quand, après six semaines de voyage, il arrive à Aden à la fin de ce mois-là. Mais ses revenus sont assurés jusqu'en juillet. Il compte sur la bonne fortune, mais il prévoit aussi que les frères Bardey pourront « remonter une affaire ».

Commence alors une période d'ennui, où il erre comme une âme en peine dans l'enfer d'Aden. L'argent même qu'il a gagné lui pèse, au sens

1. L'original se trouve à la Bibliothèque Jacques-Doucet.

le plus matériel du mot. Et il gémit : « Quelle existence désolante je traîne sous ces climats absurdes et dans ces conditions insensées ! » Le rêve d'aventure peut-il être compensé par celui d'une vie de petit rentier ? Rimbaud sait qu'il n'est pas fait pour cela ; et il le sent plus que jamais. On ne le voit pas davantage cultivant son jardin au Harar. Le travail est devenu pour lui une exigence vitale.

Bien après l'adagio des vingt ans, Rimbaud entre dans la trentaine et le « chemin du milieu de la vie » dont a parlé Dante. La préoccupation apparaît dans la lettre du 5 mai, reparaît — avec l'âge christique, l'âge critique aussi — dans celle du 29 mai. Prématurément, il est hanté par la vieillesse qu'il ne connaîtra jamais. Serait-il bon un jour pour le mariage avec une veuve ? Il retomberait dans une autre forme d'esclavage. Dans le « trou d'Aden », il se sent de toute part encerclé par l'enfer du lieu et des mornes possibilités que lui laisse le temps. Tout au plus peut-il s'en remettre au *Mektoub* (« C'est écrit ») des musulmans... La lettre du 10 septembre, vide de toute consolation, ne laisse que cette assurance désolante d'une fatalité tyrannique. Le véritable esclavage est celui de l'homme qui lui est soumis. La « sagesse bâtarde du *Coran* », dont il était question dans *Une saison en enfer* (« L'Impossible ») étend son ombre vers ce nouvel enfer où Rimbaud passe une autre saison.

Alors qu'il juge la situation de plus en plus difficile dans ces concessions européennes de la mer Rouge et qu'il se montre sévère à l'égard de la politique coloniale des différents pays, à commencer par la France, Rimbaud, après avoir été réengagé pour six mois par la nouvelle maison Bardey (les Bardey seuls cette fois), de juillet à décembre 1884, signe un nouveau contrat d'essai au début de 1885[1] :

Entre les soussignés,

M. Pierre Bardey, négociant à Aden, et M. Rimbaud, il a été convenu ce qui suit.

M. Rimbaud s'engage, comme employé de M. Bardey, à exécuter tout ce qui lui sera commandé ayant rapport aux affaires de son commerce, du 1er janvier 1885 au 31 décembre de la même année. En échange, M. P. Bardey accorde à M. Rimbaud, en outre du logement dans la maison et nourriture, un appointement de 150 roupies par mois pendant toute la durée de l'engagement.

Dans le cas où M. P. Bardey voudrait se priver des services de M. Rim-

---

1. Fac-similé dans *Lettres d'Afrique et d'Arabie*, p. 157. L'original se trouve à la Bibliothèque Jacques-Doucet.

baud, il lui devra trois mois d'appointement pour toute indemnité à partir de la date de son renvoi.

Dans le cas où M. Rimbaud ne renouvellerait pas son contrat, il sera tenu de prévenir M. Bardey trois mois avant la fin de l'année, et réciproquement.

Aden, le 10 janvier 1885.
Rimbaud.

P. Bardey.

Rimbaud s'est rallié sans enthousiasme à cette solution.

Ni Aden, où il mène une vie forcée d'ascète, ni son travail, mécanique et inintéressant, ne le satisfont. Il verrait avec joie cet endroit réduit en poudre (lettre du 14 avril), sauter comme la « petite capitainerie en enfer », Mogador, dans *Le Soulier de satin* de P. Claudel, — à condition qu'il en soit parti.

Les événements se précipitent à la fin de l'année 1885. Rimbaud se brouille avec les Bardey qui, après sa démission, lui font pourtant un beau certificat :

Je soussigné, Alfred Bardey, avoir employé M. Arthur Rimbaud en qualité d'agent et d'acheteur depuis le 30 avril 1884 jusqu'en novembre 1885. Je n'ai qu'à me louer de ses services et de sa probité. Il est libre de tout engagement avec moi.

Aden, 14 octobre 1885.
Pour P. Bardey,
Alfred Bardey.

Il a rêvé d'Inde, de Tonkin. Mais c'est l'Afrique qui va l'attirer. L'histoire de la caravane Labatut commence...

Chronologie

1884

Avril : Rimbaud arrive à Aden au moment où Verlaine publie à Paris *Les Poètes maudits*.

19 juin : Il signe un contrat d'engagement de six mois avec la nouvelle firme reconstituée par les frères Bardey, et inscrite cette fois à leur nom. Il sera employé à l'agence d'Aden.

Septembre : Troubles à Harar, après l'évacuation de la ville par les Égyptiens.

1885

10 janvier : Rimbaud signe un nouveau contrat d'un an avec les frères Bardey et Cie.

8 octobre : Contrat avec Pierre Labatut.

14 octobre : Les Bardey remettent un certificat à Rimbaud, démissionnaire.

18 novembre : Le départ de Rimbaud a été retardé et il loge au Grand Hôtel de l'Univers à Aden.

Début décembre : Départ de Rimbaud.

Aux siens, 24 avril 1884 (p.619)

Publiée par Paterne Berrichon, *Lettres de Jean-Arthur Rimbaud*, 1899.

• Datée du même jour que le certificat délivré par la maison Bardey, cette lettre est significative d'une situation ambiguë : Rimbaud est licencié d'une maison qui est encore son adresse, et il envisage comme possible le rétablissement de l'entreprise sur de nouvelles bases.

Aux siens, 5 mai 1884 (p. 620)

Lettre publiée (avec d'étranges variantes !) par Paterne Berrichon, *Lettres de Jean-Arthur Rimbaud*, 1899. L'original se trouve à la Bibliothèque Jacques-Doucet. Fac-similé dans *Lettres d'Afrique et d'Arabie*, p. 139-142.

• Cette lettre nous apporte la confirmation de la ruine de la firme Mazeran, Viannay et Bardey. Rimbaud, sans travail, traîne à Aden. Le 7 mai, Alfred Bardey, qui se trouvait alors en France, recevait d'Arabie une lettre où on lui disait : « Rimbaud attend la reprise des affaires, il a l'air fort malheureux de ne point avoir d'occupations. » L'existence rêvée de rentier rappelle le premier écrit de l'écolier : « ah ! saperlipopette de saperlipopette ! sapristi moi je serai rentier ». Il est vrai que ce rêve est combattu par celui d'impossibles départs.

Aux siens, 20 mai 1884 (p. 622)

Lettre publiée par Paterne Berrichon, *Lettres de Jean-Arthur Rimbaud*, 1899.

• La négociation d'Alfred Bardey avec les hommes d'affaires de Lyon prenaient un cours plus favorable. Rimbaud peut donc envisager de rester à Aden, aux mêmes conditions que précédemment.

Aux siens, 29 mai 1884 (p. 622)

Lettre publiée par Paterne Berrichon, *Lettres de Jean-Arthur Rimbaud*, 1899. L'original se trouve dans la collection Pierre-Bérès. Le texte a été revu par Jules Mouquet d'après le manuscrit. Fac-similé des deux dernières pages dans *Lettres d'Afrique et d'Arabie*, p. 143-144.

Aux siens, 16 juin 1884 (p.623)

Ce billet vient confirmer la lettre précédente. Il a été publié par Paterne Berrichon, *Lettres de Jean-Arthur Rimbaud*, 1899.

Aux siens, 19 juin 1884 (p. 624)

Lettre publiée par Paterne Berrichon, *Lettres de Jean-Arthur Rimbaud*, 1899.

Quelques corrections ont pu être effectuées d'après des citations faites dans les catalogues Simon Kra : *Lettres autographes*, n° 5683 (nov. 1926) et *Vente publique d'autographes*, n° 145 (2 avril 1928).

• On peut être surpris par la courte durée de l'engagement : six mois. C'est le signe, moins d'un manque de confiance des Bardey à l'égard de Rimbaud, que du manque d'assurance de la nouvelle entreprise.

Aux siens, 10 juillet 1884 (p. 624)

Lettre publiée par Paterne Berrichon, *Lettres de Jean-Arthur Rimbaud*, 1899. L'original appartient à Jacques Ledoux.

• Rimbaud est devenu le second d'Alfred Bardey à l'agence d'Aden. Comme le montre cette lettre, cette situation nouvelle ne va pas sans quelque incertitude.

Aux siens, 31 juillet 1884 (p. 625)

Lettre publiée par Paterne Berrichon, *Lettres de Jean-Arthur Rimbaud*, 1899.

• Ballotté entre son exigence de chaleur et la crainte que lui inspire une température élevée, Rimbaud rêve d'un ailleurs.

Aux siens, 10 septembre 1884 (p.626)

Lettre publiée par Paterne Berrichon, *Lettres de Jean-Arthur Rimbaud*, 1899.

Aux siens, 2 octobre 1884 (p. 627)

Fac-similé dans *Le Manuscrit autographe*, n° 1, Blaizot, janvier-février 1926. *Lettres d'Afrique et d'Arabie*, p. 145.

Aux siens, 7 octobre 1884 (p. 628)

Cette lettre a longtemps été connue dans une version remaniée et déformée par Paterne Berrichon et Isabelle Rimbaud. Les attaques contre Frédéric y sont en effet d'une rare dureté. Une version authentique a été publiée dans *La Grive*, en octobre 1964, d'après le manuscrit qui a appartenu à la collection Matarasso, puis à la collection Artinian. Passé en vente le 19 octobre 1994, le manuscrit a rejoint une collection inconnue. Fac-similé de la dernière page (à partir de « Il y a ici ») dans *Lettres d'Afrique et d'Arabie*, p. 146.

• Dans cette lettre déplaisante, Arthur accable son frère, Frédéric le mal-aimé. Sur cette figure, plus attachante qu'on ne pourrait le croire, voir Pierre Brunel, *Ce sans-cœur de Rimbaud. — Essai de biographie intérieure*, L'Herne, épilogue. Voiturier à l'hôtel de la Gare à Attigny, Frédéric Rimbaud vivait avec une certaine Rose-Marie Justin, que les Rimbaud-Cuif considéraient comme n'étant pas de leur monde. Il est curieux de voir Rimbaud se draper dans son honorabilité nouvelle de travailleur, tout en reconnaissant, par un doux euphémisme, qu'il a « eu des moments malheureux auparavant ». Et pourtant ces moments malheureux correspondent aux années de sa vie littéraire.

Aux siens, 30 décembre 1884 (p. 629)

Lettre publiée par Paterne Berrichon, *Lettres de Jean-Arthur Rimbaud*, 1899. L'original se trouve à la Bibliothèque Jacques-Doucet. En-tête biffé sur l'autographe : « Mazeran, Viannay et Bardey, Adresse télégraphique : MAVIBA-MARSEILLE ». Fac-similé dans *Lettres d'Afrique et d'Arabie*, p. 147-150.

• Dans cette lettre, le point de non-retour est atteint pour Rimbaud, et en même temps il ne se fait aucune illusion sur ce qu'on peut attendre de la vie dans les colonies. Il le savait intuitivement depuis *Une saison en enfer* (« Mauvais sang »).

Aux siens, 15 janvier 1885 (p. 631)

Lettre publiée avec de nombreuses erreurs par Paterne Berrichon, *Lettres de Jean-Arthur Rimbaud*, 1899. Fac-similé de l'original dans le livre de Marcel Coulon, *Le Problème de Rimbaud, poète maudit*, Nîmes, 1923, et dans *Lettres d'Afrique et d'Arabie*, p. 184-187. Le manuscrit se trouve dans une collection inconnue.

Aux siens, 14 avril 1885 (p. 633)

Lettre publiée par P. Berrichon, avec beaucoup d'inexactitudes, *Lettres de Jean-Arthur Rimbaud*, 1899. Autographe incomplet (jusqu'à « Qui sait ? ») à la Bibliothèque Jacques-Doucet. Fac-similé dans *Lettres d'Afrique et d'Arabie*, p. 158-159.
• C'est l'une des lettres les plus précises de Rimbaud, sur ses revenus, sur ses dépenses, mais aussi sur la situation des colonies européennes au bord de la mer Rouge. Dans tous les cas, la description est sans complaisance, donnant l'impression d'un petit enfer sur terre.

À Ernest Delahaye, 17 mai 1885 (p. 635)

Première publication dans *Le Figaro*, le 12 octobre 1935. Fac-similé dans l'*Album Rimbaud*, p. 259. Le dessin de Rimbaud représente deux « Arméniens » (il a corrigé en « Adéniens ») assis en tailleur et se faisant face autour d'un jeu de jacquet. Il a ajouté en légende : « Jean-Arthur et son patron ». Paul Gribaudo a suggéré que cette carte était un faux (*Parade sauvage*, avril 1986, p. 103 et 106).
• Cette carte postale a été mal datée par les éditeurs. Trois lettres rayées où l'on a lu « mai » et où il faut sans doute lire « mar[s] » précèdent une date chiffrée où le mois précède visiblement le jour. Cette carte est adressée à « Monsieur Ernest Delahaye, Mézières, Ardennes, France ». Delahaye avait peut-être cherché à reprendre contact avec Rimbaud pour aider Verlaine, alors désireux de faire publier les *Illuminations*. Sur cette question difficile, voir Jean-Luc Steinmetz, *Arthur Rimbaud — Une question de présence*, p. 326-328.

Aux siens, 26 mai 1885 (p. 636)

Lettre publiée par P. Berrichon, avec de regrettables corrections (*Lettres de Jean-Arthur Rimbaud*, 1899). L'original se trouve à la Bibliothèque Jacques-Doucet. Fac-similé dans *Lettres d'Afrique et d'Arabie*, p. 160-161.

• Le deuxième alinéa de cette lettre montre que Rimbaud peut écrire encore avec vivacité et un certain ton. Cela prouverait, si l'on en croit Claude Jeancolas (*Lettres d'Afrique et d'Arabie*, p. 439), qu'« il ne va pas si mal ». Rien n'est moins sûr. Ce qui va mal, en tout cas, c'est la situation coloniale. Tout vacille dans cette lettre planétaire.

À Augusto Franzoj (date inconnue) (p. 637)

Cette lettre, retrouvée dans les papiers d'Ugo Ferrandi, agent de la firme Bienenfeld à Aden, a été publiée par Enrico Emanuelli dans *Inventario* n° 2, été 1949, puis dans *La Table Ronde*, numéro du 25 janvier 1950. On peut la dater de 1885. Augusto Franzoj était un journaliste, que Rimbaud avait rencontré à Tadjourah. Ugo Ferrandi, dans une lettre à Ottone Schanzer, indique à son sujet : « Franzoj, journaliste et polémiste connu, était un fervent de la littérature française et latine (il lisait toujours Horace dans son texte le moins facile) et avec Rimbaud il avait de longues discussions littéraires — des romantiques aux décadents. » Il semble être intervenu auprès de Rimbaud en faveur d'une femme que celui-ci venait de renvoyer brutalement. D'où cette lettre de refus.

Quelle est cette femme ? Faut-il l'identifier avec celle dont parle Françoise Grisard dans sa lettre à P. Berrichon de 1894 (fac-similé de cette lettre dans l'*Album Rimbaud*, p. 261) ? avec l'Abyssine dont il est question dans les lettres d'Alfred Bardey au même Berrichon ? Les hypothèses vont bon train. Aucune n'est pleinement convaincante.

Aux siens, 28 septembre 1885 (p. 637)

Lettre publiée par Paterne Berrichon, *Lettres de Jean-Arthur Rimbaud*, 1899. L'original appartient à la collection Pierre-Bérès.

• Cette lettre est saisissante. La comparaison avec les « *enfers* » y est plus que jamais explicite, et Rimbaud sait trouver des termes justes pour dire l'aridité du lieu.

Aux siens, 22 octobre 1885 (p. 639)

Lettre publiée par Paterne Berrichon, *Lettres de Jean-Arthur Rimbaud*, 1899. Le manuscrit est allé dans une collection privée après la vente des 14 et 15 décembre 1983. Fac-similé de la dernière page (à partir de « bénéfice de 25 à 30 mille francs ») dans *Lettres d'Afrique et d'Arabie*, p. 164.

• Rimbaud a donné sa démission aux Bardey le 14 octobre. Dès le 8 octobre, il a signé un contrat avec Pierre Labatut pour conduire vers le Choa une caravane transportant de vieux fusils usagés, afin de les vendre au roi Ménélik. Cette lettre marque une coupure très nette dans ces années d'Afrique.

Aux siens, 18 novembre 1885 (p. 640)

Lettre publiée par Paterne Berrichon, *Lettres de Jean-Arthur Rimbaud*, 1899. L'original a appartenu à la collection Matarasso (fac-similé du début dans l'*Album Rimbaud*, p. 263, et dans *Lettres d'Afrique et d'Arabie*, p. 165).

• Rimbaud, malgré ce qu'il annonçait dans la lettre précédente, est toujours à Aden. Il habite à l'hôtel de l'Univers, celui que tient Suel, le beau-frère de Dubar. La lettre est pleine de châteaux en Abyssinie, qui iront vite en s'écroulant.

LETTRES DE TADJOURAH (1885-1886) (pp. 643-655)

À l'exception d'une lettre et de deux documents — le temps d'un bref retour à Aden —, ce dossier rassemble les lettres écrites à Tadjourah [1] au cours des dix mois qui se sont écoulés de décembre 1885 à septembre 1886.

Tadjourah était un petit village danakil sur la côte des Somalis — quelques huttes seulement, qui n'étaient même pas d'opéra-comique [2], sur les rives d'une baie étroite et un fond sombre de hautes montagnes volcaniques. On y faisait encore le trafic d'esclaves, que Rimbaud avait en horreur et auquel les autorités françaises essayaient en vain de mettre fin. La France assurait en effet, à partir de sa colonie d'Obock, une manière de protectorat sur cette bourgade, non sans que le droit lui en fût contesté par les autres puissances européennes, en particulier par l'Angleterre.

---

1. Rimbaud écrit plutôt « Tadjoura ». Nous avons unifié l'orthographe. **2.** « Fête d'hiver », dans les *Illuminations*.

Rimbaud, dûment conseillé, avait décidé d'entreprendre à partir de Tadjourah l'expédition sur laquelle il reportait toutes ses espérances depuis octobre 1885, surtout depuis qu'il avait rompu avec les frères Bardey. Il projetait d'aller jusqu'à Ankober, la capitale du Choa, pour vendre au roi Ménélik des armes européennes d'occasion.

Si la vente d'armes aux tribus se réduisait à peu de chose, au contraire ce genre de trafic avec Ménélik ou avec l'empereur Jean du Tigré avait pris beaucoup d'ampleur. Il n'est guère d'Européen de la côte de la mer Rouge, explorateur, négociant ou aventurier, qui n'ait envisagé d'aller revendre en Afrique des stocks de vieux fusils acquis à bas prix en France ou en Belgique. Achetées à huit ou dix francs la pièce, les carabines pouvaient être revendues au prix de quarante francs. Il fallait prendre des risques, mais tous étaient prêts à les accepter. Rimbaud fut à son tour saisi par le mirage, et il acceptait même d'investir toutes ses économies personnelles, douze ou treize mille francs, dans une entreprise de ce genre. À trente ans, le moment était venu, pensait-il, de frapper un grand coup.

Seul, avec son modeste capital, il ne pouvait rien faire. Mais en septembre 1885 il avait rencontré, à Aden, Pierre Labatut, un Français d'origine gasconne, correspondant des Bardey au Choa, qui lui avait proposé de s'associer avec lui. L'homme, semble-t-il, était respecté et respectable. Paul Soleillet, commerçant et explorateur dans la région, avait fait en 1884 ce portrait de lui :

« Monsieur Pierre Labatut, après avoir été colporteur en France et en Italie, entrepreneur en Égypte, est venu au Choa il y a une dizaine d'années où il a su, par son aménité, par sa franchise, sa loyauté acquérir la confiance du roi [Ménélik], l'estime des grands, l'affection des petits. M. Labatut est le seul négociant européen fixé dans l'Éthiopie méridionale, il fait un commerce assez important entre le Choa et Aden[1] ».

Marié à une Abyssine, Labatut avait ses entrées partout dans le pays. Il avait reçu une commande, et il avait besoin de Rimbaud pour l'aider à la satisfaire. Un contrat d'engagement avait été signé à Aden le 5 octobre 1885 :

« Je soussigné, Pierre Labatut, négociant au Choa (Abyssinie), déclare m'engager à payer à M. Arthur Rimbaud, dans le délai d'un an, ou plus tôt, à partir de la date du présent, la somme de 5 000 dollars Marie-Thérèse, valeur reçue comptant à Aden à ce jour, et je prends à ma charge

1. *Voyage en Éthiopie*, Rouen, 1884, cité dans Pierre Petitfils, *Rimbaud*, Julliard, 1982, p. 318.

tous les frais dudit sieur Rimbaud, lequel se rend au Choa avec ma première caravane. »

Quelques millions de fusils avaient été achetés à Liège. La revente serait fructueuse, et Rimbaud escomptait, pour lui-même, un bénéfice de trente mille francs. Il n'avait même pas besoin d'investir de l'argent à titre personnel. Il avait raison de faire confiance à Labatut, homme d'affaires avisé, qui ne cherchait pas à le tromper. Mais les choses se gâtèrent rapidement. Le 23 novembre, Labatut emprunta à Rimbaud 800 dollars Marie-Thérèse, ce qui était sans gravité. Après un temps d'attente à Aden, Rimbaud parvient à Tadjourah au début du mois de décembre 1885, dans un milieu qu'il juge très vite hostile. L'explorateur Ugo Ferrandi, qui l'a rencontré à ce moment-là, a laissé de lui ce portrait :

« Grand, décharné, les cheveux grisonnants sur les tempes, vêtu à l'européenne, mais fort sommairement, avec des pantalons plutôt larges, un tricot, une veste ample couleur gris kaki, il ne portait sur la tête qu'une petite calotte également grise et bravait le soleil torride des Dankalis, comme un indigène[1]. »

Selon certains témoignages, il s'abrutissait de tabac, d'alcool et d'opium. Il fallait en effet lutter contre l'ennui en attendant que la caravane, une fois formée, pût enfin démarrer. Or ce départ fut retardé de janvier à septembre 1886. Ce temps de Tadjourah apparaît comme une longue attente, et les lettres successives constituent comme une seule lettre, tant Rimbaud répète sans cesse les mêmes litanies.

Il y eut plusieurs causes à ce retard. La plus importante fut la difficulté d'obtenir l'autorisation de partir. Le gouverneur anglais d'Aden rappelait à M. de Gaspary, le vice-consul de France, qu'une convention franco-anglaise de 1884 interdisait toute importation d'armes dans les pays de l'intérieur. Le gouverneur d'Obock, le sultan de Tadjourah allèrent dans le même sens, et le refus fut signifié à Rimbaud le 12 avril 1886. Il cacha les armes (2 040 fusils à capsule, 60 000 cartouches Remington) et les autres marchandises que devait transporter la caravane Labatut, et il écrivit, le 15 avril, sous leur double signature, une lettre adressée au ministre des Affaires étrangères à Paris.

Transmise au ministère de la Marine, la lettre contribua à déclencher une enquête. On craignait le désordre, les caravanes sauvages, et les Français savaient qu'ils pouvaient facilement être les dupes de l'administration anglaise. On fit remarquer aux autorités britanniques que les armes

1. Lettre à Ottone Schanzer, publiée par Benjamin Crémieux dans *Les Nouvelles littéraires*, le 20 octobre 1923.

avaient été transportées avant que la convention ne fût signée. Le 10 juin 1886, le gouverneur français d'Obock, M. Lagarde, reçut du ministère de la Marine l'autorisation pour la caravane française.

Rimbaud n'était pas au bout de ses peines. Sur place, à Tadjourah, il ne parvenait pas à réunir le nombre de chameaux nécessaire. Il fallait marchander avec le sultan, lui offrir un bakchich. Les porteurs indigènes engagés pour l'expédition haïssaient les Blancs, il fallait prendre d'indispensables précautions pour éviter un désastre analogue à celui de l'expédition Barral[1].

Du côté de Labatut, c'était bien pis. Au moment même où il signe avec lui une reconnaissance de dette à l'égard de Jules Suel, le propriétaire de l'hôtel de l'Univers, à Aden, et une autre, de sa main seule, à Émile Deschamps, Rimbaud apprend que son commanditaire et associé est tombé gravement malade. Le cancer de la gorge l'oblige à rentrer en France pour se faire soigner.

Rimbaud décide alors de joindre la caravane Labatut à celle de Paul Soleillet, qui veut aussi vendre des armes à Ménélik. Suel est mêlé à la transaction, comme le prouve ce document, daté du 4 juin 1886 :

« J'autorise M. Rimbaud à retirer de chez M. P. Soleillet les 1 000 fusils à piston m'appartenant. M. Rimbaud pourra les vendre tout ou partie, mais pas au-dessous de th. 6, six th. l'un.

M. Rimbaud voudra bien, s'il lui est possible, et si, surtout, il devait partir avant M. Soleillet, prendre avec lui, au Choa, ce qui resterait des mille fusils, et les remettre à M. Pino, à qui je les destine. »

Dans une lettre du 3 juillet, Suel presse Rimbaud de se charger de tout, car Pino est impatient de recevoir les fusils confiés à Soleillet. Le 16 septembre, il lui donne, dans une nouvelle lettre, des nouvelles de Labatut qu'un « mieux sensible » ne sauvera pas de la mort, de Soleillet qui, lui, est mort le 9 septembre, terrassé par une crise cardiaque en pleine rue à Aden, de Deschamps, dont le correspondant au Choa dit que les affaires y sont de plus en plus difficiles. Il vaudrait mieux, ajoute-t-il, que « les fusils puissent s'écouler à la côte ».

Trop tard ! Rimbaud va partir, seul à la tête de la caravane Labatut, au début du mois d'octobre 1886. Du moins était-ce un soulagement pour lui au sortir de ces mornes mois passés à Tadjourah, mois au cours desquels on a l'impression, à lire ses lettres, que « l'impuissance s'étire en un long bâillement[2] ».

---

1. Voir plus loin la note 1, p. 652, de la lettre du 15 avril 1886 au ministre des Affaires étrangères. **2.** Stéphane Mallarmé, « Renouveau », poème publié pour la première fois dans *Le Parnasse contemporain*, 12 mai 1866.

Au cours de ces mêmes mois, *La Vogue* avait publié les *Illuminations*, révélant à des lecteurs éblouis, dont un certain Paul Claudel, un étonnant poète nommé Arthur Rimbaud. La revue avait même annoncé sa mort. Était-il mort, était-il vivant, ce fantôme de Rimbaud attendant, sur les bords désolés de la mer Rouge, entouré des ombres de ses associés, une autorisation de partir si longtemps retardée ?

Chronologie

1885

Début décembre : Rimbaud, venu d'Aden, débarque à Tadjourah pour préparer l'organisation de la caravane Labatut et son départ vers Ankober, la capitale de Ménélik II, au Choa.

1886

Janvier : Le départ de la caravane est retardé.

Février : Les autorités britanniques font pression sur les services français et rappellent que l'importation d'armes est interdite. Le 23, Léon Barral, sa femme et ses porteurs sont assassinés au retour d'Ankober, dans une expédition analogue à celle qu'organise Rimbaud.

12 avril : Rimbaud reçoit notification personnelle de l'ordre de ne pas partir. Il écrit le 15, en son nom propre et au nom de Labatut, au ministre des Affaires étrangères, à Paris.

Mai : Il revient quelques jours à Aden, où Jules Suel le met en contact avec Paul Soleillet, qui organise une expédition analogue.

Juin : Léonce Lagarde, résident français à Obock, transmet à Rimbaud l'autorisation venue du ministère de la Marine. Rimbaud a accepté de joindre la caravane Soleillet (dont Suel est partie prenante) à la caravane Labatut, ce dernier étant gravement malade.

9 septembre : Mort de Soleillet. Labatut est rentré en France pour se soigner, mais son cas est désespéré.

16 septembre : Suel suggère à Rimbaud de tout liquider sur la côte. Mais Rimbaud, qui a tant attendu et tant travaillé à organiser l'expédition, désormais double, décide de partir.

Aux siens, 3 décembre 1885 (p. 643)

Lettre publiée par P. Berrichon, *Lettres de Jean-Arthur Rimbaud*, 1899. L'original se trouve à la Bibliothèque Jacques-Doucet. Fac-similé dans les *Lettres d'Afrique et d'Arabie*, p. 169-170.

• Rimbaud a débarqué à Tadjourah, petit village sur la rive nord d'une baie étroite, en novembre 1885. Labatut était resté à Aden. Rocher d'Héricourt estime que rien ne pouvait être plus morne que ces quelques cabanes indigènes, dont se distinguait à peine la hutte du sultan local (*Voyages sur les rives de la Mer Rouge et au royaume de Choa*, 1841, cité par Enid Starkie, *Rimbaud en Abyssinie*, p. 103). Rimbaud rêve du Choa, où il n'est jamais allé, comme d'un second Harar, en mieux.

Aux siens, 10 décembre 1885 (p. 644)

Première publication par Paterne Berrichon dans les *Lettres de Jean-Arthur Rimbaud*, 1899.
• Attente, répétition : la lettre confirme plus qu'elle n'apporte du nouveau, sinon le projet de rentrer en France quelque temps à l'automne 1886.

Aux siens, 2 janvier 1886 (p. 646)

Lettre publiée par Paterne Berrichon, *Lettres de Jean-Arthur Rimbaud*, 1899.
• « Patience surhumaine » : c'est le prolongement des anciennes « Fêtes de la patience », mais sans fête aucune.

Aux siens, 6 janvier 1886 (p. 646)

Lettre publiée par Paterne Berrichon, *Lettres de Jean-Arthur Rimbaud*, 1899. Deux corrections ont été faites d'après quatre lignes de l'autographe connues grâce au catalogue Blaizot nº 148 (12 mars 1936). D'autres seraient sans doute à faire si l'on pouvait se reporter au manuscrit.
• Le cinquième alinéa de cette lettre donne une version particulièrement désespérante de la condition humaine.

Aux siens, 31 janvier 1886 (p. 647)

Lettre publiée par Paterne Berrichon, *Lettres de Jean-Arthur Rimbaud*, 1899. L'original appartient à Mme S. de Carfort.
• Le projet de départ pour la France est déjà reculé.

Aux siens, 28 février 1886 (p. 648)

Lettre publiée par Paterne Berrichon, *Lettres de Jean-Arthur Rimbaud*, 1899.

• L'Abyssinie apparaît de plus en plus, de loin, comme un lieu paradisiaque.

Aux siens, 8 mars 1886 (p. 649)

Lettre publiée par Paterne Berrichon, *Lettres de Jean-Arthur Rimbaud*, 1899. L'original se trouve à la Bibliothèque Jacques-Doucet. Fac-similé dans les *Lettres d'Afrique et d'Arabie*, p. 172.

Au ministre des Affaires étrangères, 15 avril 1886 (p. 649)

Lettre publiée pour la première fois par Paterne Berrichon dans son article « Rimbaud et Ménélik », *Mercure de France*, 16 février 1914.

Après Enid Starkie (*op. cit.*, p. 107), Suzanne Briet a suggéré que, malgré la double signature, Rimbaud tenait seul la plume (*Rimbaud notre prochain*, Nouvelles Éditions latines, 1956, p. 162-163-167).

• Déjà le mot clef apparaît, « liquider » — liquider, il est vrai, « légalement ou normalement ». Les résultats escomptés sont fortement majorés, et l'expédition telle qu'elle aurait dû avoir lieu prend des proportions grandioses. Mais le jeu de l'imagination est ici intéressé. Comme le souligne Enid Starkie (*op. cit.*, p. 107), cette lettre est suggestive, car elle montre que le sens de la réalité faisait encore défaut à Rimbaud, même après six ans d'existence parmi les brigands de la mer Rouge. On y voit clairement les rêves qu'il nourrissait et sa manière tout à lui de compter d'avance les bénéfices qu'il remporterait. Il n'est pas étonnant que, dans ces conditions-là, son expédition au Choa lui ait paru un tel désastre ou qu'il ait évalué à un chiffre si élevé le montant de ses pertes.

Aux siens, 21 mai 1886 (p. 653)

Lettre publiée par Paterne Berrichon, *Lettres de Jean-Arthur Rimbaud*, 1899.

Reçu à Suel, 1er juin 1886 (p. 653)

L'original a appartenu à la collection Matarasso. Fac-similé dans l'*Album Rimbaud*, p. 273, et dans *Lettres d'Afrique et d'Arabie*, p. 173. L'écriture n'est pas celle de Rimbaud.

J. Suel était, rappelons-le, le propriétaire du Grand Hôtel de l'Univers, à Aden.

Reçu de A. Deschamps, 27 juin 1886 (p. 654)

Document publié d'abord dans le catalogue de l'université du Chili en 1954, puis dans la *Revue des Sciences humaines*, 1962, p. 72. Fac-similé dans les *Lettres d'Afrique et d'Arabie*, p. 174. L'original se trouve dans les archives du Centre de poésie de l'Université du Chili, fonds Pablo Neruda. La correction Dorchanger au lieu de Deschamps peut être évitée, même si le nom est de lecture difficile.

• A. Deschamps était le correspondant des Messageries maritimes à Aden. Audon était son agent au Choa.

Aux siens, 9 juillet 1886 (p. 654)

Lettre publiée par Paterne Berrichon, *Lettres de Jean-Arthur Rimbaud*, 1899. L'original, qui se trouve à la Bibliothèque Jacques-Doucet, a été reproduit dans l'*Album Rimbaud*, p. 265, et dans *Lettres d'Afrique et d'Arabie*, p. 175.

Aux siens, 15 septembre 1886 (p. 655)

Lettre publiée par Paterne Berrichon, *Lettres de Jean-Arthur Rimbaud*, 1899.

DU CHOA ET DU CAIRE (1887)
(pp. 656-675)

Le 5 août 1887, Alexandre Merciniez, consul de France à Massaouah, écrivait à M. de Gaspary, son confrère à Aden :

« Monsieur le Consul,

Un sieur Rimbaud, se disant négociant à Harar et à Aden, est arrivé hier à Massaouah à bord du courrier hebdomadaire d'Aden.

Ce Français, qui est grand, sec, yeux gris, moustaches presque blondes, mais petites, m'a été amené par les carabiniers.

M. Rimbaud n'a pas de passeport et n'a pu me prouver son identité. Les pièces qu'il a exhibées sont des procurations passées devant vous avec un sieur Labatut, dont l'intéressé aurait été le fondé de pouvoirs.

Je vous serais obligé, Monsieur le Consul, de vouloir bien me renseigner sur cet individu dont les allures sont quelque peu louches.

Ce sieur Rimbaud est porteur d'une traite de 5 000 thalers à cinq jours de vue sur M. Lucardi, et d'une autre traite de 2 500 thalers sur un indien de Massaouah.

Veuillez agréer, Monsieur le Consul, les assurances de ma considération la plus distinguée [1]. »

Ce portrait a frappé Alain Borer, qui a retenu le début de cette lettre comme titre de l'un de ses livres [2]. On voit un Rimbaud aux abois, errant d'un port à l'autre de la mer Rouge, après l'échec complet de la caravane Labatut.

Labatut est mort. Rimbaud l'a appris alors qu'enfin la caravane s'ébranlait et quittait Tadjourah où les fusils de Soleillet resteront longtemps enterrés. On peut situer ce départ en octobre 1886. Il y a là une trentaine de chameaux, 34 chameliers, un interprète, 1 750 fusils à capsule, 20 fusils Remington, 450 000 cartouches de guerre, 300 000 cartouches de chasse. Le voyage est dangereux, long, harassant. À la frontière du Choa, l'intendant de Ménélik va à sa rencontre et lui explique que le « Frangui » (le Français, feu Labatut) doit beaucoup d'argent dans le pays. Le 7 février 1887, Rimbaud parvient enfin à la capitale du Choa, Ankober, mais Ménélik n'est pas là. Il est parti guerroyer contre l'émir du Harar, Abdellahi.

Rimbaud écrit au roi, dont il recevra la réponse : « Cinq jours me suffiront pour voir les marchandises. Tu pourras partir ensuite. » L'explorateur Jules Borelli, qui a vu Rimbaud arriver à Ankober avec sa caravane, a laissé le témoignage suivant, dans son *Journal*, à la date du 9 février 1887 :

« ANKOBER. — Départ à 6 heures. M. Rimbaud, négociant français, arrive de Tadjourah avec sa caravane. Les ennuis ne lui ont pas été épargnés en route. Toujours le même programme : mauvaise conduite, cupidité et trahison des hommes, tracasseries et guet-apens des Adal, privation d'eau, exploitation par les chameliers. Notre compatriote a habité le Harar. Il sait l'arabe et parle l'amarigna et l'oromo. Il est infatigable. Son aptitude pour les langues, une grande volonté et une patience à toute épreuve le classent parmi les voyageurs accomplis. »

Après avoir affronté une situation difficile à Ankober, Rimbaud se rend à Entotto, où il doit rencontrer Ménélik. En attendant le roi, qui n'est pas encore arrivé, il fait la connaissance d'Alfred Ilg, un ingénieur suisse né en 1859, fixé au Choa depuis 1879, et devenu le conseiller du souverain. Une relation de sympathie s'établit entre les deux hommes. Le roi arrive enfin le 6 mars. Il a un regard de dédain sur la marchandise présentée

---

1. Cette lettre a été publiée pour la première fois par Jean-Marie Carré dans la *Revue de France*, en juin 1935. **2.** *Un sieur Rimbaud se disant négociant*, Lachenal et Ritter, 1984.

par Rimbaud, car il vient de récupérer quantité d'armes au Harar en guise de butin. Il achète pourtant le stock, mais à vil prix. Il prétend que Labatut lui devait de l'argent, et s'apprête à rogner sur la somme qu'il doit verser. Le montant sur lequel on finit par s'accorder ne pourra être versé à Rimbaud qu'au Harar par un neveu du roi, le ras Makonnen.

Rimbaud se hâte d'autant plus de se rendre à Harar que la meute des prétendus créanciers de Labatut se déchaîne contre lui. Jules Borelli a décidé de l'accompagner. Ils partent le 1er mars 1887. D'Entotto à Harar, il y a 500 km par la route dite « du roi », que presque personne n'a empruntée jusqu'ici. C'est l'itinéraire en dix-huit étapes que Rimbaud décrira dans sa lettre à Alfred Bardey du 26 août 1887.

Harar est devenu un « cloaque ». Borelli en part très vite. Rimbaud doit rester pour traiter avec Makonnen. Puis il rallie Zeilah, après quinze jours de traversée du désert, et Aden, où il arrive le 25 juillet. Il a hâte d'en repartir, accompagné de Djâmi Wadaï, un indigène de dix-sept ans qu'il a ramené de Harar pour le sauver de la famine. À Massaouah, colonie italienne, il est arrêté par les carabiniers, conduit devant M. Merciniez, le consul de France.

Celui-ci ne devait pas rester sur une mauvaise impression. Rassuré par son confrère d'Aden, pris de sympathie pour Rimbaud, il lui remet une lettre pour le marquis de Grimaldi-Régusse, avocat à la cour d'appel du Caire, où il recommande « M. Rimbaud, Arthur, Français très honorable, négociant-explorateur du Choa et du Harar ». Rimbaud, toujours accompagné de Djâmi, a décidé de se rendre au Caire pour s'y reposer de ses longues fatigues, pour y placer ce qui lui reste d'argent et pour trouver un autre emploi, une autre piste.

Parvenu au Caire le 20 août, il rend visite à Octave Borelli, le frère de son compagnon de route. Ce riche avocat était tout-puissant au *Bosphore égyptien*, un journal quotidien. Le journal va annoncer son arrivée, dans son numéro du 22 août :

« M. Raimbaud [*sic*], voyageur et commerçant français au Choa, est arrivé en Égypte depuis quelques jours. Nous croyons savoir que M. Raimbaud ne prolongera pas son séjour ici et qu'il prend ses dispositions pour se rendre au Soudan. »

Mieux, *Le Bosphore égyptien* publie, le 25 et le 27 août, sa lettre au directeur du journal [1], relatant son voyage au Choa.

---

1. Ce directeur serait Barrière Bey, si l'on suit Pierre Petitfils (biographie citée, p. 334), Octave Borelli n'étant que rédacteur. Mais la notice détaillée contenue dans l'édition *Œuvre-vie*, p. 947, fait d'Octave Borelli le fondateur et le directeur de ce quotidien.

Au Caire, Rimbaud s'est installé à l'hôtel de l'Europe. Lui qui n'a pratiquement pas envoyé de lettres au cours des mois précédents, il est pris d'une frénésie d'écrire. Ses lettres prennent les dimensions de rapports d'explorateur. Il voudrait même obtenir une subvention officielle pour pouvoir continuer. Nous avons la réponse à une lettre qu'il écrivit, le 26 août, au secrétaire de la Société de Géographie. Il y demandait une subvention pour poursuivre ses explorations :

Paris, le 4 octobre 1887

Monsieur,

En réponse à votre lettre du 26 août, la Société de Géographie me charge de vous informer qu'il ne lui est pas possible, quant à présent, de répondre favorablement au désir que vous exprimez. Peut-être auriez-vous quelque chance de succès en adressant une demande de mission au Ministère de l'Instruction publique. Cette demande serait renvoyée à la Commission des missions et voyages, qui en donnerait son avis à l'administration. Je ne dois pas vous dissimuler, cependant, que le fonds attribué aux missions a subi les conséquences du régime d'économies auquel sont soumis les ministères depuis quelques mois. Il est à craindre que — votre voyage n'intéressant pas directement un pays français, la politique française, — la somme demandée dans votre lettre ne paraisse trop élevée. En tout cas vous feriez bien de rédiger les notes ou les souvenirs que vous avez recueillis sur les races bédouines ou agricoles, leurs routes et la topographie de leurs régions. Soyez persuadé qu'un mémoire à ce sujet, s'il renferme des faits nouveaux, des indications utiles, des notions précises, serait la meilleure des recommandations dans le cas où vous croiriez devoir adresser au ministère une demande de mission. D'emblée, en effet, vous sortiriez du rang des débutants, et le rapporteur, auquel la Commission des missions renverrait votre demande, aurait un point d'appui.

Si vous pensiez devoir adopter cette manière de faire, je me mettrais à votre disposition pour rechercher les moyens d'assurer la publication de votre mémoire, afin de le bien faire connaître. Il serait bon que le travail fût accompagné d'un croquis donnant vos itinéraires. Le pays que vous songez à parcourir est très redoutable pour les Européens, même dans les conditions particulièrement favorables où vous vous trouvez. La Commission se montrera donc d'autant moins réfractaire qu'elle sera mieux à même d'apprécier votre travail antérieur, les résultats de vos premiers voyages.

Je viens de recevoir de M. A. Bardey une lettre dans laquelle il donne des extraits intéressants de votre journal de route du Choa à Zeilah. Ces extraits vont être publiés au Bulletin de la Société de Géographie, dont fait partie M. Bardey.

Croyez bien, Monsieur, que les objections présentées ci-dessus ne sont point des fins de non-recevoir. Je serais, dans la limite de mes moyens, très disposé à vous aider, — mais je ne suis pas seul, et il importe de décider dans un sens favorable tous ceux qui ont voix au chapitre. J'ai causé de vos projets avec mon ami, M. Duveyrier, spécialiste en choses d'Afrique, et je crois que lui aussi sera bien disposé en votre faveur. Il m'a chargé de vous demander si l'abba Moudda est un marabout musulman, et quelle confrérie représente le scheik Hoséin, ainsi que l'abba Moudda, si ce dernier est musulman.

Veuillez agréer, Monsieur, avec mes regrets de ne pouvoir de suite répondre favorablement à votre désir, l'expression de mes sentiments distingués.

C. Maunoir,
Secrétaire général.

Entre-temps, les projets de Rimbaud ont changé. Après avoir failli partir pour la Syrie, en septembre (il s'est même fait délivrer un passeport par le consulat de France à Beyrouth), il se retrouve finalement à Aden.

Chronologie

1886

Septembre : La Vogue republie *Une saison en enfer* à l'insu de Rimbaud.

Octobre : Rimbaud et sa caravane quittent Tadjourah.

1887

7 février : Rimbaud arrive à Ankober.

Début mars : Rencontre de Rimbaud et de Ménélik à Entotto.

1er mai : Rimbaud quitte Entotto pour le Harar en compagnie de Jules Borelli.

25 juillet : Retour de Rimbaud à Aden.

5 août : Après s'être embarqué à Obock, il fait escale à Massaouah.

20 août : Rimbaud arrive au Caire.

25 et 27 août : Le Bosphore égyptien publie la lettre qu'il a adressée au directeur du journal.

26 août : Rimbaud écrit à la Société de Géographie : il demande une subvention pour continuer ses explorations.

4 octobre : Réponse négative, ou du moins dilatoire, du secrétaire général de la Société de Géographie.

8 octobre : Rimbaud est à Aden.

Aux siens, 7 avril 1887 (p. 656)

Lettre publiée par Paterne Berrichon dans les *Lettres de Jean-Arthur Rimbaud*, 1899.

• Cette lettre étonne par sa brièveté après un si long temps de silence. Rimbaud est au cœur de l'Abyssinie et donne pour adresse Aden. Jamais il n'a paru plus coupé de sa famille, jamais il n'a semblé vivre dans un temps aussi ralenti.

À M. de Gaspary, 30 juillet 1887 (p. 657)

Lettre publiée pour la première fois par Jean-Marie Carré dans la *Revue de France*, en juin 1935.

• « Liquidation », ce maître mot pour Rimbaud ouvre cette lettre adressée au vice-consul de France à Aden. Il a été contraint à une telle liquidation de la caravane Labatut par l'achat bloqué et désastreux qu'a imposé Ménélik, par les exigences des créanciers et de la famille de feu Labatut. Parmi ceux que Rimbaud appelle les « créanciers de l'opération », il faut compter Suel et Deschamps (pour ce dernier, par l'intermédiaire d'Audon).

Au directeur du *Bosphore égyptien*, 20 août 1887 (p. 658)

Le Bosphore égyptien était un important journal du Caire. Octave Borelli (1849-1911), qui y était fort influent et qui était peut-être ce directeur même (voir plus haut, p. 983, n. 1), a fait publier cette longue lettre dans les numéros du 25 et du 27 août 1887. Fac-similé du journal au musée Rimbaud de Charleville.

Signalé dès 1914 par Paterne Berrichon, cet article a été retrouvé par Jean-Marie Carré, qui l'a présenté dans le *Mercure de France* du 15 décembre 1927 comme « le document le plus important et le plus détaillé que nous tenions de la main même de Rimbaud sur son existence africaine ».

• Jean-Luc Steinmetz fait observer que ce texte est, « après *Une saison en enfer* », « le seul texte en prose » de Rimbaud « paru sous son contrôle et qu'il verra publié de son vivant. [...] Aucun effet de style, bien sûr. Des notes sur l'état des choses dans une région, des observations sagaces portant sur la géographie ou l'histoire contemporaine, des perspectives commerciales » (*Arthur Rimbaud — Une question de présence*, p. 351).

Aux siens, 23 août 1887 (p. 668)

L'original de cette lettre se trouve à la Bibliothèque Jacques-Doucet. Fac-similé dans *Lettres d'Afrique et d'Arabie*, p. 180.
• Deux mots sont essentiels dans cette lettre. Rimbaud écrit que son existence « périclite », c'est-à-dire qu'elle est en péril, non seulement à cause de ses aventures dangereuses, mais à la suite de sérieux ennuis de santé et d'un vieillissement précoce. Cette vie, il la dit « errante et gratuite » : il la donne pour rien, mais peut-être aussi n'a-t-elle pas de raison suffisante (ce sont les deux sens du mot dans le Littré).

À sa mère, 24 août 1887 (p. 669)

Paterne Berrichon a publié cette lettre en 1899, mais il a eu tort de l'amalgamer avec la suivante. Le manuscrit autographe se trouve à la Bibliothèque Jacques-Doucet. Fac-similé dans les *Lettres d'Afrique et d'Arabie*, p. 183.
• Cette lettre exprime un des soucis de Rimbaud : avoir quelque part un capital. Sa mère, si positive, devrait comprendre cela et lui avancer 500 francs pour aller à Zanzibar, laissant ainsi le capital intact et prêt à fructifier.

À sa mère, 25 août 1887 (p. 670)

Cette lettre doit être dissociée de la précédente, qu'elle accompagnait peut-être dans un envoi unique. L'original se trouve à la Bibliothèque Jacques Doucet. Fac-similé dans *Lettres d'Afrique et d'Arabie*, p. 186.

À Alfred Bardey, 26 août 1887 (p. 671)

Cette lettre a été insérée par Paterne Berrichon dans sa *Vie de Jean-Arthur Rimbaud*, 1897, p. 191. Auparavant l'Itinéraire qu'elle contient avait été publié dans les *Comptes rendus de la Société de Géographie*, Paris, 1887 (séance du 4 novembre), pp. 416-417, avec quelques modifications imposées par la prudence diplomatique. C'est Alfred Bardey lui-même qui avait transmis ce document à la Société de Géographie. Le procès-verbal de la Société de Géographie enregistrait, en préambule : « Dans une lettre du 22 septembre, M. A. Bardey écrit qu'il vient de recevoir, datée du Caire, une lettre du voyageur Arthur Rimbaud, qui présentement rentre du Choa par le Harar et Zeilah. Ci-après, je reproduis textuellement, dit-il, quelques-unes de ses notes sur les choses de ce pays au moment actuel. » Le texte publié par la Société de Géographie allait depuis « D'Entotto à Tadjourah » jusqu'à « la route de Gueldessey au Hérer aussi ». Il y a quelques modifications ou suppressions.

• L'itinéraire fait partie intégrante de la lettre, et on ne saurait l'en dissocier. Rimbaud tente visiblement de se rapprocher d'Alfred Bardey, et il fait appel en lui à son goût pour la géographie de l'Afrique.

LETTRES D'ADEN, quatrième série, 1887-1888
(pp. 676-698)

Rimbaud n'en a pas fini avec les suites de la caravane Labatut quand il revient à Aden. Deschamps s'agite et écrit à M. de Gaspary :

Aden, le 28 octobre 1887

Monsieur le Consul,

Dès l'arrivée de M. Rimbaud à Aden, après son voyage d'Abyssinie, je chargeais M. Mérignac de le rechercher pour avoir des explications sur le non-paiement de différentes sommes qu'il devait payer au Choa : les recherches furent infructueuses, et il ne se présenta pas chez moi.

Depuis mon retour de France, j'ai vainement cherché à connaître son domicile : personne n'a pu me l'indiquer ; or je sais pertinemment qu'il habite à Aden.

Devant l'attitude de M. Rimbaud, qui, systématiquement, se dérobe, je viens vous prier, monsieur le Consul, de vouloir bien le faire citer devant vous, et nous entendre au sujet des comptes que nous avons à régler ensemble.

Veuillez agréer, Monsieur, l'expression de ma parfaite considération [1].

1. Première publication dans la première Pléiade.

Rimbaud doit donc rendre des comptes. Il le fait avec une minutie qui paraîtra vite fastidieuse au lecteur.

L'idée de vendre des mulets à Ménélik ne fut qu'une passade. Très vite, il est repris par le démon du commerce des armes. Déjà il avait rencontré sur son chemin deux hommes avec qui il va se lier pour affaires. Armand Savouré, tout d'abord, négociant français qui, après avoir été l'un des directeurs de la Compagnie franco-africaine de Djibouti, s'était installé au Harar ; il était fortement impliqué dans le commerce des armes à feu. César Tian, ensuite, négociant marseillais installé à Aden depuis 1869, qui va devenir, à partir du printemps 1888, le dernier employeur de Rimbaud. Ces deux noms sont au centre de la lettre à Monseigneur Taurin où, le 4 novembre 1887, Rimbaud confie au vicaire apostolique des Gallas les soucis qui résultent pour lui de la liquidation de la caravane Labatut. Savouré a acheté la caravane Soleillet, et peut-être pourra-t-on enfin transporter vers le Choa les fusils enterrés à Tadjourah. Tian, reparti pour l'Europe, doit rentrer à Aden fin novembre, et Rimbaud attend quelque chose de lui. Ces deux noms sont inscrits encore dans la lettre à Ilg du 29 mars 1888. Savouré, pour son entreprise, bénéficierait du bienveillant soutien de Léonce Lagarde, le résident français à Obock. Tian serait un correspondant privilégié à Aden pour une nouvelle affaire, ainsi d'ailleurs que Bardey, dont le nom reparaît dans cette même lettre.

Au moment où le gouverneur français fait à Ménélik l'offre de lui fournir des armes par le protectorat français s'il accepte de diriger tout le commerce du Choa vers Djibouti, Rimbaud imagine d'obtenir l'autorisation d'importer des fusils et du matériel pour fabriquer des munitions en Abyssinie même. Il ne serait plus seulement trafiquant, négociant, mais ingénieur — ce qu'il a rêvé pour le fils qu'il pourrait avoir. L'autorisation, demandée par l'intermédiaire du député de Vouziers, lui est refusée par le sous-secrétaire d'État à la Marine et aux Colonies, qui n'est autre que le futur président Félix Faure. Ce refus, signifié le 18 janvier, est corrigé le 2 mai 1888[1].

1. Autographe à la Bibliothèque Jacques-Doucet. Paterne Berrichon avait le premier publié cette lettre dans la *Vie de Jean-Arthur Rimbaud*, p. 202.

Paris, le 2 mai 1888.

Monsieur,

Par suite à la dépêche du 18 janvier dernier, j'ai l'honneur de vous informer que la nouvelle convention conclue avec l'Angleterre autorise l'introduction d'armes de guerre à travers notre territoire d'Obock, mais seulement à destination du Choa.

Vous pourrez donc, comme vous le demandiez par votre lettre du 15 décembre, débarquer sur les territoires français de la côte orientale d'Afrique l'outillage et le matériel nécessaires à la fabrication de fusils et de cartouches destinés au roi Ménélik.

Recevez, Monsieur, les assurances de ma considération distinguée.

Pour le Sous-secrétaire d'État,
Le Chef de la 2e Division,
Haussmann.

Monsieur Arthur Rimbaud,
Au Consulat de France, à Aden.

Lagarde avait travaillé à cette révision, en faisant observer que l'interdiction concernant l'importation du matériel militaire ne visait pas Ménélik et que par conséquent on pouvait accorder des permis pour le Choa.

À cette date du 2 mai, Rimbaud avait déjà quitté Aden. Il n'avait pas attendu l'autorisation du gouvernement pour partir. Il s'était associé à Savouré, à qui il avait offert son concours dès le mois de décembre 1887 (lettre perdue). 2 000 francs lui étaient offerts pour accompagner l'ex-caravane Soleillet. Une première mission fin mars-début avril laissa Savouré fort insatisfait et valurent à Rimbaud une lettre sévère, écrite à Obock le 26 avril 1888[1]. Savouré venait d'arriver de France avec un nouvel approvisionnement et confia de nouveau l'expédition à Rimbaud.

Une conjonction favorable se fit. Chargé de la mission Savouré, Rimbaud devait retourner au Harar pour diriger l'agence que César Tian venait d'y fonder pour son négoce. Une nouvelle période s'ouvrait, celle de l'axe Savouré-Tian-Rimbaud. Ilg se montre réservé sur le projet de

1. On la trouvera dans l'éd. Adam des *Œuvres complètes* de Rimbaud, pp. 489-490.

Savouré dans sa lettre à Rimbaud du 27 avril[1]. Mais, il le reconnaît, « si l'on prend les bœufs aux cornes, très souvent ils se montrent beaucoup plus doux qu'on ne dirait ». Dans une lettre au photographe Bidault du 27 avril, Ilg écrivait encore :

« M. Savouré est un très brave et honnête garçon auquel je souhaite de tout cœur bonne chance. M. Rimbaud est de retour d'après ses lettres, mais il ne me dit pas grand-chose ; il espère pouvoir faire des affaires en commission. Comme il est très habile, il pourra réussir[2] ».

À cette époque et auprès de ces gens, Rimbaud passait pour un homme à l'esprit vif et plaisant. Ilg avoue avoir ri à la lecture de la lettre que lui adressait Rimbaud le 1er février. « Derrière votre terrible masque d'homme horriblement sévère », ajoute-t-il, « se cache une bonne humeur que beaucoup auraient bien raison de vous envier. Si je n'avais pas eu peur de vous compromettre, j'aurais bien envoyé le passage sur la fameuse conquête italienne à quelques journaux et nous aurions fait rire bien d'autres[3]. » Rimbaud, certes, n'était plus un écrivain. Mais il adressait à la presse de Paris ou de Charleville des récits et des comptes rendus qui ne parurent point. « C'est Rimbaud qui d'Aden s'amuse à écrire des fumisteries à la presse », confiait Savouré, toujours critique, à Ilg le 13 février[4]. Il reste quelque chose de coruscant dans les meilleurs passages de cette quatrième série de lettres d'Aden — rares, mais suffisants pour prouver que la main à plume de Rimbaud n'est pas seulement, à cette date, une main de scribe.

Chronologie

1887

Octobre : Rimbaud est à Aden, et envisage de vendre des mulets de Syrie à Ménélik.

Début novembre : Il établit pour le vice-consul de France à Aden le bilan de la caravane Labatut.

Fin novembre : Le négociant César Tian rentre à Aden.

Décembre : Rimbaud fait des offres de service à Armand Savouré.

---

1. Arthur Rimbaud, *Correspondance 1888-1891*, éd. Voellmy, p. 58. **2.** *Ibid.*, p. 58. **3.** Lettre d'Ilg à Rimbaud du 19 février 1888, éd. Voellmy, p. 52. **4.** Ibid., p. 51.

1888

Janvier : Savouré, alors à Paris, projette d'aller vendre des armes à Ménélik et de récupérer à son compte l'ex-caravane Soleillet, tout en important de nouvelles armes.

18 janvier : Refus de Félix Faure à la demande de Rimbaud.

14 février : Rimbaud se met en route pour conduire l'ex-caravane Soleillet jusqu'à Harar.

14 mars : Il est de retour à Aden.

14 avril : Il repart pour Zeilah à destination du Harar.

17 avril : Savouré est à Obock avec un bateau contenant 3 000 fusils et 500 000 cartouches.

2 mai : Félix Faure revient sur sa décision et accorde l'autorisation pour des armes qui seraient vendues à Ménélik.

Aux siens, 8 octobre 1887 (p. 676)

Publiée par Paterne Berrichon dans les *Lettres de Jean-Arthur Rimbaud*, 1899.

• Malgré la fréquentation du Coran, c'est le souvenir des lamentations de Jérémie qui est évoqué à la fin de cette lettre. De retour à Aden, Rimbaud fait un bilan négatif. Tout lui semble paralysé dans cette région du monde, pour des raisons essentiellement politiques. Il n'envisage pas de revenir au pays, mais d'y transférer les fonds laissés au Caire.

Au consul de France à Beyrouth, 12 octobre 1887 (p. 677)

Lettre publiée en fac-similé par Henri Hoppenot dans *Fontaine*, n° 61, septembre 1947. Fac-similé dans *Lettres d'Afrique et d'Arabie*, p. 188.

• Nouveau projet : l'achat de baudets étalons pour Ménélik. Le consul de France à Beyrouth était le vicomte de Petiteville. Il répondra à Rimbaud le 3 décembre :

Consulat général
de
France en Syrie.

Beyrouth, le 3 décembre 1887.

Monsieur,

En réponse à votre lettre en date du 12 octobre dernier, je m'empresse de vous faire savoir que c'est dans les environs de Damas que l'on achète ordinairement les baudets étalons dont on se sert ici pour la procréation des mulets de Syrie. Les prix d'achat sur place de ces bêtes varient de 20 à 30 livres turques, c'est-à-dire de 450 à 700 francs.

Leur transport de Beyrouth à Aden par les bateaux des Messageries maritimes est de 175 francs par bête, sans assurance, la chose étant contraire aux règlements de la dite compagnie qui n'assure jamais les animaux sur pied.

Les Messageries fournissent les stalles nécessaires au transport des bêtes, qui doivent être accompagnées d'un homme chargé de les soigner, et qui doit embarquer avec lui leur nourriture pour la durée du voyage.

Il y a ici un maquignon, le nommé Youssef Nassif, qui se chargerait de se rendre à Damas à l'effet d'exécuter la commande en question, en lui fournissant d'avance les fonds nécessaires à l'achat pour votre compte des dits ânes, sans assumer aucune sorte de responsabilité.

Ces conditions me paraissent fort chanceuses pour vous et je crois devoir vous donner le conseil, dans le cas où vous vous décideriez à faire cette acquisition ici, d'envoyer à Damas une personne capable de surveiller sur place, soit l'achat de ces bêtes, soit leur embarquement à Beyrouth.

Recevez, Monsieur, l'assurance de ma considération distinguée.

Vicomte de Petiteville.

À M. de Gaspary, 3 novembre 1887 (p. 678)

Lettre publiée par André Rolland de Renéville et Jules Mouquet dans la première édition de la Pléiade, 1946. Le manuscrit, provenant des archives du consulat d'Aden, a été déposé au ministère des Affaires étrangères. Nous avons respecté la présentation de ces comptes sur l'autographe.

• À la suite de la requête de Deschamps, Rimbaud dut fournir au vice-consul de France à Aden un état de comptes représentant la liquidation de la caravane Labatut. C'est l'objet de cette lettre, à laquelle M. de Gaspary répondit de la façon suivante[1] :

Aden, le 8 novembre 1887

M. Rimbaud, Aden.

Monsieur,

J'ai l'honneur de vous accuser réception de la lettre que vous m'avez

---

1. L'original de cette lettre se trouve à la Bibliothèque Jacques-Doucet. Elle a été publiée la première fois par Paterne Berrichon dans *La Vie de Jean-Arthur Rimbaud* en 1897, puis, avec des corrections, par Jean-Marie Carré dans la *Revue de France* en juin 1935.

adressée le 3 de ce mois contenant l'exposé détaillé que je vous avais demandé des comptes et opérations divers composant et établissant la liquidation de la caravane Labatut, que vous aviez accepté, à des conditions bien spécifiées, de conduire et de négocier au Choa.

J'ai constaté, Monsieur, par les comptes que vous m'avez transmis dans votre lettre, enregistrée au vice-consulat sous le n° 552, qu'en effet cette opération commerciale avait été désastreuse pour vous, et que vous n'aviez pas hésité à sacrifier vos propres droits pour satisfaire les nombreux créanciers de feu M. Labatut, mais j'ai dû reconnaître aussi, en m'en rapportant à la déclaration des Européens venus du Choa, et dont vous avez invoqué le témoignage, que vos pertes auraient peut-être été moins sensibles, si, comme les autres négociants appelés à trafiquer avec les autorités abyssines, vous aviez su ou pu vous plier aux exigences particulières à ce pays et à leurs chefs.

Quant à votre compte de liquidation énumérant divers paiements faits par vous et pour lesquels il vous a été donné des reçus, il conviendrait que ces pièces fussent jointes audit compte ; on pourrait, pour votre décharge, vous en délivrer des copies certifiées conformes et légalisées.

De Gaspary ,
Vice-consul de France.

À Monseigneur Taurin, 4 novembre 1887 (p. 681)

Lettre publiée pour la première fois dans les *Études franciscaines*, deuxième trimestre 1967, puis dans *Études rimbaldiennes*, n° 1, 1968. Manuscrit autographe conservé dans les archives des pères capucins de Toulouse.

• Monseigneur Taurin-Cahagne, vicaire apostolique français des Gallas, était arrivé au Choa en 1881. On trouvera sa photographie dans l'*Album Rimbaud*, p. 317. Rimbaud semble avoir toujours entretenu de bonnes relations avec lui, assez bonnes en tout cas pour qu'il lui confie les soucis que lui cause la caravane Labatut. Il le prie également de servir d'intercesseur.

Aux siens, 5 novembre 1887 (p. 684)

Lettre publiée par Paterne Berrichon, *Lettres de Jean-Arthur Rimbaud*, 1899.

• Une lettre singulièrement détachée. Du journal des Ardennes, Rimbaud attend peut-être qu'il publie un de ses comptes rendus d'explorateur.

À M. de Gaspary, 9 novembre 1887 (p. 684)

Lettre publiée par Jean-Marie Carré dans la *Revue de France*, en juin 1935.

• Dans une note datée du 8 juillet 1890, M. de Gaspary s'est plaint de n'avoir pas reçu de réponse à sa lettre du 8 novembre 1887 (voir plus haut) où il mettait Rimbaud en demeure de présenter les reçus et autres pièces justificatives de ses dépenses. Cette réponse, pourtant, la voici, plus vivante peut-être que précise, toute pleine d'une rage dont Rimbaud croit devoir s'excuser à la fin. C'est assurément l'une des plus remarquables que Rimbaud ait écrites. D'abord elle éclaire le passé, le moment où, conduisant la caravane de feu Labatut, il était entré dans le royaume du Choa. Surtout, Rimbaud va revivre une comédie des fâcheux, en l'occurrence les créanciers de Labatut qui ont fondu sur lui ou ont surgi partout. La veuve Labatut a sans doute été la plus redoutable, et il est piquant de voir son protecteur, M. Hénon, se muer d'arpenteur du *Château* en accusateur du *Procès*. Car Kafka n'est pas loin...

Aux siens, 22 novembre 1887 (p. 690)

Lettre publiée par Paterne Berrichon, *Lettres de Jean-Arthur Rimbaud*, 1899. L'original se trouve à la Bibliothèque Jacques-Doucet. Fac-similé dans les *Lettres d'Afrique et d'Arabie*, p. 196.

• Rimbaud revient au commerce des armes. À dire vrai, comme le souligne Pierre Petitfils (*Rimbaud. — Biographie*, p. 339), c'étaient pratiquement les seules affaires possibles : « Si vous ne m'apportez pas d'armes, disait Ménélik aux Européens, j'interdirai votre commerce. »

Aux siens, 15 décembre 1887 (p. 691)

Lettre publiée par Paterne Berrichon, *Lettres de Jean-Arthur Rimbaud*, 1899.

• Cette lettre complète et précise la précédente. Elle est inséparable des deux suivantes, qui lui étaient jointes. Rimbaud y apparaît comme particulièrement attentif aux circuits administratifs. Sans doute a-t-il été conseillé à ce sujet. On apprend aussi qu'il a adressé des comptes rendus de voyage à divers journaux français, *Le Temps, Le Figaro* et même ce *Courrier des Ardennes*, où il avait autrefois travaillé. Ces documents semblent perdus.

À M. Fagot, député de l'arrondissement de Vouziers, département des Ardennes (p. 692)

Lettre publiée par Paterne Berrichon, dans « Rimbaud et Ménélik », *Mercure de France*, février 1914.

• C'est sa mère qui a précisé, dans l'envoi, le nom du député. Rimbaud l'ignorait.

Au ministre de la Marine et des Colonies, 15 décembre 1887 (p. 694)

Lettre publiée par Paterne Berrichon, dans « Rimbaud et Ménélik », *Mercure de France*, février 1914.

• Le projet prend donc un tour nouveau. Il s'agit d'importer au Choa du matériel nécessaire à la fabrication de fusils à percussion et de cartouches, donc de devenir une sorte d'« industriel à Ankober » (P. Petitfils, *op. cit.*, p. 340).

Ces lettres devaient déclencher le courrier administratif suivant :

Le sous-secrétaire d'État au ministère de la Marine et des Colonies à M. Fagot, député

Paris, le 18 janvier 1888

Monsieur le Député et cher collègue,

Vous avez bien voulu appeler mon attention sur une demande formée par M. Arthur Rimbaud, à l'effet d'être autorisé à débarquer sur les territoires français de la côte orientale d'Afrique l'outillage et le matériel nécessaires à la fabrication de fusils et de cartouches destinés au roi Ménélik.

J'ai l'honneur de vous informer que les conventions conclues avec l'Angleterre interdisent l'introduction d'armes de guerre à travers notre territoire. Dans ces conditions, il ne m'est pas possible d'autoriser l'entrée d'un matériel destiné à la fabrication desdites armes, et je vous en exprime tous mes regrets.

Agréez, Monsieur le Député et cher collègue, les assurances de ma haute considération.

Félix Faure.

M. Fagot, Député des Ardennes, à Rimbaud

Paris, 18 janvier 1888

Mon cher compatriote,

J'ai l'honneur de vous communiquer la réponse de M. le ministre de la Marine à votre demande.

Votre dévoué.

Fagot, Député des Ardennes.

Le sous-secrétaire d'État au ministère de la Marine et des Colonies à M. Arthur Rimbaud, à Aden.

Paris, le 18 janvier 1888

Vous avez sollicité du département l'autorisation de débarquer sur les territoires français de la côte orientale d'Afrique l'outillage nécessaire à la fabrication de fusils et de cartouches destinés au roi Ménélik. Je ne puis autoriser l'entrée d'un matériel destiné à la fabrication desdites armes.

Félix Faure.

Aux siens, 25 janvier 1888 (p. 695)

Lettre publiée par Paterne Berrichon, *Lettres de Jean-Arthur Rimbaud*, 1899. Autographe inconnu.

• Une lettre apparemment comme les autres, et pourtant Rimbaud y donne une vision saisissante de ces bords de la mer Rouge, où la concurrence entre nations tourne à la foire d'empoigne.

À Alfred Ilg, 1er février 1888 (p. 696)

Lettre publiée par Jean Voellmy (*Correspondance 1888-1891*, Gallimard, 1965, rééd. TEL, 1995, pp. 51-57). L'original appartient à Mme Zwicky-Ilg. Fac-similé dans les *Lettres d'Afrique et d'Arabie*, p. 197.

• Il a déjà été question d'Alfred Ilg dans la lettre que Rimbaud adressait au consul le 9 novembre 1887. « En raison de sa connaissance des langues et de son honnêteté », y lisait-on, il « est généralement employé par le roi [Ménélik] au règlement des affaires de la cour avec les Européens. » De fait il avait tenté de s'entremettre auprès du « Négous » en faveur de l'associé malheureux de Labatut.

Nous avons ici la réponse à une lettre d'Ilg du 16 janvier, aujourd'hui perdue. L'ingénieur suisse était allé en Europe pour des démarches analogues à celles que Rimbaud avait tentées par lettres auprès du gouvernement français. Il avait pour tâche de procurer à Ménélik des armes et des instruments divers.

À Alfred Ilg, 29 mars 1888 (p. 696)

Lettre publiée par Jean Voellmy, éd. cit., pp. 62-64. Le manuscrit se trouve dans les archives Zwicky-Ilg. Fac-similé dans les *Lettres d'Afrique et d'Arabie*, p. 201.

• Rimbaud vient de faire un voyage éclair au Harar, pour des raisons mal connues (probablement pour servir les intérêts de Savouré, et en tout cas pour préparer son prochain retour au Harar). Cette lettre insiste sur les difficultés que va rencontrer Savouré pour débarquer à Obock sa cargaison de fusils. Mais on y sent surtout la satisfaction qu'éprouve Rimbaud à monter sa propre affaire, dût-il se retrouver « seul Français au Harar ». La comédie humaine continue, singulièrement stylisée.

À Ugo Ferrandi, 2 avril 1888 (p. 696)

Première publication par Claude Jeancolas, éd. cit., p. 456, avec le fac-similé p. 203. Le manuscrit autographe, passé en vente publique le 23 novembre 1994, se trouve dans une collection privée.

• Rimbaud a connu l'explorateur italien Ugo Ferrandi à Tadjourah. Ferrandi s'apprêtait à partir lui aussi pour le Harar.

Aux siens, 4 avril 1888 (p. 697)

Lettre publiée par Paterne Berrichon, *Lettres de Jean-Arthur Rimbaud*, 1899. L'original se trouve à la Bibliothèque Jacques-Doucet. Fac-similé dans les *Lettres d'Afrique et d'Arabie*, p. 204.

• Rimbaud annonce son installation définitive au Harar. Cette annonce est importante car, comme le note Mario Matucci (*Le Dernier Visage de Rimbaud en Afrique*, p. 66), elle « marque le dernier acte de la vie de Rimbaud ». Correspondant de plusieurs négociants, il se propose, comme le précisera Ilg dans sa lettre à Bidault du 27 avril, de « faire des affaires en commission ». La discrétion demandée dans le post-scriptum concerne le commerce d'armes, qui demeurait interdit.

À Ugo Ferrandi, 10 avril 1888 (p. 698)

Première publication par Claude Jeancolas, éd. cit., p. 457, avec le fac-similé p. 205. Le manuscrit autographe, passé en vente publique le 23 novembre 1994, et non adjugé ce jour-là, se trouve dans une collection privée.

À Alfred Ilg, 12 avril 1888 (p. 698)

Lettre publiée par Jean Voellmy, éd. cit., pp. 64-65. Manuscrit autographe dans les archives Zwicky-Ilg. Fac-similé dans les *Lettres d'Afrique et d'Arabie*, p. 206.

• Rimbaud ne fait guère que répéter ici ce qu'il a déjà écrit à Ilg huit jours plus tôt. Les offres de service et l'espoir d'une collaboration fructueuse sont pourtant plus insistants que dans la lettre du 4 avril.

LETTRES DE HARAR, troisième série, 1888-1891 (pp. 699-723)

Voici le dossier le plus épais dans cette correspondance. Et pour cause. Le dernier séjour au Harar — le quatrième en réalité — est le plus long. Rimbaud reste plus de trois ans dans la « ville aux hyènes », qui est aussi la ville aux vautours. Il y est étonnamment stable, même s'il envisage un moment de rentrer à Aden pour y réorganiser ses affaires, et quelquefois même de revenir en France... pour s'y marier.

Le poids de ce dossier vient du nombre important de lettres adressées à Alfred Ilg, qui s'ajoutent à celle du 1er février 1888 et qui sont souvent fort longues. Elles ont été révélées par un compatriote de l'ingénieur suisse, Jean Voellmy, dans un précieux volume : Arthur Rimbaud, *Correspondance 1888-1891*, Gallimard, 1965 (rééd. avec la même pagination dans la collection L'Imaginaire, 1995). Ayant eu à sa disposition les archives du fonds Zwicky-Ilg (Mme Fanny Zwicky-Ilg, descendante d'Alfred, et M. Dieter Zwicky, son fils), Jean Voellmy a publié cette correspondance avec goût, avec soin et avec des notes éclairantes. On pourra s'y reporter. Les fac-similés ont été reproduits dans l'édition Textuel, avec les transcriptions et l'annotation de Claude Jeancolas.

On pourra trouver dans ces lettres à Ilg les listes, les comptes bien austères. Mais, comme l'a souligné Jean Voellmy, « les lettres à Ilg nous permettent de mieux connaître l'esprit satirique de Rimbaud ». Il fait un portrait-charge du ras Makonnen, même quand il s'absente pour se rendre à Rome et y trouver de l'argent à emprunter. Rimbaud met en scène des brigands de tout poil, quand ce ne sont pas des tortionnaires. Son humour féroce ne parvient pas à étouffer sa rage. Elle finit par éclater contre tous ceux avec qui il s'est plus ou moins associé pour affaires, Savouré, Tian, Ilg lui-même, qui semble atteint comme Makonnen de procrastination : il ne parvient pas à vendre, à liquider, à bazarder même, les marchandises que lui a confiées Rimbaud et sur lesquelles il aurait son bénéfice, comme son compatriote et associé Ernest Zimmermann.

La dernière lettre de Ilg à Rimbaud, le 15 mars 1891, en dit long sur la difficulté de vendre des « ferrailles », que les créanciers, Chefneux ou la veuve Labatut, ont l'intention de faire saisir : « Vous prétendez que je ne partirai qu'après avoir vendu les casseroles, c'est magnifique, ça vaut au moins la peine. Du reste n'ayez pas peur, d'une façon ou de l'autre nous nous arrangerons. Au revoir sous peu, nous comptons tous partir dans quinze jours. »

Mais c'est Rimbaud qui, gravement malade, allait partir et quitter Harar en catastrophe.

Chronologie

1888

Avril : Rimbaud revient au Harar, où il fonde une agence commerciale pour son propre compte, avec pour correspondant à Aden César Tian.

Mai-juin : L'administration continue à s'occuper des problèmes soulevés par l'importation et la vente des armes. Le 15 mai 1888, le sous-secrétaire d'État au ministère de la Marine et des Colonies écrit à Rimbaud, sous couvert du consulat de France à Aden, pour annuler l'autorisation donnée le 2[1] :

Paris, le 15 mai 1888

Monsieur,

En me référant à ma dépêche du 2 mai courant, j'ai l'honneur de vous informer qu'il résulte de nouvelles négociations qui viennent d'être repri-

1. Cette lettre a été publiée pour la première fois par Paterne Berrichon dans les *Lettres de Jean-Arthur Rimbaud*, en 1899. Le manuscrit est conservé à la Bibliothèque Jacques-Doucet.

ses entre le Gouvernement français et le Cabinet de Londres au sujet de la côte de Somalie, qu'il ne saurait être donné suite, pour le moment du moins, à l'introduction d'armes de guerre à travers notre territoire d'Obock.

Je ne puis donc que vous engager à suspendre provisoirement tout envoi de matériel de ce genre qui serait destiné à ces pays.

Recevez, Monsieur, les assurances de ma considération distinguée.

Pour le Sous-secrétaire d'État,
Le Chef de la 2e Division,
Haussmann.

Rimbaud a commenté cette volte-face dans sa lettre à Alfred Ilg du 25 juin. On aurait pu avoir l'impression, en lisant sa lettre aux siens du 15 mai, qu'il ne se souciait plus désormais que de vendre du drap de Sedan. Mais cette lettre à Ilg prouve que la pensée du trafic d'armes ne le quitte pas. « La manie des fusils est plus frénétique que jamais », écrit-il. Parviendra-t-il à échapper à cette frénésie-là ?

26 juillet : Jules Borelli adresse à Rimbaud, d'Entotto, une lettre où il lui donne des renseignements très précis sur le royaume du roi Abba Djiffar et les produits qu'on peut y trouver : l'or, l'ivoire, le musc provenant du *zébad*, ou chat musqué. Rimbaud ne cessera, tout au long de ses lettres, de suivre le cours de ces produits.

Septembre : Rimbaud héberge Borelli à Harar.

Octobre : Il reçoit Savouré, avec qui il s'entend pour lui faire suivre des marchandises.

Novembre : Un conflit éclate entre Ménélik et son suzerain, l'empereur Jean (Johannès) du Tigré.

Décembre : Ilg séjourne longuement à Harar, d'où il ne repartira qu'au début de 1889, après s'être entendu avec Rimbaud pour affaires.

1889

Mars : L'empereur Jean est assassiné à Metamma. Ménélik devient empereur. Makonnen rentre au Harar.

Mai : Traité d'Uccialli entre Ménélik et l'Italie.

Août : Makonnen part en mission pour l'Italie. En son absence, les exactions continuent et s'aggravent au Harar. Rimbaud se plaint d'être pressuré par la douane, par les impôts et les emprunts forcés.

Décembre : Les Anglais réagissent à la violence indigène en organisant un blocus qui paralyse les affaires.

1890

8 janvier : César Tian écrit à Mme Rimbaud, inquiète, pour la rassurer sur le sort d'Arthur et sur la situation au Harar.

Avril : Rimbaud envisage de modifier son contrat avec Tian, ou d'y renoncer. Pour cela, il est prêt à descendre à Aden.

Juillet : Le vice-consul de France à Aden fait état d'une réclamation déposée par Chefneux, voyageur rentrant du Choa. Il s'agit d'une des suites de la caravane Labatut.

17 juillet : Le directeur de *La France moderne*, Laurent de Gavoty, écrit à Rimbaud pour lui demander de collaborer à sa revue, et il le salue comme « le chef de l'école décadente et symboliste ».

Fin 1890 : Rimbaud se montre de plus en plus fébrile dans son désir de tout liquider. Après avoir mis fin à ses relations avec Savouré, il essaie de solder ses comptes avec Tian et avec Ilg.

1891

30 janvier : Chefneux revient à la charge, par l'intermédiaire de son beau-frère, Teillard. Un accord intervient le 19 février.

20 février : Rimbaud écrit à sa mère pour lui dire qu'il souffre cruellement de la jambe droite. Le même jour, il somme Ilg par courrier : « Il faut en finir. Bazardez donc ce qui reste, n'allez pas encore me jouer le tour de partir du Choa en laissant ces marchandises invendues ! »

15 mars : Ilg répond que « c'est bougrement difficile de vendre s'il n'y a pas d'acheteur ».

Début avril : Rimbaud se prépare à quitter le Harar.

À Alfred Bardey, 3 mai 1888 (p. 699)

Ces lignes ont été sauvées d'une lettre dont l'original semble perdu. Alfred Bardey les avait insérées dans un ensemble de renseignements communiqués le 4 juin 1888 à la Société de Géographie, présentés dans la séance du 15 juillet, et publiés dans les *Comptes rendus* de la même année.

• Il nous paraît prudent de nous en tenir là, comme nous y a invités Charles Chadwick (*Revue d'histoire littéraire de la France*, 1965), suivi dans leurs éditions par Antoine Adam et par Louis Forestier. Dans *Œuvre-vie*, éd. Alain Borer, p. 697, on trouvera les paragraphes suivants envoyés par Alfred Bardey. Mais il est trop évident qu'à partir de « Hier soir est arrivée à Aden la nouvelle que Berberah venait de brûler entièrement », le témoignage ne peut venir que de Bardey lui-même.

Aux siens, 15 mai 1888 (p. 699)

Lettre publiée par Paterne Berrichon dans les *Lettres de Jean-Arthur Rimbaud*, 1899.
• Rimbaud lui-même souligne le recommencement, corollaire du retour. Pourtant des modifications sont intervenues : outre celles, menues, qu'il indique lui-même, il y a surtout le fait qu'il a ouvert son agence pour son propre compte tout en s'entendant avec César Tian, partie prenante dans l'affaire.

À Alfred Ilg, 25 juin 1888 (p. 700)

Lettre publiée par Jean Voellmy, éd. cit., pp. 68-70. Le manuscrit figure dans les archives Zwicky-Ilg. Fac-similé dans *Lettres d'Afrique* 1888-1891, suite des *Lettres manuscrites de Rimbaud*, p. 213-214.
• Cette lettre vivante décrit comment les Européens grouillent dans cette région d'Afrique. Aventuriers, négociants, techniciens forment une population importée désireuse de trafiquer de tout. Il est curieux de voir que Rimbaud ne répond pas à ce qui préoccupait Ilg dans sa dernière lettre : on avait annoncé en Europe que l'empereur Jean marchait sur Ménélik révolté. Au centre d'une comédie, Rimbaud veut pour l'instant ignorer ces combats.

Aux siens, 4 juillet 1888 (p. 700)

Lettre publiée par Paterne Berrichon (*Lettres de Jean-Arthur Rimbaud*, 1899). L'original se trouve à la Bibliothèque Jacques-Doucet. Fac-similé dans *Lettres d'Afrique*, p. 215.
• Rimbaud se détourne volontairement des côtes de la mer Rouge. Il s'obstine à croire à la paix. Mais — l'aveu est assez rare —, il se sent isolé des siens.

Aux siens, 4 août 1888 (p. 701)

Lettre publiée par Paterne Berrichon dans les *Lettres de Jean-Arthur Rimbaud*, 1899.
• À l'impression de grouillement laissée par la lettre à Ilg du 25 juin succède celle de raréfaction : « Il y a à peine une vingtaine d'Européens dans toute l'Abyssinie, y compris ces pays-ci », une dizaine à Harar. Rimbaud se sent non seulement seul, mais isolé, et pis : un Blanc qui craint

de devenir nègre. Le fantasme chez lui est obsédant depuis ce *Livre nègre* qui est devenu *Une saison en enfer*.

Aux siens, 10 novembre 1888 (p. 702)

Lettre tronquée, telle que l'a publiée Paterne Berrichon (*Lettres de Jean-Arthur Rimbaud*, 1899, p. 229). L'original manque.
• On serait curieux de savoir pourquoi Berrichon a pratiqué des coupures, à deux reprises, ne conservant que la litanie de l'ennui.

Aux siens, 10 janvier 1889 (p. 703)

Lettre publiée, avec de nombreuses modifications, par Paterne Berrichon, *Lettres de Jean-Arthur Rimbaud*, 1899. L'original se trouve à la Bibliothèque Jacques-Doucet. Fac-similé dans *Lettres d'Afrique*, pp. 216-217.
• Il est clair que la lettre vise Frédéric, accusé d'indifférence profonde, et attendant de se goberger grâce à l'argent laissé par son frère. Le lien de dépendance à l'égard de César Tian paraît ici renforcé.

Aux siens, 25 février 1889 (p. 704)

Lettre publiée par Paterne Berrichon, *Lettres de Jean-Arthur Rimbaud*, 1899.
• La banalité à l'état pur !

À Jules Borelli, 25 février 1889 (p. 704)

Lettre publiée par Paterne Berrichon, *Lettres de Jean-Arthur Rimbaud*, 1899.
• Réponse à une lettre du 12 janvier qui n'a pu être retrouvée. L'explorateur se trouvait au Caire, sans doute chez son frère pour se reposer. Sur les événements dont il est question ici, voir pp. 1001 *sqq.* Rimbaud a cette fois pris conscience de la situation politique.

À Ugo Ferrandi, 30 avril 1889 (p. 707)

Lettre publiée par E. Emanuelli, *Inventario*, 1949, et dans *La Table ronde*, janvier 1950. Le manuscrit se trouve dans une collection privée de Gênes. Fac-similé dans *Lettres d'Afrique*, p. 224.
• Il a été question plus haut de ce Ferrandi, explorateur italien que Rimbaud avait rencontré à Tadjourah en 1886. Il était arrivé au Harar au

milieu du mois de décembre 1888. Il venait d'être expulsé par l'administration et, partant pour Zeilah, il avait adressé un mot à Rimbaud.

Aux siens, 18 mai 1889 (p. 708)

Lettre publiée pour la première fois par Paterne Berrichon, *Lettres de Jean-Arthur Rimbaud*, 1899. L'original se trouve à la Bibliothèque Jacques Doucet. Fac-similé dans *Lettres d'Afrique*, p. 225.
• La fin de cette lettre ne manque pas d'esprit. Rimbaud parle de s'exposer lui-même à l'Exposition Universelle, tant il doit avoir l'air « baroque » — étrange.

À Alfred Ilg, 1er juillet 1889 (p. 709)

Première publication par Jean Voellmy, *Correspondance 1888-1891*, pp. 68-76. Autographe dans les archives Zwicky-Ilg. Fac-similé dans *Lettres d'Afrique*, pp. 228-234.
• Cette lettre peut apparaître comme purement commerciale, avec une insistance particulière sur les fils et les tissus. Mais elle vaut surtout par le portrait-charge du ras Makonnen, le gouverneur de Harar, un homme d'une avarice sordide, et du négociant Brémond, qui construit sur du vide.

À Alfred Ilg, 20 juillet 1889 (p. 710)

Première publication par Jean Voellmy, 1965, éd. cit., pp. 76-80. Manuscrit autographe dans les archives Zwicky-Ilg. Fac-similé dans les *Lettres d'Afrique*, pp. 235-238.
• Rimbaud envoie une caravane et des marchandises vers Ilg, ainsi que deux caissettes contenant chacune 1 000 thalaris, un acompte qu'il vient d'obtenir de Makonnen.

À Alfred Ilg, 24 août 1889 (p. 710)

Première publication, édition Jean Voellmy, *Correspondance 1888-1891*, 1965, pp. 83-88. Autographe dans les archives Zwicky-Ilg. Fac-similé dans *Lettres d'Afrique*, pp. 245-247.
• Cette lettre est dominée par la question des droits de douane. Elle est suivie de la copie d'une déclaration faite par Rimbaud à la douane du Harar. Si Makonnen est parti pour Rome, en revanche la veuve

Labatut, Andromaque éplorée, vient réclamer de l'argent pour son enfant.

À Alfred Ilg, 26 août 1889 (p. 710)

Première publication dans l'édition Jean Voellmy, *Correspondance 1888-1891*, 1965, pp. 89-93. Autographe dans les archives Zwicky-Ilg. Fac-similé dans *Lettres d'Afrique*, pp. 248-253.

• Après les droits de douane, ce sont les impôts ordinaires et extraordinaires qui sont la cible de cette lettre. Rimbaud en est lui-même la victime. Et cela pèse lourd sur les affaires — dont le plus notable est l'envoi enfin vers Savouré de 24 chameaux chargés de marchandises.

À Alfred Ilg, 7 septembre 1889 (p. 710)

La plume de Rimbaud a fourché. Et c'est bien du 7 septembre qu'il faut dater cette lettre, même s'il a écrit « août ».

Lettre publiée pour la première fois par Jean Voellmy, *Correspondance 1888-1891*, 1965, pp. 93-100. Autographe dans la collection Zwicky-Ilg. Fac-similé dans les *Lettres d'Afrique*, pp. 254-260.

• Toujours les droits de douane, toujours les impôts exorbitants. Mais il s'y ajoute un climat de terreur — une terreur entretenue pour extorquer le plus d'argent possible aux gens, quels qu'ils soient.

À Alfred Ilg, 12 septembre 1889 (p. 710)

Première publication, édition Jean Voellmy, *Correspondance 1888-1891*, 1965, pp. 100-103. Autographe dans la collection Zwicky-Ilg. Fac-similé dans les *Lettres d'Afrique*, pp. 261-263.

• La pression fiscale s'atténue, mais il faut rester vigilant, en surveillant les cours. Pour une fois, Rimbaud est un peu ouvert sur les événements extérieurs, à Aden, à Rome, en France.

À Alfred Ilg, 13 septembre 1889 (p. 711)

Première publication, édition Jean Voellmy, *Correspondance 1888-1891*, 1965, pp. 103-104. Autographe dans les archives Zwicky-Ilg. Fac-similé dans les *Lettres d'Afrique*, p. 264.

• Double habileté de Rimbaud commerçant dans ce codicille aux lettres précédentes : il vante ses *brillés* (des carafes à hydromel) contre ceux des Moussaïa, ces marchands grecs qu'il n'aime pas ; il juge ce qu'il envoie à

Ilg supérieur à ce que d'autres (dont les Moussaïa) envoient à Ménélik lui-même.

À Alfred Ilg, 18 septembre 1889 (p. 711)

Première publication, éd. Jean Voellmy, *Correspondance 1888-1891*, 1965, pp. 106-107. Autographe dans les archives Zwicky-Ilg. Fac-similé dans *Lettres d'Afrique*, p. 267.

• Ce nouveau courrier s'ajoute aux trois précédents et les complète. Ce qui domine, c'est que l'administration de Ménélik est un repaire de bandits, où le vol est la loi. Rimbaud s'exprime avec une totale liberté quand il s'adresse à Ilg.

À Alfred Ilg, 7, 9 et 10 octobre 1889 (p. 711)

Première publication, éd. Jean Voellmy, *Correspondance 1888-1891*, 1965, pp. 107-116. Autographe dans les archives Zwicky-Ilg. Fac-similé dans les *Lettres d'Afrique*, pp. 269-276. Le duplicata et les deux reçus sont des annexes à cette lettre.

• La lettre se continue, se prolonge sur plusieurs jours. Rimbaud a lui-même conscience de cette accumulation de lettres portant sur un même objet. C'est favorisé, explique-t-il, par les conditions du courrier qui stagne au départ : « l'on a le temps, dans les lettres, d'accumuler les paragraphes les plus excentriques, les coups de théâtre et les racontars les plus contradictoires. » Il serait tenté de faire comme par le passé et d'adresser des comptes rendus de la situation à des journaux français, comme *Le Temps*. Mais il en est sans doute dissuadé parce que ses envois précédents sont restés sans réponse.

À Alfred Ilg, 16 novembre 1889 (p. 711)

Première publication, éd. Voellmy, *Correspondance 1888-1891*, 1965, pp. 122-126. Autographe dans les archives Zwicky-Ilg. Fac-similé dans les *Lettres d'Afrique*, pp. 283-286.

• Un mot domine cette lettre, même s'il n'apparaît qu'à la faveur d'une parenthèse : « comédie ». Rimbaud imagine une scène qui devrait être désopilante, le retour d'Italie de Makonnen, porteur de quatre millions de lires empruntées (les « rondelles rédemptrices »), confronté aux créanciers de tout poil, et à tous ceux qui auront eu à subir les exactions de l'emprunt forcé (« un chœur de malédictions »).

À Alfred Ilg, 11 décembre 1889 (p. 711)

Première publication, éd. Voellmy, pp. 126-127. Autographe dans les archives Zwicky-Ilg. Fac-similé dans les *Lettres d'Afrique*, p. 289.
• Rimbaud répond au reproche que lui faisait Ilg dans sa lettre du 8 octobre, celui de « ne jamais donner des provisions suffisantes ». Ilg ajoutait : « Il n'y a pas une caravane qui ne soit affamée et sans que les domestiques soient dans un état déplorable, et tout le monde se plaint de vous amèrement » (éd. Voellmy, p. 117). Rimbaud prétend être au contraire d'une générosité exceptionnelle dans ce lieu.

À Alfred Ilg, 20 décembre 1889 (p. 712)

Première publication, éd. Voellmy, pp. 127-131. Autographe dans les archives Zwicky-Ilg. Fac-similé dans les *Lettres d'Afrique*, pp. 291-294. Le reçu accompagne la lettre.
• Cette lettre est troublante, car elle dévoile que, si Rimbaud ne trafique pas des esclaves, du moins il les utilise volontiers. Cette demande entraînera des réserves, et finalement un refus d'Ilg.

Aux siens, 20 décembre 1889 (p. 712)

Lettre publiée par Paterne Berrichon, *Lettres de Jean-Arthur Rimbaud*, 1899. Autographe inconnu.
• Le rapprochement avec la lettre précédente à Ilg, écrite le même jour, est piquant et fait apparaître deux registres bien différents.

Aux siens, 3 janvier 1890 (p. 712)

Lettre publiée par Paterne Berrichon, *Lettres de Jean-Arthur Rimbaud*, 1899. L'original, qui se trouve à la Bibliothèque Jacques-Doucet, a été reproduit en fac-similé dans l'*Album Rimbaud*, p. 286, et dans les *Lettres d'Afrique*, p. 298.
• La dernière lettre retrouvée remonte au 18 mai 1889. Faut-il supposer dans l'intervalle d'autres lettres qui se seraient égarées ? Sur ce point, on peut partager les doutes de Claude Jeancolas, éd. cit., p. 501.

À A. Deschamps, 27 janvier 1890 (p. 713)

Lettre publiée par André Rolland de Renéville et Jules Mouquet dans la première édition de la Pléiade. L'original se trouve à la Bibliothèque Jacques-Doucet. Fac-similé dans les *Lettres d'Afrique*, p. 299.

• C'est une séquelle de la caravane Labatut. En octobre 1887, A. Deschamps, représentant des Messageries maritimes à Aden et trafiquant pour son compte, avait déjà poursuivi Rimbaud auprès des services consulaires à Aden, espérant récupérer sa mise de fonds dans cette affaire catastrophique. Au début de janvier 1890, il relance Rimbaud, et Rimbaud lui répond.

On lit, sous la lettre autographe, une note où le consul reconnaît avoir reçu de Rimbaud, dans un document adressé le 3 novembre 1887, un état des comptes représentant la liquidation de la caravane.

Relevé par Armand Savouré, 11 février 1890. Autographe à la Bibliothèque Jacques-Doucet, fac-similé Textuel, p. 301. Première publication par Claude Jeancolas, *ibid.*, p. 503.

À Alfred Ilg, 24 février 1890 (p. 714)

Première publication, éd. Voellmy, pp. 131-135. Autographe dans les archives Zwicky-Ilg. Fac-similé dans les *Lettres d'Afrique*, pp. 304-308. Se trouve jointe à cette lettre la copie du reçu donné par Rimbaud et concernant le compte de Ilg.

• On sent l'énervement, l'irritation dans cette lettre. Déjà les affaires étaient médiocres. Et voilà que le massacre d'Européens par des indigènes, l'expédition punitive des Anglais, le blocus qui en résulte paralysent tout. Que Ilg soit donc patient pour son règlement !

Aux siens, 25 février 1890 (p. 714)

Lettre publiée pour la première fois par Paterne Berrichon dans les *Lettres de Jean-Arthur Rimbaud*, 1899. Autographe inconnu.

• Toujours la litanie de l'ennui, contrepoint des lettres d'affaires adressées à Ilg. Deux thèmes reviennent à la surface : la conduite pleine d'humanité par laquelle Rimbaud croit se distinguer des autres ; le mépris pour les « nègres » — blancs ou noirs, peu importe. Jamais Rimbaud n'a annoncé autant Jean Genet.

À Alfred Ilg, 1er mars 1890 (p. 715)

Première publication, éd. Voellmy, pp. 137-140. Autographe dans les archives Zwicky-Ilg. Fac-similé dans les *Lettres d'Afrique*, pp. 309-312.
• C'est Rimbaud qui se présente lui-même ici comme un *esclave* de l'administration des *filous*, et du filou en chef, Makonnen, — pour ne pas parler de Ménélik.

À Alfred Ilg, 16 mars 1890 (p. 715)

Première publication, éd. Voellmy, pp. 141-142. Autographe dans les archives Zwicky-Ilg. Fac-similé dans les *Lettres d'Afrique*, p. 313.
• C'est la fin du blocus. Tout repart. Pour Rimbaud, le mot d'ordre est toujours le même : réaliser, liquider.

À Alfred Ilg, 18 mars 1890 (p. 716)

Première publication, éd. Voellmy, pp. 142-143. Autographe dans les archives Zwicky-Ilg. Fac-similé dans les *Lettres d'Afrique*, pp. 314-315.
• « Esclave », le mot reparaît dans cette lettre qui n'ajoute pas grand-chose à la précédente. Le message adressé à Ménélik semble perdu.

À Alfred Ilg, 7 avril 1890 (p. 716)

Première publication, éd. Voellmy, pp. 144-145. Autographe dans les archives Zwicky-Ilg. Fac-similé dans les *Lettres d'Afrique*, p. 316.
• Cette lettre est un rappel impatient. Mais on y apprend que rien ne va plus entre Rimbaud et Tian.

Au roi Ménélik, 7 avril 1890 (p. 716)

Première publication, éd. Voellmy, pp. 144-145. Autographe dans les archives Zwicky-Ilg. Fac-similé dans les *Lettres d'Afrique*, p. 317.
• Lettre jointe à la précédente et cette fois conservée. Elle répète sans doute les trois autres, auxquelles Rimbaud fait allusion. Curieusement elle n'a pas été décachetée. Ilg a écrit sur l'extérieur, en allemand : « N'a pas été délivré par ordre de Rimbaud. » Rimbaud se serait-il aperçu qu'il manquait de diplomatie ? En fait, il venait de toucher le remboursement sous forme de café (voir le reçu daté du 18 avril 1890, publié pour la première fois dans la *Revue Blanche*, 1er octobre 1897 ; éd. Claude Jeancolas, p. 512), et la réclamation devenait inutile (voir Claude Jeancolas,

éd. cit., p. 511, qui signale que, de toute façon, Ilg était alors absent : il accompagnait Ménélik dans le Tigré et ne devait rentrer que le 9 mai).

À Armand Savouré, avril 1890 (?) (p. 717)

Première publication par Paterne Berrichon dans *La Vie de Jean-Arthur Rimbaud*, 1899 ; reprise avec des corrections dans l'éd. Voellmy, pp. 152-153. Autographe à la Bibliothèque Jacques-Doucet.
• Savouré avait adressé une dépêche à Rimbaud après son arrivée à Obock le 24 mars 1890. Rimbaud lui répond. Savouré finira par céder. On a pu se demander si cette lettre avait été envoyée effectivement à Savouré.

À sa mère, 21 avril 1890 (p. 718)

Première publication, visiblement tronquée, par Paterne Berrichon, *Lettres de Jean-Arthur Rimbaud*, 1899.
• Jamais l'expression de vieillissement n'a été aussi saisissante. Rimbaud se regarde comme à distance, dans un miroir.

À Ilg et Zimmermann, 25 avril 1890 (p. 718)

Première publication dans l'éd. Voellmy, pp. 147-150. Autographe dans la collection Zwicky-Ilg. Fac-similé dans *Lettres d'Afrique*, pp. 321-322.
• Rimbaud a hâte que les comptes avec Ilg et son associé Zimmermann soient apurés. Il en est ainsi avec Savouré, et il s'en réjouit.

À Ilg et Zimmermann, 30 avril 1890 (p. 718)

Première publication, éd. Voellmy, p. 151. Autographe dans la collection Zwicky-Ilg. Fac-similé dans les *Lettres d'Afrique*, pp. 323-324.
• Rimbaud a enfin touché les 4 000 thalaris en remboursement du prêt forcé imposé par l'administration de Makonnen. La réclamation auprès de Ménélik devient donc inutile (voir la lettre du 7 avril). Du côté de Tian aussi tout semble réglé, et Rimbaud devrait entrer dans une période plus paisible.

À Ilg et Zimmermann, 15 mai 1890 (p. 719)

Première publication, éd. Voellmy, pp. 155-158. Autographe dans la collection Zwicky-Ilg. Fac-similé dans les *Lettres d'Afrique*, pp. 324-326.

• Rimbaud veut rayer Savouré de ses listes. On sent aussi sa hâte à liquider les comptes qu'il peut avoir avec les deux Suisses. Il entend que la situation soit nette au moment où il envisage de redescendre à Aden.

À Alfred Ilg, 6 juin 1890 (p. 719)

Première publication, éd. Voellmy, pp. 158-159. Autographe dans la collection Zwicky-Ilg. Fac-similé dans les *Lettres d'Afrique*, p. 327.
• « Finissons-en, je vous en prie » : Rimbaud est poli, mais ferme, à l'égard d'Ilg, qui était rentré de son voyage au Tigré en compagnie de Ménélik au début de mai (voir sa lettre à Rimbaud du 9 mai, à laquelle il est fait ici allusion, éd. Voellmy, pp. 153-155).

À sa mère, 10 août 1890 (p. 719)

Lettre publiée ainsi tronquée par Paterne Berrichon (*Lettres de Jean-Arthur Rimbaud*, 1899). Autographe inconnu.
• Projet de retour, idée de mariage : c'est un autre qui semble ici s'exprimer en Rimbaud, un autre qui, il est vrai, reparaît quelquefois.

À Alfred Ilg, 20 septembre 1890 (p. 720)

Première publication, éd. Voellmy, pp. 164-167. Autographe dans la collection Zwicky-Ilg. Fac-similé dans les *Lettres d'Afrique*, pp. 328-330.
• À l'avarice de Makonnen vient s'ajouter un nouveau trait : la procrastination. Rimbaud est de plus en plus pressé d'aboutir avec Ilg à une liquidation. La lettre est remarquable, comme l'a souligné Claude Jeancolas (éd. Textuel, p. 517), par le souci qu'a Rimbaud des problèmes monétaires internationaux. Sans doute n'a-t-il pas bien compris les modalités du système inventé par le secrétaire d'État américain au Trésor, John Sherman, mais il a deviné les visées inflationnistes, avec les conséquences qu'elles peuvent avoir.

À sa mère, 10 novembre 1890 (p. 720)

Lettre publiée par Paterne Berrichon. *Lettres de Jean-Arthur Rimbaud*, 1899. Autographe inconnu.
• On peut s'étonner de voir Rimbaud se dire encore l'associé de Tian, dont il veut se détacher. Mais ce n'est pas si simple. Et surtout il tient à se présenter comme un homme honorable, bien sous tous rapports, qu'une

femme pourrait épouser, à condition d'accepter de le suivre dans ses pérégrinations.

À Alfred Ilg, 18 novembre 1890 (p. 721)

Première publication, éd. Voellmy, pp. 167-170. Autographe dans la collection Zwicky-Ilg. Fac-similé dans les *Lettres d'Afrique*, pp. 331-334.
• Cette lettre exprime toujours la même idée : liquider et repartir à neuf. Rimbaud n'exclut pas de maintenir une association avec César Tian, mais sur de nouvelles bases, et tout aussi bien avec d'autres. Une telle idée le laisse d'ailleurs sceptique. Il n'envisage plus de redescendre à Aden pour la modification qui interviendra dans ses affaires.

À Alfred Ilg (deuxième lettre du 18 novembre 1890) (p. 721)

Première publication, éd. Voellmy, pp. 171-173. Autographe dans les archives Zwicky-Ilg. Fac-similé dans les *Lettres d'Afrique*, pp. 335-336.
• Rimbaud polygraphe : une deuxième lettre, le même jour, au même correspondant, pour une mise au clair de la situation comptable.

À Alfred Ilg, 20 novembre 1890 (p. 721)

Première publication, éd. Voellmy, pp. 173-174. Autographe dans les archives Zwicky-Ilg. Fac-similé dans les *Lettres d'Afrique*, pp. 337-338.
• Complément aux lettres du 18 novembre (le courrier n'est pas encore parti, et on peut toujours ajouter). Rimbaud reconnaît que l'absence de Makonnen crée une situation encore pire que sa présence, et il s'inquiète un peu des futures complications en Abyssinie prévues par les politiciens.

À Alfred Ilg, 26 novembre 1890 (p. 721)

Première publication, éd. Voellmy, p. 175. Autographe dans la collection Zwicky-Ilg. Fac-similé dans les *Lettres d'Afrique*, p. 339.
• À la hâte s'ajoute l'*anxiété*, note fondamentale de cette lettre complémentaire.

À Alfred Ilg, 1er février 1891 (p. 722)

Première publication, éd. Voellmy, 1965, pp. 178-179. Autographe dans la collection Zwicky-Ilg. Fac-similé dans les *Lettres d'Afrique*, p. 340.
• Rimbaud ne peut savoir que Ilg lui a écrit la veille. Il incrimine la baisse

du thalari, après s'être plaint de la hausse de cette monnaie. Le tort, en tout cas, est toujours du côté des Abyssins.

À Alfred Ilg, 5 février 1891 (p. 722)

Première publication, éd. Voellmy, 1965, pp. 179-181. Autographe dans la collection Zwicky-Ilg. Fac-similé dans les *Lettres d'Afrique*, pp. 342-343.
• Rimbaud compte sur la liquidation de toutes les marchandises qu'il a laissées à Ilg. Il ne peut encore connaître le contenu de la lettre du 30 janvier, où Ilg l'a averti qu'il ne parvient pas à les vendre. Un arrière-plan de chiens empoisonnés et de famine à venir donne à cette lettre un fond de sauvagerie inquiétante.

À Alfred Ilg, 20 février 1891 (p. 722)

Première publication, éd. Voellmy, 1965, pp. 184-186. Autographe dans les archives Zwicky-Ilg. Fac-similé dans les *Lettres d'Afrique*, p. 344. La lettre est déchirée, d'où la lacune signalée dans le cinquième alinéa.
• L'affaire de la caravane Labatut poursuit toujours Rimbaud. Sur ordre de Ménélik, et à la demande de Chefneux, ses marchandises ont été mises sous séquestre. Ilg a proposé ses bons offices et laissé espérer son passage par le Harar, en mars. Ils ne se reverront pas.

À sa mère, 20 février 1891 (p. 722)

Lettre publiée par Paterne Berrichon, *Lettres de Jean-Arthur Rimbaud*, 1899. L'original a appartenu à la collection Barthou ; il est passé en vente en juin 1936 (catalogue Blaizot, n° 2117) et en mai 1968 à l'hôtel Drouot.
• Cette lettre fait état pour la première fois de la maladie qui bientôt emportera Rimbaud. Il se plaignait déjà de douleurs rhumatismales dans sa lettre du 23 août 1887 (voir p. 633) et en 1876 Verlaine lui avait fait dire dans un de ses dizains argotiques :

« Et que j'sens com' les avant-goûts d'un rhumatisse. »

À cette lettre, Mme Rimbaud a répondu de la façon suivante (original au Musée Rimbaud de Charleville) :

Roche 27 mars 1891

Arthur, mon fils

Je t'envoie en même temps que cette lettre un petit paquet composé d'un pot de pommade pour graisser les varices, et deux bas élastiques qui ont été faits à Paris. Voilà pourquoi je suis en retard de quelques jours ; le docteur voulait que l'un des bas soit lacé ; mais il nous aurait fallu attendre encore beaucoup plus longtemps, je te les envoie donc comme j'ai pu les avoir.

Je joins à cette présente lettre l'ordonnance et les prescriptions du docteur. Lis-les bien attentivement et fais bien exactement ce qu'il te dit, il te faut surtout du repos, et du repos non pas assis mais couché parce que comme il le dit, et comme il le voit d'après ta lettre, ton mal est arrivé à un point inquiétant pour l'avenir. Si tes bas sont trop courts, tu pourras ouvrir le dessous du pied et faire monter le bas aussi haut que tu voudras. Le docteur Poupeau avait un beau-frère M. Caseneuve, qui a longtemps habité Aden, comme inspecteur de la marine ; si tu entends dire quelque chose d'avantageux au sujet de ce monsieur, tu feras bien de me le dire, cela ferait plaisir au docteur. M. Caseneuve est mort l'année dernière, aux environs de Madagascar, en laissant une grande fortune, il est mort d'un accès de fièvre.

Isabelle va mieux ; mais pas encore bien. Nous sommes toujours en hiver, il fait très froid, les blés sont complètement perdus, il n'en reste point, aussi désolation générale, ce qu'on deviendra, personne ne le sait.

Au revoir Arthur, et surtout soigne-toi bien et écris-moi aussitôt le reçu de mon envoi.

V[italie] Rimbaud.

LE RETOUR, 1891 (pp. 724-728)

Après le dossier le plus long, voici le plus court, mais le compte rendu d'un temps que la souffrance a démesurément étiré. Quelques textes seulement : un carnet de route, une lettre à sa mère, une ultime tentative pour solder les comptes avec César Tian. Rimbaud parle encore d'ici, même s'il s'avance vers l'ailleurs.

Chronologie

1891

Fin mars : Rimbaud, de plus en plus souffrant, ne quitte plus la chambre et c'est de son lit de malade qu'il essaie de régler ses affaires.

Début avril : Il donne les plans pour la confection d'une civière et loue seize porteurs indigènes.

7 avril : Départ de Harar.

17 avril : Arrivée à Warambot, près de Zeilah. De là Rimbaud va être embarqué à destination d'Aden.

30 avril : Entré depuis quelques jours à l'hôpital européen d'Aden, Rimbaud écrit à sa mère : « Je suis devenu un squelette : je fais peur. »

9 mai : Il embarque à bord de *L'Amazone* à destination de la France.

Carnet de route : de Harar à Warambot (p. 724)

Notes prises au crayon de papier par Rimbaud en avril 1891 au cours de sa descente du Harar vers la côte. Elles remplissent quatre feuillets parfois difficiles à déchiffrer. L'original, qui se trouve à la Bibliothèque Jacques-Doucet, a été partiellement reproduit en fac-similé dans l'*Album Rimbaud*, pp. 293-294, et dans les *Lettres d'Afrique*, pp. 347-350. Première publication, avec beaucoup de fautes de transcription, par Paterne Berrichon dans le *Mercure de France*, juin 1899, puis dans les *Lettres de Jean-Arthur Rimbaud*, la même année.

• Du Harar à Warambot, un point situé sur la côte de la mer Rouge, à 10 km de Zeilah, c'est un chemin de croix pour Rimbaud souffrant, et continuant pourtant d'exercer son autorité sur les porteurs de civière. Alain Borer, dans un commentaire inspiré, a imaginé la scène :

« La civière de Rimbaud quitte la ville, escortée par les chameaux, accompagnée jusqu'à l'arbre des adieux de Komboultcha par son serviteur Djami. Une civière couverte d'un rideau de cuir, reconstitué fidèlement, belle comme le cercueil peint de Malevitch » (*Rimbaud en Abyssinie*, p. 322).

Quelle place accorder dans des *Œuvres complètes* à ces autres feuillets d'un carnet de damné ? Comme le fait observer Alain Borer, « Rimbaud n'a jamais été si éloigné de la poésie que dans ces onze fragments écrits en avançant », et pourtant ils peuvent figurer dans l'œuvre « comme la limite absolue où le plus haut degré de souffrance et de réalité retourne à l'imaginaire » (*ibid.*, p. 323).

À sa mère, 30 avril 1891 (p. 727)

Publiée avec beaucoup d'erreurs par Paterne Berrichon (*Lettres de Jean-Arthur Rimbaud*, 1899), et d'après le manuscrit par A. Adam dans la nouvelle édition de la Pléiade, 1972. L'original se trouve au Musée-bibliothèque de Charleville-Mézières. Fac-similé dans les *Lettres d'Afrique*, pp. 351-353.

• Au terme de ce retour en civière, ce n'est pas encore le « râle de l'agonie », comme l'imagine trop dramatiquement Alain Borer (*Rimbaud en Abyssinie*, p. 324). Rimbaud est préoccupé, inquiet, souffrant. Il ne perd pas de vue la liquidation de son affaire, et il veut rentrer en France pour se faire soigner mieux que dans l'hôpital européen d'Aden où il se trouve.

À César Tian, 6 mai 1891 (p. 728)

Première publication par André Rolland de Renéville et Jules Mouquet dans la première Pléiade, en 1954. Manuscrit conservé au ministère des Affaires étrangères, dans les archives du consulat d'Aden. Fac-similé dans les *Lettres d'Afrique*, p. 354.
• Le manuscrit n'est pas de la main de Rimbaud. Il a pu le dicter de son lit d'hôpital.

LETTRES DE MARSEILLE, mai-novembre 1891 (pp. 729-743)

Des derniers mois de Rimbaud, un seul, le mois d'août, se passe à Roche, dans la ferme familiale. C'est là que, devant le docteur Beaudier, venu le soigner, qui évoquait son lointain passé d'écrivain, il aurait dit : « Il s'agit bien de tout cela ! Merde pour la poésie[1]. » À Roche, en tout cas, Rimbaud n'a pas même écrit de lettres.

Les dernières de lui qui nous restent ont toutes été écrites à Marseille, et elles méritent donc ce titre de « Lettres de Marseille » que nous leur donnons. Elles disent la souffrance d'un corps meurtri, amputé, diminué, réduit à l'état de « tronçon immobile ». On pourrait aussi les intituler « Mon corps mis à nu ».

Rimbaud qui, adolescent, a rêvé de « liberté libre », pourra-t-il encore partir ? Il se pose la question dans sa lettre à sa sœur Isabelle du 15 juillet : « Je voudrais faire ceci et cela, aller ici et là, voir, vivre, partir. » Mais la réponse est inexorable : « impossible, impossible au moins pour longtemps, sinon pour toujours ! » On assiste alors à des efforts désespérés : le départ pour Roche, le 23 juillet ; l'effort pour se lever de son lit alors qu'il est presque entièrement paralysé ; l'ultime demande, la veille de sa mort, au directeur des Messageries maritimes...

Il a craint l'esclavage. Il l'a connu, en particulier à Aden et au Harar, bien plus qu'il ne l'a pratiqué. Il lui restait à connaître le pire : la soumission à la fatalité que chacun porte dans son corps.

1. Cité dans Enid Starkie, *Rimbaud*, trad. d'Alain Borer, Flammarion, 1982, p. 478.

Chronologie

1891

20 mai : Arrivée à Marseille et hospitalisation, le jour même, à la Conception. On diagnostique un sarcome (cancer) du genou.

21 mai : Arthur écrit à sa mère et à sa sœur.

22 mai : Il annonce à sa mère, par télégramme, qu'on va l'amputer de la jambe droite. Elle répond aussitôt, elle a décidé de venir.

27 mai : Rimbaud est amputé de la jambe droite.

9 juin : Mme Rimbaud repart, malgré les larmes d'Arthur. Il ne correspondra désormais plus qu'avec sa sœur Isabelle.

20 juillet : Il décide de rentrer à Roche.

23 juillet : Rimbaud quitte Marseille, prend le chemin de fer et descend à la gare de Voncq, près de la ferme de Roche. Son état ne tarde pas à s'aggraver.

23 août : Il repart pour Marseille, accompagné de sa sœur. Ils passent par Paris.

24 août : Retour définitif à l'hôpital de la Conception.

20 octobre : Dernier anniversaire. Il a 37 ans.

9 novembre : Dernière lettre, suspendue, au directeur des Messageries maritimes.

10 novembre : Il meurt à 10 heures du matin. Seule Isabelle est à son chevet.

Aux siens, 21 (plutôt que 23) mai 1891 (p. 729)

Première publication par Paterne Berrichon dans les *Lettres de Jean-Arthur Rimbaud*, 1899. Autographe dans la collection Lolliée après la vente Rothschild du 29 mai 1968. Fac-similé dans les *Lettres d'Afrique*, p. 356.

• La date de cette lettre est suspecte. Elle a été postée en effet le 21 mai, le lendemain de l'arrivée de Rimbaud à Marseille et de son admission à l'hôpital de la Conception. Préoccupé par l'argent, il en est encombré aussi comme lors de son passage par Le Caire.

Télégramme à sa mère, 22 mai 1891 (p. 730)

Ce document est passé en vente le 29 mai 1968 à l'Hôtel Drouot. On peut en inférer que la lettre précédente était du 21 mai.

Mme Rimbaud a répondu par le télégramme suivant :

« Arthur Rimbaud, Hôpital Conception, Marseille. Attigny-334-15-23-6 h 35 s.

Je pars. Arriverai demain soir. Courage et patience.

V. Rimbaud. »

Au ras Makonnen, 30 mai 1891 (p. 730)

Première publication, avec fac-similé, dans le tome XVII des *Études franciscaines*, n° 42, 1967. Fac-similé dans l'édition Textuel, p. 357. Le document original, qui se trouvait dans les archives des pères capucins de la province de Toulouse, a malheureusement été volé.

• Amputé de la jambe droite quatre jours plus tôt, Rimbaud écrit à ce gouverneur du Harar dont il a dit tant de mal. C'est que déjà il voudrait y retourner. Makonnen répondra le 12 juillet :

« Comment vous portez-vous ? Pour moi, Dieu merci, je vais bien. J'ai appris avec étonnement et compassion qu'on avait été obligé de vous couper la jambe. D'après ce que vous m'avez dit, l'opération a bien réussi. Dieu soit loué !

J'apprends avec plaisir que vous vous proposez de revenir au Harar pour continuer votre commerce. Cela me fait plaisir. Oui, revenez bien vite et en bonne santé.

Je suis toujours votre ami. »

À sa sœur Isabelle, 17 juin 1891 (p. 731)

Première publication par Paterne Berrichon dans la *Revue Blanche* en octobre 1897. L'autographe, qui a appartenu à la collection Rothschild, a été vendu le 29 mai 1968 et se trouve dans la collection Lolliée. Fac-similé dans l'édition Textuel, p. 358.

• Mme Rimbaud a rejoint son fils, mais elle est repartie dès le 9 juin. Peut-être se sont-ils querellés. La mère a résisté aux larmes de son fils (lettre de Vitalie Rimbaud à Isabelle du 8 juin). En tout cas, Arthur n'écrira plus désormais qu'à sa sœur.

À Isabelle, 23 juin 1891 (p. 731)

Première publication par Paterne Berrichon dans les *Lettres de Jean-Arthur Rimbaud*, 1899. Autographe dans la collection Lolliée.

À Isabelle, 24 juin 1891 (p. 732)

Première publication par Paterne Berrichon dans les *Lettres de Jean-Arthur Rimbaud*, 1899. Autographe dans la collection Lolliée.

À Isabelle, 29 juin 1891 (p. 734)

Lettre publiée pour la première fois par Paterne Berrichon dans la *Revue Blanche* en octobre 1897. Autographe dans l'ancienne collection Barthou, puis dans la collection Rothschild, passé en vente le 29 mai 1968. Fac-similé dans l'édition Textuel, p. 360.

À Isabelle, 2 juillet 1891 (p. 735)

Lettre publiée pour la première fois par Paterne Berrichon dans la *Revue Blanche* en octobre 1897. Autographe au Musée-Bibliothèque de Charleville-Mézières. Fac-similé dans l'édition Textuel, pp. 362-363.
• Dans sa lettre du 30 juin, Isabelle avait donné des renseignements à Arthur sur le problème militaire qui le tourmente :

« J'attendais pour t'écrire moi-même d'avoir quelque chose à te dire au sujet de ton service militaire ; nous ne savons encore rien de précis ; nous avons reçu cette personne que nous avions chargée de nous renseigner ; ses démarches n'ont abouti à rien en ce qui te concerne ; depuis la nouvelle loi de 1889 on est très rigoureux sur les délits militaires mais nous ne savons encore si tu es fautif. Nous voici obligés d'aller à Châlons remettre l'affaire entre les mains d'un avocat au conseil de guerre ; cet avocat ira à l'intendance générale où sont réunis tous les dossiers des hommes de l'armée active et de l'armée territoriale, consultera le tien et saura comment tu es noté ; il n'y a que ce moyen de savoir où tu en es, sans attirer l'attention sur toi. Te souviens-tu bien nettement comment était conçu ce certificat envoyé à l'époque de tes 28 jours ? le timbre du consulat français à Aden y était-il apposé ? Était-ce en 1881 ou en 1882 ? Et aussi celui de la maison où tu étais employé ? Si l'on pouvait retrouver ce certificat ton affaire serait bonne, mais ces gendarmes d'Attigny ne nous ont jamais reparlé de cela, aujourd'hui ce ne sont plus les mêmes et d'ailleurs nous ne pouvons nous renseigner ici, ce serait te trahir. Il ne faut pas te chagriner ni te tourmenter pour le moment puisqu'on n'est encore sûr de rien ; seulement prends beaucoup de précautions, ne parle de cela à personne, même à Marseille ; mais remarque bien tout ce qu'on peut te dire à ce sujet. Le directeur ne t'a-t-il jamais fait d'allusion là-dessus ? »

À Isabelle, 10 juillet 1891 (p. 736)

Première publication par Paterne Berrichon dans la *Revue Blanche* en octobre 1897. Vendu le 29 mai 1968, le manuscrit se trouve dans une collection inconnue. Fac-similé dans l'édition Textuel, p. 364.

• Isabelle a pu tranquilliser définitivement Arthur sur sa situation militaire (lettres du 4 et du 8 juillet). « Ainsi, cher Arthur, tu es libre », lui écrivait-elle. Mais de quelle liberté dispose un amputé de la jambe rivé à son lit de douleur ?

À Isabelle, 15 juillet 1891 (p. 739)

Lettre publiée pour la première fois par Paterne Berrichon dans la *Revue Blanche* en octobre 1897. Autographe vendu le 29 mai 1968. Collection inconnue. Fac-similé dans l'édition Textuel, pp. 365 *sqq*.

• La lettre est essentielle, car Rimbaud y revit par le passé les jours de souffrance qui ont précédé son départ de Harar.

Au commandant de recrutement à Marseille [juillet 1891] (p. 742)

Manuscrit au Musée-Bibliothèque Rimbaud de Charleville.

• Il s'agit d'un modèle, de la main d'Isabelle. Arthur ne l'a, semble-t-il, pas recopié.

À Isabelle, 20 juillet 1891 (p. 742)

Première publication par Paterne Berrichon, dans les *Lettres de Jean-Arthur Rimbaud*, 1899. Autographe dans la collection Lolliée.

• Antoine Adam (seconde Pléiade, pp. 693, 1185) a judicieusement corrigé 1890 en 1891 et « dans ma jambe de bois » en « sans ma jambe de bois ».

Au directeur des Messageries maritimes, 9 novembre 1891 (p. 743)

Première publication dans *Reliques* en 1922. Le manuscrit, qui a fait partie du catalogue Charavay, a été vendu en janvier 1997. Il est difficile d'affirmer absolument qu'il n'est pas de l'écriture de Rimbaud. Fac-similé dans l'édition Textuel, p. 367.

• Claude Jeancolas (éd. cit., p. 537) s'est demandé s'il ne s'agissait pas plutôt du directeur de l'hôpital de la Conception. Nous ne le pensons pas. C'est le dernier rêve d'un départ pathétique vers le pays de l'ivoire. C'est aussi une lettre véritablement suspendue par la mort.

ANNEXE

LETTRES D'ISABELLE À SA MÈRE

Isabelle Rimbaud a 31 ans quand meurt son frère. Elle l'a accueilli avec émotion quand elle l'a vu arriver en béquillant dans la ferme familiale de Roche à la fin de juillet, et elle a appris à mieux le connaître au cours du mois qu'ils ont passé ensemble. Prenant le relais de la mère, elle accompagne Arthur à Marseille, et elle passe plus de deux mois près de lui, veillant à son chevet jusqu'à sa mort. Son dévouement est admirable, et on aurait tort de le sous-estimer. C'est le baume qui console Arthur de l'indifférence absolue de Frédéric.

Il ne faut pas pour autant surestimer le témoignage d'Isabelle. Yves Reboul a mis les choses au point dans un article lucide intitulé « Les problèmes rimbaldiens traditionnels et le témoignage d'Isabelle Rimbaud » (*Revue des Lettres Modernes*, série Arthur Rimbaud, nº 1 *Images et témoins*, 1972, pp. 95-105). Il jette le doute sur la lettre du 28 octobre 1891, celle qui raconte la « conversion » d'Arthur : elle aurait pu être remodelée par Paterne Berrichon, devenu le mari d'Isabelle. C'est peu à peu, après la mort de son frère, qu'Isabelle a voulu se convaincre que son frère avait eu une fin édifiante. Mais ne se souvenait-il pas du Coran plutôt que des Évangiles quand il soupirait sur son lit de mourant : « *Allah Kerim !* (Dieu est généreux) » ?

Ces lettres d'Isabelle seront dans notre édition le pendant du *Journal* de Vitalie. Ce sont deux ponctuations, à deux moments qui se répondent : la mort du poète ; la mort de l'homme.

Marseille, le mardi 22 septembre 1891.

Ma chère maman,

Je viens de recevoir ton petit mot, tu es bien laconique. Est-ce que nous te serions devenus antipathiques au point que tu ne veuilles plus nous écrire ni répondre à mes questions ? Ou bien es-tu malade ? C'est là mon plus grand souci, que deviendrais-je mon Dieu avec un moribond et un malade à 200 lieues l'un de l'autre ! Que je voudrais me partager et être moitié ici et moitié à Roche ! Quoique cela te paraisse assez indifférent, je dois te dire qu'Arthur est bien malade. Je te disais dans ma dernière lettre que j'interrogerais encore les médecins en particulier ; je leur ai parlé en effet et voici leur réponse : C'est un pauvre garçon (Arthur) qui s'en va petit à petit ; sa vie est une question de temps, quelques mois peut-être, à moins qu'il ne survienne, ce qui pourrait arriver d'un jour à l'autre quelque complication foudroyante ; quant à guérir point n'est besoin d'espérer, il ne guérira pas ; sa maladie doit être une propagation par la moelle des os de l'affection cancéreuse qui a déterminé l'amputation de la jambe. — L'un des médecins le docteur Trastoul, (un vieux à cheveux blancs) a ajouté : Puisque vous êtes restée ici depuis un mois et qu'il désire que vous restiez encore, ne le quittez pas ; à l'état où il est ce serait cruel de lui refuser votre présence. — Cela, chère maman, c'est ce que m'ont dit les médecins à moi toute seule, bien entendu, car à lui ils disent tout le contraire ; ils lui promettent une guérison radicale, cherchent à lui faire croire qu'il va mieux de jour en jour et en les entendant je suis confondue au point que je me demande à qui ils mentent, si c'est à lui ou bien à moi, car ils ont l'air aussi convaincu en lui parlant de guérison qu'en me mettant en garde contre sa mort. Il me semble pourtant qu'il n'est pas si malade que me le disent les docteurs ; la raison lui est revenue presque tout à fait depuis quatre jours ; il mange un peu plus qu'au commencement ; il est vrai qu'il a l'air de se forcer pour manger, mais enfin ce qu'il mange ne lui fait pas mal ; il n'est pas non plus aussi rouge que quand il délirait. À côté de ses petites améliorations je constate d'autres malaises que j'attribue à sa grande faiblesse ; d'abord ses douleurs ne cessent pas ni sa paralysie des bras ; il est maigre ; ses yeux sont enfoncés et cerclés de noir ; il a souvent mal à la tête ; quand il dort le jour, il est réveillé en sursaut, il me dit que c'est un coup qui le frappe au cœur et à la tête tout à la fois qui le réveille ainsi ; quand il dort la nuit, il a des rêves effrayants et quelquefois quand il se réveille il est raide au point de ne pouvoir plus faire un mouvement, le veilleur de nuit l'a déjà trouvé en cet état, et il sue, il sue jour et nuit par le froid comme par la chaleur. Depuis que la raison lui est revenue il pleure toujours, il ne croit pas encore qu'il restera paralysé (si toutefois il vit). Trompé par les médecins il se cramponne à la vie, à l'espoir de guérir, et comme il se sent toujours bien malade et que maintenant il se rend compte de son état la plupart du temps, il se met à douter de ce que lui disent les docteurs, il les accuse de se moquer de lui, ou bien il les taxe d'ignorance. Il voudrait tant vivre et guérir qu'il demande n'importe quel traitement si pénible qu'il soit pourvu qu'on le guérisse et qu'on lui rende l'usage de ses bras. Il vou[drait] absolument avoir sa jambe articulée, pour essayer de se lever, de marcher, lui qui depuis un mois n'a été levé que pour être posé tout nu sur un fauteuil pendant qu'on faisait son lit ! Son grand souci c'est de s'inquiéter comment il gagnera sa vie, si on ne lui rend pas complètement son bras droit, et il pleure en faisant la différence de ce qu'il était voilà un an avec ce qu'il est aujourd'hui, il pleure en pensant à l'avenir où il ne pourra plus travailler, il pleure sur le présent où il souffre cruellement, il me prend dans ses bras, en sanglotant et criant en me suppliant de ne le pas abandonner. Je ne saurais dire combien il est pitoyable, aussi tout le monde ici l'a en grande pitié ; on est si bon pour nous que nous n'avons même pas le temps de formuler nos désirs : on les prévient.

On le traite comme un condamné à mort auquel on ne refuse rien, mais toutes ces complaisances sont en pure perte pour lui, car il n'accepte jamais toutes les petites gâteries qu'on lui offre ; ce qu'il demande, c'est

[*Le dernier feuillet manque.*]

Marseille, le 3 octobre 1891.

Ma chère maman,

Je te supplie à genoux de vouloir bien m'écrire ou me faire écrire un mot. Je ne vis plus, de l'inquiétude où je suis ; je suis même sérieusement malade de la fièvre où me met cette inquiétude. Que t'ai-je donc fait pour que tu me fasses un tel mal ? Si tu es malade au point de ne pouvoir m'écrire, il vaut mieux me le faire savoir et je reviendrai, malgré Arthur, qui me conjure de ne point le quitter avant sa mort. Que t'est-il donc arrivé ? Ah ! si je pouvais m'en aller tout de suite vers toi ! Mais non ; sans savoir au juste si tu es malade, je ne peux quitter ce pauvre malheureux qui, du matin au soir, se plaint sans discontinuer, qui appelle la mort à grands cris, qui me menace, si je le quitte, de s'étrangler ou de se suicider n'importe comment, — et il souffre tant que je crois bien qu'il le ferait comme il le dit ! Il s'affaiblit beaucoup. On va essayer un traitement par l'électricité : c'est la dernière ressource.

J'attends de tes nouvelles avec fièvre. Je t'embrasse, chère maman.

ISABELLE.

Si tu m'as écrit et que ce soient tes lettres qui ne me parviennent pas, adresse-les à M. le Directeur de l'hôpital de la Conception et dans l'enveloppe tu mettras une lettre cachetée pour moi à mon adresse.

Marseille, le lundi 5 octobre 1891.

Ma chère maman,

Merci mille fois de ta lettre du 2 octobre, que j'ai souffert en l'attendant mais que je suis heureuse de la recevoir ! Oui je suis bien exigeante, mais il faut m'excuser c'est l'affection qui me rend exigeante. Je comprends combien tu dois être occupée, prends patience et courage avec les domestiques, s'ils venaient à te quitter en ce moment tu serais encore bien plus embarrassée. Si les moissonneurs sont partis tu vas être un peu moins surmenée mais le woyen est encore un bien mauvais moment à passer. J'espère que tu ne prendras pas la batteuse en ce moment, le père Warin ou un autre pourrait battre pour des fourrages et le peu de blé qu'il y a. Que fais-tu du lait ? le plus gros veau ne doit plus boire que du matton. Tu pourrais vendre le lait au laitier. J'espère que tu as tari la Petite elle fera son veau au commencement de Novembre, n'hésite pas à la vendre, si elle est toujours en bon état. Les porcs doivent être aussi gros et bons à vendre. Qu'a donc eu Comtesse ? Prends garde aux autres chevaux, surtout à Charmante qui doit se trouver bien malheureuse car je lui donnais souvent de l'avoine à part. Qui va râger le blé pour semer ? Que je souffre en pensant que je ne peux rien faire pour t'aider ! Je ne dois pas songer à quitter Arthur en ce moment ; il va mal, il s'affaiblit toujours, il commence à désespérer de vivre et moi-même je perds confiance de le garder longtemps ainsi, je ne demande qu'une chose : qu'il fasse une bonne mort. Nous pensions voir Riès hier dimanche, mais personne n'est venu.

Je ne crois pas qu'Arthur entreprendra en ce moment quelque opération commerciale il est trop mal : dans tous les cas je l'en dissuaderais de toutes mes forces. Il pense que 30 000 francs sont à Roche et je pourrais lui dire aussi que tu les as placés ; cela retarderait toujours de près d'un mois s'il voulait absolument les ravoir. Ce qui me tourmente plutôt c'est que voici l'hiver et il ne voudra jamais le passer ici. Devrai-je aller avec lui, soit à Alger, ou à Nice, ou bien encore à Aden ou Obock ? S'il veut partir je doute qu'il puisse supporter le voyage à l'état où il est ; le laisser aller seul c'est le condamner à mourir sans secours, et à perdre son argent sans rémission : s'il veut absolument s'en aller que dois-je faire ?

La jambe articulée est arrivé hier : coût du transport 5,50 F. M. Beaudier a aussi envoyé son mémoire 50 francs pour ses visites à Arthur. Que nous demand[e]-t-il à nous ?... Je n'ai pas osé montrer ce mémoire à Arthur, je crains qu'il ne veuille pas le payer. J'ai envie d'accuser réception de la jambe au docteur et en même temps de le payer, tout cela sans en parler à Arthur. Ferais-je bien, dis-le moi ? — Cette jambe est tout à fait inutile pour le moment ; Arthur est hors d'état même de l'essayer. Voici plus de huit jours que son lit n'a pas été fait parce qu'on ne peut même plus le prendre pour l'asseoir dans le fauteuil pendant le temps de le faire ; son bras droit complètement inerte s'enfle, son bras gauche dont il souffre atrocement et aux trois quarts paralysé est décharné d'une façon effrayante ; il souffre partout dans toutes les parties du corps : on pense qu'il va se paralyser petit à petit jusqu'au cœur ; personne ne le lui dit mais il l'a deviné et il se désole et se désespère sans cesser un instant. Moi seule le soigne, le touche, l'approche. Les médecins l'ont remis entre mes mains, j'ai à ma disposition tous les médicaments de la pharmacie destinés aux frictions, liniments, onctions, etc... On m'a aussi confié l'électricité et je dois l'appliquer moi-même ; mais j'ai beau faire, rien ne peut le guérir ni même le soulager. — Cette électricité n'est rien du tout, je doute qu'elle lui fasse, comme tout le reste, aucun bien.

Ne t'inquiète pas de moi, chère maman. C'est ici qu'il faut venir pour se voir et se sentir respectée et même honorée comme on le mérite ; quelle différence entre les mœurs polies d'ici et la sauvage rustrerie de la belle jeunesse de Roche ; je ne connais qu'une personne qui puisse être comparée avantageusement avec les habitants de ce lieu d'ici, d'ailleurs comme je ne parle qu'aux vieux personne n'a à y trouver à redire. Ici il fait toujours radieusement beau ; il a fait trois orages qui ont duré quelques heures, puis aussitôt le soleil s'est remontré plus brillant que jamais ; mais après chaque orage le mistral souffle pendant un jour et une nuit et rafraîchit le temps pour deux ou trois jours, sans que pour cela le soleil soit moins brillant ni le ciel moins bleu ; il y a des avalanches de fruits de toute espèce ; on en est saturé. Mais malgré toutes ces splendeurs que je voudrais être près de toi en même temps qu'ici !

Au revoir, chère maman, garde bien ta santé, et ne sois pas trop longtemps sans m'écrire.

Je t'embrasse de cœur.

ISABELLE.

Je t'envoie ce griffonnage au crayon que j'ai écrit hier dimanche ; c'est l'emploi de ma journée ; ne te donne pas beaucoup de peine pour le déchiffrer, il ne mérite pas d'être lu.

Dimanche, 4 octobre 1891.

Je suis entrée dans la chambre d'Arthur à 7 heures. Il dormait les yeux ouverts, la respiration courte, si maigre et si blême avec ses yeux enfoncés et cerclés de noir. Il ne s'est pas éveillé tout de suite ; je le regardais dormir, en me disant qu'il est impossible qu'il vive ainsi bien longtemps, il a l'air trop malade ! Au bout de cinq minutes il s'est éveillé en se plaignant, comme toujours, de n'avoir pas dormi de la nuit et d'avoir beaucoup souffert, et il souffre encore en se réveillant. Il m'a dit bonjour (comme tous les jours).

....

Il se met alors à me raconter des choses invraisemblables qu'il s'imagine s'être passées à l'hôpital pendant la nuit ; c'est la seule réminiscence de délire qui lui reste, mais opiniâtre au point que, tous les matins et plusieurs fois pendant la journée, il me raconte la même absurdité en se fâchant de ce que je n'y croie pas. Je l'écoute donc et cherche à le dissuader ; il accuse les infirmiers et même les sœurs de choses abominables et qui ne peuvent exister ; je lui dis qu'il a sans doute rêvé, mais il ne veut pas en démordre et me traite de niaise et d'imbécile. Je me mets en devoir de faire son lit, mais depuis plus de huit jours il n'a pas voulu qu'on le descende : il souffre trop quand on le prend pour le mettre sur le fauteuil ou qu'on le remonte dans son lit. Faire le lit consiste à boucher un creux par-ci, à retrancher une bosse par-là, à arranger le traversin, à remettre les couvertures (sans draps) tout cela, bien entendu, avec une foule de manies maladives. Il ne peut souffrir un pli sous lui : sa tête n'est jamais bien ; son moignon est trop haut ou trop bas ; il faut mettre le bras droit complètement inerte sur des plaques de ouate, entourer le bras gauche, qui se paralyse de plus en plus, de flanelle, de doubles manches, etc.

....

On apporte la carafe de lait ; il la boit de suite, espérant combattre sa constipation et surtout sa rétention d'urine ; car je crois que ses organes intérieurs se paralysent aussi ; j'ai peur, et lui aussi, qu'il ne se paralyse ainsi petit à petit, jusqu'au cœur et alors il faudra mourir ; sa jambe gauche est toujours froide et tremblante, avec beaucoup de douleurs. Son œil gauche aussi est moitié fermé. Il a quelquefois des battements de cœur qui l'étouffent. Il me dit que lorsqu'il se réveille, il sent sa tête et son cœur qui brûlent, et toujours il a des points dans la poitrine et le dos, du côté gauche.

....

Je dois m'ingénier toute la journée pour l'empêcher de commettre de nombreuses sottises. Son idée fixe est de quitter Marseille pour un climat plus chaud, soit Alger, soit Aden, soit Obock. Ce qui le retient ici, c'est la crainte que je ne l'accompagne pas plus loin, car il ne peut plus se passer de moi.

....

Je pense et écris tout ceci pendant qu'il est plongé dans une sorte de léthargie, qui n'est pas du sommeil, mais plutôt de la faiblesse.

En se réveillant, il regarde par la fenêtre le soleil qui brille toujours dans un ciel sans nuages, et se met à pleurer en disant que jamais plus il ne verra le soleil dehors. « J'irai sous la terre, me dit-il, et toi tu marcheras dans le soleil ! » Et c'est ainsi toute la journée un désespoir sans nom, une plainte sans cesse.

[Marseille], mercredi 28 octobre 1891.

Ma chère maman,

Dieu soit mille fois béni ! J'ai éprouvé dimanche le plus grand bonheur que je puisse avoir en ce monde. Ce n'est plus un pauvre malheureux réprouvé qui va mourir près de moi : c'est un juste, un saint, un martyr, un élu !

Pendant le courant de la semaine passée, les aumôniers étaient venus le voir deux fois ; il les avait bien reçus, mais avec tant de lassitude et de découragement qu'ils n'avaient osé lui parler de la mort. Samedi soir, toutes les religieuses firent ensemble des prières pour qu'il fasse une bonne mort. Dimanche matin, après la grand-messe, il semblait plus calme et en pleine connaissance : l'un des aumôniers est revenu et lui a proposé de se confesser ; et il a bien voulu ! Quand le prêtre est sorti, il m'a dit, en me regardant d'un air troublé, d'un air étrange : « Votre frère a la foi, mon enfant, que nous disiez-vous donc ? Il a la foi, et je n'ai même jamais vu de foi de cette qualité ! » Moi, je baisais la terre en pleurant et en riant. O Dieu ! quelle allégresse, même dans la mort, même par la mort ! Que peut me faire la mort, la vie, et tout l'univers et tout le bonheur du monde, maintenant que son âme est sauvée ! Seigneur, adoucissez son agonie, aidez-le à porter sa croix, ayez encore pitié de lui, ayez encore pitié, vous qui êtes si bon ! oh oui, si bon. — Merci, mon Dieu, merci !

Quand je suis rentrée près de lui, il était très ému, mais ne pleurait pas ; il était sereinement triste, comme je ne l'ai jamais vu. Il me regardait dans les yeux comme il ne m'a jamais regardée. Il a voulu que j'approche tout près, il m'a dit : « Tu es du même sang que moi : crois-tu, dis, crois-tu ? » J'ai répondu : « Je crois ; d'autres bien plus savants que moi ont cru, croient ; et puis je suis sûre à présent, j'ai la preuve, cela est ! »

Et c'est vrai, j'ai la preuve aujourd'hui ! — Il m'a dit encore avec amertume : « Oui, ils disent qu'ils croient, ils font semblant d'être convertis, mais c'est pour qu'on lise ce qu'ils écrivent, c'est une spéculation ! » J'ai hésité, puis j'ai dit : « Oh ! non, ils gagneraient davantage d'argent en blasphémant ! » Il me regardait toujours avec le ciel dans les yeux ; moi aussi. Il a voulu m'embrasser, puis : « Nous pouvons bien avoir la même âme, puisque nous sommes du même sang. Tu crois, alors ? » Et j'ai répété : « Oui, je crois, *il faut croire.* » — Alors il m'a dit : « Il faut tout préparer dans la chambre, tout ranger, *il va revenir avec les sacrements*. Tu vas voir, on va apporter les cierges et les dentelles ; il faut mettre des linges blancs partout. Je suis donc bien malade ! » Il était anxieux, mais pas désespéré comme les autres jours, et je voyais très bien qu'il désirait ardemment les sacrements, la communion surtout.

Depuis, il ne blasphème plus jamais ; il appelle le Christ en croix, et il prie, oui, il prie, lui ! Mais l'aumônier n'a pas pu lui donner la communion : d'abord, il a craint de l'impressionner trop ; puis, il crache beaucoup en ce moment et ne peut rien souffrir dans sa bouche : on a craint une profanation involontaire. Et lui, croyant qu'on la oublié, est devenu triste, mais ne s'est pas plaint.

La mort vient à grands pas. Je t'ai dit dans ma dernière lettre, ma chère maman, que son moignon était fort gonflé. Maintenant c'est un cancer énorme entre la hanche et le ventre, juste en haut de l'os : mais ce moignon, qui était si sensible, si douloureux, ne le fait presque plus souffrir. Arthur n'a pas vu cette tumeur mortelle : il s'étonne que tout le monde vienne voir ce pauvre moignon auquel il ne sent presque plus rien ; et tous les médecins (il en est déjà bien venu dix depuis que j'ai signalé ce mal terrible) restent muets et terrifiés devant ce cancer étrange. Maintenant c'est sa pauvre tête et son bras gauche qui le font le plus souffrir. Mais il est le plus souvent plongé dans une léthargie qui est un sommeil apparent, pendant lequel il perçoit tous les bruits avec une netteté singulière. Puis la nuit, on lui fait une piqûre de morphine.

Éveillé, il achève sa vie dans une sorte de rêve continuel : il dit des choses bizarres très doucement, d'une voix qui m'enchanterait si elle ne me perçait le cœur. Ce qu'il dit, ce sont des rêves, – pourtant ce n'est pas la même chose du tout que quand il avait la fièvre. On dirait, et je crois, qu'il le fait exprès.

Comme il murmurait ces choses-là, la sœur m'a dit tout bas : « Il a donc encore perdu connaissance ? » Mais il a entendu et est devenu tout rouge ;

il n'a plus rien dit, mais, la sœur partie, il m'a dit : « On me croit fou, et toi, le crois-tu ? » Non, je ne le crois pas, c'est un être immatériel presque et sa pensée s'échappe malgré lui. Quelquefois il demande aux médecins si eux voient les choses extraordinaires qu'il aperçoit et il leur parle et leur raconte avec douceur, en termes que je ne saurais rendre, ses impressions ; les médecins le regardent dans les yeux, ces beaux yeux qui n'ont jamais été si beaux et plus intelligents, et se disent entre eux : « C'est singulier. » Il y a dans le cas d'Arthur quelque chose qu'ils ne comprennent pas.

Les médecins, d'ailleurs, ne viennent presque plus, parce qu'il pleure souvent en leur parlant et cela les bouleverse.

Il reconnaît tout le monde. Moi, il m'appelle parfois Djami, mais je sais que c'est parce qu'il le veut, et que cela rentre dans son rêve voulu ainsi ; au reste, il mêle tout et... avec art. Nous sommes au Harar, nous partons toujours pour Aden, et il faut chercher des chameaux, organiser la caravane ; il marche très facilement avec la nouvelle jambe articulée, nous faisons quelques tours de promenade sur de beaux mulets richement harnachés ; puis il faut travailler, tenir les écritures, faire des lettres. Vite, vite, on nous attend, fermons les valises et partons. Pourquoi l'a-t-on laissé dormir ? Pourquoi ne l'aidé-je pas à s'habiller ? Que dira-t-on si nous n'arrivons pas au jour dit ? On ne le croira plus sur parole, on n'aura plus confiance en lui ! Et il se met à pleurer en regrettant ma maladresse et ma négligence : car je suis toujours avec lui et c'est moi qui suis chargé de faire tous les préparatifs.

Il ne prend presque plus rien en fait de nourriture, et ce qu'il prend, c'est avec une extrême répugnance. Aussi il a la maigreur d'un squelette et le teint d'un cadavre ! Et tous ses pauvres membres paralysés, mutilés, morts autour de lui ! Ô Dieu, quelle pitié !

À propos de ta lettre et d'Arthur : ne compte pas du tout sur son argent. Après lui, et les frais mortuaires payés, voyages, etc., il faut compter que son avoir reviendra à d'autres ; je suis absolument décidée à respecter ses volontés et quand même il n'y aurait que moi seule pour les exécuter, son argent et ses affaires iront à qui bon lui semble. Ce que j'ai fait pour lui, ce n'était pas par cupidité, c'est parce qu'il est mon frère, et que, abandonné par l'univers entier, je n'ai pas voulu le laisser mourir seul et sans secours ; mais je lui serai fidèle après sa mort comme avant, et ce qu'il m'aura dit de faire de son argent et de ses habits, je le ferai exactement, quand même je devrais en souffrir.

Que Dieu m'assiste et toi aussi : nous avons bien besoin du secours divin.

Au revoir, ma chère maman, je t'embrasse de cœur,

ISABELLE.

Table

II. LES GRANDES VACANCES

III. L'ANNÉE DE LA COMMUNE

1. LETTRES ET POÈMES INCLUS

2. LE « DOSSIER VERLAINE »

VII. *ILLUMINATIONS*

NOTICES